Werner Bests korrespondance med Auswärtiges Amt
og andre tyske akter vedrørende besættelsen
af Danmark 1942-1945

Die Korrespondenz von Werner Best mit dem
Auswärtigen Amt und andere Akten zur
Besetzung von Dänemark 1942-1945

Danish Humanist Texts and Studies

Volume 43

Edited by Erland Kolding Nielsen

THE ROYAL LIBRARY · COPENHAGEN

Werner Bests korrespondance med Auswärtiges Amt
og andre tyske akter vedrørende besættelsen
af Danmark 1942-1945

Udgivet af
John T. Lauridsen

Under medvirken af
Jakob K. Meile

BIND 5:

December 1943 – marts 1944

DET KONGELIGE BIBLIOTEK
&
SELSKABET FOR UDGIVELSE AF KILDER TIL DANSK HISTORIE

I kommission hos Museum Tusculanum Press

KØBENHAVN 2012

Werner Bests korrespondance med Auswärtiges Amt
og andre tyske akter vedrørende besættelsen af Danmark 1942-1945
Udgivet af John T. Lauridsen under medvirken af Jakob K. Meile

© 2012 Det Kongelige Bibliotek & Selskabet for Udgivelse af Kilder til dansk Historie

Tilsynsførende: Knud J.V. Jespersen & Aage Trommer
Oversættelse: Johannes Wendland, LanguageWire A/s
Layout & sats: Forlagsbureauet/Ole Klitgaard (†)
Reproduktioner: Fotografisk Atelier, Det Kongelige Bibliotek

Bogen er sat med Adobe Garamond Pro
og trykt på 115g Scandia 2000 Smooth Ivory
Dette papir overholder de i ISO 9706:1994
fastsatte krav til langtidsholdbart papir.

Printed in Denmark by Special-Trykkeriet Viborg A/s

ISBN (værket)   978-87-7023-296-8
ISBN (dette bind) 978-87-7023-301-9
ISSN (DHTS)   0105 8746

Udgivet med støtte fra
Carlsbergfondet
Oticon Fonden
Kulturministeriets Forskningspulje
Det Kongelige Bibliotek

I kommission hos
Museum Tusculanum Press
University of Copenhagen
Njalsgade 126
DK-2300 Copenhagen S
www.mtp.dk

Die Korrespondenz von Werner Best mit dem Auswärtigen Amt und andere Akten zur Besetzung von Dänemark 1942-1945

Herausgegeben von
John T. Lauridsen

Unter der Mitarbeit von
Jakob K. Meile

BAND 5:

Dezember 1943 – März 1944

Königliche Bibliothek
&
Gesellschaft für die Herausgabe von Quellen
zur dänischen Geschichte

In Kommission bei Museum Tusculanum Press

Kopenhagen 2012

*Die Korrespondenz von Werner Best mit dem Auswärtigen Amt und andere Akten zur Besetzung von Dänemark 1942-1945
Herausgegeben von Dr. phil. John T. Lauridsen
unter der Mitarbeit von M.A. Jakob K. Meile*

© 2012 Königliche Bibliothek & Gesellschaft für die Herausgabe von Quellen zur dänischen Geschichte

Herausgeberbeirat: Prof., Dr. phil. Knud J.V. Jespersen &
 Rektor i. R., Dr. phil. Aage Trommer
Übersetzung: M.A. Johannes Wendland, LanguageWire A/s
Layout & Satz: Forlagsbureauet/M.A. Ole Klitgaard (†)
Repro: Fotografisk Atelier, Det Kongelige Bibliotek

Das Werk wurde in der Adobe Garamond Pro gesetzt und auf 115g Scandia 2000 Smooth Ivory gedruckt. Dieses Papier erfüllt die Anforderungen an Nachhaltigkeit nach ISO 9706:1994.

Printed in Denmark by Special-Trykkeriet Viborg A/s

ISBN (ges. Werk) 978-87-7023-296-8
ISBN (dieser Band) 978-87-7023-301-9
ISSN (DHTS) 0105 8746

Herausgegeben mit Unterstützung von
Carlsbergfondet
Oticon Fonden
Forschungspool des Dänischen Kulturministeriums
Königliche Bibliothek

In Kommission bei
Museum Tusculanum Press
University of Copenhagen
Njalsgade 126
DK-2300 Copenhagen S
www.mtp.dk

Indhold

December 1943 9

Januar 1944 121

Februar 1944 251

Marts 1944 391

Inhalt

Dezember 1943 9

Januar 1944 121

Februar 1944 251

März 1944 391

DECEMBER 1943

1. Politische Informationen für die deutschen Dienststellen in Dänemark 1. Dezember 1943

Best havde med *Politische Informationen* 1. november demonstreret, at han havde fundet fodfæstet igen og udfoldet betydelige bestræbelser for på en gang at understrege den forvaltningsmæssige kontinuitet og at betone, at besættelsesmagten havde taget nye forholdsregler i brug. Den linje fortsatte han 1. december, hvor det tyske politi i Danmark blev særskilt præsenteret. Der var ikke længere tale om den rigsbefuldmægtigedes eksekutivapparat, som det var blevet omtalt af Best til AA endnu i september; kompetenceforholdene blev ikke nævnt. Til de positive informationer hørte den betydelige danske arbejdsstyrke i Tyskland, og endelig gjorde han meget ud af gengivelsen af modstanderens propaganda, de fjendtlige stemmer. Det var en måde, hvorpå bl.a. DNSAP og ikke mindst dets leder kunne miskrediteres, desuden kunne de åbenlyse tåbeligheder, de fjendtlige stemmer gav udtryk for, udstilles.

Kilde: RA, Centralkartoteket, pk. 680.

Der Reichsbevollmächtigte in Dänemark   *Kopenhagen, den 1. Dezember 1943.*

P o l i t i s c h e   I n f o r m a t i o n e n
für die deutschen Dienststellen in Dänemark.

Betr.:   I. Die politische Entwicklung in Dänemark im November 1943.
      II. Mitteilungen aus der Außenpolitik.
     III. Mitteilungen aus der Wirtschaft.
     IV. Die deutsche Polizei in Dänemark.
      V. Der Arbeitseinsatz nach Deutschland und Norwegen.
    VI. Feindliche Stimmen über Dänemark.

I. Die politische Entwicklung in Dänemark im November 1943

1.) In der Leitung der dänischen Staatsgeschäfte ist keine Änderung eingetreten; sie wird weiterhin von der "Zentralverwaltung," d.h. von den Ministerien unter der Leitung der Dienstältesten Beamten wahrgenommen.

Für die Wahrung der deutschen Interessen haben sich keinerlei Schwierigkeiten ergeben. Jede deutsche Forderung wird von der dänischen Zentralverwaltung mit den ihr zur Verfügung stehenden Mitteln loyal erfüllt.

Die Wirkungsmöglichkeiten der Zentralverwaltung finden ihre Grenzen darin, daß sie keine grundsätzlich neuen Rechtsbestimmungen erlassen kann; ihre "Lovanordninger" (Gesetzanordnungen) sollen nur das geltende Recht fortentwickeln und den neuen Situationen anpassen. Deshalb werden, soweit die dänische Zentralverwaltung im Einzelfall die erforderlichen Maßnahmen nicht treffen kann, die in Frage stehenden Notwendigkeiten durch unmittelbare deutsche Maßnahmen verwirklicht.

2.) Die zur verstärkten Sicherung Jütlands gegen feindliche Angriffe eingeleiteten Vorkehrungen haben dazu geführt, daß die dänische Zentralverwaltung auf deutschen

Wunsch die folgenden Maßnahmen getroffen hat:

Der Stiftsamtmann Herschend aus Vejle, dem Fachleute aus verschiedenen Verwaltungen beigegeben sind, ist mit der Entgegennahme der auf die Sonderaufgaben in Jütland bezüglichen deutschen Forderungen und mit der einheitlichen Steuerung der dänischen Behörden in Jütland hinsichtlich der Erfüllung dieser Forderungen beauftragt worden. Für den Fall, daß Jütland einmal von Kopenhagen abgeschnitten würde, soll der Stiftsamtmann Herschend für dieses Gebiet alle Befugnisse der dänischen Zentralverwaltung ausüben.[1]

3.) Der Feind bemüht sich weiterhin, durch Veranlassung von Sabotageakten und von Anschlägen die deutschen militärischen und kriegswirtschaftlichen Interessen zu schädigen und die Lage im Lande zu erschweren. In der Abwehr dieser Angriffe hat die erst seit 2 Monaten in Dänemark eingesetzte deutsche Polizei bereits gute Erfolge erzielt. Eine Anzahl von Saboteuren konnte festgenomen und hierdurch einige Gruppen unschädlich gemacht werden. 2 Saboteure wurden zum Tode verurteilt und hingerichtet;[2] 11 weitere Todesurteile sind in den letzten Tagen gefällt worden.[3]

Auch gegen illegale Tätigkeit jeder Art, in der die kommunistische Betätigung einen besonderen Raum einnimmt, wird mit Erfolg eingeschritten. Eine Anzahl solcher Personen – darunter Teilnehmer an den Augustunruhen in Odense – ist in ein Konzentrationslager im Reich überführt worden.[4]

4.) Im November wurde über die Städte Horsens, Aarhus, Langaa und Aalborg wegen örtlicher Vorfälle der "Zivile Ausnahmezustand" mit einer Reihe von einschränkenden Maßnahmen verhängt.[5]

II. Mitteilungen aus der Außenpolitik

1.) Auf Grund unrichtiger oder mangelhafter Informationen über die Lage in Dänemark nach der Verhängung des militärischen Ausnahmezustandes am 29.8.1943 hatten die dänischen Gesandten in Stockholm, Madrid und Lissabon und die dänischen Geschäftsträger in Bern und Ankara dem dänischen Außenministerium

---

1 Det var flytningen af von Hannekens hovedkvarter fra København til Silkeborg, der foranledigede besættelsesmagten til at kræve en repræsentant for departementscheferne sendt dertil. Det blev fra november 1943 stiftsamtmand Peder Herschend, der med en lille stab af embedsmænd fungerede til maj 1945 (Bests telegram nr. 1377, 7. november 1943 og nr. 1423, 18. november 1943, Hæstrup, 1, 1966-71, kap. 8, Herschend 1980, Lauridsen 2010d).

2 Se Bests telegram nr. 1450, 22. november 1943.

3 Se Bests telegram nr. 1454, 25. november 1943.

4 23. november blev 31 odenseanere deporteret til tyske koncentrationslejre efter en særaktion foretaget dagen før af BdO med det formål at få fat i kommunistiske elementer (BArch, R 70 Dänemark 6, KTB/BdO 23. november 1943). I løbet af november og december blev i alt 168 personer, primært unge fra Odense, Randers og Kolding deporteret til Sachsenhausen og Ravensbrück (Alkil, 2, 1945-46, s. 859f., Barfod 1969, s. 397-399, Skov 2005, s. 7).

5 Se Bests telegram nr. 1406, 14. november (Horsens), nr. 1435, 19. november 1943 (Århus); desuden KTB/WB Dänemark 19. november 1943 for sidstnævnte og Langå. Der var blevet indført indskrænket færdsel i Ålborg 26. november efter et overfald på en tysk officer, dagen efter udvidet til at omfatte forbud mod teater- og biografforestillinger og mod musik og dans på restauranterne (Knudsen 1986, s. 116). Best synes ikke at have indberettet sidstnævnte episode, da hans dagsindberetninger for disse dage foreligger.

mitgeteilt, daß sie Weisungen aus Kopenhagen in Zukunft nur noch mit Vorbehalt entgegennehmen würden. Es handelte sich nicht um eine verabredete Aktion. Die Stellungnahme der einzelnen Diplomaten war unabhängig von einander erfolgt; die Vorbehalte waren verschieden gefaßt. Der Abteilungschef im dänischen Außenministerium Hvass hat im Einvernehmen mit dem Reichsbevollmächtigten die dänischen Vertretungen in Madrid, Lissabon, Bern, Stockholm sowie in Helsinki aufgesucht und die entstandenen Unklarheiten beseitigt. Die genannten dänischen Diplomaten haben sich daraufhin zur loyalen Zusammenarbeit mit der dänischen Zentralverwaltung bereit erklärt. Der unterbrochene Nachrichtenverkehr mit diesen Vertretungen ist wieder aufgenommen.[6] Die dänische Gesandtschaft in Stockholm, deren konsularische Befugnisse vorübergehend auf die dänischen konsularischen Vertretungen in Schweden übergegangen waren, erteilt wieder Sichtvermerke in demselben Umfange wie vor dem 29. August 1943.

2.) Vertraulich ist bekannt geworden, daß die Republikanisch-faschistische Regierung Italiens die Errichtung einer neuen Gesandtschaft in Kopenhagen beabsichtigt, da der bisherige italienische Gesandte Marquis Diana mit seinem Personal auf seiner Weigerung beharrt, sich der neuen faschistischen Regierung anzuschließen. Das Personal der bisherigen Gesandtschaft wird in Kürze in das Reich verbracht werden.[7]

3.) Die Regierung von Thailand hat für ihren Gesandten in Berlin um das Agrément als gleichzeitig in Kopenhagen akkreditierten Gesandten nachgesucht.

4.) Die isländische Regierung hat am 1.11.1943 zum ersten Mal vor dem isländischen Alting ihre Stellungnahme zur Frage der Aufhebung der Union mit Dänemark und der Erklärung Islands zu einer selbständigen Republik bekanntgegeben, nachdem bisher lediglich entsprechende Beschlüsse des Altings vorlagen. Die isländische Regierung steht auf dem Standpunkt, daß die Errichtung einer selbständigen Republik nur die formelle Bestätigung eines praktisch seit nahezu 4 Jahren bestehenden Zustandes sein würde. Zwar sehe der im November 1918 zwischen Dänemark und Island abgeschlossene Unionsvertrag vor, daß eine Änderung oder Aufhebung des Vertrages nur nach vorangegangener Beratung zwischen Dänemark und Island vorgenommen werden könne. Es liege jedoch an äußeren Umständen, auf die keine der beteiligten Parteien einen Einfluß habe, wenn bisher diese Verhandlungen nicht stattgefunden hätten. Die Aufhebung der Union mit Dänemark und die Errichtung einer selbständigen Republik Island könne infolgedessen ohne Rücksicht auf diese Bestimmungen des Unionsvertrages erfolgen.

Der Standpunkt der dänischen Regierung ist unverändert derselbe, wie er schon bei früheren Gelegenheiten bekanntgegeben worden ist, daß nämlich eine einseitige Kündigung des Vertrages nicht möglich sei sondern erst nach den vorgesehenen Verhandlungen erfolgen könne.

In einem Gutachten des isländischen Verfassungsausschusses ist der 17.6.1944 als Termin für die Errichtung der selbständigen Republik Island vorgesehen. Ob es tatsächlich bei diesem Termin bleibt, ist ungewiß. Sicher aber ist, daß die Mehrheit

---

6 Se Bests telegram nr. 1007, 2. september 1943.
7 Se Bests telegram nr. 1100, 20. september 1943.

der isländischen Bevölkerung entschlossen ist, die Trennung von Dänemark durchzuführen und die Zahl der selbständigen "nordischen" Staaten um einen weiteren zu vermehren.

III. Mitteilungen aus der Wirtschaft
1.) Preiskontrolle

Das Preisgesetz – Loven om Priser – von 1942 ist über den 30.11.1943 hinaus unverändert um 1 Jahr verlängert worden.

Vor einiger Zeit ist ein erfolgversprechender Änderungsvorschlag zum Preisgesetz gemacht worden, daß Betriebe und Branchen, die billigerweise imstande sind, selbst eine eingetretene Kostenerhöhung zu tragen, die Genehmigung zur Deckung dieser Kostensteigerung durch Preiserhöhung nicht erhalten sollen. Damit wäre abweichend von den bisherigen Grundsätzen der der deutschen Preisüberwachung durchaus vertraute Gedanke verwirklicht worden, daß eine Unkostenerhöhung vom Unternehmer zu tragen ist, wenn dies unter Abwägung seiner Interessen mit denjenigen der Allgemeinheit zumutbar erscheint. Die dänische Zentralverwaltung konnte mangels voller Rechtsetzungsbefugnisse dieser bedeutsamen Änderung, die zweifelsohne dem stärksten Widerstand aus den Kreisen der Unternehmer begegnet wäre, nicht näher treten.

Das im Rahmen des Preisgesetzes bisher erzielte Ergebnis kann im übrigen als befriedigend bezeichnet werden. Vor allem ist es gelungen, das Preisniveau in den zurückliegenden 12 Monaten verhältnismäßig in Ruhe zu halten. Die Großhandelspreiszahlen und die Detailpreiszahlen sind, wenn man von geringen Schwankungen absieht, so gut wie unverändert geblieben. Die geringe Steigerung der Detailpreiszahl für Oktober 1943 um 2 Punkte ist in der Hauptsache auf die Erhöhung der Tabaksteuer zurückzuführen. – Eine Steigerung der Kosten für die allgemeine Lebenshaltung kann allerdings nicht bestritten werden, wenn man den steigenden Warenmangel und das sich daraus für den Verbraucher ergebende Erfordernis des Überganges zu teueren Waren und ferner die Qualitätsverschlechterung – beides Faktoren, die in den Preiszahlen keinen Ausdruck finden – in Betracht zieht.

2.) Öffentliche Anleihen

Am 15., 16. und 17. November 1943 ist eine neue Staatsanleihe über 60 Mill. Kr. durch ein Bankenkonsortium, das zunächst den gesamten Anleihebetrag übernommen hatte, zur öffentlichen Zeichnung aufgelegt worden. Die Anleihe hat eine Laufzeit von 20 Jahren und wird durch Auslosung zu einem jährlich gleichbleibenden Teilbetrag amortisiert. Der Zeichnungskurs beträgt 99½ v.H., die effektive Verzinsung demgemäß 4,06 v.H. Nach 10 Jahren kann das Finanzministerium die Anleihe mit 3 Monatsfrist zur Rückzahlung aufkündigen.

Diese Geldbeschaffung des Finanzministeriums stützt sich auf eine ältere Gesetzesermächtigung zur Aufbringung von Mitteln für die Arbeitsbeschaffung. Eine Verwendung des Aufkommens ist einstweilen nicht beabsichtigt. Das Finanzministerium hat mit Rücksicht auf die Verhältnisse auf dem Geldmarkt es für richtig befunden, schon jetzt die Anleihe aufzunehmen. Dadurch ist auch diese neueste Staatsanleihe als eine Maßnahme gegen die Geldreichlichkeit gekennzeichnet: augenblicklich soll sie der Kaufkraftabschöpfung, später – möglicherweise erst nach Kriegsende – soll sie der Arbeitsbeschaffung dienen.

Während die im Zuge der Maßnahmen gegen die Geldreichlichkeit im Sommer dieses Jahres aufgelegten beiden großen Staatsanleihen über je 200 Mill. Kr. mit einer Laufzeit von 5 bezw. 10 Jahren und einer Verzinsung von 2,5 (effektiv 2,67) v.H. bezw. 3 (effektiv 3,12) v.H., deren Zeichnungsfrist ursprünglich am 30.11.1943 ablaufen sollte, ein ausgesprochen enttäuschendes Zeichnungsergebnis hatten, fand die neue Anleihe über 60 Mill. Kr. eine verhältnismäßig günstige Aufnahme; nur etwa 5 Mill. Kr. wurden nicht untergebracht und mußten deshalb vom Bankenkonsortium endgültig übernommen werden. Die fünfjährige Anleihe über 200 Mill. Kr. war am 30.11.43 nur mit 26 Mill. Kr. und die zehnjährige Anleihe über ebenfalls 200 Mill. Kr. zum gleichen Tage nur mit 63 Mill. Kr. gezeichnet. Die Zeichnungsfrist für diese beiden Anleihen ist durch Gesetz vom 29.11.1943 bis zum 31.5.1944 verlängert worden.

Einigermaßen überraschend an dem Zeichnungsergebnis der verschiedenen vorbezeichneten Anleihen ist die stärkere Gängigkeit der langfristigen Obligationen. Die oft erörterte Abneigung gegen langfristige Staatsschuldverschreibungen scheint bis zu einem gewissen Grade abgenommen zu haben.

Seitens der Kommunen sind in neuerer Zeit Anleihen (ohne Auflegung zur öffentlichen Zeichnung) zu Konvertierungszwecken aufgenommen worden: vierzehnjährige, zu 3,5 v.H. verzinsliche Anleihe der Stadt Kopenhagen über 20,9 Mill. Kr. mit einer effektiven Verzinsung von 3,82 v.H. und zwölfjährige, zu 3,5 v.H. verzinsliche Anleihe der Stadt Aarhus über 5,04 Mill. Kr. mit einer effektiven Verzinsung von 3,5 v.H. Die Konvertierung zielt in beiden Fällen auf eine Ermäßigung des Zinssatzes von 4,5 v.H. auf 3,5 v.H.

3.) Übernommene dänische Staatsbetriebe

Die Kapazität der mit der Entwaffnung der dänischen Wehrmacht von der deutschen Wehrmacht in Besitz genommenen dänischen Staatsbetriebe – Waffen- und Munitionsarsenale, Pulverfabrik, Fliegerwerkstätten und Orlogswerft – wird für deutsche Zwecke ausgenutzt. Während die Waffen- und Munitionsarsenale, die Pulverfabrik sowie die Fliegerwerkstätten vom Chef des Rüstungsstabes bezw. einem von ihm eingesetzten Offizier treuhänderisch verwaltet werden,[8] ist die Orlogswerft der Howaldt-Werke A.G. zur treuhänderischen Verwaltung übergeben worden. Die Orlogswerft wird nur deutsche und dänische Handelsfahrzeuge reparieren. Die Arbeiterschaft der Betriebe ist übernommen worden. Auch die Ausstattung mit Betriebsmitteln ist nunmehr sichergestellt, sodaß die Betriebe unter deutscher Verwaltung weiterarbeiten können.[9]

IV. Die deutsche Polizei in Dänemark
Bis zur Verhängung des militärischen Ausnahmezustandes am 29.8.1943 fand eine selb-

---

8 Se hertil BArch, Freiburg, RW 27/12. KTB/Rü Stab Dänemark 4. Vierteljahr 1943, Anlage 12, 22. November 1943 (Bildung einer deutschen Oberleitung über die 3 dänischen staatlichen Arsenale).
9 Se Bests telegram nr. 1468, 29. november 1943.

ständige Vollzugstätigkeit deutscher Polizeiorgane in Dänemark nicht statt. Der Behörde des Reichsbevollmächtigten waren einige Beamte der deutschen Sicherheitspolizei zugeteilt, deren Aufgabe in der Aufrechterhaltung der Verbindung zur dänischen Polizei und in der internen Bearbeitung polizeilicher Vorgänge bestand. Das seit dem 13.5.1943 nach Kopenhagen verlegte I. Batl. ("Cholm") des SS-Pol. Regts. 25 stand dem Reichsbevollmächtigten als Verfügungsbataillon zur Verfügung und wurde während der Unruhen in Odense im August zum ersten Male polizeilich eingesetzt.[10] In der Nacht vom 28. auf den 29.8.1943 fanden mit der Festnahme einer größeren Zahl deutschfeindlicher Personen zum ersten Male eigene Exekutivhandlungen der deutschen Polizei – außerhalb Kopenhagens meist mit Hilfe der Wehrmacht – statt.[11]

Im Laufe des Monats September wurden neue deutsche Polizeikräfte nach Dänemark verlegt, die sich z.Zt. wie folgt gliedern:

An der Spitze der deutschen Polizeikräfte steht der Höhere SS- und Polizeiführer SS-Gruppenführer Pancke (Dienstsitz Kopenhagen).

Befehlshaber der Ordnungspolizei ist der SS-Brigadeführer und Generalmajor der Polizei von Heimburg (Dienstsitz Kopenhagen).

In Kopenhagen ist das Polizeibataillon "Cholm" (I/SS- u. Pol. Rgt. 25) eingesetzt.[12]

Außerhalb Kopenhagens ist das Polizei-Wachbataillon "Dänemark" in 5 Kompagnien wie folgt eingesetzt:

Stab und 1. Komp. in Aarhus,[13]
      2. Komp. in Esbjerg,[14]
      3. Komp. in Kolding,[15]
      4. Komp. in Aalborg,[16]
      5. Komp. in Odense.[17]

Ein Kommando der Wasserschutzpolizei wird in Kopenhagen in Gemeinschaft mit der Kriegsmarine zur Küstenüberwachung eingesetzt.[18]

Befehlshaber der Sicherheitspolizei und des SD ist der SS-Standartenführer und Regierungsdirektor Dr. Mildner (Dienstsitz Kopenhagen).

Neben der zentralen Dienststelle des Befehlshabers der Sicherheitspolizei und des SD in Kopenhagen, die zugleich die in Kopenhagen und Seeland anfallenden Aufgaben bearbeitet, sind Außenstellen des Befehlshabers der Sicherheitspolizei und des SD er-

---

10 Se Ribbentrops telegram nr. 433, 6. april 1943.
11 Se Bests telegram nr. 1002, 1. september 1943 og von Grundherrs optegnelse 24. september 1943.
12 Wach. Btl. 15 afgik 4. november til Italien. Den bestod af 11 officerer og 507 mand og et stort antal køretøjer (BArch, R 70 Dänemark 6, KTB/BdO 4. november 1943).
13 Ankom til Århus 26. oktober, bestående af 3 officerer og 65 mand med 3 køretøjer.
14 Ankom til Esbjerg 16. oktober, bestående af 2 officerer og 81 mand med 4 køretøjer.
15 Ankom til Kolding 13. oktober, bestående af 3 officerer og 63 mand med 3 køretøjer.
16 Ankom til Ålborg 20. oktober, bestående af 2 officerer og 74 mand med 4 køretøjer.
17 Ankom til Odense 15. oktober, bestående af 1 officer og 81 mand med 3 køretøjer og 50 cykler (alle oplysninger om de 5 kompagnier fra BArch, R 70 Dänemark 6, KTB/BdO).
18 Der ankom 27. november 1943 et søpoliti til København bestående af 2 officerer og 20 mand. Det blev 4. april 1944 forstærket med to officerer og 10 mand. Den 21. april 1944 blev der oprettet en station for det tyske søpoliti i Gilleleje (BArch, R 70 Dänemark 6, KTB/BdO 27. november 1943).

richtet worden in Odense, Aarhus, Aalborg, Kolding und Esbjerg.[19]

V. Der Arbeitseinsatz nach Deutschland und Norwegen
Zu Beginn des Monats Oktober 1943 war die Anwerbung schlecht; sie konnte jedoch durch eine großzügige Zeitungswerbung im letzten Drittel des Monats wesentlich gesteigert werden. So wurden doch insgesamt 3.045 Kräfte – 2.543 männliche und 502 weibliche – nach Deutschland verpflichtet. Damit stieg die Gesamtzahl der seit 1. Juni 1940 nach Deutschland angeworbenen Kräfte auf 183.439, von denen 134.800 Kräfte oder fast genau 25 % der bei den dänischen Arbeitslosenkassen gemeldeten Versicherten in Marsch gesetzt werden konnten. Hiervon entfallen auf den Firmeneinsatz 16.206 Kräfte, die sich auf 145 in Deutschland eingesetzte dänische Firmen verteilen.

Die Abbeförderung dieser Kräfte erfolgte überwiegend in Sonderzügen, in besonders dringenden Fällen und nach Norwegen in Gesellschaftsfahrten. Bis zum 31.10.1943 belief sich die Gesamtzahl der abgefertigten Transporte:

Sonderzüge	über Gedser/Warnemünde	183
–	über Padborg/Flensburg	160
Gesellschaftsfahrten		481
Norwegentransporte		221
Insgesamt:		1.045

Nachdem Schweden nach dem 25.8.1943 die Ausstellung von Durchreisevisen für Arbeitertransporte von Dänemark durch Schweden nach Norwegen verweigert hat, werden die für Norwegen angeworbenen Dänen versuchsweise mit den unregelmäßig verkehrenden Tourendampfern Stettin-Kopenhagen-Oslo – z.T. auch mit Truppentransporten von Kopenhagen und den jütländischen Häfen – nach Oslo in Marsch gesetzt.

Seit Mitte November ist durch die verstärkten Befestigungsarbeiten in Jütland eine besondere Lage entstanden, die durch Inanspruchnahme aller verfügbaren Arbeitskräfte vorübergehend die Anwerbung nach Deutschland und Norwegen beeinflußt.

Die Gesamtzahlen der bisher nach Deutschland und Norwegen geworbenen dänischen Arbeitskräfte sind in verschiedener Hinsicht von beträchtlicher wirtschaftlicher Bedeutung.

An Lohnanteilen wurden bis zum 31.10.1943 mit insgesamt 1.018.786 Einzeleinzahlungen dän. Kronen 188.629.000,- überwiesen. Die Überweisungen der Gewinnanteile aus dem Unternehmereinsatz machten bis zum gleichen Zeitpunkt etwa dän. Kronen 12.000.000,- aus.

Infolge Ablaufs der Verpflichtungszeiten und tariflicher Beurlaubungen der dänischen Arbeitskräfte in die Heimat ist eine erhebliche Fluktuation entstanden, die statistisch nicht festgehalten werden kann. Die Zahl der im Durchschnitt in Deutschland tatsächlich beschäftigten dänischen Arbeitskräfte kann daher nur annähernd geschätzt werden und ist mit mindestens 50.000 anzunehmen.

Für die Abbeförderung der Kräfte bis zur deutschen Grenze sind an die Dänische Staatsbahn bisher rund dän. Kronen 2 Millionen ausgezahlt.

Die Zahl der bis zum 31.10.1943 von in Deutschland beschäftigten dänischen Ar-

---

19 Herom Lundtofte 2003, s. 44-49.

beitskräften angeforderten Standardlebensmittelpakete beträgt 238.537. Diese stellen einen Gegenwert von dän. Kr. 4.412.935,00 dar.

VI. Feindliche Stimmen über Dänemark
1.) Der britische Rundfunk

London 1.11.43.
Die Deutschen haben alles zerstört, was im Leben der Dänen hell, frei und geordnet war. Es besteht keine Sicherheit mehr. Man weiß, daß die Deutschen sich die Namen der Freimaurer vom 8. Grade an aufwärts beschafft haben zwecks Verhaftung und daß die Verhaftung der Journalisten und Intellektuellen bevorsteht, obwohl die Deutschen dies abstreiten. Die Deutschen sind sich im Klaren, daß sie 50% der dänischen Bevölkerung hätten verhaften müssen, wenn sie hätten verhindern wollen, daß die Dänen den Juden behilflich waren. Es wird nicht mehr verhandelt; die Dänen sind, um das Volk aus dem Elend zu retten, Gentleman-Verbrecher und Pseudogangster geworden.

London 4.11.43.
Minister Kauffmann: ... Die Dänen jüdischer Abstammung sind untrennbar vom dänischen Volk. Sowohl in der Industrie wie in der Literatur, Kunst und Wissenschaft haben die Juden bei dem Aufbau meines Landes einen wesentlichen Beitrag geleistet. Ohne sie wäre Dänemark nicht das, was es heute ist. Da in Kopenhagen bekannt wurde, daß die Nazisten sich entschlossen hatten, die dänischen Juden auszurotten, handelte Dänemark wie jede andere anständige Nation, wenn ihre Brüder und Schwestern in Gefahr sind.

"New York Times"... Ein großer Teil der Flüchtlinge sind dänische Staatsbürger jüdischer Abstammung. Die Dänen machen keinen Unterschied zwischen Juden und Nichtjuden. Das tun nur die Nazisten. Die dänischen Juden gehören zum dänischen Volk und zur dänischen Kultur. Die meisten von uns wissen, daß Dänemark eines der zivilisiertesten Länder der Welt ist.

London 9.11.43.
Der dänische Pressedienst in Stockholm teilt mit, man sei im Besitz vom Mitteilungen, daß die Deutschen in gewissen Fällen die allergrößte Brutalität in der Behandlung dänischer politischer Gefangener an den Tag gelegt haben. Es sind Fälle vorgekommen, wo die Gefangenen geprügelt wurden, um auf diese Weise Angaben aus ihnen herauszuholen. Es ist bewiesen, daß ein Däne, den ein Spion bei der Gestapo angezeigt hatte, im Vestre Fängsel erst durchgeprügelt und dann zu Tode getrampelt worden ist. 5 Tage lang war er ganz ohne Nahrung.

London 11.11.43.
Die Leiter der unterirdischen Arbeit in Dänemark haben in 10 Punkten allen, die mit illegaler Arbeit beschäftigt sind, Richtlinien gegeben. Ein Teil davon eignet sich nicht für eine Erörterung im Rundfunk, andere sind allgemeinen Inhalts, sodaß alle, die überhaupt mit illegaler Arbeit etwas zu tun haben, davon berührt werden. Die Gefahr der Entdeckung ist für den, der nicht schweigt, die weitaus größte. Die wirkungsvollste

Waffe des Feindes in diesem Kampf sind die Angeber, eine Frau oder ein Mann, die unter der Maske der Freundschaft anzeigen wollen.

London 12.11.43.
Selbst geschulte Sachverständige auf diesem fachtechnischen Gebiet können sich nur mit größter Schwierigkeit in diesem Wirrwarr der verschiedenen Posten des Clearing-Kontos zurechtfinden, wo alles getan worden ist, um die Tatsache zu verhüllen, daß die Dänen in Wirklichkeit Deutschland ihre gesamte landwirtschaftliche Produktion zur Verfügung stellen müssen, dazu kommen noch Arbeitskraft und Industrieprodukte … Alles ist eine unerschöpfliche Goldgrube und ein Beispiel dafür, wie systematisch und raffiniert Deutschland ganz Europa ausplündert.

London 14.11.43.
Christmas Möller: Es besteht wahrlich kein Grund, viel über Pressens Radioavis und über die Kommentare zu sagen. Das Interessante bei diesen ist, meiner Meinung nach, die defensive Linie, die sie eingeschlagen haben. Die deutsche Führung weiß, daß, wenn überhaupt jemand die Sendung abhören sollte, die Agitation angepackt werden muß und man erzählen müsse, daß es nicht so glatt mit der deutschen Besatzung geht. So hofft man, daß wenigstens ein Teil der Propaganda das erwartete Ziel erreicht. Sie verlangen direkt kritische Kommentare; es ist aber eine Frage, ob sie die Antworten, die sie erhalten, im Rundfunk zu verlesen wagen. Die Agitation der Deutschen ist vollkommen unwahr.

London 17.11.43.
Es stand lange fest, daß der dänische Staatsrundfunk in ein Propagandaorgan für die Deutschen umgebildet worden ist, und dies ist nun durch die Veröffentlichung eines Briefes, den Dr. Best an Direktor F.E. Jensen vom Staatsrundfunk gesandt hat, formell bestätigt worden. Dr. Best schreibt, es sei die Aufgabe des Rundfunkattachés Lohmann, die Angelegenheiten des Staatsrundfunks zu kontrollieren. Lohmann hätte das entscheidende Wort hinsichtlich der Programme, des Personals etc. alle Dokumente, Lohnlisten usw. sollen ihm vorgelegt werden. Best und Lohmann haben den "Rundfunkrat" ausgeschaltet, u.a. dadurch, daß es Mitgliedern des Rundfunkrates verboten ist, das Rundfunkhaus zu betreten. Die Angestellten des Staatsrundfunks und von Pressens Radioavis werden gezwungen, unter Drohungen, die Bestimmungen des Ausnahmezustandes würden gegen sie angewandt werden, fortzuarbeiten.

London 18.11.43.
Das dänische Justizministerium hat heute die Herstellung und den Verkauf der Rahmenantennen für die Empfangsgeräte verboten. Man droht mit Strafe, Haft und Gefängnis bis zu 2 Jahren, wenn dieses Verbot übertreten wird.[20] Das ist scheinbar eine neue deutsche Forderung, und in dieser Verbindung erinnern wir Sie an unsere Warnung, rechtzeitig die notwendigen Vorbereitungen für das Gruppenabhören und andere

20 Jfr. Alkil, 1, 1945-46, s. 116.

Sicherheitsmaßnahmen für den Fall eines generellen Verbotes über das Abhören der ausländischen Radiostationen oder die Beschlagnahmung der Empfangsgeräte zu treffen.

London 19.11.43.
Der dänische Gesandte Graf Reventlow erklärte gestern bei einem Frühstück in der überseeischen Liga in London, die Nazisten hatten Dänemark bisher Waren im Wert von ungefähr 180 Millionen Pfund Sterling geraubt, eine Summe, die 1/3 des gesamten Nationalvermögens entspricht.

London 22.11.43.
Terkel M. Terkelsen: Vor einigen Wochen richtete General von Hanneken sein Hauptquartier in Silkeborg ein. Von dort aus regierte er mit Hilfe des Ausnahmezustandes und des Standrechtes mit harter Hand das Land. Hanneken hatte den Plan, Silkeborg zum Zentrum der dänischen Verwaltung zu machen. Er hätte Best Kopenhagen überlassen, wenn er selbst Silkeborg hätte behalten können. Man muß zugeben, daß Silkeborg mit Gunnar Larsens Gut und dem von Gunnar Larsen angelegten Flugplatz in der Nähe viele Anziehungspunkte hatte. Hanneken weiß besser als die anderen, daß ein Flugplatz ein nützliches Ding ist, besonders wenn der Zugverkehr so unsicher ist wie z.Zt. in Dänemark. Hanneken traf seine Vorbereitungen, um Silkeborg im Falle einer Invasion zu einer Kommandozentrale zu machen. Am 17. November benutzte der die Invasionsgefahr als Entschuldigung, um die dänische Verwaltung zu zwingen, eine Erklärung über die besonderen Veranstaltungen zu veröffentlichen. Gleichzeitig wurde der Stiftamtmann des Vejle-Amtes mit besonderen Vollmachten ausgestattet. Nun ist Hannekens großer Traum, Silkeborg zu einem der großen Namen der deutschen Kriegsgeschichte zu machen, fehlgeschlagen. Silkeborg wurde sowohl in der unterirdischen Presse wie im englischen Rundfunk zu häufig erwähnt. Hanneken fühlte sich unsicher, und in den letzten Tagen hat er sein Hauptquartier nach Holsted verlegt. Weshalb er sich entschlossen hatte, gerade diese jütländische Stadt zu wählen, ist ein Rätsel. Die einzige Erklärung dafür ist die, daß Holsted 100 km näher an Deutschland liegt als Silkeborg. Es wird also Holsted sein, von wo aus Dänemark in Zukunft beherrscht oder terrorisiert werden wird.

London 23.11.43.
Der dänische Pressedienst in Stockholm meldet, daß Best dem dänischen Außenministerium mitgeteilt hat, es sei notwendig, neue Truppen nach Dänemark zu überführen und verschiedene Maßnahmen zu treffen, um der dringenden Gefahr einer alliierten Invasion in Jütland begegnen zu können. Außer der Reorganisation der dänischen Zivilverwaltung in Jütland erwartet man, daß Polizeidirektor Stamm Chef einer neuen Polizeitruppe wird. Er soll in Jütland gewesen sein, um den örtlichen Polizeimeistern Anweisung darüber zu geben, wie sie sich zu verhalten haben, falls eine neue Situation eintritt. Dies wirkt nicht überraschend in Anbetracht der Tätigkeit des Polizeidirektors Stamm in letzter Zeit, indem er sagte: Man darf nicht vergessen, daß Krieg ist und daß die dänischen Behörden auch genötigt sein können, kriegsmäßige Methoden anzuwenden. Es dürfte für den Polizeidirektor Stamm unnötig sein, die dänische Bevölkerung

daran zu erinnern, daß Krieg ist; dafür haben die Deutschen gesorgt. Es würde richtiger sein, wenn er klarstellen würde, wen er zum Handeln verpflichtet hält.

London 26.11.43.
Es spricht der Sekretär des Dänischen Rates in London: Merkwürdige und schwere Nachrichten haben uns in dieser Woche aus Dänemark erreicht. 2 Dänen sind von den Deutschen hingerichtet worden. Neue Todesstrafen wurden in Aarhus vom deutschen Standgericht verhängt. 31 dänische Männer und Frauen wurden in die deutschen Konzentrationslager überführt. So sieht der Freiheitskampf aus, und keiner, der an diesem Kampf teilnimmt, zweifelt an diesem tödlichen Risiko, das er läuft.

London 28.11.43.
Christmas Möller: Nun brauchen wir nicht mehr von den "norwegischen Zuständen" zu sprechen, wir können gut den Ausdruck "dänische Zustände" gebrauchen. Die letzten Tage haben furchtbare Nachrichten über deutsche Grausamkeiten gebracht. Mord und Deportierung gehören in Dänemark so wie in den anderen besetzten Ländern zur Tagesordnung.

2.) Die Schwedische Presse
Unter der Überschrift "Was wird in Dänemark geschehen" beschäftigt sich die "Göteborger Handels- und Schiffahrtszeitung" in einem längeren Artikel mit dieser Frage. Einleitend wird darin bemerkt, daß man lange Zeit geglaubt habe, Deutschland werde das kleine, gutmütige und friedliche dänische Volk milde behandeln. Es habe sich tatsächlich auch gezeigt, daß Dänemark bis zum 29. August eine privilegierte Stellung unter den besetzten Ländern einnahm.

Mittlerweile sei man aber eines Besseren belehrt worden und in politischen Kreisen Dänemarks wie auch innerhalb der dänischen Presse und in den Kreisen derjenigen, die das Vorgehen der Deutschen in den übrigen besetzten Ländern genau verfolgten, verspreche man sich nicht mehr viel Gutes für die Zukunft. In diesen Kreisen wisse man, daß die "Gestapo-Maschine", wenn sie erst einmal in Gang gesetzt ist, überall nach genau demselben Muster arbeite. Sie erhalte ihre direkten Anweisungen aus Berlin und sei in keinem Punkt dem Befehl der Wehrmacht oder der Diplomatie unterstellt. Man handle darum am klügsten, wenn man sich darauf einrichte, daß die Arbeit der Gestapo in Dänemark, die jetzt eingeleitet worden sei, sich nach genau denselben Richtlinien wie in den anderen besetzten Ländern abspielen werde. Diese Richtlinien seien in Dänemark genau bekannt und man erwarte, daß die nächste Entwicklung in Dänemark, soweit sie nicht bereits schon eingetreten ist, den folgenden Verlauf nehme:
1.) Die Gestapo leitet die Judenverfolgungen ein, erklärt aber, daß von dieser Aktion nur "Volljuden" betroffen werden sollen. Halbjuden und mit Juden "vermischte" Personen will man in Ruhe lassen: ebenso wie man nicht solche Personen – seien sie männliche oder weiblichen Geschlechts – die mit Ariern verheiratet sind, behelligen wird. Vermögen wird nicht beschlagnahmt, auch nicht Eigentum anderer Art.
2.) Als ein Pflaster auf die Wunde wird dann der Ausnahmezustand, unter welchem die Bevölkerung mehrere Monate gelitten hat, aufgehoben. Das Resultat besteht darin,

daß viele – ein wenig gedankenlos – sich mit der Motivierung beruhigen, daß es besser ist, wenn nur ein kleiner Prozentsatz der Bevölkerung und nicht die große Mehrheit des Volkes in Mitleidenschaft gezogen wird.

Danach werden neue Maßnahmen folgen:

3.) Aushebungen zum Arbeitsdienst: zunächst werden die Kinder, vornehmlich die Söhne der sogenannten wohlgestellten, d.h. vermögenden Personen ausgehoben. Jedem dieser jungen Leute wird eine bestimmte Arbeit angewiesen, beispielsweise die Bewachung einer etwa 100 Meter langen Eisenbahnstrecke, einer Fabrik oder eines Hauses, das von Deutschen bewohnt wird. Für die Sicherheit des ihrer Aufsicht unterstellten Objektes haften sie mit ihrem Leben.

4.) Einige Zeit danach stellt sich heraus, daß die Sabotageakte nicht geringer werden an der Zahl, bevor die Juden nicht zu 100 % ausgeschaltet sind. Aus diesem Grunde verhaftet man auch die Halbjuden, bemerkt jedoch tröstend, daß man nicht "arische" Ehegatten und auch keine ganz kleinen Kinder festnehmen werde.

5.) Da es nun sehr langsam mit den Einschreibungen zum Arbeitsdienst vorwärtsgeht, schickt man Fragebogen an alle Haushaltungen, so vor allem in den Städten, und verlangt Auskunft darüber, wie groß die Wohnungen sind, wie viele Familienmitglieder sich darin befinden, wie hoch das Einkommen ist, wie die Vermögensverhältnisse sind usw. usw. Auf Grund dieser Angaben wird dann die Zwangsarbeit eingeführt.

6.) Um die Männer des Arbeitsdienstes von anderen Personen zu unterscheiden, wird es notwendig, die erstgenannten mit Uniformen zu versehen. Von dieser Ordnung bis zur Errichtung von SS-Formationen ist kein großer Schritt.

7.) Da nur ein geringer Teil der Pressemänner die Treue-Erklärung gegenüber der Idee der deutschen Neuordnung unterzeichnen wollte, werden 70 bis 80 % der arbeitenden Journalisten interniert und die Zahl der in Kopenhagen herausgegebenen Zeitungen wird auf eine oder zwei beschränkt. Maschinen, Grundstücke und Kapital der anderen Blätter werden beschlagnahmt.

8.) Schließlich wird noch verboten, ausländische Rundfunksendungen abzuhören und die Todesstrafe über diejenigen verhängt, die Juden oder andere steckbrieflich verfolgte Personen aufnehmen.

Dies ist, bemerkt "Göteborgs Handels- und Schiffahrtszeitung" im großen und ganzen gesehen die Zukunft, welche sich der weitaus größte Teil der dänischen Bevölkerung verspricht. Daraus erklärt es sich, daß so viele Dänen Tag für Tag nach Schweden zu flüchten versuchen, dem gelobten Land, das mit seinen gastfreien Küsten in nur wenigen Meilen Entfernung herüberwinkt.

Der schwedische Polizeichef in Helsingborg nahm, wie "Aftonbladet" aus Malmö berichtet, in einem Vortrag zur dänischen Flüchtlingsfrage Stellung. Dabei teilte er die Flüchtlinge in drei Gruppen ein: Die erste umfasse meist Leute, die vor dem August 1943 nach Schweden gekommen seien. Die zweite Gruppe umfasse viele Offiziere und Angehörige der dänischen Polizei usw., deren höchster Wunsch es sei, sich in Schweden durch Arbeit zu versorgen. Die Berichte dieser Flüchtlinge hätten trotz aller Schrecken immerhin den Eindruck eines fair play, d.h. eines Kampfes Mann gegen Mann und stünden damit in schärfstem Gegensatz zu den Berichten der jüdischen Flüchtlinge, die nach dem 1. Oktober nach Schweden strömten. Die schwedische Polizei sei ständig bemüht, sich gegen Sympathien und Antipathien zu wehren, aber hier hätten sich furchtbare Abgründe aufgetan, Szenen aus dem Inferno und unerhörte Leiden seien Geschildert worden, die den schlimmsten Judenhasser bekehren würden. Der Vorwurf gegen viele Dänen, daß sie sich mit Hilfeleistungen an jüdische Flüchtlinge riesige Vermögen angeeignet hätten, sei allerdings berechtigt.

Zur Aufnahme und Unterbringung der nach Schweden geflüchteten Personen ist eine Zentrale in Stockholm unter Leitung des ehemaligen Professors an der Kopenhagener Universität Dr.Jur. Stefan Hurwitz eingerichtet worden. Es handelt sich dabei, wie Prof. Hurwitz gegenüber "Göteborgs Handels- und Schiffahrtszeitung" erklärt, um die Organisierung von 8 bis 10.000 Menschen, d.h. um die Verwaltung einer Bevölkerungszahl, die etwa der Größe einer mittelgroßen dänischen Provinzstadt entspricht. 8.000 Flüchtlinge seien angekommen, doch werde der Apparat für mindestens 10.000 aufgezogen, da man noch mit einem weiteren Zugang rechne. Das Flüchtlingskontor befindet sich in der Clara Södra Kyrkogata 11, wo die Stadt Stockholm 15 Räume zur Verfügung gestellt hat.

"Dagens Nyheter" berichtet aus Malmö, daß Kopenhagener Meldungen zufolge das deutsche Hauptquartier mit General von Hanneken an der Spitze nach Silkeborg verlegt worden sei. Die deutschen Kommandostellen hätten einen Befehl erhalten, Maßnahmen zur Bekämpfung des Gaskrieges zu ergreifen. Die Motivierung gehe dahin, daß die Deutschen befürchteten, die Alliierten würden einen Gaskrieg beginnen, wenn die neue deutsche Waffe zur Anwendung komme. Das deutsche Experiment mit ferngesteuerten Raketenbomben werde weitergeführt und auch in Dänemark sei die Fabrikation derartiger Geschosse aufgenommen worden.

"Ny Dag" gibt eine Meldung des Moskauer Rundfunks wieder, derzufolge Tanner und Himmler in Kopenhagen verhandelt haben sollen. Dabei sei man zu dem Resultat gekommen, sich gegenseitig zu helfen. Die finnische Regierung soll das Angebot gemacht haben, deutsche Familien in Finnland aufzunehmen, besonders die Familie eines hochstehenden Hitler-Beamten sei persönlich eingeladen worden.

Der in Stockholm erscheinende dänische Pressedienst verbreitet einen Bericht, der als Ursache dafür, daß die Deutschen davon abgesehen hätten, sich der dänischen Nazistenpartei zur Bildung einer Quisling-Regierung zu bedienen, die ungeheure Korruption bezeichnet, die in diesen Gruppen herrsche. Frits Clausen habe als Leiter seiner Partei große Summen in die eigene Tasche gesteckt. Man spreche von einer Million Kronen, die er von den Deutschen allein für Wahlpropaganda erhalten habe. Mitglieder der Partei hätten daraufhin die Gestapo benachrichtigt und ein Parteigericht beantragt. Dieses sei auch gebildet worden, habe aber mit Billigung der Deutschen die Sache vertuscht. Nach dem Belagerungszustand hätten sich die Machthaber an den berüchtigten Wilfred Petersen gewandt, der sich jedoch in den darauffolgenden Wochen so gründlich kompromittiert habe, daß er sich selbst unmöglich machte.[21] Die Clausen-Partei wurde

---

21 Wilfred Petersens rolle i forhold til Best og tysk politi er ikke klarlagt, men han havde på linje med bl.a. Ejnar Vaaben (30. august), C.O. Jørgensen (3. september), Poul Sommer (8. september), Frits Clausen (13. september) og Erik Lærum (15. september) sin gang på Dagmarhus efter den danske regerings afgang og møder med Best (24. september). I den uafklarede politiske situation søgte de danske nazister deres chance, men fik alle en nedslående besked, hvis ikke de sluttede op om Schalburgkorpset. Wilfred Petersen kom-

aufgelöst. Da die Deutschen jedoch auch weiterhin die Dienste der dänischen Nazisten benutzen wollte, sei nichts anderes zu machen gewesen, als das sogenannte Schalburg-Korps zu gründen, das es bis jetzt aber nur auf etwa 2.000 Mitglieder gebracht habe.[22]

In einem Interview mit einem Mitarbeiter von "Aftontidningen" erzählt Prof. Albert Olsen einiges über seine Erlebnisse während der letzten Wochen. Hiernach saß er 37 Tage als "Geisel" in Horseröd. Aus einem ihm noch unbekannten Grund sei er plötzlich freigelassen worden. Schon zwei Tage darauf habe sich ihm die Möglichkeit geboten, nach Schweden zu flüchten. Die Behandlung im Lager, wo Mannschaften der Wehrmacht die Bewachung in Händen hatten, war seiner Darstellung nach einigermaßen gut, aber die Verköstigung habe zu wünschen übrig gelassen.

Das Stockholmer Blatt bringt dann noch einige Daten aus dem Lebenslauf Prof. Olsens und fügt hinzu, daß er vor einigen Tagen einen Vortrag in der Versammlung des Historischen Vereins in Göteborg gehalten habe über das Thema "Die Voraussetzungen zum Ausnahmezustand in Dänemark am 29. August 1943." Es handelte sich hier um eine geschlossene Mitgliederversammlung. In dem genannten Vortrag legte Prof. Olsen laut Bericht von "Aftontidningen" u.a. folgendes dar: "Der Ausnahmezustand war faktisch ein großes Glück für Dänemark. Diese Prüfung mußten wir bestehen, denn in einer solch unwürdigen Weise, wie dies in den letzten Jahren der Besetzung und der Erniedrigung der Fall war, mit Reichstag und Regierung als Marionetten in deutscher Hand konnten die Dinge nicht mehr weiter gehen. Der Ausnahmezustand bedeute vielleicht eine physische Belastung, aber psychisch wirkte er eher als Befreiung und wurde daher mit einem Gefühl der Befriedigung vom ganzen Volke empfunden."[23]

"Sydsvenska Dagbladet" veröffentlicht in großer Aufmachung, zusammen mit einer Aufnahme des Reichsmarschalls Göring, eine nicht datierte Meldung, in der es heißt, daß sich Hermann Göring mit seinem Stabe auf einer Inspektionsreise in Jütland befunden habe, um die deutschen Verteidigungsanlagen und in erster Linie den Flugplatz bei Silkeborg zu besichtigen. Daß ein so prominenter Repräsentant der höchsten Führung Silkeborg besucht habe, könne darauf hindeuten, daß große Dinge im Werden begriffen seien. Man habe die verschärften Verteidigungsmaßnahmen in Jütland mit einer befürchteten alliierten Invasion in Verbindung gesetzt, aber in diesem Falle gingen die Vermutungen in eine andere Richtung und befaßten sich mit sensationellen, vielleicht phantastischen Fragen. Dänische Kreise, so fährt die Zeitung fort, die die hiermit in

---

promitterede sig under og efter jødeaktionen og blev anholdt af dansk politi, der overgav ham til det tyske politi. Kort efter anholdelsen blev hans partikontor 22. oktober saboteret. Wilfreds Petersens efterkrigsforklaringer 25. maj 1946, 4. og 23. marts 1948 bidrager ikke til afdækning af hans forbindelse til Best (RA, BdO Inf. nr. 9, 25. oktober 1943, Bergstrøms dagbog 20. og 21. oktober 1943 (trykt udg. s. 815, 819), LAK, Best-sagen, John T. Lauridsen i *Hvem var hvem 1940-1945*, 2005, s. 292f. – Se tillige Vertrauliche Tagesinformation 27. juni 1944).

22 Pressenotitsen var udtryk for, at rygterne om splittelsen i DNSAP var nået udenlands, men også at Best ved den ukommenterede gengivelse heraf, herunder påstanden om at partiet var opløst, ville bidrage til dets fortsatte deroute.

23 Albert Olsen var professor i historie ved Københavns Universitet. Om hans ophold i Horserød og flugt, se Bramsen 1996, s. 84-86 og Olsen 1998, s. 27-32 (her opgives fejlagtigt at Bodil Koch og fru Olsen opsøgte Herman von Hanneken på Dagmarhus (!) for at få deres mænd løsladt fra Horserød. Det var Best, Bodil Koch fik foretræde for, fru Olsen er ikke omtalt, og von Hanneken på Nyboder Skole havde ikke noget med de internerede at gøre (Bests kalenderoptegnelser 6. september 1943).

Zusammenhang befindlichen Fragen beurteilen könnten, glauben gewisse Zeichen dafür gefunden zu haben, daß die Deutschen einen Gasangriff gegen England vorbereiten und daß das hierfür notwendige Material in Silkeborg aufgespeichert liege. Man halte es nicht für unglaublich, daß gewisse Gasarten die Geheimwaffe darstellen sollen, von der die deutsche Propaganda gesprochen habe. Es sei selbstverständlich, daß eine solche Perspektive große Besorgnis in verantwortlichen Kreisen hervorgerufen habe, in denen man versuche, sich Klarheit über die Absicht mit den Befestigungen bei Silkeborg und dem dortigen Besuch Görings zu verschaffen.

"Sydsvenska Dagbladet" weiß schließlich zu berichten, daß der Reichsbevollmächtigte seine Resident von Kopenhagen nach Jütland verlegt habe, angeblich – wie man erfahre – nach Silkeborg. Dort würden nun alle militärischen und politischen Fäden zusammenlaufen. Dr. Best sei am Ende der vergangenen Woche von seiner eleganten Villa am Strandvej in Charlottenlund weggezogen, wobei er auch gleich alles Mobiliar mitgenommen habe, das in 7 Möbelwagen verstaut werden mußte. Diese Möbelwagen sollten später nach Flensburg dirigiert werden, wo die Familie des Reichsbevollmächtigten ihren Wohnsitz zu nehmen gedenke. Dr. Best selbst habe sich in einem Hotel in Silkeborg niedergelassen.

2. Werner Best an das Auswärtige Amt 1. Dezember 1943
Dagsindberetning.
    Kilde: AA R 29.568. RA, pk. 204.

Telegramm

Kopenhagen, den	1. Dezember 1943	01.23 Uhr
Ankunft, den	1. Dezember 1943	15.30 Uhr

Nr. 1490 vom 30.11.[43.]   Citissime!

Ich bitte die folgende Meldung dem Herrn Reichsaußenminister unverzüglich zuzuleiten:
    Über die Lage in Dänemark berichte ich für den 29. auf den 30. November, daß in Nordschleswig an den Bahnstrecken Tondern-Ribe, Tondern-Tinglef, Padborg-Rothenkrug vier Sprengungen stattgefunden haben; die Strecken waren am Nachmittag wieder hergestellt.[24] In Näsby auf Fünen Sabotage in einer Karosserie-Fabrik und in Tommerup auf Fünen wahrscheinlich Brandstiftung in einem Flachslager; deutsche Interessen nicht betroffen.[25]
                                                                                    Best

---

24 BdO opgav, at der var tale om mindst 15 sprængninger (RA, BdO Inf. nr. 26, 30. november 1943).
25 Der var sabotage mod Næsby Karosserifabrik og Tommerup Hørfabrik (*Information* 29. november 1943, Alkil, 2, 1945-46, s. 1225).

3. Werner Best an das Auswärtige Amt 1. Dezember 1943
Dagsindberetning.
    Kilde: PA/AA R 29.568. RA, pk. 204.

Telegramm

Kopenhagen, den   1. Dezember 1943
Ankunft, den   2. Dezember 1943   14.00 Uhr

Nr. 1492 vom 1.12.[43.]   Citissime!

Ich bitte die folgende Meldung dem Herrn Reichsaußenminister unverzüglich zuzuleiten:
    Über die Lage in Dänemark berichte ich für den 30. November auf 1. Dezember, daß in Nordschleswig ein weiterer Fall von Eisenbahnsabotage an der Strecke Flensburg-Apenrade stattgefunden hat, der den Verkehr nur vorübergehend behinderte. Ein im Kopenhagener Freihafen eingetroffener Eisenbahnwaggon stellte sich als geöffnet heraus; ein im …[26] [Wagen] befindlicher, für die Wehrmacht bestimmter Kraftwagenmotor war beschädigt.[27]
Best

4. Kriegstagebuch/WB Dänemark 1. Dezember 1943
Der havde fundet endnu en jernbanesabotage sted. Der blev som ny foranstaltning indført uregelmæssige razziaer ved jernbaneanlæggene. Endvidere blev forbuddet mod at bære pistol uden for tjenestetiden ophævet for medlemmer af værnemagten.
    Kilde: KTB/WB Dänemark 1. december 1943.

Während der vergangenen Nacht wieder eine Bahnsprengung in Nordschleswig. Zur Verstärkung des Schutzes von Eisenbahnanlagen wird die erste Razzia gegen Sabotagetrupps in Form von Radfahr- bezw. Infanterie-Spähtrupps befohlen. Es ist geplant diese Razzias in unregelmäßigen Abständen durchzuführen.
[…]
Zum Schutz von Wehrmachtangehörigen wird das Verbot des Tragens von Pistolen außer Dienst aufgehoben. Die Standortältesten werden angewiesen, entsprechend der Lage das Tragen von Pistolen außer Dienst zu befehlen.
[…]

---

26 fehlt anscheinend Klartext.
27 Jfr. RA, BdO Inf. nr. 27, 2. december 1943.

5. Werner Best an das Auswärtige Amt 2. Dezember 1943
Dagsindberetning.
   Kilde: PA/AA R 29.568. RA, pk. 204.

Telegramm

Kopenhagen, den   2. Dezember 1943   23.10 Uhr
Ankunft, den   3. Dezember 1943   00.30 Uhr

Nr. 1467 [!] vom 2.12.[43.]   Citissime!

Ich bitte, die folgende Meldung dem Herrn Reichsaußenminister unverzüglich zuzuleiten.
   Über die Lage in Dänemark berichte ich für den 1. auf den 2.12.43, daß vier leichte Sabotagefälle mit geringem Schaden auf Seeland und Jütland gemeldet sind. Fünf von Kriegsgerichten zum Tode verurteilte Saboteure sind am 2.12.43 erschossen worden.[28]
Dr. Best

6. Horst Wagner an Heinrich Müller 2. Dezember 1943
Som pålagt af Ribbentrop 28. november henvendte Wagner sig til RSHA angående deporterede jøder med nyt statsborgerskab. Han gentog over for Müller de punkter, som han havde præsenteret for Ribbentrop 11. november, og bad om RSHAs hurtige stillingtagen dertil.
   Svaret til AA er ikke lokaliseret.
   Kilde: RA, pk. 226.

Durchdruck als Konzept (R'Schrift 1b) Ko.
Auswärtiges Amt   *Berlin, 2. Dezember 1943*
Inl. II 3139 g
Schnellbrief

An das Reichssicherheitshauptamt
   z.Hd. von SS-Gruppenführer Müller

Die hiesige Schwedische Gesandtschaft ist in der letzten Zeit wiederholt auf die Erledigung von [ulæseligt ord] Interventionen zugunsten von Juden, die kürzlich die schwedische Staatsangehörigkeit erworben haben, zurückgekommen. Nach Vortrag bei dem Herrn Reichsaußenminister sollen die schwedischen Interventionen nunmehr einer endgültigen Regelung in dem Sinne zugeführt werden, daß
1.) ein Eingehen auf alle Interventionen zugunsten von Juden, die nach dem 24. März ds.Js. eingebürgert worden sind, ohne weiteres abgelehnt wird. (Am 24. März ds.Js.

---
28 Se Bests telegram nr. 1454, 26. november 1943.

wurde der Schwedischen Regierung mitgeteilt, daß Neueinbürgerungen nicht mehr berücksichtigt werden könnten.)
2.) es bei der Ablehnung der Freilassung aller aus Norwegen abtransportierten Juden, die erst während oder nach dem Abtransport eingebürgert worden sind, verbleibe.
3.) die Juden Bondy und Weintraub, die z.Zt. in Theresienstadt sitzen, die Ausreisegenehmigung nach Schweden erhalten, sofern die Schwedische Regierung entsprechend ihrer mündlichen Zusage die Verantwortung dafür übernimmt, daß diese Juden sich jeder propagandistischen Tätigkeit in Schweden enthalten und für die Dauer des Krieges keine Ausreisegenehmigung aus Schweden erhalten werden.

Maßgebender Gesichtspunkt für die in Aussicht genommene Regelung zu 3.) ist, daß der hiesigen Schwedischen Gesandtschaft im Februar ds.Js. sowie im März durch den damaligen Unterstaatssekretär Luther und einem seiner Mitarbeiter die Zusage gemacht worden ist, daß die Fälle Bondy und Weintraub eine positive Regelung erfahren werden.

Damit dem Herrn Reichsaußenminister möglichst unverzüglich der Entwurf der Antwortnote an die Schwedische Gesandtschaft vorgelegt werden kann, wäre ich für abschließende Stellungnahme dankbar, ob der vorgesehenen Regelung von dort aus zugestimmt werden kann.

Im Auftrag
gez. **Wagner**

7. Walter Forstmann an Werner Best 3. Dezember 1943

På baggrund af, at luftangreb på Berlin havde ført til stop for betalingerne mellem Tyskland og Danmark, foreslog Forstmann, at den danske nationalbank for fremtiden kunne lægge penge ud til betaling af tyske og danske interessenter, idet Tyskland skulle stå som garant.

Information kunne samme dag meddele, at det blev nødvendigt for Nationalbanken at standse udbetalingerne til eksportørerne.

Best reagerede ved at sende telegram nr. 1588, 24. december 1943.

Kilde: BArch, Freiburg, RW 27/12. RA, Danica 1000, T-77, sp. 696, KTB/Rü Stab Dänemark, 4. Vierteljahr 1943, Anlage 20.

Rüstungsstab   *3. Dezember 1943*

[Betr.:] Clearingzahlung

An den Reichsbevollmächtigten in Dänemark,
    Hauptabteilung III
    Kopenhagen

Die Luftangriffe auf Berlin haben offenbar eine Verzögerung in der Auszahlung der Devisenbeträge durch fehlende Überweisungen aus dem Reich an die Danmarks Nationalbank zu Gunsten der mit Rüstungsaufträgen belegten dänischen Firmen hervorgerufen. Das kann darauf zurückzuführen sein, daß einmal die Dienststelle des Bevollmächtigten für die Maschinenproduktion, Reichsstelle für Maschinenbau, Berlin W 35, Rauchstraße 2, oder die Verrechnungskasse bei der Deutschen Reichsbank (Clearingstelle für Dänemark) vernichtet sind.

Da viele kleine dänische Firmen unbedingt auf sofortige Zahlung über Clearing angewiesen sind, ist es dringend erforderlich, eine Regelung mit der Nationalbank zu finden, die darauf zielen muß, daß sofort fällige Forderungen dänischer Firmen an deutsche Auftraggeber begleichen werden. Diese im Ansehen des Deutschen Reiches liegende Forderung ist auch dadurch begründet, daß die dänischen Privatbanken den mit deutschen Aufträgen belegten dänischen kleinen Firmen keinen Bankkredit gewähren. Es muß deshalb im Interesse des Ansehens des Deutschen Reiches und der Inganghaltung der dänischen Betriebe umgehend ein Weg gefunden werden, daß keine Zahlungsstockungen eintreten.

Deshalb wird gebeten, umgehend mit der Nationalbank in Verhandlungen einzutreten, mit dem Ziel, sicherzustellen, daß Zahlungsverzögerungen vermieden werden. Da dänische Firmen umgehend ihre Löhne zahlen müssen und hierzu ohne Befriedigung ihrer Forderungen an die deutschen Schuldner nicht im Stande sind, wird ganz dringend um sofortige Regelung dieser Angelegenheit gebeten.

Heute Vormittag hat bereits eine Besprechung zwischen Ministerialdirigent Dr. Ebner, Generalkonsul Dr. Krüger und Chef Rü Stab Dänemark stattgefunden. Generalkonsul Dr. Krüger übernahm zunächst die Regelung dieser Angelegenheit, doch rief er später an, daß diese Sache vom Reichsbevollmächtigten in Dänemark aufgrund einer Eingabe des Rüstungsstabes Dänemark nur geregelt werden könne.

Der Chef des Rüstungsstabes Dänemark
Gez. **Forstmann**
Kapitän zur See

F.d.R.d.A.
Techn. Insp.

8. Werner Best an das Auswärtige Amt 3. Dezember 1943
Dagsindberetning. I anledning af et nyt tilfælde af illegal skibsforbindelse med Sverige erindrede Best om, at han flere gange havde anmodet om toldgrænsemandskab til bevogtning af søgrænsen mod Sverige.
Kilde: PA/AA R 29.568. RA, pk. 204.

Telegramm

Kopenhagen, den   3. Dezember 1943   19.20 Uhr
Ankunft, den   4. Dezember 1943   00.10 Uhr

Nr. 1494 vom 3.12.43.   Citissime!

Ich bitte die folgende Meldung unverzüglich dem Herrn Reichsaußenminister zuzuleiten:

Über die Lage in Dänemark berichte ich für den 2. auf 3.12.43, daß ein Sabotageversuch an der Bahnstrecke Aalborg-Frederikshavn durch rechtzeitiges Auffinden der Sprengkörper vereitelt wurde. Sonst sind nur zwei unbedeutende Sabotagefälle gegen dänische Privatpersonen gemeldet.[29] Bei Nachprüfung einer an das Oberkommando der Kriegsmarine und von dort an den Wehrmachtführungsstab erstatteten Meldung einer Marinedienststelle, daß ein dänisches Polizeiboot aus Kopenhagen nach Schweden geflüchtet sei, hat sich herausgestellt, daß diese Meldung unrichtig war. Es handelte sich nicht um ein Polizeiboot sondern um ein unbekanntes, dem illegalen Verkehr mit Schweden dienendes Boot. Ich erinnere aus diesem Anlaß wieder einmal an meine wiederholten Anträge auf Entsendung von Zollgrenzschutz-Mannschaften zur Überwachung der Seegrenze gegen Schweden.[30]

Dr. Best

9. Seekriegsleitung: Betr. Inanspruchnahme brachliegender dänischer Tonnage 3. Dezember 1943

Ved en mundtlig drøftelse med AA var der opnået enighed om, at OKM i tilfælde af tvingende krigsnødvendige grunde kunne beslaglægge danske skibe, og at Seekriegsleitung forbeholdt sig retten til i hvert enkelt tilfælde forud at efterprøve krigsnødvendigheden. AA havde betonet, at beslaglæggelse kun måtte finde sted i de absolut nødvendige tilfælde for at undgå enhver ny forstyrrelse af dansk erhvervsliv og finanser af hensyn til fødevareproduktionen (Barfod 1976, s. 111).

    Se AA til OKM 6. december 1943.
    Kilde: BArch, Freiburg, RM 7/1813. RA, Danica 628, sp. 7, nr. 5757f.

Seekriegsleitung   Berlin, den 3.12.1943
B. Nr. 1/Skl. I i 50 067/43 g.   Geheim

I. Vermerk betr. Inanspruchnahme brachliegender dänischer Tonnage.

Bei den mündlichen Verhandlungen über obige Angelegenheit wurde von Ausw. Amt die dringende Bitte ausgesprochen, die Kriegsmarine möge sich bei Ausübung des ihr jetzt trotz wesentlicher wirtschaftpolitischer Bedenken gewährten Beschlagnahmerechts auf die unbedingt kriegsnotwendigen Fälle beschränken, da aus Gründen der Ernährungswirtschaft jede neue Störung der dänischen Wirtschaft und Finanzlage vermieden bleiben muß. 1 i sagte zu, daß die 1/Skl. es sich vorbehalten werde, jeden einzelnen Fall vor Ausspruch der Beschlagnahme auf deren Kriegsnotwendigkeit zu überprüfen.

II. Schreibe: An Skl. Qu A VI

---

29 Den ene af disse privatpersoner var Helge Bangsted, redaktør ved *Fædrelandet*, hvis ubeboede villa på Borgevej 36 i Lyngby blev beskadiget af brandbomber (RA, BdO Inf. nr. 28, 6. december 1943, *Information* 4. december 1943).
30 Det var bl.a. sket i to ikke lokaliserede telegrammer 20. oktober og 6. november 1943 og gentog sig i et ikke lokaliseret telegram fra 7. december. Se Bests telegram nr. 1550, 17. december og nr. 1583, 23. december 1943.

Vorg.: Skl. Qu A VI r 7058/43 g. vom 5.11.43.[31]
Betr.: Erfassung brachliegender dänischer Tonnage.

Das Ausw. Amt hat sich nunmehr unter Zurückstellung wesentlicher wirtschaftpolitischer Bedenken damit einverstanden erklärt, daß in Fällen unabwendbaren Kriegsbedarfes dän. Schiffe von der deutschen Kriegsmarine requiriert werden dürfen und daß das den Reedern dafür zu bewilligende Entgelt in dän. Kronen festgesetzt und bezahlt wird. Die 1/Skl. hat dem AA gegenüber die politische Verantwortung dafür übernommen, daß jeder einzelne Fall vor Durchführung der Requisition einer strengen Nachprüfung auf seine Kriegswichtigkeit unterzogen wird.

In dem Schreiben vom 5.11.43 wird darum gebeten, die in Bornholm aufliegenden dän. Fahrgastschiffe "Rottnar", "Hammershus" und "Frem" in Benutzung zu nehmen, um sie gegen größere und daher unwirtschaftlich fahrende Transporter auszutauschen. Es heißt in dem Schreiben weiter, daß eine Besprechung zwischen dem OKM und dem OKW ergeben habe, daß die Inanspruchnahme der 3 Bornholmer Schiffe nicht als unbedingt notwendig anzusehen sei. Es wird daher zunächst um nochmalige Prüfung gebeten, ob die unbedingte Notwendigkeit der Beschlagnahme der 3 bezeichneten Schiffe nunmehr doch bejaht wird. Letzterenfalls wird um Hergabe einer entsprechenden Begründung gebeten, damit die 1/Skl. sich alsdann darüber schlüssig werden kann, ob die politische Verantwortung für den Ausspruch der Beschlagnahme für die 3 Schiffe übernommen wird. Bemerkt wird, daß der Weg der Requisition nur dann zu erfolgen haben würde, wenn der Reeder trotz Hinweises auf die Beschlagnahmemöglichkeit sich nicht dazu bereit findet, die Fahrzeuge im Wege der Vereinbarung zu annehmbaren Bedingungen zur Verfügung zu stellen.

Soweit darüber hinaus noch ein wesentlicher Kriegsbedarf an einzelnen anderen aufliegenden dän. Fahrzeugen besteht, wird eine entsprechend begründete Mitteilung anheimgestellt.

Vorsorglich wird noch ausdrücklich bemerkt, daß das Einverständnis des AA in die Beschlagnahme dän. Tonnage lediglich zur Befriedigung des unmittelbaren Eigenbedarfes der Kriegsmarine erteilt ist, daß diese Ermächtigung aber nicht dazu benutzt werden darf, um auf dem Umwege über die Kriegsmarine dem Reikosee Transporttonnage zuzuführen.

10. Kriegstagebuch/Admiral Dänemark 3. Dezember 1943
Admiral Wurmbach gengav indsatsbefalingen for kyst- og havneovervågningen ved Øresund.
    Kilde: KTB/ADM Dän. 3. december 1943, RA, Danica 628, sp. 3, s. 3169.

Ich begebe mich nach Silkeborg zur Meldung bei Generalfeldmarschall Rommel.
    Nachdem die ersten Fahrzeuge für die Küsten- und Hafenüberwachung im Sund einsatzbereit sind, wird folgender Einsatzbefehl erlassen:

31 Trykt ovenfor.

Einsatzbefehl
für die Küsten- und Hafenüberwachung Sund

I. Verfügbare Kräfte:
Zollkreuzer "Hedda" und 8 Fischkutter, insgesamt mithin 9 Fahrzeuge. Truppendienstliche und einsatzmäßige Unterstellung der in Helsingör stationierten 5 Fahrzeuge unter Haka Helsingör. In Kopenhagen stationierte Fahrzeuge unterstehen truppendienstlich Stbs. Kompanie Admiral Dänemark, einsatzmäßig Admiral Dänemark/Kü.

II. Einsatzgebiet:
1.) Haka Helsingör steuert die Überwachung von Hundested, Gilleleje, Hornbäk, Helsingör, Humlebäk und Rungsted.
2.) Admiral Dänemark/Kü steuert die Überwachung von Vedbäk, Taarbäk, Tuborg, Kopenhagen, Kastrup, Dragör und Köge.

III. Durchführung der Überwachung:
1.) Die Überwachung kann erfolgen durch:
   a.) Verlegung von Boote in die Hafenplätze,
   b.) Ankern vor dem Häfen,
   c.) Streifenfahrten unmittelbar vor der Küste.
2.) Die Boote der Hafenüberwachung haben sich innerhalb eines Gebietes von 2 sm ab Küste zu halten, damit sie nicht mit der Sundüberwachung des BSO kollidieren. Bei Fahrten unter der Küste ist jeweils die Minenlage zu berücksichtigen. Hat eine Minenverseuchung der Küstengewässer stattgefunden, so haben Küstenfahrten zu unterbleiben, bis die Lage geklärt ist.
3.) Das Befahren der Zwangswege im Sund kann am Tage uneingeschränkt erfolgen. Ein Patrouillieren auf den Zwangswegen nachts kommt *grundsätzlich* nicht in Frage. Dies ist Aufgabe der 8. Sicherungsflottille.
4.) Bei Nachteinsatz vor den Häfen südlich Kopenhagen ist 8. Sicherungsflottille regelmäßig über die zu besetzenden Positionen rechtzeitig zu unterrichten.
5.) Kommt ausnahmsweise ein nächtliches Befahren der Zwangswege des Sundes in Frage, so ist der 8. Sicherungsflottille rechtzeitig davon Kenntnis zu geben.
6.) Erfordert die Lage, daß ein nächtliches Patrouillieren von Booten der Hafenüberwachung ausnahmsweise auch auf Zwangswegen im Sund in Frage kommt, so ist dies im Einvernehmen mit 8. Sicherungsflottille durchzuführen. Für den nächtlichen Einsatz der Boote auf den Zwangswegen ist das Einverständnis Admiral Dänemark A I einzuholen.
7.) Es sind im Einvernehmen mit Admiral Dänemark A IV mit der 8. Sicherungsflottille Signale zu vereinbaren, die ankünden, wann ein aufzubringendes Fahrzeug nach See zu entkommen sucht, damit die Sundbewachung unterrichtet wird.
8.) Die Teilnahme der Kräfte Wasserschutzpolizei an den Fahrten der Hafenüberwachungsboote regeln Haka Helsingör und Admiral Dänemark Kü unmittelbar mit der Wasserschutzpolizei.
9.) Verhalten bei Aufbringung von Fahrzeugen und Inhaftierung von Personen, nach

besonderer Dienstweisung.
10.) Beim Liegen der Boote in den Häfen ist ausreichende Bewachung gegen Sabotage sicherzustellen.

11. Wolfram Sievers an Karl Kersten 3. Dezember 1943

Efter aftale med Karl Kersten havde Sievers skrevet til Best for at få ham til at sætte sig i forbindelse med WB Dänemark om fortidsmindebeskyttelsen. Påfølgende havde Pancke skrevet, at han havde overtaget opgaven og ville melde tilbage om resultatet.

Panckes tilbagemelding er ikke lokaliseret, men Sievers og Kersten arbejdede videre med sagen. Den 21. november havde Kersten bedt Ahnenerbe om tilladelse til at tage sin assistent Søren Telling med til Danmark som medhjælp, hvilket han 15. december fik tilladelse til under forudsætning af, at han selv sørgede for det praktiske, herunder finansieringen (BArch, NS 21/86). Telling var tidligere dansk statsborger og medlem af DNSAP, men var i 1941 blevet tysk statsborger, og havde været med Kersten og Jankuhn ved udgravninger i Ukraine (Rasmussen 2007, s. 806-813). Telling virkede til det sidste for Kersten, se Sievers til Brandt 2. november 1944.

Sievers bestræbelser for at få Kersten engageret i Danmark synes kronet med held 28. januar 1944, da der fra RFSS udgik besked til OKW derom.

Kilde: BArch, NS 21/86.

Das Ahnenerbe *Waischenfeld/Ofr., den 3. Dez. 1943*
Der Reichsgeschäftsführer Nr. 135 Tel. Nr. 2

An SS-Untersturmführer Dr. K. Kersten
    Kiel
    Kattenstraße 3

Lieber Kamerad Kersten!
Wie bei unserer letzten Unterredung in Berlin vereinbart, habe ich den Reichsbevollmächtigten, SS-Gruppenführer Best, in Sachen des Denkmalschutzes geschrieben und ihn gebeten,[32] sich deswegen mit dem Militärbefehlshaber in Verbindung zu setzen. Am 25.11.43 teilte mir der Höhere SS- und Polizeiführer Dänemark, SS-Gruppenführer Pancke mit, daß ihm dieses Schreiben von SS-Gruppenführer Best zur weiteren Veranlassung übergeben worden sei.[33] SS-Gruppenführer Pancke bestätigt, daß er sich bereits mit dem Wehrmachtbefehlshaber Dänemark in Verbindung gesetzt hat und mir in Kürze nähere Nachricht geben will. Bevor diese Nachricht vorliegt, hat es für mich keinen Sinn, nach Kopenhagen zu fahren. Ich könnte es auch jetzt nicht ermöglichen, da ich am 11.12.43 zum Reichsführer-SS befohlen bin.

Heil Hitler!
Ihr
gez. Sievers
SS-Standartenführer

32 Se for det forudgående forløb Sievers' notat 5. april 1943.
33 Panckes brev er i BArch, NS 21/86.

12. Rede von Werner Best vor Vertretern der dänischen Presse 4. Dezember 1943

Over for repræsentanter for den danske presse holdt Best 4. december på Dagmarhus en tale om de skærpede forholdsregler, der ville blive taget i brug mod sabotagen og over for modstandsfolk.

Talens afholdelse var koordineret med HSSPF, der som sit bidrag havde BdS' nedskydning af tre dømte danske kommunister og offentliggørelsen af henrettelsen af fem andre.[34]

Talen blev udsendt som tvangsartikel til alle danske avisredaktioner med følgende fortrolige meddelelse: "Ovenstaaende, der ikke maa offentliggøres før Søndag den 5. december 1943, skal bringes af samtlige dagblade. Overskrifter og Mellemrubrikker er overladt til Bladene."[35] En tysk oversættelse af talen blev sendt til AA, og talen blev endvidere gengivet i *Politische Informationen* 1. januar 1944, afsnit IV.2.[36]

Med iværksættelsen af en række henrettelser af dødsdømte, likvidering af andre, deportationer og idømmelse af kollektiv bod for angreb på værnemagtsrepræsentanter ville Best og Pancke demonstrere handlekraft i Berlin og samtidig søge at påvirke den danske offentligheds indstilling til sabotagen.

Kilde: RA, pk. 204. *Udenrigsministeriets Pressebureaus ugentlige Meddelelser*. Nr. 150, 11. december 1943 (på dansk), Alkil, 2, 1945-46, s. 861f. (på dansk). Rohde, 2, 1945-46, s. 441 (uddrag). EUHK nr. 116.

R e d e
von Werner Best
vor Vertretern der dänischen Presse am 4. Dezember 1943
über die verschärfte Verfolgung von Widerstandskämpfern.

Die harten Urteile der deutschen Kriegsgerichte gegen Saboteure und die Vollstreckung dieser Urteile ohne jede Begnadigung haben zweifellos einen tiefen Eindruck auf die Bevölkerung Dänemarks gemacht. Es ist nun von großer Bedeutung, welche Folgerungen die einzelnen Bürger und die Bevölkerungskreise aus diesem Eindruck ziehen werden. Hierzu ist von deutscher Seite darauf hinzuweisen, daß viele Monate mit einer Geduld, die offenbar als Schwäche ausgelegt wurde, darauf gewartet worden ist, daß die dänische Bevölkerung und ihre öffentlichen Organe selbst die Ordnung im Lande wieder herstellen würden. Dies ist trotz mehrfacher Warnungen, die vom König und von der Regierung ausgesprochen wurden, nicht geschehen. Die Sabotage wuchs, weil sie nicht von denen verhindert wurde, die hierfür in erster Linie zuständig und verantwortlich waren. So mußte von deutscher Seite der Kampf gegen die Sabotage, die in einem für die Kriegführung wichtigen Gebiet nicht geduldet werden kann, aufgenommen werden. Wenn aber eine kriegführende Macht den Kampf gegen Angriffe, die auf sie gerichtet werden, aufnimmt, so kann dies nur mit äußerster Schärfe und Folgerichtigkeit geschehen.

Eine kriegführende Macht, die mit halben Mitteln und Maßnahmen Angriffe abwehren wollte, gäbe sich selbst auf. Der Kampf gegen die Sabotage in Dänemark muß und wird deshalb, nachdem man dazu gezwungen worden ist, mit rücksichtsloser Härte durchgeführt werden, bis die Ordnung wieder vollständig hergestellt ist. Wenn aber in dänischen Kreisen die Opfer dieses Kampfes gegen die Sabotage beklagt werden, so möge jeder sich die Frage vorlegen, wer denn die Schuld an den Taten trägt, die zu diesen Opfern führen. Außer den Auftraggebern und Bombenlieferanten der Saboteu-

---

34 Om de fem henrettede se *Politische Informationen* 1. januar 1944, afsnit IV.2.
35 *Udenrigsministeriets Pressebureaus ugentlige Meddelelser*. Nr. 150, 11. december 1943.
36 Bergstrøm fik samme dag refereret talen i *Politikens* handelsredaktion; Hasager havde været til mødet med Best. Talen gjorde tilsyneladende ikke større indtryk og blev ikke forbundet med de øvrige tyske foranstaltninger (KB, Bergstrøms dagbog 4. december 1943).

re, die in gewohnter Weise vom sicheren Ausland her Menschen dieses Volkes für ihre Zwecke ins Feuer schicken, tragen alle einzelnen Bürger und Bevölkerungskreise Schuld, die nichts getan haben, um diese Taten zu verhindern.

Wer als Privatmann lächelnd die Sabotage als einen "nationalen Sport" begrüßt, ist Schuld an dem Tode derer, die diesem "Sport" zum Opfer fallen, weil sie – wie in mehreren Fällen festgestellt wurde – nicht glauben, daß es so ernst werden könnte; denn er ermutigt die Täter, statt in ihnen Hemmungen gegen die Begehung ihrer Verbrechen zu erwecken. Wer eine Möglichkeit hat, die öffentliche Meinung gegen die Sabotage zu beeinflussen, und von dieser Möglichkeit keinen Gebrauch macht, lädt eine Schuld auf sich, denn er ist mit schuldig an der Schaffung einer Atmosphäre, in der die Sabotage gedeiht. Wer verpflichtet ist, für Ordnung im Lande zu sorgen, und dennoch nicht die Saboteure an ihrem Handeln hindert, ist indirekt mitschuldig sowohl an den begangenen Verbrechen wie auch an dem Schicksal der Täter. Jeder Vater und jede Mutter, die nicht ihren Söhnen ständig die Zwecklosigkeit und die Gefährlichkeit der Teilnahme an Sprengstoffverbrechen und Attentaten klarmachen, müssen vor allem sich selbst anklagen, wenn ihre Söhne eines Tages zum Tode verurteilt und hingerichtet werden.

Nachdem nunmehr feststeht, daß jedem, der sich als Attentäter und Sprengstoffverbrecher für die Zwecke unserer Gegner hergibt, ein Attentäter- und Verbrecherschicksal droht, unterliegt es allein dem Willen und der Verantwortung der Einwohner dieses Landes, wie viele Menschen noch dieses Schicksal erleiden sollen. Allen dänischen Bürgern aber obliegt damit zugleich die Verantwortung für die weitere Gestaltung der Verhältnisse ihres Landes.

Nachdem die Psychose einer schnellen Beendigung des Krieges, die im Sommer dieses Jahres wesentlich zur Verschärfung der Lage in Dänemark beitrug, durch die Tatsachen widerlegt ist, sollte sich jedermann darüber im klaren sein, daß noch mit einer sehr langen Kriegsdauer und deshalb mit einer sehr langen Besetzung Dänemarks durch deutsche Kräfte gerechnet werden muß. Wie in dieser langen Zeit die Verhältnisse im Lande gestaltet werden, hängt entscheidend von dem Verhalten der Bevölkerung ab.

Es hat uns Deutschen bereits in Erstaunen versetzt, daß eine auf ihre politische Urteilskraft so stolze Bevölkerung wie die dänische in diesem Jahre so einheitlich falschen Prognosen und einseitiger Verhetzung zum Opfer fallen konnte. Wir warten nun ab, ob die harte Lehre der zweiten Hälfte dieses Jahres eine Rückkehr zur Nüchternheit und Vernunft bewirken wird.

Hiervon wird in erster Linie das weitere Schicksal dieses Landes, dessen 3,8 Millionen Einwohner auf keine Weise die Entscheidung des Großmachtkrieges beeinflussen können, abhängen. Bei jeder Veränderung der Lage im Lande muß jeder Bürger zunächst an die eigene Brust schlagen und sich sagen: Du hast es selbst gewollt und verschuldet.

13. Werner Best an das Auswärtige Amt 4. Dezember 1943
Dagsindberetning.
Kilde: PA/AA R 29.568. RA, pk. 204.

Telegramm

Kopenhagen, den	4. Dezember 1943	
Ankunft, den	5. Dezember 1943	13.00 Uhr

Nr. 1496 vom 4.12.[43.] Citissime!

Ich bitte, die folgende Meldung dem Herrn Reichsaußenminister unverzüglich zuzuleiten:

Über die Lage in Dänemark berichte ich für den 3. auf 4. Dezember, daß in Kopenhagen eine Maschinenfabrik, die nicht für deutsches Interesse arbeitete, durch Sabotage beschädigt worden ist, wobei ein Däne getötet und 10 Dänen verletzt wurden.[37] Weiter in Kopenhagen geringe Schäden in einer Tischlerwerkstätte, die für deutsche Zwecke arbeitete[38] und in einer Autowerkstätte.[39] In Aalborg wurde ein junger Mann, der einen Soldat überfiel, festgenommen.[40] In den Wochen vom 27. November bis 4. Dezember nahm die deutsche Sicherheitspolizei 60 Personen wegen illegaler – insbesondere kommunistischer – Betätigung und 10 Personen wegen Sabotage fest.

Best

14. Werner Best: Kalenderaufzeichnung 4. Dezember 1943
Günther Pancke havde været hos Himmler 28. november 1943 og havde fået ordrer vedrørende en skærpet kurs i Danmark for sabotage og attentater. Ordrerne kendes kun fra Panckes egen efterkrigsforklaring. Han var tilbage i København senest 4. december om aftenen, da han var til møde hos Best. Det er samme aften, at der blev truffet beslutning om at lade tre danske kommunister henrette "under flugtforsøg." Det var

---

[37] Maskinfabrikken Hartmann blev saboteret af Holger Danske-folk, hvoraf to var forklædt som CB-folk og på den måde skaffede adgang til den bevogtede fabrik, der fremstillede bilerstatningsdele, beholdere for generatorer m.m. Ved eksplosionen blev tre haller kraftigt beskadiget. BdO anslog skaderne til en mio. kr., men der var for tiden ikke tyske ordrer til fabrikken. En forbipasserende dansker blev dræbt af sprængstykker (RA, BdO Inf. nr. 28, 6. december 1943, Kieler, 2, 1993, s. 150, Kieler, 1, 2001, s. 338-341, Birkelund 2008, s. 676).

[38] Holger Danske forsøgte sabotage mod Trælastfirmaet Nicolaysen & Nielsen, Sydhavnsgade 28 (Birkelund 2008, s. 677).

[39] Det var BOPA, der lagde sprængbomber hos Dansk Automobilfabrik, Jagtvej 16, mens ubekendte søgte at bombe og senere antændte O.M. Hansens snedkervirksomhed, Ravnsborggade 8. Dagen før havde BOPA likvideret sabotagevagten Hans Christian Jørgensen i trappeopgangen Griffenfeldtsgade 50A, hvor han boede. Det var sandsynligvis dette drab, det tyske politi og dermed Best fejlagtigt satte i forbindelse med sabotagen. Herfor taler også, at dødsfaldet i det tyske politis oversigt i telegram nr. 20, 5. januar 1944 er dateret til 3. december, dagen for likvideringen (RA, BdO Inf. nr. 28, 6. december 1943, *Information* 4. og 5. december 1943, Kjeldbæk 1997, s. 179, 470f., Alkil, 2, 1945-46, s. 1225).

[40] Lærling Svend Aage Jensen, f. 31. december 1926 i Ålborg, slog en Obergefreiter fra Luftwaffe ned bagfra. Det skete angiveligt i "Keldeiparken", der ikke er stedfæstet (RA, BdO Inf. nr. 28, 6. december 1943).

gengældelse for Holger Danskes attentat samme dag kl. 19.10 i København mod den tyske Hauptfeldwebel Josef Dissler, der var i selskab med en dansk kvinde, da han blev skudt ned af tre mænd og døde under transporten til lazarettet (RA, BdO Inf. nr. 29, 8. december 1943, Birkelund 2008, s. 677). Dagen efter mødtes Pancke med Best både formiddag, eftermiddag og aften. De havde fået noget at tale om (Rosengreen 1982, s. 77f.).

Den danske anklagemyndighed satte under retsopgøret datoen for Panckes møde hos Himmler i Posen til 4.-5. december, hvilket er åbenbart forkert og ikke uden betydning, da Pancke påstod ikke at have været i Danmark 4. december. Datofastsættelsen kom til at hvile alene på Panckes egne misvisende forklaringer (bl.a. 14. og 20. august 1945, 12. juni 1947). Bests kalenderoptegnelser, der var til rådighed for anklagemyndigheden, blev ikke udnyttet. Mildner forklarede i Nürnberg 22. februar 1946 at have fået ordre om henrettelserne af Pancke, samme forklaring gav Hoffmann i København 12. november 1947, hvilket heller ikke blev taget til følge, og heller ikke Hans Pahls forklaring 9. september 1947 og 14. januar 1948 om, at Himmlers ordre til Pancke var givet tidligere, tog retten til følge. Pancke blev ikke gjort ansvarlig for de tre henrettelser (alle forklaringerne i LAK, Best-sagen, PKB, 12, s. 212).

Kilde: Bests kalenderoptegnelser 4. december 1944.

[...]
Abends: SS-Gruf. Pancke bei uns.
[...]

15. WB Dänemark an OKH 5. Dezember 1943

For drabet på værnemagtsmedlemmet Josef Dissler i København var byen af Best blevet pålagt en bøde på 2 millioner kroner. Endvidere kunne von Hanneken meddele, at HSSPF efter nærmere ordre fra RFSS havde gennemført en gengældelsesaktion mod københavnske kommunister.

Se Bests dagbogsoptegnelse 4. december. Von Hanneken kunne ikke have fremsendt en dagsindberetning af dette indhold, såfremt Pancke endnu ikke var ankommet til Danmark. Tillige er det klart, at von Hanneken opfattede nedskydningen af de tre kommunister som en soneforanstaltning beordret af RFSS.

Kilde: RA, Danica 1000, T-77, sp. 320, nr. 255.070.

F e r n s c h r e i b e n

SSD-HXSI 326 5.12. 21.50=
An OKH/GEN ST D H/OP ABT=

Tagesmeldung vom 5.12.43.
Am 4.12.1910 wurde ein Portepeeträger in Kopenhagen auf der Straße von unbekannten Dänen durch 2 Pistolenschüsse getötet.

Reichsbevollmächtigter wird der Stadt Kopenhagen eine Buße von 2 Millionen Dänenkronen auferlegen. Außerdem hat der höhere SS- und Polizeiführer Vergeltung-Maßnahmen gegen Kopenhagener Kommunisten gemäß näherer Anordnung des Reichsführers-SS durchgeführt. Sonst außer 4 unbedeutenden Sabotagefällen keine besonderen Vorkommnisse.

WM Befh Dän I A Nr. 3355/43 geh+

16. Kriegstagebuch/Seekriegsleitung 5. Dezember 1943

Erwin Rommels inspektion af de tyske forsvarsanlæg i Danmark havde kun stået på et par dage, da viceadmiral Friedrich Ruge videregav de første forslag til forbedringer af forsvaret til den tyske søkrigsledelse.

Se endvidere KTB/WB Dänemark 13. december og Ruges foredrag om inspektionen, refereret i KTB/Skl 15. december og om de tagne initiativer 22. hos Skl og 26. december hos OKW (Andersen 2007, s. 165-168 om inspektionen).

Kilde: KTB/Skl 5. december 1943, s. 76.

MVO zur Heeresgruppe B (Vizeadm. Ruge) meldet:

"Gen. Feldm. Rommel Tätigkeit 3.12. begonnen. Als vordringlich für Marine hat sich bisher ergeben:

1.) Verstärkung Verteidigung Esbjerg durch schnellste Aufstellung 15 cm Türme und reguläre Minensperre im Graadyb.
2.) Verstärkung Verteidigung Limfjord durch reguläre Sperren und baldige Zuteilung Artl.-Träger.
3.) Verstärkung Verteidigung Skagerrak durch Verbesserung Flakschutz Battr. Hanstholm zwei und wesentliche Verstärkung Minensperren im Skagerrak-Warngebiet. Erforderlich Räumschutz auch auf großen Wassertiefen, mehrere Zündungsarten.

Bekannt, daß die meisten dieser Maßnahmen angelaufen sind. Vorschlage Druck Skl. auf größtmögliche Beschleunigung. – Allgemein dringend: Größere Stetigkeit in Personalwirtschaft, keine weiteren Abzüge. Zuteilung S Inf. Waffen, Gestellung Heeres-Offz. für Nahkampfausbildung wird über Heeresgr. B verfolgt. – Adm. Dän. wird lfd. unterrichtet.

Zusatz nur für 1/Skl.:

Maßnahmen Marine und gute Zusammenarbeit aller Stellen mit Heer haben günstigen Eindruck gemacht."

17. Werner Best an das Auswärtige Amt 6. Dezember 1943

Dagsindberetning. Best videregav meddelelser om, at tre aktive kommunister var blevet skudt.
I AA måtte man selv slutte sig til, at nedskydningerne var et led i udførelsen af RFSS' ordre.
Kilde: PA/AA R 29.568. RA, pk. 204. LAK, Best-sagen (på dansk).

Telegramm

Kopenhagen, den	6. Dezember 1943	17.00 Uhr
Ankunft, den	6. Dezember 1943	17.45 Uhr

Nr. 1497 vom 5.12.43. Citissime!

Ich bitte, die folgende Meldung dem Herrn Reichsaußenminister unverzüglich zuzuleiten:

Über die Lage in Dänemark berichte ich für den 4. auf 5.12.43, daß am 4.12.43 abends in Kopenhagen ein Hauptfeldwebel von unbekannten Tätern erschossen worden. Ich habe der Stadt Kopenhagen wegen dieses Mordes eine Sühnezahlung von 2 Millionen Kronen auferlegt.[41] In der gleichen Nacht wurden in Kopenhagen drei aktive Kommunisten erschossen.[42] Im übrigen vier unbedeutende Sabotageakte ohne deutsches Interesse.

Dr. Best

18. Werner Best an das Auswärtige Amt 6. Dezember 1943

Det italienske gesandtskab, Amaliegade 31, i København blev lukket efter Italiens kapitulation, og personalet interneret. Best meddelte AA den manglende reaktion hos de øvrige udenlandske repræsentationer.

Indholdet af hans instrukser i denne sag er ubekendte. Se endvidere Bests telegram nr. 1511, 8. december 1943.

Kilde: PA/AA R 29.568. PKB, 13, nr. 474.

T e l e g r a m m

Kopenhagen, den	6. Dezember 1943	17.15 Uhr
Ankunft, den	6. Dezember 1943	17.45 Uhr

Nr. 1498 vom 6.12.[43.]

Auf Drahterlaß 1628[43] vom 3.12.1943.

Die hiesigen ausländischen Gesandten und Geschäftsträger haben nach einer Besprechung dem dänischen Außenministerium mitgeteilt, daß nach ihrer Ansicht die Konfinierung und der Abtransport der italienischen Gesandtschaft den allgemeinen Regeln und Gebräuchen des Völkerrechts widerspricht. Sie haben von einem formellen Protest Abstand genommen, da Dänemark besetztes Gebiet sei. Das dänische Außenministerium hat die Mitteilung der fremden Diplomaten zur Kenntnis genommen, aber keinen offiziellen Gebrauch davon gemacht. Die angeordneten Maßnahmen werden durchgeführt.

Dr. Best

19. Werner Best an das Auswärtige Amt 6. Dezember 1943

Best sendte 6. december telegram nr. 1501 til AA. Det er ikke lokaliseret, men blev omtalt i et telegram fra Best fra april 1944 (der heller ikke er lokaliseret), indeholdt i et brev fra Steengracht til Gauleiter Alfred Meyer 8. maj 1944 (trykt nedenfor). Indholdet af telegram nr. 1501 er udførligt refereret i et andet brev fra Steengracht til Meyer fra 18. december 1944 (se dette).

---

41 Se Bests kalenderoptegnelse 4. december. Den tyske meddelelse 6. december i forbindelse med drabet på soldaten er trykt på dansk hos Alkil, 2, 1945-46, s. 862.
42 Aksel Andersen, Arne Egon Hansen og Niels Nielsen blev dræbt ved nakkeskud under en transport mellem Dagmarhus og Vestre Fængsel, som led i de tyske soneaktioner (*Faldne i Danmarks Frihedskamp*, 1970, s. 24, 145f., 325f.).
43 Prot A 16102 IV 104 Ausl. Telegrammet er ikke lokaliseret.

20. Werner Best an das Auswärtige Amt 6. Dezember 1943
Dagsindberetning.
   Kilde: PA/AA R 29.568. RA, pk. 204.

Telegramm

Kopenhagen, den	6. Dezember 1943	20.16 Uhr
Ankunft, den	6. Dezember 1943	20.45 Uhr

Nr. 1505 vom 6.12.[43.]

Ich bitte, die folgende Meldung dem Herrn Reichsaußenminister unverzüglich zuzuleiten:
   Über die Lage in Dänemark berichte ich für den 5. auf 6.12.43, daß nur aus Aarhus zwei Sabotagefälle (in einer Maschinenfabrik und in einem Kabelhaus) gemeldet worden sind.[44]

Dr. Best

21. Andor Hencke: Notiz 6. Dezember 1943
Den danske gesandt Mohr havde været i AA for at fremføre to sager. For det første var de danske jøder, der ved en fejl var blevet deporteret, stadig ikke blevet tilbageført. Han bad om en status i sagen og yderligere en liste over alle de deporterede danske jøder. For det andet angående den fængslede ritmester Lunding, der iflg. Mohr ikke skulle have drevet efterretningsvirksomhed efter den tyske besættelse. Til det sidste slog Hencke fast, at Lunding havde drevet efterretningsvirksomhed for tredjeland.[45]
   Kilde: RA, pk. 204. PKB, 13, nr. 744.

U.St.S. Pol. Nr. 660   *Berlin, den 6. Dezember 1943*

Der Dänische Gesandte suchte mich heute nach seiner Rückkehr aus Kopenhagen auf und brachte folgende Punkte zur Sprache:
   1.) Von den seinerzeit abtransportierten dänischen Juden seinen diejenigen, die versehentlich abbefördert wären, noch nicht wieder nach Dänemark entlassen worden. Es handele sich dabei um solche Personen, für welche die von dem Reichsbevollmächtigten mitgeteilten Merkmale als "Juden" nicht zuträfen. Der Dänischen Gesandtschaft sei seinerzeit eine Prüfung und entgegenkommende Behandlung bezüglich der Rückbeförderung in Aussicht gestellt worden. Er bäte um eine Auskunft über den Stand der Angelegenheit.
   Ferner seien die von der Dänischen Regierung erbetenen Listen über die abtransportierten Juden noch nicht zur Verfügung gestellt worden.

---

44 Det var sabotagebranden mod A/S M. Seests Jernstøberi og Maskinfabrik, der blev ødelagt, og sabotageforsøg mod Telegrafens kabelhytte og to andre kabler (RA, BdO Inf. nr. 29, 8. december 1943, *Information* 7. december 1943, Hauerbach 1945, s. 24 (hvor der er fejlagtig datering), Alkil, 2, 1945-46, s. 1225).
45 Vedr. Lunding, se von Erdmannsdorffs notits 22. oktober 1943.

Ich beschränkte mich darauf, die Anfrage zur Kenntnis zu nehmen und eine Auskunft in Aussicht zu stellen.

2.) Herr Mohr bat um Mitteilung, ob der in Berlin in Haft befindliche dänische Rittmeister Lunding bei den letzten Luftangriffen persönlich zuschaden gekommen sei. Die Familie des Rittmeisters L. in Kopenhagen mache sich um sein Schicksal große Sorge.

Zu dem Fall Lunding selbst äußerte sich Herr Mohr dahingehend, daß die seinerzeit gemachte Mitteilung, wonach sich die dänische Wehrmacht nach der Besetzung Dänemarks verpflichtet habe, ihren Nachrichtendienst einzustellen, nicht zutreffe. Derartige Vereinbarungen seien nicht getroffen worden. Es hätte im Gegenteil eine gewisse Zusammenarbeit zwischen deutschen und dänischen militärischen Nachrichtenstellen stattgefunden.

Ich erwiderte Herrn Mohr, daß ich mich nach dem persönlichen Schicksal des Rittmeisters Lunding erkundigen würde. Im übrigen stehe fest, daß Lunding sich zugunsten dritter Mächte gegen Deutschland nachrichtendienstlich betätigt habe.

Hencke

22. Auswärtiges Amt an OKM 6. Dezember 1943

Den mellem AA og OKM indgåede aftale vedrørende beslaglæggelse af danske handelsskibe var sendt til Werner Best, hvis stillingtagen blev gengivet ved citat af et telegram fra ham: Best var af den opfattelse, at der skulle skaffes et nyt retsgrundlag, såfremt der skulle kunne foretages beslaglæggelser i Danmark, hvor det beslaglagte skulle anvendes uden for Danmark. Før man skred til beslaglæggelse, skulle der lægges pres på rederierne gennem den danske centralforvaltning for at få dem til at afgive deres skibe. Til det formål behøvede Best oplyst anvendelsesformål, fragtområde, og om skibet skulle sejle under tysk flag med tysk mandskab.

Se Seekriegsleitung til Quartiermeisteramt 13. december 1943.

Kilde: BArch, Freiburg, RM 7/1813. RA, Danica 628, sp. 7, nr. 5761f.

Auswärtiges Amt *Berlin, den 6. Dezember 1943*
Ha Pol 7318/43 g

S c h n e l l b r i e f

An das Oberkommando der Kriegsmarine
1. Abt. Seekriegsleitung

Betr.: Inanspruchnahme brachliegender dänischer Tonnage im dänischen Raum.

Im Anschluß an mein Schreiben vom 22. November d.J. – Ha pol 7010/43 g[46] – gebe ich nachstehend den Wortlaut der telegraphischen Stellungnahme der Deutschen Gesandtschaft Kopenhagen zur Kenntnis mit der Bitte um Stellungname:

(Der nachstehende Text darf unter keinen Umständen im Wortlaut weitergegeben werden!)

46 Trykt ovenfor.

"Für die unter Punkt 1) des dortigen Schreibens an OKM 1/Skl mitgeteilte Stellungnahme bezüglich Requisition aufliegender dänischer Tonnage fehlt bisher die notwendige Rechtsgrundlage. Auch die vom Wehrmachtsbefehlshaber während des militärischen Ausnahmezustandes erlassenen Verordnungen, deren Geltung von mir auch nach Aufhebung des Ausnahmezustandes aufrechterhalten wurde, sehen die Requisition aufliegender dänischer Tonnage, die außerhalb Dänemarks benutzt werden soll, nicht vor. Sofern es nicht gelingt, durch entsprechenden Druck auf die dänische Zentralverwaltung die Reedereien zur Hergabe ihrer Schiffe zu veranlassen, wird es notwendig sein, bisher noch nicht vorhandene Rechtsgrundlage zur Requisition der aufliegenden dänischen Schiffe durch den Erlaß einer neuen Verordnung zu schaffen. Bevor dieser Weg beschritten wird, müßte zunächst versucht werden, die Reedereien durch Druck auf die dänische Zentralverwaltung zur Hergabe ihrer Schiffe zu veranlassen. Zu diesem Zweck benötige ich genaue Angaben über Verwendungszweck und Frachtgebiet sowie, ob die Schiffe unter deutscher Flagge gestellt und mit deutscher Mannschaft ausgerüstet werden."

Im Auftrag
W. Bisse

23. Werner Best an das Auswärtige Amt 7. Dezember 1943
Dagsindberetning.
Kilde: PA/AA R 29.568. RA, pk. 204.

Telegramm

Kopenhagen, den	7. Dezember 1943	20.00 Uhr
Ankunft, den	8. Dezember 1943	01.40 Uhr
Nr. 1509 vom 7.12.[43.]		Citissime!

Ich bitte, dem Herrn Reichsaußenminister unverzüglich die folgende Meldung zuzuleiten:

Über die Lage in Dänemark berichte ich für den 6. auf 7.12.1943, daß in Kopenhagen 2 unbedeutende Sabotageakte gegen dänische Privatleute ohne deutsches Interesse stattfanden.[47] Weiter wurden in Aarhus ein Kaffee leicht beschädigt[48] und in Odense ein Waggon mit dänischen Uniformen angezündet.[49] In Jütland wurde ein Kabel durchschnitten.[50]

Dr. Best

47 Det var hos Bernhard Madsen, Blomsgade 18, og firmaet Hans Olsen, Hannovergade 8 (RA, BdO Inf. nr. 30, 8. december 1943).

48 Der blev rettet sabotage mod restaurant "Træfpunkt", Studsgade, der var meget besøgt af tyske soldater. Skaden var ringe (RA, BdO Inf. nr. 30, 8. december 1943, Hauerbach 1945, s. 24, Alkil, 2, 1945-46, s. 1225).

49 Det var på Harndrup station på Fyn (i originalen benævnt: "Station Horderup (Fünen))" (RA, BdO Inf. nr. 30, 8. december 1943,).

50 Ved Hobro var stærkstrømsledninger overklippet (Alkil, 2, 1945-46, s. 1225).

24. Werner Best an das Auswärtige Amt 8. Dezember 1943

Personalet fra det italienske gesandtskab i København blev ved dets lukning under bevogtning interneret på Hotel "Beaulieu," hvorfra det lykkedes nogle under forskellige påskud at undslippe til Sverige. Dette meddelte Best til AA, idet han benyttede lejligheden til at gentage sit ønske om et tysk toldgrænseværn.
   Kilde: RA, pk. 204.

Telegramm

Kopenhagen. den	8. Dezember 1943	11.00 Uhr
Ankunft, den	8. Dezember 1943	16.15 Uhr

Nr. 1511 vom 8.12.[43.]

Der erste Legationssekretär der bisherigen italienischen Gesandtschaft in Kopenhagen Marquis Capomazza und der bisherige Handelsattaché Bruniera sind mit ihren Frauen aus Kopenhagen geflüchtet und sollen nach hier vorliegenden Nachrichten mit einem Fischerboot nach Schweden gelangt sein. Dem Marquis Capomazza war auf Grund der Erlaubnis des Auswärtigen Amtes, daß seine Frau in Kopenhagen bleiben dürfte, gestattet worden, das Hotel Beaulieu zu verlassen, um seine Frau nebst Kind in der Stadt unterzubringen. Dem Handelsattaché Bruniera war gestattet worden, vor dem Abtransport nochmals seinen Zahnarzt aufzusuchen. Eine Begleitung der aus der Konfinierung beurlaubten war mangels Personals nicht möglich. (Das Hotel Beaulieu, in dem die Gesandtschaftsmitglieder konfiniert sind, ist polizeilich bewacht.)
   Ich benütze diese Gelegenheit, um wieder auf die Gefahr der unbewachten Ostküste Seelands hinzuweisen. Die beiden Italiener wären nie auf den Gedanken gekommen, zu fliehen, wenn nicht der illegale Bootsverkehr zwischen Dänemark und Schweden unbehindert und gefahrlos wäre. Nur durch den Einsatz der von mir beantragten Zollgrenzschutzkräfte könnte der Verkehr von und zu dieser Küste einigermaßen erschwert werden.

Dr. Best

25. Werner Best an das Auswärtige Amt 8. Dezember 1943

Dagsindberetning.
   Kilde: PA/AA R 29.568. RA, pk. 204.

Telegramm

Kopenhagen, den	8. Dezember 1943	19.00 Uhr
Ankunft, den	8. Dezember 1943	20.35 Uhr

Nr. 1516 vom 8.12.[43.]   Citissime!

Ich bitte, die folgende Meldung unverzüglich dem Herrn Reichsaußenminister zuzuleiten:

Über die Lage in Dänemark berichte ich für den 7. auf 8. Dezember 1943, daß in Kopenhagen die Maschinenfabrik "Absalon," die zu 40 Prozent für deutsche Zwecke arbeitet, durch Sabotage stark beschädigt worden ist.[51] Sonst nur zwei kleine Sabotagefälle ohne deutsches Interesse.

Dr. Best

26. Werner Best an das Auswärtige Amt 9. Dezember 1943
Dagsindberetning.
Kilde: PA/AA R 29.568. RA, pk. 204.

Telegramm

Kopenhagen, den	9. Dezember 1943	20.50 Uhr
Ankunft, den	9. Dezember 1943	23.00 Uhr

Nr. 1521 vom 9.12.[43.]   Citissime!

Ich bitte, die folgende Meldung unverzüglich dem Herrn Reichsaußenminister zuzuleiten:
Über die Lage in Dänemark berichte ich für den 8. auf den 9.12.1943, daß aus dem ganzen Lande keine besonderen Vorfälle gemeldet worden sind.[52]

Dr. Best

27. Hans Clausen Korff: Betr. Besatzungskosten in Dänemark 9. Dezember 1943
Efter sin fratræden ved gesandtskabet i København udarbejdede Korff et udkast vedrørende besættelsesomkostningerne i Danmark. Han trak linjen tilbage til 9. april 1940 og redegjorde for, hvordan den tyske gæld til Danmark steg og steg måned for måned. Han betegnede det som en ægte gæld, og den situation var der ikke ændret noget ved efter 29. august 1943. Tyskland blev mere og mere gældsat til Danmark, mens den danske befolknings stemning samtidig blev stadig mere tyskfjendtlig, hvilket ikke alene kom til udtryk over for de tyske soldater, men også i talløse sabotager. Det havde ført til afvæbning af den danske hær og flåde og indsættelse af tysk politi. De civile og militære besættelsesmyndigheder havde herefter draget den slutning at opgive den hidtil skånende holdning over for den danske befolkning og komme med mere vidtgående krav om levering af mangelvarer og at stille arbejdskraft til rådighed. På den baggrund burde Danmark også bære en del af besættelsesomkostningerne. Det ville være med til at mindske inflationen, og en stabil valuta var af overordentlig krigsnødvendig betydning, da den var en af forudsætningerne for de betydelige danske levnedsmiddelleverancer til Tyskland. De danske forholdsregler til inflationsbekæmpelse var i sig selv ikke tilstrækkelige. Korff mente ikke, at et krav om betaling af besættelsesomkostninger ville påvirke leverings-

---

51 Holger Danske sprængte Maskinfabrikken "Absalon," Frederikssundsvej 274. Der skete så omfattende skader, at fabrikken ikke længere kunne producere. Der var for 40 %s vedkommende blevet fabrikeret flyvemaskinedele til den tyske værnemagt (RA, BdO Inf. nr. 30, 8. december 1943, Kieler, 2, 1993, s. 150, Birkelund 2008, s. 677).
52 Dette havde sin rigtighed for så vidt, at BdO heller ingen meldinger havde for 8. december.

lysten i større grad, om nødvendigt måtte en vis uro tages med i købet. Stemningen var så skærpet i Danmark efter værnenes afvæbning og jødernes arrestation, at et krav om bidrag til besættelsesomkostningerne ville forekomme betydningsløst.

I hånden tilføjede Korff, at udkastet 10. december 1944 var sendt til Ministerialdirektor Berger.

Om udarbejdelsen af udkastet var et bestillingsarbejde, er uvist, men formen tyder ikke på det. Korff havde tydeligvis ikke fået et positivt indtryk af tysk besættelsespolitik i Danmark ved at være tilknyttet gesandtskabet i over to år. Det fremgår også meget tydeligt af hans brev til Breyhan 28. december 1943 (trykt nedenfor). Korff gik ret langt i bestræbelserne for at overbevise RFM om, at der skulle pålægges Danmark besættelsesomkostninger. Han skildrede den tyskfjendtlige holdning i meget stærke farver, og han tillagde både von Hanneken og Best en ændret besættelsespolitik, hvorefter den skånende holdning, som der ikke var belæg for hos de to,[53] skulle ophøre. I det mindste Best og med ham Ebner ville have protesteret over den gengivelse af forholdene og tysk politik i Danmark, som der her blev givet udtryk for. Ebners indberetning af 20. oktober 1943 står således i grel modsætning til den opfattelse, der her fremsattes. Ebner og Korff har givetvis ikke været på den bedste fod, hvad Korffs oven for omtalte brev af 28. december mere end antyder.

Hvad enten dette udkast er kommet til Bests kendskab eller ej, så har han fået indtryk af, at Korff ikke var i overensstemmelse med den rigsbefuldmægtigedes politiske kurs i Danmark. Se Bests telegram nr. 149, 3. februar 1944 til AA. I RFM blev der set anderledes på Korffs opfattelse. Se Schwerin von Krosigk til Ribbentrop 24. januar 1944.

Kilde: RA, Danica 201, pk 81A.

Entwurf

Betr. Besatzungskosten in Dänemark

Dänemark wurde am 9. April 1940 auf Grund einer Übereinkunft mit der dänischen Regierung besetzt. Der territoriale Bestand und die Souveränität wurden ausdrücklich garantiert. Die Finanzierung der Wehrmacht erfolgte zunächst durch Ausgabe von RKK-Scheinen. Mitte 1940 wurde ein Rahmenabkommen zwischen der Hauptverwaltung der Reichskreditkassen und Danmarks Nationalbank geschlossen, demzufolge die Nationalbank die zur Deckung der Wehrmachtausgaben erforderlichen Beträge gegen Belastung der Hauptverwaltung der RKK vorschoß. Die Höhe der Vorschüsse ist seitdem von Vierteljahr zu Vierteljahr vereinbart worden. Der dänische Staat hat der Nationalbank gegenüber die Garantie für das Guthaben der Hauptverwaltung der RKK übernommen.

Um den Wünschen der Dänen entgegenzukommen, wurden vom deutsch-dänischen Regierungsausschuß mehrere Vereinbarungen getroffen, nach denen bestimmte Lebensmittellieferungen an die deutschen Truppen in Dänemark nicht aus dem Konto der Hauptverwaltung der Reichskreditkassen (Wehrmachtkonto), sondern über Clearing abgerechnet werden.

Die Nationalbank hat auf Grund dieses Abkommens bis zum 30.9.1943 rd. 2 Milliarden Kr. zur Finanzierung der Wehrmacht zur Verfügung gestellt. Dazu tritt die Belastung durch die Clearingsvorschüsse von rd. 1,7 Milliarden Kr., so daß die gesamte Kreditausweitung zu deutschen Gunsten rd. 3,7 Milliarden Kr. beträgt. Diese Belastung

---

53 Derimod var der fra begyndelsen af december 1943 ingen tvivl om, at Best og Pancke efter højere ordre var nødt til at føre en skærpet besættelsespolitik for så vidt angik sabotage og personattentater, og det havde Korff fået indtryk af under sit seneste besøg i København.

wächst um rd. 150 Mill. Kr. monatlich und zwar 100 Mill. Kr. für Wehrmachtausgaben und 50 Mill. Kr. für Clearingvorschüsse.

Nach dem gegenwärtigen Stand sind auch die Vorschüsse der Nationalbank zur Deckung der Wehrmachtausgaben als echte Verschuldung der HV der RKK anzusehen, für die das Reich einzustehen hat. Daran hat sich auch durch die veränderten politischen Verhältnisse, die durch Verhängung des Ausnahmezustandes im August ds.Jrs. eingeleitet wurden, nichts geändert. Hieraus ergibt sich der unbefriedigende Zustand, daß das Reich Dänemark gegenüber nicht nur den Schutz nach außen durch Bereitstellung von Truppen, Waffen und Material übernommen hat, sondern sich auch noch zur Unterhaltung dieser Schutzmaßnahmen Dänemark gegenüber immer mehr verschuldet. Dies hat weiter nicht gehindert, daß die Dänen trotz allen Entgegenkommens eine immer feindlichere Haltung eingenommen haben, die nicht nur in der ablehnenden Haltung gegenüber den deutschen Soldaten, sondern auch in zahllosen Sabotagehandlungen ihren Ausdruck gefunden haben. Die feindselige Haltung der Bevölkerung führte schließlich zur gewaltsamen Entwaffnung der dänischen Wehrmacht, zur Erklärung des militärischen und neuerdings des zivilen Ausnahmezustandes in verschiedenen Teilen des Landes und zum Einsatz deutscher Polizei. Seitens der zivilen und militärischen Besatzungsbehörden ist hieraus bereits die Folgerung gezogen, die bisherige schonende Behandlung der Dänen aufzugeben und weitgehendere Forderungen bezüglich der Lieferung und Mangelwaren und Bereitstellung von Arbeitskräften zu stellen. Unter diesen Umständen erscheint es nur als angebracht, von der dänischen Regierung einen Beitrag zu den deutschen Ausgaben in Dänemark zu fordern. Die Durchsetzung einer solchen Forderung würde dazu Dänemark währungs- und finanzpolitisch zugutekommen und bei längerer Kriegsdauer einen entscheidenden Beitrag zur Verhinderung der Inflation darstellen. Die stabile Haltung der dänischen Währung ist dabei auch für das Reich von überragender kriegswirtschaftlicher Bedeutung, da sie zugleich Voraussetzung für die bedeutenden Lebensmittellieferungen Dänemarks an das Reich ist. Bei einem Verfall der Währung würde der dänische Bauer zweifellos die zusätzliche Erzeugung, die heute ins Reich geht, einstellen.

Die dänische Regierung hat die Gefahren, die sich aus der künstlichen Geldschöpfung durch die Notenbank ergeben, durchaus erkannt und am 3.7.1942 und 8.7.1943 2 Gesetzgebungswerke zur Bekämpfung der Inflationsgefahren durchgebracht. Die Gesetze sehen einmal die Abschöpfung der Kaufkraft und kurz- und mittelfristige Kredite vor, die zum Teil durch Zwangssparen verwirklicht werden sollen. Die Kredite konnten jedoch nur zu einem Teil untergebracht werden. Von den im Gesetz vom 1.7.1943 vorgesehenen Krediten von 400 Mill. Kr. sind nur 70 Mill. Kr. gezeichnet worden. Ansätze zur Abschöpfung von Kaufkraft durch Steuern sind erstmalig im Gesetz vom 8.7.1943 zutage getreten. Sie sind jedoch so verkümmert, daß ihnen eine praktische Bedeutung nicht zukommt.

Das Schwergewicht der Inflationsbekämpfung liegt in den Maßnahmen zur Bindung von Kaufkraft bei der Nationalbank. Von den 2,2 Milliarden Kr., die am 30.9.1943 auf Grund der Gesetze vom 3.7.1942 und 8.7.1943 erfaßt waren, waren nur 619 Mill. Kr. durch den Staat abgeschöpft. Die restlichen 1581 Mill. Kr. sind durch Bindung von Bankguthaben bei der Nationalbank festgelegt und zwar 651 Mill. Kr. auf 6 Monate und 930 Mill. Kr. bis Kriegsende. Die inflationsbekämpfende Wirkung dieser Bindung liegt nur darin, daß die Banken daran gehindert werden, diese Gelder im Augenblick anderweitig anzulegen. Dadurch werden zwar unerwünschte Investitionen der Banken wenn nicht verhindert, so doch erheblich erschwert. Praktisch hat dies keine Bedeutung, da das Ausleihegeschäft der Banken ohnehin darniederliegt. Dagegen bleiben die Bankkonten auch weiterhin in der Lage, jeder Zeit über ihre täglichen Gelder zu verfügen. Diese Maßnahme hindert die Banken aber daran, einen Teil ihrer Einlagemittel in Staatspapieren anzulegen. Sie entzieht dem Geldmarkt Mittel, die der Staat aufnehmen könnte. Das dem so ist, beweist am besten der Fehlschlag der mittelfristigen Staatskredite über 400 Mill. Kr., die nicht einmal zum 5. Teil gezeichnet wurden.

Die Finanzen des dänischen Staates werden dadurch z.Zt. nicht beeinträchtigt, da sie mit eigentlichen Kriegskosten nicht belastet sind und die zivilen Ausgaben aus den Steuereinkünften spielend gedeckt werden können. Es besteht für den dänischen Staat deshalb auch kein Grund, für eigene Zwecke die Besteuerungsmöglichkeiten besser auszunutzen.

Dieses ganze System der Inflationsbekämpfung ist so aufgebaut, daß es nach Kriegsende in sich zusammenfällt. Auf der anderen Seite wird dann der größte Teil der kurzfristigen Verpflichtungen fällig. Der Staat wird ohne weiteres in der Lage sein, die Fälligkeiten aus seinen Sperrguthaben, auf die Erlöse der Kredite zur Inflationsbekämpfung eingezahlt sind, abzulösen. Die Nationalbank wird die Bindung der Bankgelder in dem Ausmaß der Abhebung der Einleger freigeben müssen. Der Staat wird dann nicht im Besitz von Mitteln sein, einen wesentlichen Beitrag zu den Besatzungskosten zu leisten. Gleichzeitig wird die Geldfülle in einem noch nicht da-gewesenen Umfang als Kaufkraft auftreten.

Diese Entwicklung kann nur dadurch verhindert werden, daß der Staat die Besatzungskostenbeiträge leistet. Er wird dann gezwungen, eine weit wirksamere Abschöpfung von Kaufkraft durchzuführen. Dieses Geld geht durch die Einzahlung auf Wehrmachtkonto endgültig unter und kann zu einem späteren Zeitpunkt nicht wieder aufleben. Soweit die Abschöpfung durch Kredite erfolgt, ist das dänische Finanzministerium gezwungen, sich bei Fälligkeit anderweitige Deckung zu verschaffen. Die Nationalbank ist dann gezwungen, die Bindung der Gelder zugunsten der Staatskredite aufzugeben.

Gegen die Forderung eines Besatzungskostenbeitrages wird angeführt, daß die dänische Wirtschaft, insbesondere die Landwirtschaft dadurch beunruhigt würde, wenn ihre Einkünfte zu deutschen Gunsten weggesteuert würden. Ihre Anstrengungen, zur Ausfuhr nach dem Reich zu produzieren, würden zurückgehen. Die Stimmung in Dänemark ist jedoch ohnehin feindlich und durch die Entwaffnung der Wehrmacht und die Verhaftung der Juden so verschärft, daß demgegenüber die Forderung von Besatzungskosten als belanglos erscheint. Vor allem rechnet in Dänemark niemand ernsthaft damit, daß das Wehrmachtkonto seitens des Reichs zurückbezahlt wird. Es ist deshalb von sachverständiger dänischer Seite bereits in der Presse empfohlen worden, die jetzige Geldfülle zu benutzen, um seitens des Staates die Nationalbank zu entlasten und dadurch eine weitere Ausdehnung der künstlichen Geldschöpfung zu vermeiden. Es ist nicht anzunehmen, daß das Gewinnstreben, insbesondere auch bei der dänischen Landwirtschaft, durch eine solche Maßnahme beeinträchtigt würde.

Im übrigen kann eine gewisse Beunruhigung in Kauf genommen werden, wenn die Stabilität der Währung, die schließlich die Hauptvoraussetzung für die Erhaltung der Warenlieferung ist, gesichert werden kann.

Korff 9.12.43

Der obige Entwurf wurde am 10.12.43 Min. Direktor Berger übersandt.

28. Kriegstagebuch/Admiral Dänemark 9. Dezember 1943
Admiral Wurmbach videregav til MOK Ost og MOK Nord, hvad han havde udtalt på mødet med Rommel i Silkeborg. Der havde været visse uoverensstemmelser med WB Dänemark.
Kilde: KTB/ADM Dän 9. december 1943, RA, Danica 628, sp. 3, s. 3177f.

[…]

Im Verfolg meines Vortrages am 3.12. vor OB Heeresgruppe "Bertha", Generalfeldmarschall Rommel, über die Küstenverteidigung im Raum erstatte ich folgende Meldung an OB MOK Ost und OB MOK Nord:

3.12. stattfand Silkeborg vor Ob. Befh. Heeresgruppe "Bertha" Generalfeldmarschall Rommel, Vortrag über Küstenverteidigung Raum Dänemark.

Hinweis auf bekannte Unzulänglichkeiten bezgl. Personal und Material.

Als besondere Gefahrenpunkte für Feindlandung bei Ostwetterlage bezeichnete ich Raum Esbjerg und vor allem Westeingang Limfjord. In beiden Fällen Notwendigkeit von Minensperren, die im Strömenden Gewässer ausgelegt, von Land ferngezündet werden können. Außerdem 10 Artillerieträger dringend notwendig bei taktischer Unterstellung unter Admiral Dänemark.

Für etwaige Diversion einer Feindlandung in Aalbäk-Bucht ist Aufstellung einer 10,5 cm Batterie SKC/32 U vorgesehen.

Für Sperrung Nordeingangs Großer Belt halte ich Hinlegen "Peder Skram" (zwei 24 cm, zwei bezw. vier 15 cm, zwei bezw. vier 4 cm Bofors Flak) nach wie vor für notwendig, wenn nicht rechtzeitig Gestellung eines Schiffes des Ausbildungsverbandes ("Schleswig-Holstein"), ("Schlesien") im Ernstfalle sichergestellt ist. – Aufstellung "Peder Skram" Bewaffnung an Land etwa auf Halbinsel Ebeltoft gewährleistet bei geringen Reichsweiten 24 cm 160 hm, 15 cm 140hm Schutz Nordeinganges Großer Belt nicht.

Der vom Wehrmachtsbefehlshaber Dänemark erbetenen Zurückverlegung aller HKB'en (rückwärtige verdeckte Aufstellung, indirektes Schießen, nicht Einsehen des Mündungsfeuers von See aus) habe ich nicht zugestimmt, da hierzu Einverständnis OKM erforderlich und Arbeit zeitlich bis Frühjahr nicht mehr durchführbar.

Einem Versuch der Rückverlegung von Geschützen HKB "Fanö" und der Sicherung des vorgelagerten Strandraumes gegen Landung habe ich jedoch zugestimmt. Nach Festliegen Planung im Einvernehmen mit HK Art. Rgt. 180 erfolgt Vorschlag.

Ersatz drei 7,5 cm Flakbatterien im Raume Hansted durch drei 10,5 cm Flakbatterien habe ich wegen Wichtigkeit Schutzobjektes (Hanstholm II) Generalfeldmarschall Rommel als besonders erwünscht gemeldet.

Abziehung von weiterem Personal (U. Offz., P.U. Offz. und Mannschaften) aus dem Raume Jütland ist nicht mehr tragbar, wenn Küstenverteidigung im Rahmen Führerweisung 51 gewährleistet sein soll.

29. Werner Best an das Auswärtige Amt 10. Dezember 1943
Dagsindberetning.
   Selv om der i Bests optik ingen særlige tilfælde var at meddele AA, var en tysk politimand blevet skudt og en anden hårdt såret dagen før i København under tilfangetagelsen af en sabotageleder fra Holger Danske, lærer Svend Otto Nielsen med dæknavnet "John". BdO var klar over værdien af denne fangst og angav, at det i sidste øjeblik var lykkedes at forhindre Nielsen i at tage en giftampul (RA, BdO Inf. nr. 31, 13. december 1943, Larsen 1982, s. 57f., Kieler, 1, 1982, s. 164f., Kieler, 1, 2001, s. 343-349, Birkelund 2008, s. 87-89).
   Kilde: PA/AA R 29.568. RA, pk. 204.

Telegramm

Kopenhagen, den	10. Dezember 1943	
Ankunft, den	10. Dezember 1943	22.40 Uhr

Nr. 1527 vom 10.12.[43.]   Citissime!

Ich bitte, die folgende Meldung unverzüglich dem Herrn Reichsaußenminister zuzuleiten:
   Über die Lage in Dänemark berichte ich für den 9. auf 10.12.43, daß aus dem ganzen Lande keine besonderen Vorfälle gemeldet worden ein.

Dr. Best

30. Werner Best an das Auswärtige Amt 10. Dezember 1943
Best henvendte sig til AA i anledning af, at medlemmer af det tyske mindretal, der uddannedes af Luftwaffe, ikke kunne blive ansat som flyvende personel, men blev behandlet som udlændinge. Best bad om, at OKH blev gjort opmærksom på, at det tyske mindretal i Danmark indtog en særstilling.
   Den 6. januar 1944 rykkede Kassler på Bests vegne for svar, idet der kunne henvises til endnu en frivillig, der blev forhindret i at flyve. Kassler rykkede 7. marts for svar igen, men fik stadigt intet svar. Den 6. april skrev han på ny til AA og oplyste, at mindretallets leder Jens Møller havde oplyst, at der var kommet en ændret bestemmelse, der skulle tillade frivillige nordslesvigere at flyve med Luftwaffe. Det ville Kassler nu gerne have bekræftet. I stedet fik han 17. april et spørgsmål fra AA om hvilken bestemmelse hos OKH, det drejede sig om. Hertil svarede Kassler 25. april, at den bestemmelse var fremsendt med Bests telegram 10. december. Sagen var dermed ikke afsluttet. Det fremgår af en påtegning på Kasslers sidste brev, at der blev skrevet igen 5. maj (Alle dokumenter i PA/AA R 100.944).
   Kilde: PA/AA R 100.944.

Abschrift.
Der Reichsbevollmächtigte in Dänemark   *Kopenhagen, den 10. Dezember 1943*
I C N Sch 15.

An das Auswärtige Amt,
   Berlin.

Betr.: Zulassung volksdeutscher Freiwilliger aus Nordschleswig zum fliegenden Personal der Luftwaffe.
Mit Bezugnahme auf die Erlasse v. 2.11. d.Js. – R 61982 – und v. 20.11. d.Js. – Inl. II C 4739 – und auf die Berichte v. 4.8. d.Js. – I C/N Sch 15 – und v. 15.10. d.Js. – I C Nr. 345/43 –
2 Durchschläge
4 Anlagen (dreifach).[54]

Die Führung der deutschen Volksgruppe in Nordschleswig hat mir mitgeteilt, daß volksdeutsche Nordschleswiger, die sich freiwillig zur Luftwaffe gemeldet haben und z.T. auch bereits von der Luftwaffe ausgebildet sind, nicht die Möglichkeit haben, als fliegendes Personal der Luftwaffe eingesetzt zu werden. So sind bei der Deutschen Volksgruppe in Nordschleswig die drei abschriftlich beigefügten Meldungen von volkdeutschen Freiwilligen der Luftwaffe eingegangen, die übereinstimmend berichten, daß sie von der Luftwaffe einsatzmäßig als Ausländer behandelt werden.

Es liegt auf der Hand, daß sich diese Volksdeutschen durch die Gleichstellung mit Ausländern in ihrer Ehre gekränkt fühlen und daß sie nicht verstehen, warum ihnen nicht die Möglichkeit offen stehen soll, wie ihre reichsdeutschen Kameraden beim fliegenden Personal eingesetzt zu werden.

Bekanntlich ist vorgesehen, die Angehörigen der Deutschen Volksgruppe in Nordschleswig, die als Freiwillige bei der Wehrmacht oder Waffen-SS stehen, von dem Erwerb der deutschen Staatsangehörigkeit, wie sie durch den Erlaß des Führers vom 25. Mai 1943, Reichsgesetzblatt Teil I, Nr. 53, geregelt ist, auszunehmen. Die entsprechenden Durchführungsbestimmungen sind, wie ich höre, binnen kurzem zu erwarten. Die volkdeutschen Freiwilligen aus Nordschleswig werden demnach in Zukunft in staatsrechtlicher Hinsicht eine Sonderstellung einnehmen, weil sie die dänische Staatsangehörigkeit beibehalten und nicht die Reichsangehörigkeit erwerben. Dies darf nun keinesfalls dazu führen, daß diese Volksdeutschen wegen ihrer dänischen Staatsangehörigkeit bei der Wehrmacht und der Waffen-SS einsatz- und beförderungsmäßig schlechter gestellt werden als die Reichsdeutschen.

Ich bitte deshalb, das Oberkommando der Luftwaffe unter Hinweis auf das abschriftlich beigefügte Schreiben des OKH vom 13. November d.Js.[55] zu bitten, der Sonderstellung Volksdeutscher dänischer Staatsangehörigkeit Rechnung zu tragen, und die in der erwähnten Fällen getroffenen Entscheidungen nachzuprüfen bzw. entsprechend abzuändern.

gez. **Dr. Best**

---

54 Bilagene er ikke lokaliseret.
55 Trykt ovenfor.

31. Werner Best an das Auswärtige Amt 11. Dezember 1943

Dagsindberetning. Bl.a. var det inden for den sidste uge lykkedes Gestapo at pågribe 65 sabotører og 131 personer for anden illegal aktivitet. De fleste var kommunister.

Meldingen om de over 200 anholdelser af sabotører og andre illegale på blot én uge skulle i Berlin hos såvel RFSS, RSHA og AA godtgøre, at Best og Pancke tog kravet om skærpede foranstaltninger mod sabotagen og anden illegal aktivitet alvorligt.

BdO i København medvirkede 4. december ved en kvarterrazzia i Nyhavn (resultatløs) og rykkede 7. december på Gestapos ordre ud til Købmagergade 63-65 (Latiner-Caféen), hvor alle blev holdt tilbage, men kun to blev anholdt (BArch, R 70 Dänemark 6, KTB/BdO 4. og 7. december 1943, KB, Bergstrøms dagbog 4. december 1943). Der blev foretaget razziaer i større byer over hele landet på gader, hos dagblade og trykkerier, på banegårde m.v. Der blev gået målrettet efter illegal bladvirksomhed. I Kolding alene blev der meldt om ca. 60 anholdte med udgangspunkt i oprulningen af det illegale blad *Budstikken*. I Ålborg førte en razzia efter illegale blade til 11 anholdelser og en blev dræbt. I Randers blev en stribe personer anholdt og ført til Århus arrest, og i Fredericia blev 11 personer anholdt, mens syv blev anholdt i Odense. Enkelte af de anholdte blev hurtigt løsladt. Blandt de oprullede bladorganisationer var *Dannevirke* (*Information* i dagene 4.-12. december 1943, Trommer 1973, s. 133, Holmgård 1990, s. 7-10, Birkelund 2000, s. 268).

Kilde: PA/AA R 29.568. RA, pk. 204.

Telegramm

Kopenhagen, den   11. Dezember 1943
Ankunft, den   11. Dezember 1943   17.10 Uhr

Nr. 1528 vom 11.12.[43.]   Citissime!

Ich bitte, die folgende Meldung dem Herrn Reichsaußenminister unverzüglich zuzuleiten:

Über die Lage in Dänemark berichte ich für den 10. auf 11.12.43, daß aus Kopenhagen drei Sabotagefälle (Mechanische Fabrik, die zu 50-60 Prozent für deutsche Zwecke arbeitet,[56] Eisenbahnwaggon mit Verbandstoffen, sowie ein nicht explodierter Sprengkörper in einem Elektrizitätswerk)[57] und aus Aarhus ein Sabotagefall (Sprengkörper in einem Café ohne Personenschaden) gemeldet sind.[58] Der deutschen Sicherheitspolizei ist es gelungen, in der Woche vom 4.12. bis 11.12.43 65 Saboteure und 131 Personen wegen illegalen Betätigung (meist kommunistischer Richtung) festzunehmen und mehrere Waffen- und Sprengstofflager auszuheben.[59]

Dr. Best

---

56 BOPA saboterede A/S Søren Wistofts Fabriker, Nicolajvej 4-6, der leverede dele til ubåde og biler. BdO anslog skaderne til 250.000 kr., mens erstatningssummen blev på 491.000 kr. (RA, BdO Inf. nr. 31, 13. december 1943, Kieler, 2, 1993, s. 150, Kjeldbæk 1997, s. 470).

57 Der var brand i en jernbanevogn, og endelig blev der forsøgt sabotage mod transformatorstationen ved Adelgade-Helsingørgade (RA, BdO Inf. nr. 31, 13. december 1943, Alkil, 2, 1945-46, s. 1226).

58 "Rømercafeen", der fortrinsvis blev søgt af tyske soldater, blev udsat for sabotage (RA, BdO Inf. nr. 31, 13. december 1943, Hauerbach 1945, s. 24, Alkil, 2, 1945-46, s. 1226).

59 BdO deltog 8. december i en særaktion med SD efter et våbenlager (lokalitet opgives ikke), hvor der blev beslaglagt bl.a. et maskingevær, ca. 100 geværer og 60-80 par militærstøvler, samt uniformer og rygsække (BArch, R 70 Dänemark 6, KTB/BdO 8. december 1943).

32. Werner Best an das Auswärtige Amt 11. Dezember 1943

Best videregav meddelelsen om, at Günther Pancke officielt havde påbegyndt sin tjeneste 6. december som HSSPF ledsaget af en direkte gengivelse af den korte føreranordning.

Af anordningen fremgår, at Himmler havde valgt at forelægge Hitler en ret uforpligtende stillingsbeskrivelse. Panckes beføjelser eller arbejdsområde blev ikke beskrevet nøjere, og der blev heller ikke taget hensyn til den aftale, der var indgået en måned tidligere mellem Steengracht og Kaltenbrunner, se førstnævntes notits 7. november 1943, trykt ovenfor. Se endvidere telegrammerne nr. 1689, 20. december, nr. 1578, den 23. december 1943, nr. 12, 6. januar og nr. 32, 7. januar 1944.

Der hersker en vis forvirring om dateringen af Hitlers forordning indeholdt i Bests telegram. Moll 1997 mener, at det er fejldateret, og at den rette datering er 6. oktober 1943. Han og flere andre overser, at udnævnelsen af Pancke 6. oktober ikke må forveksles med forordningen om fastlæggelsen af hans kompetence i forhold til Best (Thomsen 1971, s. 192, Rosengreen 1982, s. 45, 59, Birn 1986, s. 290f., Petrick 1991, s. 770, Moll 1997, s. 362).

Kilde: PA/AA R 29.568. LAK, Best-sagen (oversat). PKB, 13, nr. 765.

Telegramm

| Kopenhagen, den | 11. Dezember 1943 | 14.20 Uhr |
| Ankunft, den | 11. Dezember 1943 | 17.10 Uhr |

Nr. 1529 vom 11.12.43.

Der höhere SS- und Polizeiführer in Dänemark SS-Gruppenführer Pancke hat mir mitgeteilt, daß die Tätigkeit seiner Dienststelle mit dem 6.12.43 begonnen hat. Er hat mich weiter unterrichtet, daß der Führer unter dem 6.12.43 die folgende Anordnung getroffen hat: "Ich ordne die Errichtung der Kommandostelle eines höheren SS- und Polizeiführers in Dänemark an. Der höhere SS- und Polizeiführer ist dem Bevollmächtigten des Reiches beigegeben und arbeitet im engsten Einvernehmen mit ihm."

Dr. Best

33. Werner Best an das Auswärtige Amt 11. Dezember 1943

AA blev orienteret om, at den danske oberst A. Hartz var blevet løsladt, som Best havde anbefalet 30. november.

Kilde: PA/AA R 101.043. RA, pk. 232.

DG Kopenhagen Nr. 54 11.12. 14/20 =
Auswärtig Berlin = Nr. 1530 vom 11.12.43

Unter Bezugnahme auf das dortige Telegramm Nr. 1440[60] vom 16.10.43 und auf mein Telegramm Nr. 1488[61] vom 30.11.43 teile ich mit, daß der bisherige dänische Militärattaché in Berlin Oberst Hartz am 3.12 43 aus der Haft der deutschen Sicherheitspolizei entlassen worden. =

Dr. Best

---

60 Inl. II 2884 g. Von Thadden til Best 16. oktober, trykt ovenfor.
61 Inl. II 3206 g. Trykt ovenfor.

34. Werner Best an das Auswärtige Amt 12. Dezember 1943
Dagsindberetning.
> Best videregav dagens to hændelser uden nogen som helst vurdering af deres betydning. De skulle begge komme til at beskæftige ham yderligere.
> Kilde: PA/AA R 29.568. RA, pk. 204.

Telegramm

Kopenhagen, den	12. Dezember 1943	18.45 Uhr
Ankunft, den	12. Dezember 1943	20.35 Uhr

Nr. 1531 vom 12.12.[43.]   Citissime!

Ich bitte die folgende Meldung dem Herrn Reichsaußenminister unverzüglich zuzuleiten:

Über die Lage in Dänemark berichte ich für den 11. Dezember auf 12. Dezember, daß als einziger Sabotagefall die Zerstörung einer Maschinenfabrik in Varde (Jütland) gemeldet ist.[62] Auf dem Öresund wurde ein von Schweden kommendes Boot mit Sabotagematerial und Propagandamaterial gefaßt und 3 Insassen festgenommen.[63]

Dr. Best

35. WB Dänemark an OKH 12. Dezember 1943
Von Hanneken videregik oplysningerne om sabotagen mod stålværket i Varde og om opbringelsen af en båd med tre "svenske" statsborgere. Sabotagen mod stålværket berørte tyske interesser.
> Kilde: RA, Danica 1000, T-78, sp. 320, nr. 275.063.

Fernschreiben

KR – HXSI 596 12.12. 1945=
An OKH/GEN ST D H/OP ABT=

Tagesmeldung 12.12.43
Sabotagefall in einem Stahlwerk, größerer Sachschaden, aber kein Personenschaden. Wehrmachtinteressen betroffen. 1 schwedisches Boot mit 3 schwedischen Staatsangehörigen, Post und Sprengkörpern durch eigenes Sicherungsfahrzeug in der Nacht zum 12.12. im Öresund aufgebracht. Untersuchung im Gange.
Wehrmachtb. Dänemark I A Nr. 584/43

---

62 Varde Stålværk med 200 arbejdere var udsat for sabotage udført af Holger Danske. Værket arbejdede for 20 procents vedkommende for den tyske værnemagt (RA, BdO Inf. nr. 32, 16. december 1943, Trommer 1973, s. 133f., Kieler, 1, 1982, s. 169-173, 184f., Hjorth og Kieler 1992, Kieler, 1, 2001, s. 368-371, Birkelund 2008, s. 677, Andreasen 2010). Se om sabotagen endvidere Rüstungsstab Dänemark 13. januar 1944, Forstmann til Best og von Hanneken 22. december og hans situationsberetning for december, 31. december 1943.
63 Se Bests telegram nr. 1534, 13. december 1943.

36. Werner Best an das Auswärtige Amt 13. Dezember 1943

Dagsindberetning med detaljer om Kriegsmarines opbringning af en "svensk fiskerbåd."

Den beslaglagte post med danske adressater førte til en stribe anholdelser af disse, foruden ransagninger hos og afhøringer af andre. Blandt de anholdte var medlem af Frihedsrådet Erling Foss, som senere blev løsladt pga. mangel på bevis (det belastende medlemskab blev ikke afsløret), læge Aage Petersen og hustru, redaktør H. Lund fra *Berlingske Tidende* og regnskabschef Kaj Mogensen fra *Politiken*. De øvrige nævnte blev også løsladt igen.

De tre besætningsmedlemmer blev efter flere forhør på Dagmarhus løsladt 16. december og returnerede med båden til Malmø. Tysk politi troede på den forklaring, der her er refereret. Imidlertid var de tre "svenske fiskere" identiske med de tre danske modstandsfolk Erik Stærmose, Ole Helweg og Erich Marx, og skibets rigtige navn var "Julius." Det sejlede i illegal rutefart mellem Sverige og Danmark. I begyndelsen af januar var tysk politi endnu ikke bragt ud af vildfarelsen vedr. skib og besætning, som det fremgår af Bests telegram nr. 10, 4. januar 1944, og det er et spørgsmål, om det nogensinde blev det.

Opbringningen af fiskerbåden blev tillagt en sådan betydning, at den blev omtalt i både OKWs og Skls krigsdagbøger; sidstnævnte sted med den bemærkning: "Nach Ansicht des SD handelt es sich um außerordentlich wertvolles Material." (telegram fra Marinebefehlshaber Dänemark til AA og OKW 14. december (BArch, Freiburg, RM 7/1812. RA, pk. 228), KTB/OKW 14. december 1943 (Bd. III:2, 1963, s. 1358), KTB/Skl 13. december 1943, *Information* 13. og 16. december 1943, KB, Bergstrøms dagbog 13.-15.,17. og 23. december 1943, Dethlefsen 1993, s. 70f.).

Kilde: PA/AA R 29.568. RA, pk. 204.

Telegramm

Kopenhagen, den	13. Dezember 1943	20.30 Uhr
Ankunft, den	14. Dezember 1943	01.00 Uhr

Nr. 1534 vom 13.12.[43.]   Citissime!

Ich bitte, die folgende Meldung dem Herrn Reichsaußenminister unverzüglich zuzuleiten:

Über die Lage in Dänemark berichte ich für den 12. auf 13.12.43, daß aus dem ganzen Lande keine besonderen Vorfälle gemeldet sind.

Zu der in der gestrigen Tagesmeldung (Telegramm Nr. 1531)[64] gemeldeten Aufbringung des schwedischen Fischerbootes hat der Befehlshaber der Sicherheitspolizei mir den folgenden Bericht erstattet:

"Am 11. Dezember 1943 abends wurde das schwedische Fischerboot. "MOE 1000 BORE" BRT. 28.5 von dem Kontrollboot I.K. 05 der 8. Sicherungsflottille der deutschen Kriegsmarine im dänischen Hoheitsgewässer als verdächtig angehalten und in den dänischen Hafen von Rödvig eingebracht. An Bord des schwedischen Fischerbootes wurden 9 Handgranaten dänischer Herkunft und eine Tasche mit ca. 300 Briefen für dänische Adressen vorgefunden und bei der hiesigen Dienststelle sichergestellt. Bei den Briefen handelt es sich überwiegend um solche, die Hinweise auf eine Organisation zur illegalen Postbeförderung zwischen Schweden und Dänemark und zum illegalen Grenzübertritt enthalten. Sonstiges illegales Material wurde nicht gefunden. Die Personalien der schwedischen Besatzung lauten:

---

64 Trykt ovenfor.

1.) Fischer Olof Haakansson, geb. 4.4.24 in Aahus (Schweden), wohnhaft dortselbst.
2.) Richard Stahl, geb. 23.6.1919 in Aahus (Schweden), wohnhaft dortselbst.
3.) Niels Svensson, geb. 6.5.08 in Simrishamn, wohnhaft dortselbst.
Führer des deutschen Kontrollbootes war Obersteuermann Heinrich Rancke, geb. 17.4.23 in Wedel/Holstein. Die schwedische Besatzung wurde der hiesigen Dienststelle übergeben und vorläufig festgenommen. Sie befindet sich im hiesigen Vestre-Fängsel."
Dr. Best

37. Horst Wagner: Notiz 13. Dezember 1943
Wagner viderebragte Hitlers knappe bestemmelse vedr. Panckes virke som HSSPF i Danmark og udlagde derpå bestemmelsen i forlængelse af hans egen og Steengrachts samtale med Ernst Kaltenbrunner 7. november på den måde, at Pancke skulle modtage de politiske direktiver fra Best og de faglige fra Himmler, samt at Best var den øverste tyske repræsentant i Danmark.

Det var en tolkning, der ikke kom til at stå uantastet.
Kilde: PA/AA R 101.040. LAK, Best-sagen (afskrift).

Gruppe Inland II
V o r t r a g s n o t i z
Der Bevollmächtigte des Reichs in Dänemark hat telegrafisch berichtet, das der höhere SS- und Polizeiführer in Dänemark, SS-Gruppenführer Pancke, seine Dienststelle am 6.12.1943 eröffnet habe. Der Führer hat unter dem 6.12.1943 folgende Anordnung getroffen:
"Ich ordne die Errichtung der Kommandostelle eines höheren SS- und Polizeiführers in Dänemark an. Der höhere SS- und Polizeiführer ist dem Bevollmächtigten des Reichs beigegeben und arbeitet im engsten Einvernehmen mit ihm."
Auf Grund der von SS-Obergruppenführer Kaltenbrunner in der Besprechung mit Herrn Staatssekretär und VLR. Wagner am 7.11.1943[65] abgegebenen Erklärung ist das Verhältnis zwischen dem Bevollmächtigten das Reichs und dem höheren SS- und Polizeiführer dahin auszulegen, daß entsprechend Führerbefehl über das Verhältnis zwischen Gesandten Neubacher und dem höheren SS- und Polizeiführer in Serbien, der höhere SS- und Polizeiführer seine Weisungen auf politischem Gebiet von dem Bevollmächtigten des Reichs, seine fachlichen Weisungen vom Reichsführer-SS und seinen Organen erhält. Obergruppenführer Kaltenbrunner stellte weiterhin fest, daß in Dänemark der Bevollmächtigte des Reichs die oberste deutsche Spitze sei.
Berlin, den 13. Dezember 1943.
Wagner

65 Trykt ovenfor.

38. Seekriegsleitung an Quartiermeisteramt 13. Dezember 1943

Seekriegsleitung meddelte skibsfartsafdelingen (Amt VI), at Werner Best som forventeligt havde gjort indsigelse mod den aftale, der var truffet mellem AA og OKM vedrørende beslaglæggelsen af danske skibe. AA holdt fast ved aftalen, men ville have de spørgsmål, som Best havde opregnet i sin skrivelse, besvaret. Seekriegsleitung slog endnu engang fast, at der skulle være tale om for krigsførelsen virkeligt nødvendige beslaglæggelser, og at de først skulle ske efter, at marinekommandanten i København under medvirken af Best havde forsøgt at få en aftale i stand med rederne om skibene.

Quartiermeisteramt svarede Seekriegsleitung 14. december 1943.

Kilde: BArch, Freiburg RM 7/1813. RA, Danica 628, sp. 7, nr. 5759f.

Seekriegsleitung   O.U., den 13.12.1943.
Zu: B-Nr. 1. Skl. I i 51 455/43 geh.

An Skl. Qu A VI.

Betr.: Erfassung brachliegender dänischer Tonnage.

Unter Bezug auf dem in obiger Angelegenheit stattgehabten Schriftwechsel wird mitgeteilt, daß der Reichsbevollmächtigte für Dänemark, Dr. Best, inzwischen, wie zu erwarten war, gegen das Einverständnis des Auswärtigen Amtes zur Vornahme von Beschlagnahmen Einwendungen erhoben hat. Sein diesbezügliches Schreiben ist in der Anlage in Abschrift beigeführt.[66]

In einer weiteren mündlichen Erörterung der Angelegenheit hielt das Auswärtige Amt an seiner einmal getroffenen Entscheidung fest, bat aber darum, daß vor Durchführung einer Beschlagnahme zunächst die am Schluß des Schreibens von Dr. Best gestellten Fragen beantwortet werden möchten. Um diesbezügliche Mitteilung nach hier wird gebeten.

Seitens der 1. Skl. ist bereits ausgesprochen worden, daß zur Vermeidung von unerwünschten wirtschaftpolitischen Weiterungen eine Beschlagnahme nur dann erfolgen kann

1.) wenn das betreffende Schiff wirklich dringend für unmittelbare Zwecke der Kriegsmarine benötigt wird und
2.) wenn ein nochmaliger, von der KMD Kopenhagen unter Beteiligung des Herrn Dr. Best gemachter Versuch zur vertraglichen Erfassung des betreffenden Schiffes wieder erfolglos bleiben sollte.

Über die rechtliche Form, in die die etwa erforderliche Beschlagnahme zu kleiden sein würde, wird noch zwischen der 1. Skl. und dem Auswärtigen Amt Einvernehmen herbeigeführt werden. Diesbezügliche weitere Nachricht bleibt vorbehalten.

Abschrift des dortigen Schreibens Skl. Qu A VI r 7058/43 geg. vom 5. Novbr. 43 ist wunschgemäß beigefügt.

---

66 Se AA til OKM 6. december 1943.

39. Kriegstagebuch/WB Dänemark 13. Dezember 1943

Efter Rommels afrejse orienterede WB Dänemark sine kommandanter om feltmarskallens syn på forsvarsberedskabet i Danmark, på troppernes indsats og deres styrkemæssige placering. Hovedvægten skulle lægges på kystforsvaret, men tropperne skulle trækkes bort fra selve stranden, og i øvrigt skulle der ske en række omplaceringer. Generalstabschef Ingo von Collanis udførelsesordre er vedlagt.

Rommels rapport vedrørende forsvaret af Danmark blev afgivet til Hitler 13. december, men er ikke bevaret og kendes derfor alene gennem de forskellige tyske instansers stillingtagen dertil. Se KTB/Skl. 15. december, 22. december hos SKL og 26. december hos OKW. Endvidere Generalbevollmächtigter für die Regelung der Bauwirtschaft/Zementzentrale til die Reichsstelle für Kohle 21. december 1943, OKW W Stab til WO W Stab 6. januar og Quartiermeisteramt til 1. Seekriegsleitung 17. januar 1944. Rommels anvisninger er rekonstrueret af Jens Andersen med bl.a. brug af Friedrich Ruges erindringer 1958, s. 14ff. og 96f. (Andersen 2007, s. 166-168 med note 56).

Kilde: KTB/WB Dänemark 13. december 1943 med bilag.

Durch den Herrn Befehlshaber wurde den Div. Kommandeuren die Ansicht des Herrn Feldmarschalls Rommel zur Verteidigungsbereitschaft Dänemarks, über den Einsatz der Truppe und ihre Kräfteverteilung mitgeteilt.

In einzelnen nahm der Herr Befehlshaber hierzu folgendermaßen Stellung:

Es ist vom Feldmarschall Rommel gefordert worden, daß die Dislozierung der Truppe allein auf die Verteidigung der Küste abgestellt wird. Die HKL muß der Strand sein. Hierzu ist es erforderlich, von dem bisherigen Stützpunktsystem abzuweichen. Eine Umgruppierung der Truppe wird damit notwendig.

Vom Feldmarschall Rommel ist den OKW vorgeschlagen, die Masse den Divisionen an den voraussichtlichen Schwerpunkten zusammenzufassen und in die Küstengebiete hineinzubringen. Diese Umgruppierung, die weniger der Besetzung und Sicherung des Landes im allgemeinen und der Ausbildung Rechnung trägt, als lediglich auf die Verteidigung der Küsten gegen feindlichen Anlandungen abgestellt ist, ist vom Feldmarschall Rommel dem OKW vorgeschlagen und mit dem Wehrmachtbefehlshaber abgesprochen mit ihre baldmöglichste Vollendung zugesagt worden.

Hiermit wurde vom WB Dänemark befohlen, daß die 160. und 166. Res. Div. in ihren Abschnitten an die Küste vorzieht und sich in das bestehende Verteidigungssystem eingliedert. 361. I[nfanterie] D[ivision] erhielt Erkundungsauftrag für ihren Einsatz im Raume Esbjerg für den Fall, daß das OKW dem Vorschlag des Feldmarschalls Rommel, die Division im Küstenschutz einzusetzen, zustimmt.

Der 20. Lw. Feld. Div. wurde befohlen, Vorschlag zur Verlegung eines durch eine leichte Art. Abt. verstärkten Jäger-Rgts. in den Küstenabschnitt nördlich des Limfjords an der Ostküste vorzubereiten.

Verlegungen bei 160. und 166. Res. Div. sollen am 27.12. nach Durchführung der Erkundungen beginnen (s. Anlage).

Der Bericht des Oberkommandos der Heeresgruppe B zur Verteidigungsbereitschaft Dänemarks an das OKW/WFSt wurde Wehrmachtbefehlshaber Dänemark zum Auswertung übersandt. In Zukunft hat Wehrm. Bef. Dän. die Heeresgruppe über alle Umgruppierungen, Befestigungsbauten, Sperrmaßnahmen usw. auf dem Laufenden zu halten.

FAK Dänemark wurde befohlen, zu melden, welche Batterien von welchen Flugplätzen als Flakkampftrupps für den Erdeinsatz freigemacht werden können.

Wehrmachtbefehlshaber Dänemark *Gef.St., 13.12.1943*
Ia – Nr. 1318/43 g.Kdos. 12 Ausfertigungen
  11. Ausfertigung
  Geheime Kommandosache!

1. Befehl für Umgruppierung zur Verstärkung der Küstenabwehr in Jütland

1.) In Anbetracht einer *weiteren Verstärkung der Abwehr an der jütländischen Küste* ist es erforderlich, von dem bisherigen Stützpunktsystem abzuweichen und ein durchlaufendes Stellungssystem zu schaffen.
Die HKL ist der Strand
In den Schwerpunktabschnitten der 160. und 166. Res. Div. sind weitere Umgruppierungen vorzunehmen und alle verfügbaren Kräfte in das bestehende Stützpunktsystem einzugliedern. Muster für die künftige Gliederung der Verteidigungsabschnitte Anlage 1.
  An weniger gefährdeten Küstenabschnitten (416. I.D.) verbleibt es bei der bisherigen Abwehr. Eine *durchlaufende Sicherung* der Küste durch Verlegung von Einheiten hinter bisher unbewachten Küstenstreifen *muß auch hier erreicht werden*.
  Es kommt darauf an, dem Feind bereits *vor* Erreichen der Küste zu zerschlagen und jeden Landungsversuch unmöglich zu machen.
  Hier gilt der Grundsatz, daß alle Kräfte, die nicht bereits zur Verteidigung an der Küste eingesetzt sind, für die Abwehr einer feindlichen Landung zu spät kommen.

2.) Hierzu wird befohlen:
a.) *160. u. 166. Res. Div.* verlegen in den Abschnitt gemäß Anlage 2a.) bezw. 2b.) (nur an 160. bezw. 166. Res. Div.) an die Küste vor und gliedern sich in das bestehende Verteidigungssystem ein.
  Der *feldmäßige Ausbau* ist von der Truppe selbst durchzuführen. Auf Unterbringung in den Ortschaften ist zurückzugreifen. Baracken sind in reichlichen Masse angefordert. Auf ihre Zuweisung kann jedoch nicht gewartet werden.
  Alle Rücksichten auf Ausbildung haben für die Dauer des feldmäßigen Einbaus zurückzustehen.
  Beginn der Bewegungen bei 160. und 166. Res. Div. am *27.12.43* (fernmündlich voraus!)
b.) *416. I.D.* erkundet und schlägt zum 20.12.43 vor eine *örtliche* Verschiebung von Reserven zur Verbesserung derzeitigen Sicherungssystem an der Küste.
c.) *20. LW. Feld-Div.* reicht Vorschlag zur Verlegung eines durch eine leichte Art. Abt. verstärkten Jäger-Rgts. nördlich des Limfjords in dem Küsten-Abschnitt südlich Säby vor. Termin 17.12. (fernmündlich voraus!).
d.) Die Verlegung der *233. Res. Pz. Div.* in den bei der Kommandeurbesprechung vom 13.12. bekanntgegebenen Raum ist vorzusehen. Die Div. erkundet die hier vorhandenen Ausbildungs- und Unterbringungsmöglichkeiten.
e.) *361. I.D.* erkundet Einsatz im Raume Esbjerg (jetziger Abschnitt Res. Gren. Rgt.

225). Vorschlag für Einsatz der Div. nach Muster Anlage 1.[67]
Für den
Wehrmachtbefehlshaber Dänemark
Der Chef des Generalstabes
gez. v. **Collani**

F.d.R.
[ulæseligt]
Oberleutnant

Verteiler
416. I.D.	1.	Ausf.
160. Res. Div.	2.	–
166. Res. Div.	3.	–
20. Lw. Feld-Div.	4.	–
233. Res. Pz. Div.	5.	–
361. I.D.	6.	–
Nachrichtlich:		
Admiral Dänemark	7.	–
Gen. d. Lw. i. Dän.	8.	–
Abt. Qu	9.	–
Nafü	10.	–
Ktb	11.	– (ohne Anlg.)
[?]	12.	–

40. Werner Best an das Auswärtige Amt 14. Dezember 1943

Dagsindberetning. Den indeholder tillige en oversigt over det tyske politis resultater i Danmark de sidste tre måneder.
Der er givetvis tale om et resume af en aktivitetsrapport over politiarbejdet i perioden, som Best på denne måde undgik at sende til AA. AA fik på dette tidspunkt ikke mere at vide, end hvad Best oplyste i *Politische Informationen*, hvis de ellers tilgik AA.
Kilde: PA/AA R 29.568. LAK, Best-sagen (afskrift). ADAP/E, 7, nr. 130.

Telegramm

Kopenhagen, den	14. Dezember 1943	19.40 Uhr
Ankunft, den	14. Dezember 1943	21.10 Uhr

Nr. 1538 vom 14.12.43.   Citissime
Ich bitte, die folgende Meldung unverzüglich dem Herrn Reichsaußenminister zuzu-

---
[67] Bilaget er ikke lokaliseret.

leiten:

Über die Lage in Dänemark berichte ich für den 13. auf 14.12.43, daß aus dem ganzen Lande keine besonderen Vorfälle gemeldet worden sind.

Der Befehlshaber der Sicherheitspolizei hat gemeldet, daß in den 3 Monaten vom 15.9.-14.12.43 in Dänemark die folgenden sicherheitspolizeilichen Maßnahmen durchgeführt wurden: 169 Festnahmen wegen Sabotage und 424 Festnahmen wegen illegaler – meist kommunistischer – Betätigung, 11 Saboteure zum Tode verurteilt[68] und 184 Illegale in Konzentrationslager des Reiches überstellt.

8 Personen bei Widerstand oder auf der Flucht erschossen. In mehreren Lagern von Sabotagegruppen sichergestellt 60 kg Sprengstoff, 400 Gewehre, 5.000 Schuß Gewehrmunition, 120 Pistolen, 8 Maschinenpistolen, 10.000 Schuß Munition für Pistolen und Maschinenpistolen, 109 Handgranaten und größere Mengen von Sprengkapseln, Sprengbüchsen, Flüssigkeitsbrandbomben, Taschenbrandbomben, Termitbrandbomben und anderes Sprengmaterial. Mehrere illegale Druckereien ausgehoben, 3 illegale Lager mit beiseite geschafften dänischen militärischen Ausrüstungsstücken sichergestellt (u.a. 1.367 Stahlhelme, 881 Feldflaschen, 740 Kochgeschirre, 909 Koppel, 524 Paar Stiefel, 489 Röcke, 499 Hosen, 317 Mäntel, 204 Gasmasken und andere Gegenstände).

Dr. Best

41. Adolf Eichmann an das Auswärtige Amt 14. Dezember 1943

AA fik RSHAs svar på spørgsmålet om en dato for et dansk besøg hos de deporterede danske jøder i Theresienstadt. Eichmann ville ikke fastsætte en dato forud. Det måtte blive i foråret 1944 (Yahil 1967, s. 262 med note 58, Weitkamp 2008, s. 190).

AA tog på ny sagen op ved von Thadden til Eichmann 25. februar 1944.

Kilde: PA/AA R 99.414. Yahil 1965, s. 73 (faksimile).

Der Chef der Sicherheitspolizei und des SD   *Berlin SW 11, den 14. Dezember 1943*
IV B4 a-3 5446/42g(1670)

An das Auswärtige Amt
  z.Hd. von Herrn Legationsrat von Thadden o.V.i.A.
  Berlin W 8
  Wilhelmstr. 74-76

Betrifft: Die in Theresienstadt befindlichen Juden dänischer Staatsangehörigkeit.
Bezug: Schreiben vom 22.11.1943 – Nr. Inl. – II A 8829. –[69]

Nach hiesiger Auffassung besteht keine Veranlassung dazu, den dänischen Stellen im vorliegenden Falle durch Vorverlegung des Termins für den Besuch in Theresienstadt entgegenzukommen. Ich bitte daher, nach wie vor daran festzuhalten, daß die Beauf-

68 Se tillæg 2.
69 Trykt ovenfor.

tragten des Dänischen Roten Kreuzes voraussichtlich erst im Frühjahr nächsten Jahres die nach Theresienstadt abbeförderten Juden dänischer Staatsangehörigkeit besuchen können.

Im Auftrage:
Eichmann

42. Quartiermeisteramt an Seekriegsleitung 14. Dezember 1943
Kriegsmarines skibsfartsafdeling bad om, at Seekriegsleitung via AA rekvirerede de tre ved Bornholm liggende skibe "Hammershus", "Frem" og "Rotna", da deres indsats var krigsnødvendig. Som en imødekommelse af Bests videregivne spørgsmål 6. december, blev det oplyst, hvad det nærmere formål med beslaglæggelserne var, hvilket flag skibene skulle føre, og hvilken nationalitet besætningerne havde.
Se OKM til AA 20. december 1943.
Kilde: BArch, Freiburg, RM 7/1813. RA, Danica 628, sp. 7, nr. 5765f.

Zu Skl. Qu A VI h 318/43 geh.   *Berlin, den 14. Dezember 1943*
                                                                                        Geheim!
An 1. Skl.

Betr.: Erfassung brachliegender dänischer Tonnage.
Vorg.: Skl. Qu A VI r 7058/43 geh. v. 5.11.43.
       1. Skl. Ii 50 067/43 geh. v. 3.12.43.[70]

Nach eingehender Prüfung der Sachlage wird gebeten, den dänischen Reeder zu veranlassen, die drei in Bornholm liegenden Dampfer "Hammershus", "Frem" und "Rottum" zur Verfügung zu stellen bzw. sie über das AA auf dem Wege der Requisition zu erfassen. Sie werden für die Ausbildung beim AdS dringend gebraucht, dessen jetzige Schiffe wiederum für die Ausbildung in der U-Waffe bzw. als Truppentransporter und Versuchsschiffe dringend gebraucht werden. Ihr Einsatz ist kriegsnotwendig.

Außerdem wird schon jetzt vorsorglich darauf hingewiesen, daß für die U-Waffe noch 5 Zielschiffe benötigt werden, für die die stilliegenden Esbjerg-England-Dampfer in Frage kommen. Es erscheint also richtig, schon jetzt sicherzustellen, daß die Dänen auch diese Schiffe an die deutsche Marine verchartern.

Da auch im Urlauberverkehr Norwegen und Norwegen/Deutschland schon jetzt Mangel an Schiffen herrscht, der nicht mehr ersetzt werden kann, so ist bei eintretenden Verlusten der Rückgriff auf dänische Schiffe aus kriegswichtigen Gründen nicht zu vermeiden.

Zum Schlußsatz des Schreibens des Auswärtigen Amtes Ha Pol 7318/43 g vom 6.12.43[71] wird ausgeführt,
a.) daß die 3 Schiffe des AdS die deutsche Flagge führen und mit deutschen Soldaten

---
70 Begge skrivelser er trykt ovenfor.
71 Trykt ovenfor.

besetzt werden,

b.) Die Zielschiffe der U-Boote fahren deutsches Personal und unter deutscher Flagge.

c.) Für zu fordernde Urlaubsschiffe ist es erwünscht, daß sie mit dänischem Personal unter dänischer Flagge fahren.

Der Verwendungszweck aller Schiffe ist Ausbildungsdienst oder Urlauberfahrten. Das Fahrgebiet für die Ausbildungsschiffe richtet sich je nach dem Übungsgebiet in der Ostsee, für den Urlauberverkehr kommt Norwegen oder Norwegen/Dänemark in Frage.

Es wird darauf hingewiesen, daß auch der Kühlschiffraum für die Truppenversorgung in Norwegen außerordentlich knapp ist und geeignete Schiffstonnage aus dänischen Beständen gestellt werden muß. Verhandlungen hierüber führt der Heimatstab Übersee.

    Skl. Qu A
  i.A. Skl. Qu A VI
   gez. **Otto Kähler**

43. Günther Toepke: Bahnschutz der dänischen Staatsbahnen 15. Dezember 1943

Toepke redegjorde for opbygningen af det jernbanebeskyttelsesværn, som var blevet nødvendigt efter de talrige jernbanesabotager. Jernbanebeskyttelsen skulle fremover bestå af dansk politi, personale fra statsbanerne samt værnemagten. Det blev fastlagt, hvem der skulle bevogte hvilke strækninger og hvilke baneobjekter. På dansk side var jernbanebeskyttelsen underlagt rigspolitichefen, ligesom distriktslederne var ledende politifolk.

Baggrunden for reorganiseringen og udvidelsen af jernbanebevogtningen var tyske militære krav efter den forudgående sprængning af bl.a. Langåbroerne. Se om forhandlingerne af nyordningen Larsen 1947, s. 718f.

Kilde: KTB/WB Dänemark 15. december 1943, Anlage.

Wehrmachtbefehlshaber Dänemark   *Gef.St., den 15.12.1943.*
Abt. Ia-Br. B. Nr. 3675/43 geh.

Betr.: Bahnschutz der dänischen Staatsbahnen.
Bezug: Bef. Dän. – Abt. Ia Nr. 3349/43 geh. – vom 20.11.1943 (nicht an alle Stellen).

I.) Aufbau des Bahnschutzes:
Der Chef der dänischen Reichspolizei hat im Einvernehmen mit dem Chef der Bauabteilung im Generaldirektorat der dänischen Staatsbahnen den *Bahnschutz* der wichtigsten Bahnstrecken *übernommen*.

Der Bahnschutz besteht aus Polizeibeamten (Offizieren und Mannschaften) und aus Eisenbahnern, die für diese Aufgabe besonders ausgesucht und zur Verfügung gestellt sind. Die Polizeibeamten sind bewaffnet, die Eisenbahner im allgemeinen unbewaffnet.

Der Bahnschutz ist dem Chef der dänischen Reichspolizei unterstellt. –

Die 3 Bahnschutzbezirke

1.) Kopenhagen,
2.) Distrikt 1 (übriges Seeland und Falster),
3.) Distrikt 2 (Jütland – Fünen)
werden von je einem höheren Polizeioffizier geleitet.

Der Leiter des Bahnschutzbezirkes Distrikt 2 in Jütland – Fünen, Polizeipräsident Agersted, Chef des Schutzpolizeikommandos Jütland – Fünen (Aarhus), übernimmt, solange der Wehrmachtbefehlshaber Dänemark seinen Gefechtsstand in Jütland hat, die Stelle des dänischen *Verbindungsmannes*.

Verbindungsmann zwischen dänischem Bahnschutz und Wehrmachtbefehlshaber Dänemark ist Reichsbahnrat Ackermann (BBv. Aarhus). Sachbearbeiter beim W. Bfh. Dänemark ist Hauptmann Kirchner, Stellvertreter Leutnant Kienitz. Alle Belange, einerseits der Wehrmacht und des Reichsbevollmächtigten, andererseits der dänischen Bahnschutzorganisation gehen ausschließlich über den Sachbearbeiter beim W. Bfh. Dänemark bezw. den Verbindungsmann.

II.) Durchführung des Bahnschutzes:

a.) Besonders wichtige und von hier namhaft gemachte *Bahnstrecken* werden bei Tag von dänischen Eisenbahnern auf Schienenfahrrädern, und in der Dunkelheit durch Streifen, die aus je einem Polizeibeamten und einem Eisenbahner bestehen, bewacht.

b.) *Eisenbahnbrücken*, die nach ihrer Bauart empfindlich gegen Zerstörungen sind oder wegen ihrer Länge sehr schwer wieder hergestellt werden können, werden durch Polizeibeamte bewacht. Die Bewachung besonders wichtiger Brücken wird jedoch von der Wehrmacht übernommen (Ziffer III).

c.) *Bewachung wichtiger Stellwerke*, Lokomotivschuppen, Drehscheiben und Werkstätten wird gleichfalls von dem dänischen Bahnschutz übernommen.

d.) Die wichtigsten *Wasserversorgungsanlagen*, sowie *Fernsprechzentralen* und Funkstellen werden mit zwei dänischen Polizeibeamten besetzt.

e.) Strecken, deren Bewachung vom Bahnschutz übernommen ist, werden *nicht* durch Wehrmachtstreifen begangen und umgekehrt. Sollte sich die Notwendigkeit ergeben, Wehrmachtstreifen auf die Strecke zu schicken, so hat die betreffende Division sich mit dem Verbindungsmann, Reichsbahnrat Ackermann (BBv. Aarhus) 3 Tage vorher ins Benehmen zu setzen. Gleichzeitige Meldung an W. Bfh. Dänemark (Hauptmann Kirchner bezw. Vertreter). Die dänischen Bahnschutzstreifen werden sodann auf diesem Streckenabschnitt eingezogen.

III.) Folgende Neuregelung der Brückenbewachung wird befohlen:

Bewachende Einheit:

Strecke Nyborg-Fredericia
Bf. Nyborg, Christianslundsvej | Dänischer Bahnschutz
1.) km 24,5 Brücke über Hovedvej 1 zwischen den Bahnhöfen Marslev und Odense | Höheres Kommando, Kopenhagen
2.) km 26,67 Brücke über Odense Aa zwischen den Bahnhöfen Marslev und Odense | Höheres Kommando, Kopenhagen
3.) km 78,1 Brücke über Hovedvej 1 in Middelfart. | Höheres Kommando, Kopenhagen
4.) km 82,553 Kl. Belt-Brücke | Pi. Ldgs. Lehr- u. Ers. Rgt.

Strecke Fredericia-Padborg
5.) Bf. Fredericia (Südende) Gleisüberwerfungsbrücken A und B | 160. Res. Div.
6.) km 5,0 Brücke über Hovedvej 18 zwischen Fredericia-Taulov | 160. Res. Div.
km 20,8 Brücke über Kolding Aa am Bf. Kolding | [160. Res. Div.]
7.) km 26,2 Brücke über Kolding Aa zwischen Kolding u. Ejstrup | 160. Res. Div.

Strecke Lunderskov-Esbjerg-Varde
8.) km 8,6 Brücke über Andst Aa zwischen Andst u. Vejen | 160. Res. Div.
km 39,6 (Bf. Bramminge) Brücke über Hovedvej 1 | Dänischer Bahnschutz
9.) km 43,7 Brücke über Sneum Aa zwischen Bramminge und Tjäreborg | 160. Res. Div.
10.) km 56,7 Straßenunterführung bei Boldesager zwischen Esbjerg und Guldager | 160. Res. Div.

Strecke Fredericia-Aarhus
11.) km 81,7 Brücke über Skanderborg See zwischen Hylke u. Skanderborg | 233. Res. Pz. Div.
12.) km 105,0 Straßenunterführung bei Rosenvang zwischen Hasselager und Aarhus | 233. Res. Pz. Div.
13.) km 105,0-106,6 Strecke und 3 Brücken | 233. Res. Pz. Div.

Bf. Aarhus
Straßenbrücke über die Straße "Spanien" | Dänischer Bahnschutz
14.) Bf. Aarhus Drehbrücke im Hafen, Aarhus | 233. Res. Pz. Div.

Strecke Aarhus-Aalborg
Aarhus Rangerbf. km 109,7 Gleisbrücke | Dänischer Bahnschutz
15.) Aarhus Rangerbf. Gleisbrücken in km 110,3; km 110,6 u. km 111,2 sowie die Pumpstation Stellwerk I und die Strecke | 233. Res. Pz. Div.

16.) Bf. Langaa 3 Brücken über Gudenaa   233. Res. Pz. Div.
17.) km 162,5 Brücke über Gudenaa zwischen Stevn-   233. Res. Pz. Div.
     strup und Randers
18.) km 166,8 Brücke über Gudenaa bei Randers   233. Res. Pz. Div.
19.) km 228,0 Brücke über Lindenborg Aa zwischen   20. Luftw. Felddiv.
     Skörping u. Stövring

Strecke Aalborg-Frederikshavn
20.) km 251,0 Brücke über Strandvej in Aalborg   416. Inf. Div.
21.) km 251,2 Limfjordsbrücke   416. Inf. Div.
22.) km 311,0 Brücke über Uggerby Aa in Sindal   416. Inf. Div.

Brücken auf bisher nicht bewachten Strecken, die die deutsche Wehrmacht bewachten sollte, bezw. Bereits bewacht:

Strecke Esbjerg-Struer:
1.) km 73,3 Brücke über Varde Aa   160. Res. Div.
2.) km 112,9-113,8 Brücken über Skern Aa zwischen   166. Res. Div.
    Tarm u. Skern
3.) km 167,2 Brücke über Store Aa zwischen Ulfborg   166. Res. Div.
    u. Vem

Strecke Holstebro-Vejle
4.) km 101,7 Brücke über Store Aa zwischen Holstebro   166. Res. Div.
    und Sonderborg

Strecke Struer-Langaa
5.) km 232,3 Brücke über Skive Aa am Bahnhof Skive   166. Res. Div.
6.) km 225 Brücke über Ravnstrup Aa zwischen Spar-   233. Res. Pz. Div.
    ker und Ravnstrup

Strecke Struer-Thisted
7.) km 11,5 Oddesund-Brücke   166. Res. Div.

Strecke Randers-Ryomgaard
8.) km 0,4 Brücke über Gudenaa   233. Res. Pz. Div.

Strecke Silkeborg-Langaa, km 0,7 u. Strecke Skanderborg-Silkeborg, km 29,5
9.) 2 Brücken über Remstrup Aa   233. Res. Pz. Div.

Strecke Bramminge-Tönder
10.) km 16,9 Brücke über Nips Aa bei Ribe   160. Res. Div.

Überschneidungen des beiderseitigen Überwachungsdienstes sind verboten.

Die eigenmächtige Benutzung von dänischen Bahnschutzgeräten u.ä. ist nicht gestattet.

Die Bewachung der vorstehenden Objekte, soweit noch nicht durch Bezugsverfügung befohlen, ist bis zum 21.12.1943, 12.00 Uhr, zu übernehmen.

Für den Wehrmachtsbefehlshaber Dänemark
Der Chef des Generalstabes. I.V.
Toepke

44. Werner Best an das Auswärtige Amt 15. Dezember 1943
Dagsindberetning.
Kilde: PA/AA R 29.568. RA, pk. 204.

Telegramm

Kopenhagen, den	15. Dezember 1943	
Ankunft, den	16. Dezember 1943	11.45 Uhr

Nr. 1543 vom 15.12.[43.] Citissime

Ich bitte die folgende Meldung dem Herrn Reichsaußenminister unverzüglich zuzuleiten:

Über die Lage in Dänemark berichte ich für den 14. auf 15. Dezember, daß in Kopenhagen ein Gemeinde-Wasserturm, an dem kein deutsches Interesse besteht, gesprengt wurde[72] und daß in Fredericia an der Werkstätte eines Malermeisters geringer Sachschaden verursacht wurde.[73]

Best

45. Rudolf Stehr an Werner Best 15. Dezember 1943
Stehr fremsendte et budget for 1944-45, der var forhøjet i forhold til det foregående år både pga. opgaver for værnemagten og underhold af mødre og børn fra Tyskland.
Se Bests stillingtagen til budgettet i brev til AA 8. januar 1944.
Kilde: RA, pk. 231.

---

72 Det var et vandtårn i Søndermarken, og der var i den illegale presse en formodning om, at sabotagen var begået af Schalburgkorpset for at skabe uvilje mod sabotager. Den formodning holdt stik (RA, BdO Inf. nr. 32, 16. december 1943, *Information* 16. december 1943, Monrad Pedersen 2000, s. 99, 114). Se Bests telegram nr. 1551, 17. december 1943.
73 Malermester Sigurd Larsen, Bjergegade 38, Fredericia, var udsat for sabotage. Han arbejdede hovedsageligt for den tyske værnemagt (RA, BdO Inf. nr. 32, 16. december 1943, *Information* 15. december 1943, Alkil, 2, 1945-46, s. 1226).

Abschrift
Kontor der Deutschen Volksgruppe
beim Staatsministerium

Kopenhagen, den 15. Dezember 1943

An den Herrn Bevollmächtigten des Reiches
SS-Gruppenführer Dr. Best
Kopenhagen

Betrifft: Haushaltsplan der Deutschen Volksgruppe für das Jahr 1944-45.

Als Anlage wird der Haushaltsplan der Deutschen Volksgruppe für das Finanzjahr 1944-45 mit der Bitte um Kenntnisnahme vorgelegt.[74] Dabei wird besonders darauf hingewiesen, daß dem Voranschlag eine Übersicht über die Eigenleistungen der Deutschen Volksgruppe im Jahre 1943 beigefügt ist, die mit dem Betrage von 878.000,- Kr. abschließt. Hierzu wären noch 160.000,- Kr. hinzuzurechnen, die den Gegenwert der Sachspenden darstellen, welche die Volksgruppe im Rahmen der Betreuung für die Wehrmacht und insbesondere für die Verwundeten aufgebracht hat. Außerdem ist darauf hinzuweisen, daß in dem Berichtsjahr 4.000 Kinder und Mutter aus dem Reich für längere Zeit bei der Volksgruppe in Nordschleswig untergebracht waren.

Der Zuschußbedarf für die Durchführung der vorliegenden Aufgaben ist auf den Seiten 39 und 40 zusammengestellt und schließt für das kommende Geschäftsjahr mit dem Betrage von Kr. 1.320.000,- ab. Die festen monatlichen Zahlungen Ihrer Dienststelle für die Durchführung der Schularbeit in Nordschleswig betragen

	Kr. 65.000,-
gleich	780.000,-

für das gesamte Finanzjahr.
Es wird gebeten, diese Zuwendungen auch im laufenden Jahr bereitzustellen.

Es verblieben dann	Kr. 540.000,-
Nach den bisherigen Erfahrungen rechnet das Schatzamt der Volksgruppe mit einer eigenen Transfermöglichkeit von etwa	Kr. 100.000,-
Es wäre dann ein ungedeckter Bedarf vorhanden in Höhe von	Kr. 440.000,-

Inl. II 101g/44

46. Kriegstagebuch/Seekriegsleitung 15. Dezember 1943

Viceadmiral Friedrich Ruge, marineforbindelsesofficer (MVO) ved Heeresgruppe B, holdt foredrag om Rommels inspektionsrejse i Danmark og de forslag, som Rommel stillede til en styrkelse af forsvaret specielt angående Kriegsmarine. Rommel ville have organiseret fælles alarmenheder af værnemagts- og marineenheder og krævede, at de skulle transporteres ad søvejen. Dertil skulle udpeges havnesamlingssteder. Der blev på den baggrund givet Admiral Dänemark ordre om at følge op på dette sammen med WB Dänemark.

Se endvidere hos KTB/Skl 22. december og 26. december hos OKW. Endvidere Quartiermesteramt til 1. Seekriegsleitung 17. januar 1944.

Kilde: KTB/Skl 15. december 1943, s. 249-251, 254.

---

74 Det omfattende bilag er ikke medtaget.

[…]
IV.) Vortrag *V.-Admiral Ruge*, MVO zu Heeresgruppe B, über dänische Reise Gen. Fm. Rommel. Eindruck von Marine war gut, teilweise außerordentlich günstig. Gen. Fm. Rommel beabsichtigt, die Marinealarmeinheiten unter Admiral Dänemark in Gebieten einzusetzen, aus denen Heerestruppen herausgezogen werden können, und fordert Antransport auf Seeweg, da Schienenweg wegen Belastung durch Heer nicht in Betracht kommt. Alarmeinheiten sollen nicht nur zahlenmäßig sondern als taktische Einheiten in neue von Admiral Dänemark im Einvernehmen mit W. Befh. Dänemark festzulegende Hauptsammelpunkte in Marsch gesetzt werden.

Forderungen sind teilweise nur schwer erfüllbar. Chef Skl befiehlt, daß Einzelheiten mit Skl Qu A besprochen werden sollen. Von Gen. Fdm. Rommel beabsichtigter Einsatz des Kmdr. Admiral Dänemark ist unzweckmäßig, zumal dieser auch für die Aufgaben der Gruppe Nord gebraucht wird.

An materiellen Forderungen kommt Verstärkung der Skagerrak-Sperren in Betracht.

I a / 1/Skl bemerkt, daß diese für das Frühjahr 1944 vorgesehen ist. *C/Skl* betont, daß Ausbau der Sperre als Barre, wie sie von Heeresgruppe B gewünscht wird, um Rückendeckung durch sie zu erhalten, nicht möglich ist und hält es für erforderlich, Stab Rommel vor Überschätzung der Wirkung der Sperren und des Einsatzes der Seestreitkräfte zu warnen. Ein Rückgriff auf die für den Finnenbusen vorgesehenen Minen kommt nicht in Betracht.

V.-Adm. Ruge weist darauf hin, daß ein 12- bis 24-stündiger Aufenthalt des Gegners durch Räumen der Sperren schon wertvolle Dienste leisten würde. Er meldet im übrigen, daß seine Zusammenarbeit mit Gen. Fm. Rommel gut sei. Fm. Rommel hat über die Ergebnisse seiner Besichtigungen im dänischen Raum an OKW berichtet. Dieser Bericht ist den übrigen Wehrmachtstellen nicht zugänglich.

Skl Qu A II hat ab MOK Ost, Admiral Dänemark folgende Weisung erteilt:[75]

"1.) Nach Vortrag Adm. Ruge bei Ob. d.M. über dänische Reise Generalfeldmarschall Rommel kommt Antransport Alarmeinheiten Kriegsmarine in von Adm. Dänemark gemeldete Sammelpunkte auf Schienenweg nicht in Frage. Gefordert wird Antransport auf Seeweg in neue vom Adm. Dänemark im Einvernehmen mit Wehrmachtsbefehlshaber Dänemark festzulegende Hafensammelpunkte.

2.) Adm. Dänemark legt im Einvernehmen mit Wehrmachtbefehlshaber Dänemark entsprechend neue Sammelpunkte fest und meldet sie OKM nachr. MOK Ost und Nord nebst Tarnbezeichnung und Belegungsfähigkeit. MOK Ost macht OKM nach Rücksprache mit Gruppe Nord Vorschläge über Durchführbarkeit sowie hierfür einzusetzender Transportmittel.

Transporttechnische Durchführung, die voraussichtlich teils auf Grund mobmäßig vorbereiteter Maßnahmen, teils auf Grund von Führungsmaßnahmen erfolgen wird, soll MOK Ost übertragen werden. Für Alarmeinheiten aus grenznahen Orten Gummitransport vorsehen.

3.) Bisher von Adm. Dänemark gemeldete Sammelpunkte behalten Gültigkeit, bis von

---

75 Skrivelsen er i afskrift i BArch, Freiburg, RM 7/995.

MOK Ost Abschluß Vorarbeiten gem. 2.) gemeldet."
[...]

Nordsee:
[...]

Besonderes:
Am 16.17/11. wurde in Kopenhagen in Besprechungen mit Abwehr Erwerb dänischer Fischkutter zu getarnter Überwachung bestimmter Nordsee-Gebiete als III F-Unternehmen beschlossen. Skl hält schnellstes Anlaufen dieses Unternehmens für erforderlich.
Nach Meldung Abwehr III ist Vorbereitung zum Unternehmen soweit gediehen, daß bei Erfüllung wirtschaftlicher und finanzieller Voraussetzungen Anlaufen Mitte bis Ende Januar möglich ist. Frontstellen sollen erst benachrichtigt werden, wenn Finanzierung sichergestellt ist.
[...]

47. Rudolf Mildner an Ernst Kaltenbrunner 16. Dezember 1943

Mildner meddelte Kaltenbrunner anholdelsen af tre faldskærmsagenter i Århus, foruden fem danske statsborgere og beslaglæggelse af en mængde våben, sprængstof og andet udstyr. Han bad om, at RFSS omgående blev underrettet.
Det var Gestapos hidtil vigtigste anholdelser i Danmark, der fandt sted i Bruunsgade 46-48 i Århus hos søstrene Ulrich den 12. december. Ikke alene var der tre SOE-agenter blandt de anholdte, men to af dem, Jacob Jensen og Kaj Lund, begyndte også hurtigt at tale og udlevere navne og adresser på modstandskontakter. Derfor vidste Mildner, hvor vigtig en sag, der var tale om, og hastede med via Det Tyske Gesandtskab at få den gode nyhed frem til sin øverste foresatte, RFSS, før meddelelsen skulle nå frem til førerhovedkvarteret på anden vis. Hvorfor Mildner valgte denne ureglementerede formidlingskanal, er uvist. I hvert fald ville han være sikker på, at hans navn kom til at stå under den gode nyhed.
Anholdelserne, der ledte til yderligere talrige arrestationer i de følgende måneder, KZ-ophold, døden i KZ-lejre og henrettelser for de implicerede er med rette blevet betegnet som "det hårdeste slag, besættelsesmagten nogensinde rettede mod faldskærmsorganisationen og dens kontakter."[76] (Hæstrup 1959, 1, s. 277ff., Birkelund/Dethlefsen. 1986. s. 81-84, Jespersen, 1, 1998-2000, s. 157)
Kilde: PA/AA R 29.568. RA, pk. 204.

T e l e g r a m m

| Kopenhagen, den | 16. Dezember 1943 | 14.45 Uhr |
| Ankunft, den | 16. Dezember 1943 | 16.30 Uhr |

An Auswärtig Berlin mit der Bitte um Weiterleitung   Geheim.
Sofort vorlegen

An den Chef der Sicherheitspolizei und des SD,
SS-Gruppenführer Dr. Kaltenbrunner in Berlin.

---
76 Birkelund/Dethlefsen 1986, s. 83.

Nachrichtlich an das Reichssicherheitshauptamt SS-Gruppenführer Müller in Berlin und IV A 2, IV D 4 und III B 5.
Betrifft: Festnahme von Fallschirmagenten in Aarhus.

Am 13. Dezember 1943 konnten im Raume von Aarhus drei dänische Staatsangehörige, die in England Sabotageschulen absolviert hatten, festgenommen werden, und zwar
1.) Jensen, Jakob, geb. am 8.3.1911 in Hasselager,
2.) Lund, Kai, geb. am 10.2.1921 in Brönderslev,
3.) Junker, Jan, geb. am 10.2.1917 in Kopenhagen.
Jensen wurde im Mai 1943, von England kommend, über Dänemark im Fallschirm abgesetzt. Seither ist er auf Jütland als Instrukteur für Sabotage tätig. Zahlreiche Sabotagehandlungen in Aarhus und Umgebung sind nach seiner Weisung und mit dem von ihm gelieferten Sprengstoffmaterial ausgeführt worden.

Lund wurde im Februar 1943 mit Fallschirm – ebenfalls von England kommend – abgesetzt. Er arbeitete mit Jensen eng zusammen und versah den Funkdienst.

Junker wurde in der Nacht vom 10. zum 11. Dezember 1943 nordwestlich von Aarhus aus einem Halifax-Bomber mit Fallschirm abgesetzt.[77]

Im Zusammenhang mit der Festnahme der drei Fallschirmagenten wurden noch 5 dänische Staatsangehörige, die den Fallschirmagenten Unterschlupf und Beihilfe geleistet hatten, festgenommen.[78]

Im Besitz der festgenommenen Fallschirmagenten befanden sich 4 kompl. Funk-Koffergeräte, 8 automatische Pistolen, 1 Pistole mit Schalldämpfer, 96 Sprengkapseln, 25 Übertragungsladungen, 12 Zündbleistifte, 6 Taschenbrandbomben, 2 große Magnete für Haftladungen, 3 Ampullen mit Morphium, 3 Ampullen mit Gift, 35 Photoaufnahmen von Sabotageakten in Aarhus und Umgebung sowie sonstiges verschiedenes Sabotagematerial.

Bei dem wegen Beihilfe festgenommenen Voigt, Axel Fabrizius, Universitätsassistent, geboren am 25.8.1908 in Varde wurde nachstehendes Sabotagematerial in einem besondere ausgebauten Schacht in der Waschküche seines Hauses gefunden und sichergestellt:[79]
I.) Zündmittel:
    135 Zündbleistifte,
    290 Zünder für Schienenfahrzeuge,
    250 Knallzündschnur,
    75 m Zeitzünder,
    500 Reibzünder, 60 Heisstungszünder, 36 Zugzünder,

---

77 Jakob Jensen ankom til Danmark 17. maj, Lund ankom den 17. april og Junker den 11. december 1943. Sidstnævnte var derfor af begrænset efterretningsmæssig betydning for Gestapo.
78 Det inkluderede de fire søstre Ulrich.
79 Axel Voigt (f. 25.5.1908) blev anholdt den 15. december som den første på baggrund af SOE-agenternes oplysninger. Som cand.mag. i fysik og kemi havde han gode forudsætninger for at fremstille sprængstof. Det var foregået i Århus Dampmølles Laboratorium, hvor han var beskæftiget samtidig med tilknytningen til Århus Universitet, hvorefter han gemte lageret i sit hjem på Lerbækvej i Risskov. Han overlevede fængsel og ophold i Neuengamme koncentrationslejren.

100 Entlastungszünder, 40 Glühzünder, 4 große Zeitzünder (mit Flüssigkeitsampullen), 90 verschiedenfarbige Säureampullen für Zeitzünder, 180 Spezialreibflächen, 59 Schachteln Sturmstreichhölzer.

II.) Sprengmittel:

922 Pakete Nobel 808,8 Trockner für Sprengstoff (Desiccator Silicza), 448 Sprengkapseln, 150 Übertragungsladungen, 24 magn. Haftladungen, 4 große magnetische Haftladungen (für Schiffssprengungen), 13 selbstverfertigte Sprengladungen versch. Größe, 8 Stück Generatorholt mit eingebauter Sprengladung.

III.) Brandmittel:

68 Brandkoffer mit Zeitzünder (sogen. Taschenbrandbomben), 50 sogen. Flüssigkeitsbrandbomben, 51 Elektro-Thermit-Brandsätze, 23 große Thermitbrandkoffer.

IV.) Sonstiges:

70 St. Korrosionspaste, ferner verschiedenartige sonstige Materialien sowie ein Colt-Revolver und 1 Pistole – 7.65 – nebst 400 Schuß Munition (7.65) sowie 75 Schuß Munition für Colt und 30 engl. Eierhandgranaten,

Da der Wehrmachtsbefehlshaber über die Abwehrstelle in Aarhus von diesen Festnahmen Kenntnis erhalten hat, wird er höchstwahrscheinlich an den Wehrmachtführungsstab im Führerhauptquartier berichten. Ich bitte daher, RFSS umgehend über diesen Erfolg der Sicherheitspolizei unterrichten zu wollen.

Der Befehlshaber der Sipo und des SD in Dänemark.
Dr. Mildner

48. Werner Best an das Auswärtige Amt 16. Dezember 1943

Dagsindberetning. Her kunne Best kort meddele anholdelsen af tre SOE-agenter og andre illegale i Århus tre dage tidligere.

Kilde: PA/AA R 29.568. RA, pk. 204.

T e l e g r a m m

Kopenhagen, den	16. Dezember 1943	21.15 Uhr
Ankunft, den	16. Dezember 1943	23.15 Uhr

Nr. 1548 vom 16.12.[43.] Citissime!

Ich bitte die folgende Meldung unverzüglich dem Herrn Reichsaußenminister zuzuleiten:

Über die Lage in Dänemark berichte ich für den 15. auf 16. Dezember 1943, daß aus Kopenhagen 2 unbedeutende Sabotagefälle (Schuppen und 30 Paar Gummischuhe in Eisenbahnwaggon)[80] und aus Jütland 2 weitere kleine Sabotagefälle (darunter eine Kabeldurchschneidung) gemeldet worden sind.

Der deutschen Sicherheitspolizei in Aarhus ist es gelungen, 3 zu verschiedenen Zei-

---

80 Der var en mindre brand i en tysk garage på Artillerivej og brand i en jernbanevogn på godsbanegården (RA, BdO Inf. nr. 33, 20. december 1943, Alkil, 2, 1945-46, s. 1226).

ten aus England gekommene Fallschirmagenten (darunter den Instrukteur aller Sabotagegruppen in Jütland) mit einer Anzahl von Hilfspersonen festzunehmen und 300 kg Sprengstoff und 4 Sendegeräte zu erfassen.

Dr. Best

49. Werner Best an das Auswärtige Amt 16. Dezember 1943
Best bad om, at alle tyske politiembedsmænd i Danmark fremover måtte blive betalt via chefen for sikkerhedspolitiet, Rudolf Mildner. Det var nu sådan, at de politiembedsmænd, der var ankommet til Danmark før 1. september 1943 blev betalt af AA, og de siden tilkomne af chefen for det tyske sikkerhedspoliti. Det gav en lønmæssig forskel. Han bad om, at den samme ordning måtte blive lavet for ordenspolitiet.
  Svaret er ikke lokaliseret.
  Kilde: PA/AA R 99.519.

Abschrift Inl. II B 9001

Kopenhagen Nr. 84 16.12. 21/20
Auswärtig Berlin – Nr. 1539 vom 7.12.1943[81]

Betr.: Finanzielle Abfindung der Abgeordneten Polizeibeamten.

Die nach dem 1. September d.Js. hierher abgeordneten Beamten der Kriminalpolizei, der Geheimen Staatspolizei und des SD werden besoldungsmäßig vom hiesigen Befehlshaber der Sicherheitspolizei betreut, während die vor dem 1. September d.Js. hier eingetroffenen Polizeibeamten nach wie vor aus den Mitteln und nach den Besoldungsgrundsätzen des Ausw. Amts abgefunden werden. Es tritt hierdurch der Zustand ein, daß Angehörige ein und derselben Heimatverwaltung nach verschiedenen Gesichtspunkten und mit verschieden hohen Tagegeldsätzen abgefunden werden. Im Einvernehmen mit dem Befehlshaber der Sicherheitspolizei bitte ich daher zu veranlassen, daß alle nicht dem Auswärtigen Amt angehörigen Beamten der Sicherheitspolizei aus dem Etat des Ausw. Amts ausscheiden und daß ihre Auslandsbezüge vom hiesigen Befehlshaber der Sicherheitspolizei ebenso wie bei dem nach dem 1. September eingetroffenen Personal von den Heimatbehörden übernommen werden. Eine gleiche Regelung wäre für die Angehörigen der Ordnungspolizei durchzuführen, deren Dienstbezüge hier aus der Amtskasse des Befehlshabers der Ordnungspolizei ausgezahlt werden könnten. – Im Interesse einer gleichmäßigen Abfindung aller hier tätigen Polizeibeamten bitte ich, nach Fühlungnahme mit dem Reichssicherheitshauptamt und dem Reichsinnenministerium eine beschleunigte Entscheidung zu treffen, so daß zum 1. Januar n.Js. die Übernahme der Polizeibeamten durch den Befehlshaber der Sicherheitspolizei bezw. Befehlshaber der Ordnungspolizei erfolgen kann. – Eine namentliche Liste der betroffenen Polizeibeamten folgt mit Schriftbericht.[82]

gez. Dr. Best

81 Skrivelsen er ikke lokaliseret.
82 Listen er ikke aftrykt.

50. Eberhard von Thadden an Adolf Eichmann 16. Dezember 1943

AA pressede i forlængelse af brevet til Eichmann 22. november på for, at blot nogle få danske jøder eller mischlinge blev frigivet for at imødekomme de danske ønsker.

Von Thadden kunne 4. januar 1944 meddele RSHAs svar (Yahil 1967, s. 259).

Kilde: PA/AA R 99.414. RA, pk. 220.

Auswärtiges Amt   Berlin, den 16. Dezember 1943
Inl. II A 8829 II

An das Reichssicherheitshauptamt, z.Hd. von
  SS-Obersturmbannführer Eichmann, o.V.i.A.
  Kurfürstenstr. 116

In Anschluß an das Schreiben vom 22. November 1943[83] – Inl. II A 8829 –
  Mit Beziehung auf die Besprechung der Angelegenheit mit Sturmbannführer Günther.

Da dänischerseits die Frage der zugesagten Freilassung einzelner aus Dänemark evakuierter Juden, die in Mischehe leben, oder evakuierter Halbjuden stets erneut zur Sprache gebracht wird, wäre das Auswärtige Amt für Prüfung dankbar, ob nicht als Beweis für die tatsächliche Einhaltung der seinerzeit von Obersturmbannführer Eichmann in Kopenhagen abgegebenen Zusicherungen die sofortige Freilassung einer ersten Gruppe, wenn auch zunächst nur von 5 oder 6 Juden oder Mischlingen in Betracht gezogen werden kann.

In Auftrag
gez. v. Thadden

51. Werner Best an das Auswärtige Amt 17. Dezember 1943

Best havde modtaget besked om, at der ville komme ca. 200 mand som forstærkning til bevogtning af den sjællandske østkyst. Han meddelte, at det efter hans opfattelse var for lidt, og at der skulle mindst 4-500 mand til.

Kilde: PA/AA R 29.568. RA, pk. 204, 228 og 438a.

Telegramm

Kopenhagen, den   17. Dezember 1943   13.10 Uhr
Ankunft, den   17. Dezember 1943   17.00 Uhr

Nr. 1550 vom 15.12.[43.]

Unter Bezugnahme auf meinen Bericht betreffend Einsatz von Zollgrenzschutz zur Überwachung der Ostgrenze Seeland, vom 20.10.43. RBZ/Tgb. Nr. 340/43[84] und auf

---

83 Trykt ovenfor.
84 Beretningen er ikke lokaliseret.

meine Telegramme Nr. 1372[85] vom 6.11. und Nr. 1510[86] v. 7.12.43 berichte ich, daß am 13.12.43 der Oberfinanzpräsident Voss aus Kiel zur Besprechung des Einsatzes von Zollgrenzschutz in Kopenhagen war. Er hat mitgeteilt, daß etwa 200 Mann des "verstärkten Grenzaufsichtsdienstes Küste" (VGADK) an die Ostküste Seelands verlegt werden sollen, wo sie dem kommandierenden Admiral Dänemark unterstehen werden. Der kommandierende Admiral Dänemark hat weiterhin [8][87] Motorboote bereitgestellt, die mit seemännischen Personal der Kriegsmarine und mit Beamten der Wasserschutzpolizei besetzt werden und die zur Überwachung der Küstengewässer vor der Ostküste Seelands eingesetzt werden sollen.

Ich halte es für meine Pflicht, darauf hinzuweisen, daß diese zur Überwachung der Ostküste Seelands eingesetzten Kräfte keineswegs genügen werden, um den gefährlichen illegalen Verkehr von Schweden nach Dänemark wirksam zu unterbinden. In meinem oben bezeichneten Berichte hatte ich mindestens 4-500 Mann Zollgrenzschutz als zur Überwachung der etwa 150 km langen Küstenstrecke erforderlich bezeichnet. Ich fürchte, daß der Einsatz der nunmehr vorgesehenen Kräfte unter Umständen zu der unrichtigen Auffassung führen wird, daß die Küste in Zukunft ausreichend, überwacht sei. Dies ist aber keineswegs der Fall, sondern Dänemark wird bei dieser unzulänglichen Überwachung der Ostküste Seelands auch weiter den illegalen Verkehr von Schweden her weitgehend offen stehend. Was dies unter Umständen bedeuten kann, ergibt sich aus dem Schreiben P 18463 des Auswärtigen Amtes vom 4.12.43, in dem mitgeteilt wird, daß in Schweden etwa 1.000 Dänen (neben 11.000 Norwegern) Waffenausbildung im "Polizeidienst."

Also eine militärische Ausbildung offenbar mit dem Ziel des späteren Einsatzes als Freikorps O. AE. [?] erhalten sollen.[88] Partisanen-Raids von der schwedischen Küste nach Dänemark können von den bisher für die Küstenüberwachung vorgesehenen schwachen Kräften nicht verhindert werden. Ich bitte deshalb, weiter auf möglichste Verstärkung der Überwachung der Ostküste Seelands zu dringen.

Dr. Best

52. Werner Best an das Auswärtige Amt 17. Dezember 1943
Dagsindberetning.
Kilde: PA/AA R 29.568. RA, pk. 204.

Telegramm

Kopenhagen, den	17. Dezember 1943	20.35 Uhr
Ankunft, den	17. Dezember 1943	23.40 Uhr

---

85 bei Pol. VI. Telegrammet er ikke lokaliseret.
86 bei Pol. VI. Telegrammet er ikke lokaliseret.
87 Tallet er næsten ulæseligt i alle kopier, men det er encifret, så de 8 må tages med forbehold.
88 Den danske Brigade var kun ved sin spæde begyndelse på dette tidspunkt, men det er rimeligvis den, der hentydes til.

Nr. 1551 vom 17.12.[43.] *Citissime!*

Ich bitte, die folgende Meldung unverzüglich dem Herrn Reichsaußenminister zuzuleiten:

Über die Lage in Dänemark berichte ich für den 16. auf 17.12.43, daß aus Esbjerg (Jütland) ein unbedeutender Sabotagefall (Malerwerkstatt) gemeldet ist.[89] Der in meinem Telegramm Nr. 1543 vom 15.12.43[90] erwähnte Wasserturm ist nicht durch Sabotage sondern durch Überdruck zersprengt worden. Im Bereich von Aarhus hat die deutsche Sicherheitspolizei weitere 30 Behälter mit englischem Sabotagematerial (175 kg Sprengstoff, 84 Maschinenpistolen mit 10.000 Schuß Munition und 8 automatische Pistolen mit Schalldämpfer) erfaßt.[91]

Dr. Best

53. Kriegstagebuch/Admiral Dänemark 17. Dezember 1943

Hidtil var forberedelser til havneødelæggelser gået ud fra at sikre, at det var muligt for værnemagten selv at benytte havnene igen. Sandsynligheden for en stor fjendtlig invasion gjorde det nødvendigt grundigt at forberede ødelæggelsen af havnene fuldstændigt. Det skulle med alle midler hindres, at havnene kunne benyttes af fjenden. Der skulle øjeblikkeligt træffes de nødvendige foranstaltninger i en række havne. WB Dänemark ville blive bedt om at stille pionertropper til rådighed (Andersen 2007, s. 206).

Kilde: KTB/ADM Dän 17. december 1943, RA, Danica 628, sp. 3, s. 3184f.

[...]

Bisheriger Grundsatz bei Vorbereitungen zur Zerstörung Häfen bei drohender Gefahr wäre, nach Möglichkeit eigene Wiederbenutzung sicherzustellen.

Wahrscheinlichkeit des Großeinsatzes gegnerischer Landungsmittel zwingt jedoch vorsorglich zu Maßnahmen, nachhaltige Unbrauchbarmachung der Häfen eingehend vorzubereiten. Benutzung eingenommener Häfen durch Gegner ist mit allen Mitteln zu verhindern.

In Frage kommt somit gründliche Zerstörung auch der Molen pp. durch Einbau von Sprengladungen, ferner evt. Auslegen von Grundminen mit Fernzündung unmittelbar in Hafeneinfahrten.

K.i.A.s sind demgemäß angewiesen, umgehend erforderliche Maßnahmen zu überprüfen und die nötigen Sprengladungen für Molen und Kaiflächen zu berechnen und zwar für die Häfen von Esbjerg, Thyborön, Hirtshals, Skagen und Frederikshavn.

Die Pläne für abhängige Sperren, die in die Hafeneinfahrt zu legen sind, sind bei SJ in Arbeit. W. Bef. Dän. ist gebeten, für das Anlegen von Sprengkammern in den Molen und Kaiflächen Pioniertruppen zur Verfügung zu stellen.

---

89 Der var brand i et malerlager hos Aage Petersen, Borgergade 49 (RA, BdO Inf. nr. 34, 22. december 1943, Alkil, 2, 1945-46, s. 1226).

90 Trykt ovenfor. Enten har Best ikke vidst, at det var Schalburgkorpset, der havde foretaget sprængningen, eller også ønskede han ikke, at viden derom nåede til Berlin.

91 Fundet var en af talrige udløbere af anholdelserne i Århus 12. december.

54. Werner Best an das Auswärtige Amt 18. Dezember 1943

Dagsindberetning.
   Kilde: PA/AA R 29.568. RA, pk. 204.

Telegramm

Kopenhagen, den	18. Dezember 1943	15.25 Uhr
Ankunft, den	18. Dezember 1943	17.00 Uhr

Nr. 1553 vom 18.12.[43.]   Citissime!

Ich bitte, die folgende Meldung unverzüglich dem Herrn Reichsaußenminister zuzuleiten:

Über die Lage in Dänemark berichte ich für den 17. auf den 18.12.43, daß auf die Diensträume einer Marineausrüstungsabteilung in Kopenhagen ein Überfall mit versuchter Brandstiftung stattfand, ein vermutlicher Täter wurde festgenommen.[92] Sonst sind 3 unbedeutende Sabotagefälle in Kopenhagen (Kolonialwarengeschäft), in Esbjerg (Holzschuppen)[93] und in Ribe (Café) gemeldet.[94]

Dr. Best

55. WB Dänemark an OKH 18. Dezember 1943

Ud over et mislykket overfald på et tysk tjenestested og nogle ubetydelige sabotager kunne von Hanneken meddele yderligere om resultatet af anholdelsen af de tre SOE-agenter i Århus. En af dem var til hjælp ved opsporingen af sabotagemateriel og våben.
   Kilde: RA, Danica 1000, T-78, sp. 320, nr. 275.056.

Fernschreiben

KR-HXSI 445 18.12. 19.45=
An OKH/GEN ST D H/OP ABT=

Tagesmeldung 18.12.43 – Geheim
In Kopenhagen mißglückter Überfall durch etwa 10 bewaffnete Dänen auf die Büro-

---

92 Der blev lagt brandbomber i en tysk marineudrustningafdelings kontorer, Bredgade 58. En brand opstod dog ikke, men aktionen blev opdaget og dansk politi tilkaldt. Under en voldsom skudveksling forsvandt sabotørerne via tagene (RA, BdO Inf. nr. 34, 22. december 1943, KB, Bergstrøms dagbog 17. december 1943, *Information* 18. december 1943).
93 Et lille trælager tilhørende Esbjerg Møbelfabrik, Gasværksvej. Der var også forsøg på at antænde ild i fabrikken på 1. sal (RA, BdO Inf. nr. 34, 22. december 1943,).
94 Viktualieforretningen, Næsbyholmvej 14, i København blev raseret af en bombe puttet ind gennem en trækrude. Hotel "Industrien", Grønnegade i Ribe nedbrændte, netop som bygningen var overtaget af værnemagten (RA, BdO Inf. nr. 34, 22. december 1943, *Information* 18. december 1943, Alkil, 2, 1945-46, s. 1226).

räume einer Marinedienststelle.⁹⁵ 3 unbedeutende Sabotagefälle. Über Festnahme von Fallschirmagenten in Aarhus wird ergänzend gemeldet: ~~Durch weitere Ermittlungen wurde Abwurf von Material in der gleichen Nacht, in der Agenten absprangen nordostw. Aarhus festgestellt.~~ Mit Hilfe einer der festgenommenen Agenten wurden dort bekannte große Trommeln mit Sprengstoff, 84 Masch. Pistolen engl. Herstellung, 6 Coltpistolen mit Schalldämpfer und weiteres ~~SB~~-Material gefunden und sichergestellt. Durch Vernehmungen bereits einsitzender Agentenhelfer wurde ein weiteres Sprengstofflager in Aarhus entdeckt und Sprengstoffe im Gesamtgewicht von 3 Ctr. sichergestellt. Vernehmungen laufen weiter.
  Wehrm. Befh. Dän. I A nr. 3718/43 geh.

56. Adolf von Steengracht an Alfred Meyer 18. Dezember 1943

Stedfortrædende rigsminister Alfred Meyer pressede på for en stærkere dansk indsats i østområderne, mens Best på sin side ikke fandt tiden moden for at gå videre med sådanne og ønskede dem udsat til et gunstigere tidspunkt. AA delte Bests synspunkt, men ville se positivt på at enkelte danske firmaer og fagfolk gjorde en indsats.
  Se endvidere Steengracht til Meyer 8. maj 1944.
  Kilde: PA/AA R 29.568. LAK, Best-sagen (afskrift). PKB, 13, nr. 608.

Ha Pol. 7355 g

Berlin, den 18. Dezember 1943.

An den ständigen Vertreter des Reichsministers
  für die besetzten Ostgebiete
  Gauleiter und Reichsstatthalter Alfred Meyer,
  Unter den Linden 63.

Lieber Parteigenosse Meyer!
Wie ich bereits in unserer Besprechung am 11. November in Aussicht genommen hatte, habe ich den Bevollmächtigten des Reiches in Dänemark zum Bericht darüber aufgefordert, ob die Pläne für einen verstärkten Einsatz der Dänen in den besetzten Ostgebieten, wie sie von Ihnen und Ihren Mitarbeitern in der erwähnten Besprechung und in Ihrem Schreiben vom 12. November⁹⁶ Bf. S. 200/43 entwickelt wurden, mit Aussicht auf Erfolg jetzt in Angriff genommen werden könnten.
  In seinem nunmehr vorliegenden eingehenden Bericht⁹⁷ kommt der Bevollmächtigte des Reiches zu dem Ergebnis, daß für die Durchführung dieser Pläne die Verhältnisse in Dänemark zur Zeit denkbar ungünstig sind. In Dänemark stehen Landwirte zum Einsatz in den besetzten Ostgebieten nicht in nennenswerter Zahl zur Verfügung. Die Abgabe einer größeren Anzahl von Landwirten würde sich zum Nachteil der dänischen Lebensmittellieferungen nach dem Reich auswirken. Auf dem gewerblichen Sektor sind

---

95 Se Bests telegram nr. 1553, 18. december.
96 Skrivelsen er ikke lokaliseret.
97 Bests telegram nr. 1501, 6. december 1943, der ikke er lokaliseret.

Techniker und Fachleute, soweit sie in Dänemark entbehrlich sind, bereits in Deutschland eingesetzt, ohne daß damit der deutsche Bedarf auch nur annähernd befriedigt wäre. Außerdem aber erfordern die auf höheren Befehl in Angriff genommenen kriegswichtigen Arbeiten in Dänemark gegenwärtig einen ganz besonders starken Einsatz von dänischen Firmen und Facharbeitern. Wir seien jetzt mehr denn je gezwungen, die gesamten dänischen Wirtschaftskräfte für die Kriegsführung und die Sicherung unserer kriegsentscheidenden Bezüge aus Dänemark in Anspruch zu nehmen.

Der Bevollmächtigte des Reichs bittet daher dringend, die Pläne für eine Verstärkung des dänischen Osteinsatzes bis zu einem günstigeren Zeitpunkt zurückzustellen, und zwar sowohl die Gründung einer dänischen Kapitalgesellschaft, als auch die geplante Errichtung eines Büros in Kopenhagen. Selbst wenn es gelänge, eine genügend kapitalstarke dänische Gesellschaft zu gründen, würde ihr Einsatz im Osten wiederum auf die Schwierigkeit der Materialbeschaffung stoßen. Die zum Einsatz in den besetzten Ostgebieten nötigen Maschinen, Geräte usw. können aus den geringen der dänischen Wirtschaft zur Verfügung stehenden Rohstoffmengen an Eisen, anderen Metallen usw. nicht hergestellt werden, da wir bekanntlich gegenwärtig nicht in der Lage sind, den Dänen reichlichere Zuweisungen an den dringend benötigten Rohstoffmaterialien zu machen.

Der Bevollmächtigte des Reichs weist ferner daraufhin, daß s[eines] E[rachtens] eine Voraussetzung für eine künftige Verstärkung des dänischen Osteinsatzes eine endgültige Regelung bezüglich der Wiederherstellung des dänischen Privateigentums im Ostland wäre. Ohne eine solche Regelung werde sich schwer das nötige Interesse an Osteinsatz wecken lassen, insbesondere aber auch die dänische Finanzwelt für die Bereitstellung von Kapital nicht zu gewinnen sein.

Im Zusammenhang mit dem Plan der Errichtung eines deutsch-dänischen Büros in Kopenhagen weist der Bevollmächtigte des Reichs darauf hin, daß der Ostraumausschuß des Dänischen Außenministeriums nicht aufgelöst ist.[98] Nach dem Austritt des Geschäftsführers Wilhelmsen wurde der Ausschuß der Leitung des Kontorchefs Mirner unterstellt. Der Bevollmächtigte des Reichs hält es für dringend erwünscht, daß die bisherigen Mitglieder des dänischen Ostraumausschusses bei der Vorbereitung des dänischen Osteinsatzes weiterhin mitwirken. Diese angesehenen deutschfreundlichen Persönlichkeiten würden in dem Plan, ein deutsches Büro in Kopenhagen für diesen Zweck zu errichten, zweifellos den Ausdruck unserer Unzufriedenheit über den mangelnden dänischen guten Willen erblicken. Es darf auch nicht außer acht gelassen werden, daß der dänische Ostraumausschuß dank seinen nahen Beziehungen zu den maßgebenden Regierungskreisen einer weitgehenden Förderung durch die Dänische Regierung sicher sein kann. Dagegen würde ein deutsches Büro in Kopenhagen jedenfalls zunächst nicht förderlich, sondern eher störend wirken.

Diesen gewicht[ig]en Gründen gegenüber vermag ich mich nicht zu verschließen und bin mit dem Bevollmächtigten des Reichs der Auffassung, daß die Pläne für einen verstärkten dänischen Osteinsatz bis zu einem günstigeren Zeitpunkt zurückgestellt werden müssen. Dieses schließt jedoch durchaus nicht einen Einsatz einzelner dänischer

---

98 Det var måske formelt rigtigt, men reelt var Østrumudvalget opløst 29. august 1943, og de tidligere medlemmer stod ikke længere til rådighed for udvalget.

Firmen und Fachleute in den besetzten Ostgebieten aus, wenn sich bei der Prüfung der einzelnen Vorhaben ergibt, daß dänische Kräfte für sie ohne Gefährdung der kriegswirtschaftlichen Belange des Reiches freigemacht werden können.

Das Auswärtige Amt ist gern bereit, entsprechende konkrete Wünsche des Reichsministeriums für die besetzten Ostgebiete an die dänischen Stellen weiterzuleiten und selbst im Rahmen des Möglichen zu unterstützen.

Mit verbindlichem Gruß und

Heil Hitler!

Ihr sehr ergebener

gez. **Steengracht**

57. Horst Wagner an Werner Best 20. Dezember 1943
I Berlin havde Ernst Kaltenbrunner med statssekretær von Steengracht og Wagner den 7. november drøftet forholdet mellem Pancke og Best, og var blevet enige om, at Pancke udelukkende modtog de politiske direktiver fra Best og fik de politimæssige fra Himmler (jfr. notits af von Steengracht anf. dato, trykt ovenfor).
Det forholdt Wagner sig stadig til den 20. december, hvilket tilsyneladende indebærer, at han ikke kendte noget til førerordningen af 6. december 1943 (se også hans notits 28. december 1943, telegrammerne nr. 6, 32 og 46, 6., 7. og 14. januar 1944. Rosengreen 1982, s. 59f.).
Kilde: PA/AA R 100.758. RA, pk. 229. LAK, Best-sagen (afskrift).

Telegramm

Berlin, den   20. Dezember 1943

Diplogerma Kopenhagen
Nr. 1689
Referent: VK Geiger
Auf Drahtbericht Nr. 1529 v. 11.12.43[99]

Unter Bezugnahme auf die mit Ihnen geführte Besprechung über das Verhältnis zum Höheren Polizeiführer in Dänemark hat auf Weisung des Herrn RAM eine Besprechung zwischen SS-Obergruppenführer Kaltenbrunner, dem Staatssekretär und mir stattgefunden. Es besteht beiderseits völlig Klarheit, daß – wie in allen anderen Fällen – der Ihnen beigegebene Höhere SS- und Polizeiführer die politischen Weisungen ausschließlich von Ihnen als dem Reichsbevollmächtigten und der Obersten deutschen Spitze in Dänemark erhält, während er seine fachlichen Weisungen von den Dienststellen des Reichsführers-SS entgegennimmt.

Ich bitte, zu gegebener Zeit zu berichten, wie sich das Verhältnis zum Höheren Polizeiführer entwickelt.[100]

Wagner

99 Trykt ovenfor.
100 Se Bests telegram nr. 1578, 23. december.

58. OKM an das Auswärtige Amt 20. Dezember 1943

OKM svarede på AAs brev af 6. december med de deri stillede spørgsmål af Werner Best. Tillige bad OKM om, at Best satte gang i processen med overtagelse af de tre bornholmerskibe (Barfod 1976, s. 111f.).

Se Wurmbach til MOK Ost 20. januar 1944.

OKM refererede samme dag brevet til AA i en skrivelse fra Quartiermeisteramt med henvisning til sidstnævntes skrivelse til Seekriegsleitung 14. december 1943 (trykt ovenfor). Det hedder her til slut: "Die Weiterverfolgung des ausstehenden weiteren Marinebedarfs ist zunächst zurückgestellt worden, um erst einmal an dem Fall der drei in Bornholm liegenden Fahrzeuge ein Präjudiz zu schaffen, auf Grund dessen dann die Erfassung der weiteren Schiffe leichter vor sich gehen dürfte." Her gjorde Seekriegsleitung regning uden vært. Best agtede ikke på nogen måde at gøre det lettere for Kriegsmarine.

Kilde: BArch, Freiburg, RM 7/1813. RA, Danica 628, sp. 7, nr. 5763.

Oberkommando der Kriegsmarine   *Berlin, den 20.12.1943.*
Zu: B-Nr. 1. Skl. I i 52020/43 geh.   Geheim

An das Auswärtige Amt
    Berlin.

Vorg.: Ha Pol 7318/43 g vom 6.12.1943.[101]
Betr.: Inanspruchnahme brachliegender dänischer Tonnage im dänischen Raum.

Die vom dem Herrn Reichsbevollmächtigten Dr. Best gestellten Fragen bezüglich der in Bornholm aufliegenden drei Dampfer "Hammershus", "Frem" und "Rottner" beantworten sich wie folgt:

Die drei Fahrzeuge werden von dem Admiral der Seebefehlsstellen zu Ausbildungszwecken benötigt. Sie führen bei dieser Verwendung die deutsche Flagge und werden mit deutschen Soldaten besetzt. Ihr Einsatz ist kriegsnotwendig. Es wird gebeten, Herrn Dr. Best seinem Angebot entsprechend damit zu beauftragen, die Reedereien der genannten Schiffe durch Druck auf die dänische Zentralverwaltung zur freiwilligen Übergabe der Fahrzeuge an die Kriegsmarinedienststelle Kopenhagen gegen eine angemessene Charter in dänischen Kronen zu veranlassen. Sollte der diesbezügliche Versuch erfolglos bleiben, so würden die Schiffe durch die Kriegsmarine von hoher Hand in Anspruch genommen werden, wozu es d.E. der Schaffung einer neuen Rechtsgrundlage nicht bedarf, da die Inanspruchnahme auf das Angarienrecht gestützt werden könnte.[102] Erforderlichenfalls wäre die Frage der rechtlichen Begründung zweckmäßigerweise weiter mündlich unter Beteiligung der dortigen Rechtsabteilung zu behandeln.

[uden underskrift]

---

101 Trykt ovenfor.
102 Jus angariæ, hvormed menes, at det under en krig i nødstilfælde anses for berettiget at sætte sig i besiddelse af ikke blot fjendtlige, men også neutrale magters borgeres gods, idet der ydes fuld erstatning.

59. Werner Best an das Auswärtige Amt 21. Dezember 1943
Dagsindberetning.
  Best udelod fra sine dagsindberetninger alle omtaler af likvideringer af danskere i tysk tjeneste. Holger Danske havde den 20. december likvideret to (stikkeren Erik Hans Gaust og leder af Folkeværnet under Schalburgkorpset Erik Siegfred Østergaard-Petersen) og forud forsøgt at likvidere to andre henholdsvis 14. og 18. december (stikkeren Hedvig Delbo og politimanden Max Pelving),[103] hvilket ikke alene var et angreb på tyske interesser, men det kunne også komme til at spille en rolle for de forholdsregler, Pancke ville eller skulle tage i brug. Dog valgte Best at forholde AA den type oplysninger, hvilket måtte give AA et andet billede af situationen i Danmark end hos RFSS og RSHA.
  Kilde: PA/AA R 29.568. RA, pk. 204.

Telegramm

| Kopenhagen, den | 21. Dezember 1943 | 20.10 Uhr |
| Ankunft, den | 21. Dezember 1943 | 23.20 Uhr |

Nr. 1565. vom 21.12.[43.]   Citissime!

Ich bitte die folgende Meldung unverzüglich dem Herrn Reichsaußenminister zuzuleiten:
  Über die Lage in Dänemark berichte ich für den 20. auf 21.12.43, daß in einem Werk des "Dansk Industri Syndikat," das Teile von Infanteriegewehren und Horchgeräten herstellt, eine Sprengung stattfand, durch die Sachschaden verursacht und 22 dänische Arbeiter verletzt wurden.[104] Im übrigen sind 4 leichtere Sabotagefälle gemeldet, darunter einer in einer Autoreparaturwerkstatt in Lögstör (Jütland), wobei Trecker und Luftkompressor der Wehrmacht beschädigt wurde.[105]

                                                                        Dr. Best

60. WB Dänemark an OKH 21. Dezember 1943
Sabotagen mod Dansk Industri Syndikat blev indberettet med den kommentar, at der var tale om større skader, og at virksomheden arbejdede for værnemagten.
  Det blev ikke nævnt, at der var tale om et svært sabotagetilfælde, men læseren kunne slutte sig dertil af, at der påfølgende blev nævnt fire lette sabotagetilfælde. Von Hanneken søgte ikke en skærpelse af situationen i Danmark.
  Kilde: RA, Danica 1000, T-78, sp. 320, nr. 275.053.

---

103 Larsen 1982, s. 91, Kieler, 2, 1993, s. 150, Kieler, 1, 2001, s. 351f. (opgiver forkert dato m.h.t. Delbo), 376, Skov Kristensen 2007c, s. 689f., Birkelund 2008, s. 677.
104 Det var BOPA, der saboterede Dansk Industrisyndikat i Frihavnen med betydelige materielle og politiske skader til følge, se Forstmann til Best og von Hanneken 22. december 1943. BdO anslog skaderne til 1. mio. kroner, bygningsskaderne blev påfølgende alene opgjort til 485.000 kr. (RA, BdO Inf. nr. 34, 22. december 1943, Kjeldbæk 1997, s. 185-187, 471).
105 Der fandt endnu flere sabotager sted denne dag. Alene i Løgstør var der tre sabotager. Foruden sabotagen mod Brdr. Nielsens Autoværksted, hvor det gik ud over værnemagtsmateriale (skaden af BdO anslået til 30.000 kr.), blev også Muslingekogeriet saboteret og Hotel "Unionen" søgt nedbrændt (RA, BdO Inf. nr. 34, 22. december 1943, Alkil, 2, 1945-46, s. 1226).

Fernschreiben

KR—HXSI 466 21.12. 1950=
OKH/GEN ST D H/OP ABT=
Geheim

Tagesmeldung vom 21.12.43
Dänische Industrie-Syndikat Kopenhagen, ~~Sabotage~~sprengung, größerer Schaden. Fabrik ~~stellt Teile für Infanterie-Gewehre und Horchgeräte her. Arbeitsausfall noch unbekannt. 22 Dänen verletzt. 4 leichtere Sabotagefälle,~~ bei denen in 2 Fällen Wehrmacht-Interessen leicht betroffen wurden. ~~Sachschaden, 1 Wehrmachtangehöriger leicht verletzt.~~

Zusatz nur für OKW/WFST. OKH/ Gen St. D H, OKH/Chef H Rüst und BDE, Heeresgruppe
   Eisenbahnstrecke Padborg-Lunderskov (Oststrecke aus dem Reich) Erhöhung der Leistungsfähigkeit von Zugfolge 12 auf 18 durchgeführt.
Wehrmachtbef. Dänm. I A 3776/43 geh.

61. Der Generalbevollmächtigter für die Regelung der Bauwirtschaft an die Reichsstelle für Kohle 21. Dezember 1943

I Rommels beretning til Hitler 13. december havde han givet udtryk for, at det var nødvendigt (erforderlich) at forøge den danske cementproduktion ved tilførsel af ca. 6.000 tons kul. OKW henvendte sig straks til Reichsstelle für Kohle med dette ønske, og herfra gik andragendet 17. december videre til Cementcentralen ved den generalbefuldmægtigede for regulering af byggevirksomhed. Det blev imidlertid ikke Cementcentralens chef, dr. Seeger, der svarede, men den generalbefuldmægtigede selv, Carl Stobbe-Dethleffsen, leder af Amt Bau.
   Den generalbefuldmægtigede gennemgik de tilførsler af kul, der hidtil var tilgået den danske cementindustri samt de aftaler om leverancer, der forelå frem til og med marts 1944. Disse mængder måtte stilles til rådighed, indtil det af Hitler befalede forsvarsprogram var opfyldt. Den generalbefuldmægtigede gik ud fra, at Reichsstelle für Kohle ville gøre alt for at opfylde behovet.
   OKW lod sig imidlertid ikke nøje hermed, men henvendte sig også direkte til dr. Seeger 27. december i samme sag og fik et foreløbigt svar 6. januar 1944, trykt nedenfor.
   Den generalbefuldmægtigedes tone over for Reichsstelle für Kohle var bydende, og det ikke uden grund. Stobbe-Dethleffsen var rustningsminister Speers betroede mand og som generalbefuldmægtiget for Amt Bau udset til at overtage OT, en magtkamp som Speer imidlertid ikke formåede at vinde over OTs leder Xaver Dorsch, hvorfor Stobbe-Dethleffsen i foråret 1944 blev afskediget, mod at Speer til gengæld formelt fik OT underlagt (Müller 1999, s. 451-53).
   Kilde: RA, Danica 1000, T-77, sp. 693, nr. 902.388f.

Abschrift
Der Reichsminister für Rüstung und Kriegsproduktion   *Bln.-Charlbg. 2, den 21.12.1943*
Reichsminister Speer   Knesebeckstraße 30
BA/Zementzentrale 7311/43

– GB. 4126/43g –   Geheim!
                                                OKW/W Stb/Inl Ne. 8373/43g

An die Reichsstelle für Kohle
   z.H. Herrn Direktor Pickert
   Berlin W 15
   Olivaer Platz 5-6

Betr.: Sicherstellung des Zementbedarfes für Verteidigungsanlagen in Dänemark.
Bezug: Ihr Schreiben vom 17.12.43 – Rst J-A 734/42g Pi/Gö –

Nach meinen Feststellungen sind aufgrund unserer Vereinbarung an die dänische Zement-Industrie folgende Kohlenmengen geliefert worden:
Bis 31.3.1943   75.570 t
vom 1.4.-17.12.1943   107.229 t
Schiffe befrachtet (weitere Dezember-Abladung)   7.850 t
Rest der freigegebenen Kohle   3.900 t
                                                      194.549 t

Diese Gesamtmenge muß jährlich bis auf weiteres mindestens so lange zur Verfügung stehen, bis das von Führer befohlene Verteidigungsprogramm erfüllt ist.
   Ich darf darauf hinweisen, daß nach dem inzwischen aufgestellten vorläufigen Programm für das Jahr 1944 die aus dieser Kohlenmenge mögliche Zementzeugung nicht ausreicht, um den erforderlichen Zementbedarf zu decken und darüber hinaus in Januar und Februar und weiterhin bis auf Widerruf *Zulieferungen von Zement* aus dem Reichsgebiet von *je 5.000 t wöchentlich* erforderlich sind.
   Aus Gründen einer möglichst geringen Transportbelastung muß die Erzeugung der dänischen Zementwerke mindestens in seitheriger Höhe aufrechterhalten werden. Aus demselben Grund und damit aus der gelieferten Kohlenmenge möglichst viel Zement hergestellt werden kann, ist eine Kohle mit möglichst großem Heizwert bis zu der im Vertrag, mit der dänischen Zement-Industrie vorgesehenen bekannten Kalorienzahl bereitzustellen. Ich bitte, im Interesse einer größtmöglichen Transportentlastung auch hierauf zu achten.
   Inwieweit es möglich sein wird, Zement aus dem dänischen Zivilsektor der seither schon – nach dänischer Auffassung – auf ein Mindestmaß eingeschränkt ist, für die Verteidigungsbauten freizumachen, wird durch die hierzu berufenen Stellen noch festgestellt.
   Ich darf bitten zu veranlassen, daß zunächst bis 31.3.1944 75.570 t bereitgestellt und hiervon je 20.000 t im Januar und Februar und der Rest von 35.570 t im März 1944 zur Abladung gebracht wird. Es genügt, wenn vorstehende 75.570 t Kohle am 31.3.1944 zum Versand gebracht sind, d.h. nur ein verhältnismäßig geringer Rest in den zur Verschiffung vorgesehenen Seehäfen zur Verlesung bereitliegt. – Für den Fall, daß Transportschwierigkeiten eintreten sollten, bitte ich um Mitteilung, damit die OT-Zentrale erforderlichenfalls den Transport ab Zeche übernehmen kann.

Aufgrund Ihres Schreibens vom 17.12.1943 gehe ich davon aus, daß von Ihnen alle Schritte unternommen werden, um vorstehendes Programm zu erfüllen. Die Verteilung auf die dänischen Zementwerke ist im gegenseitigen Einvernehmen unmittelbar wie seither vorzunehmen.

In Vertretung
gez. **Stobbe-Dethleffsen**

62. Werner Best an das Auswärtige Amt 22. Dezember 1943

Dagsindberetning. Her kunne Best videregive oplysningen om sabotagen mod B&Ws kraftcentral i Strandgade.

Det blev overladt til AA at vurdere betydningen af dette slag mod tyske interesser i Danmark. Best gav ikke informationer, der kunne vejlede ministeriet.

Kilde: PA/AA R 29.568. RA, pk. 204.

T e l e g r a m m

Kopenhagen, den	22. Dezember 1943	20.30 Uhr
Ankunft, den	22. Dezember 1943	22.00 Uhr

Nr. 1576 vom 22.12.[43.]   Citissime!

Ich bitte folgende Meldung unverzüglich dem Herrn Reichsaußenminister zuzuleiten:

Über die Lage in Dänemark berichte ich für den 21. auf 22.12.43, daß ein Maschinenhaus der Firma Burmeister und Wain in Kopenhagen, die für deutsche Interessen arbeitet, durch Sabotage zerstört wurde.[106] Sonst sind aus dem Lande keine Vorfälle gemeldet.

Dr. Best

63. WB Dänemark an OKH 22. Dezember 1943

Meddelelsen om sprængningen af B&Ws maskinhus med omfattende skader til følge blev videresendt til OKH.

Heller ikke denne sabotage fik WB Dänemark til at vige fra den orienterende linje. Det blev end ikke nævnt, at værnemagtsinteresser blev ramt, selv om det var indskrevet i meddelelsen – for derefter at være udstreget. Udeladelsen kan ikke være sket efter samråd med Best, da han gav AA den oplysning.

Kilde: RA, Danica 1000, T-78, sp. 320, nr. 275.052.

F e r n s c h r e i b e n

KR–HXSI 705 22.12. 19.50 =
OKH/GEN ST D H/OP ABT=

---

106 BOPA stod bag aktionen (RA, BdO Inf. nr. 35, 24. december 1943, Larsen 1982, s. 109-111, Kjeldbæk 1997, s. 187f., 471).

Tagesmeldung vom 22.12.43
Maschinenhaus der Werft Burmeister u. Wain, Kopenhagen durch Sabotagesprengung zerstört. Erhebliche Sach-, ~~kein Personen~~schaden. ~~Da Stromverbrauch ausgefallen, Betrieb teilweise stillegend. Wehrmachtinteressen betroffen.~~
~~Ein weiterer unbedeutender Sabotageanschlag.~~
Wehrm. Befh. Dän. I A nr. 596/43

64. Walter Forstmann an Werner Best und Hermann von Hanneken 22. Dezember 1943

De tre seneste store sabotager i december, der ramte tyske krigsleverancer, fik Forstmann til at orientere Best og von Hanneken skriftligt umiddelbart efter de to sidste aktioner. Han påpegede det beklagelige i, at en følge af sabotagerne var, at det blev stadigt vanskeligere at få danske arbejdsgivere og arbejdere til at påtage sig tyske opgaver.

Forstmann drog ikke nogen konklusion. Det var dog underforstået, at der på et tidspunkt måtte gøres noget.

Se Forstmann til Richter 14. januar 1944.
Kilde: BArch, Freiburg, RW 27/12. KTB/Rü Stab Dänemark 4. Vierteljahr 1943, Anlage 26 und 27.

Abschrift
Der Chef des Rüstungsstabes   22.12.1943

S a b o t a g e

An den Herrn Reichsbevollmächtigten in Dänemark
    Kopenhagen
An den Wehrmachtsbefehlshaber Dänemark,
    Herrn General der Infanterie von Hanneken,
    Gefechtsstand

In der Anlage wird ein Bericht über die Auswirkungen des Sabotageakts in der Kraftzentrale bei Burmeister & Wain am 22.12.43 mit der Bitte um Kenntnisnahme übersandt.

Die schweren Sabotagefälle, die sich in der letzten Woche im Varde Stahlwerk, bei Dansk Industri Syndikat und bei Burmeister & Wain ereigneten, zeigen, daß die Sabotageakte im Schutze der Dunkelheit trotz gutem Werkschutz (Dansk Industri Syndikat und Burmeister & Wain) nach wohl überlegtem Plan zum größten Nachteil der Industrie durchgeführt werden. Entsprechend leidet darunter auch die sehr wichtige deutsche Fertigung. Eine besonders bedauerliche, aber erklärliche Folge der Sabotageakte ist darin zu erblicken, daß die dänischen Unternehmer und Arbeiter eine immer größere Abneigung deutschen Aufträgen gegenüber an den Tag legen.

gez. **Forstmann**

1 Anlage

Abschrift
Rüstungsstab Dänemark Kopenhagen, den 21.12.1943
Abt. TB

Betr.: Besichtigung der Kraftzentrale bei Fa. Burmeister & Wain
Meldung des Reg. Baurat Jeschke

Es wird gemeldet, daß die Besichtigung der Kraftzentrale bei Fa. Burmeister & Wain, Kopenhagen, am Dienstag, den 21.12.43 um 10.30 h folgendes ergab:

Die Kraftzentrale wurde so gesprengt, daß es im Augenblick nicht möglich ist, festzustellen, ob die unter den Trümmern liegenden Dieselmotore weniger oder stärker beschädigt sind.

Nach erstem Anschein sind 4 große Dieselmotore, die mit Sauggas arbeiten, für längere Zeit völlig betriebsunfähig.

Es sind nicht, bezw. leicht beschädigt
1 großer Dieselmotor (Dieselölantrieb) und
die kleineren Torf- und Kohleaggregate (z.T. nur Versuchsanlagen).

Der Lichtbedarf, besonders für den Bürobetrieb, kann durch Inbetriebnahme der kleineren Aggregate gedeckt werden.

Inwieweit in der Fertigung befindliche, für die Türkei bestimmte, Dieselaggregate als Sofortersatz für die beschädigten herangezogen werden können, wird gegenwärtig von der Firma untersucht.

Der Firma wird dem Rüstungsstab Dänemark laufend über das Ergebnis der Aufräumungsarbeiten berichten.

Abschrift
Abt. Luftwaffe Kopenhagen, den 21.12.1943

N i e d e r s c h r i f t
über die Betriebsbesichtigung bei der Fa. Dansk Industri Syndikat
anläßlich des Sabotageaktes vom 20.12.43

Anwesend: Abt. Lw Hptm. Erbert
Abt. Heer [Hptm.] Diesselhorst
BA RLM Ing. Schultze
Direktor Henckel – DIS

Der Sabotageakt wurde am 20.12.43 gegen 16 Uhr verübt, nachdem 15.30 Uhr Schichtwechsel stattfand. Die Abwehrmaßnahmen des Werkes werden allgemein als die besten mit in Kopenhagen beurteilt. In letzter Zeit waren mehrfach Gerüchte aufgetaucht, daß Sprengbomben im Werk niedergelegt seien. Aus diesem Grunde wurde am Sonntag, den 19., eine gründliche Durchsuchung des ganzen Werkes vorgenommen und nichts gefunden. Dies wird als ein Hinweis dahingehend angesehen, daß die nicht unerheblichen Mengen an Sprengstoff erst am Tage der Sabotage eingebracht sein müssen.

Rittm. Schlüter schätzt auf 30 kg., Hauptm. Kablitz (Heeresabnahmestelle im Werk) schätzt auf 10 kg. Maßgebend wird gewesen sein, in welcher Form und mit welcher Geschicklichkeit die Sprengstoffmenge am oder im Objekt angebracht wurde. Das betroffene Gebäude ist etwa 70 m lang und 25 m breit = rund 1.800 qm Arbeitsfläche. Das gesamte Werk ist etwa 20.000 qm groß. Es werden zusammen 2.000 Mann beschäftigt. Im betroffenen Teil rund 700. Somit ist ungefähr 1/3 der Fertigung betroffen.

Der Umfang des Schadens wird auf 100.000 Kronen Gebäudeschaden geschätzt, Maschinenschaden ist geringfügig.

Die Wiederherstellung und volle Beseitigung des Schadens kann 2-4 Monate in Anspruch nehmen, je nachdem, ob die Bauarbeiten in 1 oder 2 Schichten durchgeführt werden. Der Eisenbetonskelettbau ist ohne große Mühe zu reparieren. Die Umfassungswände sind nur vorgeblendet, also keine Tragkonstruktion.

Die Fertigung der Abt. Lw.
werden keine erhebliche Unterbrechung erfahren. Ein besonders glücklicher Umstand ist darin zu erblicken, daß fast alle fertiggestellten Erzeugnisse 2 Tage vor dem Sabotageakt per Waggon zur Absendung gelangten. Eine nicht unbeträchtliche Menge von Vorratsteilen für Madsen-MG, die wegen Waggonmangel seit längerem nicht abtransportiert werden konnten (nach Norwegen), sind vollkommen unbeschädigt erhalten geblieben.

Die amtlichen Werkslehren für MG 15 und MG 131 sind verschüttet. Die Trümmer werden z.Zt. beiseitegeräumt. Danach wird festgestellt, was noch auffindbar und brauchbar ist. Der Verlust der Lehren ist besonders schmerzlich, weil die Neubeschaffung mit den größten Schwierigkeiten und mit einem sehr erheblichen Arbeitsaufwand verbunden ist. Mit Herrn Ing. Schultze wurde verabredet, daß versucht wird, aus den Trümmern soviel Lehren wie nur irgendmöglich zu retten.

Die Fertigung der Abt. Heer
wird besonders in den Aufträgen für die Fa. Maget und Fa. Bamag getroffen. Teilweise auch die Fertigung des Kommandogerätes 40 der Fa. Elac, Kiel und Fritewe. Fertigungsteile sind nach den bisherigen Feststellungen nicht zerstört worden, und zwar weder halbfertige noch ganzfertige. Endgültige Feststellungen können erst nach Beendigung der Aufräumungsarbeiten getroffen werden.

Die Fertigung der Abt. Marine
ist insoweit am schwersten betroffen, als gerade in diesem Gebäude die Marinefertigung fast ausschließlich untergebracht war. Bei einem Jahresumsatz von rund 20 Mill. Kronen hat Marine bei DIS rund 4-5 Mill. Kronen Aufträge liegen, Heer etwa 5 Mill. Kronen und Lw an unerledigten Arbeiten noch etwa knapp 2 Mill. Die örtliche Marineabnahme macht darauf aufmerksam, daß der Rockwellprüfer und das Werkmikroskop zerstört oder beschädigt sind. Die Büroräume sind unversehrt, sowohl bei Marine, Lw und Heer. Von den Geheimakten, Stempeln usw. ist nichts abhanden gekommen.

gez. **Erbert**
gez. **Diesselhorst**

65. Kriegstagebuch/Seekriegsleitung 22. Dezember 1943
Med kendskab til Rommels forestående beretning efter inspektionen af forsvarsforanstaltningerne i Danmark gav Seekriegsleitung viceadmiral Ruge direktiver vedrørende tilførsel af forstærkninger og forlægning af flådeenheder.
Kilde: KTB/Skl 22. december 1943, s. 356f.

[…]
Auf Grund der Besprechung des MVO zu Heeresgruppe B, V.-Adm. Ruge, bei Skl am 15/12. und in Kenntnis des vorstehenden Berichtsabschnitts ist an V.-Adm. Ruge folgende Weisung von 1/Skl zugegangen:
"1.) Verteilung der Überwasserstreitkräfte ist auf die Abwehr feindlicher Landungsversuche im Westraum und im Bereich Dänemark und Süd-Norwegen abgestellt. Weisungen für den Einsatz sind ergangen.
2.) Im Skagerrak sind zunächst 2, ab Anfang Januar 2 weitere Zerstörer und eine T-Flottille mit zunächst 2 Booten stationiert. Zuführung einer weiteren zur Zeit bei der TS befindlichen Flottille ist im Frühjahr in Aussicht genomen.
3.) Im Falle eines feindlichen Großangriffs auf Dänemark-Südnorwegen werden der Ausbildungsverband der Flotte (zur Zeit k.b. "Admiral Scheer", "Prinz Eugen", "Nürnberg, "Leipzig", "Emden", "Schlesien"), in der Ostsee zur Ausbildung und auf den Schulen befindliche Zerstörer, T-Boote und Schnellboote herangeführt. Vorarbeiten für Hebung der Einsatzbereitschaft und Bereitstellung von Nachschub sind bei Gruppe Nord/Flotte im Gange.
4.) Verlegung von S-Flottillen aus dem Westraum in Stützpunkte der Deutschen Bucht oder Süd-Norwegens wird vorbereitet.
5.) Verstärkung der Sicherungsverbände ist zur Zeit nicht mehr möglich.
6.) Alle verfügbaren Marinefährpräme werden beschleunigt auf Kosten anderer Vorhaben als Artillerieträger hergerichtet. Im Endziel soll BSN 30 Artillerie-Marinefährpräme erhalten (BSW etwa 50, Norwegen 25). BSN hat zur Zeit 10; Neuzuteilung bis 31.12. und 31.3. je weitere 10.
7.) Vorsorgliche Abstellung größerer Ubootszahlen verbietet sich, weil dadurch Leere im Nordatlantik eintreten würde. – Im Norwegenraum sind stets etwa 12 Boote, von denen etwa die Hälfte k.b. Zusammenfassung dieser Boote mit nach dem Atlantik auslaufenden sowie von dort heimkehrenden zum Einsatz in der Nordsee sowie Heranführung der Nordmeer-Boote ist vorgesehen."
[…]

66. Lagebesprechung vor Hitler 22. Dezember 1943
På baggrund af den spektakulære sabotage mod Dansk Industri Syndikat, der hurtigt kom førerhovedkvarteret for øre, fandt Hitler tiden moden til at kalde von Hanneken, Best og Pancke til førerhovedkvarteret Ulveskansen.
Hitler (eller referenten) nævnte fejlagtigt Heinrich Müller i stedet for Pancke, men det var Pancke, der blev tilkaldt sammen med Best og von Hanneken.
Kilde: Heiber 1962, s. 466 (tekst med lakuner).

[...]
Mittagslage vom 22. Dezember 1943 in der Wolfsschanze
... In Dänemark ein Sabotageunternehmen gegen ein Dänisches Industrie-Syndikat Kopenhagen, wo Infanteriegewehrteile und Horchgeräte hergestellt werden; größerer Schaden. – Weitere vier leichte Sabotagefälle, dabei ein Wehrmachtsangehöriger leicht verletzt.
Der Führer: Ich halte es für notwendig, daß demnächst einmal Hanneken, Best und Müller hierherkommen wegen dieser Gegenmaßnahmen. Ich glaube, die stimmen nicht zusammen; jeder von den dreien hat eine andere Vorstellung; das geht nun nicht ...
... Sinn, das geht da immer: Herein in die Kartoffeln, heraus aus den Kartoffeln!
[...]

67. Werner Best an das Auswärtige Amt 23. Dezember 1943
Efter en henvendelse fra von Hanneken bad Best AA henvende sig til Det Tyske Gesandtskab i Stockholm for at finde ud af, om Sverige havde til hensigt at besætte de danske øer i tilfælde af en invasion.
Et svar er ikke lokaliseret.
Kilde: PA/AA R 29.568. RA, pk. 204.

Telegramm

| Kopenhagen, den | 23. Dezember 1943 | 09.25 Uhr |
| Ankunft, den | 23. Dezember 1943 | 15.00 Uhr |

Nr. 1577 vom 23.12.43.   Cito!
                                              Geheime Reichssache.

Wehrmachtsbefehlshaber Dänemark bittet mich um Unterstützung zur Aufklärung, ob in Invasionsfall mit schwedischen Besetzungsabsichten bezüglich der dänischen Inseln zu rechnen sei, wie hier in dänischen Kreisen behauptet wird. Bitte Äußerung der Gesandtschaft Stockholm einzuholen und mir mitzuteilen.
Dr. Best

68. Werner Best an das Auswärtige Amt 23. Dezember 1943
Jurisdiktionsspørgsmålet var ikke blevet løst af AA før Panckes ankomst, og det havde næppe heller kunnet lade sig gøre, men Best var nået til en forståelse med Pancke før 27. november (se telegram nr. 1474, 27. november). I løbet af december var den aftale dog gået i vasken, idet spørgsmålet på ny kom op i forbindelse med oprettelsen af en SS-domstol i København. Spørgsmålet var først og fremmest om Pancke eller Best skulle have tillagt benådningsretten, i anden række om rettens område skulle udstrækkes til civile tyskere og ikke-tyske statsborgere.
Best rykkede for svar med telegram nr. 238, 22. februar 1944 (Rosengreen 1982, s. 89f.).
Kilde: PA/AA R 101.040. RA, pk. 228 og 438a. LAK, Best-sagen (afskrift).

Telegramm

| Kopenhagen, den | 23. Dezember 1943 | 12.50 Uhr |
| Ankunft, den | 23. Dezember 1943 | 15.00 Uhr |

Nr. 1578 vom 23.12.[43.]

Unter Bezugnahme auf das dortige Schreiben vom 7.10.1943 (R 6250 g II)[107] und auf meine Berichte – zuletzt mein Telegramm Nr. 1474[108] vom 26.11.43 – berichte ich folgendes:

Der höhere SS-und Polizeiführer hat mir mitgeteilt, daß durch Anordnung des Reichsführers-SS und SS-Polizeigericht 30 in Kopenhagen errichtet worden ist. In Besprechungen zwischen dem Wehrmachtsbefehlshaber Dänemark, dem höheren SS- und Polizeiführer und mir ist geprüft worden, ob und wie das SS- und Polizeigericht 30 zur Aburteilung von gegen Reichsinteressen gerichteten Handlungen hiesiger Landeseinwohner zuständig gemacht werden kann. Es wurde festgestellt, daß dies durch eine Abänderung des zweiten Erlasses des Oberkommandos der Wehrmacht über die Ausübung des Wehrmachtsgerichtsbarkeit in Dänemark vom 28.1.1943 geschehen kann, indem vom Oberkommando der Wehrmacht das SS- und Polizeigericht 30 für alle Straftaten von Personen nicht deutscher Staatsangehörigkeit, die gegen deutsche Interessen gerichtet sind, für zuständig erklärt wird. In gleicher Weise soll das Gericht für sämtliche Reichsdeutschen in Dänemark, die nicht der Wehrmacht oder dem Wehrmachtsgefolge angehören, für zuständig erklärt werden. Weiter soll ein Vorbehalt für den Wehrmachtsbefehlshaber Dänemark ausgesprochen werden, daß dieser in Fällen besonderen militärischen Interesses die Zuständigkeit eines Wehrmachtsgerichts begründen kann. Für die Ausübung des Gnadenrechts, das nach den Bestimmungen über die SS- und Polizeigerichte grundsätzlich dem Reichsführer-SS zusteht, gibt es zwei Möglichkeiten: entweder wird das Gnadenrecht analog der in Norwegen und den Niederlanden bestehenden Regelung an den Reichsbevollmächtigten delegiert oder es wird analog der für die Wehrmachtsgerichte bestehenden Regelung an den Gerichtsherrn – den höheren SS- und Polizeiführer – delegiert. In diesem Falle bleibt die Frage offen, wie die politischen Gesichtspunkte des Reichsbevollmächtigten zur Geltung gebracht werden sollen. Der höhere SS- und Polizeiführer hat den Reichsführer-SS Hauptamt SS-Gericht – um Entscheidung gebeten, ob auf Grund der hier erörterten Konstruktion die Zuständigkeit des SS- und Polizeigerichts 30 auf die zivilen Reichsdeutschen und auf die nicht deutschen Staatsangehörigen ausgedehnt und wie die Ausübung des Gnadenrechts geregelt werden soll. Ich bitte deshalb, mit dem Hauptamt SS-Gericht zur Erörterung dieser Fragen in Verbindung zu treten und mir Gelegenheit zur Stellungnahme zu geben, bevor endgültige Entscheidungen getroffen werden.

Dr. Best

---

107 Skrivelsen er ikke lokaliseret.
108 bei Recht. Trykt ovenfor.

69. Werner Best an das Auswärtige Amt 23. Dezember 1943
Best meddelte, at von Hanneken, Pancke og han selv var kaldt til Hitler i førerhovedkvarteret 30. december og bad AA om direktiver forud.
 Et svar er ikke lokaliseret. Om forløbet af mødet hos Hitler, se kommentaren til Bests kalenderoptegnelse 30. december.
 Kilde: PA/AA R 29.568. RA, pk. 204 og 229. LAK, Best-sagen (afskrift).

<h3 style="text-align:center">T e l e g r a m m</h3>

Kopenhagen, den	23. Dezember 1943	12.50 Uhr
Ankunft, den	23. Dezember 1943	13.00 Uhr

Nr. 1580 vom 23.12.[43.]   Citissime!

Der Wehrmachtsbefehlshaber Dänemark General von Hanneken hat mir soeben fernmündlich mitgeteilt, er habe vom Oberkommando der Wehrmacht – Amt Ausland – die Nachricht erhalten, der Führer wünsche am 30.12.1943 ihn, General von Hanneken, den Höheren SS- und Polizeiführer SS-Gruppenführer Pancke und mich im Hauptquartier zu sprechen. Ich bitte um Weisung.
Dr. Best

70. Werner Best an das Auswärtige Amt 23. Dezember 1943
Dagsindberetning.
 Kilde: PA/AA R 29.568. RA, pk. 204.

<h3 style="text-align:center">T e l e g r a m m</h3>

Kopenhagen, den	23. Dezember 1943	20.55 Uhr
Ankunft, den	23. Dezember 1943	22.00 Uhr

Nr. 1583 vom 23.12.43.   Citissime!

Ich bitte, die folgende Meldung unverzüglich dem Herrn Reichsaußenminister zuzuleiten:
 Über die Lage in Dänemark berichte ich für den 22. auf 23.12.43, daß im Kopenhagen Nordhafen zwei kleinere Fahrzeuge der Kriegsmarine (Minensuchboot und holländ. Kuff) durch eine zwischen ihnen angebrachte Haftmine beschädigt worden sind.[109] Ich verweise aus diesem Anlaß auf die Berichte des Deutschen Konsulats im Malmö über von dort ausgehende illegale Unternehmungen nach Dänemark und auf meine wiederholten Berichte über die mangelnde Sicherung der Ostküste Seelands.[110]
Dr. Best

---

109 Det var Holger Danske (Doc), der stod bag sænkningen af minestryger "M 545" (600 BRT) og forpostbåden "Jarva" (150 BRT) i Nordhavnen (RA, BdO Inf. nr. 35, 24. december 1943, Kieler, 2, 1993, s. 151, Birkelund 2008, s. 677).
110 Se Bests telegram nr. 1494, 3. december 1943.

71. Werner Best an das Auswärtige Amt 23. Dezember 1943

Efter aktionen mod de danske jøder fandt Best, at det var en unødig belastning af det tyske handelssamkvem med Danmark at undersøge de danske firmaejeres racetilhørsforhold.

Der forelå en stillingtagen fra Prüfungsstelle für den Außenhandel i Berlin 21. januar 1944 (trykt nedenfor), som gennem AA nåede til Det Tyske Gesandtskab. Svaret til Best er ikke lokaliseret.

Kilde: PA/AA R 99.414. RA, pk. 220.

Der Reichsbevollmächtigte in Dänemark Kopenhagen, den 23. Dezember 1943.
H/S. Juden/219.

An das Auswärtige Amt
  in Berlin

Betr.: Ausschaltung der Juden aus dem dänischen Wirtschaftsleben.

Nach der Durchführung der Aktion gegen die Juden in Dänemark hat der jüdische Einfluß im dänischen Wirtschaftsleben aufgehört. Daher kann das für die Zulassung der Geschäftsverbindungen deutscher Ausfuhrfirmen mit dem dänischen Einfuhrhandel bisher vorgeschriebene Prüfungsverfahren, soweit es die Rassezugehörigkeit betrifft, vereinfacht werden. Die jüngsten Terrorangriffe auf deutsche Städte, insbesondere Berlin haben der für diese Frage federführenden Reichsstelle für den Außenhandel sowohl als auch einer Reihe von Prüfungsstellen schweren Schaden zugefügt; auch die Registraturen einer Reihe von Außenwirtschaftsabteilungen haben ihr Material zum Teil verloren.

Es ist daher von der Reichsstelle die Frage gestellt worden, ob nicht eine Vereinfachung des bisherigen Prüfungsverfahrens zugelassen werden könne – etwa in der Form, daß die Prüfungsstellen und Außenwirtschaftsabteilungen durch einen Runderlaß davon in Kenntnis gesetzt werden, daß die Arisierung jüdischer Firmen in Dänemark jetzt soweit vorgetrieben sei, daß der deutsche Ausfuhrhandel wegen der Rassezugehörigkeit dänischer Firmen nicht mehr vorher anzufragen brauche.

Meines Erachtens kann dieser Anregung der Reichsstelle zur Vermeidung unnötiger Belastung des Geschäftsverkehrs mit Dänemark entsprochen werden, und ich bitte die Reichsstelle entsprechend unterrichten zu wollen.

[sign. W. Best]

72. Eberhard von Thadden an Andor Hencke 23. Dezember 1943

Der var fra den tyske regering i generalgouvernement Polen blevet spurgt, om der kunne ske overførsel af særligt begavede danske jøder til arbejde der. AA svarede, at det ikke kunne lade sig gøre, men at de skulle forblive i Theresienstadt.

Kilde: PA/AA R 99.414. RA, pk. 220.

Auswärtiges Amt Berlin, den 23. Dezember 1943.
Inl. II A 9117

Ref.: LR v. Thadden

Gruppe Inl. II schlägt vor Herrn Gesandten Dienstmann etwa wie folgt zu antworten:
"Die Überführung der dänischen Juden in Arbeitseinsatzlager im Reich ist im Zuge der Lösung des gesamten Judenproblems für Europa erfolgt, nachdem die Entwicklung der Lage in Dänemark – Sabotageakte usw. – ein Eingreifen notwendig und möglich machten. Die bestehenden Richtlinien für die Freilassung von Juden und Erteilung der Ausreisegenehmigung ins Ausland sind so eng, daß in jedem Einzelfall die persönliche Entscheidung des Reichsführers-SS eingeholt werden muß. Lediglich das Interesse des Oberstkorpskommandanten Wille an einem auf wissenschaftlichem Gebiet begabten jungen dänischen Juden reicht nach den bisherigen Erfahrungen in zahlreichen Fällen, die z.T. erheblich besser begründet waren, unter keinen Umständen aus, um die Ausreisegenehmigung zu erhalten.[111]

Nach Fühlungnahme mit dem Reichssicherheitshauptamt ist das einzig mögliche Entgegenkommen in der Angelegenheit das, daß der dänische Jude des Recht erhält, in dem mit besonderen Vorzügen ausgestatteten Lager Theresienstadt endgültig zu verbleiben und nicht in die Ostgebieten zum Arbeitseinsatz überstellt zu werden. Sollten die ein derartige Entgegenkommen aus politischen Gründen für zweckmäßig erachten, wäre ich Ihnen für eine Mitteilung dankbar, damit ich Gruppe Inland II zu entsprechendem weiteren Vorgehen veranlassen kann."

Hiermit Herrn U.St.S. Hencke ergebenst vorgelegt.
Berlin, den 23. Dezember 1943.

Thadden

Abschriftlich dem Bevollmächtigten des Reichs in Dänemark zur Kenntnisnahme übersandt. Kopenhagen.

Im Auftrag
gez. v. Thadden

73. Rüstungsstab Dänemark: Lagebericht 23. Dezember 1943

Det var en optimistisk indberetning, som Rüstungsstab Dänemark indgav til OKW ved årets slutning. Sabotagen var stagneret, og sabotagebekæmpelsen overtaget af tysk politi. Stærkere straffemidler var taget i brug. Det øgede fæstningsbyggeri havde øget behovet for generatorbrænde stærkt, hvilket blev søgt skaffet ved forhandlinger med den danske regering. Mangel på tagpap havde ført til etablering af en erstatningsproduktion på en dansk virksomhed. Forsyningssituationen var ikke helt tilfredsstillende, da koksleverancerne var gået så meget ned, at det ville give betydelige problemer at dække det private forbrug.

Kilde: BArch, Freiburg, RW WI I E1: Dänemark.

Abteilung Wehrwirtschaft im Rü Stab Dänemark	*Kopenhagen, den 23.12.43*
Gr. Ia Az. 66dl Nr. 2841/43g	Geheim

---

111 Kurt Wille var præsident for Hauptamt Justiz i generalgouvernement Polen.

Bezug: OKW Az. 1 e 24 Wi Amt z 1/II Nr. 1143/43geh. v. 20.2.43

An den Wehrwirtschaftsstab im Oberkommando der Wehrmacht
   Berlin W 35
   Bendlerstr. 11/13

Abt. Wwi im Rü Stab Dänemark übersendet in der Anlage Lagebericht gemäß o.a. Bezugsverfügung.

                     [uden underskrift]

Verteiler:

OKW/W Stb	2	Ausfertigung
Befehlshaber der deutschen Truppen in Dänemark	1	–
Admiral Dänemark	1	–
General der Luftwaffe in Dänemark	1	–
Verbindungsstelle Aarhus des Rü Stab Dänemark	1	–
Rü Stab Dänemark	2	–
Entwurf und Reserve	2	–
	10	Ausfertigungen

Abteilung Wehrwirtschaft im Rü Stab Dänemark   *Kopenhagen, den 23.12.1943*
Gr. Ia Az. 66 d l Nr. 2841/43g   Geheim!

Vordringliches

Die Sabotagehandlungen gegen militärische Anlagen und die dän. Betriebe haben angehalten, ebenso Anschläge gegen das Leben deutscher Wehrmachtangehöriger. Die Sabotagebekämpfung wird wegen des Versagens der dän. Polizei seit ca. 2½ Monaten von der hier eingesetzten deutschen Polizei durchgeführt. Saboteure wurden festgenommen und einige Gruppen unschädlich gemacht. Bis jetzt sind 7 Saboteure mit dem Tode bestraft worden. Wegen staatsfeindlicher kommunistischer Tätigkeit wurden bisher 69 Dänen, darunter einige Frauen, in ein deutsches Konzentrationslager überführt.

    Im Zuge der Entwaffnung der dän. Wehrmacht übernahmen den Betrieb und die Verwaltung der 3 dän. staatlichen Arsenale (Heereswaffenarsenal und Heeresmunitionsarsenal im Kopenhagen, Pulverarsenal in Frederiksværk) das OKH, die Fliegerwerkstätten das RLM und die Orlogswerft die Howaldtswerke AG, Hamburg – Kiel. Hierbei gab es mit der Arbeiterschaft keine Schwierigkeiten, einige Ingenieure schieden dagegen aus.

    Mitte November ist das verstärkte Befestigungsbauprogramm für Jütland angelaufen. Durch die terminmäßig fertigzustellenden Bauten entstand u.a. ein erheblicher Mehrbedarf an Generatorholz. Die OT forderte monatlich 60.000 hl, das Neubauamt der Lw. 20.000 hl Generatorholz hierfür an, während der W. Bfh. um die Bereitstellung einer Mob-Reserve von 33.000 hl ersuchte. Die dän. Regierung hatte zunächst erklärt, nicht in der Lage zu sein, diese Mengen zu liefern, da die vorhandenen Bestände außerordentlich knapp und zur Aufrechterhaltung der innerdänischen Transporte notwendig seien. Durch Verhandlungen konnten für Monat Dezember nach 40.000 hl für OT, 10.000 hl für Lw. und 20.000 hl als Mob-Reserve für den W. Bfh. bereitgestellt werden. Weitere Verhandlungen mit der dän. Regierung finden Anfang Januar statt.[112]

Die großen Anforderungen von Dachpappe konnten aus dän. Beständen nicht befriedigt werden. Ein Nachschub aus Deutschland ist nicht möglich Abt. Wwi hat daher die laufende Herstellung von Cembritplatten gegen Gestellung von Zement bei einer dän. Fabrik veranlaßt. Hierbei ist die Bereitstellung von Filztüchern, die zur Fabrikation notwendig sind, äußerst schwierig, da Lieferzeiten von 3 Monaten von der deutschen Firma gefordert werden. Eine Überbrückung dieser Schwierigkeiten war zunächst durch Rückgriff auf örtliche Reservebestände der Kriegsmarine möglich.

Die Herbeischaffung der erforderlichen Betriebskohle für die OT erlitt durch Transportschwierigkeiten Verzögerungen.

Die Kohlen- und Kokslieferungen von Deutschland nach Dänemark für den innerdänischen Verbrauch betrugen im November 197.416 to Kohle, davon 43.759 to für die dän. Staatsbahn, und 27.318 to Koks. Damit ist das für November vorgesehene Liefersoll für Kohle (178.000 to) mit ca. 20.000 to überschritten, für Koks jedoch um ca. 30.000 to hinter dem Liefersoll (58.000 to) zurückgeblieben. Auch die vorgesehene Lieferung von 65.000 to Briketts ist nicht erfolgt. Die Kokslieferung im November ist die geringste seit Juni 1940 abgesehen von der während des Eiswinters im Februar 1942 zur Verladung gekommenen. Hierdurch entstehen erhebliche Schwierigkeiten bei der Deckung der dän. Rationierungskarten für Hausbrand. Für Dezember-Lieferungen am Kohle u. Koks sind vorgesehen: 87.000 to aus Oberschlesien, 167.000 to aus Westfalen, 15.000 to aus Rotterdam, ferner 35.000 to Braunkohlenbriketts.

1a. Aufträge der Besatzungstruppe
Von Abt. Wwi wurden im Monat November 1943 Rohstoffsicherungen von Fertigungs- und Bauaufträgen sowie Wareneinkäufe der Besatzungstruppe in Dänemark, sowie hierzu Eisen, Stahl, NE-Metalle soweit Kautschuk benötigt wurden, in Höhe von 1,427 Mill. RM durchgeführt.

1c. Holzversorgung
Für Aufträge der Besatzungstruppe in Dänemark sind im Monat November 1943 von Abt. Wwi Bedarfsbescheinigungen über 9.696 cbm Nadelholz für die vorschußweise Freigabe aus den Beständen der dän. Wirtschaft ausgestellt worden.

Der Verbrauch der einzelnen Wehrmachtteile war wie folgt: Heer 1.780 cbm, Kriegsmarine 884 cbm, Luftwaffe 1.954 cbm, Festungspionierstab 73 cbm, OT und Sonderbaustab der Lw. 5.005 cbm.

5. Arbeitseinsatz
Die Zahl der Arbeitslosen betrug am 26.11.43 – 35.117, und zwar 32.557 Männer und 2.560 Frauen. Gegenüber dem Vormonat ist eine Zunahme von 6.218 zu verzeichnen.

---

112 Se Wiedemann til Rüstungsstab Dänemark 3. februar 1944.

Für Festungsbauten auf Jütland sind eingesetzt: für OT bzw. Festungspionierstab 28 deutsche und 74 dän. Firmen mit insgesamt 10.383 Arbeitern und Angestellten, für Sonderbaustab der Luftwaffe Struer 9 deutsche und 27 dän. Firmen mit 4.256 Arbeitern und Angestellten, zusammen 14.639. Für das Neubauamt der Luftwaffe arbeiten z.Zt. 7.135 dän. Arbeiter. Zugang im November 621.

Dem Reich wurden im Monat November zugeführt: 1.691, davon für Rü 253, Bergbau 6, Verkehr 333, Landwirtschaft 1, Bau 558, Haushalt 40 und sonstige Wirtschaft 500.

Die Gesamtzahl der in Norwegen eingesetzten dän. Arbeiter beträgt: 10.697. Zugang im Monat November: 23.

6. Verkehrslage

Die Eisenbahn-Verkehrslage war im Monat November äußerst angespannt. Die durch die Sabotage verübten Sprengungen an Geleisen und Stellwerken der dän. Staatsbahn haben keine wesentlichen Verkehrsstörungen hervorgerufen. Die gestellten Waggonanforderungen betrugen pro Tag 8.503, davon wurden gestellt 3.879, ungedeckter Bedarf 4.624, der somit um 220 Waggons gegenüber dem Vormonat gestiegen ist. Für die Wehrmacht wurden 90%, für den zivilen Bedarf 30% der angeforderten Wagenmengen gedeckt. Für den Nachschub nach Norwegen und Finnland über Schweden wurden täglich 60 Waggons wie im Vormonat gestellt.

Die dänische Schiffahrt war tonnagemäßig in folgender Rangfolge eingesetzt:
1.) Kohlenfahrt auf Dänemark
2.) Erzfahrt auf Deutschland
3.) Innerdänische Fahrt
4.) Holzfahrt auf Dänemark
5.) Transport mit dän. Schiffen nach dritten Ländern.

Für die OT wurden vom 1. – 30.11.43 – 6.484 to Zement und 5.244 to Kies mit deutschen Schiffen gefahren.

7a. Ernährungslage

Nach den jetzt vorliegenden durchschnittlichen Druschergebnissen ist die Getreideernte des Jahres 1943 höher als die des Jrs. 1942. – Die Hackfruchternte ist als mäßige Mittelernte, der Ertrag aus der Zuckerrübenernte als schlecht zu bezeichnen. – Die Schweinezählung am 20.11.43 ergab 2.449.000 Stck. Gegenüber der letzten Zählung (9.10.43) ist eine Zunahme von 53.000 Fettschweinen zu verzeichnen. – Die Frachtleitstelle Flensburg hat im Monat November 166 Transporte mit 1.841 to Fleisch u. 445 Transporte mit 4.582 to Fisch nach Deutschland durchgeführt. Wertmäßig wurden im November aus den Lebensmittelbeständen des Landes entnommen:

 für die dten. Truppen in Dänemark: 5.769.102,- d.Kr.
 für die dten. Truppen in Norwegen: 11.260.000,- d.Kr.

74. Werner Best an das Auswärtige Amt 24. Dezember 1943

Ved et besøg i København havde rigskommissær for søfarten, Karl Kaufmann, bl.a. igen drøftet de oplagte danske motorskibes nyttiggørelse for Tyskland med Best. Det mest nyttige ville være en indsats i almindelig handelstrafik, men den ville være afhængig af tilførsel af olie. I stedet kom det på tale, at Kriegsmarine kunne anvende skibene, men så skulle Kaufmann have andre skibe stillet til rådighed som erstatning. Rederne ville ikke frivilligt afgive skibe til Kriegsmarine, hvorfor Best enten uden retshjemmel kunne beslaglægge dem, eller han kunne udstede en forordning til formålet. Han havde allerede udstedt flere forordninger, men der var det problem, at han i givet fald måtte kunne true med tysk krigsret, og krigsrettens dommer mente ikke, at Best havde bemyndigelse til at udstede forordninger. Da Kriegsmarine endnu ikke havde taget stilling til hvilke skibe, der skulle beslaglægges, ville han vente med at beslutte, i hvilken form skibene skulle overtages. Denne foreløbige indberetning blev fremsendt, fordi RWM tidligere havde udtrykt bekymring over Kriegsmarines beslaglæggelser af dansk tonnage.

Denne afskrift af Bests telegram blev af AA 27. december sendt til OKM, Karl Kaufmann og RWM med en række spørgsmål: til Kaufmann med spørgsmålet om, hvilke oplagte danske motorskibe han skulle bruge, til OKM med spørgsmålet om, hvilke danske motorskibe det havde til hensigt at anvende og på hvilket tidspunkt. Endelig blev RWMs opmærksomhed henledt på telegrammets slutning.

AA svarede Best 13. januar 1944.

Kilde: Moskva, Osobyj Archiv, 1458/21/83.

Abschrift Ha. Pol. XII a 4827/43.   [Telegramm Nr. 1585][113]

Telegramm
aus Kopenhagen vom 24. Dezember 1943.

Unter Bezugnahme auf meine Telegramme vom 27. Nov.[114] und 3. Dez.[115] berichte ich, daß gelegentlich eines Besuches des Reichskommissars für die Seeschiffahrt, Gauleiters Kaufmann, in Kopenhagen nochmals die Frage besprochen wurde, ob und wie die aufliegende dänische Motorschiffstonnage für deutsche Zwecke nutzbar gemacht werden kann.[116] Die nächstliegende und in der Durchführung einfachste Form der Nutzbarmachung wäre der Einsatz der hier aufliegenden Schiffe in der gewöhnlichen Handelsfahrt, der jedoch davon abhängt, ob hierfür Öl zur Verfügung steht. Sonst kommt nur eine Verwendung durch die Kriegsmarine in Frage, die gegebenenfalls für diese Motorschiffe andere Schiffe zum Einsatz durch den Reichskommissar für die Seeschiffahrt freigeben kann. Etwa 8 bis 10 Motorschiffe könnten in diesem Sinne von der Kriegsmarine verwendet werden.

Die fraglichen Motorschiffe müßten, da für diesen Zweck eine freiwillige Hergabe seitens der Reederei nicht zu erwarten ist, durch deutsche Anordnung weggenommen und der Kriegsmarine übergeben werden. Dies könnte entweder dadurch geschehen, daß ich ohne Berufung auf eine Rechtsgrundlage die Beschlagnahme der Schiffe ausspreche, oder aber dadurch, daß ich eine Verordnung erlasse, die die Erfassung der aufliegenden dänischen Tonnage auch gegen den Willen der Eigentümer ermöglicht. Den Weg ein-

---

113 Telegramnummeret er hentet fra AAs brev til Best 13. januar 1944.
114 Telegram nr. 1478, 27. november 1943 blev først registreret i AA 28. november og er her trykt ovenfor under den dato.
115 Telegram nr. 1493, 3. december er ikke lokaliseret.
116 Kaufmann mødtes med Best i København den 6., 9. og 10. december (Bests kalenderoptegnelser anf. dato).

facher Beschlagnahmeanordnungen habe ich in der letzten Zeit hinsichtlich der von der OT benötigten Lastkraftwagen[117] und hinsichtlich der dänischen Privatflugzeuge angewendet,[118] die Anordnungen sind von der dänischen Verwaltung vollzogen worden. Beim Erlaß einer Verordnung könnten insofern Schwierigkeiten entstehen, als diese Strafandrohungen enthalten müßten, die von den hiesigen Kriegsgerichten vorkommendenfalls angewendet werden müßten. Die Kriegsrichter der Wehrmacht bezweifeln jedoch meine Befugnis zum Erlaß von Verordnungen und glauben, zur Anwendung derselben nicht verpflichtet zu sein.[119]

Zunächst muß abgewartet werden, welche Schiffe die Kriegsmarine in Gebrauch nehmen will. Wenn dies feststeht, werde ich mich über die Form der Wegnahme der Schiffe endgültig entscheiden und hierüber berichten.

Diesen vorläufigen Bericht erstatte ich wegen der grundsätzlichen Bedeutung der Angelegenheit, zumal in früheren Fällen, als die Kriegsmarine aufliegende dänische Tonnage in Anspruch nehmen wollte, vom Reichswirtschaftsministerium Bedenken geäußert worden sind.[120]

[Best]

75. Werner Best an das Auswärtige Amt 24. Dezember 1943

På baggrund af, at luftangreb på Berlin havde ført til stop for betalingerne mellem Tyskland og Danmark, foreslog Best for fremtiden, at den danske nationalbank kunne lægge penge ud til betaling af tyske og danske interessenter, idet Tyskland skulle stå som garant. Han skønnede, at faren for tab ville være begrænset.

Henvendelsen skete på baggrund af Forstmanns brev til Best 3. december 1943. Sagen var blevet drøftet i gesandtskabet 9. december mellem Ebner, generalkonsul dr. Krüger, devisebedømmer Kreuz og Heinrich Esche. Esche orienterede dagen efter pr. brev Korff om disse drøftelser. Heraf fremgår det, at de tilstedeværende regnede med, at der ville følge flere "terrorangreb" på Berlin, og at de ville medføre nye og endnu længerevarende betalingsstandsninger. Derfor blev sagen taget meget alvorligt, da det var i tysk interesse at sikre en problemfri videreførsel af de danske leverancer, herunder rustningsleverancerne. Esche refererede forskellige løsningsmodeller uden at konkludere, hvilken der burde anvendes. I stedet sluttede han brevet med at bemærke "daß die Situation in Dänemark bekanntlich keineswegs derjenigen in anderen besetzten Ländern gleichgesetzt werden kann. Der Nationalbank kann nicht – wie etwa den Staatsbanken in den Reichskommissariaten – das deutscherseits gewünschte Verhalten vorgeschrieben werden." (BArch, R 2/30.515, brevgennemslag i RA, Danica 201, pk. 81A. Winkel 1976, s. 164).

Det forslag, som i sidste ende stort set uændret blev sendt til AA af Best, var sandsynligvis formuleret i Rüstungsstab Dänemark (udkast i KTB/Rü Stab Dänemark dateret 11. december).

Der kom reaktioner fra REM 5. januar (positivt), RRK 8. januar (negativt) og fra Deutsche Verrechnungskasse 25. februar 1944 (trykt nedenfor). De to første svar er ikke medtaget.

I forhold til telegramudkastet 11. december er der to mindre ændringer af underordnet betydning.
Kilde: BArch, R 901 113.555. RA, pk. 271. Forlæg i BArch, Freiburg, RW 27/12. RA, Danica 1000, T-77, sp. 696. KTB/Rü Stab Dänemark, 4. Vierteljahr 1943, Anlage 22.

---

117 Se Trafikministeriets skrivelse til Landsforeningen Danmarks Bilruter 11. december 1943 (Alkil, 1, 1945-46, s. 116f.). Det drejede sig om 400 busser til øjeblikkelig brug for OT.
118 Bests krav om beslaglæggelse af danske privatfly er ikke lokaliseret.
119 Det fik påfølgende Best til ved mødet med Hitler 30. december 1943 at anmode om at få tildelt forordningsret, hvilket han fik (se Best til Ribbentrop 3. januar 1944).
120 RWMs angivelige tidligere betænkeligheder er ikke lokaliseret på anden vis.

Telegramm

Kopenhagen, den   24. Dezember 1943   15.50 Uhr
Ankunft, den   24. Dezember 1943   17.30 Uhr

Nr. 1588 vom 24.12.43.

Luftangriffe Berlin verursachen Stockung im Zahlungsverkehr Deutschland-Dänemark. Möglichkeit weiterer und ernsterer Störungen dieser Art ist nicht von der Hand zu weisen. Dagegen müssen Vorkehrungen getroffen werden, wenn Stockung oder Unterbrechung der Lieferungen und Leistungen Dänemark vermieden werden soll.

Nationalbank erklärt sich nach Rückfrage bei dänischer Zentralverwaltung außerstande, in Stockungsfällen in Vorlage zu treten, ist aber einverstanden, auf Verrechnungskonto einen Globalbetrag entgegenzunehmen und im Bedarfsfalle aus diesem an den aus Lieferung oder Leistung Berechtigten gegen Nachweis der Fälligkeit unter Vorbehalt zu zahlen. Globalbetrag müßte durch Reichsfinanzministerium im Bedarfsfalle auf Abruf eingezahlt werden, wobei zur Vermeidung unnötig hoher Einzahlung sukzessiver Abruf von Teilbeträgen durch mich je nach Bedarf stattfinden könnte. Nationalbank würde von jeder Vorbehaltszahlung Verrechnungskasse benachrichtigten, damit dort später eingehende Zahlung des Zahlungsverpflichteten der Reichsfinanzministerium vergütet wird.

Risiko aus Mängelrügen, Zahlungsunvermögen des Zahlungsverpflichteten und dergleichen ist verhältnismäßig niedrig veranschlagen.

Nationalbank bietet Gewähr, daß Vorbehaltszahlungen nur mit nötiger Zurückhaltung und nach ausreichender Prüfung der Unterlagen vorgenommen werden. Einschaltung des Rüstungsstabes für Auftragsverlagerung und meiner Behörde für andere Bereiche könnte nach Bedarf stattfinden. Bei Annahme einer 14-tägigen Totalstockung wird der für unaufschiebbare Auszahlungen benötigte Globalbetrag an Hand des durchschnittlichen Monatsvolumen der deutschen Zahlungen auf maximal 35 Millionen Reichsmark geschätzt. Davon entfallen 23 Millionen Reichsmark auf die gesamte landwirtschaftliche Ausfuhr, 5 Millionen Reichsmark auf Rüstungsaufträge und Rest auf Transfer dänischer Arbeiter und übrige Fälle.

Ich schlage vor, alle Vorbereitungen zu treffen, damit auf Abruf Globaleinzahlung sofort stattfindet. Einzelausgestaltung des Verfahrens würde ich dann mit Nationalbank vereinbaren.

                                                   Dr. Best

76. Werner Best an das Auswärtige Amt 24. Dezember 1943
Dagsindberetning.
Kilde: PA/AA R 29.568. RA, pk. 204.

Telegramm

| Kopenhagen, den | 24. Dezember 1943 | 16.00 Uhr |
| Ankunft, den | 24. Dezember 1943 | 17.30 Uhr |

Nr. 1590 vom 24.12.43.   Citissime!

Ich bitte, die folgende Meldung unverzüglich dem Herrn Reichsaußenminister zuzuleiten:
    Über die Lage in Dänemark berichte ich für den 23. auf 24.12.43, daß aus dem ganzen Lande keine besonderen Vorfälle gemeldet worden sind.[121]
                                                                 Dr. Best

77. Werner Best an das Auswärtige Amt 25. Dezember 1943
Dagsindberetning.
Kilde: PA/AA R 29.568. RA, pk. 204.

Telegramm

| Kopenhagen, den | 25. Dezember 1943 | 19.05 Uhr |
| Ankunft, den | 25. Dezember 1943 | 19.30 Uhr |

Nr. 1591 vom 25.12.[43.]   Citissime!

Ich bitte, die folgende Meldung unverzüglich dem Herrn Reichaußenminister zuzuleiten:
    Über die Lage in Dänemark berichte ich für den 24.12. auf 25.12., daß nur auf Ribe (Jütland) ein leichter Sabotagefall (Autowerkstatt) gemeldet worden ist.[122]
                                                                 Dr. Best

---

[121] 23. december blev fire medlemmer af BOPA arresteret (*Faldne i Danmarks frihedskamp*, 1970, s. 281f. (Jens Martens), Larsen 1982, s. 132). Endvidere blev en fiskerbåd med to danske taget af BdO i Helsingør: "Papiere nicht in Ordnung, beide Dänen führten Anschriften von Juden bei sich, mit denen sie anscheinend in Verbindung treten wollten. Überführung in das Internierungslager Horserød." (BArch, R 70 Dänemark 6, KTB/BdO 23. december 1943).
[122] Der var brand i en tysk garage og brandforsøg hos Aug. Bachhaus i Ribe (Alkil, 2, 1945-46, s. 1226).

78. Werner Best an das Auswärtige Amt 25. Dezember 1943

Efter knapt 4 uger med iværksættelsen af de nye befæstningsarbejder orienterede Best om forløbet på centrale områder som arbejdets organisation, rekruttering af arbejde, lønregulering og materialespørgsmålet. På alle områder vurderede han, at forventningerne til det udvidede fæstningsbyggeriprogram var opfyldt.

AA måtte slutte sig til, at det var gået så godt takket være de af Best anvendte metoder, som ville forebygge besværligheder ved de fremtidige opgaver.

Kilde: PA/AA R 29.568. RA, pk. 204. LAK, Best-sagen (afskrift).

Telegramm

Kopenhagen, den	25. Dezember 1943	13.30 Uhr
Ankunft, den	26. Dezember 1943	23.20 Uhr

Nr. 1592 vom [25.]12.43.

Im Nachgang zu meinem Telegramm Nr. 1470[123] vom 26.11.1943 berichte ich über den Stand der Ende November begonnenen erweiterten Befestigungsarbeiten in Jütland am Jahresende zusammenfassend:

1. Organisation der Arbeiten

Der größte Teil der Arbeiten liegt in der Hand der OT, die ihrerseits dänische Bauunternehmer beschäftigt. Einzelne örtliche Anlagen werden von der Truppe unmittelbar ausgeführt, auch hierzu werden Bauunternehmer herangezogen, die jeweils der dänische Bürgermeister vermittelt.

Von der dänischen Zentralverwaltung ist eine besondere Dienststelle in Silkeborg unter Leitung des Stiftamtmanns Herschend eingesetzt worden mit der Aufgabe, alle Maßnahmen zu treffen, um die Durchführung der Arbeiten – und darüber hinaus die Durchsetzung aller anderen mit militärischen Belangen in Jütland zusammenhängenden deutschen Forderungen – zu sichern. Gegenüber dieser dänischen Dienststelle werden die deutschen Forderungen von einem von mir dem Wehrmachtsbefehlshaber beigegebenen Beauftragten – z.Zt. Landrat Dr. Casper – vertreten. Es muß anerkannt werden, daß die Dienststelle Herschend die oft recht schwierigen Aufgaben, die ihr gestellt waren, tatkräftig und loyal erfüllt hat.

2. Werbung der Arbeiter

Daß ein zwangsweises Aufbieten der notwendigen Arbeitskräfte zu politisch und wirtschaftlich ungünstigen Folgen geführt hätte, habe im Vorbericht ausgeführt. Es kam deshalb darauf an, eine Regelung zu treffen, die diesen Zwang vermied und die notwendige Zahl von Arbeitern auf freiwilliger Vertragsgrundlage heranbrachte. Das ist voll und ganz gelungen. Die dänische Zentralverwaltung, die selbst an der Umgehung von Zwangsmaßnahmen interessiert war, hat mit aktiver Unterstützung der Gewerkschaften eine Arbeiterwerbeaktion ins Werk gesetzt, mit deren Hilfe schon nach 2 Wochen über 10.000 Arbeiter zur Verfügung standen. Die Zahl wird demnächst auf das Einsatz-Soll

---

[123] Pol. I M gRs. Trykt ovenfor.

von 20.000 gebracht werden. Der weitaus größere Teil der Arbeiter kommt dabei von Seeland, Fünen und Ost-Jütland, da West-Jütland selbst überaus menschenarm ist.

3. Lohnregelung

Die Löhne sind, da es darauf ankommt, in kürzester Zeit große Arbeitsleistungen zu erzielen, auf Akkordgrundlage aufgebaut. Darauf sowie auf dem Grundsatz der Freiwilligkeit der Arbeit beruht der Arbeitserfolg.

Bei der Festsetzung der Grundtarife war davon auszugehen, daß sie einmal einen besonderen Anreiz bieten sollten, daß sie zum anderen aber nicht gegen die allgemein zur Zeit in Dänemark bestehende Tarifgrundlage verstoßen dürfte, um nicht die Stabilität des bestehenden Preis- und Lohnsystems, welche auch wesentlich im deutschen Interesse liegt, zu erschüttern. Zwischen beiden Gesichtspunkten ist ein Ausgleich gefunden worden. Es war u.a. möglich, den Arbeitern ohne unmittelbare Verletzung der geltenden Tarife doch verschiedene Vorteile – wie Frostzuschläge, niedrige Sätze für Unterkunft und Verpflegung, freie Heimreise zu Weihnachten – zu gewähren.

4. Unterbringung der Arbeiter

Auch die Unterbringung der Arbeiter, die ungewöhnliche Schwierigkeiten bot – menschenarme Gegenden, fast restlose Besetzung aller Schulen, Säle usw. durch deutsche Truppen, ist durch die Dienststelle Herschend in kürzester Zeit geregelt worden. Sie erfolgt durchweg in Privatquartieren.

5. Transportfragen

Bei größerer Entfernung der Quartiere von den Arbeitsstellen sind besondere Eisenbahn- und Omnibusverbindungen geschaffen worden, die schnellen An- und Abtransport der Arbeiter ermöglichen.

6. Materialfragen

Vordringlich war von vornherein die Beschaffung großer Holzmengen, insbesondere für Pfähle, aus den Beständen der dänischen Forsten. Ein erheblicher Mehrbedarf an Generatorholz muß ebenfalls gedeckt werden.

Hinsichtlich den bei den Arbeiten einzusetzenden Kraftfahrzeuge ist vor allem die Bereifungsfrage zu lösen. Auch hierfür wird auf die geringen dänischen Bestände zurückgegriffen.

Die Betonfrage stand zunächst noch im Hintergrund, sie wird aber bei Fortsetzung der Arbeiten akut. Aus der dänischen Produktion wird auch bei voller Inanspruchnahme nur ein geringer Teil des Bedarfs gedeckt werden können.

Zusammenfassend ist festzustellen, daß das Ergebnis der Arbeit, der ersten 3 ½ Wochen an den neuen Befestigungsbauten in jeder Weise den Erwartungen entspricht. Ein erheblicher Teil der vorgesehenen Anlagen ist bereits fertiggestellt. Mit der Wiederaufnahme der Arbeiten nach der Weihnachtspause wird das Arbeitstempo noch gesteigert werden.

Mit einer nochmaligen starken Ausweitung des Festungsbau-Programms ist in nächster Zeit zu rechnen. Auch die hiermit gegebenen neuen Aufgaben werden ohne Schwierigkeiten zu bewältigen sein, wenn an den bisherigen bewährten Methoden festgehalten wird.

Dr. Best

79. Werner Best an das Auswärtige Amt 26. Dezember 1943
Dagsindberetning.
    Kilde: PA/AA R 29.568. RA, pk. 204.

Telegramm

| Kopenhagen, den | 26. Dezember 1943 | 14.20 Uhr |
| Ankunft, den | 26. Dezember 1943 | 20.45 Uhr |

Nr. 1594 vom 26.12.[43.]   Citissime!

Ich bitte, die folgende Meldung unverzüglich dem Herrn Reichsaußenminister zuzuleiten:
    Über Lage in Dänemark berichte ich für den 25. auf 26. Dezember 1943, daß aus dem ganzen Lande keine besonderen Vorfälle gemeldet sind.

Dr. Best

80. Kriegstagebuch/OKW: Norden 26. Dezember 1943
Erwin Rommels besigtigelse af de tyske forsvarsforanstaltninger i Danmark i begyndelsen af december førte til adskillige ændringer og omgrupperinger. De blev drøftet i OKW, hvor det også blev slået fast, at von Hanneken ikke kunne få tilført den ønskede yderligere bataljon (Andersen 2007, s. 165-168, 217f.).
    Se endvidere Quartiermeisteramt til 1. Seekriegsleitung 17. januar 1944.
    Kilde: KTB/OKW III:2, 1963, s. 1383.

Norden:
[...]
Die H.Gr. B. hat am 13. 12. auf Grund des Besuches des Gfm. Rommel einen Bericht über die Verteidigungsbereitschaft Dänemarks vorgelegt und eine Reihe von Umgruppierungen vorgeschlagen (vgl. 11.12./2.). Er schließt mit der Feststellung, daß nach zweckmäßiger Umgruppierung, nach Verbesserung der Personal- und Materiallage und bei rechtzeitiger Zuführung der vorgesehenen Verstärkungen die Voraussetzungen für eine erfolgreiche Verteidigung gegeben sind. Der WFSt hat die sich daraus ergebenden Fragen und Anforderungen geprüft und legt darüber nach Klärung der Absichten des Heeresstabes Vortragsnotizen vor.
    Dem W. Bfh. Dänemark wird daraufhin das Einverständnis des OKW mit den von der H.Gr. B. vorgesehenen Umgruppierungen mitgeteilt, jedoch muß der Schutz der Flugplätze, besonders von Aalborg und Grove, sichergestellt bleiben. Die Zuweisung von Landesschützen-Bataillonen ist nicht möglich, jedoch wird die Zuführung von Magenkranken-Bataillonen (vgl. 16.12./2) geprüft. Eine weitere Res. Div. kann nicht nach Dänemark verlegt werden. Das OKW regelt ferner eine längere Reihe von Einzelfragen.

81. Karl Schnurre: Aufzeichnung 26. Dezember 1943

Ved årets udgang opgjorde Schnurre det danske erhvervslivs og den danske eksports betydning for Tysklands forsyninger, idet han trak linjen tilbage til 9. april 1940 og de tyske forventninger i udgangspositionen. Der var tale om en helt igennem gunstig udvikling, og Schnurre tøvede ikke med på konkrete områder at bedømme, hvor stor en del af det tyske behov der blev dækket ved importen fra Danmark.

For den danske eksports betydning, se Bache til Steengracht 22. september 1943.

Kilde: PA/AA R 105.212. RA, pk. 281. ADAP/E, 7, nr. 146.

Nr. 63   Berlin, den 26. Dezember 1943

Aufzeichnung
betr. die Bedeutung der dänischen Wirtschaft für die deutsche Versorgung

I. Auf Grund der Erfahrungen im Ersten Weltkrieg war zu erwarten, daß die dänische landwirtschaftliche Erzeugung nach Ausbleiben der überseeischen Zufuhren so stark zurückgehen würde, daß etwa vom 3. Kriegsjahre ab die Ausfuhr von Erzeugnissen der dänischen Landwirtschaft zum Erliegen kommen würde. Diese Befürchtung hat sich jedoch nicht bestätigt, obwohl Dänemark nach der Besetzung durch deutsche Truppen am 9. April 1940 von jeglicher Futtermittelzufuhr sowohl von Übersee als auch von Europa abgeschnitten war. Nach einem beträchtlichen Absinken der landwirtschaftlichen Erzeugung und damit auch der Ausfuhren nach Deutschland ist seit Herbst 1942 eine kräftige Erholung sowohl der Erzeugungs- wie der Ausfuhrzahlen festzustellen.

So lagen z.B. die Ausfuhrzahlen

bei Fleisch	im ersten Kriegswirtschaftsjahr bei	191.000 t
	im dritten Kriegs Wirtschaftsjahr bei	85.060 t
	im fünften (laufenden) Kriegswirtschaftsjahr bei mindestens	128.000 t,
bei Butter	im ersten Kriegswirtschaftsjahr bei	77.000 t
	im dritten Kriegswirtschaftsjahr bei	37.000 t
	im fünften Kriegswirtschaftsjahr bei etwa	32.000 t,
bei Pferden	im ersten Kriegswirtschaftsjahr bei	13.000 Stück
	im dritten Kriegswirtschaftsjahr bei	15.000 Stück
	im fünften Kriegswirtschaftsjahr bei	25-30.000 Stück.

Ähnlich ist die Entwicklung auf den meisten übrigen landwirtschaftlichen Ausfuhrgebieten verlaufen, außer bei Eiern, wo die Ausfuhr nach Deutschland von über 30.000 t im zweiten Kriegswirtschaftsjahr auf 0 t im fünften Kriegswirtschaftsjahr zurückgegangen ist.

Diese im großen sehr günstige Entwicklung ist nachweislich darauf zurückzuführen, daß die dänische Landwirtschaft unter Anleitung der Regierung und der fachlichen Organisationen sofort nach der Besetzung freiwillig dazu übergegangen ist, ihre Erzeugungsgrundlagen entsprechend den deutschen Wünschen so umzustellen, daß ein Maximum an für Deutschland interessanten Ausfuhrprodukten auch bei Beschränkung auf die einheimische Futtermittelgrundlage hervorgebracht werden konnte. Dies geschah hauptsächlich durch verstärkten Hackfruchtanbau, Herabsetzung der Biererzeugung und Umstellung von der Bacon-Schweinzucht zur Fettschweinzucht.

Voraussetzung für das Gelingen dieser Umstellungspolitik war die bewußte und freiwillige Mitarbeit aller in Betracht kommenden dänischen Stellen einschließlich der breiten Masse der Landbevölkerung, die ausreichende Versorgung Dänemarks mit den zur Erhaltung der dänischen Produktion erforderlichen deutschen Industrieerzeugnissen und die Aufrechterhaltung der wirtschaftlichen und finanziellen, insbesondere auch währungsmäßigen Stabilität.

Diese Voraussetzungen zu schaffen und zu erhalten und dadurch die Bezüge Deutschlands an dänischen landwirtschaftlichen Erzeugnissen auf das erreichbar höchste Maß zu bringen, war das bisherige Ziel der deutschen Handels- und Wirtschaftspolitik gegenüber Dänemark.

II. Die Bedeutung der dänischen Lieferungen für die Versorgung Deutschlands geht auch aus folgenden Zahlen hervor:
1.) Fleisch: Die im September d.J. mit der dänischen Regierung geführten Verhandlungen sahen eine Lieferung von etwa 128.000 t Fleisch im fünften Kriegswirtschaftsjahr vor. Dies entspricht fast einem Sechstel des jährlichen Fleischbedarfes der deutschen Zivilbevölkerung, d.h. der Ration von etwa zwei Monaten. Die Lieferungen der ersten drei Monate dieses Wirtschaftszeitraumes überschreiten die Planzahlen um fast ein Drittel, so daß bei normaler Weiterentwicklung der dänischen Wirtschaft noch mit einer wesentlichen Erhöhung der vorerwähnten Jahreszahl von 128.000 t gerechnet werden kann.
2.) Butter: Mit etwa 52.000 t dänischer Lieferung nach dem deutschen Machtbereich liefert Dänemark etwas über 10 % des Jahresbedarfes der deutschen Zivilbevölkerung, entsprechend einer Versorgung von etwas über 5 Wochen.
3.) Fische und Fischerzeugnisse: Mit 100.000 t jährlich decken die dänischen Ausfuhren an Fischen und Fischerzeugnissen etwa 90 % des deutschen Frischfischbedarfes.
4.) Zucker: Durch Lieferungen nach Finnland und Norwegen in Höhe von insgesamt etwa 36.000 t, das sind etwa 8 % der deutschen Erzeugung, trägt Dänemark zu einer starken Entlastung der deutschen Zuckerversorgung bei.

III. Aus den vorstehenden Ziffern ergibt sich, daß die Lebensmittelversorgung Deutschlands im fünften Kriegswirtschaftsjahr zu wesentlichen Teilen davon abhängt, daß die Zufuhren aus Dänemark in der vorgesehenen Höhe weitergehen. Die bisherigen Leistungen Dänemarks auf diesem Gebiet waren nur möglich durch positive Mitarbeit der dänischen Bevölkerung, insbesondere der Landbevölkerung. Daß diese Mitarbeit auch jetzt noch anhält, zeigen die über unsere Erwartungen hinausgehenden günstigen Ergebnisse des laufenden Quartals.

Die Steuerung der dänischen Wirtschaft nach der bisher gegenüber Dänemark befolgten handelspolitischen Linie ist eine der wichtigsten Aufgaben des Reichsbevollmächtigten, der zu diesem Zweck einen kleinen, aber vorzüglich geschulten Stab von wirtschaftlichen Mitarbeitern hat. Bei voller Wahrung vordringlicher militärischer Belange wird der Reichsbevollmächtigte immer darauf bedacht sein müssen, überflüssige Eingriffe militärischer Stellen in das Gefüge der dänischen Wirtschaft abzuwehren und, soweit solche Eingriffe sich aus operativen oder sonstigen militärischen Gründen als notwendig erweisen (Beschlagnahme der Transportmittel, Heranziehung der landwirtschaftlichen Bevölkerung zu militärischen Arbeiten, Sühnemaßnahmen für von englischen und kommunistischen Agenten angestiftete Sabotageakte), wird er in der Auswirkung solcher Maßnahmen stets das Ziel vor Augen haben müssen, die dänische Wirtschaft für unsere Zwecke leistungsfähig und intakt zu erhalten. Die jetzt öfter zutage tretende Tendenz, das Besatzungsregime in Dänemark auf dasjenige eines feindlichen besetzten Gebietes umzustellen, würde die Aufrechterhaltung dieser Ausfuhren gefährden. Es muß daher angestrebt werden, auch in Zukunft eine Regelung zu finden, die bei voller Berücksichtigung der vordringlichen militärischen Interessen die Fortführung der bisherigen handels- und wirtschaftspolitischen Linie gegenüber Dänemark sicherstellt.

Ich darf anregen, den Reichsbevollmächtigten bei seiner Anwesenheit im Feldquartier beim Herrn RAM hierauf hinzuweisen und seine Verantwortlichkeit für die Erhaltung der dänischen Wirtschaftskraft nochmals ausdrücklich festzulegen, wie dies auch der vom Führer am 31. August 1943 gegebenen Weisung entspricht.

Hiermit über den Herrn Staatssekretär dem Herrn Reichsaußenminister vorzulegen.

gez. **Schnurre**

82. Werner Best an das Auswärtige Amt 27. Dezember 1943
Dagsindberetning.

De følgende dage afsendte Best ikke yderligere telegrammer, da han næste dag kørte i bil til Grabow med sin kone Hilde Best, Pancke og Kanstein. Fra Grabow rejste han med Pancke videre i tog til Schwenten i Østpreussen, hvortil de ankom 29. december om formiddagen. Her spiste Best og Pancke med bl.a. Himmler, hvorefter Best havde en samtale med Himmler. Samme aften havde han også en drøftelse med Ribbentrop (Bests kalenderoptegnelser).

Kilde: PA/AA R 29.568. RA, pk. 204.

Telegramm

Kopenhagen, den	27. Dezember 1943	19.40 Uhr
Ankunft, den	27. Dezember 1943	21.45 Uhr

Nr. 1599 vom 27.12.43. Citissime.

Ich bitte, die folgende Meldung unverzüglich dem Herrn Reichsaußenminister zuzuleiten:

Über die Lage in Dänemark berichte ich für den 26. auf 27.[12.]43., daß aus Jütland 3 Fälle von Eisenbahnsabotage (ohne Verkehrsbehinderung), sowie aus Hadersleben, Helsingör und Kopenhagen 3 unbedeutende Sabotagefälle gegen Privateigentum gemeldet sind.[124] Bei einer Aktion einer militärischen Einheit gegen eine Sabotagegruppe in Kopenhagen wurden 2 Saboteure erschossen und einer verletzt festgenommen, während auf deutscher Seite ein Leutnant tödlich verletzt wurde.[125]

Dr. Best

83. Horst Wagner an Hans Schröder 28. Dezember 1943

Over for AAs personalechef resumerede Wagner kompetenceforholdet mellem den rigsbefuldmægtigede og HSSPF i Danmark samt omtalte den fælles interne beslutning i AA, at Barandon som Bests befuldmægtigede ikke skulle nærme sig Himmler.

Kilde: RA, pk. 228. LAK, Best-sagen (afskrift).

Inl II 3278 g   Geheim
zu Pers. H 62 g

Die anliegenden Vorgänge Pers. H 62 g reiche ich hiermit wieder zurück, indem ich auf die anliegende Abschrift eines Drahterlasses vom 20. Dezember d.Js. – Nr. 1689[126] – an den Bevollmächtigten des Reichs in Kopenhagen verweise, woraus hervorgeht, daß die Angelegenheit in einer Besprechung zwischen SS-Obergruppenführer Dr. Kaltenbrunner, dem Herrn Staatssekretär und Herrn VLR Wagner dahingehend klargestellt worden ist, daß der Höhere SS- und Polizeiführer in Dänemark die politischen Weisungen ausschließlich von dem Reichsbevollmächtigten als oberster deutscher Spitze in Dänemark erhält, während er seine fachlichen Weisungen von den Dienststellen des Reichsführers-SS entgegennimmt. In der Frage der Vertretung des Reichsbevollmächtigten durch Gesandten Barandon ist, entsprechend der seinerzeitigen Anregung von Inland II B und der Personalabteilung sowie der Weisung des Büros RAM zufolge, an den Reichsführer-SS nicht herangetreten worden.

Hiermit über Herrn Gruppenleiter Inland II Herrn Ministerialdirektor Schröder vorgelegt.

Berlin, den 28. Dezember 1943.

Wagner

---

124 Af de ifølge Best ubetydelige aktioner var sabotagen i Haderslev mod en tysk ungdomsforenings klubhus "Hartz Heim" den første af sin art i byen. Bygningen skulle være overtaget af den tyske værnemagt. Endvidere foretog BOPA i København en sabotage mod Jernkontoret, Vibevej 16-18, hvorved hærderiet blev ødelagt. Fabrikken arbejdede for den tyske værnemagt (RA, BdO Inf. nr. 36, 28. december 1943, *Information* 28. december 1943, Alkil, 2, 1945-46, s. 1226, Kjeldbæk 1997, s. 471).

125 Gestapo havde sat en fælde for nogle BOPA-folk, der havde aftalt et møde på hjørnet af Emdrupvej og Tuborgvej med tre tyske soldater, der hævdede, at de ville flygte til Sverige. Under aktionen blev de to BOPA-medlemmer Viktor Larsen og Martin Andersen dræbt, mens Gunnar Dahl blev hårdt såret. Endvidere blev den tyske løjtnant Schippmann hårdt såret (*Faldne i Danmarks Frihedskamp*, 1970, s. 40, 260f., Larsen 1982, s. 72-74, Kjeldbæk 1997, s. 353f.).

126 Trykt ovenfor.

84. Hans Clausen Korff an Christian Breyhan 28. Dezember 1943

I forbindelse med sin afsked fra gesandtskabet i København gav Korff Breyhan en orientering om situationen i København, som han opfattede den. Korffs afløser, Esches stilling var meget vanskelig. Det var blevet taget Esche ilde op, at han en enkelt gang havde skrevet direkte til Breyhan, og i øvrigt forsøgte Ebner med alle midler at hindre ham i at få kontakt med danske myndigheder.[127] Korff ville gøre, hvad han kunne for at holde forbindelse til København, hvilket kunne ske under gennemrejse, men i så fald skulle han have pengemidler dertil. For at oprethold RFMs indseende med forholdene i Danmark ville det være en fordel, hvis planen om, at Korff blev medlem af det tysk-danske regeringsudvalg, blev virkelighed. På grund af hovedafdeling forvaltnings ringe bemanding lå hele tyngdepunktet hos regeringsudvalget. Tre års erfaringer havde vist at alle de finansielle beslutninger, der havde været en ulempe for Tyskland, var truffet i regeringsudvalget. Eksempelvis var anmodningen om at få clearingkontoen omstillet fra RM til kroner blevet fremlagt direkte i regeringsudvalget af de danske medlemmer uden at være blevet løbet igennem hos den rigsbefuldmægtigede.

Korff frygtede, at spørgsmålet om at kræve et dansk bidrag til besættelsesomkostningerne ville mislykkes pga. regeringsudvalgets modstand. De tyske medlemmer af regeringsudvalget holdt endnu fast ved den overbevisning, at danskernes leveringsvillighed trods de politiske begivenheder kunne opretholdes, når man fra tysk side gav dem indrømmelser på det erhvervsmæssige og finansielle område. Det kunne meget vel være, at udvalget ville stå over for en helt ny situation, så det ville skulle søge nye veje. Derfor mente Korff, at hans kandidatur som medlem var vigtig.

Korffs bestræbelser kronedes i flere henseender med held, RFM fulgte de indstillinger, som han bl.a. argumenterede for. Se Wiehl til Best 20. januar, Berger til AA 22. januar og Schwerin von Krosigk til Ribbentrop 24. januar 1944.

Kilde: RA, Danica 201, pk 81A.

Oberregierungsrat Korff   *Oslo, 28. Dezember 1943*
Abteilungsleiter beim Reichskommissar
für die besetzten norwegischen Gebiete

Herrn Ministerialrat Dr. Breyhan,
  Reichsfinanzministerium,
  Berlin-Charlottenburg
  Bismarckstr. 48/52

Sehr geehrter Herr Breyhan!
Wie Sie aus dem mit gleicher Post folgenden Schreiben ersehen, hat das Auswärtige Amt meinen Auftrag in Dänemark mit dem 1.12.1943 für beendet erklärt. Ich werde zunächst Mitte nächsten Monats nach Kopenhagen reisen, um mich vom Reichsbevollmächtigten und vom dänischen Außenministerium zu verabschieden.

Mit meiner Abberufung durch das Auswärtige Amt war nach der Besprechung, die Herr Min. Direktor Berger im Juni ds.Jrs. mit Dr. Best hatte, gegen Ende des Jahres zu rechnen. Die Frage des Zeitpunktes der Einarbeitung von Reg. Rat Esche ist jedoch nicht, wie ursprünglich vorgesehen, nochmals erörtert worden.

---

127 Hvis Korffs beskrivelse af Ebners adfærd er korrekt, støttede Ebner Bests bestræbelser på at isolere alle til gesandtskabet knyttede rådgivere fra andre ministerier, som også Koeppen 23. marts 1944 beskriver det for Heinrich Gernands vedkommende over for Alfred Rosenberg (trykt nedenfor). Med sin kontorordning fra 1. december 1942 havde Best centraliseret udsendelsen af alle gesandtskabets skrivelser til tyske myndigheder (tillæg 5), hvilket bl.a. resulterede i, at Gustav Meissner ikke længere skulle skrive til Berlin (Meissner 1996, s. 277, se endvidere s. 283, 293, hvor han klart erkender, at hans rolle var udspillet med Bests ankomst).

Wie ich bereits bei meinem letzten Besuch in Berlin mitteilte, befindet sich Reg. Rat Esche in einer Lage, die ihm kaum ermöglicht, außer bei gelegentlich auftauchenden technischen Fragen, die finanziellen Interessen des Reichs zu vertreten. Wegen des einzigen Schreibens, das er bisher an Sie richtete, sind ihm heftige Vorwürfe gemacht worden. Eine unmittelbare Verbindung mit ihm kann praktisch nur dadurch aufrecht erhalten werden, wenn ich ihn auf der Durchreise in Kopenhagen besuche. Hiermit hatte sich auch der Reichsbevollmächtigte bei den Verhandlungen im Juli ds.Jrs. grundsätzlich einverstanden erklärt. Ich würde deshalb in gewissen Zeitabständen über Kopenhagen nach Berlin reisen, um die laufenden Fragen in Kopenhagen mit Herrn Esche zu besprechen und anschließend in Berlin Bericht zu erstatten. In besonderen Fällen wird es mir auch künftig möglich sein, unmittelbar mit dem Reichsbevollmächtigten in Fühlung zu treten.

Hierbei taucht die Frage der Devisenbeschaffung auf, da ich von der Behörde des Reichsbevollmächtigten künftig keine Reisekostenvorschüsse erhalten werde und der Reichskommissar für Dienstreisen nach dem Reich keine dänischen Kronen für einen Aufenthalt in Kopenhagen zur Verfügung stellt. Ich müßte deshalb das Reichsfinanzministerium bitten, für diese Aufenthalte in Kopenhagen jeweils die zuständigen Kronenbeträge nach Kopenhagen zu überweisen.

Die Schwäche dieser Verbindung liegt naturgemäß darin, daß ich künftig davon abgeschnitten bin, mich unmittelbar mit den Dänen in Verbindung zu setzen. Dieses ist sachlich umso bedauernswerter als es Reg. Rat Esche bisher nicht gelungen ist, einen engeren Kontakt mit der dänischen Seite herzustellen. Er wird hieran mit allen Mitteln durch Min. Dirig. Ebner gehindert.

Gerade von diesem Gesichtspunkt aus wäre es außerordentlich wünschenswert, wenn sich der Plan, mich in den Regierungsausschuß hineinzubringen, verwirklichen ließe.[128] Wegen der schwachen Besetzung der Hauptabteilung Verwaltung beim Reichsbevollmächtigten liegt ohnehin das ganze Schwergewicht beim Regierungsausschuß. Die Erfahrungen der vergangenen 3 Jahre haben gezeigt, daß alle finanziellen Entscheidungen, die für das Reich nachteilig waren, vom Regierungsausschuß vereinbart worden sind. Besonders deutlich tritt dies neuerdings bei dem Antrag auf Umstellung des Clearingkontos von RM auf Kr. hervor. Dieser Antrag ist beim Reichsbevollmächtigten überhaupt nicht durchgelaufen, sondern von den dänischen Mitgliedern des Regierungsausschusses unmittelbar vorgetragen. Min. Dirigent Ebner hat sich trotz meiner wiederholten Vorstellungen immer wieder für unzuständig erklärt. Ebenso droht die Frage des Besatzungskostenbeitrages an dem Widerstand des Regierungsausschusses zu scheitern.

Es kann natürlich nicht damit gerechnet werden, daß ich die jetzige Einstellung des Regierungsausschusses ändern könnte. Es ließe sich aber sicher manches verhüten, wenn

---

128 28. juli 1943 havde Korff haft et møde med Werner Best om sit fremtidige arbejde i København, som han 10. august skrev et notat om og videresendte til Berger i RFM. Her skrev Korff bl.a.: "Wenn Reg. Rat Esche in der Lage ist, die Leitung der Abteilung selbständig zu übernehmen, ist vorgesehen, den Unterzeichneten zum Mitglied des Deutsch-Dänischen Regierungsausschusses zu bestellen. Der Reichsbevollmächtigte und Min. Dirigent Ebner haben sich mit dieser Lösung einverstanden erklärt." (RA, Danica 201, pk. 81A). Som det vil fremgå i februar 1944, havde Best ændret mening på det punkt.

das Reichsfinanzministerium rechtzeitig Kenntnis von den Dingen bekommen würde. Ich bin außerdem der Ansicht, daß sich die Dinge in Dänemark auf finanziellem und wirtschaftlichem Gebiet im kommenden Jahr stark zuspitzen werden. Die vorhandene Warenmenge nimmt mit großer Schnelligkeit ab. In der Provinz ist es bereits heute so, daß eine Reihe von Textil- und Schuhwaren nur noch im Tauschwege zu haben sind.

Dies wird sich zusammen mit den zunehmenden politischen Spannungen zweifellos auf die Produktionswilligkeit der dänischen Bauern auswirken.

Die deutschen Mitglieder des deutsch-dänischen Regierungsausschusses halten heute noch an der Auffassung fest, daß die Lieferwilligkeit der Dänen trotz der politischen Ereignisse unverändert aufrecht erhalten werden kann, wenn ihnen deutscherseits auf wirtschaftlichem und finanziellem Gebiet Zugeständnisse gemacht werden. Es besteht durchaus die Möglichkeit, daß sich der Regierungsausschuß bereits im kommenden Jahr vor eine völlig neue Lage gestellt sieht und nach neuen Wegen suchen muß. Es würde deshalb von größter Bedeutung sein, wenn die Vorschläge des Reichsfinanzministeriums im richtigen Augenblick dort vorgetragen werden könnten.

Ich werde Ihnen nach meinem Besuch in Kopenhagen im Januar nächsten Jahres nochmals ausführlich über die dortige Lage berichten.

Heil Hitler!
Korff

85. Quartiermeisteramt an Seekriegsleitung 30. Dezember 1943

Kriegsmarines skibsafdeling bad Seekriegsleitung om, at der straks blev optaget forhandling med rederne om frivillig chartring af de fire oplagte danske skibe "Esbjerg", "Jylland", "Parkeston" og "England".
Se OKM til AA 3. januar 1944.
Kilde: BArch, Freiburg, RM 7/1813. RA, Danica 628, sp. 7, nr. 5768.

Skl. Qu. A VI h Nr. 1307/43 geh.   *Berlin, den 30. Dezember 1943*
                                                              Geheim

An 1. Skl
Nachrichtlich: Skl. Qu. A Ub

Betr.: Erfassung brachliegender dänischer Tonnage.
Vorg.: Skl. Qu. A VI h318/43 geh. v. 14.12.43
       1. Skl. I i 52 020 geh. v. 20.12.43.[129]

Unter Bezug auf o.a. Vorgang wird mitgeteilt, daß die Erhebung über die Verwendbarkeit der in Dänemark stilliegenden Schiffe "Esbjerg", "Jylland", "Parkeston" und "England" als Zielschiffe nunmehr abgeschlossen ist. Der Komd. Admiral der Uboote hat die Schiffe als geeignet für den Einsatz im Uboots-Ausbildungsdienst als Zielschiffe festgestellt und fordert ihre sofortige Bereitstellung für den Verwendungszweck.

Da es sich bei der Forderung des Komd. Adm. der Uboote um einen unabwend-

---

129 Begge skrivelser er trykt ovenfor.

baren Kriegsbedarf handelt, wird entgegen den Auslassungen des dortigen Schreibens 52020/43 geh. v. 20.12. gebeten, die dänischen Reeder sofort zur freiwilligen Vercharterung auch dieser 4 Schiffe an die Kriegsmarine zu veranlassen.

Es wird gebeten, Skl. Qu. A VI auf dem Laufenden zu halten.

Skl. Qu. A
i.A. Skl. Qu. A VI
gez. **Otto Kähler**

86. Werner Best: Kalenderaufzeichnung 30. Dezember 1943

Den 30. december var Best, Himmler, Kaltenbrunner, Pancke, Keitel, Jodl, von Hanneken, generalløjtnant Schmundt og generalmajor Scherff til møde med Hitler i Ulveskansen. Mødet med frokost varede fra kl. 14-16.30.

Der foreligger alene senere referater i telegrammer fra juli 1944 og afhøringer og erindringer efter maj 1945 om det siden bekendte mødes indhold. Her gengives Panckes forklaring om mødet, afgivet 14. august 1945:[130]

"Allerede den 29. December var Komparenten blevet kaldt til Himmler, og Himmler havde skarpt bebrejdet ham, at det skulde være nødvendigt for Føreren personligt at lade d'Herrer Best og Pancke komme for at fortælle dem, hvorledes de skulde ordne Forholdene i Danmark, og bebrejdet ham, at han ikke allerede efter Himmlers Ordre af 9/10. December havde iværksat Aktioner.

Den 30. December 1943 var Komparenten og Dr. Best derpaa til Møde i Førerhovedkvarteret, hvor bl.a. Hitler, Himmler, Kaltenbrunner, General von Hanneken, Keitel, Jodl og Schmundt var til Stede – dette Stemmer med Dr. Bests Dagbog for den 30. December 1943, af hvilken Kopi forefindes. En repræsentant for det tyske Udenrigsministerium har sikkert ogsaa været til Stede, men Komparenten husker ikke hans Navn og heller ikke, om den paagældende ved den givne Lejlighed tog Ordet.

Allerede under første Del af Mødet var Hitler i meget daarligt Humør, og det syntes, som om de Oplysninger, der var tilgaaet ham om Situationen i Danmark, var pustet stærkt op. Dr. Best aflagde først Beretning og erklærede, at Situationen i Danmark efter hans Mening uanset Begivenhederne den 29. August, var overordentlig gunstig, Leverancerne gik videre, og Departementschefernes Administration var tilfredsstillende. Han maatte derfor paa det bestemteste fraraade at gaa skarpere frem end hidtil, da man derigennem kun vilde opnaa at Leverancerne gik tilbage, fremfor alt fraraadede han, at man gik over til Modterror. Han henstillede dog, at der tildeltes ham Jurisdiktion over danske Sabotører, saaledes at de paagældende kunde blive straffet efter Lov og Ret. Derefter aflagde Komparenten Beretning, fuldt og helt i Overensstemmelse med Dr. Best. Han talte ligeledes stærkt mod Modterror og Clearingmord og mente med Bestemthed, at det tyske Sikkerhedspolitis hidtidige Arbejde, saaledes som det var blevet udført i de forløbne 3 Maaneder, vilde være tilstrækkeligt til at forringe Sabotagen. Det var nemlig ved Hjælp af danske Tillidsmænd lykkedes at trænge temmelig godt ind i Modstandsbevægelsen, saaledes at man turde gøre sig Haab om indenfor den nærmeste Fremtid at svække Modstandsbevægelsen i væsentlig grad.

Hitler gik stærkt imod Forslagene fra Komparenten og Dr. Best, idet han udtalte, at der overhovedet ikke kunde være Tale om Rettergang mod Sabotører. Man vidste jo, at Personer, der blev fjernet paa denne Maade, overalt blev gjort til Helte, f.Eks. i Tyskland Andreas Hofer og Schlageter, og det samme vilde være Tilfældet i Danmark. Hitler sagde udtrykkelig: Det bliver, som jeg har befalet. Det er jo saaledes, at en tysk Soldat ikke kan gaa paa Københavns Gader uden at blive udskældt, overfuset eller paa anden Maade forulempet af den danske Befolkning. Komparenten forklarer i denne Forbindelse, at han ved, at Hitler har

---

130 Trykt på grundlag af forklaringen i LAK, Best-sagen. Der foreligger to let afvigende trykte gengivelser hos Knudsen/Ringsted 1946, s. 249-251 og Frisch, 3, 1948, s. 87-89. Forklaringen har særlig værdi ved at være den tidligst afgivne, og sandsynligvis står Bests senere fremstillinger (trykt 1988) af mødet i gæld dertil.

ladet en særlig Fotograf, formentlig en Flyverløjtnant, optage Billeder af Steder, der interesserede ham, bl.a. ogsaa i København, og overfor denne Løjtnant skal der, medens han fotograferede i Københavns Gader være fremsat uvenlige Udtalelser. Mod Sabotører kunde der kun gaas frem paa den Maade, at de uden videre blev dræbt, helst ved Gerningens Udførelse eller i modsat Fald ved Anholdelsen, og begge to fik af Hitler selv strenge Ordre til at sætte ind med Clearingmord. Komparenten svarede dog, at Nedskydning ved Anholdelsen naturligvis var meget vanskelig og ogsaa farlig, thi man kunde jo ikke allerede ved Anholdelsen med Bestemthed vide, om den paagældende faktisk var Sabotør. Hitler forlangte Clearingmord i Forholdet mindst 5-1, saaledes at der for hver Tysker skulde myrdes 5 Danskere.

Derpaa aflagde General von Hanneken Beretning, hvori han støttede Komparenten samt Dr. Best og erklærede, at ogsaa han set fra et militært Synspunkt kunde være tilfreds med Situationen i Danmark. Til Befæstningsanlæggene kunde han faa lige saa megen frivillig Arbejdskraft, han ønskede, og ogsaa Leverancerne fandt Sted efter Ønske. Endvidere tog General Keitel Del i Samtalen, idet han dog blot fremsatte Forslag om at nedsætte Levnedsmiddelrationerne i Danmark, saa de ikke var større end i Tyskland. Ogsaa dette modsatte alle 3 Repræsentanter fra Danmark sig. Resultatet var altsaa, at Mødet sluttede med, at Komparenten af Hitler modtog udtrykkelig Ordre om at sætte ind med Clearingmord og Modsabotage.

Efter dette Møde havde Komparenten alene en Samtale med Himmler, der bemærkede, at han altsaa nu af Føreren selv havde hørt, hvorledes han skulde handle, og man kunde vel nu regne med, at Komparenten vilde udføre Ordren. Han synes jo nemlig hidtil ikke at have efterkommet Himmlers Ordre. Komparenten ved, at Best ligeledes efter Mødet havde en Samtale med von Ribbentrop. Resultatet af denne husker han ikke.

Efter at være vendt tilbage til Danmark forhandlede Komparenten og Dr. Best gentagne Gange om Sagen og indledede ogsaa imod Hitlers Ordre Retsforfølgelse mod flere Sabotører, men Komparenten har naturligvis ladet Hitlers Ordre gaa videre til den daværende Chef for Sikkerhedspoliti i Danmark, og der blev derefter handlet i Overensstemmelse hermed, dog ikke med Clearingmord i Forholdet 5-1, men 1-1.

Komparenten gentog denne Ordre overfor Bovensiepen, da han den 5. eller 6. Januar 1944 kom til Danmark."

Best og von Hanneken fremkom med forklaringer, der lå i forlængelse af Panckes, men selv om der var enighed om hovedindholdet, kan der stilles spørgsmålstegn ved, om Hitler faktisk beordrede gengæld for drab i forholdet 5 til 1, da det på intet tidspunkt blev effektueret, og det ville have været en stor risiko at gå på tværs af Hitler på et punkt, der så let lod sig kontrollere. Det er mere sandsynligt, at det var et led i efterkrigsforsvaret at demonstrere ulydighed på dette vigtige punkt. Imidlertid kom spørgsmålet om gengældens omfang tilsyneladende op igen efter Bests møde med Hitler 5. juli 1944 (se Hassel 14. juli 1944, hvor dette omtales (Hassel 1946/1988, s. 435 (udv. udg. benyttet)/1947, s. 280))[131], så det kan ikke udelukkes, at det har været et af mødeemnerne også 30. december 1943 (Bests telegram nr. S 6, 2. juli 1944, samme nr. 812, 6. juli 1944, Ribbentrops telegram nr. 752, 3. juli 1944, Knudsen/Ringsted 1946, s. 248ff. og Drostrup 1997, s. 322f.) (ref. af Panckes forklaring), Frisch, 3, 1945-48, s. 87 (Bests kalenderoptegnelser fra mødet), Thomsen 1971, s. 200, Rosengreen 1982, s. 80-84 (der fejlagtigt skriver, at Best ikke udtalte sig detaljeret om mødet efter 1945 og mener, at den "endelige ordre" om modterror blev givet på mødet, hvilket var sket godt en måned tidligere), Best 1988, s. 56-59, 129-131, 145, 157, Herbert 1996, s. 380, Drostrup 1997, s. 187 (en radikal ændring af situationen med behov for en langt hårdere fremfærd, sst. s. 319f. von Hannekens forklaring 8. marts 1948), Lundtofte 2003, s. 162).

Påfølgende havde Best korte forhandlinger med Keitel og Himmler. Den 31. december tog Best til Berlin, hvor han havde forhandlinger i AA og derpå returnerede til København. Den 1. og 2. januar 1944 tilbragte Best hjemme med Rudolf Mildner som gæst (tidsforløbet på grundlag af Bests kalenderoptegnelser. Forklaringer af Best (9. juni 1947 (s. 189-92), 23. august 1947, 28. april 1948), von Hanneken, Pancke og Bovensiepen (der 10. december 1946 refererede mødets indhold med henvisning til, hvad Kaltenbrunner skulle have fortalt ham i begyndelsen af januar 1944) i LAK, Best-sagen).

Kilde: Bests kalenderoptegnelser 30. december 1943. Frisch, 3, 1945-48, s. 87 (på dansk).

---

131 Hassel skrev 14. juli 1944, at Hitler havde krævet et forhold på 5 til 1, mens Best havde fået det presset ned til 2 til 1.

Vormittags: Fahrt mit dem Ges. Dr. von Sonnleithner vom Gästehaus des Reichsaußenministers zum Schloß Steinort. Dort Bspr. mit dem RAM. Dann Fahrt mit Dr. von Sonnleithner zur "Wolfschanze".

Mittags: Im "Teehaus" des Führers Frühstuck mit dem Führer Adolf Hitler, dem Reichsführer SS Heinrich Himmler, SS-Ogruf. Dr. Kaltenbrunner, SS-Gruf. Pancke, Gen. Feldm. Keitel, Gen. Jodl, Gen. von Hanneken, Gen. Lt. Schmundt, Gen. Major Scherff. (Essen und Besprechung der dänischen Fragen dauerte von 14.00 bis 16.30.)

Anschließend kurze Besprechungen mit Gen. Feldm. Keitel und RFSS Himmler.

Nachmittags: Fahrt zum Schloß Steinort. Dort Bespr. mit dem Reichsaußenminister.

Abends: 20.22 Abfahrt von Rastenburg (mit Dr. Kaltenbrunner, Dr. Stuckart, Pancke und Schmundt).

87. Joachim von Ribbentrop an Heinrich Himmler 31. Dezember 1943
Brevet er ikke bevaret i sin helhed, men et uddrag er gengivet i Wagners brev til Best 21. februar 1944.

88. Seekriegsleitung an MOK Ost 31. Dezember 1943
Seekriegsleitung ønskede en skarpere opdeling af Kriegsmarines opgaver i forhold til det tyske politis med hensyn til bevogtning mod sabotage, illegal persontrafik m.m. OKW havde fremsat den opfattelse, at den type opgaver var politiets sag, mens marinen skulle holde sig til søkrigsopgaver.

Seekriegsleitung fik svar 9. januar 1944.

Der blev med dette initiativ givet tysk politi øget spillerum i Danmark. Det var givetvis ikke OKWs hensigt, men alene at frigøre marineressourcer til andre formål. Imidlertid pågik der en parallel generel "skarpere" opdeling eller nyfordeling af arbejdsopgaverne og funktionsområderne mellem værnemagten og tysk politi ved denne tid. Det var ikke overraskende i betragtning af, at der var kommet en HSSPF til landet, snarere at processen gik så langsomt. I begyndelsen af 1944 overgik således de fleste civile luftværnsspørgsmål til tysk politi. Både HSSPF og BdS greb siden ind på dette område (*Statens Civile Luftværn*, 1, 1950, s. 130f., passim).

Kilde: RA, Danica 628, sp. 10, nr. 9216.

Abschrift
Marine-Nachrichten-Dienst
31. Dez. 1943

Geheime Kommandosache
SSD
B. Nr. 1/Skl. 43949/43 gKdos

1.) Mok Ost
Nachr.:
2.) Adm. Dänemark
3.) BSO
4.) Gruppe Nord

– gKdos! –

1.) OKW beabsichtigt Abgrenzung Zuständigkeit Marine und Polizei hinsichtlich Überwachung gegen Sabotage, illegalen Personenverkehr usw. in dän. Gewässern sowie nach Schweden nach Aufgaben und Seegebieten.
2.) OKW vertritt Ansicht, daß genannte Aufgaben Sache der Polizei. Kriegsmarine nur im Rahmen Seekriegsaufgaben daran beteiligt.
3.) Beschleunigte Stellungnahme hergeben unter besonderer Berücksichtigung der Verhältnisse im Sund und melden:
   a.) Wie ist bisherige Regelung?
   b.) Über welche Fahrzeuge verfügt Polizei?
   c.) Ist Polizei zur Übernahme genannter Aufgaben in der Lage?
   Seekriegsleitung
   1/Skl. B. Nr. 43949/43 gKdos

89. Admiral Dänemark: Lagebetrachtung für Dezember 1943, 31. Dezember 1943
Antallet af sabotager var faldet i løbet af december, men til gengæld var de anrettede skader betragtelige. Fremhævet blev sabotagerne mod Varde Stålværk, Riffelsyndikatet og B&W.
  Der blev i øvrigt alene redegjort for marinetjenstlige forhold.
Kilde: KTB/ADM Dän 31. december 1943, RA, Danica 628, sp. 3, s. 3197f.

L a g e b e t r a c h t u n g
für Dezember 1943.

[…]

B. Lage in Dänemark
Die Zahl der Sabotagefälle hat sich im Dezember verringert. Die angerichteten Schäden sind jedoch z.T. erheblich, besonders fanden zahlreiche Sprengstoffanschläge auf größere dänische Wirtschaftsbetriebe statt, die z.T. zur Stillegung oder zu erheblichen Betriebseinschränkungen führten. Besonders erwähnenswert sind die Sprengstoffanschläge auf Stahlwerk "Varde" bei Esbjerg, auf das dänische Industriesyndikat Madsen & Co. im Freihafen und das Maschinenhaus der Werft Burmeister und Wain, ebenfalls Kopenhagen. Die genannten Betriebe arbeiten mehr oder weniger für deutsche Interessen.[132]

Marinebelange wurde betroffen beim Sprengstoffanschlag auf Sperrbrecher "190", der vor kurzem in Svendborg vom Stapel gelaufen ist.[133] Auf dem im Freihafen Kopenhagen liegenden M-Boot "545" entstand beträchtlicher Schaden dadurch, daß zwischen der Bordwand des Fahrzeuges und dem daneben liegenden V-Boot "Jarvi" ein Sprengkörper zur Detonation gebracht wurde.[134]

Admiral Dänemark wurde durch einen Überfall eines Sabotagetrupps auf die Dienststelle der Mast Kopenhagen betroffen. Hier wurde durch Brandstiftung geringer Scha-

---

132 Se Forstmann til Best og von Hanneken 22. december 1943 og Rüstungsstab Dänemark: Sabotage… 13. januar 1944.
133 Den 19. december 1943 blev den 3.500 tons tunge nybygning sænket i Svendborg (Alkil, 2, 1945-46, s. 1226).
134 Se Bests telegram nr. 1553, 18. december 1943.

den an Akten angerichtet, jedoch glückte es, den Saboteuren, 2 in den Räumen der Mast befindliche Soldaten und 1 Angestellten zu fesseln.[135] Gegen die Soldaten läuft kriegsgerichtliches Verfahren. Von den Saboteuren wurde beim Einschreiten der Polizei niemand gefaßt.

Eisenbahnattentate waren im Berichtsmonat geringer.

Überfälle und Beschießung von Wehrmachtangestellten insbesondere auch von Wachposten mehrten sich. 2 Revolverattentate fanden auf deutsche Soldaten in Rönne statt. 1 Soldat wurde schwer verletzt, der andere blieb unverletzt. Auf Antrag Adm. Dänemark wurde über den Ort Rönne eine Sperrzeit für das Betreten der Straßen von 20.00 bis 05.00 Uhr verhängt.[136]
[...]

90. Rüstungsstab Dänemark: Lagebericht 31. Dezember 1943

I løbet af 1943 var både Forstmanns månedsindberetninger og kvartalsoversigter kommet til at handle mere og mere om sabotager og foranstaltningerne imod dem, selv om problemerne med energi- og råstofleverancer til den danske industri ingenlunde blev mindre.

Kilde: BArch, Freiburg, RW 27/12 og 23. RA, KTB/Rü Stab Dänemark, 4. Vierteljahr 1943, Anlage 28. Kieler, 1, 1982, s. 183 (uddrag).

Rüstungsstab Dänemark *Kopenhagen, den 31. Dezember 1943.*
ZA/Ia Az. 66dl/Wi-Ber. Nr. 1080/43 geh. *Geheim!*

Bezug: OKW Wi Rü Amt/IIIB Nr. 21755/43 v. 9.5.42
Betr.: Lagebericht.

An den Reichsminister für Rüstung und Kriegsproduktion
– Rüstungsamt –
Berlin-Charlottenburg 2
Verlängerte Jebenstraße.

Rü Stab Dänemark übersendet in der Anlage den Lagebericht für Monat Dezember 1943.

Forstmann

Verteiler:[137]
Wehrmachtbefehlshaber Dänemark, Kopenhagen
Admiral Dänemark, Kopenhagen
General der Luftwaffe in Dänemark, Kphg.

---

135 Se Bests telegram nr. 1583, 23. december 1943.
136 Den 29. december blev en tysk matros i Rønne beskudt uden at blive ramt. En halv time senere blev en tysk mariner samme sted beskudt og såret, hvorpå der blev beordret indførelse af spærretid (Barfod 1976, s. 111).
137 Af de 21 adressater er kun ovenstående medtaget. Beretningen blev lavet i 50 eksemplarer.

Abwehrstelle Dänemark, Kphg.
Reichsbevollmächtigter in Dänemark, Kphg.

Rüstungsstab Dänemark *Kopenhagen, den 31.12.1943.*
ZA/Ia Az. 66dl/Wi-Ber. Nr. 1080/43 geh. *Geheim!*

Vordringliches
Im Dezember 1943 wurden 9 tätliche Angriffe gegen Wehrmachtsangehörige ausgeführt, davon 2 mit tödlichem Ausgang.
Ferner kamen 60 erwiesene Sabotagefälle vor, die sich wie folgt aufteilen lassen:

			%
1.)	gegen Eigentum, Unterkünfte usw. der Besatzungstruppen	19	32
2.)	gegen Betriebe, die		
	a.) mit mittelbaren, unmittelbaren Wehrmachtaufträgen aus Deutschland	9	15
	b.) mit Aufträgen der Besatzungstruppen belegt sind	7	12
3.)	gegen dänische Betriebe ohne direkte Wehrmachtaufträge	13	21
4.)	gegen Verkehrsanlagen, Eisenbahnen usw.	12	20
	im ganzen	60	100

Schwere Sabotagefälle
Im Staalvärk Varde wurden am 12.12.43 durch Sprengung beide Siemens-Martinöfen, die Stromanlage für Hochfrequenzöfen, sowie der große Kompressor zerstört oder stark beschädigt.
Beim Dansk Industri Syndikat, Kopenhagen, wurde am 20.12.43 eine Maschinenhalle, in der 600 Arbeiter beschäftigt sind, stark durch Sprengung beschädigt. Der Maschinenschaden ist gering. Der Betrieb dürfte bei provisorischer Abdeckung in 3-4 Wochen wieder aufgenommen werden können. Besonders Fertigungen für die Kriegsmarine waren in diesem Gebäude untergebracht.[138]
Bei Fa. Burmeister & Wain, Kopenhagen, Maschinenfabrik, wurde am 21.12.43 die Kraftzentrale gesprengt. Der Lichtbedarf wird aus Stadtnetz gedeckt. Leitungsquerschnitt und Transformatorleistung, gestatten aber nicht, auch den Betriebsstrom aus dem Stadtnetz zu nehmen. Voraussichtlich können Anfang Februar 1.500 Pseff – fast 90 % der Normalleistung – durch Aufstellung neuer Dieselmotoren erzeugt werden, wozu aber auch die Zuteilung von 120 t Dieselöl monatlich erforderlich ist.[139]
Am 1. und 2.12. fand auf Veranlassung des Reichsluftfahrtministeriums (Technisches Amt GL/C-B 5) eine Auftragsbörse in Kopenhagen statt. Die Fachdienststelle hatte von deutschen Firmen Zeichnungen und Modelle von Geräten und Teilen mitgebracht, die in Deutschland einen besonderen Engpaß darstellen. Die Teilnahme däni-

---

138 Se Forstmann til Best og von Hanneken 22. december 1943.
139 Se Forstmann til Best og von Hanneken 22. december 1943.

scher Firmen war erfreulich rege. Es ist gelungen, sie für den größten Teil der Fertigung zu interessieren und anzunehmen, daß auch Aufträge erteilt und neue Verbindungen geschaffen werden.

Für die erste Ausbaustufe des von der Fa. BMW finanzierten Flugmotorenwerkes Nordvärk A/S, Kopenhagen sollten 10 Prüfstände für Flugmotoren errichtet werden. Die Aufbauarbeiten begannen am 27.9.43 und wurden so energisch durchgeführt, daß schon am 12.11. der erste und am 15.12.43 der zweite Prüfstand in Betrieb genommen werden konnte. Die restlichen 8 Prüfstände werden bis Ende Januar 1944 fertiggestellt, vorausgesetzt, daß die Anlieferung der Materialen aus Deutschland pünktlich erfolgt.

Die schweren Luftangriffe auf Berlin gaben Rü Stab Dänemark Veranlassung, zu prüfen, wie die Bezahlung der Aufträge über Clearing erfolgen kann für den Fall, daß infolge Feindeinwirkungen die Zahlungsunterlagen bei den für den Clearingverkehr zuständigen Stellen (Bevollmächtigter für die Maschinenproduktion, Reichsstelle für Maschinenbau und Verrechnungskasse bei der Deutschen Reichsbank) vernichtet werden.

Verhandlungen hierüber wurden von Rü Stab Dän. und der Behörde des Reichsbevollmächtigten in Dänemark mit der Dänischen Regierung geführt und hatten folgendes Ergebnis:

Der Reichsbevollmächtigte in Dänemark hat mit Fernschreiben vom 11.12. beim Auswärtigen Amt die Überweisung eines Globalbetrages von 35 Mill. RM, davon 5 Mill. für Belange des Rü Stabs, durch das RFM an die Dänische Nationalbank vorgeschlagen.[140] Die Dänische Nationalbank har sich mit der Entgegennahme dieses Globalbetrages einverstanden erklärt, um im Bedarfsfall aus diesem an die aus Lieferung oder Leistung berechtigte dänische Firma gegen Nachweis der Fälligkeit unter Vorbehalt zahlen zu können.

1a. Stand der Fertigung

Wertsumme der seit der Besetzung Dänemarks über Rü Stab Dän. erteilten unmittelbaren und mittelbaren Wehrmachtaufträge: (A-Aufträge):

am 31.10.43	RM	474.233.783,-
Zugang im November 1943	RM	11.196.353,-
am 30.11.1943	RM	485.430.136,-
Auslieferungen im Nov. 43	RM	9.214.081,-

Aufträge des kriegswichtigen zivilen Bedarfs: (C-Aufträge):

am 31.10.43	RM	69.490.105,-
Zugang im November 43	RM	242.654,-
am 30.11.1943	RM	69.732.759,-
Auslieferungen im Nov. 43	RM	1.791.491,-

Im Waffenarsenal Kopenhagen ist die Fertigung befriedigend angelaufen, der Eingang neuer Heeresaufträge ist gut. Arbeitsschwierigkeiten wegen Einsetzung der deutschen Oberleitung sind nicht eingetreten. Im Munitionsarsenal sind jedoch noch Anlauf-

---

140 Trykt ovenfor.

schwierigkeiten bei der Fertigung zu überwinden. Die Orlogswerft ist von Howaldt-Werke AG treuhänderisch übernommen worden. Auch hier hat es keine Arbeiterschwierigkeiten gegeben.

Das Hansa-Programm hat mit Stichtag 15.12.43 folgenden Fertigungsstand erreicht:

auf Kiel wurden 4 Hansaschiffe a 3.000 to und 7 Hansaschiffe a 5.000 to gelegt. Davon ist bisher ein Hansaschiff a 3.000 to vom Stapel gelaufen. Vier Schiffe sind seit 4 Wochen ablaufbereit. Das bereits im März von den Werften in Deutschland bestellte Stapellauffett trifft erst jetzt ein, so daß die Schiffe Anfang Januar vom Stapel laufen werden.

Rü Stab Dänemark ist den dänischen Behörden vorgeschlagen, das bisherige Abrechnungsverfahren für Instandsetzungsarbeiten an Schiffen der deutschen Kriegsmarine zu ändern. Der Vorschlag geht dahin, daß den dänischen Firmen von einem bestimmten Zeitpunkt an Abschlagszahlungen nicht mehr für das einzelne Objekt gewährt werden, sondern Abschläge je Lohnwoche auf die angefangenen und ausgeführten Arbeiten. Die Zahlungen sollen durch Admiral Dänemark, Oberwerftstab, erfolgen, und, soweit Zahlungen über Clearing, einem zur Verfügung des Oberwerftstabes stehenden Fonds entnommen werden, dessen Auffüllung durch das Kriegsmarinearsenal Kiel geschieht. Es wird dann für den Ergänzungsbetrag eine A-Listen-Nr. erteilt werden und nicht mehr, wie bisher, für jedes einzelne Objekt.

1c. Versorgung der Betriebe mit Roh- und Betriebsstoffen
Der deutsche Lieferungsrückstand an Eisen und Stahl betrug am 31.10.43: 14.181 to. Abnahme gegenüber dem Stand vom 30.9.43: 1.165 to. Für NE-Metalle ist der Stand 195 to, d.h. 4 to mehr als am 30.9.43.

2b. Lage der Treibstoffversorgung
Schwierigkeiten in der Treibstoffversorgung traten nicht auf. Es wurden 2.400 Ltr. Benzin und 18.050 kg Dieselöl angefordert und nach Prüfung zugewiesen.

Das Absinken der Anforderung an Dieselöl ist dadurch bedingt, daß im November keine Zuteilungen für das Hansa-Programm erfolgten und Fa. Burmeister & Wain schon im Oktober ihre ganze Vierteljahreszuteilung erhielt.

2c. Lage der Kohlenversorgung
Im Nov. 1943 wurden eingeführt:

                  197.400 to Kohle (Oktober 194.500 to)
                   27.300 to Koks (Oktober 36.200 to)
insgesamt: 224.700 to   (Oktober 230.700 to)

Es konnten an die dänische Staatsbahn 43.760 to (im Oktober 29.871 to) abgegeben werden; das ist die bisher größte Menge in diesem Kohlenjahr. Die Kokseinfuhr ist wieder stark zurückgegangen. In keinem Monat seit der Besetzung Dänemarks, abgesehen vom Monat Februar 1942 (Eiswinter) war die zur Verladung gekommene Koksmenge so gering wie im Nov. 43. Das dänische Landwirtschaftsministerium hält es für notwendig, den Torfabbau für 1944 schon jetzt vorzubereiten. Anträge auf Staatsdarlehen für die

Torfgewinnung sind bereits jetzt zu stellen. Diese Darlehen werden hauptsächlich als Betriebsdarlehen zur Zahlung der Löhne gewährt. Wenn der Produzent im Besitz von brauchbarem Material ist, kann auch ein Anlagedarlehen bis zu 80 % der Kaufsumme der benötigten Maschinen und anderer Betriebsmittel gewährt werden. Die Darlehen sind mit 4 ½ % jährlich zu verzinsen.

91. Walter Forstmann: Darstellung der rüstungswirtschaftlichen Entwicklung 31. Dezember 1943

Forstmann havde været nødt til at slå alarm til RRK efter de tre store sabotager i december, men han havde også umiddelbart derefter orienteret både Best og von Hanneken. At han imidlertid fortsat fuldstændigt fulgte den af Best afstukne politik, kommer tydeligt frem i hans afsluttende rapportering for 4. kvartal 1943. Her blev gentaget, hvad Best havde fremhævet i *Politische Informationen* 1. november 1943, at der var kontinuitet i den danske forvaltnings arbejde og samarbejde med værnemagten. Forstmann forsikrede også, at han holdt nær kontakt med Best, der havde lovet ham at blive herre over sabotagen, et løfte der var værd at føre til papiret.

Kilde: BArch, Freiburg, RW 27/1 og 12. KTB/Rü Stab Dänemark, 4. Vierteljahr 1943, Anlage 29.

Chef Rü Stab Dänemark   Anlage 29
                                                                           Zum KBT IV/43

D a r s t e l l u n g
der rüstungswirtschaftlichen Entwicklung

Der militärische *Ausnahmezustand* wurde am 6.10.43, 0 Uhr, beendet. Die Verordnung des Befehlshabers der deutschen Truppen in Dänemark vom 4.9.43 betr. Lieferung und Leistung dänischer Firmen für die deutsche Wehrmacht in Dänemark, bleibt jedoch in Kraft, sodaß aufgrund dieser Verordnung alle dänischen Firmen verpflichtet sind, im Rahmen ihrer Leistungsfähigkeit und Beschäftigung deutsche Aufträge anzunehmen.

In der praktischen Handhabung der Leitung der dänischen Staatsgeschäfte ist keine Änderung eingetreten. Sie wird von der "Zentralverwaltung," d.h. von den Ministerien unter Leitung der Dienstältesten Beamten wahrgenommen. Jede deutsche Forderung wurde bisher von der "Zentralverwaltung" loyal erfüllt. Allerdings finden die Wirkungsmöglichkeiten der "Zentralverwaltung" ihre Grenzen darin, daß sie keine grundsätzlichen neuen Rechtsbestimmungen erlassen kann.

In der Berichtszeit hat der Feind sich weiterhin bemüht, durch Veranlassung von *Sabotageakten* deutsche militärische und kriegswirtschaftliche Interessen zu schädigen und Unruhen im Lande zu stiften. In der Abwehr dieser Angriffe hat die erst seit 2 Monaten in Dänemark eingesetzte deutsche Polizei bereits gute Erfolge erzielt, wobei man berücksichtigen muß, daß sie sich in die für sie völlig neuen dänischen Verhältnisse erst einarbeiten mußte, die Angehörigen der Polizeitruppen meist die dänische Sprache nicht beherrschen und ihnen die Bevölkerung keinerlei Unterstützung gewährt. Rü Stab Dän. hielt ständig Verbindung mit dem Reichsbevollmächtigten und den deutschen und dänischen Polizeibehörden, um Erfahrungen in der Sabotageabwehr auszutauschen und Anregungen zu geben. Der Reichsbevollmächtigte hat Chef Rü Stab Dän. gegenüber betont, daß er im Kampf gegen die Saboteure in absehbarer Zeit Herr der Lage sein würde.

Aufgrund der Sabotagefälle wurde am 28.10.43 für die Stadt Kopenhagen durch den Reichsbevollmächtigten in Dänemark eine Sperrzeit von 20 Uhr bis 5 Uhr festgesetzt.

Die Hetze der illegalen Organisationen, genährt durch ausländische Sender, Abwürfe von Sprengstoffen, Waffen und Hetzzeitschriften aus der Luft und Fallschirmagenten, hat sich verstärkt.

Eine deutsche militärische Sicherung der wichtigsten Rüstungsbetriebe ist zur Zeit nicht möglich, da die Besatzungstruppen für militärische Zwecke voll eingesetzt sind. Nur vorübergehend kann eine solche Sicherung in Einzelfällen erfolgen. Dasselbe gilt für deutschen polizeilichen Schutz.

Der *Auftragszugang* im IV/43 lag über den Durchschnitt des II. und III. Quartals. Auch die Auslieferungen im IV/43 waren günstig, hätten jedoch noch höher sein können, wenn vor allem das Material nicht so schleppend aus dem Reich eingegangen wäre.

Das wertmäßige Ergebnis der Auftragsverlagerung und der Auslieferungen bei den mittelbaren und unmittelbaren Wehrmachtaufträgen (A-Aufträge) in der Zeit vom 1.5.40 (Besetzung Dänemark 9.4.40) bis zum 31.12.43 ist neu ermittelt worden. Infolge zahlreicher Abweichungen durch unvollkommene Lieferberichte und nachträgliche Veränderungen der früheren Werte wurde es ferner notwendig, eine einmalige Bestandsaufnahme für alle deutschen Aufträge, die am 31.12.43 in dänischen Betrieben in Fertigung begriffen waren, durchzuführen.

Das Ergebnis umfaßt alle nach Dänemark erteilten Fertigungs- und Bearbeitungsaufträge der Wehrmachtbeschaffungsstellen und der deutschen Industrie. Die angegebenen Werte erstrecken sich aber nicht auf die *sonstigen* Beiträge der dänischen Wirtschaft für die deutsche Kriegsproduktion, wie Leistungen für Truppenbedarf und auf dem Bausektor, Transportleistungen, ernährungs-, land- und forstwirtschaftliche Leistungen, Beschaffungen auf dem schwarzen Markt und Aufträge des kriegswichtigen zivilen Bedarfs.

Die Erhebung ergab folgendes Bild:

	Insgesamt	Darin enthalten für Hansa-Prog.	Werte ohne Hansa-Prog.
	RM	RM	RM
Vom 1.5.40 bis 31.12.43 wurden verlagert (A-Aufträge)	504.652.000		
abzgl. Nichtfertigungsaufträge (Mieten, Frachten, Löhne)	16.246.000		
d.h. reine Fertigungsaufträge	488.406.000	51.679.000	436.727.000
Auftragsbestand am 31.12.43 (lt. bes. Erhebung)	163.238.000	45.081.000	118.157.000
Auslieferungen vom 1.5.40 bis 31.12.43	325.168.000	6.598.000	318.570.000
Auslieferungsquote mit Hansa-Prog.:		67 %	ohne Hansa-Prog.: 73 %

Es ist gerechtfertigt, das erst im Sommer 1943 angelaufene Hansa-Programm mit seinen langfristigen Schiffsaufträgen aus den Ergebnissen der Statistik herauszunehmen. Mit einer Auslieferungsquote von 73 % ist der Beweis erbracht, daß die dänische Industrie gute Leistungen bei normalen Lieferfristen hervorgebracht hat.

Die *Auftragseingänge für 1943* verteilten sich auf die einzelnen Abteilungen des Rü Stab Dän. wie folgt:

Abt.	Heer	RM	43.417.000	
–	Marine	RM	41.350.000	(+ 49.037.504 f. Hansa-prog.)
–	Luftw.	RM	20.997.000	
–	Zentral	RM	20.122.000	
–	Verwaltung	RM	10.458.000	
		RM	136.344.000	

Forstmann

JANUAR 1944

92. Politische Informationen für die deutschen Dienststellen in Dänemark 1. Januar 1944

Politische Informationen for december 1943 var udarbejdet før Bests afrejse til Ulveskansen og derfor ikke præget deraf. De store sabotager i december var heller ikke omtalt. Best valgte at lægge ud med de gode nyheder, først og fremmest den velorganiserede udvidelse af antallet af befæstningsarbejdere, der hovedsagligt blev forestået af OT, og stigningen i de danske leverancer til Tyskland, før han omtalte sabotagen, henrettelserne og tysk politis fremgangsrige arbejde siden september 1943. Afsnittet "Fjendtlige stemmer" var en fast bestanddel af *Politische Informationen*, men fyldte stadigt mere. Her blev den fjendtlige propagandas absurditeter gengivet, men der blev også plads til viderebringelse af et svensk tidsskrifts historie om en fange, der blev mishandlet til døde af Gestapo, og at den mand, der havde angivet fangen til Gestapo, påfølgende var blevet likvideret.

Kilde: PA/AA R 29.568. RA, pk. 204. RA, Centralkartoteket, pk. 680. RA, Vesterdals nye pakker, pk. 2. Uddrag i PKB, 14, nr. 168.

Der Reichsbevollmächtigte in Dänemark

Kopenhagen, d. 1. Januar 1944.
Nur für den Dienstgebrauch!

Politische Informationen
für die deutschen Dienststellen in Dänemark

Betr.: I. Die politische Entwicklung in Dänemark im Dezember 1943.
II. Mitteilungen aus der Außenpolitik.
III. Mitteilungen aus der Wirtschaft.
IV. Die Bekämpfung der Sabotage.
V. Die deutsche Volksgruppe in Nordschleswig.
VI. Dänische Unterstützung der deutschen Kinderlandverschickung und der Berliner Bombengeschädigten.
VII. Feindliche Stimmen über Dänemark.

I. Die politische Entwicklung in Dänemark im Dezember 1943
Im Verhältnis zur dänischen Verwaltung und zur Bevölkerung spielte im Dezember 1943 die Organisation des Arbeitseinsatzes für die erweiterten Befestigungsbauten in Jütland und die Materialbeschaffung für diese die Hauptrolle.

Die Durchführung der Arbeiten ist zum weitaus größten Teil der "Organisation Todt" unter der Leitung des Landesrats Martinsen übertragen worden.[1] Die OT hat ihrerseits mit einer größeren Zahl von Bauunternehmern Verträge abgeschlossen, auf Grund deren diese Unternehmer die Befestigungsanlagen mit Arbeitern, die sie frei anwerben, ausbauen. Nur einzelne örtliche Befestigungsanlagen, bei welchen sich der Einsatz der OT nicht lohnt, werden von den örtlichen Wehrmachtsstellen unmittelbar ausgeführt. Das geschieht ebenfalls in der Weise, daß – hier durch Vermittlung der örtlichen Bürgermeister – Bauunternehmer verpflichtet werden, die erforderliche Zahl von

---

1 Se tillæg 4.

Arbeitern anzuwerben und die Arbeiten durchzuführen.

Von der dänischen Zentralverwaltung ist die Dienststelle des Stiftsamtmannes Herschend mit Sitz in Silkeborg eingesetzt worden mit der Aufgabe, alle Maßnahmen zu treffen, die erforderlich sind, um die Durchführung der Arbeiten zu sichern.[2] Die deutschen Forderungen werden gegenüber dieser Dienststelle von dem Beauftragten des Reichsbevollmächtigten beim Wehrmachtbefehlshaber Dänemark (seit Mitte Dezember: Landrat Dr. Casper) vertreten.[3]

Für die Werbung der Arbeiter galt es, eine Regelung zu treffen, die die notwendige Zahl von Arbeitern auf freiwilliger Vertragsgrundlage heranbrachte. Dies ist gelungen. Die zuständigen dänischen Stellen, die daran interessiert waren, daß Zwangsmaßnahmen vermieden wurden, haben mit aktiver Unterstützung der Gewerkschaften eine umfassende Arbeiterwerbung im ganzen Lande ins Werk gesetzt, mit deren Hilfe schon nach etwa 2 Wochen über 10.000 Arbeiter zur Verfügung standen. Wenn die Arbeiten nach der durch die Weihnachtsfeiertage bedingten Unterbrechung wieder aufgenommen werden, wird diese Zahl binnen Kurzem auf das vorgesehene Einsatz-Soll von 20.000 Arbeitern erhöht werden. (Diese treten neu zu den etwa 13.000 Arbeitern, die bei den schon früher begonnenen und ständig fortgeführten Befestigungsarbeiten in Jütland beschäftigt sind).

Richtlinie für die Regelung der Löhne war, daß es vor allem darauf ankam, in kürzester Zeit große Arbeitsleistungen zu erzielen. Die Löhne sind deshalb auf Akkordgrundlage aufgebaut. Diese Regelung hat sich in jeder Weise bewährt. Sie bildet, zusammen mit dem Grundsatz der Freiwilligkeit der Arbeit, die Grundlage für den Arbeitserfolg. Bei der Festsetzung der Grundtarife war einmal davon auszugehen, daß sie in ihrer Höhe einen besonderen Anreiz bieten sollten, auf der anderen Seite mußte beachtet werden, daß ein offenes Verlassen der zurzeit in Dänemark bestehenden Tarifgrundlagen nicht angängig war, weil das die Stabilität des Preis und Lohnsystems, an welcher nicht nur dänische sondern auch sehr wesentliche deutsche Interessen bestehen, erschüttert hätte. Zwischen beiden Gesichtspunkten mußte ein Ausgleich gefunden werden. Das ist im Einvernehmen mit den zuständigen dänischen Stellen geschehen. Es war u.a. möglich, den Arbeitern ohne unmittelbare Verletzung der geltenden Tarife verschiedene Vorteile, die einen Anreiz boten, zu gewähren; so wurden verhältnismäßig niedrige Maximalpreise für Unterkunft und Verpflegung festgesetzt, bei deren Überschreiten die OT mit dem Mehrbetrag einspringt; es wurden Frostzuschläge bewilligt; es wurde zu Weihnachten freie Heimreise zum Wohnort und freie Rückfahrt zum Arbeitsort gewährt.

Die Unterbringung der Arbeiter bot ungewöhnliche Schwierigkeiten. Die Zahl der Unterzubringenden ist groß, die Gegenden, in welchen sie unterzubringen sind, sind menschenarm und wirtschaftlich schwach, und die wenigen, öffentlichen Gebäude (Schulen, Säle), die für eine Unterbringung in Frage gekommen wären, sind durchweg bereits mit deutschen Truppen belegt. Es kam also eine Unterbringung der Arbeiter nur in Privatquartieren in Betracht. Die dänische Dienststelle des Stiftamtmanns Herschend

---

2 Se *Politische Informationen* 1. december 1943, afsnit I.1.
3 Wilhelm Casper havde stillingen til maj 1945. Han skrev 1994 sine erindringer, hvori han stærkt overdriver sin rolle og betydning. Best gav ikke sin repræsentant hos WB Dänemark noget råderum.

hat innerhalb kürzester Zeit unter Einsatz des gesamten dänischen Verwaltungsapparats an der jütländischen Westküste die Quartierfrage geregelt und das erforderte Soll von 20.000 Quartieren aufgebracht. Die Belegung der Quartiere erfolgt in Zusammenarbeit zwischen der OT und den dänischen Bürgermeistern.

Ein großer Teil der Arbeiter hat nach der Lage so untergebracht werden müssen, daß er einen längeren Anmarsch zur Arbeitsstelle hat. Damit vor allem bei der Kürze der Wintertage keine Zeit für die Arbeit selbst nutzlos verloren geht, mußte an einer Anzahl von Stellen der Transport der Arbeiter mit der Eisenbahn – teilweise durch Verlegung oder durch Neueinlegen von Zügen – und mit Omnibussen, die zu diesem Zweck aus dem allgemeinen Verkehr gezogen wurden mußten, geregelt worden.

Schließlich war im Zusammenhang mit den neuen Befestigungsarbeiten für die Lösung verschiedener Materialbeschaffungen zu sorgen. Vordringlich war die Beschaffung großer Mengen von Holzpfählen. Soweit sie aus dänischen Beständen gestellt werden konnten, ist das Erforderliche mit den dänischen Forststellen veranlaßt worden; der übrige Teil muß im Einfuhrwege beschafft werden. Als erforderlich erwies sich weiter, daß der Mehrbedarf an Generatorholz, der sich aus den neuen Arbeiten ergibt, gesichert wird. Hinsichtlich der Fahrzeuge – Lastkraftwagen und Personenomnibusse – die für die Arbeiten eingesetzt werden müssen, ist vor allem die Bereifungsfrage zu lösen. Bei der Art der zurzeit ausgeführten Arbeiten stand die Betonfrage zunächst noch im Hintergrund; sie wird in den folgenden Stadien der Arbeiten akut werden.

Das Ergebnis der Arbeit der ersten 3 ½ Wochen – bis zur Weihnachtspause – an den neuen Befestigungsbauten entspricht in jeder Weise den Erwartungen. Ein erheblicher Teil der vorgesehenen Anlagen ist bereits fertiggestellt. Mit der Wiederaufnahme der Arbeiten nach der Weihnachtspause wird das Arbeitstempo noch gesteigert werden.

II. Mitteilungen aus der Außenpolitik
1.) Die bisher in Springforbi bei Kopenhagen konfinierten Mitglieder der früheren italienischen Gesandtschaft sind am 8. Dezember d.Js. von Kopenhagen nach Garmisch abgereist, wo die mit den übrigen im Reich [ulæseligt ord] besetzten Ländern konfinierten italienischen Diplomaten vereinigt werden.[4]
2.) Bei der Behandlung des isländischen Staatshaushaltes für das Rechnungsjahr 1944 vor dem isländischen Alting wies der isländische Finanzminister mit ernsten Worten auf die drohende Inflationsgefahr hin. Die wirtschaftliche Unsicherheit, die zur Zeit wie ein Schatten über dem Erwerbsleben Islands liege, lähme alle Initiative, beeinträchtige den Arbeitswillen, ermuntere die Verschwendungssucht und mache die Bevölkerung gegenüber der Zukunft nachlässig.

Die Inflationsgefahr wird durch die sprunghafte Erhöhung des isländischen Staatshaushaltes deutlich. Während die Ausgaben im Jahre 1937 noch 18 Millionen und im Jahre 1940 27 Millionen Kronen betrugen, stiegen sie im Jahre 1942 unter den Auswirkungen der Besetzung auf 57.5 Millionen und werden für 1944 mit 66.9 Millionen Kronen veranschlagt.
Die im Sommer d.Js. vorübergehend erzielte geringfügige Herabsetzung des Preisindex

---

4 Se *Politische Informationen* 1. november 1943, afsnit II.2.

wurde, wie jetzt zu erkennen ist, ausschließlich durch außerordentlich hohe Staatszuschüsse an die Landwirtschaft ermöglicht. Tatsächlich liegen nach statistischen Erhebungen die Einkünfte der Landwirtschaft weit unter dem Landesdurchschnitt. Nach dem Gutachten eines besonders hierfür eingesetzten Ausschusses müßte die Preiszahl für landwirtschaftliche Erzeugnisse um mindestens 17 Punkte erhöht werden, um die Verdienst […]5 der Landwirtschaft auch nur einigermaßen dem Gesamtdurchschnitt anzugleichen.

III. Mitteilungen aus der Wirtschaft
1.) Die landwirtschaftlichen Lieferungen im vierten Quartal 1943
Die landwirtschaftlichen Lieferungen nach Deutschland sind im vierten Quartal 1943 erfreulich gut ausgefallen.

Die Fleischausfuhr ist gegenüber den vorgesehenen Mengen um 35 % höher gewesen, so daß hierdurch ein voller Ausgleich für die Fehlmenge, die zum Teil infolge des militärischen Ausnahmezustandes eingetreten war, geschaffen wurde. Transportschwierigkeiten, die neuerdings durch die vermehrten Befestigungsarbeiten in Jütland entstanden, haben in den letzten Wochen […]6 Frischfleisch nicht in vollem Umfänge nach Deutschland abtransportiert werden konnte. Es ist jetzt Vorsorge getroffen, daß in solchen Fällen das Fleisch in Dänemark zu Konserven und Dauerwaren verarbeitet wird. Diese in Dänemark nach deutschen Rezepten und unter deutscher praktischer Anleitung hergestellten Fleischkonserven und Dauerwaren, die zur Zeit nur für Wehrmachtszwecke hergestellt werden, sind erfahrungsgemäß von ausgezeichneter Qualität.

Auch die Butterlieferungen sind gegenüber den Voranschlägen nicht unwesentlich größer gewesen. Es sind etwa 20 % mehr geliefert worden, als vorgesehen war. Dies findet seine Erklärung vor allen Dingen darin, daß die Milchkühe in diesem Herbst außerordentlich lange auf der Weide bleiben konnten.

Die Pferdeausfuhr hat sich im letzten Vierteljahr über Erwarten gut gehalten. Ein zu Anfang des Jahres 1943 vorgebrachter Wunsch der Wehrmacht, aus Dänemark im Jahr 1943 35.000 Pferde nach Deutschland zu bringen, konnte sogar um etwa 1-2.000 Stück überschritten werden. Die nicht für die Wehrmacht volltauglichen Pferde werden in Deutschland gegen dort vorhandene wehrmachtstaugliche Pferde umgetauscht, so daß praktisch die genannten Ausfuhrziffern in vollem Umfang als Lieferungen für die deutsche Wehrmacht anzusehen sind. Dieser große Erfolg ist erreicht worden, ohne daß die Preise für Pferde in den letzten 1½-2 Jahren irgendeine Erhöhung erfaßten haben.7

Ganz besonders günstig waren die Ausfuhren an Gras-, Klee- und Futtersaaten sowie an Gemüsesämereien. Die an sich schon sehr gute Ausfuhr des Vorjahres ist um etwa 100 % überschritten worden und es ist anzunehmen, daß nach Abdrusch der Kleesaaten auch in den kommenden Monaten nicht unbeträchtliche Ausfuhren möglich werden. Die Ausfuhr an diesen Sämereien ist für die gesamteuropäische Futterversorgung von großer Bedeutung. Es kann gesagt werden, daß Dänemark nahezu den gesamteuropä-

---

5 På dette sted en udradering i teksten.
6 På dette sted flere ulæselige – rimeligvis udraderede – ord.
7 Jensen 1971, s. 241, Nissen 2005, s. 225f.

ischen Zuschußbedarf an Grassaaten deckt.

Auch bei den übrigen landwirtschaftlichen Artikeln wie Obst, Käse und Fischen ist die Ausfuhr gut gewesen. Auch hier stellen die dänischen Lieferungen einen nennenswerten Beitrag für die deutsche Ernährung dar.

2.) Verlängerung der deutsch-dänischen Handelsabkommen
Durch Vereinbarung der deutsch-dänischen Regierungsausschüsse ist das deutsch-dänische Abkommen über den gegenseitigen Warenverkehr für das Kalenderjahr 1944 verlängert worden. Das deutsch-dänische Verrechnungsabkommen läuft ebenfalls für das Jahr 1944 weiter. Damit vollzieht sich der Waren- und Zahlungsverkehr zwischen Deutschland und Dänemark auch in kommenden Jahr in den bisherigen Formen.

3.) Erhöhung der dänischen Schiffahrtsleistungen für Deutschland
Die Leistungen der dänischen Schiffahrt für rein deutsche Fahrten, also nicht für die Versorgung Dänemarks selber, haben sich auch im Jahre 1943 weiter erhöht.

Während im Jahre 1942 etwa 591.000 Tons Erz auf dänischen Schiffen von Schweden nach Deutschland gefahren wurden, erhöhte sich diese Zahl für das Jahr 1943 auf rund 1 Million Tons.

In der deutschen Küstenfahrt, an der die dänischen Schiffe im Jahre 1942 einen Anteil von 544.000 Tons hatten, wird dieser Anteil im Jahre 1943 voraussichtlich ungefähr dieselbe Höhe erreichen.

IV. Die Bekämpfung der Sabotage
1.) Am 2.12.1943 sind 5 kriegsgerichtlich zum Tode verurteilte Saboteure durch Erschießen hingerichtet worden.[8] Die Hinrichtungen machten einen starken Eindruck auf die dänische Bevölkerung, da das dänische Recht die Todesstrafe nicht kennt und da bisher nur 3 von deutschen Kriegsgerichten gegen dänische Staatsangehörige ausgesprochene Todesurteile vollstreckt worden waren (eine Hinrichtung am 28.8.1943 und zwei Hinrichtungen am 22.11.1943).[9]
2.) Am Tage nach der Veröffentlichung der 5 Hinrichtungen – am 4.12.1943 – empfing der Reichsbevollmächtigte die Chefredakteure der dänischen Presse und machte vor ihnen Ausführungen etwa des folgenden Inhalts:
   [Se Rede von Werner Best vor Vertretern der dänischen Presse 4. Dezember 1943, trykt ovenfor.]
3.) Die in Dänemark erst seit dem 15.9.1943 eingesetzte deutsche Sicherheitspolizei hat weiter gute Erfolge in der Bekämpfung der Sabotage erzielt. Insgesamt wurden im Zusammenhang mit Sabotagehandlungen (neben zahlreichen Festnahmen aus

---

8 Det var Anders W. Andersen, Oluf Kroer, Otto Manly Christiansen og Sven Christian Johannesen, der blev arresteret 19. november og dødsdømt ved tysk krigsret i Århus 24. november for deltagelse i Langåsabotagen. Desuden Georg G.M. Christiansen, der var blevet arresteret 16. september for involvering i jernbanesabotage. Henrettelserne fandt sted på Skæring Hede (*Faldne i Danmarks Frihedskamp*, 1970, s. 25, 90-92, 222f., 248).
9 Se Bests telegram nr. 956, 20. august og nr. 1450, 22. november 1943.

anderen Gründen) seit 15.9.1943[10]
  175 Personen festgenommen und dadurch
  80 Sabotagefälle geklärt.
  8 Saboteure wurden auf der Flucht bezw. bei Widerstand erschossen.
Die beschlagnahmten Sabotagemittel, die zum Teil über See (aus Schweden) ins Land geschmuggelt, zum Teil mit Fallschirmen abgeworfen worden waren, sind recht beträchtlich; es handelt sich um
  etwa 300 kg Sprengstoff,
  700 Sprengkapseln verschiedener Art,
  500 Übertragungsladungen,
  34 magnetische Haftladungen,
  1.600 Zünder verschiedener Art,
  300 Brandsätze und Brandkörper,
  zahlreiche Maschinenpistolen, Gewehre, Pistolen, Handgranaten, Munition u.a.
  Alles Material ist englischer Herkunft.
4.) Nicht nur die Herkunft des Sabotage- und Attentatsmaterials beweist, daß die in Dänemark verübten Anschläge vom Feind veranlaßt und von außen in das Land getragen werden. Es ist vielmehr im Monat Dezember gelungen, mehrere in England ausgebildete Fallschirmagenten, die auf dem Luftwege nach Dänemark gekommen waren und die einen wesentlichen Teil der Sabotagetätigkeit lenkten, festzunehmen.[11] Weiter wurde ein schwedisches Fischerboot aufgebracht, das Sabotagematerial und illegale Korrespondenz nach Dänemark bringen sollte.[12]

V. Die deutsche Volksgruppe in Nordschleswig
1.) Das Kontor der Volksgruppe beim Staatsministerium
Die Errichtung des Kontors der Deutschen Volksgruppe beim Staatsministerium geht auf Verhandlungen zurück, die aus Anlaß der Folketingswahl zu Beginn des Jahres 1943 von der Volksgruppenführung mit dem Reichsbevollmächtigten und von diesem mit der dänischen Regierung geführt wurden. Da die Volksgruppe schon damals im Zuge ihres Kriegseinsatzes außerordentlich starke Kräfte aus Nordschleswig abgegeben hatte, kam eine Beteiligung an der Wahl nicht in Frage, so daß es nötig wurde, für das verlorengehende Abgeordneten-Mandat eine anderweitige Vertretung der Volksgruppe in Kopenhagen sicherzustellen. Die Volksgruppenführung vertrat die Auffassung, daß ihr Kriegseinsatz entscheidend und zugleich stärker als es durch eine Wahl überhaupt möglich sei, den Standpunkt der Volksgruppe zum Ausdruck bringe. Dieser Kriegseinsatz dürfe aber nicht zur Folge haben, daß die Volksgruppe jede Vertretung in Kopenhagen verliere, umsomehr als gerade der Krieg viele neue Probleme aufgeworfen habe, durch welche eine ständige Verbindung sowohl zu den dänischen als auch zu den deutschen Dienststellen in Kopenhagen erforderlich geworden sei.[13]

10 Tallene stammer givetvis fra det tyske politis aktivitetsberetning for perioden. Opstillingen er som i de senere fra maj 1944 og følgende måneder kendte beretninger.
11 Se telegrammerne 16. december 1943.
12 Se Bests telegram nr. 1534, 13. december 1943.
13 Se Bests telegram nr. 197, 24. februar 1943.

Nachdem die dänische Regierung der Errichtung des Volksgruppenkontors zugestimmt hatte, wodurch eine Verlagerung der Volksgruppenvertretung aus der Legislative in die Verwaltung hinein stattfand, wurde Rudolf Stehr aus Hadersleben auf Vorschlag des Volksgruppenführers Dr. Möller am 26. Mai 1943 von Staatsminister von Scavenius mit der Amtsbezeichnung Kontorchef zum Leiter des Volksgruppenkontors in Kopenhagen ernannt. Stehr war von 1935 bis 1937 als Dezernent im Oberpräsidium der Provinz Schleswig-Holstein und vom Sommer 1937 ab in Nordschleswig tätig, wo er das Amt für Agrarpolitik, sowie das Amt für Presse und Propaganda der Volksgruppe aufgebaut hat.

Die Errichtung des Volksgruppenkontors hatte im der dänischen Öffentlichkeit – insbesondere während des Wahlkampfes zu Beginn des Jahres 1943 – viele Kommentare ausgelöst, die durchweg zurückhaltend, zum Teil ablehnend waren. Gerade mit Rücksicht auf diese Stimmen wurden in den einleitenden Verhandlungen mit dem dänischen Staatsminister von Scavenius Wert darauf gelegt, die Richtung, in der sich die Arbeit der Volksgruppe und damit auch die Tätigkeit des Kontors bewegen werde, klar herauszustellen. Dem Staatsminister wurde erklärt, daß das Kontor seine Arbeit im Sinne einer deutsch-dänischen Befriedung im Grenzlande durchführen werde. Man sei innerhalb der Volksgruppenführung der Auffassung, daß die deutsch-dänischen Gegensätze in den letzten hundert Jahren zwar historisch erklärlich aber für die Zukunft keineswegs notwendig seien. Im Zuge des Schicksalskampfes des Reiches, von dem letztlich die künftige Gestaltung des gesamten europäischen Kontinents abhängig sei, hätten innereuropäische Spannungen überhaupt ihren Sinn und ihre Berechtigung verloren. Die während des Wahlkampfes in der Öffentlichkeit erkennbar gewordenen Hemmungen gegenüber dem Volksgruppenkontor haben auch keinen Einfluß auf die Zusammenarbeit mit den dänischen Ministerien ausgeübt. Vielmehr ist von dort aus des öfteren betont worden, daß die Errichtung des Kontors auch im dänischen Interesse liege, weil jetzt die Möglichkeit vorhanden sei, alle die Volksgruppe berührenden Angelegenheiten von Anfang an über das Kontor mit der Volksgruppenführung abzustimmen und auf diese Weise Reibungen von vornherein auszuschalten.

Das Kontor hat seine Arbeitsgebiete wie folgt aufgegliedert:
I. Politik.
    1.) Allgemeines und Gesamtentwicklung des deutsch-dänischen bezw. des deutsch-skandinavischen Verhältnisses.
    2.) Stellung und Einsatz der Volksgruppe.
    3.) Presse und Propaganda.
II. Kultur.
    1.) Allgemeines und Grundsätzliches zur Kulturpolitik.
    2.) Erziehung und Schulwesen.
    3.) Kirche und religiöse Strömungen.
    4.) Büchereiwesen, volksdeutsche Verlage und ähnliches.
III. Wirtschaft und Sozialpolitik.
    1.) Allgemeines.
    2.) Landwirtschaft (Landesbauernschaft Nordschleswig).

3.) Handel und Gewerbe (Deutsche Berufsgruppe Nordschleswig).
4.) Währungs- und Transferprobleme, Bank- und Kreditfragen.
5.) Arbeitseinsatz, Löhne und Preise, sozialpolitische Maßnahmen.

Im Zuge der Bestrebungen der Volksgruppe, einerseits der gesamt-europäischen Politik des Reiches in Dänemark zu dienen und zum andern die Volksgruppe in den Kriegseinsatz einzuschalten, liegt das Schwergewicht der Arbeit zur Zeit in der politischen Abteilung und zwar in dem Aufgabenbereich: Stellung und Einsatz der Volksgruppe. Außerdem sind bisher auch schon eine ganze Reihe von wirtschaftspolitischen Problemen in Angriff genommen, während das Bestreben des Kontors in der kulturpolitischen Abteilung dahin geht, die freie kulturelle Entfaltung der Volksgruppe und insbesondere eine möglichst weitgehende Selbstverwaltung auf dem Gebiet der Schule sicherzustellen.

Bei der Durchführung dieser Aufgaben ist inzwischen bereits zu den meisten dänischen Ministerien Verbindung aufgenommen worden. Die Angliederung des Kontors an das Staatsministerium ist nur administrativer und finanztechnischer Art; im übrigen verhandelt das Kontor immer unmittelbar mit dem jeweils zuständigen Ministerium. Da nach dem dänischen Geschäftsverteilungsplan Volksgruppenangelegenheiten[14] im Kgl. Dänischen Außenministerium bearbeitet werden, wurde die Aufrechterhaltung eines laufenden Kontakts in allen Angelegenheiten zu diesem Ministerium notwendig. Darüber hinaus ist aber auch mit den Fachministerien verhandelt worden, so in Schulangelegenheiten mit dem Unterrichtsministerium, in Fragen des Staatsangehörigkeitsrechtes und der Gesundheitsfürsorge mit dem Innenministerium, in arbeitspolitischen Angelegenheiten mit dem Arbeitsministerium bezw. dem Sozialministerium.

Selbstverständlich wird auf der anderen Seite – schon durch den Kriegseinsatz der Volksgruppe bedingt – in allen Angelegenheiten ein enger laufender Kontakt mit der Behörde des Reichsbevollmächtigten gewahrt.

Seit dem Rücktritt der Regierung des Staatsministers von Scavenius am 29.8.1943 hat sich die Wahrnehmung der Belange der Volksgruppe naturgemäß noch stärker als bisher auf den administrativen Sektor verlagert. Da das Recht der Departementschefs, "Gesetzesanordnungen" zu erlassen, sehr eng ausgelegt wird, hat die Volksgruppe heute kaum Gelegenheit, Gesetzesvorschläge, die eine grundlegend neue Richtung einschlagen, gefördert zu erhalten. Das wirkt sich für die Arbeit des Kontors auf dem kulturellen Sektor etwas hemmend aus. Trotzdem hat sich aber auch hier die Möglichkeit ergeben, die vorliegenden Aufgaben weiter zu fördern, so daß die Kontinuität der gesamten Arbeit gesichert erscheint.

Politisch ist über den engeren Bereich der Volksgruppen hinaus von Bedeutung, daß die Arbeit des Kontors auch von maßgeblicher dänischer Seite als Beitrag der Volksgruppe zur Befriedung des deutsch-dänischen Verhältnisses im Grenzland gewertet wird und in Verbindung mit dem Kriegseinsatz als Beitrag der Volksgruppe zur Förderung der Reichspolitik aufgefaßt werden darf.

14 Mindretalsspørgsmål.

2.) Der Kriegseinsatz der Volksgruppe

Der Kriegseinsatz der Volksgruppe betrug im Dezember 43 mehr als 8.000 Männer bei einer Gesamtstärke der Volksgruppe, die – wegen der fluktuierenden Zwischenschicht ("Blakkete") nicht genau zahlenmäßig bestimmbar – mit über 30.000 anzunehmen ist.

Der Einsatz der Nordschleswiger gliedert sich wie folgt:[15]

1.) Freiwillige:
- a.) bei der Waffen-SS: 1.303
- b.) bei der Wehrmacht: 438
- c.) bei der Flak: 20
- d.) beim Grenzzollschutz: 72
- e.) beim Luftgaukdo. als Fahrer: 108
- f.) beim landw. Osteinsatz: 8 — 1.950

Freiwillige: 1.950

2.) Arbeitseinsatz:
- a.) im Süden als Facharbeiter usw.: 4.545
- b.) im Norden auf Fliegerhorsten: 1.655 — 6.200

Gesamteinsatz: 8.150

An Verlusten hat die Deutsche Volksgruppe Nordschleswig bis zum 30.11.1943 gehabt:

1.) Gefallene:
- a.) Waffen-SS: 186
- b.) Wehrmacht: 38
- c.) Arbeitseinsatz: 1 — 225

2.) Vermißte:
- a.) Waffen-SS: 17
- b.) Wehrmacht: 3 — 20

Gesamtverluste: 245

VI. Dänische Unterstützung der deutschen Kinderlandverschickung und der Berliner Bombengeschädigten

1.) Ankauf von Häusern für die deutsche Kinderlandverschickung durch die dänische Zentralverwaltung.

Die dänische Zentralverwaltung hat sich bereit erklärt, 12 Häuser bzw. Anwesen anzukaufen und sie zu günstigen Bedingungen an die deutsche Erweiterte Kinderlandverschickung zu vermieten. Hierdurch wird der ständige Aufenthalt von 1.060 deutschen Kindern in Dänemark ermöglicht.[16]

Für die Lager der Erweiterten Kinderlandverschickung hat das dänische Handelsministerium 200 Tonnen Kohle und Koks aus den vom Reich für dänische Zwecke gelieferten Brennstoffmengen zur Verfügung gestellt, während entsprechenden dänischen

---

15 Se tillæg 11.
16 Se endvidere Reichsjugendführung til AA 10. februar 1944.

Einrichtungen und Schulen grundsätzlich kein importiertes Brennmaterial zugewiesen wird, sondern diese auf einheimische Braunkohle und Torf angewiesen werden.

2.) Sammlung der Zeitung "Fädrelandet" für Berliner Bombenbeschädigte.

Die Zeitung "Fädrelandet" hat unter nationalsozialistischen Kreisen in Dänemark eine Kleidersammlung für Berliner Bombengeschädigte veranstaltet, deren Ergebnis – über 2.000 kg größtenteils noch gut in Stand befindlicher Kleider, Mäntel, Schuhe usw. – dem Reichsbevollmächtigten übergeben worden ist. An dem überraschend günstigen Ergebnis der Sammlung sind zahlreiche Spender vor allem aus den einfacheren Volksschichten Dänemarks beteiligt. Die Gegenstände sind der Gauamtsleitung Berlin der NSV zur Verfügung gestellt worden.

VII. Feindliche Stimmen über Dänemark
1.) Der britische Rundfunk

London 5.12.43.
Christmas Möller: Die Ereignisse daheim bedeuten für uns eine furchtbare Entwicklung, die erörtert werden muß. Daheim haben die Deutschen jetzt ernstlich damit angefangen, die gleichen Methoden, wie wir sie aus dem besetzten Ländern kennen, anzuwenden. Die Ermordung dänischer Staatsbürger gehört zur Tagesordnung, und Deportationen sollen scheinbar jetzt in großem Stil vor sich gehen. Die Deutschen drohen mit furchtbaren Strafen, mit denen sie selbst die kleinsten der sogenannten Verbrechen verurteilen werden. Voll Stolz können wir Dänen in der Ferne hervorheben, daß diese Methode der Deutschen nicht die geringste Wirkung auf den Geist, den Mut und die Handlung daheim haben wird.

London 6.12.43.
In der Erklärung des Bevollmächtigten des Deutschen Reiches in Dänemark Dr. Best die gestern veröffentlicht wurde, hat man in London besonders festgestellt, daß man nun von deutscher Seite amtlich hervorhebt, daß Dänemark für die deutsche Kriegführung wichtiges Gebiet ist. Damit ist jede frühere Behauptung, daß die Deutschen Dänemark besetzten, um es zu schützen, widerlegt. Damit wird auch die Schlußbehauptung Dr. Bests, daß Dänemark mit seinen 3.8 Millionen Einwohnern auf keine Weise auf die Entscheidung des sogenannten Großmächtekrieges Wirkung ausüben kann, zunichte gemacht. Die eigenen Aussagen der Deutschen beweisen, daß der Widerstand der Dänen ein effektiver Beitrag zur alliierten Kriegführung ist. Die Sabotage ist nun zu einer bedeutungsvollen Waffe in der Rüstungskammer der Alliierten geworden.

London 8.12.43.
Die schwedischen Gewerkschaften haben eine Erklärung veröffentlicht, in der sie die brutalen Handlungen der Deutschen in Dänemark verurteilen. Wie der schwedische Rundfunk mitteilt, sind auf einer Jagd auf illegale Zeitungen in Jütland 60 Personen verhaftet worden.[17]
London 12.12.43.

---

17 Se Bests telegram nr. 1528, 11. december 1943.

Aus Stockholm wurde vor einigen Tagen mitgeteilt, daß eine Reihe dänischer Flüchtlinge in Schweden Polizeiausbildung erhalten. Das schwedische Blatt "Morgenbladet" schreibt: In Schweden werden für wehrpflichtige Dänen 2 Lager errichtet, wo sie als Reservepolizei ausgebildet werden können, um der dänischen Polizei bei der Aufrechterhaltung der Ruhe und der Ordnung unmittelbar nachdem die Deutschen das Land verlassen haben, behilflich zu sein.

London 11.12.43.
Wie die schwedische Presse mitteilt, sind dänische Arbeiter jetzt zu Zwangsarbeiten für die Deutschen in Jütland ausgeschrieben worden. Wie viele dänische Arbeiter gezwungen worden sind, gegen ihren Willen für die Deutschen zu arbeiten, ist noch unbekannt, aber die Anzahl ist nicht das Wichtigste, wichtiger ist, daß das Prinzip der Zwangsarbeiter nun in Dänemark durchgeführt worden ist.[18] Über die Einstellung des dänischen Volkes dürfte kein Zweifel bestehen, es handelt sich um eine Frage, die alle in Dänemark angeht, natürlich vor allem die Gewerkschaften und ihre Führer. Die Deutschen sind noch einen Schritt weitergegangen, und alle Familien in den Gebieten, wo für die Deutschen in größerem Umfang gearbeitet wird, haben den Befehl erhalten, für Kost und Unterkunft der Arbeiter zu sorgen.[19] Gleichzeitig haben die Deutschen die Frechheit gehabt, sich an Gewerkschaften zu wenden, um Auskünfte darüber zu erhalten, welche Mitglieder arbeitslos sind. Diese Auskünfte sollen den deutschen Arbeitsvermittlungsstellen zugeschickt werden, mit anderen Worten, es wird von den Gewerkschaften verlangt, daß die selber die Mitglieder heraussuchen, die Zwangsarbeit verrichten sollen.[20]

Verschiedene Arbeiter sind in der letzten Zeit wegen Sabotage hingerichtet worden, während andere zu strengen Strafen verurteilt worden sind. Dr. Best hat erklärt, daß in der kommenden Zeit noch mehr Köpfe in Dänemark rollen sollen. Der Terror herrscht ernstlich über Dänemark, und es ist daher heute noch wichtiger, daß alle jetzt erkennen, was der Nazismus vertritt und wie er handelt.

London 12.12.43.
Christmas Möller: Der deutsche Bevollmächtigte in Dänemark Herr Best sagte vor kurzem, daß die dänische Bevölkerung doch verstehen sollte, daß die deutsche Militärmacht Terror anwenden müsse. Der Krieg würde noch lange, sehr lange dauern, und Deutschland müßte Ruhe in den besetzten Ländern haben. Aus diesem Grund hätte Deutschland keine anderen Mittel als rücksichtsloses Einschreiten. Begnadigungen werden nicht stattfinden, und Mord und Hinrichtungen sollten zur Tagesordnung gehören, solange der Widerstand nicht aufhört. Diese Äußerungen sind in 3 Hinsichten interessant. Wo ist nun der arme Deutsche, dessen Politik in Dänemark vollständig fehlgeschlagen hat? Er versteht kein Wort. Der Mann versteht nicht, daß Druck Gegendruck erzeugt. Das Einzige, was die Deutschen mit ihrer grausamen und niederträchtigen Tätigkeit erreichen, ist die natürliche Notwendigkeit, daß der Widerstand noch größer wird. Daran

18 Det var ikke tilfældet.
19 Det var ikke tilfældet.
20 Det var ikke tilfældet.

braucht keiner zu zweifeln. In Dänemark so wie in Norwegen, Holland, Belgien und in anderen Ländern. Die Deutschen geben täglich neue Beweise davon, wie unfähig sie dazu sind, andere zu beherrschen. Heute wie in den Tagen Bismarcks und des Kaiserreichs, jetzt in Dänemark wie früher in Nordschleswig. Die Deutschen möchten die ganze Welt beherrschen und können nicht einmal sich selbst richtig regieren. Die 2. interessante Äußerung zeigt, daß die letzte und einzige Hoffnung ist, daß der Krieg noch lange, sehr lange dauern muß. Die frohen Tage des Blitzkrieges, da man über die Bombardements von London jubelte, sind vorbei. Nun ist die fast einzige Hoffnung der Deutschen die Uneinigkeit zwischen den Alliierten. Gibt es jemanden, der ernstlich daran glaubt? Hier draußen tun wir so nicht, wir wissen, daß der Zusammenhalt andauern wird und wir glauben und hoffen, daß dieser Zusammenhalt auch nach dem Kriege andauert. Am interessantesten und aufsehenerregendsten ist Herrn Bests Äußerung dadurch, daß sie zeigt, daß dieser Deutsche kein einziges Wort von uns Dänen versteht. Er appelliert an den Materialismus und die Behaglichkeit des dänischen Volkes. Wir verabscheuen, daß Unschuldige ermordet werden, wir verabscheuen den Terror. Wir wollen, Demokraten wie wir sind, Ordnung und Gerechtigkeit, Recht und Billigkeit so wie einst König Valdemar. Aber dieser hohe deutsche Beamte, der höchstes Vertrauen genießt, versteht überhaupt nicht, daß wir unser Recht nicht verkaufen wollen. Wir wollen uns nicht nur auf materielle Weise durchschlagen und alles andere laufen lassen zu einer Zeit, wo die ganze Welt leidet. Das versteht Herr Best nicht. Herr Best kann überhaupt nicht in seinen Kopf bekommen, daß es etwas Höheres gibt, was einen höheren Wert hat als das Leben, das ist, für Ehre, Gerechtigkeit und Wahrheit zu kämpfen. Herr Best versteht überhaupt nicht, daß das dänische Volk eine äußerst starke Front gegen alles was Deutsch ist, errichtet hat. Wir bauen auf unsere alte Feindschaft und die Behandlung der Dänen durch die Deutschen in alten Tagen. Eine jede deutsche Schandtat während dieses Krieges hat die dänische Abwehr verstärkt. Und zuletzt versteht Dr. Best überhaupt nicht, daß der einzigartige Kampf des britischen Volkes 1940/41 zur Folge hat, daß nur mit Großbritannien und in der Zusammenarbeit mit dem britischen Imperium es sich in Zukunft leben lassen wird. Und endlich, vielleicht das Wichtigste: Norwegen. Nach dem, was man hört, versteht der so hochbegabte und gebildete Deutsche überhaupt nicht, daß die Behandlung Norwegens durch die Deutschen mit der Verhaftung der Studenten kulminierte und uns zum Todfeind gemacht hat. Dr. Best kann drohen, soviel er will, und von den Mitteln, die in seiner Macht stehen, Gebrauch machen, aber die dänische Seele wird er nicht vernichten können. Das dänische Volk weiß nach der Rede Dr. Bests, daß wir auf dem richtigen Wege sind. Nicht der breite Weg der Bequemlichkeit und des Schlendrians, sondern die schwere und vielleicht schmale Spur der Wahrheit und der Gerechtigkeit führt uns zu unserem Ziel.

London 13.12.43.
"Svenska Dagbladet" teilt mit, daß Dr. Best im Begriff ist, eine private Polizeitruppe zu organisieren, die unabhängig von der Gestapo arbeiten soll.[21]

---

21 Denne pressemeddelelse kan bygge på løse rygter, men i København blev organiseringen af en tysk terrorgruppe planlagt ved denne tid.

London 13.12.43.
Terkel H. Terkelsen: Auf Hitlers persönlichen Befehl hat General Rommel die deutschen Befestigungsanlagen in Dänemark inspiziert, und es heißt jetzt, daß er, begleitet von General Keitel, nach Norwegen abgereist ist. Es wird behauptet, daß Rommel die Aufgabe übertragen bekommen hat, die deutschen Truppen, sobald die Invasion gegen das europäische Festland begonnen hat, zu befehligen. Von dänischer Seite werden die deutschen Vorbereitungen mit gleichgültiger Aufmerksamkeit verfolgt. Die Invasionsfurcht wird von deutscher Seite dazu benutzt, um an Dänemark neue Forderungen zu stellen, und sie wird als Entschuldigung für den verschärften Terror gebraucht. Man war überzeugt, daß keine deutsche Befestigungskette stark genug sei, um den Ausfall des Krieges zu ändern, aber mit dem Rücken gegen die Befestigungsmauer und mit Bajonetten gegen das unterdrückte Volk gewandt, steht den Deutschen noch eine Stunde zur Verfügung, wo sie ihren Terror ausführen können. Hanneken hat ausdrücklich erklärt, daß es seine Absicht ist, von Terror Gebrauch zu machen, um der Sabotage ein Ende zu bereiten. Und Dr. Best drückte sich ebenso aus.

London 14.12.43.
Die Zentralverwaltung in Kopenhagen hat den Behörden in Jütland ein streng vertrauliches Schreiben gesandt, jedoch ist die illegale Zeitung "De frie Danske" imstande, den Wortlaut zu bringen. Es heißt u.a.: Es sei notwendig geworden, die deutschen Truppen in Jütland für alle Eventualitäten bis auf weiteres in höchster Alarmbereitschaft zu halten. Die Zentralverwaltung macht darauf aufmerksam, daß die militärische Situation an die Behörden und die Bevölkerung Forderungen stellen kann, die bisher von den Deutschen nicht verlangt wurden. Es wird auf die Unterkunft- und Verpflegungspflicht hingewiesen und hervorgehoben, daß die Besatzungsmacht unter Hinweis auf die militärische Notwendigkeit mit größerer Kraft als sonst eine schnelle Durchführung der gestellten Forderungen beanspruchen wird.

Obwohl das dänische Volk im großen und ganzen davon überzeugt ist, daß die Beamten sich bemühen werden, dänischen Interessen zu dienen, macht die Zeitung "De frie Danske" doch auf einige Fälle aufmerksam, wo dänische Beamte ihre Grenzen überschritten haben. Es handelt sich um das Mitwirken der Ministerien bei der Beschlagnahme von Gebäuden für die Okkupationsmacht und bei dem Verkauf von Rahmenantennen. Warum wurde das Verbot gegen den Verkauf von Rahmenantennen von einer dänischen Behörde erlassen und nicht – wie üblich nach dem 29. August – von den Deutschen, fragt die Zeitung und erinnert daran, daß die Departementschefs ausschließlich die bestehenden Gesetze zu verwalten haben, und es besteht kein Gesetz, das den Dänen vorschreibt, welche Antennen zu benutzen sind.[22]

London 17.12.43.
"Nya Dagligt Allehanda" hat den Wortlaut eines Appells veröffentlicht, den die Aarhus-Abteilung des Dänischen Roten Kreuzes und die kommunalen Behörden in Aarhus an den General von Hanneken gerichtet haben, um die Begnadigung von 7 Bürgern

---

22 Der var 17. november udsendt bekendtgørelse nr. 483, hvorefter det var forbudt at fabrikere og forhandle rammeantenner til radiomodtagning (Alkil, 1, 1945-46, s. 116).

der Stadt, die am 15. Oktober von einem deutschen Kriegsgericht zum Tode verurteilt wurden, zu erreichen. Es heißt in dem Appell: Da wir Dänen keine Gelegenheit gehabt haben, der Rechtsverfolgung beizuwohnung und daher nichts über die Verbrechen dieser Männer sowie über die Urteilsbegründung des Kriegsgerichtes wissen, möchten wir nur auf die außerordentlich starke Wirkung hinweisen, die die Vollstreckung der Todesurteile auf die Haltung der Dänen ausüben wird.

London 18.12.43.
Das Göteborger Blatt "Göteborgs Handels- och Sjöfartstidningen" beschreibt, wie ein dänischer Saboteur nach Mißhandlungen von den Deutschen gestorben ist und wie der Angeber, der ihn verraten hatte, einige Tage später die verdiente Strafe erhielt. Der Saboteur, Betonarbeiter Aage Julius Nielsen, schreibt das schwedische Blatt, wurde von der Gestapo verhaftet und starb einen Monat später in der deutschen Abteilung des Vestre Fängsel. Die Gestapo hatte ihn Tag und Nacht systematisch gequält. Seine Ellenbogen- und Kniegelenke wurden gebrochen und, ohne etwas zu essen oder zu trinken zu bekommen, wurde er längere Zeit in einem Kühlraum untergebracht. Er gab jedoch nie nach.[23] Der Mechaniker Jens Ohlsen, der die Gestapo über Nielsens Tätigkeit unterrichtet hatte, wurde kurze Zeit später in Utterslev Moor tot aufgefunden.[24]

London 20.12.43.
Terkel M. Terkelsen: Der dänische Rundfunk veröffentlichte die Namen von 58 dänischen Bürgern die nach Deutschland deportiert worden sind. Unter den Gegnern, die sich Deutschland so geschaffen hat, befinden sich auch viele Frauen. Das Jüngste von den Verschleppten ist ein Junge von 18 Jahren. Fast zu derselben Zeit, wo diese dänischen Staatsangehörigen in deutsche Konzentrationslager überführt wurden, verließ eine kleine Gesellschaft Kopenhagen; 52 Judenkinder im Alter von 1-14 Jahren wurden vom Vestre Fängsel zum Güterbahnhof überführt, wo sie in Waggons zusammengepfercht wurden, um zu ihren Eltern im Konzentrationslager bei Theresienstadt geschickt zu werden. Diese unglücklichen Kinder waren unter Aufsicht einer deutschen Krankenschwester im Vestre Fängsel seit den schicksalsschweren Septembertagen, wo sie brutal von ihren Eltern gerissen wurden, eingesperrt. Augenzeugen haben erschütternde Berichte über den Transport dieser unglücklichen Kinder gegeben.[25] ... Hinrichtungen in Dänemark und die Überführung dänischer Staatsangehöriger in die Konzentrationslager in Deutschland sind die Mittel, von denen man Gebrauch machen muß, um Dänemark in die Knie zu zwingen. Die Deportierten werden als Kommunisten bezeichnet, die sich mit deutschfeindlicher Tätigkeit beschäftigt hätten, als ob deutschfeindliche Tätigkeit ein Monopol der Kommunistischen Partei wäre. Vor 2 bis 3 Monaten waren es die Juden, die die Verantwortung für den Widerstand gegen die Deutschen tragen sollten. Sie wurden deportiert. Gegen die Minderjährigen, die nun die Schrecken der Konzentrationslager mit ihren Eltern teilen müssen, hat man bisher noch keine Anklage

23 Se Bests telegram nr. 1324, 28. oktober 1943.
24 Jens Olsen blev likvideret af BOPA 6. oktober 1943 i Utterslev mose for sin stikkervirksomhed (Bests telegram nr. 1324, 28. oktober 1943, Kjeldbæk 2007, s. 179).
25 Denne deportationshistorie er frit opfundet.

gefunden. Sie wird aber bestimmt kommen. Weder Hanneken noch Best verheimlichen, daß ihre Absicht die Terrorisierung und die Unterdrückung Dänemarks ist. Hanneken spricht es bloß etwas brutaler aus als Best. Best braucht sich nicht so deutlich auszudrukken, weil er schon einmal seine Theorien veröffentlicht hat. Er hat behauptet, wie gut es sein kann, ein Volk auszurotten, vorausgesetzt, daß die Ausrottung gründlich ist. Dänemark ist nicht das einzige Land, wo die Deutschen mit Terror zu regieren versuchen. Der Tag, wo die Nazisten bitter bereuen werden, daß sie Terror als Waffe angewendet haben nähert sich.

London 21.12.43.
Gerüchten zufolge, die aus deutschen Quellen stammen und die gestern London erreichten, will man wissen, daß der berüchtigte deutsche Reichskommissar für Holland Seyss-Inquart in Kopenhagen angekommen ist.[26]

2.) Die schwedische Presse
Über *angebliche ernste Meuterei in der Kopenhagener Artillerie-Kaserne* berichte "Aftontidningen" am 6.12.43 sensationelle Nachrichten. Der Anlaß dieser Meutereien soll darin bestehen, daß Soldaten, als sie an die Ostfront geschickt werden sollten, den Gehorsam verweigerten. Zunächst sollen an einem Morgen um 4 Uhr fünf deutsche Offiziere von der Kaserne geflüchtet sein. Diese hätten sich, wie es heißt, am Bettlaken von einem Fenster herabgelassen und seien dann über die Außenmauer der Kaserne geklettert, ohne von den Wachtposten entdeckt zu werden. Weitere fünf Offiziere, die in der gleichen Weise die Flucht ergreifen wollten, seien jedoch gesehen, vom Wachtposten angehalten und zum Befehlshaber der Kaserne gebracht worden. Dieser habe sofort die Erschießung der Deserteure befohlen. Zehn Minuten später sei die Exekution auf dem Kasernenhof durchgeführt worden. Durch die Schüsse sei die ganze Belegschaft aus dem Schlafe geweckt worden. Als sie den Grund der Schießerei erfuhr, soll sich ihrer eine große Aufregung bemächtigt haben. Die Soldaten hätten auf dem Kasernenhof herumgetobt und erklärt, daß sie nicht an die Ostfront gehen würden. Einige hätten sogar auf die Wachtposten geschossen. In den angrenzenden Straßen habe man die heftige Schießerei deutlich gehört. Die Zahl der Toten und Verwundeten soll etwa 40 betragen. Am nächsten Tage seien die Soldaten an die Ostfront abtransportiert worden. Zu ihrer Ablösung seien österreichische Truppenkontingente aus Norwegen eingetroffen. Als diese erfuhren, daß auch sie zur Ostfront müßten, hätten sie gleichfalls gemeutert und neuerdings seien einige deutsche Soldaten dabei umgekommen.
"Aftontidningen" meldet am 6.12.43 weiter, daß die *Organisation Todt jetzt einen Landesleiter in Dänemark* erhalte, mit Namen Martinsen. Dieser habe zunächst angeordnet, daß neue Flugplätze bei Kolding, Vojens und Odense anzulegen sind. Anläßlich

---

26 Arthur Seyss-Inquart opholdt sig en uge i Danmark, mest i København, fra den 13. til den 20. december: Han blev ved ankomsten afhentet af bl.a. Best i Kastrup lufthavn, ligesom Best fulgte ham til den dansk-tyske grænse ved afrejsen. Under besøget holdt Seyss-Inquart 17. december foredrag på Hotel "d'Angleterre" om krigen og dens afslutning, ligesom Best var guide ved besøg på Carlsberg Glyptoteket, Nationalmuseet, Trelleborg og ved Ladbyskibet (Bests kalenderoptegnelser anf. dage, BArch, R 70 Dänemark 6, KTB/BdO 16. december 1943 (Best henlægger foredraget til den 17., BdO til den 16.).

dieser Neubauten sei die bekannte Zwangsausschreibung von dänischen Arbeitern erfolgt.

"Stockholms Tidningen" berichte in einem Privattelegramm vom 8. November, daß der deutsche Reichsbevollmächtigte Dr. Best in einem Kommentar zu den Hinrichtungen der 5 dänischen Patrioten in Aarhus offiziell angedeutet habe, daß noch mehr Köpfe in Dänemark rollen würden. Dr. Best hatte zur Klärung diesbezüglicher Fragen die Hauptschriftleiter der Kopenhagen Blätter und die Leiter der führenden Pressebüros zusammengerufen. Dabei habe er die obengenannten Ausführungen gedacht und angeblich der dänischen Bevölkerung versichert, daß in Dänemark Köpfe rollen werden, bis die Sabotage aufhöre. Weiterhin schreibt das Blatt, daß Dr. Best seine tiefste Unzufriedenheit über die Einstellung der dänischen Polizei zu den illegalen Betätigungen ausgedrückt habe.

Über ein lebhaftes russisches Interesse an der Sabotage in Dänemark berichte "Aftontidningen" am 9.12.43, wobei das Blatt im einzelnen ausführte: "Das Interesse der Sowjetunion für die Ereignisse in Dänemark ist geradezu auffällig. Sowohl alle führenden russischen Zeitungen wie der Moskauer Sender widmen dem Kampf der dänischen Patrioten gegen die Eindringlinge große Aufmerksamkeit; eine Aufmerksamkeit, welche als einzigartig besonders im Hinblick auf die gegenwärtige Kriegslage bezeichnet wird. Jede Sabotagehandlung in Dänemark und jeder Angriff gegen Deutsche wird in großer Aufmachung von der russischen Presse besprochen. Außerdem finde kaum eine russische Rundfunksendung statt, in welcher nicht die Verhältnisse in Dänemark zur Sprache kommen."

"Göteborgs Handels- und Schiffahrtszeitung" berichtete am 9.12.43, daß die dänischen Studierenden in Göteborg ein eigenes Kollegium im Slottsvikens-Pensionat in Pixbo erhielten. Bisher seien hier 15 junge Dänen untergebracht, die monatlich ein Stipendium von 225 Kronen erhielten. Weitere 10 Studierende sollen in der gleichen Weise unterstützt werden.

Wie *Reuter* am 15.12.43 aus Stockholm berichtet habe der Reichsbevollmächtigte in Dänemark *Dr. Werner Best eine neue "Sicherheitspolizei" gebildet*, die – einer Nachricht aus Kopenhagen zufolge – unabhängig von der Gestapo tätig sei. Weiterhin heißt es, daß die neue Organisation ihre Arbeit sofort aufgenommen habe, nachdem die Judenverfolgung begonnen hatte. Sie sollte über die dänische Reaktion auf die Verfolgung berichten und feststellen, inwieweit das Volk derartige Maßnahmen aushalten kann. Außerdem sollte sie herausfinden, ob es möglich wäre, die Reibungsgründe zwischen den dänischen und deutschen Behörden zu beheben. Außer der Gestapo und der neuen Organisation gebe es noch zwei weitere deutsche Polizeiorganisationen in Dänemark: eine besondere Gendarmerie, die mit der Aufrechterhaltung der allgemeinen Ordnung beschäftigt sei und eine Feldpolizei, die sich mit der Aufdeckung von Sabotagefällen befasse.

"Sydsvenska Dagbladet" von 15. Dezember wußte mancherlei über die Reise des Generalfeldmarschalls Rommel durch Dänemark zu berichten. Die Rundreise soll "pompös aufgezogen" gewesen sein. Ein Admiral und mehrere Generale hätten den Generalfeldmarschall begleitet. Ein Gerücht besage, daß auch General Keitel an der Inspektionsreise teilgenommen habe.²⁷ Im "Anti-Invasionsquartier" des Generals von Hanneken in Silkeborg habe im früheren Silkeborg Badehotel, welches jetzt von der Wehrmacht beschlagnahmt sei, ein großes Festessen stattgefunden. Im Zusammenhang mit dem Besuche Rommels sollen mehrere große Übungen an der Westküste stattgefunden haben. So seien auf der Insel Fanö Invasionsübungen durchgeführt worden. Man habe die Hafenbassins mit Landungsbooten besetzt und diese dann mit Marinesoldaten und Infanteristen zu den Übungen nach Fanö geschickt. Westlich der Insel seien gleichzeitig Einheiten der deutschen Flak eingesetzt gewesen. Trotz aller umfassenden Sicherheitsmaßnahmen habe man bei den Übungen auf Fanö keine besonderen Absperrungen für die Zivilbevölkerung vorgenommen. Dadurch habe diese auch den Feldmarschall mit seinem Gefolge, das in etwa 10 Automobilen angekommen sei, zu sehen bekommen. Nach den Übungen auf Fanö seien die Befestigungsanlagen an der Westküste und auf Skagen besichtigt worden.

93. Horst Wagner an Walther Hewel [...] Januar 1944

Wagner søgte Hewels råd i anledning af Bests handlemåde i forbindelse med udnævnelsen af en HSSPF i Danmark. Best ville ikke acceptere telegrammet fra Wagner af 20. december som udtryk for den nye situation i Danmark, men ville have fremsendt meddelelsen herom med statssekretærens underskrift. Over for Ribbentrop havde Best også 30. december påstået, at han endnu ikke officielt var blevet underrettet. Wagner mente, at Best havde optrådt meget ukammeratligt og ønskede Best tilrettevist uden at det kom uden for AA, men hvordan?

Brevet foreligger kun i udkast, og det er uvist, om det overhovedet er afsendt. Brevet er tydeligvis ikke blot et brev fra en ven til en anden. Det har i høj grad en tjenstlig dimension, og Wagner fremstiller sig fuldstændigt som den uskyldige, der blev dårligt behandlet af Best. Imidlertid er han næppe ganske uden skyld i Bests vrede, bortset fra at Best var dybt skuffet og frustreret over, at han fik en sidestillet HSSPF i Danmark. Der forelå allerede 7. november en aftale mellem AA og Kaltenbrunner om rollefordelingen mellem den rigsbefuldmægtigede og HSSPF. Den fordeling meddelte Wagner først Best 20. december, hvor i mellemtiden Hitlers ordre om rollefordelingen var fremkommet den 6. december. Aftalen og ordren var ikke i samklang med hinanden, og dog fremturede Wagner 20. december med sin version af rollefordelingen uagtet, at den var overhalet af førerordren. I brevet til Hewel henholder han sig til, at denne ordre ikke var tilgået AA direkte, men kun kendt i AA via Best, hvilket er udenomssnak og ikke ændrer, at førerordren var der. Det er på den baggrund ikke helt så uforståeligt, som Wagner ville gøre det, at Best optrådte ukammeratligt. AA havde ikke sikret Best det ønskede resultat i forhold til HSSPF og alligevel lod Wagner som om, at det var aftalen med Kaltenbrunner, der var gældende. Best vidste bedre. Det mente han også, at Wagner burde.

Se henvisningerne til den fortsatte korrespondance om spørgsmålet ved Wagners telegram 20. december 1943.

Kilde: RA, pk. 229.

Entwurf! Ko.

An Herrn Botschafter Hewel

In einer wenig erfreulichen Angelegenheit möchte ich Dich um einen Rat bitten:

---

27 Keitel deltog ikke i inspektionsrejsen.

Gesandter Best hat im Laufe der letzten Zeit in ständigem Kontakt mit uns wegen der Einsetzung eines Höheren SS- und Polizeiführers in Dänemark gestanden. Über die vom Führer am 6. Dezember erfolgte Einsetzung ist Best sodann von dem zum Höheren SS- und Polizeiführer ernannten SS-Gruppenführer Pancke verständigt worden, während das Auswärtige Amt nur durch Best und nicht auf direktem Wege von dem Führerbefehl unterrichtet wurde. Um Schwierigkeiten protokollarischer Art und hinsichtlich des Weisungsrechtes zu vermeiden, wurde die Frage des Verhältnisses des Bevollmächtigten des Reichs zum Höheren SS- und Polizeiführer zum Gegenstand einer Besprechung zwischen SS-Obergruppenführer Kaltenbrunner, Herrn St.S. und mir gemacht.[28] Das Ergebnis dieser Besprechung, aus dem sich die Abgrenzung der Zuständigkeiten ergibt, teilte ich am 20.12. drahtlich Ges. Best mit.[29] [Dieser rief mich kurz darauf an und sagte mir, daß er das Telegramm nochmals mit der Unterschrift des St.S. übersandt haben wolle, worauf ich mich verständlicherweise nicht einließ.][30] Am 30.12. hat Gesandter Best sodann dem Minister mitgeteilt, daß er noch immer ohne Weisung des Auswärtigen Amtes hinsichtlich seines Verhältnisses zum Höheren SS- und Polizeiführer sei. Ich wies Gesandten Best darauf hin, daß diese Meldung an den Reichsminister unzutreffend sei und verwies auf das Telegramm vom 20.12.

Die Antwort von Ges. Best füge ich in Abschrift bei.[31]

Wie U.St.S. Hencke in der Direktorenbesprechung sehr richtig bemerkte, zeigt dieses Telegramm, daß Gesandter Best offensichtlich keine Vorstellung hat von der Organisation des Auswärtigen Amtes, insbesondere davon, daß ein von mir unterzeichnetes Telegramm nicht eine private Mitteilung von mir, sondern eine Auftragshandlung im Rahmen des mir vom Minister gewährten Zeichnungsrechtes darstellt, also als eine Weisung des Ministers anzusehen ist. Über diese Frage wird Gesandter Best vermutlich seitens des St.S. oder des Herrn RAM die notwendige Belehrung erhalten.

Die Angelegenheit hat aber noch eine andere Seite. Man sollte erwarten, daß Best, der als SS-Führer in den Auswärtigen Dienst übernommen worden ist, besonderen Wert darauf legen würde, auf das kameradschaftlichste mit der vom Herrn RAM mit der Verbindung zur SS beauftragten Gruppe Inland II und ihrem Gruppenleiter als Verbindungsmann zum Reichsführer-SS zusammen-zu-arbeiten. Sein Verhalten in dieser Angelegenheit kann ich jedoch nur als eine geradezu unverständliche Unkameradschaftlichkeit der Gruppe Inl. II und mir gegenüber ansehen. Ich möchte Gesandten Best einerseits auf diesen Umstand gern hinweisen, um die Angelegenheit möglichst zu bereinigen und das notwendige Vertrauensverhältnis, dessen Notwendigkeit Best anscheinend noch nicht begriffen hat, möglichst doch noch herzustellen.

Du wirst jedoch verstehen, daß ich es ablehnen muß, Best meinerseits meinen Standpunkt klarzumachen, denn bei dem unbegreiflichen Verhalten von Best laufe ich sonst womöglich noch Gefahr, daß er sein Unrecht nicht einsieht und sich einbildet, daß ich meine Position für schwach halte und deshalb um gut Wetter bäte.

28 Se Wagners notits 7. november 1943.
29 Trykt ovenfor.
30 Denne sætning er siden strøget i udkastet.
31 Telegrammet vedligger ikke, men det er muligvis Bests telegram nr. 32, 7. januar 1944, som han fremsendte på Wagners foranledning.

Kannst Du mir einen Rat geben, in welcher Form man von dritter Seite, aber möglichst ohne daß es außerhalb des Auswärtigen Amtes bekannt wird, Best meinen Standpunkt stecken könnte?

Mit herzlichen Grüßen und Heil Hitler!
Dein
[uden underskrift]

94. Werner Best an Joachim von Ribbentrop 3. Januar 1944

Ved mødet med Hitler i Ulveskansen opnåede Best at få tildelt forordningsret, en ret han tidligere havde søgt at opnå under den militære undtagelsestilstand, men ikke var nået videre med pga. AAs passivitet. Straks efter tilbagekomsten til København fremsendte han et forslag til en førerforordning, så hans nye ret kunne blive bekendtgjort, og han ønskede at det skulle ske ved en "Führererlaß" og meddelte, at Hitler havde godkendt, at førerforordningen blev offentliggjort i *Reichsgesetzblatt*. Det skete også den 20. januar (trykt nedenfor), dog var der tilføjet et forbehold til Bests udkast: "... soweit dies zur Wahrung der Interessen des Reiches erforderlich ist..." Hvem der ønskede tilføjelsen med, er ikke afklaret (Thomsen 1971, s. 197f., Rosengreen 1982, s. 84f. Best omtaler i sine erindringer ikke den tildelte forordningsret som et resultat af mødet i Ulveskansen (Best 1988, s. 56-59, 129f.)).
Kilde: PA/AA R 29.568. RA, pk. 204. LAK, Best-sagen (afskrift).

Telegramm

Kopenhagen, den   3. Januar 1944   22.00 Uhr
Ankunft, den   3. Januar 1944   23.15 Uhr

Nr. 3 vom 3.1.44.

Für Reichsaußenminister persönlich.
Am 30.12.43[32] habe ich dem Herrn Reichsaußenminister berichtet, daß der Führer in der vergangenen Besprechung seiner Auffassung Ausdruck gegeben habe, daß der Reichsbevollmächtigte in Dänemark durch Verordnung Recht setzen kann, und daß er meinem Vorschlag, dies durch Führererlaß klarzustellen, zugestimmt habe. Ich schlage vor, dem Führer den folgenden Entwurf eines Führererlasses vorzulegen, dessen Wortlaut sich an die entsprechenden Erlasse für die Reichskommißare in Norwegen und in den Niederlanden anlehnt: "Der Reichsbevollmächtigte in Dänemark kann durch Verordnung Recht setzen, das von allen im besetzten Dänemark tätigen deutschen Organen anzuwenden ist." Falls gegen die Veröffentlichung dieses Führererlasses im Reichsgesetzblatt außenpolitische Bedenken bestehen, schlage ich die Zustellung des Erlasses an den Reichsaußenminister, Reichsführer-SS und Reichsinnenminister, das Oberkommando der Wehrmacht und den Reichsjustizminister vor.

Dr. Best

---

32 Der var sandsynligvis tale om en mundtlig orientering, men Best noterede ikke i sin kalender, at han mødte Ribbentrop senere 30. december.

95. OKM an das Auswärtige Amt 3. Januar 1944

OKM bad AA om, at Best fik til opgave at få danske skibsredere til frivilligt at lade Kriegsmarine chartre yderligere fire oplagte skibe.
  AA rykkede 14. januar gesandtskabet i København for et svar.
  Kilde: BArch, Freiburg, RM 7/1813. RA, Danica 628, sp. 7, nr. 5767.

Oberkommando der Kriegsmarine Berlin, den 3. Januar 1944.
B-Nr. 1. Skl. I i 53 745/43 Geheim

I.) Schreibe gef.St. 2/3.1.44
An das Auswärtige Amt
  – z.Hd. d. Herrn Geheimrat Bisse –
  Berlin.

Betr.: Erfassung brachliegender dänischer Tonnage.

Unter Bezugnahme auf den Schriftwechsel über die obige Angelegenheit wird gebeten, den Herrn Reichsbevollmächtigten Dr. Best zu beauftragen, auch noch die Reedereien der in Dänemark stilliegenden Schiffe "Esbjerg", "Jylland", "Parkeston" und "England" zur freiwilligen Vercharterung an die Dienststelle der Kriegsmarine in Kopenhagen zu veranlassen. Die genannten 4 Schiffe werden als Zielschiffe im Uboot-Ausbildungsdienst dringend benötigt. Sie erhalten nach Übernahme durch die Kriegsmarine deutsche Besatzung und fahren alsdann unter deutscher Flagge. Verwendungsort: Ostseebereich. Da die Schiffe nur zu Ausbildungszwecken benötigt werden, sind sie nicht besonders kriegsgefährdet. Nach Erklärung des zuständigen Befehlshabers für den Uboot-Ausbildungsdienst werden die Fahrzeuge alsbald benötigt, sodaß ihre Übernahme eilt.

II.) Ii C/Skl. i.A 1./Skl. i.A. Ii

96. Werner Best an das Auswärtige Amt 4. Januar 1944

Dagsindberetning. Her kunne Best bl.a. oplyse om tre attentater på "tyskfjendtlige" personer.
  Der er ikke tvivl om, at Best var informeret om, at der stod tysk politi bag organiseringen af terrorhandlingerne. I talrige af de følgende telegrammer er det åbenbart, at han forud var orienteret om gennemførelsen af konkrete, tysk organiserede modterroraktioner samme nat. Mildner og fra 7. januar Bovensiepen holdt ham ikke i uvidenhed. Best havde retten til at vælge terrormål fra, hvis han vurderede, at det kunne skade tyske interesser.
  Kilde: PA/AA R 29.568. RA, pk. 204. LAK, Best-sagen (afskrift).

Telegramm

Kopenhagen, den 4. Januar 1944 14.10 Uhr
Ankunft, den 4. Januar 1944 17.10 Uhr

Nr. 9 vom 4 1.[44.] Citissime!

Ich bitte, die folgende Meldung unverzüglich den Herrn Reichsaußenminister zuzuleiten:
  Über die Lage in Dänemark berichte ich für die Zeit vom 1. bis 3.1.44, daß am

1.1. keine besonderen Vorfälle, am 2.1. drei Sabotagefälle, die deutsche Interessen nicht berühren, und am 3.1.44 zwei, möglicherweise auf Sabotage beruhende Brände – Azetylenfabrik in Horsens und Holzschuppen in Aarhus – mit geringer Schadenfolge gemeldet worden sind.[33] Nachgeholt wird die Meldung, daß am 30.12.43 in Kopenhagen der konservative Reichstagsabgeordnete Ole Björn Kraft und der ebenfalls als deutschfeindlich bekannte Journalist Christian Damm von unbekannten Tätern durch Schüsse schwer verletzt worden sind.[34]

Dr. Best

97. Werner Best an das Auswärtige Amt 4. Januar 1944

Best videregav Mildners beretning om opbringningen af en svensk fiskerbåd, som der allerede 13. december var givet fyldige oplysninger om. Det havde givet tysk politi anledning til at opsøge talrige danske, der skulle modtage illegal post fra Sverige og man havde fået viden om organisationen bag båden (Dansk Svensk Flygtningetjeneste), samt identificeret en af dens ledere, Jørgen Pollack, mens en anden, Leif B. Hendil, ikke blev nævnt. Til gengæld dokumenterer indberetningen, at det tyske politi fortsat troede på de tre "svenske fiskeres" forklaring og ikke anede uråd.

Det var ikke en ren skipperkrønike om tungnemme Gestapofolk, der senere blev fortalt om i erindringslitteraturen. De tre besætningsmedlemmer var som nævnt under 13. december tre danske modstandsfolk (Dethlefsen 1993, s. 70f. med der anf. henvisninger).

Kilde: PA/AA R 29.568. RA, pk. 204, 228 og 438a.

Telegramm

Kopenhagen, den	4. Januar 1944	14.15 Uhr
Ankunft, den	4. Januar 1944	17.10 Uhr

Nr. 10 vom 4.1.44.

Auf den Drahterlaß Nr. 1729[35] vom 30.12.43 übermittle ich den folgenden ausführlichen Bericht des hiesigen Befehlshabers der Sicherheitspolizei:

"Am 11.12.43 gegen 19.45 Uhr wurde von dem deutschen Kontrollboot I.K. 05 der 8. Sicherungsflottille auf der Kontrollfahrt östlich von Stevens vor Bögesto[36] ein

---

33 Der var en bombeeksplosion udført af Holger Danske i Hede Nielsens Acetylengasfabrik i Konsul Jensens Gade i Horsens. Det var også i Horsens, og ikke i Århus, at der var bomber i et tømmerlager, hos Asmann & Sønner. Begge virksomheder arbejdede for den tyske værnemagt (RA, BdO Inf. nr. 1, 5. januar 1944, Alkil, 2, 1945-46, s. 1226, Rimestad, 2, 1998, s. 164-168, Birkelund 2008, s. 678).

34 Medlemmer af Petergruppen forsøgte clearingmord på journalisten Christian Damm, mens Arvid Waltenstrøm og Jan Sørensen, uden koordinering med Petergruppen, forsøgte at dræbe de to konservative politikere Ole Bjørn Kraft og Aksel Møller. Alle tre attentater mislykkedes (Lauritsen 1947, s. 1387, *Højesteretstidende* 1948, s. 1068, 1071f. (hvor de tiltalte udpeger Ib Birkedal Hansen som planlægger af mordene), Kraft 1971, s. 258f. (der alene omtaler sin attentatmand Jan Sørensen), Monrad Pedersen 2000, s. 114 (der ikke mener, at Schalburgfolk var involveret), Bøgh 2004, s. 21f., Øvig Knudsen 2004, s. 77 (der ikke mener, at Ib Birkedal Hansen var involveret, men at de to attentatmænd udpegede ham for at lette sig for skyld), tillæg 3 her).

35 Pol. VI 2756 gRs. Telegrammet er ikke lokaliseret.

36 Der menes sandsynligvis ud for Bøgeskov.

Fischerfahrzeug gesichtet, das Fahrt auf die dänische Küste hatte.[37] Das Fahrzeug zeigte die schwedische Flagge. Es wurde durch drei Stopschüsse zum Halten gebracht und von dem deutschen Sicherungsboot in den nächstgelegenen Hafen eingebracht. Bei Prüfung der Schiffspapiere zeigte sich, daß es sich um das schwedische Fischerboot "Moe 1000 Bore" 28.5 Brt. handelte. Die Besatzung bestand aus drei Personen: Fischer Olof Haakansson, geboren 4.4.24 in Aahus (Schweden), wohnhaft dortselbst, Richard Stahl, geboren 23.6.19 in Aahus (Schweden), wohnhaft dortselbst, Niels Svensson, geboren 6.5.08 in Simrishamn (Schweden), wohnhaft dortselbst.

An Bord des Fischerboots wurden gefunden:
9 Handgranaten dänischer Herkunft und 1 Tasche mit 300 Briefen und Postzustellungen für dänische Adressen.

Die Fischer gaben an, infolge eines Maschinenschadens auf die dänische Küste zugetrieben worden zu sein. Die Angaben erscheinen nach Aussagen des Führers des Sicherungsbootes als nicht unwahrscheinlich. Die weiteren Ermittlungen ergaben, daß es sich bei den Briefen um eine illegale Postsendung von Schweden nach Dänemark handelte, die von einer Organisation vermittelt wurde, die von dem im September 1943 nach Schweden geflohenen Halbjuden Jörgen Pollack, geboren 21.11.09, früher in Kopenhagen, Vesterbrogade 176 wohnhaft, aufgezogen worden war. Die Organisation befaßte sich im wesentlichen damit, Post von nach Schweden emigrierten Personen dänischer Abstammung nach Dänemark zu überführen. An Hand der Kurierpost wurde die Organisation, soweit sie ihren Zweig in Dänemark hatte, aufgeholt und zerschlagen. Anhaltspunkte dafür, daß in irgendeiner Form schwedische Kreise hinter dieser Briefschmuggelorganisation stehen, liegen nicht vor. Der Inhalt der Briefe und die Ermittlungen in Kopenhagen haben den eindeutigen Beweis erbracht, daß die Aufgaben der Organisation lediglich die Beförderung privater Post zwischen den Emigranten und ihren Freunden und Verwandten in Dänemark darstelle. Im wesentlichen handelt es sich um Juden und jüdisch versippte Personen.

Die Vernehmungen und die weiteren Ermittlungen haben keinen Beweis dafür erbracht, daß die Einlassung der Fischer falsch ist, welche dahingeht, daß sie von einem unbekannten Mann das Paket mit den Briefen bekommen und dafür 200 Schwedenkronen-erhalten hätten. Sie hätten die Weisung bekommen, das Briefpaket dänischen Fischern, die sie beim Fischfang träfen, zu übergeben, nachdem sie überprüft hätten, daß diese dänischen Fischer deutschfeindlich sind.

Diese Angaben sind nicht zu widerlegen gewesen und entsprechen auch, soweit sie von hier überprüft werden können, den Tatsachen, da die dänischen und schwedischen Fischer sich tatsächlich auf gemeinsamen Fischgründen treffen. Der Besitz der dänischen Handgranaten wurde von den Fischern damit begründet, daß sie diese von dänischen Fischern, welche nach Schweden geflohen waren, erhalten hätten, die sich vor der Kontrolle durch die schwedische Polizei ihrer entledigen wollten.

Da es bisher noch nicht gelungen war, nachrichtendienstlich an die Menschen- und Briefschmuggel-Organisation heranzukommen, wurde von der deutschen Sicherheitspolizei der Versuch gemacht, die schwedischen Fischer, die bei ihrer Vernehmung einen

---

37 Se Bests telegram nr. 1534, 13. december 1943.

menschlich ausgezeichneten Eindruck gemacht hatten, durch eine bevorzugte und anständige Behandlung als V-Leute zu gewinnen. Nachdem dies gelungen war, wurden die schwedischen Fischer am 16.12. wieder auf freien Fuß gesetzt damit sie nicht durch einen zu langen Aufenthalt in Dänemark bei der schwedischen Polizei verdächtig wurden. Ein gelegentliches Anlaufen und Verbleiben von schwedischen Fischern in den dänischen Häfen, bedingt durch schlechte Wetterlage, ist nicht unüblich, der Aufenthalt durfte jedoch nicht zu lange ausgedehnt werden."
Schluß des Berichtes des Befehlshabers der Sicherheitspolizei.

Dr. Best

98. Werner Best an das Auswärtige Amt 4. Januar 1944
Dagsindberetning.
Kilde: PA/AA R 29.568. RA, pk. 204.

Telegramm

| Kopenhagen, den | 4. Januar 1944 | 21.10 Uhr |
| Ankunft, den | 4. Januar 1944 | 22.45 Uhr |

Nr. 13 vom 4.1.[44.]   Citissime!

Ich bitte, die folgende Meldung unverzüglich dem Herrn Reichsaußenminister zuzuleiten:
Über die Lage in Dänemark berichte ich für den 3. auf 4.1.44, daß in Kopenhagen 3 Brandstiftungen stattgefunden haben, und zwar in einer unbewachten Näherei, in einer Sägemühle und am Kraftwagen des rumänischen Gesandten in seiner eigenen Garage.[38] Im letzten Falle ist Motiv und Zweck der Tat völlig unklar, Untersuchung läuft.

Dr. Best

99. Heinrich Himmler an Joachim von Ribbentrop 4. Januar 1944
Brevet er ikke bevaret i sin helhed, men et uddrag er gengivet i et brev fra Wagner til Best 21. februar 1944.

100. Eberhard von Thadden an Andor Hencke 4. Januar 1944
Von Thadden havde fået svar på sit brev til Eichmann 16. december og kunne meddele Hencke, at RSHA var gået med til, at fem jøder kategoriseret som mischlinge kunne sendes tilbage til Danmark fra Theresienstadt. Derimod kunne der ikke blive tale om at levere en liste over de deporterede jøder, og svar på anmodningen om tilladelse til fremsendelse af pakker til de deporterede jøder forelå stadig ikke (Yahil 1967, s. 259f. m note 50 side 448, Kirchhoff 1997, s. 345, Weitkamp 2008, s. 190f.).
Kilde: PA/AA R 99.414. RA, Pk. 220.

---

38 Der var sabotage mod Lau Lauritzens sadelmagerværksted, Bevtoftegade 8, en sabotagebrand i Jeppesens savskæreri, Gladsaxevej 34, Søborg, begge udført af BOPA og yderligere et par brande, foruden branden i den rumænske gesandts bil (Alkil, 2, 1945-46, s. 1226, Kjeldbæk 1997, s. 471).

Durchdruck als Konzept
Ref. v. Thadden.

Das Reichssicherheitshauptamt teilt mit, daß von den nach Theresienstadt überführten Juden nach den bisherigen Feststellungen tatsächlich 5 als Mischlinge anzusehen seien, und zwar die Geschwister Schulz, die Halbjuden Baumann, Groten und Jensen. Die Rücküberführung dieser 5 Juden nach Dänemark werde innerhalb der nächsten Woche erfolgen. Die Prüfung in den übrigen von den Dänen abhängig gemachten Fällen konnte wegen der Vernichtung eines großen Teiles der Akten noch nicht abgeschlossen werden.

Die Aushändigung einer Liste der von Dänemark abtransportierten Juden lehnt das Reichssicherheitshauptamt auf das entschiedenste ab. Es könnte den Dänen gegenüber unter Umständen gesagt werden – was im übrigen leider auch zutreffend ist – daß der größte Teil der Akten, darunter auch die Listen, durch feindliche Fliegerangriffe vernichtet sei und zur Zeit aus Mangel an Arbeitskräften nicht die Möglichkeit bestehe, Listen sofort wieder zu rekonstruieren.

Wegen der Zustellung von Paketen an die abtransportierten Juden steht die Entscheidung des Reichssicherheitshauptamtes trotz wiederholter Erinnerung noch immer aus.

Hiermit über Herrn Gesandten v. Grundherr Herrn Unterstaatssekretär Henke vorgelegt.

Berlin, den 4.1.1944

gez. v. Thadden

101. Werner Best an das Auswärtige Amt 5. Januar 1944
Dagsindberetning.
Kilde: PA/AA R 29.568. RA, pk. 204. LAK, Best-sagen (afskrift).

Telegramm

Kopenhagen, den	5. Januar 1944	23.35 Uhr
Ankunft, den	6. Januar 1944	01.40 Uhr

Nr. 18 vom 5.1.[44.]   Citissime!

Ich bitte, die folgende Meldung unverzüglich dem Herrn Reichsaußenminister zuzuleiten.

Über die Lage in Dänemark berichte ich für den 4. auf 5. Januar 1944 folgendes:
1.) In Kopenhagen haben zwei kleine "Sabotagefälle" stattgefunden, die darin bestehen, daß in dem unbewohnten Hause des Hauptschriftleiters Bangsted (von der nationalsozialistischen Tageszeitung "Fädrelandet") ein Brand mit geringem Sachschaden verursacht wurde[39] und daß an einer Offizierswohnung die Fensterscheiben eingeschlagen wurden.[40]

---

39 Helge Bangsteds villa, Borgervej 26, i Lyngby var flere gange udsat for sabotageforsøg, første gang i begyndelsen af december 1943 (RA, BdO Inf. nr. 1, 5. januar 1944, KB, Bergstrøms dagbog 4. januar 1944, Alkil, 2, 1945-46, s. 1227, Lauridsen 2002a, s. 477).
40 Det var hos general ved Luftwaffe Ritter von Schleich, Blidahpark 29, København (RA, BdO Inf. nr. 1,

2.) In Slagelse (Seeland) wurde ein als nationalsozialistisch bekannter Fischhändler von einem unbekannten Täter erschossen.[41]

3.) In Jütland wurde der geistige Führer der deutschfeindlichen Widerstandsbewegung in Dänemark Pastor Kaj Munk von unbekannten Tätern erschossen.[42]

4.) Die Attentate auf die deutschfeindlichen Exponenten Ole Björn Kraft, Christian Damm und Kaj Munk haben bereits heute dazu gerührt, daß die dänischen Mehrheitsparteien den folgenden Aufruf an die dänische Bevölkerung verfaßt haben, der heute im dänischen Staatsrundfunk und morgen in der dänischen Presse veröffentlicht wird:[43]

"Die unterzeichneten Vertreter der Sozialdemokratie, der konservativen Volkspartei, der Venstre, der radikalen Venstre und des dänischen Rechtsverbandes erklären unter Verurteilung der Attentat- und Sabotagehandlungen, die sich entwickelt haben und durch die man auf Grund gegensätzlicher Einstellung und Anschauungen einander nach dem Leben trachtet: Wir verwerfen Gewaltmethoden im politischen Kampf und wir sind davon überzeugt, daß die ganz überwiegende Mehrheit des dänischen Volkes sich mit Abscheu gegen solche Kampfmethoden wendet. Wir fühlen uns daher berechtigt, unsere Empörung und Trauer über die erfolgten Attentate und Überfälle Ausdruck zu geben und eindringlich auf die Notwendigkeit hinzuweisen, daß diese Entwicklung aufhören muß. Dänische Bürger müssen sich auch unter den jetzigen Verhältnissen verpflichtet fühlen, nicht zur Eigenmächtigkeit zu greifen. Rückfälle in die Rachemethoden der Vergangenheit müssen verworfen werden. Das dänische Volk soll jetzt und in Zukunft allein auf der Grundlage des Gesetzes und des Rechtes bauen."

Dr. Best

102. Werner Best an das Auswärtige Amt 5. Januar 1944

Under mødet i Ulveskansen 30. december havde Hitler som ovenfor nævnt krævet skærpede soneforanstaltninger eller modterror for angreb på tyske interesser og tyske soldater. Det foranledigede efterfølgende von Grundherr til at bede Best om en oversigt over antallet af attentater på personer tilknyttet værnemagten og tyskvenlige danskere. Det leverede Best med samt en oversigt over attentater på tyskfjendtlige personer og eksempler på sabotageaktioner, hvor tyske interesser var særligt involveret eller slet ikke involveret. I sine dagsindberetninger havde Best i forvejen givet den slags oplysninger, bortset fra oplysningerne om attentaterne på tyskvenlige danskere.

Listen er interessant, både med hensyn til hvilke aktioner, der er medtaget samt hvilke, der er udeladt. Den giver også et fingerpeg om, hvilke aktioner de tyske myndigheder ville vedkende sig, hvilke dræbte danskere de betragtede som tyskvenlige, samt hvilke sabotager der blev betragtet som særligt betydende og hvilke de slet ikke mente havde skadet tyske interesser. Når der bortses fra sprængningen af Langåbroerne, der er fejldateret, havde de tyske instanser (Rüstungsstab Dänemark, BdO og BdS) overblik over aktioner-

---

5. januar 1944).

41 Fiskehandler Jens Christian Petersen, Slagelse, der var medlem af DNSAP, blev likvideret af modstandsbevægelsen (RA, BdO Inf. nr. 2, 7. januar 1944 (uden opgivelse af gerningsmænd), Bjørnvad 1988, s. 275).

42 Præsten Kaj Munk blev clearingmyrdet af senere medlemmer af Petergruppen under ledelse af tyskeren Otto Schwerdt (RA, BdO Inf. nr. 2, 5. januar 1944 (uden opgivelse af gerningsmænd), tillæg 3 her).

43 Trykt på dansk hos Alkil, 2, 1945-46, s. 1542.

ne. Det er værd at bemærke, at det i sig selv ikke særligt betydningsfulde mord på Clemmensen, der siden er blevet meget omtalt, da en af morderne, Søren Kam, fandt beskyttelse mod retsforfølgelse i Tyskland, her klart kategoriseres som et attentat, hvor besættelsesmagten stod bag.

Der blev i den opgivne periode forøvet flere likvideringer af "tyskvenlige" danskere, end der optræder på listen. Hvordan tysk politi definerede en "tyskvenlig" dansker, kan eksemplet familien Nielsen i Odense i november 1943 illustrere. Ostehandler Thor Nielsen blev søgt likvideret i sin butik i Nørregade 3. november, idet han blev anset for farlig for modstandsbevægelsens arbejde, dvs. han havde tæt kontakt til tysk politi.[44] Trods det, og at han blev hårdt såret, er han ikke medtaget på listen. Det er til gengæld hans søn Holger Thor Nielsen, der blev likvideret 20. november. Her er det ikke det vellykkede attentat alene, der bragte Holger Thor Nielsen med på listen, men det, at han havde et formelt forhold til tysk politi i sin egenskab af tolk. Det havde f.eks. Jens Olsen, som BOPA likviderede 6. september 1943, ikke, hvor "tyskvenlig" Olsen så end måtte have været.[45]

Til gengæld må det betegnes som stærkt misvisende, at de tre danskere, der blev dræbt ved SOE-sabotagen mod storebæltsfærgen "Sjælland" 3. november skulle være specielt tyskvenlige. De var tilfældige ofre. Da det i øvrigt ikke forekommer som om listen med politisk hensigt har skullet pustes op i omfang, er det sandsynligvis en simpel fejl.

Fem sabotager blev udpeget som tyske interesser uvedkommende. De to første af disse blev begået af BOPA, de tre sidste af Holger Danske. Der var i tre tilfælde tale om nogle af efterårets helt store og kostbare sabotager, mere kostbare end Rüstungsstab Dänemark og tysk politi åbenbart var klar over. Til gengæld havde Rüstungsstab Dänemark en førstehåndsviden om, hvem der leverede til og arbejdede for den tyske krigsindustri, en viden der blev delt med det tyske politi, værnemagten og Best.[46] Om sabotagegrupperne var lige så velorienterede får stå hen, men i hvert tilfælde aktionen mod Siemens-fabrikken kan være begrundet alene i det forhold, at den var tyskejet. Dertil skal det bemærkes, at Rüstungsstab Dänemark definerede "tyske interesser" i den snævre forstand, at der skulle være tale om leverancer til tysk rustningsproduktion eller reparationer for den tyske hær, flåde eller luftvåben. Det vil sige, at sabotage mod danske virksomheder, der leverede til eller arbejdede for civile tyske firmaer, ikke blev regnet for sabotage mod tyske interesser.

Kilde: PA/AA R 29.568. RA, pk. 204.

Telegramm

Kopenhagen, den   5. Januar 1944   23.45 Uhr
Ankunft, den   6. Januar 1944   07.00 Uhr

Nr. 20 vom 5.1.[44.]

Auf den von dem Gesandten Dr. von Grundherr am 31.12.43 mündlich ausgesprochenen Wunsch teile ich die folgende Übersicht der im zweiten Halbjahr 1943 in Dänemark auf das Leben deutscher Wehrmachtsangehöriger und deutschfreundlicher Dänen verübten Attentate mit:

   7.9.43 in Kopenhagen deutscher Polizeiwachtmeister erschossen.
 18.9.43 in Kopenhagen deutscher Soldat verletzt.[47]
 19.9.43 in Odense deutscher Unteroffizier erschossen.[48]

---

44 Hansen 1945b, s. 137, Hæstrup 1979, s. 311, Skov 2005, s. 7.
45 Kjeldbæk 1997, s. 180f.
46 Se Forstmanns skrivelser 14. og 18. januar 1944.
47 Se telegram nr. 2097, 20. oktober 1943.
48 Se telegram nr. 2097, 20. oktober 1943.

29.9.43 in Kopenhagen deutscher Soldat und dänischer Freiwilliger verletzt.
6.10.43 in Kopenhagen deutscher Soldat verletzt.[49]
8.10.43 in Aarhus deutscher Pionier-Unteroffizier durch Explosion (Sabotage an Brücke) getötet.[50]
14.10.43 in Kopenhagen drei dänische Besucher des Restaurants "Tosca" durch Explosion verletzt.[51]
25.10.43 in Kopenhagen zwei Männer des Schalburg-Korps erschossen.[52]
27.10.43 in Kopenhagen drei deutsche Soldaten im Kaffee "Mokka" durch Explosion getötet.[53]
3.11.43 auf der Fähre "Själland" drei Dänen durch Explosion getötet (eine weitere Dänin später verstorben).[54]
7.11.43 in Odense deutscher Posten verletzt.[55]
10.11.43 in Kopenhagen deutscher Soldat verletzt.
14.11.43 in Kopenhagen vier Marinesoldaten durch Explosion (Sabotage an Marinefahrzeug) getötet.[56]
17.11.43 in Kopenhagen Wehrmachtsbeamten verletzt.
18.11.43 in Kopenhagen Funkobermaat verletzt.
20.11.43 in Odense dänischer Freiwilliger (Dolmetscher der deutschen Polizei) erschossen.[57]
25.11.43 in Aalborg deutscher Oberstleutnant verletzt.[58]
26.11.43 in Ribe deutscher Posten verletzt.
3.12.43 in Kopenhagen bei Sabotage an Maschinenfabrik ein Däne getötet.[59]
4.12.43 in Kopenhagen deutscher Hauptfeldwebel erschossen.[60]
20.12.43 in Kopenhagen dänischer Kapitänleutnant und dänischer Journalist (beide als National-Sozialisten betrachtet) erschossen.[61]
26.12.43 in Kopenhagen deutscher Leutnant von Saboteuren, die er gestellt hatte, erschossen.[62]
27.12.43 in Rönne (Bornholm) deutscher Marinesoldat verletzt.[63]

49 Se telegram nr. 1219, 7. oktober 1943. BdO angav, at det drejede sig om en soldat, der blev skubbet ud af et S-tog (RA, BdO Inf. nr. 1, 6. oktober 1943).
50 Jfr. RA, BdO Inf. nr. 3, 10. oktober 1943.
51 Se telegram nr. 1261, 15. oktober 1943.
52 Se telegram nr. 1312, 26. oktober 1943.
53 Se telegram nr. 1324, 28. oktober 1943.
54 Se telegram nr. 1363, 4. november 1943.
55 Se telegram nr. 1384, 8. november 1943.
56 Se telegram nr. 1412, 15. november 1943.
57 Holger Thor Nielsen var bl.a. tolk hos det tyske sikkerhedspoliti og blev dræbt ud for Det ny Missionshotel. Likvideringen førte til indførelse af spærretid i Odense i 27 døgn (Hansen 1945b, s. 137, Hæstrup 1979, s. 311, Skov 2005, s. 7).
58 Oberstleutnant von der Schulenburg blev slået ned bagfra i Hasserisgade (RA, BdO Inf. nr. 25, 30. november 1943).
59 Se telegram nr. 1496, 4. december 1943.
60 Se telegram nr. 1497, 6. december 1943.
61 Se telegram nr. 1565, 21. december 1943.
62 Se telegram nr. 1599, 27. december 1943.
63 Se Admiral Dänemark: Lagebetrachtung 31. december 1943.

Von Attentaten gegen ausgesprochen deutschfeindliche Personen in Dänemark sind die folgenden bekannt geworden:

30.8.43   in Kopenhagen der Journalist Clemmensen erschossen.[63]
30.12.43 in Kopenhagen der konservative Reichstagsabgeordnete Ole Björn Kraft und der Journalist Christian Damm verletzt.[64]
4.1.44   Kai Munk erschossen.[65]

Falls die Bedeutung und der Umfang der in Dänemark verübten Sabotageakte belegt werden soll, so können die folgenden Fälle, durch die die deutsche Wehrmacht besonders berührt wurde, erwähnt werden:

26.9.43   Bahnsprengungen an 23 Stellen in Jütland.[66]
14.10.43 Sprengung der Wehrmachtskommandantur in Aalborg.[67]
3.11.43   Sprengung der Eisenbahnbrücke bei Langaa.[68]
28.11.43 Bahnsprengungen an 19 Stellen in Südjütland.[69]

Schließlich können als Beispiel dafür, daß viele Sabotageakte rein dänische Interessen treffen, die folgenden Fälle angeführt werden:

29.9.43   in Kopenhagen Sprengung einer Schuhfabrik, die einem dänischen Arbeiterverband gehört.[70]
8.10.43   in Kopenhagen Sprengung der Siemens-Fabrik, die ausschließlich Röntgenapparate für dänische Zwecke herstellte (Schaden 400.000 Kr.).[71]
9.11.43   in Kopenhagen Sprengung der American-Radio-Fabrik, die nur für dänische Zwecke arbeitete (Schaden 1 ½ Mill. Kr.).[72]
10.11.43 in Kopenhagen Sprengung eines Kühlhauses.[73]
20.11.43 in Kopenhagen Brandstiftung im Schuhhaus Hektor (für 100.000 Kr. Schuhe vernichtet).[74]

Dr. Best

64 Se telegram nr. 1000, 31. august 1943.
65 Se telegram nr. 9 og 18, 4. og 5. januar 1944.
66 Se telegram nr. 18., 5. januar 1944.
67 Se telegram nr. 1134, 27. september 1943.
68 Se telegram nr. 1256, 14. oktober 1943.
69 Langåbroerne blev sprængt 17. november 1943, se telegram nr. 1428, 18. november 1943.
70 Se telegram nr. 1486, 30. november 1943.
71 Se telegram nr. 1166, 30. september 1943. Skaden androg 805.000 kr.
72 Se telegram nr. 1233, 9. oktober 1943. Skaden var betydeligt større end her opgivet, nemlig 1.174.000 kr.
73 Se telegram nr. 1389, 10. november 1943.
74 Se telegram nr. 1392, 11. november 1943.
75 Holger Danske saboterede "Hector"s lager, Larsbjørnsstræde 10 (RA, BdO Inf. nr. 23, 24. november 1943 (skadeopgivelse: 100.000 kr.), Kieler, 2, 1993, s. 150, Birkelund 2008, s. 675).

103. Werner Best an das Auswärtige Amt 5. Januar 1944
Luftwaffe ønskede at anlægge store flyvepladser i Danmark, hvilket bl.a. ville have som konsekvens, at den berørte lokalbefolkning skulle evakueres. Best protesterede mod anlæggene de ønskede steder pga. konsekvenserne og havde fået af Hannekens støtte. Afgørelsen var nu henlagt til Göring, og Best anmodede om, at der ikke blev truffet yderligere foranstaltninger, før dennes afgørelse forelå.
Svaret er ikke lokaliseret. Se Walter Hubatsch: Entwicklung der Lage in Dänemark 1. april 1944.
Kilde: PA/AA R 29.568. RA, pk. 204. LAK, Best-sagen (afskrift).

Telegramm

Kopenhagen, den	5. Januar 1944	23.50 Uhr
Ankunft, den	6. Januar 1944	07.00 Uhr

Nr. 21 vom 5.1.[44.]

Unter Bezugnahme auf meinen Schriftbericht betreffend Bau weiterer Flugplätze in Dänemark vom 9.12.43 (II M)[76] berichte ich folgendes:

Der Wehrmachtsbefehlshaber Dänemark hat sich den von mir dargelegten Bedenken – insbesondere hinsichtlich der Evakuierung von Ortschaften, welche nicht in einem ausschließlich für den Flugbetrieb benötigten Gelände liegen – angeschlossen. Er hat – wie er mir mitteilt – veranlaßt, daß die Angelegenheit dem Herrn Reichsmarschall zur persönlichen Entscheidung vorgelegt wird. Obwohl diese Entscheidung noch nicht getroffen ist, hat der Luftgau XI in Hamburg, ohne daß der Wehrmachtsbefehlshaber Dänemark und der General der Luftwaffe in Dänemark[77] über die Einzelheiten unterrichtet sind, die Durchführung der geplanten Maßnahmen befohlen. Die Arbeiten sind bereits in Angriff genommen, obwohl eine rechtliche Grundlage für die Inanspruchnahme des für die Anlagen erforderlichen Geländes – vor allem die Beschlagnahmeanordnung des Intendanten beim Wehrmachtsbefehlshaber Dänemark – noch gar nicht vorhanden ist.

Ich bitte, beim Oberkommando der Wehrmacht gegen dieses Verfahren des Luftgaus XI in Hamburg schärfsten Einspruch einzulegen. Nachdem in langen Auseinandersetzungen mit dem Wehrmachtsbefehlshaber Dänemark und mit dem OKW klargestellt ist, daß die Forderungen der deutschen Wehrmacht gegenüber dem Lande Dänemark ausschließlich durch den Reichsbevollmächtigten vertreten werden, kann nicht geduldet werden, daß eine außerhalb Dänemarks domizilierte Dienststelle eines Wehrmachtteiles auf eigene Faust in Dänemark Gelände in Anspruch nimmt, Evakuierungen fordert und sonstige Maßnahmen trifft, die die Verhältnisse im Lande auf das stärkste beeinflussen. Ich muß fordern, daß der Luftgau XI in Hamburg sich auf seinem Dienstwege an den Wehrmachtbefehlshaber Dänemark wendet, damit die für die Luftwaffe zu erfüllenden Forderungen alsdann von mir in dem mit dem Wehrmachtsbefehlshaber Dänemark vereinbarten und durchaus bewährten Verfahren durchgesetzt werden. Der Wehrmachtsbefehlshaber Dänemark teilt diese meine Auffassung voll und ganz.

---

76 Telegrammet er ikke lokaliseret.
77 General for Luftwaffe i Danmark var ved denne tid Andreas Nielsen, den første med selvstændig myndighed. Hidtil var kommandoerne udgået fra Tyskland.

Tatsächlich haben die von dem Luftgau XI in Hamburg auf dänischem Boden getroffenen Maßnahmen bereits zu einer starken Beunruhigung der betroffenen landwirtschaftlichen Bevölkerung geführt. Diese Beunruhigung wird sich bis zu einem politisch und wirtschaftlich bedenklichen Grade steigern, wenn bekannt wird, daß der Luftgau XI die Absicht hat, die landwirtschaftlichen Betriebe in den zu evakuierenden Ortschaften nach Entfernung ihrer Besitzer deutschen Platzlandwirten zur weiteren Bewirtschaftung zu übertragen. Gegen diesen Plan muß ich, soweit es sich nicht nur am Grundstücke innerhalb der eigentlichen Flugplatzanlagen handelt, nachdrücklich Einspruch erheben, weil hierdurch der landwirtschaftlichen Produktion Dänemark für das [ulæseligt ord] ein doppelter Schaden zugefügt würde: Die Produkte der von der Luftwaffe bewirtschafteten Gemarkungen gingen für die Lieferungen nach dem Reich verloren und die Produktionsfreudigkeit aller dänischen Bauern würde durch diese Art der Verdrängung durch deutsche Platzlandwirte katastrophal beeinträchtigt werden.

Ich bitte deshalb, vom OKW zu fordern, daß

1.) der Luftgau XI in Hamburg keine Maßnahmen mehr trifft, die der Entscheidung des Herrn Reichsmarschall vorgreifen.

2.) Nach Vorliegen der Entscheidung des Herrn Reichsmarschalls der Luftgau XI wegen aller Maßnahmen, die die dänische Bevölkerung treffen – insbesondere wegen der Evakuierungen – mit mir Fühlung nimmt und die Durchsetzung dieser Maßnahmen bei den dänischen Behörden gemäß den Vereinbarungen zwischen dem Wehrmachtsbefehlshaber Dänemark und mir – mir überläßt.

3.) Der Luftgau XI wegen aller Pläne, die in die Landwirtschaft eingreifen – insbesondere wegen der Weiterbewirtschaftung der übernommenen Ländereien – sich rechtzeitig mit mir in Verbindung setzt und sich nach den von mir geltend gemachten wirtschaftlichen und politischen Gesichtspunkten richtet.

Dr. Best

104. Partei-Kanzlei der NSDAP an das Reichsministerium für Volksaufklärung und Propaganda 5. Januar 1944

Partei-Kanzlei der NSDAP videregav til RMVP indholdet af en indberetning fra Gauleiter Heinrich Lohse fra Schleswig-Holstein, hvorefter den engelske radios hetz var skyld i sabotagen i Danmark. Det blev deri foreslået, at radioapparaterne blev inddraget. Kancelliet ville have RMVPs stilling dertil.

Svaret er ikke lokaliseret, men der foreligger en notits i sagen fra RMVP samme dag, trykt herefter.

Kilde: BArch, NS 18/335.

Nationalsozialistische Deutsche Arbeiterpartei   *München 33, den 5. Januar 1944*
Partei-Kanzlei   *Führerbau II B 1 – Schü/Kah.*

An das Reichsministerium für Volksaufklärung und Propaganda
Berlin – W 8
Wilhelmplatz 8/9

Betrifft: Englischer Hetzfunk in Dänemark

Die Gauleitung Schleswig-Holstein berichtet uns folgendes:
"Die außerordentlich milde und nachsichtige Behandlung des dänischen Volkes findet kein Verständnis. Die Sabotageakte nehmen immer mehr zu und spielen sich bereits in allernächster Nähe der deutschen Grenze ab. Einzelne Fälle lassen es ganz offensichtlich erkennen, daß dänische Sicherheitsorgane mit den Saboteuren gemeinsame Sache machen. Auch glaubt man nicht mehr an abgesprungene englische Agenten, sondern weiß, daß es sich hier nur um verhetzte Dänen handelt. Da die Verhetzung durch den englischen Rundfunk erfolgt, ist es unverständlich, daß man den Dänen noch nicht alle Rundfunkgeräte entzogen hat zum Nutzen deutscher Bombengeschädigter, weil man es ja auch in den Niederlanden gemacht hat."
Ich bitte um Stellungnahme.
Heil Hitler
i.A.
Schmitt

105. Das Reichsministerium für Volksaufklärung und Propaganda: Englischer Hetzfunk in Dänemark 5. Januar 1944

Afdeling Radio i RMVP tog stilling til Gauleiter Lohses forslag om at beslaglægge radioapparaterne i Danmark. Blev radioapparaterne konfiskeret, ville det ikke længere være muligt at påvirke befolkningen gennem radiopropaganda. I stedet måtte de danske programmer påvirkes gennem den tyske radiokommissær, og derom skulle rettes henvendelse til AA.

Hermed valgte RMVP en lempeligere kurs end foreslået af Lohse, men på den anden side ønskede ministeriet øget indflydelse på den tyske radiopropaganda i Danmark. Det forsøgte Best at imødegå med sine egne initiativer, se *Politische Informationen* 1. marts 1944, afsnit IV.

Kilde: BArch, NS 18/335.

Notiz für Pg. Schütt
Betrifft: Englischer Hetzfunk in Dänemark.

Zu dem Bericht der Gauleitung Schleswig-Holstein[78] wird seitens der Abt. Rundfunk des Propagandaministeriums festgestellt, daß nach der Beschlagnahmung der Geräte in Norwegen und Holland sowie in diesen Tagen auch in Frankreich in Kürze für Senderzwecke genügend Geräte vorhanden sein dürften.

Ausschlaggebend aber sei bei der Beurteilung der Angelegenheit der politische Standpunkt zu dieser Frage. Bei einer Beschlagnahme von Rundfunkgeräten besteht keine Möglichkeit mehr, ein Land rundfunkpolitisch zu beeinflussen.

Nachdem die Leitung des dänischen Rundfunks von einem vom Auswärtigen Amt gestellten Rundfunk-Kommissar übernommen worden ist, haben wir in jeder Weise die Möglichkeit, auf die politische Programmgestaltung des dänischen Rundfunks Einfluß

---

78 Se foran.

zu nehmen. Die Abt. Rundfunk hält es für zweckmäßig, spezifizierte Vorschläge mit der Bitte um Weiterleitung an den deutschen Rundfunk-Kommissar in Dänemark an die rundfunkpolitische Abteilung des Auswärtigen Amtes zu übersenden.

Ich darf Ihr Schreiben vom 5. d.M., welches direkt an das Reichspropagandaministerium gegangen ist, zum Anlaß nehmen, Sie zu bitten, derartige Anfragen bezw. Berichte in der bisherigen Form an Pg. Tiessler oder an mich zu richten.

Berlin, den 5.1.1944

[underskrift]

H/Ri.

106. Horst Wagner an Werner Best 6. Januar 1944

Best havde bedt om, at forholdet mellem ham og Pancke blev afklaret, og Ribbentrop havde beordret en henvendelse til Himmler. Wagner ville før den henvendelse fandt sted sikre sig, at forholdet ikke allerede var afklaret.

Best svarede dagen efter med telegram nr. 32.
Kilde: PA/AA R 100.758. RA, pk. 229.

Telegramm

Berlin, den 6. Januar 1944 11.30 Uhr
Diplogerma Kopenhagen
Nr. 12
Referent ...

Für Reichsbevollmächtigten persönlich!
Auf Weisung des Herrn RAM soll ich den Reichsführer-SS darauf ansprechen, daß Sie um Erlaß einer Weisung über Klarstellung Ihres Verhältnisses zu Pancke gebeten haben.[79]

Bevor ich Angelegenheit beim Reichsführer-SS zur Sprache bringe, bitte ich umgehend um Mitteilung, ob es sicher ist, daß Pancke eine derartige Weisung noch nicht erhalten hat.

Wagner

107. Werner Best an das Auswärtige Amt 6. Januar 1944

Dagsindberetning.
Kilde: PA/AA R 29.568. RA, pk. 204.

Telegramm

Kopenhagen. den 6. Januar 1944 02.15 Uhr
Ankunft, den 6. Januar 1944 23.00 Uhr

[79] Bests anmodning er ikke lokaliseret.

Nr. 27 vom 6.1.[44.]   Citissime!

Ich bitte, die folgende Meldung unverzüglich dem Herrn Reichsaußenminister zuzuleiten:

Über die Lage in Dänemark berichte ich für den 5. auf 6.1.1944, daß nur in Kopenhagen (Tischlerei) und in Aarhus (Café) je ein unbedeutender Sabotageakt mit geringem Schaden und ohne deutsches Interesse stattgefunden haben.[80]

Dr. Best

108. Andor Hencke: Notizen 6. Januar 1944

Den danske gesandt Mohr i Berlin begyndte det nye år med at opsøge AA i anledning af de til Tyskland deporterede danskere. Det var en handling, der blev gentaget adskillige gange i de følgende måneder. Hencke tog imod og hørte på, men lovede ikke noget. Mohr tog så mange spørgsmål op, at Hencke fordelte emner på tre notitser.

Mohr ville konkret have at vide, om der måtte sendes penge til de deporterede danske kommunister, samt hvor de i december 1943 deporterede danske var kommet hen. Endvidere tog han tilfældene Hartz, Lunding og Aksel Larsen op. Han ønskede lettelser i forholdene for Lund og Larsen, samt tilladelse til besøg hos de deporterede kommunister og hos de danske jøder. For kommunisternes vedkommende kunne Hencke uden videre svare afvisende, mens han ikke kunne tro, at der var afgivet løfte om besøg hos de deporterede jøder. Med hensyn til tilbageføring af de deporterede mischlinge trainerede Hencke spørgsmålet ved at henvise til ødelagte arkiver, så det ville tage yderligere tid at gøre noget ved den sag (Yahil 1967, s. 260).

Kilde: RA, pk. 204. PKB, 13, nr. 758 og 759.

U.St.S. Pol. Nr. 2   *Berlin, den 6. Januar 1944.*

Gelegentlich eines Besuchs am 5. Januar teilte mir der Dänische Gesandte mit, daß die nunmehr nach Deutschland abtransportierten Kommunisten während ihrer Internierung in Dänemark täglich den Betrag von 1.50 Kronen ausgezahlt erhalten hätten, um damit kleine Einkäufe in den Lagerkantinen zu tätigen. Die dänischen Behörden, insbesondere aber die Verwandten der Deportierten, interessierten sich dafür, ob diesen auch in den deutschen Konzentrationslagern ein entsprechender Betrag, der von dänischer Seite gern zur Verfügung gestellt würde, ausgezahlt werden könnte. Herr Mohr bemerkte hierzu, daß er diese Möglichkeit persönlich stark bezweifele. Vor allen Dingen wisse er auch nicht, ob für die Konzentrationshäftlinge überhaupt die Möglichkeit bestünde, sich in den Lagern etwas zu kaufen.

Ich erwiderte Herrn Mohr, daß ich über die Lagerbestimmungen nicht im Bilde sei, mich jedoch erkundigen würde.

Hiermit Inl. II mit der Bitte um Stellungnahme übersandt.

gez. **Hencke**

---

80 P. Jensens Snedkerværksted, Vedbækgade 4, blev saboteret af BOPA. BdO opgav skaden til 5.000 kr., mens skaden fra dansk side siden blev opgivet til 13.000. BdO videregav, at værkstedet hverken arbejdede for den tyske værnemagt eller for tyske interesser. Restaurant "Jomsborg," i Århus blev ødelagt med bomber (RA, BdO Inf. nr. 2, 7. januar 1944, Hauerbach 1945, s. 24, Kjeldbæk 1997, s. 471. Alkil, 2, 1945-46, s. 1227, Borchsenius 1946, s. 17).

U.St.S. Pol. Nr. 3
1 Anlage[81] Berlin, den 6. Januar 1944.

Der Dänische Gesandte hat mir am 5. Januar das anliegende Aide Memoire übergeben, das sich mit der Deportation von dänischen Staatsangehörigen in deutsche Konzentrationslager befaßt. Bei dieser Gelegenheit zeigte mir Herr Mohr die Abschrift einer Note, die das Dänische Außenministerium unserem Reichsbevollmächtigten in der gleichen Angelegenheit übersandt hat, in der gegen den Abtransport der dänischen Staatsangehörigen Protest eingelegt wird. Ich habe veranlaßt, daß uns diese m[eines] W[issens] am 20. Dezember in Kopenhagen überreichte Note von Herrn Dr. Best übersandt wird.

In dem mir überreichten Aide Mémoire bittet die Dänische Gesandtschaft um Rückstellung der deportierten Personen. Ferner wird um Auskunft gebeten, wo die am 19. Dezember aus Dänemark deportierten 60 Personen untergebracht worden sind. Die letzte in dem Aide Mémoire enthaltene Bitte geht dahin, eine Auskunft darüber zu erhalten, welcher konkreten strafbaren Handlung die einzelnen Persönlichkeiten bezichtigt werden.

Zu dem letzten Punkt führte Herr Mohr aus, daß in Dänemark eine recht gefährliche Flüsterpropaganda betrieben würde, wonach die Sabotagehandlungen im Lande in Wirklichkeit von deutschen Stellen veranlaßte Provokationen darstellten. Insbesondere lege der Militärbefehlshaber General von Hanneken Wert darauf, mit dem Hinweis auf die Sabotagehandlungen die Notwendigkeit weiterer Einschränkungen der Befugnisse der dänischen Behörden und sonstige scharfe Maßnahmen begründen zu können. Er, Gesandter Mohr, habe feststellen müssen, daß diese Flüsterpropaganda auch ernsthafte und vernünftige Dänen aus seinem Bekanntenkreise, darunter angesehene Juristen erfaßt habe, die von der Richtigkeit der umlaufenden Version fest überzeugt gewesen seien. Selbstverständlich sei er diesem Unsinn, den er selbst als grotesk bezeichnete, überall mit Entschiedenheit entgegengetreten. Er könne mir auch versichern, daß bis auf ganz geringe Ausnahmen das gesamte dänische Volk die Sabotagehandlungen entschieden ablehne und ihre Gefahr für die Nation erkannt habe. Nun finde aber diese Flüsterpropaganda eine gewisse Stütze in den Deportationen von dänischen Staatsangehörigen. Da in dem kleinen Dänemark einer den anderen ziemlich genau kenne, glaube man auch zu wissen, daß eine Anzahl der deportierten Personen keine strafbaren Handlungen vorgenommen hätten. Es wäre daher gut, wenn der Bevölkerung gesagt werden könne, wessen sich die einzelnen Personen schuldig gemacht hätten. Dadurch würde zweifellos eine Beruhigung der öffentlichen Meinung erreicht werden. Herr Mohr bemerkte hierbei, daß die ihm in Kopenhagen überreichte Note wegen ihrer stark juristischen Ausführungen nicht sehr glücklich erschiene. Seiner Ansicht nach komme es darauf an, praktische Politik zu treiben und alles zu unternehmen, um die Ruhe im Lande aufrecht zu erhalten. Unter diesem Gesichtspunkt wolle er auch den Wunsch seiner Regierung nach Auskunft über die Straftaten der deportierten Personen befürworten.

Ich bemerkte Herrn Mohr gegenüber, daß ruhige und loyale dänische Staatsbürger bestimmt keiner deutschen Maßnahme ausgesetzt worden seien. Wenn mir auch

---

81 Bilaget fra Mohr er ikke medtaget. Trykt med PKB 13, nr. 758, hvortil henvises.

die Fälle im einzelnen natürlich nicht bekannt seien, so könne ich ihm doch erklären, daß nur gefährliche Elemente, durch deren Verbleiben im Lande nicht nur deutsche kriegswichtige Interessen, sondern auch die dänischen Belange gefährdet worden seien, nach Deutschland verbracht worden wären. Ob und inwieweit es möglich sei, ihm die gewünschte Auskunft zu erteilen, könne ich ihm heute nicht sagen. Persönlich hielte ich die Erfüllung seiner Bitte für sehr schwierig.

Hiermit Inl. II mit der Bitte um Stellungnahme übersandt.

gez. **Hencke**

U.St.S. Pol Nr. 4 *Berlin, den 6. Januar 1944*

Bei einem Besuch am 5. Januar brachte der Dänische Gesandte folgende Angelegenheiten zur Sprache:

1.) den Fall des früheren Dänischen Militärattachés in Berlin, Oberst Hartz.[82]

Herr Mohr gab seiner Zufriedenheit darüber Ausdruck, daß Oberst Hartz wieder in Freiheit gesetzt worden ist. Oberst Hartz habe sich sehr anerkennend über die Behandlung während der Internierung geäußert. Abgesehen von der Freiheitsentziehung sei Oberst Hartz keinen Unannehmlichkeiten ausgesetzt gewesen. Der Gesandte bemerkte hierzu, daß Hartz die gegen ihn getroffenen deutschen Maßnahmen selbst verschuldet habe. Durch seine von persönlicher Eitelkeit bestimmte und nicht ganz faire Berichterstattung habe er in Kopenhagen den Eindruck erwecken wollen, als ob er selbst von deutschen Vertrauensmännern unterrichtet würde. Dies sei in Wirklichkeit nicht der Fall gewesen. Wie der Gesandte mir bereits früher mitgeteilt habe, hätte Hartz seine meist unrichtigen Informationen ausschließlich von anderen in Berlin akkreditierten Militärattachés bezogen.

2.) den Fall Lunding.[83]

Herr Mohr bat um Auskunft über den Stand der Angelegenheit. Aufgrund der Aufzeichnung von Inl. II 506 gRs[84] teilte ich Herrn Mohr mit, daß die Ermittlungen gegen Lunding zwar noch nicht restlos abgeschlossen seien, es jedoch außer Zweifel stehe, daß er in Verbindung mit einem feindlichen Nachrichtendienst gestanden hätte. Eine Haftentlassung käme unter keinen Umständen in Frage.

Herr Mohr war hierüber sehr betroffen und äußerte, daß er bisher geglaubt hätte, daß Lunding nur vorgeworfen würde, mit neutralen Persönlichkeiten nachrichtendienstlich zusammengearbeitet zu haben. Er habe deshalb den dänischen Zentralbehörden empfohlen, festzustellen, welche seiner Vorgesetzten Lunding die entsprechenden Befehle erteilt hätten, damit gegen die wirklich Verantwortlichen vorgegangen werden könne.

Sodann bat Herr Mohr um Prüfung, ob Lunding nicht nach einem Gewahrsam außerhalb Berlins gebracht werden könnte. Seine Familie mache sich wegen

---

82 Se Bests telegram nr. 1488, 30. november 1943.
83 Se Erdmanndorffs notat 22. oktober 1943.
84 Optegnelsen er ikke lokaliseret.

der Luftangriffe auf die Reichshauptstadt große Sorgen um das Leben Lundings, die auch von den dänischen Behörden geteilt würden. Vielleicht liege es auch im Interesse der deutschen Ermittlungen, daß Lunding nicht der Gefahr der physischen Vernichtung ausgesetzt würde.

Schließlich erneuerte Herr Mohr die Bitte, daß Lunding von einem Gesandtschaftsmitglied, vielleicht dem Gesandtschaftsprediger besucht werden darf.

Ich erwiderte Herrn Mohr, daß sich die Frage des Haftortes nach den Notwendigkeiten der Untersuchung richten müsse. Ich würde jedoch seinen Antrag an die zuständige Stelle weiterleiten. Bezüglich einer Besuchsgenehmigung könne ich ihm vorerst keine Aussichten machen, da zum mindesten der Abschluß der Voruntersuchungen abgewartet werden müsse.

Herr Mohr bat, die Besuchsfrage im Auge zu behalten, damit er in der Lage sei, über das Befinden des Lunding berichten zu können.

3.) Zurückführung der irrtümlicherweise nach Deutschland deportierten Mischlinge dänischer Staatsangehörigkeit.

Ich teilte Herrn Mohr aufgrund der Aufzeichnung von Inl. II vom 4.1.[85] mit, daß die Geschwister Schulz und die Halbjuden Groten, Baumann und Jensen in der nächsten Woche nach Dänemark zurückgebracht würden. Die Prüfung der übrigen von den Dänen anhängig gemachten Fälle habe wegen der Vernichtung eines großen Teils der Akten noch nicht angeschlossen werden können.

Auf eine entsprechende Bemerkung des Gesandten erklärte ich ihm ferner, daß die Unterlagen über die seinerzeit abtransportierten Juden durch die Fliegerangriffe vernichtet worden seien. Eine Rekonstruierung der von ihm gewünschten Liste sei außerordentlich schwierig und erfordere sehr viel Zeit. Er könne daher vorerst nicht mit der Liste rechnen.

Eine Übersendung von Paketen an die internierten Juden könne von uns nicht zugestanden werden. Die in Theresienstadt untergebrachten dänischen Juden erhielten die gleichen Verpflegungssätze wie die deutsche Bevölkerung, sodaß ein Bedürfnis nicht vorhanden sei. Im übrigen sei auch aus disziplinären Gründen eine Besserstellung der dänischen Juden den übrigen Internierten gegenüber nicht möglich.

4.) den Fall des dänischen Kommunisten Axel Larsen.

Der Gesandte kam nochmals auf die Möglichkeit eines Besuchs Larsens und der übrigen dänischen Kommunisten zu sprechen. Ich erklärte Herrn Mohr, daß ich vorerst nicht die Möglichkeit sehe, daß eine Besuchsgenehmigung erteilt würde.

Im übrigen ginge es Larsen und den übrigen Kommunisten gut. Sie könnten, wie ihm bekannt sei, Post und einmal im Monat auch ein Lebensmittelpaket erhalten.

Herr Mohr bemerkte in diesem Zusammenhang, daß ganz allgemein von den deportierten Juden, Kommunisten usw. bisher keine Nachrichten bei den Verwandten in Dänemark eingegangen seien. Soweit er unterrichtet worden wäre, dürften die Gefangenen grundsätzlich in gewissen Zeitabschnitten nach Hause schreiben. Er bäte um Nachprüfung dieser Angelegenheit sowie um Maßnahmen, daß die Gefangenen von diesem Recht Gebrauch machen könnten.

---

85 Trykt ovenfor.

Ich versprach eine Nachprüfung.
5.) In diesem Zusammenhang kam Herr Mohr nochmals auf den dringenden Wunsch der dänischen Stellen zu sprechen, amtlichen dänischen Vertretern die Möglichkeit zu geben, die nach Deutschland verbrachten dänischen Staatsangehörigen besuchen zu dürfen. Er verspreche sich hiervon auch eine günstige psychologische Wirkung. Dem Dänischen Außenministerium schwebe vor, zu diesem Zweck den Leiter der Politischen Abteilung des Außenministeriums Hvass und eine Rote-Kreuz-Schwester (für die weiblichen Internierten) nach Deutschland zu entsenden. Ich erwiderte, daß ich mir persönlich nicht vorstellen könne, daß einem solchen Wunsch stattgegeben werden könne. Wenn im Einzelfalle Besuchsgenehmigungen erteilt würden, so m[eines] E[rachtens] nur an Mitglieder der Dänischen Gesandtschaft, die hierfür als allein zuständig anzusehen sei.

Hiermit Inl. II mit der Bitte um weitere Veranlassung und Stellungnahme zu den einzelnen Fragen.

gez. **Hencke**

109. Wirtschaftsstab beim OKW an Verbindungsoffizier Wirtschaftsstab beim WFSt 6. Januar 1944

Ved en direkte henvendelse til Cementcentralen ved RRK havde OKW fået bekræftet, at cementproduktionen i Danmark på ingen måde var indskrænket af mangel på kul. Der manglede ikke 6.000 tons kul, og de danske cementfabrikkers kapacitet blev fuldt udnyttet. Den rigsbefuldmægtigede forhandlede for øjeblikket med de danske myndigheder om at afgive ca. 10 % af deres cement til fæstningsbyggeriet, men et resultat forelå ikke.

Dermed var det af Rommel 13. december ytrede behov for yderligere kul til Danmark manet i jorden.
Kilde: RA, Danica 1000, T-77, sp. 693, nr. 902.381f. (gennemslag).

An VO W Stb. bei WFSt (Obstlt. Schardt)

Betr.: Kohlenversorgung der Zementfabriken in Dänemark.
Bezug: 1.) Anfrage vom 27.12.43
2.) Fernmündliche Rücksprachen Obstlt. Schardt – Dr. Christoph am 28.12. 43 und 5.1.44

Auf Grund Rückfrage WFSt wegen fehlender 6.000 t Kohle der Zementerzeugung Dänemark hat sich W Stb zwecks näherer Klärung der Angelegenheit an Reichsminister für Rüstung und Kriegsproduktion, Zementzentrale (GB-Bau), gewandt, der die Verantwortung für die gesamte Zementversorgung des deutschen Interessengebietes trägt. Der verantwortliche Leiter der Zementzentrale, Dr. Seeger, der sich z.Zt. auf Dienstreise befindet, hat sich am 4.1.44 fernmündlich wie folgt geäußert:

Die Zementproduktion in Dänemark ist infolge Kohlemangel in keiner Weise beeinträchtigt. Die vom GB-Bau für die Zementfertigung in Dänemark benötigten Mengen sind durch Reichsstelle für Kohle sichergestellt und werden pünktlich geliefert. Für den erweiterten Zementplan sind zur Auslieferung Jan.-März 1944 für Dänemark insgesamt 75.570 t vom GB-Bau angefordert, die von Reichsstelle für Kohle anerkannt und zu Lasten des Globalkontingentes dem Oberschl. Steinkohlensyndikat zur Lieferung aufgegeben werden. Nach Feststellung GB-Bau anläßlich Besichtigungsreise Dr. Seeger in Dänemark ist auch akute Kohlennotlage nicht gegeben, da Bestände bei dänische Zementfabriken Mitte Dezember 35.000 t, ausreichend für 6 Wochen, betrugen. Außerdem liegt bei den Fabriken noch ein Vorrat von rd. 6.000 t Zement, der der Wehrmacht zur Verfügung steht. Ferner ist zusätzlich zu den o.a. 75.570 t Kohle im Jan./Febr. und weiterhin bis auf Widerruf wöchentlich noch eine Zulieferung von 5.000 t Zement erforderlich. Diese Zementmenge kann durch entsprechende Kohlelieferungen nicht abgegolten werden, da die Kapazität der dänischen Zementfabriken vollkommen ausgelastet ist. Z.Zt. wird vom Bevollmächtigten des Reiches in Dänemark bei zuständigen dänischen Stellen geklärt, ob durch weitere Senkung des zivilen Zementbedarfes um etwa 10 % die Zementabgabe für Festungsbauten entsprechend erhöht und damit Zementnachschub aus dem Reich entsprechend verringert werden kann.

Vorstehende Angaben werden als Vorbescheid übermittelt, deren schriftliche Bestätigung von Dr. Seeger zugesagt wurde. Abschrift des Schreibens folgt nach Eingang.
OKW W Stab (Inl.) nr. 8501/44g 2 II (4b)

Abdruck
Ausl.
Inl. 1

110. Werner Best an das Auswärtige Amt 7. Januar 1944

Dagsindberetning. Indirekte fortalte Best, at modterroren var i gang. Drabet på en nazistisk fiskehandler var besvaret med drabet på en konservativ læge i samme by.
Kilde: PA/AA R 29.568. RA, pk. 204.

Telegramm

| Kopenhagen, den | 7. Januar 1944 | 21.20 Uhr |
| Ankunft, den | 8. Januar 1944 | 02.15 Uhr |

Nr. 30 vom 7.1.44.   Citissime!

Ich bitte die folgende Meldung unverzüglich dem Herrn Reichsaußenminister zuzuleiten:

Über die Lage in Dänemark berichte ich für den 6. auf 7.1.44, daß je ein unbedeutender Sabotagefall mit geringem Schaden in Skodsborg bei Kopenhagen (leeres beschlagnahmtes Gebäude)[86] und in Vordingborg auf Seeland (Wäscherei) stattgefunden haben.[87] An einem Schiff und an einem Kraftwagen wurden englische Haftladungen

---

86 Der var sabotage mod en udbygning til Badesanatoriet, Skodsborg (Alkil, 2, 1945-46, s. 1227).
87 Dampvaskeriet, Boulevarden 6, Vordingborg, blev saboteret (Alkil, 2, 1945-46, s. 1227).

gefunden, die nicht explodiert waren.[88] In Slagelse (Seeland), wo am 4.1.44 ein nationalsozialistischer Fischhändler erschossen wurde, ist ein konservativer Arzt von unbekannten Tätern erschossen worden.[89]

Dr. Best

111. Werner Best an das Auswärtige Amt 7. Januar 1944

Best fastholdt, at der ikke forelå andre retningslinjer for forholdet til Pancke end Førererlaß af 6. december 1943, og at Pancke var enig med ham deri. Det Best ville have, var en officiel meddelelse fra AA med retningslinjer for samarbejdet.

Det er tydeligt, at det var Bests anledning til at få Pancke underlagt og ikke sidestillet den rigsbefuldmægtigede. Wagner svarede Best med telegram nr. 45, 14. januar 1944 (Rosengreen 1982, s. 61).

Kilde: PA/AA R 29.568. RA, pk. 204 og 229. LAK, Best-sagen (afskrift).

T e l e g r a m m

| Kopenhagen, den | 7. Januar 1944 | 21.45 Uhr |
| Ankunft, den | 8. Januar 1944 | 11.45 Uhr |

Nr. 32 vom 7.1.44.

Auf das dortige Telegramm Nr. 12[90] vom 6.1. erwidere ich Folgendes:

1.) Als der Herr Reichsaußenminister mich am 30.12.43 nach meiner Zusammenarbeit mit dem Höheren SS- und Polizeiführer SS-Gruppenführer Pancke fragte, berichtete ich ihm, daß die Zusammenarbeit völlig reibungslos und kameradschaftlich vor sich gehe. Ich erwähnte dabei, daß mir die Einsetzung des Höheren SS-und Polizeiführers vom Auswärtigen Amt noch nicht amtlich mitgeteilt worden sei und daß ich keinerlei Weisungen über mein Verhältnis zum Höheren SS- und Polizeiführer erhalten hätte. Lediglich von dem Höheren SS- und Polizeiführer selbst hätte ich eine Abschrift des Führererlasses vom 6.12.1943 erhalten, in dem gesagt ist: Der Höhere SS- und Polizeiführer ist dem Reichsbevollmächtigten beigegeben und arbeitet im engsten Einvernehmen mit ihm.[91]

2.) Der Höhere SS- und Polizeiführer SS-Gruppenführer Pancke hat mir auf meine heute an ihn gerichtete Frage erwidert, daß auch er außer dem erwähnten Führererlaß vom 6.12.1943 keinerlei Weisungen über sein Verhältnis zu mir erhalten habe.

3.) Ich betone nochmals – wie ich schon dem Herrn Reichsaußenminister erklärt habe –, daß meine Zusammenarbeit mit dem Höheren SS- und Polizeiführer ausgezeichnet ist und daß zu einer Auseinandersetzung über das formelle Verhältnis zwischen

---

88 Der var et sabotageforsøg mod den tyske damper "Dorpath," i Ålborg (*Det stod ikke i Avisen*, 1945, s. 169, Alkil, 2, 1945-46, s. 1227, Jensen 1976, s. 22).

89 Medlemmer af Schalburgkorpset foretog clearingmord på læge Robert Willy Vigholt (Monrad Pedersen 2000, s. 99, 114, tillæg 3 her). Den illegale presse var straks på det rene med, at der sandsynligvis var tale om et gengældelsesmord (*Information* 7. januar 1944).

90 Inl. II 21 g. Trykt ovenfor.

91 Se telegram nr. 1529, 11. december 1943.

ihm und mir kein akuter Anlaß besteht. Nur der Ordnung halber wäre ich dankbar, wenn mir auch vom Auswärtigen Amt eine offizielle Mitteilung über die Schaffung dieser neuen Institution und über ihr Verhältnis zu mir gegeben würde.

Dr. Best

112. Werner Best: Kalenderaufzeichnung 7. Januar 1944

Ankommet som ny chef for det tyske sikkerhedspoliti og SD i Danmark opsøgte Otto Bovensiepen Werner Best på Dagmarhus. Best noterede mødet i sin kalender, og Bovensiepen forklarede 1946, hvordan det var forløbet: "I Tilslutning til Mødet den første Dag med sine nærmeste Medarbejdere gik afhørte, muligvis sammen med Mildner,[92] til Best paa Dagmarhus. Best tilsagde ham sin fulde Støtte til Arbejdet og omtalte i denne Forbindelse, at han jo selv udmærket godt kendte til Arbejdet som "gammel Sabotør" (Han tænkte muligvis paa sin Virksomhed under den franske Besættelse efter den første Verdenskrig, da han skrev "Boxheimer Dokumente", som skulde danne det juridiske Grundlag for Nazisternes voldelige Overtagelse af Magten dengang).[93] Afhørte gjorde Best bekendt med, at Kaltenbrunner havde givet ham Besked paa under sit Arbejde her i Landet at "marchere" langs Bests Politik. Best var ikke kendt med Kaltenbrunners ordre [...][94] afhørte, men Best anerkendte Ordren og gentog den som sit eget Ønske, idet han her som sin første Vilje udtalte, at Socialdemokraterne ikke maatte røres, da han skulde samarbejde med disse; ydermere forlangte han, at han i hvert Tilfælde af Terror maatte forbeholde sig sin Stilling, hvilket afhørte selvfølgelig anerkendte. Paa Anledning oplyser afhørte, at Best ikke ved denne Lejlighed selv fremsatte Ønsker eller Krav om bestemte Objekter; paa den anden Side henledte Best afhørtes Opmærksomhed paa et Tilfælde i Randers, hvor der fra dansk Side var kastet en Haandgranat ind til en Frikorpsmands Hustru, idet han udtalte, at dette Tilfælde af Terror fra dansk Side ubetinget krævede Gengældelse; Best selv fremkom dog ikke med Anvisninger. Afhørte henviste i øvrigt til de Vanskeligheder, det tyske Politi havde som følge af de allerede stedfundne Gengældelsesaktioner, herunder Drabet paa Kaj Munk, men her udtalte Best, at saa længe dansk Politi ikke havde 100 % Sikkerhed for, at det var Tyskernes Værk, kunde man roligt fortsætte." (Bovensiepens forklaring 10. december 1946, LAK, Best-sagen).

Bovensiepens forklaring om forløbet af mødet med Best skal ses dels på baggrund af de telegrammer, som Best i de følgende uger og måneder 1944 sendte til AA, dels Bests første efterkrigsforklaringer. Best benægtede under de første forhør i Kastellet august 1945 kategorisk at have haft nogen forhåndsviden om konkrete tyske modterrorhandlinger endsige forudgående at have drøftet sådanne med Bovensiepen, ligesom han nægtede at kende noget til Schwerdts og senere Issels opgaver som ledende medlemmer af Peter-gruppen. Direkte konfronteret ansigt til ansigt med Pancke og Bovensiepen 31. august 1945 gentog han sin benægtelse, mens Bovensiepen forklarede, at Best havde haft forhåndsviden og havde givet sin accept af de udvalgte mål frem til folkestrejken i København og i enkelte tilfælde var kommet med konkrete forslag (20. august 1945). Afhørt under Nürnbergprocessen måtte Best 13. august 1946 vedkende sig at kende til Schwerdt og Issel, at Bovensiepen havde præsenteret dem for ham og fortalt, at de skulle gennemføre den af Hitler beordrede modterror (LAK, Best-sagen). Dermed kunne Best ikke længere opretholde sin fuldstændige distancering til og forudgående viden om modterrorens konkrete realisering. Det blev herefter alene et spørgsmål om, hvor dybt han var involveret. Bovensiepen ønskede at involvere Best mest muligt, det tjente hans egen sag bedst, men det ville også have lignet Best dårligt, om han ikke *forud* ville vurdere de politiske konsekvenser af udpegede terrormål, så han havde sat sin troværdighed på spil ved den første totale benægtelse af medviden.

Kilde: Bests kalenderoptegnelser 7. januar 1944.

---

92 Bovensiepen og Mildner var begge hos Best 8. januar 1944 (Bests kalenderoptegnelser anf. dato). Da Mildners tilstedeværelse er underordnet, er der set bort fra dette.
93 Parentesen er givetvis indsat af udspørgeren. Boxheimer Dokumente er fra 1932.
94 Tekst mangler.

Vormittags im Dagmar-Haus.
Verteilergr. eins. Wort mit Oberst von Engelmann, Oberstlt. von Heydebreck, Korv. Kap. Japp, Hptm. Jansen.
Bespr. mit:
ORR Dr. Unterkreuter (Meldung zum Dienstantritt). SS-Standartenführer und Oberst der Polizei Bovensiepen (Meldung zum Dienstantritt).
Mittags: zu Hause.
Nachmittags im Dagmar-Haus.
Bespr. mit SS-Stubaf. Boysen. Presseref. Schröder. Direktor Svenningsen.
Abends: zu Hause.

113. Werner Best an das Auswärtige Amt 8. Januar 1944
Dagsindberetning.
Kilde: PA/AA R 29.568. RA, pk. 204.

Telegramm

Kopenhagen, den	8. Januar 1944	16.30 Uhr
Ankunft, den	8. Januar 1944	20.00 Uhr

Nr. 37 vom 8.1.44.   Citissime!

Ich bitte, die folgende Meldung unverzüglich dem Herrn Reichsaußenminister zuzuleiten:
Über die Lage in Dänemark berichte ich für den 7. auf 8.1., daß in Kopenhagen 2 Sabotagefälle – Maschinenhalle der Werft Burmeister und Wain[95] und Werkstatt eines Schneidermeisters – stattgefunden haben, durch die für deutsche Interessen Schaden entstanden ist.[96] In Jütland fand eine Kabelsabotage statt. In Kopenhagen hat die Deutsche Sicherheitspolizei 10 Saboteure verhaftet und hierdurch eine Reihe von Sabotageakten und Anschlägen aufgeklärt.[97]

Dr. Best

---

95 BOPA forøvede betydelig skade med sprængbomber mod B&W på Wilders Plads (RA, BdO Inf. nr. 3, 11. januar 1944, Larsen 1982, s. 112f., Kjeldbæk 1997, s. 472).
96 Skræddermester Lau Lauritzen, Bevtoftegade 8, København, fik sit stoflager og værksted brændt af (RA, BdO Inf. nr. 3, 11. januar 1944).
97 De 10 sabotører er ikke identificeret.

114. Werner Best an das Auswärtige Amt 8. Januar 1944

Best videregav UMs direktør, Nils Svenningsens, protestskrivelse i anledning af, at 60 danskere 19. december 1943 var blevet deporteret til tysk koncentrationslejr (Hæstrup, 1, 1966-71, s. 318, 348).
Kilde: PA/AA R 29.568. LAK, Best-sagen (afskrift). PKB, 13, nr. 760.

Telegramm

Kopenhagen, den	8. Januar 1944	16.35 Uhr
Ankunft, den	8. Januar 1944	23.00 Uhr

Nr. 39 vom 8.1.[44.]

Auf das dortige Telegramm Nr. 16[98] vom 6.1.44 hin wird nachstehend der Wortlaut des an mich gerichteten Schreibens des dänischen Außenministeriums vom 20.12. übermittelt, mit dem Anfügen, daß der Direktor des dänischen Außenministeriums am 7.1.44 von mir auf seine sämtlichen Eingaben wegen der Verbringung dänischer Staatsbürger in deutsche Konzentrationslager mündlich im Sinne des dortigen Schreibens vom 31.12.43 (Inl. II B 8661/43)[99] beschieden worden ist. Es folgt der Wortlaut:[100]

"Aus der in der heutigen Tagespresse veröffentlichten amtlichen deutschen Mitteilung entnehme ich, daß 60 dänische Staatsangehörige am 19. d.Mts. auf Grund dauernder reichsfeindlicher kommunistischer Tätigkeit in ein Konzentrationslager in Deutschland überführt worden sind. Es handelt sich hauptsächlich um Personen aus Randers, Odense und Kolding. Da in der amtlichen Mitteilung von einer Aburteilung der Betreffenden nicht gesprochen wird, ist wohl anzunehmen, daß die Deportation als eine im Verwaltungswege getroffene Maßnahme durchgeführt worden ist. Die dänische Zentralverwaltung hat mit größter Besorgnis Kenntnis davon nehmen müssen, daß die deutschen Behörden in Dänemark wiederum eine Anzahl dänischer Staatsangehöriger nach Deutschland deportiert haben, ohne daß die Sache im voraus zum Gegenstand einer Verhandlung mit amtlichen dänischen Stellen gemacht worden war, und also ohne daß man dänischerseits Gelegenheit gehabt hat, gegen die Deportierung vorstellig zu werden. In dem diesseitigen Schreiben vom 26. November d. Js. habe ich mir erlaubt, Sie um verschiedene Auskünfte betreffend die am 23. November deportierten 31 Personen zu bitten, indem ich gleichzeitig hervorhob, wie sehr es den dänischen Behörden daran gelegen war, daß eine Wiederholung nicht stattfände. Eine Antwort auf dieses Schreiben war noch nicht eingegangen, als gestern der neue Fall von Deportation eintraf. Die Verhältnisse hier im Lande hatten sich derart entwickelt, daß die Reichsregierung es für erforderlich hielt, deutsche Polizeikräfte in Dänemark zur Bekämpfung der Sabotage usw. einzusetzen. Dies ist eine Tatsache, mit der sich die dänischen Behörden und die dänische Bevölkerung in der gegebenen Lage abfinden müssen. Man ist sich darüber im Klaren, daß in einem gewissen Umfang Ermittlungsverfahren der deutschen Polizei sowie deutsche Gerichtsbarkeit unvermeidlich sind. Dagegen ist es unmöglich, Verständnis

---

98 Pol. VI 7507 g (Einreichung Note d. Dir. Svenningsen). Telegrammet er ikke lokaliseret.
99 Telegrammet er ikke lokaliseret.
100 Trykt på tysk og dansk i PKB, 7, nr. 396.

dafür aufzubringen, daß es notwendig und zulässig sein sollte, dänische Staatsangehörige ohne weiteres nach Deutschland zu deportieren. Solche Maßnahmen haben im Gegenteil die größte Erregung und Verbitterung in der Bevölkerung hervorgerufen, weil es ein fundamentaler Grundsatz des dänischen Rechts ist, daß jeder dänische Staatsangehörige zu jeder Zeit und unter allen Umständen ein unbedingtes Recht hat, sich auf dänischem Boden aufzuhalten. Das Recht zum Aufenthalt im Lande ist nach dänischer Auffassung ein wesentlicher Teil des Staatsbürgerrechts. Ein dänischer Staatsangehöriger kann und muß nach der dänischen Gesetzgebung bestraft werden, wenn er sich einer strafbaren Handlung schuldig gemacht hat, kann aber nie gegen seinen Willen aus dem Lande verschickt oder ausgewiesen werden. Dieser Grundsatz ist in dem dänischen Rechtsbewußtsein tief verankert, und es ist somit nur verständlich, daß die jüngste Deportation von 60 Personen in der ganzen dänischen Bevölkerung als ein erneuter unrechtmäßiger Schlag empfunden wird. Auch gemäß dem Völkerrecht darf behauptet werden, daß Deportation der hier in Rede stehenden Art unzulässig sei. Sie wäre es schon in dem Falle, wo zwischen Dänemark und Deutschland der Kriegszustand bestünde, um so viel mehr sind sie natürlich unzulässig unter den besonderen Verhältnissen, worunter die Besetzung Dänemarks stattgefunden hat. Gegen die am 2. Oktober d.Js. stattgefundene Deportation der dänischen Kommunisten aus dem Horseröd-Lager habe ich mir erlaubt, durch Note vom 14. Oktober 1943 Einspruch zu erheben, indem gleichzeitig die Zurückführung der Betreffenden nach Dänemark beantragt wurde. Im Anschluß daran erlaube ich mir nun im Namen der dänischen Zentralverwaltung gegen die am 23. November und 19. Dezember 1943 erfolgten Deportierungen von 31 bzw. 60 dänischen Staatsangehörigen zu protestieren, indem auch in diesen Fällen darauf bestanden werden muß, daß die Überführung nach Deutschland rückgängig gemacht wird."

Dr. Best

115. Werner Best an das Auswärtige Amt 8. Januar 1944

Det tyske mindretal i Nordslesvig modtog massiv økonomisk støtte fra Det Tyske Gesandtskab i København. Mindretalsledelsen ønskede for 1944 støtten forøget,[101] hvilket Best ikke bevilgede med henvisning til den anspændte valutasituation. Skulle det senere på året komme til overskridelse af budgettet, ville Best bestræbe sig på at dække det via særlige fonde (Hvidtfeldt 1953, s. 93-96 behandler emnet summarisk og kun for tidligere år).

Se endvidere Kassler til AA 26. februar 1944.
Kilde: PA/AA R 100.944. RA, pk. 231.

Der Bevollmächtigte des Reiches in Dänemark *Kopenhagen, den 8. Januar 1944.*
I C/N Sch 1 geh. Geheim

An das Auswärtige Amt,
 Berlin.

101 Se Stehr til Best 15. december 1943, trykt ovenfor.

Mit Bezugnahme auf den Bericht v. 22.1.1943 – I C Nr. 37/42[102] –, den Erlaß v. 12.2.1943 – D 8 389[103] – und auf die Berichte v. 23.2.[104] und 6.3.1943 – I C 86/43[105] –

Betr.: Haushaltsplan der Deutschen Volksgruppe in Nordschleswig für das Haushaltsjahr 1944.
– 2 Durchschläge –
2 Anlagen (1 dreifach)[106]

Zur Durchführung des Haushaltsplanes der Deutschen Volksgruppe in Nordschleswig im Haushaltsjahr 1943 war außer der Zuverfügungstellung von 780.000,- Kr. für Lehrergehälter gemäß Bericht vom 22.1.1943 – I C Nr. 37/42 – die Bereitstellung von 300.000,- Kr. für notwendig erachtet worden. Dieser Betrag von 300.000,- Kr. ist dem Schatzamt der Deutschen Volksgruppe im Laufe des letzten Quartals aus hiesigen Mitteln ausgezahlt worden. Über die Verrechnung dieser Summe wird gesondert berichtet werden.

Die Deutsche Volksgruppe in Nordschleswig hat nunmehr den in der Anlage beigefügten Haushaltsplan 1944/45 vorgelegt, der das Haushaltsjahr 1944 betrifft. Mit dem abschriftlich beigefügten Schreiben des Kontors der Deutschen Volksgruppe vom 15. Dezember v.Js. wird seitens der Volksgruppe um die Bereitstellung von 400.000,- Kr. für das Haushaltsjahr 1944 gebeten. Im Hinblick auf die angespannte Devisenlage habe ich jedoch im Haushaltsplan meiner Behörde für Haushaltsmittel der Deutschen Volksgruppe außer den Lehrergehältern in Höhe von 780.000,- Kr. zunächst lediglich den gleichen Betrag wie im Vorjahre, nämlich 300.000,- Kr. eingesetzt. Sollte sich eine Überschreitung dieser Mittel im Laufe des Haushaltsjahres 1944 als unumgänglich erweisen, werde ich bemüht sein, den Zusatzbedarf der Volksgruppe aus besonderen Fonds zu decken.

[W. Best]

116. Werner Best an das Auswärtige Amt 8. Januar 1944
Nils Svenningsen opsøgte Best 8. januar angående de internerede danske kommunister og fik svar i henhold til skrivelsen af 31. december.
Kilde: PA/AA R 99.502.

Der Reichsbevollmächtigte in Dänemark   *Kopenhagen, den 8. Januar 1944.*
                                                                    II/214/44
An das Auswärtige Amt, Berlin.

102 Indberetningen er ikke lokaliseret.
103 Bekendtgørelsen er ikke lokaliseret.
104 Det drejer sig muligvis om telegram nr. 190, 23. februar 1943.
105 Indberetningen er ikke lokaliseret.
106 De meget omfangsrige bilag er ikke medtaget.

Betrifft: Internierte dänische Kommunisten.
Vorgang: Dortiges Schreiben vom 31.12.1943[107] – Inl. II B 8661/43-2 D. –
Anl.: 2 Berichtsdoppel.

Der Direktor des dänischen Außenministeriums ist am 8.1.1944 mündlich im Sinne des obenbezeichneten Schreibens beschieden worden.

W. Best

117. MOK Ost an Seekriegsleitung 9. Januar 1944

MOK Ost svarede på de spørgsmål, der var stillet vedrørende Kriegsmarines deltagelse i overvågning mod sabotage og den illegale persontrafik i Øresund. Der havde ikke været en nævneværdig indsats af kyst- og havneovervågningspersonale siden august 1943 og en sundovervågning var først under dannelse med 215 mand. En effektiv overvågning ville kræve yderligere 300 mand. Det tyske politi havde ikke egne fartøjer til rådighed, og et selvstændigt søpoliti ville kun være muligt, hvis det fik egne fartøjer til rådighed.

For den tyske udvikling af søpolitiet se KTB/Admiral Dänemark 13. januar 1944.

Kilde: RA, Danica 628, sp. 9, nr. 7299f. og sp. 10, nr. 9218f. (med teksttab).

Anl. 4 zu KTB MOK Ost v. 1.-15.1.1944

Abschrift!

Fs.: SSD OKM/Skl *den 9.1.44*

Betr.: Überwachung gegen Sabotage und illegalen Personenverkehr in dän. Gewässern sowie nach Schweden.
Vorg.: 1/Skl G.Kdos. 43949 vom 31.12.43.[108]

A.) Bisherige Regelung:
1.) Küsten- und Hafenüberwachungspersonal bei Besetzung Dänemarks April 1940 nur in geringem Umfang eingesetzt wegen Mitarbeit dänischer Bewachungsorgane. Später Personal mehrfach gekürzt, zuletzt im Juli 43. Bei Beginn Ausnahmezustandes August 1943 daher kein nennenswerter Einsatz von Küsten- u. Hafenüberwachungspersonal.
2.) Küsten- und Hafenüberwachung Belte jetziger Zustand, falls keine weiteren Kürzungen erfolgen, allenfalls tragbar,
3.) Sundüberwachung durch 215 Mann VGAD (K) an Ostküste Seelands bis Ostküste Mön noch im Entstehen begriffen. Wirksame Überwachung erfordert weitere 300 Mann. Angelegenheit wird z.Zt. von Ob. Finanzpräsidenten Kiel betrieben.
4.) Für Hafenüberwachung im Sund stehen Admiral Dänemark dtsch. Zollkreuzer "Hedda" und 8 K.-Boote ehm. dän. Marine zur Verfügung., die gegen Kutter des BSO ausgetauscht werden sollen.

---

107 Se telegram nr. 39, 8. januar 1944.
108 Trykt ovenfor.

5.) Von BSO wird Sundüberwachung durchgeführt durch 8. Sich. Fl. und durch Pinassen der MRS 11 u. 12, solange für diese andere Aufgaben nicht vorliegen. Überwachung Gr. Belt durch 5. u. 12. Sich. Fl., Kl. Belt durch 4. Sich. Fl., Kattegat/Ostausgang Limfjord durch 9. u. 10. Sich. Fl. (Übersicht über Wachpositionen getrennt vorgelegt mit MOK Ost op 0 1633 v. 9.1.44.).[109]

B.) Dtsch. Polizei verfügt über keine eigenen Fahrzeuge

C.) 1.) Selbständiger Einsatz der Wasserschutzpolizei in Hafen- u. Küstenüberwachung nur möglich, wenn eigene Boote zur Verfügung stehen. Derartige Regelung nicht zweckmäßig, da Dänemark Operationsgebiet bereits Küstenüberwachung von Land aus durch VGAD (K) einsatzmäßig Marine unterstellt. Vorgeschlagen wird Wasserschutzpolizei aus Sundbewachung völlig zurückzuziehen und anderweitig einzusetzen.
2.) Im Sund Abgrenzung Aufgabe Wegeüberwachung und Flugbeobachtung durch BSO-Fahrzeuge und Aufgabe Sabotageabwehr und Überwachung illegalen Personenverkehr durch Polizei sehr schwierig u. unzweckmäßig. Sabotage- u. Verkehrsüberwachung im Sund keine wesentliche Mehrbelastung für BSO.
Hafenüberwachung im Sund siehe unter A 4.
Z.Zt. Abmachung, Wasserschutzpolizeibeamte Adm. Dän., für diese Aufgabe als Berater zuzuteilen, bezw. auf den Booten einzuschiffen.
MOK Ost/Führstb. op 016322

B. Nr. 1/Skl. 784/44 gKdos

118. Joseph Goebbels: Tagebuch 9. Januar 1944
Bests bløde politik i Danmark havde som resultat, at der skete sabotager og attentater som på samlebånd. Situationen var overordentlig kritisk. Der skulle en stor mangel på politisk talent til at frembringe en sådan tilstand. Det var helt modsat Norge, hvor man kunne regne med en stabil situation. Ganske vist havde Terboven begået en alvorlig politisk fejl i forhold til Oslos studenter, men nu måtte de trufne forholdsregler fastholdes.
Kilde: *Die Tagebücher von Joseph Goebbels*, Teil II:11, s. 71.

[...]

G.W. Müller ist aus Oslo zu Besuch und erstattet mir Bericht über die Lage in Norwegen. Er schildert sie als verhältnismäßig beruhigt. Jedenfalls könne kein Vergleich etwa mit Dänemark angestellt werden, wo augenblicklich die Dinge außerordentlich kritisch stehen. Best hat aus den vergangenen Vorgängen noch immer nicht gelernt. Er geht mit der weichen Hand vor, und die Folge davon ist, daß Sabotage- und Attentatsversuche sich am laufenden Band ereignen. Es gehört schon ein großer Mangel an politischem Talent dazu, ausgerechnet in Dänemark solche Zustände heraufzubeschwören. G. W.

---

109 Oversigten er ikke medtaget.

Müller berichtet mir, daß dagegen in Oslo von einer außerordentlichen Stabilität der Verhältnisse geredet werden könne.[110] Terboven und seine Leute sind sich durchaus klar darüber, daß sie mit ihren Maßnahmen gegen die Osloer Studentenschaft einen schweren politischen Fehler begangen haben; aber nun müssen diese Maßnahmen durchgehalten werden. Ein kleiner Teil der Osloer Studenten ist nach Deutschland in die Zwangsarbeit übergeführt worden; ein anderer Teil wartet noch auf die Überführung. Diese soll erst dann stattfinden, wenn die deutsch-schwedischen Handelsvertragsverhandlungen zu Ende gegangen sind, was in diesen Tagen der Fall ist. Trotzdem bin ich der Meinung, daß man in Oslo vorsichtig vorgehen muß. Wir können uns im Augenblick einen Konflikt gerade auf dem Gebiet des Geisteslebens nicht leisten; er würde zu den unangenehmsten psychologischen Auswirkungen vor allem im neutralen Ausland führen.
[...]

119. Werner Best an das Auswärtige Amt 10. Januar 1944
Dagsindberetning.
    Kilde: PA/AA R 29.568. RA, pk. 204.

Telegramm

Kopenhagen, den	10. Januar 1944	20.40 Uhr
Ankunft, den	11. Januar 1944	00.20 Uhr

Nr. 45 vom 10.1.[44.]   Citissime!

Ich bitte die folgende Meldung unverzüglich dem Herrn Reichsaußenminister zuzuleiten:
    Über die Lage in Dänemark berichte ich für die Zeit vom 8. bis 10. Januar 1944, daß in der Nacht vom 8. auf 9.1.44 in Kopenhagen an einem mit Mauersteinen beladenen Güterwagen und in einer Autowerkstatt Sabotage verübt wurde,[111] während in den letzten 24 Stunden aus dem ganzen Lande keine besonderen Vorfälle gemeldet worden sind.

Dr. Best

---

110 Om G.W. Müller se Flügel til Naumann 8. december 1944, trykt nedenfor.
111 BOPA forøvede for anden gang sabotage mod værkstedet Heiber & Co., Lyngbyvej 165. Blandt kunderne var Werner Best, der fik en bil ødelagt for 6.830 kr. (RA, BdO Inf. nr. 2, 7. januar 1944, Vang Hansen, Kjeldbæk, Maurer 1984, s. 68, Kjeldbæk 1997, s. 472).

120. Werner Best an das Auswärtige Amt 11. Januar 1944

Dagsindberetning.
    Igen kunne Best indirekte melde om en gengældelsesaktion mod en "tyskfjendtlig" indretning, en aktion som det nazistiske dagblad *Fædrelandet* samtidigt åbenhjertigt betegnede som et attentat med "modsat fortegn." Det vil sige, at man fra tysk side ikke gjorde nogen reel hemmelighed ud af, at der var tale om gengældelsesaktioner. Offentligheden skulle vide det (*Information* 14. januar 1944).
    Kilde: PA/AA R 29.568. RA, pk. 204.

Telegramm

Kopenhagen, den	11. Januar 1944	19.35 Uhr
Ankunft, den	11. Januar 1944	20.30 Uhr

Nr. 50 vom 11.1.44.   Citissime!

Ich bitte, die folgende Meldung dem Herrn Reichsaußenminister unverzüglich zuzuleiten:
    Über die Lage in Dänemark berichte ich für den 10. auf 11.1.44, daß in Silkeborg (Jütland) ein Wasserturm des Bahnhofs durch Sabotage zerstört wurde, ohne daß der Eisenbahnverkehr eine Beeinträchtigung erfahren hat.[112] In Kopenhagen haben zwei Sabotageakte gegen deutschfeindliche Einrichtungen, nämlich gegen das Haus der "Studentenvereinigung" und gegen das Restaurant "Parnas," stattgefunden, durch die großer Sachschaden verursacht wurde. An der "Studentenvereinigung" wurden drei deutsche Soldaten durch Glassplitter verletzt.[113]

Dr. Best

121. Werner Best an das Auswärtige Amt 11. Januar 1944

Best bad AA om at udvirke, at valutaafdelingen i Kiel overførte 35.000 RM, som *Nordschleswigsche Zeitung* havde brug for til at dække en bankgæld, der var opstået ved udgifter forbundet med udgivelse af en igen standset særudgave af avisen i Flensborg. Best betonede, at det ikke kun var det tyske mindretals avis, men dagblad for alle tyske i Danmark, og at det fortjente støtte.
    AAs svar kendes ikke, men avisen blev fra maj 1944 støttet med betydelige månedlige beløb af Best, så det formodes, at avisen også er blevet hjulpet over den her opståede gæld (se *Politische Informationen* 1. maj 1944, afsnit V).
    Kilde: RA, Danica 465, Moskva, Osobyj Archiv, 1458/21/113/66.

Durchdruck
Der Reichsbevollmächtigte in Dänemark   *Kopenhagen, den 11. Januar 1944.*
I C/N Sch 6.

---

112 Ved en bombeeksplosion blev vandtårnet i Silkeborg ødelagt, men vandforsyningen til lokomotiverne var sikret (RA, BdO Inf. nr. 4, 13. januar 1944, *Information* 12. januar 1944, Trommer 1971, s. 73, Horskjær 1984, s. 107-109).
113 Petergruppen forøvede schalburgtage mod Studenterforeningens bygning og restaurant "Parnas". BdO opgav i begge tilfælde, at tyske interesser ikke blev berørt, men bemærkede om "Parnas", at der hovedsageligt kom kunstnere og homoseksuelle. BdO opgav også tre personer såret af glas, men ikke at det var tyske soldater (RA, BdO Inf. nr. 4, 13. januar 1944, Lauritsen 1947, s. 1387, Bøgh 2005, s. 32, tillæg 3 her).

Auf den Erlaß vom 26. Oktober 1943[114]
Ha Pol VI 183/44 – Ha Pol VI 3681/43 –

An das Auswärtige Amt, Berlin.

Betr.: Transferierung von 35.000,- RM für die Nordschleswigsche Zeitung in Apenrade.
– 2 Durchschläge –

Bei dem Betrag von 35.000,-- RM, dessen Transferierung der Aufsichtsrat der Nordschleswigschen Zeitung in Apenrade bei der Devisenstelle Kiel beantragt hat, handelt es sich im wesentlichen um Einkünfte, die aus dem Bezug der inzwischen eingestellten Sonderausgabe der Zeitung für das Reich in Flensburg entstanden sind. Der Aufsichtsrat der Zeitung ist besonders daran interessiert, diese Einkünfte in Dänemark zur Tilgung von Bankschulden und zur Deckung der aus der Aufstellung einer neuen Rotationsmaschine entstandenen Kosten zu verwerten.

Die Nordschleswigsche Zeitung, die nicht nur das Organ der Deutschen Volksgruppe in Nordschleswig sondern auch die einzige deutsche Tageszeitung in Dänemark ist, verdient, von uns amtlich gefördert zu werden. Ich bitte deshalb, bei der Devisenstelle Kiel auf die Genehmigung des Antrages hinwirken zu wollen.

gez. **Dr. Best**

122. Reichsbankdirektorium an das Auswärtige Amt 11. Januar 1944

AA fik meddelelse om, at Best i tilfælde af, at der skulle blive bevilget en omstilling af den danske clearingkonto fra RM til kroner, gerne ville have sagen i sine hænder, så han kunne benytte det som en indrømmelse over for danskerne ved en given lejlighed. Reichsbankdirektorium antog, at sagen om omstillingen ville blive drøftet nærmere.

Det var Krause fra Bests forbindelsesled til rigskreditkassen, der havde videregivet Bests ønske til Reichsbankdirektorium og først derfra, at ønsket nåede videre til AA. Det var ikke den reglementerede vej for fremsættelse af den type ønsker. I øvrigt var det en gentagelse af den fremgangsmåde, som Best, for at opnå en politisk fordel, havde ønsket anvendt november 1942, da en omstilling af besættelseskontoen fra RM til kroner var på tale (se Best til AA 25. november 1942).

Kilde: RA, pk. 271.

Reichsbankdirektorium *Berlin, den 11. Januar 1944*
Nr. II a 6

An das Auswärtige Amt
z.Hd. des Herrn Min. Direktor Wiehl
Berlin W 8
Wilhelmstr. 75

---

114 Skrivelsen er ikke lokaliseret.

Betreff: Umstellung des dänischen Clearingguthabens
Im Anschluß an unser Schreiben vom 16. Dezember 1943[115] – Nr. IIa 10307/43

Die Verbindungsstelle der Hauptverwaltung der Reichskreditkassen bei dem Reichsbevollmächtigten in Dänemark berichtet uns unter dem 22. Dezember 1943[116], daß der Herr Reichsbevollmächtigte den Wunsch geäußert habe, ihm für den Fall der Zustimmung zu dem dänischen Wunsch auf Umstellung des Clearingguthabens in D.Kr. diese Zusage an die Hand zu geben, damit er sie den Dänen bei einem sich bietenden Anlaß als besonderes Entgegenkommen zugestehen könne. Wir nehmen an, daß die Gesamtfrage demnächst in einer Ressortbesprechung behandelt wird.

Reichsbankdirektorium
[underskrift]

123. Franz Ebner an Walter Forstmann 11. Januar 1944

Ebner orienterede Forstmann om reglerne for erstatning til værnemagten for materiel, som blev ødelagt ved sabotage. I de fleste tilfælde kunne der skaffes erstatning in natura, men i de tilfælde, hvor det involverede en virksomhed med produktion for Tyskland og råvarer, som var importeret fra Tyskland, skulle erstatningen ikke kræves in natura, da det ville skade dansk erhvervsliv og de danske leverancer til Tyskland.

Kilde: BArch, Freiburg, RW 19: Wi I E1: Dänemark og RW 27/13. RA, Danica 1000, T-77, sp. 696, KTB/Rü Stab Dänemark, 1. Vierteljahr 1944, Anlage 2.

Abschrift!   Anlage 2.
Der Reichsbevollmächtigte in Dänemark   *Kopenhagen, den 11. Januar 1944.*
Hauptabteilung Wirtschaft
Gesch. Zeich.: III/7580/43

Betr.: Ersatz für deutsches, durch Sabotage vernichtetes Material.
Bezug: Dortiges Schreiben vom 13.12.43 Az. Ib/I 1b2 Nr. –

An den Chef des Rüstungsstabes Dänemark
    Kopenhagen

Bei dem Ersatz von "Wehrmachtsgut" wird es sich, von Ausnahmefällen abgesehen, meistens um Gegenstände des täglichen Bedarfs der Wehrmacht handeln. Soweit hierbei nicht Kriegsgerät (z.B. Waffen etc.) in Frage kommt, wird ein Ersatz aus dänischen Beständen (z.B. Fahrzeugen) in der Regel möglich sein und kann deshalb auch von der dänischen Regierung geleistet werden. Anders verhält es sich jedoch grundsätzlich mit "Rüstungsgut". Abgesehen davon, daß es bezüglich der Eigentumsverhältnisse hierbei stets auf die vertraglichen Abmachungen im Einzelfalle ankommt, besteht zunächst einmal die Möglichkeit der Inanspruchnahme der dänischen Kriegsschädenversiche-

---

[115] Lokaliseret i RA, pk. 271 og kort refereret i kommentaren til RFM til AA 11. november 1943.
[116] Indberetningen er ikke lokaliseret.

rung zur Deckung des eingetretenen Schadens. Andererseits wird "Rüstungsgut" aber rohstoffmäßig bei der Verlagerung eines Auftrages von Deutschland nach Dänemark grundsätzlich von der auftraggebenden Firma beigestellt worden sein, weil die Rohstoffe in Dänemark nicht vorhanden sind. Sofern also für diese Ersatz in natura von der dänischen Regierung verlangt werden würde, müßte dieser aus der deutschen Einfuhr gedeckt werden. Das aber hätte wiederum auf dem dänischen Inlandsmarkt eine nicht vertretbare ungünstige Auswirkung, die im Interesse der Inganghaltung der dänischen Wirtschaft und zur Erhaltung der dänischen Lieferung nach Deutschland unter allen Umständen vermieden werden muß. Das schließt natürlich nicht aus, daß im Einzelfalle die dänische Regierung bei der Ersatzgestellung in Vorlage tritt.

Es erscheint hiernach nur ein Schadenersatz in Geld möglich, während die Rohstoffe grundsätzlich nochmals von der auftraggebenden deutschen Firma werden beigestellt werden müssen.

Im übrigen wird auf die heutige mündliche Besprechung Bezug genommen.

gez. **Ebner**

F.d.R.d.A. Hauptmann

124. Rüstungsstab Dänemark: Sabotage bei Burmeister & Wain 11. Januar 1944

Der blev 8. januar 1944 forøvet en så omfattende sabotage mod B&Ws maskinhal, at Rüstungsstab Danemark lod udarbejde en særlig redegørelse for ødelæggelsernes omfang. Foruden omfattende bygningsskader blev en transformator og talrige værktøjsmaskiner, arbejdstegninger m.m. ødelagt. Det blev vurderet, at det ville tage 2-3 måneder at udbedre skaderne, og derudover var anskaffelsen af en ny transformator en forudsætning for, at arbejdet på stedet kunne komme i gang igen.[117]

Sabotagen blev udført af BOPA, og skadessummen opgjort til over 1.000.000 kr. (Kjeldbæk 1997, s. 472).

Kilde: BArch, Freiburg, RW 27/13. KTB/Rü Stab Dä, 1. Vierteljahr 1944, Anlage 3.

Abschrift
Rüstungsstab Dänemark *Kopenhagen, den 11. Januar 1944*
Abt. Heer

A k t e n v e r m e r k

Betr.: Sabotage bei Burmeister & Wain, Kopenhagen, am 8.1.1944
 Zerstörung der Halle Bur-Wain-Autodiesel.

In der etwa 3.000 qm großen, aus mehreren Abteilungen bestehenden Halle wurden mehrere Sprengbomben angebracht, wodurch starke Zerstörungen in dem mittleren Teil des Gebäudes verursacht wurden. Die hier befindliche Transformatorenstation wurde gänzlich zerstört.

Das Werk beschäftigt 230 Mann.
Der Gebäudeschaden wird auf etwa d.Kr. 200.000,- geschätzt. Der Maschinen- und

---

117 Vurderingen af den tid, det ville tage at få gang i produktionen i gang igen, blev siden væsentligt ændret. Se Rüstungsstabs Lagebericht 31. januar 1944.

Transformatorenschaden kann z.Zt. noch nicht übersehen werden, desgleichen auch nicht die Beschädigung von Wehrmachtsgerät.

Neben der vollständigen Zerstörung der Transformatorenstation wurden drei von fünf größeren Bohrmaschinen beschädigt, darunter eine sehr schwer; desgleichen eine große Rundschleifmaschine, zwei Drehbänke, ein großer Teil der Meßwerkzeuge; die Kontroll- und Spezialwerkzeuge wurden stark beschädigt. Ihre Wiederverwendbarkeit muß noch nachgeprüft werden.

Außerdem verbrannten dänische und deutsche Zeichnungen von BMW, Daimler-Benz und Argus. Kleinere Maschinen, Mechanikerdrehbänke pp. wurden leicht beschädigt.

Verlagert sind insbesondere Aufträge der Abt. Luftwaffe und Marine. Abt. Heer ist durch die Zerstörung nur unwesentlich getroffen; es liegt dort nur ein Auftrag auf Werkzeuge und Ersatzteile. – Burmeister & Wain ist jedoch Zulieferer von Einzelteilen für Motoren, die bei der Fa. Nordbjärg & Wedell für das AOK Norwegen gefertigt werden. Der Hauptauftrag auf 100 Motoren ist ausgelaufen. Über die Verlagerung weiterer Motoren schweben noch Verhandlungen.

Das Werk führt außer Werkzeugen und Ersatzteilen monatlich folgende Fertigungen aus:

100 Ölpumpen für BMW   ⎫
100 Einlaß-Einspritzpumpen für Argus ⎬ Luftwaffe
100 Ölpumpen für Daimler-Benz   ⎭ Marine.

Die Wiederinbetriebnahme des Werkes hängt von der Neubeschaffung eines Transformators ab, da sämtliche Werkzeugmaschinen mit Drehstrom-Motoren versehen sind.

Der Gebäude- und sonstige Schaden kann in etwa 2-3 Monaten ausgebessert sein.

gez. **Diesselhorst**
Hauptmann

125. Werner Best an das Auswärtige Amt 12. Januar 1944
Dagsindberetning.
    Kilde: PA/AA R 29.568. RA, pk. 204.

Telegramm

Kopenhagen, den	12. Januar 1944	17.20 Uhr
Ankunft, den	12. Januar 1944	19.45 Uhr

Nr. 53 vom 12.1.[44.]   Citissime!

Ich bitte, die folgende Meldung dem Herrn Reichsaußenminister unverzüglich zuzuleiten:

Über die Lage in Dänemark berichte ich für den 11. auf 12.1, daß in Brönderslev – Jütland – der Transformator einer Maschinenfabrik – die nicht für deutsche Interessen arbeitet – gesprengt worden ist.[118] In Kopenhagen sind zwei Tankstellen, deren Inhaber als deutschfeindlich bekannt sind, durch Sprengungen beschädigt worden.[119]

Dr. Best

126. Rudolf Stehr an VOMI 12. Januar 1944

Stehr orienterede VOMI om de drøftelser, der havde været med Best angående det tyske mindretals statsborgerskab. Baggrunden var førerforordningen af 25. maj 1943, som mindretalsledelsen og Best var enige om ikke at ønske udstrakt til at gælde for Nordslesvig.

Se VOMIs notat 14. marts 1944.
Kilde: RA, pk. 442. PKB, 14, nr. 346.

Kontor der deutschen Volksgruppe *Kopenhagen Ø., den 12. Januar 1944*
beim Staatsministerium

Vorgang: P.II. 10/43 – St/L
Betrifft: Prüfung der Volkszugehörigkeit zwecks Einbürgerung der bei der Wehrmacht und Waffen-SS befindlichen Volksdeutschen.
Bezug: Erlaß der dortigen Dienststelle vom 30. Dezember 1943.

An die Volksdeutsche Mittelstelle
   z.Hd. von Obersturmbannführer Radunski
   Berlin, Am Karlsbad 12
   über das Volksgruppenamt, Apenrade.

Lieber Kamerad Radunski!
Im Auftrage des Volksgruppenführers überreiche ich Ihnen anliegend einen Vermerk, aus dem Sie den bisherigen Gang der Verhandlungen über die Staatsangehörigkeitsfrage entnehmen können. Da demnach eine Einbürgerung der Volksdeutschen Freiwilligen aus Nordschleswig nicht vorgesehen ist, erübrigt sich ja vielleicht die Ernennung eines besonderen Volkstumssachverständigen.

Es wäre sehr günstig, wenn die dortige Dienststelle beim Auswärtigen Amt oder dem Reichsinnenministerium eine Abschrift des Entwurfes zu den Ausführungsbestimmungen beschaffen und diese der Volksgruppenführung zur Stellungnahme zuleiten könnte. Nach hiesiger Auffassung kommt es hauptsächlich auf folgende Punkte an:
1.) Aufrechterhaltung der dänischen Staatsangehörigkeit,
2.) Zusicherung, daß unsere Freiwilligen, auch wenn sie die Reichsangehörigkeit nicht

---

118 Ved en sprængning blev Pedershåb Fabrikkernes transformator i Brønderslev ødelagt. BdO opgav, at tyske interesser ikke blev berørt (RA, BdO Inf. nr. 4, 13. januar 1944, Alkil, 2, 1945-46, s. 1227).
119 Det var en schalburgtage udført af Petergruppen mod Shell Garage- og Tankanlæg, Enghavevej 31, hvor BdO konstaterede, at tyske interesser ikke blev berørt (RA, BdO Inf. nr. 4, 13. januar 1944, Lauritsen 1947, s. 1387, Bøgh 2004, s. 33f., tillæg 3 her), og sabotage mod DDPAs tank, Vesterbrogade 151, hvorved der kun opstod ringe skade. Heller ikke her blev tyske interesser iflg. BdO berørt (RA, BdO Inf. nr. 4, 13. januar 1944, Alkil, 2, 1945-46, s. 1227).

erwerben, trotzdem während ihrer Zugehörigkeit zur Truppe dieselben Pflichten und Rechte haben wie Reichsangehörige. (Das kann sich z.B. beziehen auf Fürsorge, Urlaubsregelung, Zulassung zum fliegenden Personal bei der Luftwaffe u.ä.),
3.) Anspruch auf Einbürgerung auf besonderen Antrag des Freiwilligen hin.
Im übrigen darf ich auf den beigefügten Vermerk Bezug nehmen.

Heil Hitler
Stehr

1 Anlage

Vermerk über die Frage der Staatsangehörigkeit unserer Freiwilligen.
1.) Am Montag, den 31. Mai 1943 wurde die Frage des etwaigen Erwerbs der deutschen Staatsangehörigkeit durch die Volksdeutschen Freiwilligen aus Nordschleswig in einer Besprechung bei dem Reichsbevollmächtigten angeschnitten, an der von der Volksdeutschen Mittelstelle Obersturmbannführer Radunski teilnahm.
2.) Am 2. Juni 1943 hat dann der Volksgruppenführer von Apenrade aus in der Angelegenheit an den Reichsbevollmächtigten berichtet. Er führt in dem Bericht aus, daß den Freiwilligen mit Rücksicht auf die politischen Aufgaben der Volksgruppe unbedingt das Heimatrecht in Nordschleswig erhalten bleiben muß. Er schlägt vor, den Führererlaß vom 25. Mai 1943 auf Nordschleswig nicht zur Anwendung zu bringen und soweit eine solche generelle Ausnahme nicht gemacht werden kann, dafür Sorge zu tragen, daß die Freiwilligen neben der deutschen die dänische Staatsangehörigkeit behalten.

Dieser Bericht ist dem Obersturmbannführer Radunski in Apenrade in Abschrift überreicht worden.
3.) Der Reichsbevollmächtigte in Kopenhagen hat sich daraufhin im Sinne der Eingabe der Volksgruppenführung an das Auswärtige Amt gewandt mit der Bitte, den besonderen Verhältnissen in Nordschleswig bei der Ausarbeitung der Ausführungsbestimmungen Rechnung zu tragen.[120]
4.) Am 1. Juli 1943 fand im RMdI eine Sitzung statt, an der u.a. teilnahmen der RB und von der Volksdeutschen Mittelstelle Obersturmbannführer Kubitz. Hier wurden die Wünsche hinsichtlich der Sonderregelung in Nordschleswig von dem RB vorgetragen. Es wurde, soweit das Kontor unterrichtet ist, in Aussicht genommen, durch die Ausführungsbestimmungen die Volksdeutschen aus Nordschleswig vorläufig vom Erwerb der deutschen Staatsangehörigkeit auszuschließen.
5.) Das Kontor hat dann verschiedentlich noch in der Angelegenheit an den RB berichtet. Seine Eingaben sind jeweils abschriftlich zur Kenntnisnahme nach Nordschleswig gegangen. Auf Grund dieser Eingaben hat der RB wiederum nach dem Stand der Angelegenheit vorgefragt. Ein Zwischenbescheid des AA soll, soweit im Kontor bekannt, dahin ergangen sein, daß in einem dem AA zur Gegenzeichnung vorgelegten Entwurf die Herausnahme der Nordschleswiger aus der Gesamtregelung vorgesehen sei.
6.) Da der Erlaß der Ausführungsbestimmungen sich hinausgezögert hat, wurde in der

---

120 Nemlig i skrivelse af 4. juni 1943 (se PKB, 13, nr. 345).

Zwischenzeit in der Staatsangehörigkeitsfrage vom Volksgruppenkontor aus am 22. Oktober 1943 auch mit dem Departementchef des dänischen Innenministeriums verhandelt, um den gegenwärtigen Rechtszustand klarzustellen (vergl. hierzu Bericht des Volksgruppenkontors vom 23. Oktober 1943 an RB, Volksgruppenführer, Organisationsamt und Volksgruppamt). Danach ergibt sich unter Zugrundelegung des dänischen Staatsangehörigkeitsgesetzes vom 18. April 1925 folgender Rechtszustand:

Grundsätzlich geht die dänische Staatsangehörigkeit bei dem Erwerb einer fremden Staatsangehörigkeit verloren. Dieser Verlust tritt jedoch nicht ein,
a.) solange die Betreffenden hier im Lande wohnen bleiben, sofern sie
b.) die dänische Staatsangehörigkeit bereits bei ihrer Geburt erworben haben.
Wir einigten uns dahin, daß die erste Bedingung für die Aufrechterhaltung einer doppelten Staatsangehörigkeit (Wohnort in Dänemark) bei den Freiwilligen als vorliegend angesehen werden könne, da die Freiwilligen nach ihrer Einberufung an ihrem jeweiligen Standort normalerweise keinen Wohnsitz begründen.

Die zweite Bedingung (Erwerb der dänischen Staatsangehörigkeit durch Geburt) ist nur bei denjenigen Freiwilligen erfüllt, die nach der Abtrennung Nordschleswigs an Dänemark (15. Juni 1920) geboren sind. Dagegen haben die älteren Freiwilligen die dänische Staatsangehörigkeit nicht durch Geburt, sondern im Zuge der Abtrennung Nordschleswigs vom Reich erworben. Die älteren Jahrgänge würden daher auf jeden Fall bei Erwerb der deutschen die dänische Staatsangehörigkeit verlieren.

Eine Änderung dieses Rechtszustandes durch Erlaß einer sogenannten Gesetzesanordnung wurde dänischerseits abgelehnt, da er über die Befugnisse eines Staatssekretärs hinausgehe. Umgekehrt ist eine Vorlage im dänischen Reichstag nicht möglich, da dieser zur Zeit nicht in Funktion ist.

7.) Daraufhin hat der RB, um die in Einzelfällen vorhandenen akuten Schwierigkeiten zu beseitigen, der dänischen Zentraladministration mitgeteilt, daß ein Erwerb der deutschen Staatsangehörigkeit durch die Volksdeutschen Freiwilligen aus Nordschleswig bisher noch nicht stattgefunden habe mit Rücksicht auf die fehlenden Durchführungs- und Ergänzungsbestimmungen. Außerdem sei der Führererlaß der dänischen Zentraladministration noch nicht notifiziert. Demgemäß müßten bis auf weiteres die bisherigen Rechtsbestimmungen zur Anwendung gelangen.[121]

Danach wird also bis auf weiteres davon ausgegangen, daß die Volksdeutschen Freiwilligen die dänische Staatsangehörigkeit behalten haben und die Bestimmungen über Arbeits- und Aufenthaltserlaubnis usw. für Ausländer dänischerseits nicht in Anwendung gebracht werden können, (vergl. hierzu meinen Bericht vom 24. November 1943 an Volksgruppenführer, Organisationsamt und Volksgruppamt).
Kopenhagen, den 12. Januar 1944. St/L
P.II. 10/43.

---

121 Dr. Bests skrivelse til UM er dateret 22. november 1943. Et gennemslag blev af Kassler sendt til det tyske kontor. Stehr har herpå noteret: "Es kann rechtl. m.E. fraglich erscheinen, wie weit eine besondere Notifizierung erforderlich ist, wenn eine Bestimmung im RGBh veröffentl. ist. Dieser Gesichtspunkt ist Dr. Kassler gegenüber geltend gemacht worden. St[ehr]".

127. Rüstungsstab Dänemark: Sabotage beim Varde Staalvärk 13. Januar 1944

Rüstungsstab Dänemark lod udarbejde en oversigt over skaderne ved sabotagen mod Varde Stålværk 10. december 1943. Skaderne var meget betydelige, og staben beklagede, at en så moderne indrettet virksomhed gik tabt for den tyske rustningsproduktion. Det blev forsøgt i samarbejde med virksomheden at skaffe erstatningsleverandører. Det forventedes, at stålværket kunne genoptage støbningen i april 1944.

Kilde: BArch, Freiburg, RW 27/12. KTB/Rü Stab Dänemark 4. Vierteljahr 1943, Anlage 23.

Rüstungsstab Dänemark   Anlage 23
Abt. Heer   *13.1.1944*

Sabotage beim Varde Staalvärk,
Varde, am 10. Dezember 43

Um einen genauen Überblick über den Fertigungsausfall beim Varde Staalvärk durch die Sabotage am 10. Dezember 1943 zu erhalten, wurde durch Baurat Herzberger am 10. Januar 1944 eine eingehende Ortsbesichtigung vorgenommen.

Von der Firma waren zugegen: Dir. Cause, Dir. v. Bühlow, Ing. Behling, Ing. Thaonberg.

Die Firma besteht seit dem Jahre 1918. Sie beschäftigt sich mit der Herstellung von Stahlguß, Vordrehen der Gußstücke, Herstellung von Tiegel-Gußstahl und der Anfertigung von Modellen.

Folgende Maschinenanlagen sind vorhanden:
2 Siemens-Martin-Öfen mit je 8 to Fassungsvermögen. Der Ausstoß beträgt durchschnittlich 50 to in der Woche. Maximal ist es möglich, täglich 3 Chargen zu gießen. Das größtmögliche Gußstück kann bis zu 6 to betragen.

2 Elektro-Stahlöfen (Induktion) mit je 1 to Fassungsvermögen. Die Anlage wurde 1940 aufgestellt und dient zur Herstellung von legiertem Stahl.

1 Werkstätte zum Bearbeiten der Stahlformgußstücke. Diese werden hier nur vorgearbeitet. Hierzu sind die notwendigen Drehbänke usw. vorhanden. Beschäftigt werden hier 40 Mann.

1 Modelltischlerei zum Herstellen der anfallenden Modelle mit einer Besetzung von 5 Mann.

Die Firma ist beschäftigt mit der Herstellung von Stahlformguß für die Ardeltwerke Eberswalde, und zwar liegen folgende Aufträge von Abt. Heer vor:
A 5540 (H) – 100.000 kg Stahlformabgüsse

Die Modelle werden von der Firma Ardeltwerke, Eberswalde, gestellt. Bis Ende Dezember 1943 war ungefähr die Hälfte des Auftrages mit rd. 54 to ausgeliefert. Im Januar sollen noch 3-5 to geliefert werden. Die Firma ist in der Lage, monatlich 15-20 to zu liefern und richtet sich mit der Ausbringung nach dem Abruf der Firma Ardeltwerke.

A 8742 (H) – 50.000 kg Stahlformabgüsse
Eine Lieferung ist bisher nicht erfolgt.

In der Nacht des 10. Dezember wurde das Werk durch Sabotage beschädigt. Die Saboteure drangen gegen 4 Uhr früh ein und machten zunächst die 4 Mann Sabotagewache unschädlich. Die erste Explosion erfolgte um 5 Uhr; insgesamt wurden 8

Explosionen vernommen.
Die Beschädigungen durch die Sabotage:
1 Siemens-Martin-Ofen ist gänzlich zerstört,
1 Siemens-Martin-Ofen ist erheblich beschädigt.
Die zugehörigen Generatoren für die Regenerativfeuerung sind stark beschädigt. Die zwei Elektrostahlöfen wurden erheblich beschädigt, ferner die Manövriertafel für den Umformerraum. In der Halle der Elektrostahlöfen gingen sämtliche Fensterscheiben (2.400 Stück) in Trümmer. Maschinenwerkstätte und Modellager blieben erhalten.
Die Firma ist z.Zt. damit beschäftigt, aufzuräumen und die Schäden zu beseitigen. Sie rechnet damit, daß die Gießerei im April ds.Js. wieder anlaufen kann. Vorausgesetzt ist hierbei, daß die Ersatzteile (Steine usw.) rechtzeitig eintreffen.
Abschließend kann gesagt werden, daß die Firma gut eingerichtet war. Da es sich um eine neuere Firma handelt, waren die maschinellen Anlagen neuzeitlich und sehr leistungsfähig. Es ist daher besonders bedauerlich, daß die Firma durch diese Sabotage für die Lieferungen an die deutsche Wehrmacht zunächst ausfällt.
Es wird aber versucht werden, im Einvernehmen mit der Firma Ausweichfirmen zu finden, die die Ersatzlieferungen übernehmen können.

128. Kriegstagebuch/Admiral Dänemark 13. Januar 1944
De danske både, som Kriegsmarine havde til havnebevogtning i Øresund, var blevet lovet til BSO. Wurmbach bad om, at overdragelsen blev udsat til der var gjort nogle andre ældre danske både klar til at overtage opgaven.
   Wurmbach rekapitulerede endvidere forløbet af indførelsen af tysk havnekontrol i Øresund (jfr. KTB/ADM Dän 1. september 1943 og 3. december 1943).
   Kilde: KTB/Adm. Dänemark 13. januar 1944, RA, Danica 628, sp. 3, s. 3215.

[...]
Mit Verfügung OKM Skl Qu A I SA 25913/43 Gkdos v. 6.1.44 sind die ehemaligen dänischen K-Boote, die von Admiral Dänemark für die Hafenüberwachung im Sund eingesetzt sind, BSO zugesprochen, sodaß dieser damit ein Anrecht auf Auslieferung der Fahrzeuge hat.
   Am 30.9.43 hatte Admiral Dänemark gemeldet, daß die dänischen K-Boote für die Überwachung der Sundhäfen vorgesehen seien, und hatte um Bewilligung des dazu erforderlichen Personals gebeten. Die Genehmigung wurde im Oktober 43 erteilt. Daraufhin wurden die Boote einsatzfähig gemacht und im Laufe des Dezember 43 eingesetzt.
   Gleichzeitig mit dem Antrag des Admiral Dänemark auf Einsetzung der K-Boote für die Hafensundbewachung hatte BSO den Antrag gestellt, daß ihm sämtliche dänische Minensuch- und Überwachungsfahrzeuge zugewiesen würden. Es ist dies der Antrag der nunmehr von OKM Skl Qu AI bewilligt worden ist. Inzwischen hatten zwischen Admiral Dänemark und BSO Verhandlungen stattgefunden, daß die K-Boote gegen alte Boote aus ehemaligen Hafenschutzflottillen Skagen und Frederikshavn ausgetauscht würden. 6 dieser Boote waren bereits nach Helsingör überführt. Eine soeben

stattgefundene eingehende Besichtigung der Fahrzeuge ergab jedoch, daß alle Boote z.Zt. AKB sind. Es wird voraussichtlich eine 2-3 Monate lange Überholungszeit erforderlich sein. Wenn somit die K-Boote sofort an BSO ausgeliefert werden müssen, muß die Hafenüberwachung im Sund eingestellt werden.

Ich bitte daher MOK Ost um Einverständnis, daß die K-Boote solange bei Admiral Dänemark belassen werden, bis die alten Boote der Hafenschutzflottillen Frederikshavn und Skagen wieder verwendungsfähig sind.

129. Werner Best an das Auswärtige Amt 13. Januar 1944
Dagsindberetning.
Kilde: PA/AA R 29.568. RA, pk. 204.

Telegramm

| Kopenhagen, den | 13. Januar 1944 | 21.00 Uhr |
| Ankunft, den | 13. Januar 1944 | 22.00 Uhr |

Nr. 56 vom 13.1.[44.]   Citissime!

Ich bitte, die folgende Meldung dem Herrn Reichsaußenminister unverzüglich zuzuleiten:

Über die Lage in Dänemark berichte ich für den 12. auf 13., daß in Kopenhagen – Matratzenfabrik, die nicht für deutsche Zwecke arbeitet – und in Esbjerg – Geräte-Schuppen der Marine – Brandstiftungen stattgefunden haben.[122] In Kopenhagen hat die deutsche Sicherheitspolizei sechs bewaffnete Angehörige einer kommunistischen Sabotagegruppe, die zum Teil seit 1942 gesucht wurden, und an zahlreichen Sabotageakten beteiligt waren, festgenommen und im Zuge der Ermittlungen ein Waffenlager mit 31 Gewehren und 1.440 Schuß Gewehrmunition sowie eine Druckpresse mit Zubehör sichergestellt.[123]

Dr. Best

---

122 BOPA forøvede sabotage mod Super Spring-Madrasfabrik, Nansensgade 47, i København. Den opståede brand forårsagede betydelig skade. BdO opgav, at virksomheden ikke arbejdede for tyske interesser, men dog leverede madrasser til ingeniør Stig Ravn, Charlottenlund, der angiveligt solgte til værnemagten (RA, BdO Inf. nr. 5, 17. januar 1944, Kjeldbæk 1997, s. 472).
123 På værtshuset "Café Oehlenschlæger" i Allégade blev fem BOPA-ledere arresteret: Poul Petersen (HH), Knud Børge Jensen (Smith), Villy Olsen (O.D.), Viktor Mehl (Jens) og Robert Sørensen (Larsen 1982, s. 128-130, Kjeldbæk 1997, s. 208f.).

130. Das Auswärtige Amt an Werner Best 13. Januar 1944

AA meddelte Best, at OKM ønskede ad frivillighedens vej at chartre tre danske skibe, der var oplagt på Bornholm. Skibene var nødvendige for krigsindsatsen. Kunne det ikke ske, skulle skibene beslaglægges med henvisning til angarienretten, da der var tale om en tvingende nødvendighed. AA havde med henvisning til angarienretten ingen betænkeligheder ved beslaglæggelserne. Best blev udbedt en indberetning om det ønskede.

Der kom en opfølgende ordre dagen efter, trykt nedenfor. Best svarede AA 26. januar 1944.
Kilde: BArch, Freiburg, RM 7/1813. RA, Danica 628, sp. 7, nr. 5774.

Abschrift Ha Pol. 7607/43 g
Auswärtiges Amt   Berlin, den 13. Januar 1944.
                                                                Geheim

Betr. Inanspruchnahme brachliegender dänischer Tonnage im dänischen Raum.
Auf die Drahtberichte Nr. 1493 vom 3. Dez. und Nr. 1585 vom 24. Dez. v.Js.[124]

An den Bevollmächtigten des Reichs für Dänemark
    in Kopenhagen

Das Oberkommando der Kriegsmarine benötigt für den Admiral der Seebefehlsstellen zu Ausbildungszwecken die in Bornholm aufliegenden drei Dampfer "Hammershus", "Frem" und "Rottner". Bei Verwendung der Schiffe würden diese die deutsche Flagge führen und mit deutschen Soldaten besetzt werden. Ihr Einsatz ist kriegsnotwendig. Es wird gebeten, die Reedereien der genannten Schiffe durch Druck auf die dänische Zentralverwaltung zur freiwilligen Übergabe der Fahrzeuge an die Kriegsmarinedienststelle Kopenhagen gegen eine angemessene Charter in dänischen Kronen zu veranlassen. Sollte dieser Versuch erfolglos bleiben, womit auf Grund des Drahtberichts Nr. 1585 vom 24. Dezember v.Js. zu rechnen ist, so können die Schiffe beschlagnahmt werden; allerdings sollte die Beschlagnahme nicht auf Grund einer allgemeinen Verordnung, sondern in jedem besonderen Falle durch Einzelanordnung durchgeführt werden. Die Beschlagnahme gegen Entschädigung wäre nötigenfalls völkerrechtlich auf das Angarienrecht zu stützen. Die Voraussetzung für die Ausübung des Angarienrechts, nämlich das Vorliegen eines dringenden Notstandes, ist gegeben. Auf Grund dieses Tatbestandes hat die Beschlagnahme einzeln gegen die jeweils dringend benötigten Schiffe zu erfolgen, dagegen wird von einer vorsorglichen Beschlagname einer größeren Anzahl von Schiffen, die nicht sofort benötigt werden, abzusehen sein, da in diesem Falle völkerrechtliche Bedenken gegen eine Beschlagnahme vorgebracht werden könnten.

Gegen die Beschlagnahme auf Grund des Angarienrechts bestehen seitens des Auswärtigen Amtes keine Bedenken. Um Bericht über das Veranlaßte wird gebeten.
                                              Im Auftrag
                                              gez. **Bisse**

---

[124] Telegrammet 3. december 1943 er ikke lokaliseret, mens telegrammet 24. december 1943 er trykt ovenfor.

131. Rüstungsstab Dänemark an Rüstungskommando Leipzig 13. Januar 1944

Der var hævet 20 danske krigsskibe, hvoraf 12 kunne repareres og de øvrige 8 skrottes. Af politiske grunde og for at undgå sabotage ville Walter Forstmann lade tyske arbejdere gøre de 12 skibe klar til overførsel til Tyskland og sørge for, at de 8 blev til vrag. Han bad om indrejse for 10 tyske arbejdere.

Så let forløb denne sag ikke. Se Seekriegsleitung til K III 23. februar 1944.

Kilde: BArch, Freiburg, RW 27/13. KTB/Rü Stab Dänemark, 1. Vierteljahr 1944, Anlage 5.

Rüstungsstab Dänemark

Anlage 5
den 13. Januar 1944

An Rüstungskommando Leipzig
Leipzig

Betr.: Überführung einerseits und Verschrottung andererseits von durch das hiesige Bergungskommando gehobenen dänischen Kriegsschiffen.

Im Raume Dänemark sind 20 dänische Kriegsschiffe gehoben worden. Reparaturwürdig sind 12 Schiffe, der Rest von 8 Schiffen soll nach Verhandlungen des Hauptausschusses Schiffbau mit dem OKM in Dänemark abgewrackt werden. An diesen Schiffen will der Hauptausschuß Schiffbau 1.) um politische Verwicklungen zu vermeiden und 2.) um Sabotage möglichst auszuschließen, keine dänischen Arbeiter verwenden.

Da der Abzug von Facharbeitern, wie Schiffbauer und Maschinenbauer, von deutschen Schiffswerften nicht statthaft ist, hat der Länderbeauftragte H.C. Lorenzen im Hauptausschuß Schiffbau Dänemark Verhandlungen mit der Firma Johs. Petzold & Co. K.G. Auslandsbauten, Leipzig C.1., aufgenommen. Diese Firma kann in Übereinstimmung mit dem Arbeitseinsatzbüro vom Hauptausschuß Schiffbau 10 Leute nach Dänemark senden, um die oben erwähnten 12 Fahrzeuge überführbereit zu machen und um die restlichen 8 Fahrzeuge abzuwracken.

Die vorerwähnten 10 Leute werden auf Wehrmachtfahrschein und Sonderausweis D nach Dänemark einreisen. Ich bitte um Ausstellung der Einreisepapiere für 1 Obermonteur, 6 gelernte Arbeiter und 3 Hilfsarbeiter oben genannter Firma.

Heil Hitler!
gez. **Forstmann**
Kap. z.S. u. Chef des Rüstungsstabes

132. Horst Wagner an Werner Best 14. Januar 1944

Wagner meddelte Best, at der efter, at han havde undersøgt sagen selv, allerede forelå retningslinjer for forholdet mellem HSSPF og Best. Han henviste til sin skrivelse af 20. december. Derfor forstod han ikke, at Best havde skrevet til RAM, at det ikke var tilfældet.

Best svarede dagen efter med telegram nr. 65.

Kilde: PA/AA R 100.758. RA, pk. 229.

Telegramm

Berlin, den 14. Januar 1944 14.00 Uhr

Diplogerma Kopenhagen
Nr. 46
Referent: LR v. Thadden
Betreff: Einsetzung Höheren SS- und Polizeiführers in Dänemark.

Für Reichsbevollmächtigten persönlich:
Auf Nr. 32 vom 7.1.[125]:
Ihre am 30.12. Herrn RAM erstattete Meldung, daß Sie noch keine Mitteilung von AA über Einsetzung Höheren SS- und Polizeiführers und keine Weisung über Ihr Verhältnis zu ihm erhalten hätten, ist mir nicht verständlich. Verweise auf Drahterlaß vom 20.12.43 Nr. 1689.[126]
Bedauere, Herrn RAM hierauf aufmerksam machen zu müssen.
Wagner

133. Werner Best an das Auswärtige Amt 14. Januar 1944
Dagsindberetning.
Kilde: PA/AA R 29.568. RA, pk. 204.

Telegramm

Kopenhagen, den 14. Januar 1944 21.00 Uhr
Ankunft, den 14. Januar 1944 22.50 Uhr

Nr. 59 vom 14.1.[44.] Citissime!

Ich bitte, die folgende Meldung dem Herrn Reichsaußenminister unverzüglich zuzuleiten:
Über die Lage in Dänemark berichte ich für den 13. auf 14.1.44, daß aus dem ganzen Lande keine Sabotageakte oder ähnliche Vorfälle gemeldet worden sind. In Aarhus ist im Zuge einer sicherheitspolizeilichen Aktion gegen illegale Kreise ein der konservativen Partei angehörender dänischer Zahnarzt mit seiner englischen Frau beim Widerstand gegen die polizeiliche Durchsuchung erschossen worden.[127] Der Fall wird

---

125 Trykt ovenfor.
126 Trykt ovenfor.
127 Under Gestapos anholdelse af tandtekniker Leo Kæraa og hans kone Doris, blev de begge hårdt såret, og hun døde senere. Deres bopæl havde været benyttet af SOE. Gestapos aktion blev ledet af Kriminalrat Eugen Schwitzgebel, og der blev faret frem med en sådan brutalitet, at arrestationen havde karakter af modterror (Hæstrup, 1, 1966-71, s. 346, *Faldne i Danmarks Frihedskamp*, 1970, s. 249).

offenbar von der schwedischen und englischen Propaganda besonders ausgewertet. Im Zuge der erwähnten sicherheitspolizeilichen Aktion sind in den letzten 24 Stunden 39 Personen, die einer von Fallschirmagenten geleiteten Organisation angehören, festgenommen worden. Weiter wurde in Nakskov (Falster) eine fünfköpfige Sabotagegruppe festgenommen.[128]

Dr. Best

134. Werner Best an das Auswärtige Amt 14. Januar 1944

Det tyske mindretal i Nordslesvig søgte både at øge sin autonomi på kirkeområdet og udvide den til den danske folkekirkes præster. Til formålet blev oprettet et Kirchenamt, som imidlertid ikke blev anerkendt af departementschefstyret, hvorfor bestræbelserne led et tilbageslag. Best støttede mindretallets planer, idet han underspillede, hvad bestræbelserne egentligt gik ud på. Han forklarede, at Kirchenamt blot ville give mindretalsledelsen mulighed for stærkere politisk kontrol (Hvidtfeldt 1953, s. 78f., Noack 1975, s. 153)

Kilde: RA, pk. 240. PKB, 14, nr. 181.

Der Reichsbevollmächtigte in Dänemark　　　　　　*Kopenhagen, den 14. Januar 1944.*
I C/N Sch. 5.

An das Auswärtige Amt,
　　Berlin.

Auf den Erlaß v. 22.12.1943[129] – Inl. II C 5071/43 –

Betr.: Errichtung eines Kirchenamts der Deutschen Volksgruppe in Nordschleswig

Das Kirchenamt der Deutschen Volksgruppe in Nordschleswig ist errichtet worden, weil die Volksgruppenführung es für notwendig hielt, zur Überprüfung und Regelung aller kirchlichen Angelegenheiten der Volksgruppe eine zentrale Stelle zu schaffen. Diese hat, soweit kirchliche Angelegenheiten die Volkstumsarbeit berühren, nach den Anordnungen und Richtlinien der Volksgruppenführung zu handeln. Bei der Errichtung des Kirchenamts, das nicht die Aufgabe hat, sich mit innerkirchlichen Fragen zu befassen, handelt es sich um eine organisatorische Maßnahme, die der Volksgruppenführung eine stärkere politische Kontrolle auf dem kirchlichen Gebiet ermöglicht.

Die Gründung einer zentralen kirchlichen Verwaltungsstelle in Form eines Kirchenamts erschien um so mehr geboten, als die Volksdeutschen in Nordschleswig zum Teil der Dänischen Staatskirche, zum Teil der Nordschleswigschen Gemeinde der Schleswig-Holsteinischen Landeskirche angehören. Von der Dänischen Staatskirche sind für den deutschen Bevölkerungsteil in Nordschleswig sechs besondere Pastoren angestellt, die

---

128 Tysk politi foretog landsomfattende arrestationer mod SOEs kontakter i Danmark på baggrund af de oplysninger fra de SOE-agenter, der blev arresteret i Århus 12. december (se telegrammerne 16. december 1943, *Information* 16.-17. januar 1944). Det førte til talrige henrettelser og deportationer til tyske koncentrationslejre.
129 Skrivelsen er ikke lokaliseret.

den dänischen Bischofsämtern in Hadersleben bezw. in Ripen unterstehen. Die Nordschleswigsche Gemeinde, die einen selbständigen Probstenbezirk der Schleswig-Holsteinischen Landeskirche bildet, unterhält in Nordschleswig sieben Pfarrbezirke. Es ist nun Aufgabe des Kirchenamts der Volksgruppe, dafür zu sorgen, daß sich aus dem Nebeneinander von Dänischer Staatskirche und Nordschleswigscher Gemeinde keine Schwierigkeiten ergeben, die die Arbeit der Deutschen Volksgruppe erschweren könnten.

Über die Pläne der Deutschen Volksgruppe, die eine kulturelle Selbstverwaltung zum Gegenstand haben, habe ich mit Bericht I C Nr. 306/43 vom 24.9.1943 berichtet, auf dessen Ausführungen ich Bezug nehme. An dem Stand der Dinge hat sich seitdem bis auf die Errichtung des Kirchenamts nichts geändert, die Pläne befinden sich vielmehr noch im Stadium der Vorbereitung. Es würde nicht zweckmäßig sein, den kirchlichen Sektor aus dem Plan der kulturellen Selbstverwaltung herauszunehmen, da volkstumspolitisch ein Interesse daran besteht, auch auf kirchlichem Gebiet den dänischen Einfluß – d.h. die Einwirkungen der Dänischen Staatskirche – zurückzudrängen. Die Bestrebungen der Volksgruppe gehen aber nicht dahin, eine kirchliche Autonomie einzuführen, wie dies anscheinend im Schreiben der Volksdeutschen Mittelstelle vom 13.12.1943 angenommen wird. Die Volksgruppe verfolgt vielmehr lediglich das Ziel, die von der dänischen Staatskirche in der mittleren Instanz, d.h. durch die Bischofsämter, ausgeübte Kirchenaufsicht durch das Kirchenamt der Volksgruppe zu ersetzen und letzteres dem Dänischen Kirchenministerium unmittelbar zu unterstellen.

W. Best

135. Das Auswärtige Amt an die Deutsche Gesandtschaft 14. Januar 1944

AA meddelte, at OKM havde brug for yderligere fire oplagte danske skibe som målskibe. Da skibene skulle benyttes til uddannelsesformål, var de ikke særligt truede. Sagen hastede. Skibene skulle forsøges chartret, men måtte ellers beslaglægges.

Se OKM til AA 15. januar 1944.

Kilde: BArch, Freiburg, RM 7/1813.

Abschrift Ha Pol. 47/44 g I.   Geheim

Berlin, den 14. Januar 1944.

Drahterlaß an die Deutsche Gesandtschaft Kopenhagen

Anschluß an Schrifterlaß vom 13.1.[130] – Ha Pol. 7607/43 g –

Das Oberkommando der Kriegsmarine benötigt dringend noch zusätzlich die stilliegenden Schiffe "Esbjerg", "Jylland", "Parkeston" und "England" als Zielschiffe im U-Boot Ausbildungsdienst. Verwendungsort: Ostseebereich. Da die Schiffe nur zu Ausbildungszwecken benötigt werden, sind sich nicht besonders kriegsgefährdet. Ihre Übernahme eilt. Es wird gebeten, die Reedereien zur freiwilligen Vercharterung an die Dienststelle der Kriegsmarine Kopenhagen zu veranlassen. Sollte eine freiwillige Hergabe seitens der

---

[130] Trykt ovenfor. OKM havde fremsat sit ønske over for AA 3. januar.

Reedereien nicht erreicht werden, so wird eine Beschlagnahme, wie mit obigem Erlaß vorgeschlagen, durchzuführen sein.

Erbitte Drahtbericht über Veranlaßtes.

Leitner

136. Walter Forstmann an Ernst Richter 14. Januar 1944
Der havde i den seneste tid været alvorlige sabotager på store danske virksomheder, der arbejdede med tyske krigsvigtige kontrakter. For at undgå lignende tilfælde i fremtiden foreslog Forstmann, at tre krigsvigtige københavnske virksomheder kom under militær beskyttelse, mens sabotagevagterne fortsat skulle udgøre beskyttelsessystemets rygrad.

Richter svarede Forstmann 15. januar.

Kilde: BArch, Freiburg, RW 19: Wi I E1: Dänemark og RW 27/13. RA, Danica 1000, T-77, sp. 696. KTB/Rü Stab Dä, 1. Vierteljahr 1944, Anlage 7. Kieler, 2, 1982, s. 188f.

Abschrift! Anlage 2
Chef Rüstungsstab Dänemark *Kopenhagen, den 14. Januar 1944*
Az. 65

Bezug: ohne
Betr.: Militärschutz zur Bewachung dänischer Betriebe

An den Kommandeur des Höheren Kommandos Kopenhagen
 Herrn Generalleutnant Richter
 Kopenhagen. Zitadelle

In der letzten Zeit sind große dänische Werke, die mit kriegswichtigster deutscher Fertigung belegt waren, durch Sabotagefälle schwer getroffen worden (Varde Stahlwerk, Maschinenfabrik Burmeister & Wain, Dansk Industri Syndikat und Burmeister & Wain, Abt. Bur-Wain Autodiesel).

Der Ausfall der Fertigung bei Bur-Wain-Autodiesel ist besonders schwerwiegend, weil die Luftwaffe die Ölpumpen, die dort gefertigt wurden, zum Jägerprogramm und die Marine die Ölpumpen zum Ü-Bootprogramm benötigen.

In Kopenhagen liegen aber noch mehrere größere Werke, die für die Luftwaffenfertigung außerordentlich wichtig sind. Der dort eingesetzte dänische Werkschutz wird d.E niemals genügen, um tatkräftige, größere Sabotagegruppen abwehren zu können. Es handelt sich um die Werke:

A/S Nordwerk Kopenhagen-N, Rovsingsgade 91,
BMW Prüfstände, Avedøre,
A/S Nordwerk, Kopenhagen, Finsensvej 86.

Die BMW Flugmotoren-Werke, München, haben über die A/S Nordwerk Kopenhagen-N, Rovsingsgade 91, die großen Hallen (30.000 qm) von der Firma General Motors International A/S, mit einem Betrage von 1,5 Mill. d.Kr ausgebaut und eingerichtet. Es werden dort Flugzeugmotoren auseinandergenommen, gereinigt, repariert und wieder zusammensetzt.

Dann werden sie zu den BMW-Prüfständen in Avedöre hinausgefahren um auf diesen ihre Probeläufe zu machen. Die Anlage der Prüfstände hat 1 Mill. d.Kr gekostet.

A/S Nordwerk, Kopenhagen, Finsensvej 86, ist zu 100 % mit deutschen Rüstungsaufträgen belegt, davon etwa 80% für die Luftwaffe. BMW hat hier 60 moderne deutsche Werkzeugmaschinen aufgestellt, um kriegswichtigste Geräte fertigen zu lassen.

Rü Stab Dänemark stellt hiermit den Antrag, diesen drei Werken einen zusätzlichen militärischen Schutz zu geben. Die Stärke desselben müßte im Einvernehmen mit dem Höheren Kommando Kopenhagen festgelegt werden, wenn feststeht, daß das Höhere Kommando Kopenhagen in der Lage ist, Mannschaften zu stellen.

Rüstungsstab Dänemark ist der Ansicht, daß allein die Tatsache, daß deutsche Soldaten den Werkschutz unterstützen, Saboteure abhalten wird, in die drei Werke einzudringen; dem Werkschutz selbst aber wird das Rückgrat gestärkt werden.

Bei den drei Werken besteht auch nicht die Gefahr, daß durch Zurverfügungstellung von militärischem Schutz Schwierigkeiten mit der dänischen Arbeiterschaft entstehen.

Es wird zunächst um Mitteilung gebeten, ob Soldaten zur Verfügung gestellt werden können.

gez. **Forstmann**

Nachrichtlich
    Reichsminister für Rüstung u. Kriegsproduktion, Rü Amt.
    Reichsbevollmächtigte in Dänemark.
    Höhere SS- und Polizeiführer
    Gruppenführer Pancke

F.d.R.d.A.
[underskrift]
Hauptmann

137. Werner Best an das Auswärtige Amt 15. Januar 1944
Dagsindberetning.
    Kilde: PA/AA R 29.568. RA, pk. 204.

T e l e g r a m m

| Kopenhagen, den | 15. Januar 1944 | 17.25 Uhr |
| Ankunft, den | 15. Januar 1944 | 19.20 Uhr |

Nr. 61 vom 15.1.[44.]   Citissime!

Ich bitte, dem Herrn Reichsaußenminister die folgende Meldung unverzüglich zuzuleiten:

Über die Lage in Dänemark berichte ich für den 14. auf 15.1.44, daß in Kopenhagen zwei Sabotagefälle (an einem Geschäftshaus ohne deutsches Interesse und an einem Stromverteiler, der auch deutsche Dienststellen versorgte) stattgefunden haben.[131] Aus dem Lande sind keine besonderen Vorfälle gemeldet.
Dr. Best

138. Werner Best an das Auswärtige Amt 15. Januar 1944

Best lod sig ikke nøje med Wagners svar 14. januar om retningslinjerne for hans forhold til HSSPF, men fastholdt sit ønske om at få sådanne officielt fra AA med Ribbentrops underskrift.

Dermed ville Best dels kunne få spørgsmålet taget op igen, dels kunne han demonstrere sin utilfredshed med den fremgangsmåde, hvormed Wagner havde håndteret sagen.

Kilde: PA/AA R 29.568. RA, pk. 204 og 229.

Telegramm

Kopenhagen, den	15. Januar 1944	17.20 Uhr
Ankunft, den	15. Januar 1944	21.00 Uhr

Nr. 65 vom 15.1.[44.]

Auf das dortige Telegramm Nr. 46[132] vom 14.1.44 erwidere ich:

1.) Es ist und bleibt richtig, daß ich vom Auswärtigen Amt keine Mitteilung über die Einsetzung des höheren SS- und Polizeiführers erhalten habe. Auch das dortige Telegramm Nr. 1689[133] vom 20.12.43 enthält diese Mitteilung nicht.

2.) Ich fühle mich auch noch nicht mit Weisungen über mein Verhältnis zum höheren SS- und Polizeiführers versehen, da ich Weisungen nur mit der Unterschrift des Herrn Reichsaußenministers oder des Herrn Staatssekretärs, nicht aber mit der Unterschrift Wagner entgegennehme.

3.) Ich erinnere daran, daß ich nach dem Empfang des dortigen Telegramms Nr. 1689 vom 20.12.43 fernmündlich um eine Weisung des Herrn Reichsaußenminister gebeten habe, mit der Begründung, daß mir ein Telegramm mit der Unterschrift Wagner nichts nütze.

Dr. Best

Vermerk:
Abdruck haben erhalten:
BRAM., St.S., U.St.S., Pol., Dg.Pol.

---

131 BOPA sprængte en kabelbrønd til en tysk støjsender ud for Amager Fælledvej 44. Desuden eksploderede en bombe i Havnegade 51 ved Lundstrøms Cigar- og Vinhandel, hvorved ingeniør Aage Brydesens forretningslokaler delvist blev ødelagt. Tyske interesser blev ikke berørt, men BdO angav, at Brydesen for 4-5 måneder siden havde leveret nogle kølemaskiner til Tyskland (RA, BdO Inf. nr. 5, 17. januar 1944, Kjeldbæk 1997, s. 472, Alkil, 2, 1945-46, s. 1227).
132 Inl. II 46 g. Trykt ovenfor.
133 Inl. II 3320/43 g. Trykt ovenfor.

139. OKM an das Auswärtige Amt 15. Januar 1944

OKM sendte et hastebrev til fire af AAs medarbejdere, hvori blev udredet Kriegsmarines syn på udviklingen af sagen med beslaglæggelse af i alt syv danske skibe over de sidste to måneder. Trods en indgået aftale med AA 22. november om, at rekvisitionerne kunne finde sted med kompensation til rederne i danske kroner, havde Best påfølgende stoppet sagen under påberåbelse af, at det nødvendige retsgrundlag manglede. AA havde ved en mundtlig drøftelse 6. januar 1944 lovet, at sagen ville gå i orden, men stadig var intet sket. OKM ville ikke længere lade sagen trække i langdrag på grund af meningsforskelle om retsgrundlaget, men havde samme dag meddelt Wurmbach, at han straks hos Best skulle få at vide, om rederne var villige til frivilligt at afgive skibene. Hvis ikke skulle de beslaglægges. Med henblik herpå ville OKM senest 18. januar have at vide, på hvilket grundlag det skulle ske.

OKMs tålmodighed med Best i denne sag var opbrugt, og man krævede nu med henvisning til krigens nødvendighed handling af AA i forhold til Best. Ellers ville OKM selv lade Wurmbach træde i aktion.

Se OKM til Wurmbach 15. januar 1944.

Kilde: BArch, Freiburg, RM 7/1813. RA, Danica 628, sp. 7, nr. 5769f.

Oberkommando der Kriegsmarine   *Berlin, den 15. Januar 1944*
B. Nr. 1. Skl. I i 1557/44 geh.   Geheim
Vfg.

I.) Schreibe: gef. St.: 15.1.44

S c h n e l l b r i e f !

An das
    Auswärtige Amt, z.Hd. d. Herrn Leg. Rat v. Grote
    Auswärtige Amt, z.Hd. d. Herrn Geheimrat Bisse
    Auswärtige Amt, z.Hd. d. Herrn Gesandten Dr. Martius
    Auswärtige Amt, z.Hd. d. Herrn Vortragenden Legationsrat Dr. Conrad Roediger
Berlin.

Betr.: Inanspruchnahme brachliegender dänischer Tonnage im dänischen Raum.

Mit Buch-Nr. 1. Skl. I i 34 246/43 geh. vom 12.11.43[134] ist um Bestätigung gebeten worden, daß die von der Kriegsmarine benötigten aufliegenden Schiffe requiriert werden können, nachdem die Verhandlungen über eine vertragliche Zurverfügungstellung der Fahrzeuge ein Ergebnis nicht gezeigt hatten. Nach mündlicher Besprechung der Angelegenheit im Auswärtigen Amt antwortete dieses mit B-Nr. Ha. Pol 7010/43 g. vom 22.11.43[135]: "Es bestehen keine Bedenken, daß die von der Kriegsmarine benötigten dänischen Schiffe von der Kriegsmarine requiriert werden und das den Reedern dafür zu bewilligende Entgelt in dänischen Kronen festgesetzt wird". Im Anschluß an dieses Schreiben teilte das Auswärtige Amt mit Ha Pol 7318/43 g. vom 6.12.43[136] mit, der deutsche Reichsbevollmächtigte Dr. Best habe sich inzwischen dahin geäußert, daß für die Inanspruchnahme der Schiffe die notwendige Rechtsgrundlage fehle und diese daher notfalls durch Erlaß einer neuen Verordnung von ihm erst geschaffen werden

---

134 Trykt ovenfor.
135 Trykt ovenfor.
136 Trykt ovenfor.

müßte. Er werde aber versuchen, die Reedereien durch Druck auf die dänische Zentralverwaltung zur freiwilligen Hergabe ihrer Schiffe zu veranlassen, wofür er noch nähere Angaben über den Verwendungszweck der Fahrzeuge erbat. Dem Auswärtigen Amt wurde daraufhin mit B-Nr. 1. Skl. I i 52 020/43 g. vom 20.12.43[137] mitgeteilt, daß die in Bornholm aufliegenden drei Dampfer "Hammershus", "Frem" und "Rottner" von dem Admiral der Seebefehlsstellen zu Ausbildungszwecken benötigt werden. Gleichzeitig wurde die Bitte wiederholt, die Reeder zur freiwilligen Hergabe der Schiffe gegen eine angemessene Charter zu veranlassen und für den Fall der Erfolglosigkeit dieses Versuches ausgeführt, daß es nach Ansicht der Seekriegsleitung der Schaffung einer neuen Rechtsgrundlage auf dem Verordnungswege nicht bedürfe, da die Inanspruchnahme auf das Angarienrecht gestützt werden könnte. Erforderlichenfalls würde die Frage der rechtlichen Begründung zweckmäßigerweise weiter unter Beteiligung der Rechtsabteilung des Auswärtigen Amtes behandelt werden.

Mit B-Nr. 1. Skl. I i 53 745/43 geh. vom 3.1.44[138] wurde alsdann noch gebeten, die Reedereien der in Dänemark aufliegenden Schiffe "Esbjerg", "Jylland", "Parkeston" und "England" ebenfalls zu deren freiwilliger Vercharterung an die Dienststelle der Kriegsmarine in Kopenhagen zu veranlassen. Die 4 Fahrzeuge würden als Zielschiffe im Ubootausbildungsdienst dringend benötigt, so daß ihre Übernahme eile.

In einer mündlichen Besprechung der Angelegenheit zwischen den Herren Gesandten Dr. Martius – Geheimrat Conrad Roediger mit Min. Rat. Dr. Eckhardt am 6.1.44 wurde von den Vertretern des Auswärtigen Amtes bestätigt, daß die Angelegenheit dem Wunsch der Seekriegsleitung entsprechend in Ordnung gehe. Ein diesbezügliches Schreiben ist aber bis heute hier noch nicht eingegangen. Aus dringendsten militärischen Notwendigkeiten, insbesondere für den Uboots-Ausbildungsdienst, kann es nicht länger verantwortet werden, daß die tatsächliche Inbesitznahme der Schiffe, mit der sich das Auswärtige Amt bereits am 22.11.43 einverstanden erklärt hat, wegen Meinungsverschiedenheiten über die Rechtsform noch weiterhin hinausgezögert wird. Der Kommandierende Admiral in Dänemark ist daher heute telegrafisch angewiesen worden, bei Herrn Dr. Best alsbald festzustellen, ob die Reeder sich zur freiwilligen Überlassung der genannten 7 Schiffe bereit erklärt haben.[139] Verneinenden Falles wird der Kommandierende Admiral Weisung erhalten, die Fahrzeuge nunmehr unverzüglich von hoher Hand zu beschlagnahmen. Im Hinblick hierauf wird bis zum 18. d.M. um Mitteilung gebeten, ob als Grund der Inanspruchnahme das formlose Angarienrecht geltend gemacht oder es Herrn Dr. Best überlassen werden soll, den Weg der formellen Rechtsverordnung zu beschreiten.

---

137 Trykt ovenfor.
138 Trykt ovenfor.
139 Telegrammet til Wurmbach er trykt heretter.

140. OKM an Hans-Heinrich Wurmbach 15. Januar 1944

Wurmbach fik ordre om hos Best at få at vide, om rederne frivilligt ville lade Kriegsmarine chartre syv oplagte danske skibe. Hvis ikke skulle Wurmbach lade beslaglæggelsen ske ved hjælp af marinekommandoen i København. Det retlige grundlag herfor ville blive meddelt af AA.
 Wurmbach svarede OKM 18. januar 1944.
 Kilde: BArch, Freiburg, RM 7/1813. RA, Danica 628, sp. 7, nr. 5771.

F e r n s c h r e i b e n

An Kommandierend Admiral Dänemark
 nachrichtl. KMD Kopenhagen.

Betr.: Inanspruchnahme der brachliegenden dänischen Schiffe "Hammershus", "Frem", "Rottner", "Esbjerg", "Jylland", "Parkeston" und "England" zur Verwendung durch die Kriegsmarine.

Beim Reichsbevollmächtigten Dr. Best unter Hinweis auf Schriftwechsel mit Auswärtigem Amt alsbald feststellen, ob sich die dänischen Reeder zur freiwilligen Vercharterung ihrer Schiffe gegen angemessenes Entgelt in dänischen Kronen bereiterklärt haben. Verneinenden Falles ist beabsichtigt, die Schiffe durch KMD. Kopenhagen unverzüglich von hoher Hand übernehmen zu lassen. Ergebnis Besprechung mit Dr. Best melden. Rechtliche Begründung für etwa erforderliche Beschlagnahme wird noch mitgeteilt, sobald Auswärtiges Amt schlüssig geworden, ob militärisches Angarienrecht geltend gemacht oder neue Rechtsverordnung erlassen werden soll.
 Seekriegsleitung B-Nr. 1. Skl. I i 1557/44 geh.

141. Ernst Richter an Walter Forstmann 15. Januar 1944

Richter svarede afvisende på Forstmanns ønske om at få øget militær bevogtning af tre københavnske virksomheder, der var af særlig betydning for Tyskland. Han foreslog i stedet at prøve med flere sabotagevagter og at give vagterne politihunde.
 Forstmann henvendte sig da til anden side, se hans notat 18. januar.
 I juni 1944 kom Richter til at se anderledes på militærets involvering i fabriksbevogtningen. Se Richter 26. juni om beskyttelsen af Nordværk.
 Kilde: BArch, Freiburg, RW 19: Wi I E1: Dänemark og RW 27/13. RA, Danica 1000, T-77, sp. 696. KTB/Rü Stab Dä, 1. Vierteljahr 1944, Anlage 8.

Abschrift! (von Abschrift!)   Anlage 8.
Höheres Kommando Kopenhagen   *St.Qu., 15.1.1944*
Az. D/Wachen

An Chef Rüstungsstab Dänemark
 Kopenhagen

Betr.: Milit. Schutz dän. Betriebe.
Bezug: Dort. Schrb. Az. 65 v. 14.1.[140]

---

140 Trykt ovenfor.

Der von dort beantragte zusätzliche milit. Schutz für die Werke
  A/S Nordwerk, Kopenhagen-N, Rovsingsgade 91
  BMW Prüfstände, Avedöre
  A/S Nordwerk, Kopenhagen, Finsensvej 86
kann z.Zt. aus folgenden Gründen nicht gestellt werden:
1.) Die D-Btl. sind nach den Richtlinien des OKH nur zur Bewachung ihrer Unterkünfte und für Bewachungsaufgaben in beschränktem Umfange der Nähe ihrer Unterkünfte heranzuziehen. Im übrigen sollen sie bis zur k.v. – oder g.v.F.-Fähigkeit genesen und ausbilden, damit sie nach 6 Wochen wieder zum Einsatz kommen können.
2.) Entgegen diesen Bestimmungen werden die D-Btl. schon jetzt über Gebühr zu Bewachungsaufgaben herangezogen durchschnittlich mit 20 Offz. und 150 Mann.
Ich bitte den Rüstungsstab Dänemark zu prüfen, ob nicht die Zahl der bisher gestellten Wächter erhöht und die Sicherheit der Werke durch Zuteilung von Polizeihunden verstärkt werden kann.

gez. **Richter**
Generalleutnant

F.d.R.d.A.
Hauptmann

142. Werner Best an das Auswärtige Amt 17. Januar 1944
Dagsindberetning.
  Kilde: PA/AA R 29.568. RA, pk. 204.

Telegramm

Kopenhagen, den	17. Januar 1944	20.45 Uhr
Ankunft, den	18. Januar 1944	00.30 Uhr

Nr. 67 vom 17.1.[44.]   Citissime!

Ich bitte, die folgende Meldung unverzüglich dem Herrn Reichsaußenminister zuzuleiten:
  Über die Lage in Dänemark berichte ich für den 15. bis 17. Januar 1944, daß in der Nacht vom 15. zum 16. Januar 1944 in Kopenhagen 3 Sabotagefälle stattfanden, darunter einer gegen ein deutschfeindliches Unternehmen.[141] In der Nacht vom 16.

---

141 Der var en omfattende sabotage mod Always Radio, Teglholmsgade 2, udført af BOPA (skaden androg 1.736.000 kr.). Desuden udførte Holger Danske sabotage mod B&W, Strandgade, hvorved produktionen dog ikke blev afbrudt, og der var sabotage mod en isbar, Amagerbrogade 154. Den nye sabotage mod B&W fik den tyske marinekommandant i København, Jürst, til at stille spørgsmålstegn ved, om skibet M/S "Telde", der var planlagt til reparation på værftet, overhovedet kunne blive repareret der. Det skete dog, men først fra 18. februar (RA, BdO Inf. nr. 5, 17. januar 1944, RA, KTB/Kriegsmarinedienststelle Kopenhagen 17. januar og 18. februar 1944 (Danica 628, sp. 6, nr. 4291, 4293), Larsen 1982, s. 100f., Kjeldbæk 1997, s. 472, Alkil, 2, 1945-46, s. 1227, Kieler, 1, 2001, s. 384, Birkelund 2008, s. 678).

zum 17. Januar 1944 fand in Kopenhagen ein Sabotageakt gegen eine teilweise für deutsche Zwecke arbeitende Maschinenfabrik und eine versuchte Brandstiftung gegen ein Altwarengeschäft statt, dem Pförtner eines Betriebes wurden 6 Werkschutzwaffen weggenommen,[142] außerhalb Kopenhagens wurden 2 Fernsprechleitungen beschädigt.
Dr. Best

143. WB Dänemark: Erhöhung der Kampfstärken der fechtenden Truppen im Großkampf 17. Januar 1944

Von Hanneken udstak retningslinjer for, hvordan der kortvarigt skulle organiseres reserver fra alle tyske instanser til at øge kampkraften i tilfælde af et allieret storangreb og gjorde opmærksom på, at ordren var altomfattende og ville medføre, at andre tjenesteopgaver måtte vente.

Om de senere tyske erfaringer med indsættelse af alarmenheder, se Hitler til bl.a. von Hanneken 28. januar 1945.

Kilde: KTB/WB Dänemark, Anlage.

Wehrmachtbefehlshaber Dänemark *Gef.St., 17.1.1944*
Abt. Ia Nr. 110/44 g.Kdos. 16. Ausfertigungen
[...] Ausfertigung

Bezug: Führerweisung 40.[143]
Geheime Kommandosache!

Erhöhung der Kampfstärken der fechtenden Truppen im Großkampf
– Zusammenstellung von kurzfristigen Reserven (Alarmeinheit 1)

1.) Erfahrungen bei bisher allen feindlichen Landungsunternehmen haben gezeigt, daß schnelle und kraftvoll geführte Gegenangriffe kurz nach feindlicher Landung mehr Erfolg haben, als ein nach mehreren Tagen geführter Gegenangriff gegen einen bereits erweiterten feindlichen Brückenkopf.

Wichtigste Aufgabe der Führung wird es daher sein, genügend Reserven so rechtzeitig zu versammeln, daß der Gegenangriff noch in die Masse des landenden Feindes hinein geführt werden kann. Bei den an der Küste Jütlands eingesetzten Divisionen ist infolge der breiten Abschnitte die Zusammenziehung divisionseigener Reserven in ausreichender Stärke nicht mehr möglich. Es muß daher auf jeden verfügbaren aller 3 Wehrmachtteile zurückgegriffen werden.

2.) Hierzu ist die Zusammenstellung kurzfristiger Reserven in Alarmeinheiten 1 vorgesehen, die bereits kalendermäßig festgelegt, im Einsatzfall an nicht angegriffenen Kü-

---

142 Der blev rettet sabotage mod Pindstoftes Maskinfabrik, Trekronergade, af BOPA (skaden androg 1.011.000 kr.). Fabrikken arbejdede delvis for den tyske værnemagt, og den opståede skade var betydelig. Endvidere var der sabotage mod Alminds Marskandiserbutik, Viborggade 74 med ubetydelige skader til følge (indehaveren Henri Almind var medlem af DNSAP) (RA, BdO Inf. nr. 6, 18. januar 1944, Kjeldbæk 1997, s. 472, *Daglige Beretninger*, 1946, s. 21f.).
143 Führerweisung Nr. 40 af 23. marts 1942 om "Befehlsbefugnisse an den Küsten", trykt hos Hubatsch 1962, s. 176-181.

stenabschnitten eingesetzt werden sollen, um dort Truppenteile zum Gegenangriff an entscheidender Stelle freizumachen. Im Hinblick auf die entscheidende Bedeutung dieser kurzfristigen Reserven ist bei der Erfassung der strengste Maßstab anzulegen, um eine möglichst hohe Anzahl Alarmeinheiten 1 zum Einsatz zu bringen. Es muß dabei in Kauf genommen werden, daß manche Dienststellen ihre Tätigkeit vorübergehend ganz oder teilweise einstellen, wenn sie nicht unmittelbar für den Kampf wichtig sind.

Admiral Dänemark,
BSO,
Führer der Minenschiffe,
General der Luftwaffe für sämtl. Dienststellen der Luftwaffe,
Flugabwehrkommando Dänemark,
Rüstungsstab Dänemark, zugl. f. Abt. Wehrwirtschaft,
Transportkommandantur Aarhus,
Wehrbezirkskommando Ausland, Außenstelle Dänemark,
Höherer SS- u. Polizeiführer Dänemark,
Qu

überprüfen und legen fest, welche Soldaten ihres Befehlsbereiches unter Inkaufnahme von vorübergehenden Auflösungen und Einschränkungen kurzfristig herausgelöst und in Alarmeinheiten 1 zum Einsatz gebracht werden können. Je schneller die Entscheidung in den ersten Tagen erzwungen wird, umso schneller kann der alte Arbeitsgang wieder aufgenommen werden und die Alarmeinheiten 1 treten zu ihren Dienststellen zurück.

Fehlen der Führung die Kämpfer zu gegebener Zeit an entscheidender Stelle, wie es im Osten und bei den Kämpfen im Süden mehrmals der Fall gewesen ist, werden früher oder später auch die Dienststellen und Truppenteile, die jetzt aus Egoismus und Leichtfertigkeit sich nicht restlos als Mitkämpfer einsetzten, zwangsläufig aufgelöst werden müssen, dann aber wahrscheinlich unter wesentlich schwierigeren Umständen.

Die Alarmeinheiten 1 sind bei den 3 Wehrmachtteilen in Kompanie-Verbände zu gliedern und kalendermäßig festzulegen. Die Zusammenziehung der Kompanien wird bei Bereitschaftsstufe II oder je nach Lage früher oder später befohlen werden und ist von den Wehrmachtteilen selbst durchzuführen. Zusammenziehung der Komp. zu Batl., Einsatz von Stäben für diese Batl. und ihr Abtransport erfolgt durch Wehrmachtbefehlshaber Dänemark Ia. Alarmeinheiten 1 von Dienststellen mit geringer Kopfstärke werden auf die Alarmbatl. aufgeteilt werden.

3.) Alle Soldaten und Beamten, die infolge entsprechender Aufgaben auch bei Einsatz von Kampfhandlungen ihrem bisherigen Aufgabengebiet auch kurzfristig nicht entzogen werden können, sind in Alarmeinheiten 2 zusammenzufassen. Alarmeinheiten 2 kommen nur am Einsatzort zur Selbstverteidigung bei Überfällen in Frage. Es gibt also keinen Wehrmachtangehörigen, der nicht in Alarmeinheiten 1 oder 2 erfaßt ist.

4.) Bei der Erfassung der kurzfristigen Reserven (Alarmeinheiten 1) wird unter Umständen auch "gesperrtes Personal" in Frage kommen. Die Freigabe dieser Soldaten wird vom Wehrmachtbefehlshaber Dänemark bei den in Frage kommenden Dienststellen beantragt werden.

5.) Zum 5.2.1944 sind an Wehrmachtbefehlshaber Dänemark Ia von den im Verteiler genannten Dienststellen einzureichen:
   a.) Zahl und Gliederung der Alarmeinheiten 1 (Dienststellen mit geringer Kopfstärke melden nur zahlenmäßig)
   b.) Gesperrtes Personal, das für Alarmeinheiten 1 in Frage kommt.

Der Wehrmachtbefehlshaber Dänemark
v. Hanneken
General der Infanterie

144. WB Dänemark: Erhöhung der Kampfstärken der fechtenden Truppen im Großkampf 17. Januar 1944

Von Hanneken udstak retningslinjer for, hvordan kampkraften kunne forøges i tilfælde af en storkamp om det danske område i henhold til Führerweisung 40. Det skulle bl.a. undersøges, hvilke soldater og embedsfolk ved divisionerne, der på kort sigt kunne indsættes, ligeledes skulle forsyningsenhederne kæmmes for folk til aktiv kamp. Ud over frigørelsen af soldater til kamp skulle der inddrages folketyskere fra Nordslesvig til tjeneste bag kamplinjen og tyskvenlige danskere, der skulle gøre anden tjeneste bag fronten. De opbyggede alarmenheder bestående af stabsfunktionærer o.a. skulle ved alle enheder stå parat ved overraskelsesangreb. Endelig skulle der opbygges en erstatningsbataljon på grundlag af tjenestestederne på Fyn og Jylland til at udfylde rækkerne i de første kampdage.

Kilde: KTB/WB Dänemark, Anlage.

Wehrmachtbefehlshaber Dänemark　　　　　　　　　　　　　*Gef.St., 17.1.1944*
Abt. Ia Nr. 111/44 g.Kdos.　　　　　　　　　　　　　　　　18. Ausfertigungen
　　　　　　　　　　　　　　　　　　　　　　　　　　　　14. Ausfertigung

Bezug: Führerweisung 40.
Geheime Kommandosache!

Erhöhung der Kampfstärken der fechtenden Truppe in Großkampf.

Anliegende Verfügung Wehrmachtbefehlshaber Dänemark Ia. Nr. 110/44 g.Kdos v. 17.1.44 zur Kenntnis.[144]

1.) Eine Zusammenstellung von Alarmeinheiten 1 kommt bei den an der Küste eingesetzten Divisionen und bei den Befehlshaber-Reserven sowie beim Höheren Kommando Kopenhagen nicht in Frage. Im Sinne der anliegenden Verfügung hat aber bei den Divisionen usw. ebenfalls eine Überprüfung dahingehend zu erfolgen, welche Soldaten und Beamte kurzfristig im eigenen Bereich zum Einsatz gebracht werden können. Kalendermäßige Festlegung! Die für Höheres Kommando Kopenhagen befohlene Abgabe von Radfahr-Komp, bei den Genesendenbatl. zum Kampfeinsatz

---

144 Trykt ovenfor.

bleibt bestehen.
2.) Darüber hinaus haben die Kdo.-Dienststellen mit Beginn von Kampfhandlungen laufend Auskämmungen bei den Versorgungstruppen vorzunehmen.
3.) Zur Freimachung von Soldaten für die kämpfende Truppe sind bei den Divisionen und Bef. Reserven folgende Maßnahmen vorgesehen:
   a.) Einstellung von Volksdeutschen aus Nordschleswig in Kraftfahrerstellen, zur Verwendung bei Heeres-Verpflegungs-Dienststellen, Muni. Lagern und Tankstellen. Die für die Divisionen usw. zur Verfügung stehenden Volksdeutschen werden in Kürze bekanntgegeben.[145]
   b.) Einstellung von deutschfreundlichen Dänen bei den rückwärtigen Diensten. Es wird hier vielfach auf Dänen zurückgegriffen werden können, die bereits jetzt zu deutschen Dienststellen in engerer Beziehung stehen und von dänischen Organisationen deshalb abgelehnt oder verfolgt werden. Eine entsprechende Überprüfung und kalendermäßige Festlegung hat bereits jetzt bei den unterstellten Einheiten zu erfolgen. Bekanntgabe hat zu unterbleiben.
4.) Die bei den nichtfechtenden Truppen der Divisionen (Stäbe usw.) gebildeten Alarmeinheiten werden ab sofort in Alarmeinheiten 2 umbenannt. Sie bleiben bei allen Einheiten zur Abwehr überraschender Überfälle in den Einsatzorten bestehen.
5.) Zur Deckung der in den ersten Kampftagen eintretenden Ausfälle wird Wehrmachtbefehlshaber Dänemark in einem Feldersatzbatl. Angehörige von Genesendenbatl. sowie von Dienststellen auf Seeland und Fünen zusammenziehen und ausbilden.
Der Wehrmachtbefehlshaber Dänemark
v. Hanneken
General der Infanterie

145. Quartiermeisteramt an Seekriegsleitung 17. Januar 1944

Stillingtagen til general Rommels forslag til forbedringen af forsvaret af Danmark fortsatte mellem hærens og Kriegsmarines repræsentanter. I et internt notat til Seekriegsleitung tog Seekriegsleitungs Quartiermeister Schubert kraftigt afstand fra en række punkter, som var fremkommet i en rapport fra OKH. Modsætningerne angik både ressourcer og strategi.

Detaljerne i spillet kan ikke følges, da aktmaterialet er fragmentarisk, men dønningerne efter Rommels besøg ebbede ud hen i marts 1944.

Se KTB/Skl 10. februar 1944.

Kilde: BArch, Freiburg, RM 7/995.

Quartiermeisteramt der Seekriegsleitung und Marinekommandoamt
zu: 1/Skl 10/44 Gkdos Chefs.

Berlin, den 17.1.1944.
Chefsache!

An 1/Skl.

---

[145] Se von Hannekens foregående skrivelse.

Betr.: Bericht über die Verteidigungsbereitschaft Dänemarks vom Oberkommando der Heeresgruppe B.
Vorg.: 1/Skl (Op) 10/44 Gkdos Chefs. v. 2.1.44.

Zu B.) II.) 6.):
Wie bereits von Vizeadmiral Ruge vorgetragen,[146] hatte Generalfeldmarschall Rommel gefordert, für den Antransport der Alarmeinheiten der Kriegsmarine aus dem Heimatkriegsgebiet in den Raum Dänemark Seetransport vorzusehen, da mit frühzeitiger Zerstörung des Schienenweges zu rechnen sei.

Mit OKM Skl Qu AII Mob 5385/43 Gkdos v. 15.12.43 sind die erforderlichen Befehle zur Vorbereitung dieser Maßnahme an das MOK Ost ergangen. Die Meldung über den Abschluß dieser Vorarbeiten wird in diesen Tagen erwartet. Dem MOK OST ist dabei engste Zusammenarbeit mit dem Marinegruppenkommando Nord/Flottenkommando befohlen worden.

Die Frage der sofortigen Übernahme von laufenden Nachschubtransporten auf dem Seewege müßte Skl Qu A III mit Skl Qu A IV klären. (Siehe 1. Satz, Ziff. 6).

Zu B.) 8.):
Der Einsatz der Besatzungen nicht fahrbereiter Schiffe als Alarmeinheiten ist im "Entwurf für eine Vorschrift für Organisation und Ausbildung von Alarmeinheiten" B.) I.) 2.) a.) geregelt.

Zu C.) I.):
Das MOK Ost stellt insgesamt rund 70.000 Soldaten als Alarmeinheiten bereit, die teilweise oder ganz je nach Befehl des OKW entsprechend der jeweiligen Schwerpunktlage entweder in den Raum Dänemark oder in den Westraum zugeführt werden. Diese Alarmeinheiten laufen beim Antransport über bestimmte Sammelpunkte im Westraum oder Dänemark, die zugleich etwa 10.000 Soldaten aufzunehmen vermögen. Die Annahme, daß nur 30.000 Soldaten Alarmeinheiten für den Raum Dänemark vorgesehen sind, ist demnach irrig.

Zu C.) II.) 1.):
Die Frage der Befehlsübernahme im Abschnitt Nordjütland durch den Kommandierenden Admiral Dänemark als Generalkommando ist bereits an anderer Stelle abgelehnt. Der Admiral Dänemark bleibt als oberster Bereichsbefehlshaber der Seekriegsbasis Dänemark bestehen, deren straffe Führung gerade in einer solchen Kampfzeit, die auch den dort stationierten Kräften der Kriegsmarine zusätzliche Aufgaben bringen wird, unbedingt erforderlich ist.

Zu C.) II.) C.) und D.):
Der Ob. d.M. hat die Bildung von taktischen Verbänden während der Aufstellung der Alarmeinheiten der Kriegsmarine grundsätzlich abgelehnt, soweit dabei an die Organi-

---

146 Se KTB/Skl 15. december 1943.

sation und Ausbildung von infanteristischen Kampfeinheiten (z.B. Bataillonen) durch die aufstellenden Dienststellen der Kriegsmarine gedacht ist. Nur dort, wo sich diese Maßnahme auf Grund der organisatorischen Zusammensetzung eines Truppenteils (Schiffsstammabteilungen, Ersatz-MAA'en usw.) ohne weiteres durchführen läßt, ist nichts dagegen einzuwenden.

Die Frage der Feldküchen wird vom Admiral Dänemark unmittelbar mit dem Wehrmachtbefehlshaber Dänemark geregelt.

Der Ob. d.M. hat auf Vortrag von Skl Qu A nochmals entschieden, daß sich an den seinerzeit erlassenen Richtlinien für Ausbildung und Organisation der Alarmeinheiten nichts ändert. Die Alarmeinheiten sollen lediglich zu Marscheinheiten zusammengefaßt und mit leichten Infanteriewaffen so ausgebildet werden, daß der Soldat sich mit diesen Waffen verteidigen und im Gelände bewegen kann. Eine Intensivierung der Ausbildung läßt sich nur auf Kosten der Seekriegführung durchführen. Diese Frage wird von Chef 1/Skl bei seiner Anwesenheit im Führerhauptquartier nochmals mit den dortigen zuständigen Stellen besprochen werden.

Skl Qu AII [!]
gez. Schubert

146. Werner Best an das Auswärtige Amt 18. Januar 1944

Hvordan forholdet mellem den militære øverstkommanderende og den rigsbefuldmægtigede skulle være i en faresituation, blev ensidigt fastlagt af OKW, men Best tøvede ikke med over for AA at søge at få bestemmelserne modificeret, idet han henviste til de tilsvarende bestemmelser for Norge og Holland. Han argumenterede for, at den militære øverstkommanderendes indflydelse på erhvervslivet ikke skulle udvides og gjorde opmærksom på, at han hidtil havde fået indskrænket de militære foranstaltninger over for erhvervslivet.

Svaret er ikke lokaliseret, men Best indgik 11. marts 1944 en ny aftale om kompetenceforholdet mellem sig og von Hanneken i tilfælde af større uroligheder eller et fjendtligt angreb.

Kilde: PA/AA R 29.568. RA, pk. 204.

Telegramm

Kopenhagen, den	18. Januar 1944	12.25 Uhr
Ankunft, den	18. Januar 1944	16.40 Uhr

Nr. 70 vom 18.1.44.   Geheim!

Zu dem dortigen Telegramm Nr. 1655[147] vom 12.12.43 nehme ich wie folgt Stellung:

1.) Die Befugnisse bei Gefahr im Verzuge, die dem Wehrmachtbefehlshaber Dänemark in Ziffer 4 der Dienstanweisung des OKW übertragen worden sind, entsprechen grundsätzlich den Befugnissen, die auch den Wehrmachtbefehlshabern in Norwegen und den Niederlanden zustehen. Die einschlägige Bestimmung für Norwegen und die

---

147 Pol. I M 4471 geh. Telegrammet er ikke lokaliseret.

Niederlande lautet:

"Soweit und solange die militärische Lage es erfordert, im allgemeinen also im Falle unmittelbar drohender Gefahr haben die Wehrmachtbefehlshaber das Recht, die notwendigen Maßnahmen auch im zivilen Bereich selbst, d.h. letzten Endes auch gegen die Auffassung der Reichskommißare, anzuordnen." – (Anlage 2 der Allgemeinen Dienstanweisung des OKW für Wehrmachtbefehlshaber vom 15.4.1941).

Die für Dänemark gewählte Formulierung: "Bei Gefahr im Verzuge ist er (Wehrmachtbefehlshaber) befugt, die zur Sicherung Dänemark notwendigen Anordnungen auch für den zivilen Bereich, möglichst unter Einschaltung der Bevollmächtigten des Reiches, zu geben," ist im Vergleich zu jenen Bestimmungen zum mindesten nicht ungünstiger für meine Stellung. Ich halte es deshalb nicht für erfolgversprechend, hinsichtlich des Punktes 4 vom OKW eine andere Formulierung zu verlangen.

2.) Punkt 7 A der Dienstanweisung für den Wehrmachtbefehlshaber Dänemark regelt lediglich das interne Verhältnis des Wehrmachtbefehlshabers zu den ihm unterstellten Dienststellen der Wehrmachtstelle. Er läßt das Verhältnis zwischen Wehrmachtbefehlshaber und mir unberührt.

Es besteht deshalb nach meiner Auffassung kein Anlaß, dem OKW eine andere Formulierung des Punktes 7 A vorzuschlagen. Es ist gerade zurzeit nicht zweckmäßig, die Frage der Einflußnahme des Wehrmachtbefehlshabers auf das dänische Wirtschaftsleben anzuschneiden. Der Wehrmachtbefehlshaber hat nämlich im November 1943 anläßlich der Aufstellung des neuen Befestigungsprogramms eindeutige Weisung erhalten, daß Wirtschaftsbelange jeder Art hinter die militärischen Belange zurückzutreten haben. Trotz dieser Weisung, die an sich jede Rücksichtnahme auf wirtschaftliche Gesichtspunkte erübrigte, habe ich bisher durch ständige Fühlungnahme mit dem Wehrmachtbefehlshaber doch erreicht, daß die Eingriffe in das Wirtschaftsleben sich auf solche Maßnahmen beschränkten, die aus militärischen Gründen tatsächlich nicht zu umgehen waren. Würde diese Frage beim OKW formell zur Erörterung gestellt, so entstände nur die Gefahr des Erlasses neuer Weisungen an den Wehrmachtbefehlshaber, die vielleicht meine Einflußmöglichkeiten verringern würden.

Dr. Best

147. Walter Forstmann: Aktenvermerk 18. Januar 1944

Forstmann sammenfattede resultatet af det møde, han havde haft med Best og chefen for det tyske ordenspoliti om bevogtning af tre krigsvigtige industrier. Resultatet var pauvert. Politiet kunne ikke afse mandskab, men Best lovede dog at prøve at finde nogle egnede vagtfolk.

Kilde: BArch, Freiburg, RW 19: Wi I E1: Dänemark og RW 27/13. RA, Danica 1000, T-77, sp. 696. KTB/Rü Stab Dä, 1. Vierteljahr 1944, Anlage 10. Kieler, 2, 1982, s. 191f.

Abschrift!	Anlage 10.
Chef Rü Stab Dänemark	*Kopenhagen, den 18.1.1944*

Aktenvermerk

Über die Besprechung mit dem Reichsbevollmächtigten in Dänemark,
Dr. Best, und dem Befehlshaber der Ordnungspolizei, SS-Brigadeführer
und Generalmajor d.P. von Heimburg, am 18.1.1944.

Chef Rü Stab Dän. führte aus, daß er vor 3 Tagen mit SS-Gruppenführer Pancke die Frage der Bekämpfung der Sabotage besprochen und ihn gebeten habe, einzelnen, besonderes wichtigen dänischen Betrieben deutschen polizeilichen Schutz zu gewähren. SS-Gruppenführer Pancke habe jedoch erklärt, hierzu aus personellen Gründen nicht in der Lage zu sein. – Chef Rü Stab Dän. hat dann den Vorschlag gemacht, hohe deutsche Belohnungen für Denunzianten auszusetzen, die sich bei jeder deutschen Dienststelle melden können.

Chef Rü Stab Dän. führte weiter aus, daß er sich mit Schreiben vom 14.1.44[148] an den Kommandeur des Höheren Kommandos Kopenhagen, Generalleutnant Richter, gewandt und militärischen Schutz für 3 wichtige dänische Betriebe beantragt habe. Die Antwort des Höheren Kommandos sei jedoch negativ ausgefallen, und zwar mit der Begründung, daß die D-Btl. bereits über Gebühr zu Bewachungsaufgaben herangezogen würden.[149]

Von Seiten Chef Rü Stab Dän. sei somit alles getan worden, um deutschen Schutz für die wichtigsten dänischen Betriebe zu erhalten. Der dänische Werkschutz reiche nicht aus, weil den Saboteuren stets das Überraschungsmoment zugute komme und die dänischen Werkswachen tatsächlich nicht geistesgegenwärtig genug seien, um gegen die Saboteure aufzutreten.

Reichsbevollmächtigter Dr. Best fragte, wieviel Mann wohl im äußersten Falle für die genannten 3 Betriebe, für die besonderer Schutz angefordert sei, benötigt würden. Chef Rü Stab. Dän. beantragte 3 mal 5 Mann mit Ablösung. Der Reichsbevollmächtigte Dr. Best versprach zu versuchen, geeignete Leute hierfür ausfindig zu machen. Chef Rü Stab. Dän. machte den Vorschlag, dem R.M.f.R.u.K. Bericht über den derzeitigen Stand der Angelegenheit zu erstatten, mit dem Ziel, eine Verstärkung der deutschen Polizeitruppen in Dänemark zu erreichen. Dieser Bericht könne vorher mit dem Reichsbevollmächtigten abgeglichen werden. Reichsbevollmächtigter Dr. Best bat jedoch, einen derartigen Bericht nicht zu geben, um nicht in Berlin den Eindruck zu erwecken, er sei nicht Herr der Lage. Tatsächlich sei die deutsche Polizei erst 3½ Monate in Dänemark tätig und habe während dieser Zeit schon sehr beträchtliche Erfolge erzielt. Er glaube bestimmt in absehbarer Zeit Herr der Lage zu sein, es käme darauf an, die Anführer der Saboteure zu fassen, was schon zum Teil gelungen sei. Er sähe in dieser Beziehung durchaus vertrauensvoll in die Zukunft.

Generalmajor d.P. von Heimburg machte darauf aufmerksam, ob man die dänischen Werke nicht durch Drahtverhaue und Minen sichern könne. Chef Rü Stab Dänemark wird in Erwägung ziehen, ob die BMW-Prüfstände, die auf freiem Felde liegen, nicht durch eine Minensperre gesichert werden können.

Gez. **Forstmann**

---

148 Trykt ovenfor.
149 Se Richter til Forstmann 15. januar 1944, trykt ovenfor.

F.d.R.d.A.:
[signeret]
Hauptmann

148. Werner Best an das Auswärtige Amt 18. Januar 1944

Hidtil havde Best med nogle undtagelser kun indberettet, om en sabotage vedrørte tyske interesser eller ikke, og om attentater var rettet mod personer tilknyttet værnemagten. Efter ordren om modterror og modsabotage 30. december 1943 ville han indberette, om objekterne kunne betegnes som tyskfjendtlige, en praksis han i realiteten allerede var begyndt på (Thomsen 1971, s. 201).

Kilde: PA/AA R 29.568. RA, pk. 204. LAK, Best-sagen (oversat).

Telegramm

Kopenhagen, den	18. Januar 1944	12.35 Uhr
Ankunft, den	18. Januar 1944	16.40 Uhr

Nr. 71 vom 18.1.[44.]   Geheime Reichssache!

Nachdem die befohlenen Maßnahmen des Gegenterrors und der Gegensabotage in Dänemark begonnen haben, werde ich in meinen Lagemeldungen Fälle des Gegenterrors und der Gegensabotage dadurch kennzeichnen, daß ich die betroffenen Personen oder die betroffenen Objekte als deutschfeindlich bezeichne. Ich bitte um Unterrichtung des Herrn Reichsaußenministers.

Dr. Best

149. Hans-Heinrich Wurmbach an OKM 18. Januar 1944

På baggrund af OKMs ordre 15. januar meddelte Wurmbach, at der ville blive forhandlet om frivillig chartring af fire danske oplagte skibe til brug for Kriegsmarine den næste dag, mens der ikke forelå noget resultat for de tre øvriges vedkommende, da Best havde meddelt, at han endnu ikke havde modtaget en henvendelse fra AA vedrørende dem.

Se for det videre forløb Georg Martius' optegnelse 19. januar.

Kilde: BArch, Freiburg, RM 7/1813. RA, Danica 628, sp. 7, nr. 5778.

Geheim   Sehr dringend
+SSD NDKP 5321 18/1 1940 =
SSD OKM I Skl =
– Geheim – zu Skl B. Nr. I Skl I
1557/44 geh. Bismarck. –

1.) Wegen freiwilliger Vercharterung dänischer Schiffe "Esbjerg, Jylland, Parkeston und England" findet am 19/1 Verhandlung mit dänischer Regierung statt.

2.) Wegen Inanspruchnahme übriger im Vorgangsschreiben genannter Schiffe nach Angabe des Reichsbevollmächtigten noch keine Verhandlung möglich, da kein Auftrag Auswärtigen Amtes vorliegt.
3.) Verhandlungsergebnis wird sofort gemeldet.
Adm. Dän. G 936 Kü+

150. OKM an das Auswärtige Amt 18. Januar 1944

Til fremstillingen af reservedele til motoren til nybygningen "Skib 5" havde Kriegsmarine brug for tegningerne til motoren, som B&W var i besiddelse af. Da B&W ikke var i stand til at levere reservedelene, blev AA bedt om at lægge pres på værftet for at få det til at udlevere tegningerne.

Rüstungsstab Dänemark havde skrevet i sagen 4. december 1943. AA svarede først 31. marts 1944 og vedlagde Bests udtalelse af 23. marts vedrørende spørgsmålet.

Kilde: BArch, Freiburg, RM 7/1812. RA, Danica 628, sp. 7, nr. 5704.

Oberkommando der Kriegsmarine   *Berlin, den 18. Januar 1944.*
B-Nr. 1. Skl. I e 1396/44 geh.   Geheim

An das Auswärtige Amt
   z.Hd. d. Herrn Legationsrat von Grote
   Berlin

Betr.: Auslieferung von Zeichnungen.

Zum Einsatz von "Schiff 5" ist es erforderlich, Ersatzteile für Motoren herzustellen, da sonst der Nachschub für das Schiff nicht sichergestellt werden kann und der Einsatz des Schiffes ohne die Sicherstellung des Nachschubes nicht möglich ist.

Die Beschaffung der Ersatzteile ist nicht durch den Nachbau derselben möglich. Um den Nachbau durchzuführen, sind Maßzeichnungen der wichtigsten Einzelteile bei der Firma Burmeister & Wain angefordert worden, die die Haupt- und Hilfsmotoren auf "Schiff 5" eingebaut hatte. Die Firma Burmeister & Wain lehnt die Auslieferung der Maßzeichnungen mit dem Hinweis ab, daß alle erforderlichen Angaben in der Betriebsvorschrift enthalten seien. In derselben sind jedoch nur Schemazeichnungen ohne Maßangaben enthalten. Auch die Hergabe der Zeichnungen für die Wellen- und Drucklager ist abgelehnt worden, wie sich aus beiliegendem Schreiben ergibt. Da eine Lieferung der erforderlichen Ersatzteile durch die Fa. Burmeister & Wain nicht möglich ist und der Nachbau auf Grund der Maßzeichnungen als einzige Möglichkeit zur Beschaffung besteht, wird gebeten, beschleunigt zu prüfen, ob von dort aus ein Druck auf die Firma ausgeübt werden kann, um die Herausgabe der Maßzeichnungen zu erreichen. Es würde genügen, wenn die Zeichnungen leihweise überlassen werden. Die Kriegsmarine wäre ferner bereit zuzusichern, daß ein Nachbau nach Kriegsende nicht mehr erfolgen und eine Weitergabe der Zeichnungen unterbleiben wird.
1. Skl.

151. Werner Best an das Auswärtige Amt 19. Januar 1944
Dagsindberetning (Thomsen 1971, s. 201).
Kilde: PA/AA R 29.568. RA, pk. 204.

Telegramm

Kopenhagen, den	19. Januar 1944	08.10 Uhr
Ankunft, den	19. Januar 1944	12.00 Uhr

Nr. 73 vom 18.1.44. Citissime!

Ich bitte, die folgende Meldung unverzüglich dem Herrn Reichsaußenminister zuzuleiten:

Über die Lage in Dänemark berichte ich für den 17. auf 18.1.44, daß in Kopenhagen ein Sabotageakt gegen eine für deutsche Zwecke arbeitende und ein Sabotageakt gegen eine deutschfeindliche Fabrik stattfand und ein kleiner Sprengkörper auf der Straße vor einer militärischen Dienststelle ohne Schaden explodierte.[150] In Aarhus wurden in einem kleinen Betrieb zwei Drehbänke zerstört.[151]

Dr. Best

152. Georg Martius: Aufzeichnung 19. Januar 1944
Georg Martius noterede resultatet af forhandlingerne dagen før med Paul Barandon og G.F. Duckwitz om chartring eller beslaglæggelsen af oplagte danske skibe. For de fire skibes vedkommende ville forhandlingerne blive afsluttet 20. januar, og var resultatet negativt, ville de blive beslaglagt samme dag. Det skulle ske på samme grundlag, som da Best beslaglagde flyvemaskiner og køretøjer.

Optegnelsen er tilføjet en note dagen efter, hvoraf det fremgår, at Martius påfølgende blev kontaktet af OKM vedrørende de tre andre ønskede danske skibe.

Martius havde telefoneret til København på baggrund af hastebrevet fra OKM til AA for at få sagen løst og kom til at tale med Barandon og Duckwitz i stedet for Best selv. Best lod sin stedfortræder og sin skibsfartssagkyndige tage sig af spørgsmålet for selv at stå frit fremover og ikke indgå personlige aftaler, der ville binde ham. Dog kunne han ikke komme uden om de første beslaglæggelser.

Se Bests telegram nr. 84 til AA samme dag.
Kilde: BArch, Freiburg RM 7/1813. RA, Danica 628, sp. 7, nr. 5775f.

zu Ha Pol XII a 141

Geheim

Aufzeichnung

Am 18.1. nachmittags habe ich abredegemäß mit Herrn Gesandten Barandon und an-

---

150 Der var sabotage mod Johannesens og Lunds Maskinfabrik, Gammel Køgevej 180, hvorved der blev anrettet betydelig skade. Fabrikken arbejdede hovedsageligt for den tyske værnemagt. Der var schalburgtage udført af Petergruppen mod Hellerup Flødeis, Onsgårdsvej 13, Hellerup, hvorved også elektricitetsværket Nesa blev ramt. Der var endvidere sabotage mod et kvarter for tyske vagter, Trustrupvej 3, København (RA, BdO Inf. nr. 7, 19. januar 1944, Alkil, 2, 1945-46, s. 1227, Bøgh 2004, s. 34, tillæg 3 her).
151 Det var hos maskinfabrikken H. Ehrenreich, Tordenskjoldsgade 25. Fabrikken arbejdede for den tyske værnemagt (RA, BdO Inf. nr. 7, 19. januar 1944, Hauerbach 1945, s. 24, Alkil, 2, 1945-46, s 1227).

schließend mit Herrn Duckwitz über die Frage der Weiterbehandlung der Inanspruchnahme dänischer Tonnage aus Anlaß des Schreibens der 1. Skl. des OKM vom 15. Januar[152] Ferngespräche gehabt, bei denen sich Folgendes ergab:
1.) Die Dienststelle des Reichsbevollmächtigten Kopenhagen verhandelt heute mit dem Dänischen Außenministerium über die freiwillige Zurverfügungstellung der 4 für den U-Boot-Dienst in Frage kommenden Fahrzeuge.
2.) Sollten diese Verhandlungen nicht zu einem positiven Ergebnis führen, wird im Laufe des 20. zu einer Beschlagnahme der Schiffe geschritten werden.
3.) Diese Beschlagnahme wird im Wege der Einzelanordnung durch den Reichsbevollmächtigten in gleicher Weise wie bei den Kraftfahrzeugen und Flugzeugen ausgesprochen werden.
4.) Beide Herren nehmen von der Dringlichkeit der Angelegenheit Kenntnis, bemerkten aber, der Admiral Dänemark wolle das OKM noch gestern drahtlich darauf hinweisen, daß jedenfalls vor einer Beschlagnahme das Ergebnis einer Verhandlung im Außenministerium abgewartet werden müsse. Das Ergebnis wird hierher gedrahtet werden.
Berlin, den 19. Januar 1944
Martius

Seekriegsleitung   *Berlin, den 20.1.1944.*
1. Skl. I i 2327 g/44

V e r m e r k

Betr. Erfassung aufliegender dänischer Tonnage.
Die vorstehende Aufzeichnung des Gesandten Dr. Martius vom Ausw. Amt wurde am 19.1.44 an I i kurzerhand persönlich übergeben. Dr. Eckhardt veranlaßte einen alsbaldigen erneuten Anruf des Gesandten Martius in Kopenhagen auch wegen der drei Bornholm-Schiffe, bezüglich derer möglicherweise wegen eines technischen Versagers eine Weisung des Ausw. Amtes bei Dr. Best noch nicht vorliegen soll. Vergleiche das weitere bei 1. Skl. 2103 geh.

153. Werner Best an das Auswärtige Amt 19. Januar 1944
Dagsindberetning.
    Kilde: PA/AA R 29.568. RA, pk. 204.

T e l e g r a m m

Kopenhagen, den	19. Januar 1944	20.05 Uhr
Ankunft, den	19. Januar 1944	22.40 Uhr

---

152 Trykt ovenfor.

Nr. 83 vom 19.1.[44.]   Citissime!

Ich bitte, die folgende Meldung dem Herrn Reichsaußenminister zuzuleiten:
 Über die Lage in Dänemark berichte ich für den 18. auf 19.1.44, daß in Kopenhagen gegen eine Maschinenfabrik, die teilweise für deutsche Zwecke arbeitet,[153] sowie in 3 Fällen gegen Privateigentum[154] und in Bornholm gegen eine Maschine eines Steinbruchs, der nicht für deutsche Zwecke arbeitet, Sabotage begangen wurde.[155]
 Der deutschen Sicherheitspolizei ist es gelungen, einen Chefagenten des britischen Nachrichtendienstes festzunehmen.[156]
                                    Dr. Best

154. Werner Best an das Auswärtige Amt 19. Januar 1944

Best meddelte, at forhandlingerne om chartring af fire oplagte danske skibe til Kriegsmarine var mislykket, og at Wurmbach derfor ville beslaglægge dem efter Bests henstilling. På baggrund af henstillinger fra UM og rederierne anmodede Best om, at AA spurgte OKM om det ikke kunne bruge skibene "A.P. Bernstorff" og "Aarhus" i stedet for nogle af de ønskede.
 Vedrørende de tre yderligere ønskede skibe ville der blive gået frem på samme måde.
 AA sendte 20. januar 1943 (Ha Pol 311/44 g) en kopi af Bests fjernskrivermeddelelse til OKM, 1. Seekriegsleitung ved Dr. Kurt Eckhardt med ønske om at få en stillingtagen til Bests forslag. Samme dag skrev Seekriegsleitung til Wurmbach i spørgsmålet.
 OKM svarede AA 22. januar 1944. Best fulgte op på telegram nr. 84 samme dag.
 Kilde: BArch, Freiburg, RM 7/1813. RA, Danica 628, sp. 7, nr. 5788.

Abschrift Ha Pol 311/44 g

           Telegramm [Nr. 84][157] aus Kopenhagen vom 19.1.

"Die Reederei der 4 dänischen Motorschiffe "Esbjerg", "Jylland", "Parkeston" und "England" hat den Abschluß eines Chartervertrages mit der Kriegsmarine abgelehnt. Ich habe daraufhin dem dänischen Außenministerium die Beschlagnahme der genannten vier

---

153 Der blev af Holger Danske rettet sabotage mod Aage Petersens Maskinfabrik, Finsensvej 47, København, hvorved der opstod betydelige skader. Fabrikken arbejdede for den tyske værnemagt (RA, BdO Inf. nr. 8, 21. januar 1944, *Daglige Beretninger*, 1946, s. 33f., Birkelund 2008, s. 678).

154 Det var mod slagtermester Rasmussens forretning, Mejlgade 44 i Århus, mod avissælger Kay Stevnsborgs forretning, Emdrupvej 6, København (ved Holger Danske), og mod Regieringsrat dr. Meulemanns personbil, Strandvejen 211, København. Endvidere var der aktioner mod Schilders Skrædderi, Nørregade 7, København (ved Holger Danske), foruden flere telefonbomber (RA, BdO Inf. nr. 8, 21. januar 1944, Alkil, 2, 1945-46, s. 1227, *Daglige Beretninger*, 1946, s. 22f., Birkelund 2008, s. 678).

155 Der var hældt syre i en motor på Hammerens Granitværk, hvilket satte den ud af drift i uger (Barfod 1976, s. 121).

156 Det drejede sig om direktør Aage Andreasen, der var blevet anholdt dagen før, formentlig stukket af en af sine egne kurerer. Han var medindehaver af firmaet Holger Andreasen og handlede meget med det tyske I.G. Farbenindustrie, hvilket gav anledning til talrige forretningsrejser til Tyskland. Karl Heinz Hoffmann hævdede 16. maj 1947, at Andreasen havde kontakter med Ejvind Larsen og Thune Jacobsen, og at det kunne have ført til deres anholdelse, hvis ikke han havde holdt oplysningerne tilbage (Bjerg, 2, 1985, s. 27f. og samme i *Hvem var hvem 1940-1945*, 2005, s. 16f., Hjorth Rasmussen 1998, s. 111ff., passim, LAK, Best-sagen).

157 Telegramnummeret er hentet fra Bests telegram nr. 795, 2. juli 1944.

Schiffe mitgeteilt. Gleichzeitig erfolgte hierüber Mitteilung an den Admiral Dänemark mit der Bitte, die Sicherstellung der Schiffe zu veranlassen.

Auf Grund von Vorstellungen des dänischen Außenministeriums und der Reederei bitte ich um Prüfung durch die Kriegsmarine, ob für die gedachten Zwecke nicht auch die hier anliegenden Dampfer "A.P. Bernstoff" und "Aarhus" gebraucht werden können. "A.P. Bernstoff" wurde seinerzeit durch den Reichskommissar Norwegen gekauft, jedoch soll für dieses Schiff in Norwegen kein Interesse mehr vorhanden sein. Der Dampfer "Aarhus", der als Reserveschiff für die innerdeutsche Fahrt gedacht war, liegt zur Zeit auf. Außenministerium und Reederei würden größten Wert darauf legen, im Austausch gegen zwei der oben genannten Motorschiffe die Dampfer "A.P. Bernstoff" und "Aarhus" abzugeben.

Bezüglich der Motorschiffe "Hammershus", "Rotna" und "Frem" wird in derselben Weise bei den obengenannten Schiffen vorgegangen."

[Best]

155. Werner Best an das Auswärtige Amt 20. Januar 1944
Dagsindberetning.
Kilde: PA/AA R 29.568. RA, pk. 204.

Telegramm

Kopenhagen, den	20. Januar 1944	21.40 Uhr
Ankunft, den	20. Januar 1944	24.00 Uhr

Nr. 88 vom 20.1.44.   Citissime!

Ich bitte, die folgende Meldung unverzüglich dem Herrn Reichsaußenminister zuzuleiten:
"Über die Lage in Dänemark berichte ich für den 19. auf 20.1.44, daß aus dem ganzen Lande keine besonderen Vorfälle gemeldet worden sind."

Dr. Best

156. Emil Wiehl an das Reichsfinanzministerium 20. Januar 1944
Wiehl meddelte RFM, at Berger og Walter var enige om, at det var formålstjenligt, om en ny repræsentant fra RFM i det tysk-danske regeringsudvalg havde sæde i Berlin. Det ville sikre, at formøder på tysk side kunne gennemføres med kort varsel. Wiehl erklærede sig indforstået med, at Korff deltog i det forestående regeringsudvalgsmøde i København. Det var blevet pålagt Best at orientere Korff.

Brevet fremkom på baggrund af et hastebrev fra RFM 18. januar, hvorefter ministeriet ville udnævne Hans Clausen Korff til nyt medlem af det tysk-danske regeringsudvalg.[158] Det gav anledning til overvejelser i AA mht. Korffs kandidatur, fordi han sad i Oslo og ikke mindst, fordi han tilhørte Terbovens stab (to udkast til svar til RFM i RA, pk. 270. Jfr. Bests telegram nr. 149, 3. februar 1944). Imidlertid valgte AA at holde dette sidste for sig selv, og svarede alene nedenstående.

158 For Korffs forudgående benarbejde for at opnå udpegningen, se Korff til Breyhan 28. december 1943.

Se Wiehl til Best 20. januar 1944.
 Hverken AA eller Walter havde Korff som kandidat til det fælles regeringsudvalg på dette tidspunkt. Den 22. januar blev sagen imidlertid afgjort af RFM, se Berger til AA anf. dato.
 Kilde: BArch, R 2/30.515. RA, pk. 270.

Auswärtiges Amt Berlin W 8, den 20. Januar 1944
Ha Pol. VI 166/44

Schnellbrief

An das Reichsfinanzministerium
 Berlin

Auf den Schnellbrief vom 18. d.Mts.[159] – Y 5104/1 – 225 V –

Unter Bezugnahme auf die heutige Rücksprache mit Herrn Min. Dir. Berger teile ich ergebenst mit, daß nach seiner Auffassung, die auch von dem Vorsitzenden des Regierungsausschusses für Dänemark, Min. Dir. Walter, geteilt wird, es durchaus zweckmäßig wäre, wenn zum Vertreter des Reichsfinanzministeriums im Regierungsausschuß für Dänemark ein Beamter des Reichsfinanzministeriums mit dem Sitz in Berlin ernannt würde. Die Verhandlungen mit dem dänischen Regierungsausschuß können in vielen Fällen nur ganz kurzfristig anberaumt werden, und eine rechtzeitige Unterrichtung der Ressortvertreter über die zur Verhandlung stehenden Angelegenheiten und ihre Teilnahme an den Vorbesprechungen des deutschen Regierungsausschusses ist nur dann möglich, wenn die betreffenden Ressortvertreter ihren Sitz in Berlin haben. Ich bitte deshalb, die Ernennung eines Vertreters des Reichsfinanzministeriums nochmals unter diesem Gesichtspunkt zu prüfen.
 Da bereits am 24. d.Mts. wiederum Verhandlungen des deutsch-dänischen Regierungsausschusses in Kopenhagen beginnen, erkläre ich mich damit einverstanden, daß Oberregierungsrat Korff an diesen Verhandlungen vertretungsweise teilnimmt. Der Bevollmächtigte des Reichs in Dänemark wird gleichzeitig beauftragt, ORR Korff hiervon zu unterrichten.

Im Auftrag
Wiehl

157. Emil Wiehl an Werner Best 20. Januar 1944

Best fik besked om, at RFM havde udset ORR Hans Clausen Korff som nyt medlem af det tysk-danske regeringsudvalg. Udnævnelsen blev for øjeblikket vurderet, Best skulle tage stilling til udnævnelsen og meddele Korff, at han skulle deltage i det kommende møde.
 Korff var ankommet til København samme dag og mødtes med Best 24. januar (Bests kalenderoptegnelser anf. dato).
 Best svarede AA med telegram nr. 149, 3. februar 1944 på et tidspunkt, da løbet var kørt.
 Kilde: RA, pk. 270.

---

159 Brevet er ikke lokaliseret.

Telegramm

Berlin, den 20. Januar 1944

Diplogerma Consugerma Kopenhagen Nr. 67
Referent: LR Baron v. Behr
Betreff: Vertretung für Reichsfinanzministerium bei Verhandlungen Januar, ORR Korff

Reichsfinanzministerium hat anstelle Ministerialrats Scherer als Vertreter Reichsfinanzministeriums im Regierungsausschuß für Dänemark Oberregierungsrat Korff benannt. Angelegenheit wird gegenwärtig geprüft, erbitte schriftliche Stellungnahme. Bitte ORR Korff unterrichten, daß er auf Weisung Reichsfinanzministeriums an den am 24. Januar dort beginnenden Regierungsausschußverhandlungen vertretungsweise teilnehmen soll.

Wiehl

158. OKM an Hans-Heinrich Wurmbach 20. Januar 1944

Wurmbach blev orienteret om, at Seekriegsleitung havde bedt AA om, at Best også beslaglagde de tre resterende ønskede skibe, hvis ikke en aftale om frivillig chartring var indgået senest 22. januar. AA havde 19. januar tilsagt støtte til beslaglæggelse af de fire første skibe.
Se Wurmbach til Inselkommandant Bornholm og MOK Ost samme dag.
Kilde: BArch, Freiburg, RM 7/1813. RA, Danica 628, sp. 7, nr. 5777.

Berlin, den 20.1.1944   Zu B-Nr. 1Skl.I i 2103/44 geh.
Fernschreiben an Admiral Dänemark

Auf Admiral Dänemark G 936 Kü. vom 18.1.44 wegen Erfassung von 7 dänischen Schiffen.

Zu 2.): Ausw. Amt ist am 19.1. veranlaßt, Auftrag an Reichsbevollmächtigten auch wegen der restlichen drei Schiffe telefonisch mit Auflage zu erteilen, daß Schiffe alsbald zu beschlagnahmen sind, falls Verhandlungen nicht bis zum 22.1. zu positivem Ergebnis führen. Ausw. Amt zusagte am 19.1. Beschlagnahme von "Esbjerg", "Jylland", "Parkeston" und "England" im Laufe des 20.1., falls bis dahin Verhandlungen nicht zur freiwilligen Vercharterung geführt haben sollten. Ergebnis melden.

Seekriegsleitung 1. Skl. I i 2103/44 geh.

159. Hans-Heinrich Wurmbach an Inselkommandant Bornholm und MOK Ost 20. Januar 1944

Wurmbach meddelte, at Seekriegsleitung ønskede de tre oplagte skibe i Rønne "Hammershus", "Frem" og "Rotna" til brug for Kriegsmarine enten ved chartring eller ved beslaglæggelse. Ved overtagelsen af skibene ville de komme i fare for sabotage, hvorfor kommandanten på Bornholm måtte stille vagt. MOK Ost blev bedt om at stille de nødvendige skibsbesætninger til rådighed for transporten fra Rønne til Swinemünde.

Den 26. januar gjorde Best over for AA indsigelse mod Kriegsmarines krav på de tre skibe.

Kilde: BArch, Freiburg, RM 7/1813. RA, Danica 628, sp. 7, nr. 5779.

+SSD MDKP 6067 20/1 19.30 =   Geheim
Mit AUE= SSD Nachr. OKM Skl I =
Gltd.: SSD Inselkdt. Bornholm = SSD MOK Ost =
SSD Nachr. OKM Skl I =

1.) Auf Anordnung OKM Skl sollen in Rönne aufliegende dänische Schiffe "Hammershus, Frem und Rottner" im Charterwege oder durch Beschlagnahme für Zwecke Kriegsmarine verfügbar gemacht werden. Endgültige Anweisung hierüber folgt.

2.) Da Übernahme der Schiffe in deutschen besitzt Sabotagegefahr hervorruft, bereits jetzt schon Gestellung von Bewachungskräften durch Inselkdt. Bornholm vorbereiten. Bewachung muß nach erfolgter Übernahme sofort einsetzen. Vorübergehender Ausfall vom Bewachungskräften für andere Bewachungsobjekte muß in Kauf genommen werden.

3.) Da Heranbringung der SOF benötigten Besatzungen für die Schiffe von Khagen aus unzweckmäßig. Wird MOK Ost gebeten, Transport der Besatzungen von Swinemünde nach Rönne aus vornehmen zu lassen.

Adm. Dän. G 1098 Kü+

160. Der Reichsminister für Ernährung und Landwirtschaft an Werner Best 20. Januar 1944

REM bad gennem AA Best om at sørge for, at den med OKH aftalte mængde svinekød månedligt blev leveret til værnemagtskantiner og -hjem i Danmark.

Kilde: PA/AA R 113.561.

Abschrift zu Ha Pol VI 248/44
Der Reichsminister für Ernährung und Landwirtschaft   *Berlin, den 20. Januar 1944*
Geschäftszeichen II A 12 –148/44

Betrifft: Verpflegung der Wehrmacht.
Im Anschluß an mein Schreiben vom 6. Juli 1943 – II A 12-2610, II –.[160]

An den Bevollmächtigten des Reichs in Kopenhagen
    durch das Auswärtige Amt

---

160 Skrivelsen er ikke lokaliseret.

Ich habe mit dem Oberkommando des Heeres vereinbart, daß für die Wehrmachtskantinen und Wehrmachtsheime in Dänemark für die dort zu verpflegenden Wehrmachtsangehörigen auch weiterhin monatlich 180 t Fleisch als besondere Fleischzuteilung ohne Anrechnung auf den Jahresbedarf der Wehrmacht zu Lasten der Lieferungen Dänemarks an das Reich bereitgestellt werden.

Unter Bezugnahme auf mein Schreiben vom 19. Juni 1943 – II A 12 – 2610 – bitte ich, mir die Menge der vereinnahmten Fleischbezugsmarken für die zurückliegende Zeit und fernerhin regelmäßig monatlich mitzuteilen.

Im Auftrag
gez. **Langenheim**

161. Führererlaß 20. Januar 1944

Den på mødet med Hitler 30. december 1943 lovede forordningsret, som Best blev tildelt, blev officielt meddelt.

Kilde: Moll 1997, s. 385.

Der Führer   *Hauptquartier, den 20. Januar 1944.*
Abschrift R 12 g Ang. II

V e r f ü g u n g

Ich ermächtige den Reichsbevollmächtigten in Dänemark, für das besetzte dänische Gebiet Verordnungen zu erlassen, soweit dies zur Wahrung der Interessen des Reiches erforderlich ist. Diese Verordnungen sind von allen deutschen Organen anzuwenden, die in dem besetzten dänischen Gebiet tätig sind.

gez. **A. Hitler**

162. Kriegstagebuch/WB Dänemark 20. Januar 1944

Ved et møde i Åbenrå mellem repræsentanter for værnemagten og det tyske mindretal blev drøftet den tyske folkegruppes indsats i tilfælde af kamphandlinger i Danmark (jfr. von Hannekens skrivelser 17. januar 1944). Fra værnemagtens side blev der opfordret til at prøve at få mindretallets indsatsmuligheder udvidet. Spørgsmålet skulle bl.a. tages op med Best. Endvidere blev der orienteret om den førmilitære uddannelse af tidsfrivillige, der skulle finde sted i februar (se Hvidtfeldt 1953, s. 156-161 og Noack 1975, s. 167f. med der anf. henv. til efterkrigsforklaringer).

Kilde: KTB/WB Dänemark 20. januar 1944.

In Apenrade 11.00 Uhr Besprechung Ia, Major Toepke, mit Wehrm. Kdt. Hptm. Smidt, mit Leiter der deutschen Volksgruppe Dr. [Jens] Möller, mit Organisationsleiter der deutschen Volksgruppe [Peter] Larsen, mit dem Jugendleiter der deutschen Volksgruppe, [Jef] Blume, über Einsatz von Volksdeutschen im Falle von Kampfhandlungen in Dänemark. Gefordert wurde Überprüfung des bisherigen Einsatzes der Volksdeutschen zu Sicherungsaufgaben im eigenen Bereich. Weiterhin Werbung von Kräften für den

Einsatz im gesamtdänischen Raum, um Ziff. 3a) der Vfg. W. Bef. Dän. Ia Nr. 111/44 g.Kdos. vom 17.1.44 erfüllen zu können. Bisheriger Einsatz der Nord-Schleswiger nur auf freiwilliger Grundlage, da infolge der dänischen Staatsangehörigkeit Aushebung oder Einziehung nicht möglich war. Erwogen wurde die Bekanntgabe einer Verfügung im Einsatzfall, die diese Bindung aufhebt. Die Frage wird von Ia in Verbindung mit Reichsbevollmächtigten und WBK Ausland geklärt werden. Erneut aufgegriffen wurde die vormilitärische Ausbildung. Im Februar 1944 wird ein Ausbildungskursus in Hadersleben für die Unterführer-Anwärter der Zeitfreiwilligen vorgesehen. Mit der Leitung wird Wehrm. Kdt. Apenrade, Hauptmann Smidt, beauftragt werden. Ausbildungspersonal ist aus dem Bereich Wehrm. Bef. Dän. zu stellen. Nach Beendigung des Kursus werden die Unterführer dann in ihrem Bereich die Zeitfreiwilligen selbst weiter ausbilden.

163. Joseph Goebbels: Tagebuch 20. Januar 1944

Der var sket en personudskiftning i Danmark, men det havde ikke bragt ro til landet. Best regerede videre med blød hånd for at sikre Tyskland levnedsmidler, mens sabotagen steg dag for dag. Det var forbløffende, at Bests politik var blevet en så stor fiasko. Der kunne komme det tidspunkt, hvor der måtte gribes til energiske foranstaltninger. Et besøg af NSDAPs Auslandsorganisations leder i Danmark bekræftede indtrykket af de overordentlige problemer, som tyskheden stod over for i dværgstaten Danmark.

Den omtalte personudskiftning, som Goebbels nævner, må dreje sig om Rudolf Mildners udskiftning med Otto Bovensiepen som chef for det tyske sikkerhedspoliti og SD i Danmark, der fandt sted i begyndelsen af måneden. Landesgruppenleiter for AO der NSDAP i Danmark var siden 1942 Julius Dalldorf (Brandenborg Jensen 2005, s. 65f.).

Kilde: *Die Tagebücher von Joseph Goebbels*, Teil II:11, s. 125f.

[...]

Ein Bericht über die Lage in Dänemark legt mir dar, daß der seinerzeitige Personalwechsel für das Land keine Beruhigung gebracht hat. Best ist immer noch auf seinem Posten. Er regiert mit der weichen Hand, vor allem, um die aus Dänemark kommenden großen Lebensmittelzuschüsse für das Reich nicht zu verlieren. Infolgedessen läßt man sich im großen und ganzen alles gefallen, was die Dänen uns antun, und die Sabotage- und Terrorakte steigen von Tag zu Tag. Es ist erstaunlich, daß die Bestsche Politik ein so großes Fiasko erlitten hat. Offenbar sind hier englische Saboteure am Werke und ist andererseits Best doch in seiner Zuvorkommenheit den Dänen gegenüber zu weit gegangen. Immerhin aber leisten die Dänen auch heute noch Außerordentliches für die deutschen Kriegsanstrengungen, und es ist vielleicht ganz gut, der Entwicklung vorläufig noch einmal passiv zuzuschauen. Sollte die Krise sich jedoch steigern, so wäre das Reich gezwungen, energische Maßnahmen zu ergreifen.

Ich empfange mittags die Landesgruppenleiter der AO, um ihnen einen Überblick über die augenblickliche Lage zu geben. Auch hier berichtet mir unser AO-Vertreter in Dänemark von den außerordentlichen Schwierigkeiten, denen das Deutschtum in diesem Zwergstaat gegenübersteht.

[...]

164. Werner Best an das Auswärtige Amt 21. Januar 1944
Dagsindberetning.
  Best nævnte ikke, at han samme dag havde været på besigtigelse i Københavns havn af de fire skibe, som han dagen før var blevet tvunget til at lade beslaglægge. Ved den lejlighed kunne marinekommandant Jürst fortælle, at det ville tage fire uger at gøre dem sejlklare, når der var ankommet tilstrækkeligt med motorpersonale.
  Det var imidlertid ikke motorpersonale, der først ankom, men 2. februar en vagtkommando på 52 mand under ledelses af Oberstleutnant Eisenreich (KTB/Kriegsmarinedienststelle Kopenhagen 21. januar og 2. februar 1944 (RA, Danica 628, sp. 6, nr. 4291f., Bests kalenderoptegnelser 21. januar 1944).
  Kilde: PA/AA R 29.568. RA, pk. 204.

Telegramm

Kopenhagen, den	21. Januar 1944	19.40 Uhr
Ankunft, den	21. Januar 1944	20.30 Uhr

Nr. 91 vom 21.1.[44.]   Citissime!

Ich bitte, die folgende Meldung unverzüglich dem Herrn Reichsaußenminister zuzuleiten:
  Über die Lage in Dänemark berichte ich für den 20. auf den 21. Januar 1944, daß in Kopenhagen in einer Autoreparaturwerkstatt und in zwei Filialen eines Installationsgeschäftes Sabotage verübt wurde.[161] In Aalborg wurde ein Kran[162] und in Aarhus eine Blockstation am Güterbahnhof (ohne Störung des Eisenbahnverkehrs) beschädigt.[163]

Dr. Best

165. Seekriegsleitung an Quartiermeisteramt 21. Januar 1944
Seekriegsleitung orienterede om beslaglæggelsen af syv danske skibe til brug for Kriegsmarine. Der blev gengivet Wurmbachs meddelelse vedrørende beslaglæggelsen af de fire første skibe, og det blev endvidere forventet, at de resterende tre skibe ville blive beslaglagt dagen efter (misvisende fremstilling af de fire DFDS-skibes beslaglæggelse "uden varsel" (!) og påfølgende skæbne hos Graae 1966, s. 252).
  Kilde: BArch, Freiburg, RM 7/1813. RA, Danica 628, sp. 7, nr. 5780f.

Seekriegsleitung	*Berlin, den 21 Januar 1944.*
Zu B-Nr. 1. Skl. I 1 2362/44 geh.	Geheim
Vfg.	Sofort vorlegen!
Schreibe: An	

---

161 Holger Danske saboterede Autofirmaet A/S Danadko, Scandiagade 15, der udelukkende arbejdede for den tyske værnemagt. Desuden var der anslag mod installationsforretningerne Trianglen 4 og Nørrebrogade 296 (RA, BdO Inf. nr. 9, 24. januar 1944, *Daglige Beretninger*, 1946, s. 24, Birkelund 2008, s. 678).
162 På Ålborg Værft blev en to tons kran svært beskadiget ved sabotage. Da kranen blev brugt ved montagearbejde på tyske skibe, indebar det en forsinkelse af arbejdet (RA, BdO Inf. nr. 9, 24. januar 1944).
163 Sabotage mod og ødelæggelse af blokposten på godsbaneterrænet, Århus, hvorved jernbanetrafikken dog ikke blev afbrudt (RA, BdO Inf. nr. 9, 24. januar 1944, Andrésen 1945, s. 274f., Hauerbach 1945, s. 24, Alkil, 2, 1945-46, s. 1227, Trommer 1971, s. 73).

Skl. Qu A VI
Skl. Qu A U

Betr.: Inanspruchnahme von 7 aufliegenden dänischen Schiffen für Zwecke der Kriegsmarine.

Im Nachgang zu B-Nr. 1. Skl. I i 1557/44 geh. vom 15.1.44 wird mitgeteilt, daß das Auswärtige Amt auf das vorstehende Schreiben hin den Reichsbevollmächtigten Dr. Best angewiesen hat, die 7 Fahrzeuge für die Kriegsmarine unverzüglich bereitzustellen mit der Auflage, daß bei erneutem Scheitern der Vertragsverhandlungen die Schiffe "Esbjerg", "Jylland", Parkeston" und "England" im Laufe des 20.1.44, die in Bornholm aufliegenden drei Dampfer "Hammershus", "Frem" und "Rottner" im Laufe des 22.1.44 zu beschlagnahmen sind.

Über den Verlauf der Aktion betreffend die Schiffe "Esbjerg", "Jylland", "Parkeston" und "England" ist folgender Bericht des Admiral Dänemark vom 20.1.44 eingegangen:[164]

"1.) Verhandlung wegen Vercharterung im Vorg. Schr. genannter Schiffe ergebnislos verlaufen.

2.) Beschlagnahme der 4 Schiffe für Zwecke Kriegsmarine durch Reichsbevollmächtigten am 20.1. erfolgt.

3.) Wegen Sabotagegefahr alsbaldige Herausnahme der Schiffe aus dän. Raum erforderlich.

4.) Da Schiffe 4 Jahre aufgelegen, für Instandsetzung 2 bis 3 Wochen notwendig.

5.) Da Bewachung der Schiffe gegen Sabotage bei bekanntem Personalmangel nur unter Entblößung anderer wichtiger Bewachungsobjekte möglich, sofortige Zuweisung von Besatzung dringend erforderlich.
    Adm. Dän. G 1049/44 Kü."

Nach dem Scheitern des Versuches der Charterung der 4 Fahrzeuge auf dem Vertragswege ist damit zu rechnen, daß es auch bezüglich der restlichen 3 Fahrzeuge am 22. ds.Mts. zu ihrer Beschlagnahme kommt. Aus den in dem Fernschreiben des Admiral Dänemark zitierten Gründen erscheint es notwendig, nunmehr wegen alsbaldiger Besetzung der Fahrzeuge durch deutsches Schiffspersonal unverzüglich das Nötige anzuordnen. Um weitere diesbezügliche dortige Veranlassung wird gebeten.

---

164 Wurmbachs fjernskrivermeddelelse blev sendt kl. 13.17 og er i BArch, Freiburg, RM 7/1813 og RA, Danica 628, sp. 7, nr. 5782f.

166. Monatsbericht für Dezember 1943 der Germanischen Leitstelle im SS-Hauptamt 21. Januar 1944

Germanische Leitstelles månedsberetning for december 1943 gav for Danmarks vedkommende en knap oversigt over den generelle situation, hvor der blev plads til både at omtale befæstningsarbejderne, landbrugseksporten til Tyskland, henrettelsen af modstandsfolk, der havde gjort et dybt indtryk på befolkningen, og det tyske sikkerhedspolitis resultater. Hovedemnerne var Schalburgkorpset, ungdomsarbejdet og Waffen-SS. Det forventedes, at de ledende danske nazisters modstand mod hvervning til Schalburgkorpset ville ophøre, og at et initiativ til sammenslutning af de danske nazister ville give resultat. Forholdet til NSU var fortsat det bedste, men NSU forblev selvstændig.

Det var gået skidt med hvervningen til Waffen-SS i december, og der var et urovækkende stort antal desertører. De frivillige deserterede under orlov i Danmark, tilskyndet dertil af familie eller tyskfjendtlige bekendte. Det blev formodet, at der stod en organisation bag tilskyndelsen til de frivillige om at desertere.

Kilde: RA, pk. 232. EUHK nr. 119 (uddrag).

Der Reichsführer-SS
SS-Hauptamt-Amtsgruppe D
Germanische Leitstelle
VS. Tgb. Nr. – /44 geh.
D Tgb. Nr. 87/44 geh. Rp. Ws.

Berlin-Grünewald, den 21.1.1944
Douglasstr. 7-11

Geheim!

Monatsbericht
für Dezember 1943

A. Nordraum: Dänemark:

I. Allgemeine Lage:

Im Verhältnis zur dänischen Verwaltung und zur Bevölkerung spielte im Dezember 1943 die Organisation des Arbeitseinsatzes für die erweiterten Befestigungsbauten in Jütland die Hauptrolle. Das Ergebnis der Arbeit entspricht in jeder Weise den Erwartungen.

Die landwirtschaftlichen Lieferungen nach Deutschland sind im vierten Quartal 1943 erfreulich gut ausgefallen. Waren- und Zahlungsverkehr wird sich auch im kommenden Jahr in den bisherigen Formen vollziehen. Am 2.12.43 sind 3 kriegsgerichtlich zum Tode verurteilte Saboteure durch erschießen hingerichtet worden.[165]

Die Hinrichtungen machten einen starken Eindruck auf die dänische Bevölkerung, da das dänische Recht die Todesstrafe nicht kennt und da bisher nur 3 von deutschen Kriegsgerichten gegen dänische Staatsangehörige ausgesprochene Todesurteile vollstreckt worden waren.

Die in Dänemark seit dem 15.9.1943 eingesetzte Sicherheitspolizei hat weiterhin gute Erfolge in der Bekämpfung der Sabotage erzielt. Insgesamt wurden seit dieser Zeit 175 Personen festgenommen und dadurch 80 Sabotagefälle geklärt. 8 Saboteure wurden auf der Flucht bezw. bei Widerstand erschossen. Bei den beschlagnahmten Sabotagemitteln handelt es sich um etwa 300 kg Sprengstoff, 700 Sprengkapseln, 500 Übertragungsladungen, 34 magnetische Haftladungen, 1.600 Zünder verschiedener Art, 300 Brandsätze und Brandkörper sowie zahlreiche Maschinenpistolen, Gewehre, Handgranaten,

---

165 Der blev henrettet 5 og ikke 3 modstandsfolk den 2. december 1943.

Munition usw. Alles Material ist englischer Herkunft. Es gelang, mehrere in England ausgebildete Fallschirmagenten, die auf dem Luftwege nach Dänemark gekommen waren und einen wesentlichen Teil der Sabotagetätigkeit lenkten, festzunehmen.

II. Schalburg-Korps:
Die Frage der Bekleidung, Ausrüstung und Bewaffnung der aktiven Gruppe des Schalburg-Korps konnte gelöst werden. Es ist damit zu rechnen, daß auch die Unterkunftsangelegenheit im Laufe des Januar 1944 klar gestellt wird. Weitere Einberufungen konnten trotz der vorliegenden zahlreichen Meldungen nicht durchgeführt werden, da keine Möglichkeit bestand, die Männer unterzubringen.

Mit Beginn des neuen Jahres soll eine sich langsam ausbreitende Werbeaktion unter den dänischen Nationalsozialisten durchgeführt werden. Es besteht die Auffassung, daß der Widerstand, auf den man innerhalb der leitenden Kreise der nationalsozialistischen Gruppen stößt, nicht unter den Mitgliedern derselben zu finden ist, sondern, daß diese im Gegenteil seit längerer Zeit auf eine Initiative zum Zusammenschluß der dänischen Nationalsozialisten warten.

Die Arbeit des Schalburg-Korps ist weiterhin erfreulich. Eine gesonderte Betreuung der im Kopenhagener Lazarett liegenden verwundeten dänischen SS-Angehörigen erfolgte zum Julfest.

III. Jugendarbeit:
Landesjugendführer Jensen hatte mit dem Kommandeur des Schalburg-Korps eine Aussprache, in der beschlossen wurde, die NSU vorderhand weiter als selbständige Organisation neben dem Schalburgkorps bestehen zu lassen. Es wurde jedoch eine enge Zusammenarbeit festgelegt. Die Verbindung zum NSU-Stab bleibt, wie bisher, die beste.

IV. Ergänzung für die Waffen-SS:
Der Monat Dezember ist, wie immer, der schlechteste für die Werbung gewesen.

Es wirkt sich weiterhin die Unruhe aus, die in vielen Familien von SS-Freiwilligen durch Belästigungen, Drohungen und tätliche Angriffen entstanden ist.

Ein sehr ernstes Kapitel bilden die sich in erschreckendem Maße häufenden Fahnenfluchtsmeldungen. Im Dezember 1943 sind 17 neue Fahnenflüchtige hinzugekommen, so daß insgesamt 88 Fahnenfluchtsmeldungen vorliegen. Ergriffen wurden bisher 50, davon 4 im Monat Dezember. 38 befinden sich noch auf freiem Fuß. Ein Teil ist mit Sicherheit nach Schweden gelandet. Zurückzuführen ist die Fahnenflucht im wesentlichsten auf die schlechte Disziplin der Freiwilligen. Es ist anzunehmen, daß sie in den meisten Fällen ursprünglich nicht die Absicht hatten, fahnenflüchtig zu werden, sondern lediglich 2 bis 3 Tage über ihren Urlaub in Dänemark blieben und dann entweder Angst hatten zurückzukehren oder von feindlich eingestellten Bekannten bewogen wurden, fahnenflüchtig zu werden. Es liegt die Vermutung nahe, daß eine Organisation besteht, die durch geschickte Beeinflussung die Freiwilligen zur Fahnenflucht veranlaßt. Von den Volksdeutschen Freiwilligen aus Dänemark liegt bisher keine einzige Fahnenfluchtsmeldung vor.

a.) Waffen-SS

Meldungen	50
davon Volksdeutsche	5
Die Iststärke beträgt am Stichtag v. 31.12.43:	
Dänen	2.595
Volksdeutsche	979

b.) DRK-Schwestern:

Am Stichtag v. 31.12.43 sind	68
dänische Schwestern in den Lazaretten oder in der Ausbildung.	

[...][166]

167. Preisprüfungsstelle für den Außenhandel an die Außenwirtschaftsabteilungen und die Prüfungsstellen 21. Januar 1944

Den 23. december 1943 havde Best foreslået, at man fra tysk side ophørte med at undersøge eksporterende danske firmaers ejermæssige racetilhørsforhold, da det skulle være unødvendigt efter gennemførelse af aktionen mod de danske jøder. Den opfattelse fandt han tilslutning til hos Prüfungsstelle für den Außenhandel.
Kilde: RA, Danica 465: Moskva: Osobyj Archiv, 1458/21/58/5 (kopi med teksttab).

[Preisprüfung]sstelle für den Außenhandel   Berlin, den 21. Januar 1944
Nr. 5/44

An
a.) die Außenwirtschaftsabteilungen
b.) die Prüfungsstellen

[Betr.]: Geschäftsverkehr mit Dänemark.

Nach der Durchführung der Aktion gegen die Juden in Dänemark hat [der] jüdische Einfluß im dänischen Wirtschaftsleben aufgehört. Daher [ist] das für die Zulassung der Geschäftsverbindungen deutscher Ausfuhr[?]en mit dem dänischen Einfuhrhandel bisher vorgeschriebene Prüfungs[verf]ahren, soweit es die Rassezugehörigkeit betrifft, vereinfacht [word]en. Die Arisierung jüdischer Firmen in Dänemark ist jetzt soweit [g]etrieben, daß infolgedessen wegen der Rassezugehörigkeit dänischer [Firm]en nicht mehr hier angefragt zu werden braucht.
    Die hier noch vorliegenden Anfragen werden als durch diesen [Rund]erlaß erledigt angesehen.

Im Auftrag
gez. **Kuhrmann**

168. Walter Forstmann: Meldungen über Sabotage 21. Januar 1944

Forstmann udsendte en besked til Rüstungsstab Dänemarks afdelinger om, at de skulle udvise den største

---

[166] Afsnittet om Norge er ikke medtaget.

saglighed og nøjagtighed ved afgivelsen af indberetning om sabotagehandlinger. Det skulle undgås, at der blev givet et falsk billede.

Der har givetvis været tale om overdrevne angivelser af skader, ligesom den rigsbefuldmægtigede kan have bedt om, at sabotagen ikke blev overdramatiseret. Forstmann fulgte Bests politiske linje tæt.

Kilde: BArch, Freiburg, RW 27/13. KTB/Rü Stab Dänemark, 1. Vierteljahr 1944, Anlage 12. Larsen 1982 ved s. 97.

Chef Rü Stab Dänemark *Kopenhagen, den 21.1.1944*
Anlage 12

Betr.: Meldungen über Sabotage.

An Verteiler!

Die Sabotagefälle der letzten Zeit geben mir Veranlassung darauf hinzuweisen, daß alle Beteiligten bei Meldungen über Sabotagehandlungen sich der größten Sachlichkeit und Genauigkeit befleißigen müssen. Übereilte Meldungen führen nur dazu, andere Dienststellen in Unruhe zu versetzen und ein falsches Bild von der wirklichen Lage zu geben. Meist stellt es sich nach kurzer Zeit heraus, daß durch Umstellung oder Verlegung des Betriebes vielmehr für die deutsche Rüstung zu retten ist, als es zunächst den Anschein hatte.

Meldungen an vorgesetzte Dienststellen sind kurz zu fassen und erst dann zu erstatten, wenn der Schaden einwandfrei zu übersehen ist.

Es geht auch nicht an, daß Abnahmebeamte oder Firmenvertreter von sich aus vorgesetzte Dienststellen oder deutsche Firmen durch ungenaue Meldungen alarmieren. Sie sind deshalb darauf aufmerksam zu machen, daß derartige Meldungen vor Abgang mit den Abt. Leitern des Rü Stab Dän. abzustimmen sind.

Jeder Sabotageakt ist natürlich äußerst bedauerlich, weil die für die deutsche Rüstung bestimmten Fertigungen nicht in vollem Umfange erreicht werden können. Es zeigt sich aber auch, daß viele kleine Firmen, hauptsächlich in Kopenhagen, wegen ihrer schlechten Lage und unzulänglichen Gebäude besonders gefährdet sind. Deshalb dürfen vordringliche Fertigungen nur bei solchen Firmen untergebracht werden, deren Gebäude feuersicher sind und die durch einen Werkschutz wirklich geschützt werden können.

Wie schon wiederholt betont, haben alle Offiziere und Beamte des Rü Stab Dän. bei Firmenbesuchen die Sicherheit der Betriebe in dieser Hinsicht zu prüfen und auf etwaige Mängel aufmerksam zu machen. – Nur grundsätzliche Fragen des Werkschutzes sind mit Rittmeister Schlüter zu besprechen.

Es wird nochmals darauf hingewiesen, daß die Abteilungen auf schnellsten Abtransport der fertigen Geräte größten Wert legen müssen.

Forstmann

Verteiler:
Abt. Leiter Zentral
  – Heer
  – Marine
  – Luftw.
  – Verw.
  – T.B.
Abteilung Wwi
Nachrichtlich:
 Reichsbevollmächtigter in Dänemark
 Höh. SS- u. Polizeiführer SS-Gruppenführer Pancke

169. Rolf Kassler an Eberhard Reichel 21. Januar 1944

Et medlem af det tyske mindretal overtrådte bestemmelserne for handel med værnemagten. Fra dansk side blev det betragtet, som om det var mindretallets produktionsselskab, der begik forseelsen. Derfor kunne både forhandleren og selskabet forvente at få en bøde.
 Kilde: PKB, 14, nr. 250 (kun et uddrag er gengivet).

Der Reichsbevollmächtigte in Dänemark   *Kopenhagen, den 21. Januar 1944.*
Gesandtschaftsrat Dr. Kassler.

Herrn Legationsrat Dr. Reichel
 – Abteilung Inland II C –
 Auswärtiges Amt
 Berlin.

Lieber Herr Reichel!
Auf Ihre Anfrage vom 20. Dezember v.Js. – Inl. II D 3531/43 – gebe ich Ihnen nachstehend ein Bild über den Stand der Angelegenheit betreffend Radiohändler Feidenhansl,[167] Nordschleswig:
 Die Sache Feidenhansl ist hier seit langem bekannt und sowohl von der Volksgruppe wie auch von Herrn Heller (Vomi) wiederholt zur Sprache gebracht worden. Die Mitteilung im Schreiben von Herrn Hansen-Damm vom 26. Oktober v.Js. an Herrn Heller, daß ich die Intervention der Gesandtschaft zum Zwecke der Niederschlagung des Verfahrens u.a. mit der Begründung abgelehnt habe, Feidenhansl sei vorbestraft, bedarf noch näherer Ergänzungen.
 Es ist in den letzten Jahren häufiger vorgekommen, daß sich Volksdeutsche wegen ungesetzlicher Lieferungen an die Wehrmacht nach den dänischen Bestimmungen strafbar gemacht haben, und daß wir dann entweder von den betreffenden Volksdeutschen selbst oder von den deutschen Berufsgruppen darum gebeten wurden, uns bei

---

167 A.J. Feidenhansl i Tønder var anklaget for at have solgt 300 radiomodtagere til den tyske værnemagt. Fortjenesten var 14.697 kr. Feidenhansl hævdede, at leveringen var sket gennem formanden for DBN.

den Dänen für eine Einstellung des Verfahrens zu verwenden. Dies ist auch in einzelnen Fällen geschehen mit einem mehr oder weniger zufriedenstellenden Ergebnis. Da aber die betreffenden dänischen Bestimmungen zur staatlichen Überwachung der Liefergeschäfte seinerzeit im Benehmen mit den hiesigen deutschen Stellen und z.T. auch sogar auf Wunsch der letzteren ergangen sind, ist es natürlich schwierig, von den Dänen zu verlangen, daß im Einzelfall von der Anwendung dieser Bestimmungen, insbesondere der Strafbestimmungen, Abstand genommen wird. Wie zu erwarten, ist dänischerseits auch schon die Frage gestellt worden, ob denn zweierlei Recht gesprochen werden solle. Auf Grund dieser Schwierigkeiten hat auch der Volksgruppenführer, mit dem ich öfter darüber gesprochen habe, mir wiederholt erklärt, daß in solchen Fällen nichts zugunsten der in ein Strafverfahren verwickelten Volksdeutschen unternommen werden könne.

Im Falle Feidenhansl erhielt ich am 12. November v.Js. ein Schreiben des Kontors der Deutschen Volksgruppe beim Staatsministerium, mit dem mich Herr Stehr über den Tatbestand ausführlich unterrichtete und gleichzeitig mitteilte, daß Herr Hansen-Damm die Angelegenheit auch mit Ihnen und Herrn Heller besprochen habe. Ich habe daraufhin mit Rücksicht darauf, daß ein öffentliches Strafverfahren nicht nur Feidenhansl sondern auch der Liefergemeinschaft der DBN drohte, die Wirtschaftsabteilung der Behörde gebeten, im dänischen Außenministerium zu intervenieren.

...

Dänischerseits stellt man sich demnach auf den Standpunkt, daß die beanstandete Lieferung durch die Liefergemeinschaft und nicht durch Feidenhansl erfolgt ist und stützt sich dafür u.a. auf die Aussage des Kunstmalers Hecht in Tondern. Ich weiß nicht, ob die Liefergemeinschaft in der Lage sein wird, eine andere Beurteilung der Vorgänge bei den Dänen zu erreichen. Immerhin ist es von Bedeutung, daß ein öffentliches Strafverfahren nicht stattfinden wird. Andererseits ist wohl leider damit zu rechnen, daß sowohl die Liefergemeinschaft wie Feidenhansl die Zahlung einer Geldstrafe auf sich nehmen müssen.

Die weitere Entwicklung der Angelegenheit werde ich hier im Auge behalten und Sie über den Ausgang der Sache unterrichten.
     Mit herzlichen Grüßen und Heil Hitler!
          Ihr
          Kassler

170. Werner Best an das Auswärtige Amt 22. Januar 1944
Efter beslaglæggelsen af fire danske motorskibe til brug for Kriegsmarine havde Best bedt UM om at forhandle med rederierne om erstatningens størrelse og meddele det samlede beløb. Best bad om, at Ludwig fra RWM vurderede erstatningssummens rimelighed sammen med OKM.

AAs svar er ikke lokaliseret.
Kilde: RA, Danica 465: Moskva, Osobyj Archiv, 1458/21/83.

Der Reichsbevollmächtigte in Dänemark   *Kopenhagen, den 22. Januar 1944.*
S/SCH 3/1

Im Anschluß an Drahtbericht Nr. 84 vom 19.1.1944.[168]

An das Auswärtige Amt
    Berlin

Betr.: Beschlagnahme aufgelegter dänischer Tonnage.
1 Doppel

Nachdem die Beschlagnahme der vier dänischen Motorschiffe
    "Esbjerg"
    "Jylland"
    "Parkeston"
    "England"
von mir ausgesprochen und die Schiffe von der Kriegsmarine übernommen worden sind, habe ich das dänische Außenministerium gebeten, wegen der Entschädigung in Verhandlungen mit der Reederei einzutreten und mir die von der Reederei vorgeschlagene und in Verbindung mit dem Handels- und Seefahrtsministerium festgestellte Gesamtsumme mitzuteilen.
  Auf Grund der früheren Verhandlungen, bei denen der Vertreter des Reichswirtschaftsministeriums im deutsch-dänischen Regierungsausschuß Ministerialrat Ludwig die finanzielle Seite der im Mai v.Js. begonnenen Charterverhandlungen über die vier Schiffe bearbeitet hat, bitte ich, diesen in Kenntnis zu setzen, damit er seinerseits mit dem Oberkommando der Kriegsmarine Fühlung wegen der Nachprüfung der Summe aufnimmt.

                    gez. **Dr. Best**

171. Walter Forstmann an Werner Best 22. Januar 1944

Forstmann henvendte sig til Best vedrørende danske virksomheders forsikring for sabotageskader. Forsikringen dækkede bygninger og maskiner, men ikke produktionstabet. Forstmann foreslog, at den danske regering blev foreslået at ændre krigsforsikringsloven, så virksomhedernes produktionstab ved sabotage blev dækket. Det måtte også forudses, at allerede sabotageramte virksomheder ville søge dækning for produktionstab.
  Bests svar er ikke lokaliseret, men forhandlingerne med de danske myndigheder var forgæves, og besættelsesmagten lavede sin egen ordning, som Best præsenterede i *Politische Informationen* 1. september 1944, afsnit IV.
  Kilde: BArch, Freiburg, RW 27/13. KTB/Rü Stab Dä, 1. Vierteljahr 1944, Anlage 13.

Abschrift!   Anlage 13
Chef   *22.1.1944.*

Versicherung der dänischen Betriebe gegen Sabotageschäden.

168 Trykt ovenfor.

An den Herrn Reichsbevollmächtigten in Dänemark,
    Kopenhagen

Durch die Kriegsschädenversicherung wird der Schaden an Gebäuden und Einrichtungen der Firmen gedeckt, bei denen Sabotagehandlungen vorgenommen werden. Die Erstattung dieser unmittelbaren Sachschäden genügt aber nicht, um die Firma voll zu entschädigen, denn die Firma erleidet auch Verluste durch den Ausfall der Produktion und die Notwendigkeit, Löhne und Gehälter eine gewisse Zeit lang noch weiterzuzahlen.
    Es besteht in Dänemark eine Betriebsverlustversicherung, die solche Schäden im Falle höherer Gewalt (Feuer- und Wasserschaden) deckt. Die Versicherungsbestimmungen schließen jedoch eine Erstattung bei Sabotagehandlungen ausdrücklich aus.
    Wohl hat die Dänische Regierung (cf. Gesetz Nr. 473 vom 22. Dez. 1939) mit den in 1943 durchgeführten Änderungen) einen Zuschlag von 3 % von der gutgeschriebenen Kriegsversicherungssumme für Gebäudeschäden zur Deckung derartiger außergewöhnlicher Betriebsstörungen vorgesehen, doch genügen diese 3 % bei weitem nicht.
    Es wird deshalb vorgeschlagen, bei der Dänischen Regierung zu beantragen, daß auch die Betriebsverlustversicherung lt. den für die sonstige Kriegsversicherung geltenden Regeln (cf. Gesetz Nr. 473 vom 22. Dez. 1939 und Nr. 172 vom 12. April 1940) bei Sabotageschäden bestehen bleibt, und daß die entstandenen Schäden von Fall zu Fall von Seiten einer Kriegs Betriebsverlustversicherung abgeschätzt werden, so daß auch bei einem Sabotagefall der durch die Betriebsstörungen entstandene Verlust ersetzt werden kann. – Ferner muß vorgesehen werden, daß Betriebe, bei denen bereits Schäden durch Sabotage eingetreten sind, nachträglich zusätzlich durch die Betriebsverlustversicherung entschädigt werden.

Der Chef des Rüstungsstabes Dänemark
gez. **Forstmann**
Kapitän zur See

F.d.R.d.A.
Techn. Inspektor

172. Emil Berger an das Auswärtige Amt 22. Januar 1944

RFM meddelte, at det havde vurderet, om Korff var egnet som fast medlem af det tysk-danske regeringsudvalg. Trods de tidsmæssige problemer med at komme til møder indkaldt med kort varsel lagde rigsfinansministeren – som tidligere nævnt – vægt på, at Korff blev medlem. Det tidsmæssige havde i Korffs tilfælde ikke tidligere givet anledning til problemer. De tekniske problemer måtte derfor tackles på passende måde. Walter havde fået tilsvarende besked.
    RFM skar igennem og gjorde klart, at rigsfinansministeren personligt ville have Korff som medlem, hvorfor dette måtte tages til efterretning.
    Kilde: RA, pk. 270.

Der Reichsminister der Finanzen   *Berlin W 8, 22. Januar 1944*
Y 5104 – 228 V

Schnellbrief

Auf den Schnellbrief vom 18. d.Mts.[169] – Y 5104/1 – 225 V –
Ihr Schnellbrief vom 20. Januar 1944[170] – Ha Pol VI 166/44 –

An das Auswärtige Amt
   Berlin

Die Frage der ständigen Beteiligung des Oberregierungsrats Korff an den Vorbesprechungen und Verhandlungen des Regierungsausschusses für Dänemark ist hier geprüft worden. Wenn auch gewisse zeitgemäße technische Schwierigkeiten bei kurzfristigen Anberaumungen zu überwinden sind, so ist es doch bisher gelungen, sie im Falle Korffs bei anderen Gelegenheiten zu überwinden. Da der Herr Reichsminister der Finanzen – wie erwähnt – Wert auf die Teilnahmen Korff's an den Ausschußverhandlungen legt, bitte ich den technischen Schwierigkeiten auf geeignete Weise Rechnung zu tragen. Mitteilungen für Korff, insbesondere von Terminen, bitte ich deshalb, soweit sie eilbedürftig sind, an die Adresse des Unterzeichneten zu richten.
   Abschrift habe ich dem Vorsitzenden des Regierungsausschusses für Dänemark, Herrn Ministerialdirektor Walter, mitgeteilt.

                Im Auftrag
                gez. **Berger**

173. Hans Wäsche an Hans Schneider 22. Januar 1944

Der havde været ført forhandlinger, som ikke havde haft videre fremdrift. Nu tvivlede Wäsche på, om der overhovedet kunne opnås en aftale. Mordet på præsten Kaj Munk, som blev tillagt tyskerne eller deres venner, havde forbitret det danske intellektuelle borgerskab så meget, at alle broer var brudt til de personer, som fra starten ikke havde sympatiseret med Tyskland.
   Forhandlingerne havde muligvis drejet sig om de oversættelsesrettigheder, der havde været på tale mellem Wäsche og Schneider 21. oktober 1943. Som efterretningsagent havde Wäsche et langt og godt kendskab til Danmark, et kendskab han efter organiseringen af den tyske terror i slutningen af december 1943 udvidede til at udpege egnede personer og fysiske emner som mål for tyske drab og sabotager. Han vidste fra første færd, som det også fremgår af dette brev, hvilke konsekvenser terrorhandlingerne havde for dele af folkestemningen i Danmark.
   Kilde: BArch, NS 21/934.

Hans Wäsche   *Kopenhagen, den 22.1.1944*

An SS-Hauptsturmführer Dr. Schneider,
   Germanischer Wissenschaftseinsatz
   Ahnenerbe
   Berlin-Dahlem
   Ruhland-Allee 7-11

---

169 RFMs brev anførte dato er ikke lokaliseret.
170 Trykt ovenfor.

Lieber Kamerad Schneider!
Einen Teil Ihrer letzten Buchwünsche habe ich erfüllt und von denen mir zur Verfügung gestellten 100,- d.Kr. 65,- d.Kr. ausgeben. Das Buch von Liisberg: "Danmarks Søfart og Søhandel"[171] werde ich zubeschaffen versuchen.

Leider sind unsere Verhandlungen mit Ellekilde nicht wesentlich vorwärts gekommen. Ich zweifle auch, daß unter den gegenwärtigen Umständen durch Übereinkommen etwas erreicht werden kann. Die Ermordung Kaj Munks die uns bezw. unseren politischen Freunden in Dänemark zur Last gelegt wird, hat gerade in den Kreisen des intellektuellen Bürgertums so erbitternd gewirkt, daß auf jeden Fall alle Brücken zu denjenigen Personen abgebrochen sind, die uns auch schon früher nicht besonders sympathisierend gegenüberstanden.

Mit herzlichen Grüßen und der Hoffnung Sie recht bald wieder einmal in Dänemark begrüßen zu können und mit
Heil Hitler!
Ihr
Hans Wäsche

174. Quartiermeisteramt an Seekriegsleitung 22. Januar 1944
Efter de hidtil foretagne beslaglæggelser af oplagte danske skibe, manglede der stadig et skib til brug som målskib for Kriegsmarine. I København var der otte oplagte skibe, som var velegnede til formålet. OKMs skibsfartsafdeling bad om, at de danske redere blev forberedt på, at skibene kunne blive krævet til samme indsats, som de allerede beslaglagte fire skibe. Skibene ville blive besigtiget i løbet af de kommende 14 dage.
Kilde: BArch, Freiburg RM 7/1813. RA, Danica 628, sp. 7, nr. 5792f.

Skl. Qu A VI h 402/44 geh. *Berlin, den 22. Januar 1944*
Geheim

An 1. Skl.

Betr.: Erfassung brachliegender dänischer Tonnage.
Vorg.: Skl. Qu A Vi h 318/43 geh. vom 14.12.43.[172]

Im Nachgang zu oben angezogenem Schreiben teilt Skl. Qu. A U mit B. Nr. 607/44 geh. vom 19.1.44 mit:
"Nach Erfassung der vier dänischen Schiffe "Esbjerg", "Parkeston", "Jylland", "England" bleibt an Zielschiffen für die U-Ausbildung noch ein Fehlbestand von 1 Schiff.
Da gem. Vorgang 1.) die z.Zt. als Zielschiffe fahrenden Dampfer "Goya" und "Wolta" jedoch für diese Aufgaben ungeeignet sind, beabsichtigt Skl. Qu. A. U im Einvernehmen mit Skl. Qu. A VI, auf 2 weitere Schiff der z.Zt. stilliegenden dänischen Tonnage zurückzugreifen.
Aus der bei Skl. Qu. A. VI befindlichen Zusammenstellung aufliegender Schiffe in

---

171 H.C. Bering Liisberg (red.): *Danmarks Søfart og Handel fra de ældste Tider til vore Dage*, 1-2, 1919.
172 Trykt ovenfor.

Kopenhagen (Stand von 15.6.42 erscheinen Skl. Qu. A U einige der Dampfer als Zielschiffe geeignet, und zwar die lfd. Nr. 6), 7), 19), 22), 37), 43), 44) und 45))."

Es handelt sich hierbei um die Schiffe:

D.	"A.P. Bernstorff"	der D.F.D.S	
MS.	"C.F. Tietgen"	—	—
D.	"Aarhus"	—	—
D.	"Hroar"	—	—
MS.	"Kronprins Frederik"	—	—
D.	"Frederikshavn"	—	—
MS.	"Aalborghus"	—	—
D.	"Alexandra"	—	—

Es wird gebeten, auch diese Schiffe als für Zielschiffszwecke geeignet vorzumerken und die dänischen Reeder zu veranlassen, sie zu gegebener Zeit bei Anforderung für denselben Einsatz wie die jetzt erfaßten vier dänischen Schiffe zur Verfügung zu stellen.

Skl. Qu. A U beabsichtigt, eine Besichtigung der erwähnten Dampfer in ca. 2 Wochen an Ort und Stelle durchzuführen, an der ein Vertreter von Skl. Qu. A VI teilnehmen würde.

Skl. Qu. A
i.A. Skl. Qu. A VI
gez. **Pospischil**

175. Werner Best an das Auswärtige Amt 22. Januar 1944
Dagsindberetning.
Kilde: PA/AA R 29.568. RA, pk. 204.

Telegramm

Kopenhagen, den	22. Januar 1944	15.50 Uhr
Ankunft, den	22. Januar 1944	17.20 Uhr

Nr. 95 vom 22.1.[44.]   Citissime!

Ich bitte, die folgende Meldung unverzüglich dem Herrn Reichsaußenminister zuzuleiten:

Über die Lage in Dänemark berichte ich für den 21. auf 22.1.1944, daß 4 kleine Sabotagefälle mit geringem Sachschaden gemeldet worden sind, darunter an einem Schuppen der Wehrmacht in Horsens und in einer für deutsche Zwecke arbeitenden Maschinenfabrik in Brönderslev (Jütland).[173]

Dr. Best

---

173 De konkret nævnte sabotager var mod et skur på Grønlandsvej i Horsens indeholdende 1.500 baller træuld bestemt for den tyske værnemagt og mod Pedershåb Maskinfabrik i Brønderslev, der arbejdede for den tyske værnemagt (RA, BdO Inf. nr. 9, 24. januar 1944, Alkil, 2, 1945-46, s. 1227).

176. OKM an das Auswärtige Amt 22. Januar 1944

OKM svarede afvisende på den forespørgsel, som AA 20. januar gennem Best havde formidlet om, at der delvis blev beslaglagt andre skibe end de af Kriegsmarine udpegede. Det var ønsket af de danske redere.

Hermed ophørte de fire skibes skæbne ikke at optage de tyske myndigheder. Se Best til AA 13. marts 1944.

    Kilde: BArch, Freiburg, RM 7/1813. RA, Danica 628, sp. 7, nr. 5785.

Oberkommando der Kriegsmarine   *Berlin, den 22. Januar 1944.*
Zu: B-Nr. 1. Skl. I i 2450/44 II. Ang. geh.[174]
Geheim

S c h n e l l b r i e f !

gef. Stz./22.1.44

An das Auswärtige Amt
   Berlin

Bezug: Ha Pol 311/44 g. vom 20.1.44[175]
Betr.: Inanspruchnahme brachliegender dänischer Tonnage im dänischen Raum.

Nach Prüfung der dänischen Bitte wird mitgeteilt, daß auf keines der 4 beschlagnahmten Motorschiffe verzichtet werden kann. Es handelt sich bei ihnen um schnell laufende Zwei-Schrauben-Fahrzeuge, die gerade wegen dieser Eigenschaft im Uboots-Ausbildungsdienst besonders benötigt werden.

177. Rüstungsstab Dänemark: Lagebericht 23. Januar 1944

Månedsberetningen for vinteren 1943 var præget af de begrænsede tilførsler af kul og koks til Danmark, og det stærkt øgede tyske behov for træ til fæstningsbyggeriet og som generatorbrænde. De problemer var ikke løst, men det var et lyspunkt, at den danske produktion af tørv og brunkul kompenserede for de manglende tyske energileverancer.

    Kilde: BArch, Freiburg, RW 19: Wi I E 1: Dänemark, RA, Danica 1000, T-77, sp. 696. KTB/Rü Stab Dänemark, 1. Vierteljahr 1944.

Abteilung Wehrwirtschaft im Rü Stab Dänemark   *Kopenhagen, den 23.1.1944*
Gr. Ia Az. 66 dl Nr. 1026/44g   Geheim

Bezug: OKW Az. 1 e 24 Wi Amt Z 1/II Nr. 1143/43 geh. v. 20.2.43

An den Wehrwirtschaftsstab im Oberkommando der Wehrmacht
   Berlin W 35
   Bendlerstr. 11/13

---

174 Seekriegsleitung bad 21. januar 1944 Quartiermeisteramt og Quartiermeisteramt Ubootswesen (Skl. Qu A U) undersøge, om Kriegsmarine kunne bruge "A.P. Bernstorff" og "Aarhus" i stedet for to af de fire beslaglagte skibe, hvortil Skl. Qu A U svarede negativt dagen efter med kopi til Skl. Qu A VI (BArch, Freiburg, RM 7/1813, RA, Danica 628, sp. 7, nr. 5786 og nr. 5794).
175 Trykt ovenfor som Best til AA 19. januar 1944.

Abt. Wwi im Rü Stab Dänemark übersendet in der Anlage Lagebericht gemäß o.a. Bezugsverfügung.

Forstmann

Abteilung Wehrwirtschaft im Rü Stab Dänemark *Kopenhagen, den 23.1.1944*
Gr. Ia Az. 66 dl Nr. 1026/44g Geheim!

Vordringliches
In der Zeit vom 21.12.43-20.1.44 wurden 64 erwiesene *Sabotagefälle* verübt gegenüber 112 in der Zeit vom 21.11.42-20.12.43. Von diesen waren 10 Anschläge = 16 % gegen Eigentum, Unterkünfte etc. der Besatzungstruppe gerichtet, 3 = 4,5 % gegen Wehrmachtangehörige und 7 = 11 % gegen Reichsdeutsche bezw. in deutschen Diensten stehende Personen. 72,5 % verteilen sich auf Anschläge gegen dänische Betriebe und Verkehrsanlagen, Eisenbahnen etc.

Der *Kohlen- und Kokslieferungen* von Deutschland nach Dänemark für den innerdänischen Bedarf betrugen im Dezember 182.000 to Kohle und 42.000 to Koks; dazu trafen 32.500 to Braunkohlenbriketts auf dem nicht gelieferten November-Soll von 65.000 to Braunkohlen ein. Obwohl das Liefersoll wiederum vor allem in Koks erheblich unterschritten wurde, ist bei einem Rückblick auf das Jahr 1943 doch festzustellen, daß Dänemark dank des milden Wetters und der bis auf das Äußerste angespannten Produktion an einheimischen Brennstoffen (Braunkohle und Torf) die Brennstofflage meistern konnte. Nachstehende Zahlen zeigen einen Vergleich zwischen der Einfuhr in den für die Schiffahrt günstigen Monaten Juni-Dezember des Jahres 1943 und der vorhergehenden Jahre in dem gleichen Zeitraum:

1940   1.650.000 t   Kohle   und   584.000 t   Koks
1941   1.613.000 t   –   –   595.000 t   –
1942   1.266.000 t   –   –   371.000 t   –
1943   1.137.000 t   –   –   274.000 t   –

Sichtbare Vorräte – und zwar für nur einen Monat – haben nur die Gas- und Elektrizitätswerk, während die dänische Wirtschaft über keine Reserven verfügt. Die freigegebenen Rationierungsmarken für Hausbrand sind bisher noch nicht ganz gedeckt. Außerdem macht sich ein großer Mangel an Gießereikoks empfindlich bemerkbar. Während Dampfertonnage für die Kohlenfahrt stets gestellt werden konnte, ist die Beschaffung von Kleintonnage oft schwierig gewesen, da der Mangel an Dieselkraftstoff diese in die inländische Kurzstreckenfahrt zwang.

Die weiteren Verhandlungen der Abt. Wwi und der Behörde des Reichsbevollmächtigten mit der dänischen Regierung über die Lieferung von *Generatorholz* für die Festungs- und Flugplatzbauten haben noch kein abschließendes Ergebnis gezeigt, da die geforderten Mengen (ca. 100.000 hl *monatlich*) dänischerseits nicht zur Verfügung gestellt werden konnten. Zur Überbrückung des Januar-Bedarfs für OT, Neubauamt der Luftwaffe und Sonderbaustab der Luftwaffe sind dänischerseits 60.000 hl zur Verfügung gestellt. Das Reichsforstministerium hat dem Reichsbevollmächtigten eine Lieferung von ca. 20.000 m³ = 200.000 hl/Generatorholz aus Finnland bezw. Schweden in Aussicht gestellt.

In der dänischen Wirtschaftspresse werden in letzter Zeit dänische *Schiffsverluste und -Neubauten* während des Krieges lebhaft erörtert. Als besonders erfreulich wird die ständige Erneuerung der Fischkutterflotte bezeichnet, die sich trotz aller Schwierigkeiten durchsetzt. Die zahlreichen kleineren und größeren Werften, die Kutter bauen, haben viele Hochseefahrzeuge, die neuzeitlich ausgerüstet sind, herstellen können. Die Größe der Kutter bewegt sich zwischen 20 und 60 to. Sie besitzen Motoren von 60-90 PS.

1a. Aufträge der Besatzungstruppe
Die Besatzungstruppe wurde bei der Materialbeschaffung, Durchführung und Abwicklung ihrer Aufträge von Abt. Wwi laufend unterstützt. Von Abt. Wwi wurden im Monat Dezember 43 Rohstoffsicherungen von Fertigungs- und Bauaufträgen sowie Wareneinkäufen der Besatzungstruppe in Dänemark – soweit hierzu Eisen, Stahl, NE-Metalle sowie Kautschuk benötigt wurden – in Höhe von 3,8 Mill. RM durchgeführt.

1c. Holzversorgung
Für Aufträge der Besatzungstruppe in Dänemark sind im Monat Dezember 43 von Abt. Wwi Bedarfsbescheinigungen über 9.159 cbm Nadelholz für die vorschußweise Freigabe aus den Beständen der dänischen Wirtschaft ausgestellt worden. Der Verbrauch der einzelnen Wehrmachtteile war wie folgt: Heer 1.775 cbm, Kriegsmarine 1.540 cbm, Luftwaffe 2.290 cbm, Festungs-Pi-Stab 3.471 cbm, OT 83 cbm.

Durch weitgehende Umstellung auf andere Baustoffe z.B. Bau von sogenannten Massiv-Baracken usw. und genaue Überprüfung der Holzanforderung durch Abt. Wwi konnte der Holzverbrauch für das 4. Quartal 1943 im Rahmen des vom Reichsforstamts und Reichsbevollmächtigten mit dem dänischen Außenministerium vereinbarten Holzkontingentes von 25.000 cbm gehalten werden. Schwierigkeiten waren jedoch bei der Beschaffung von Einschaltholz aufgetreten, da sich durch die umfangreichen Bauarbeiten die Bestände sehr verringert hatten. Diese Schwierigkeiten sind inzwischen durch Erfassung der Holzläger und durch Nachschub behoben worden. Im 1. Quartal 1944 ist mit einem Holzbedarf von 30.000 cbm zu rechnen.

5. Arbeitseinsatz
Die Zahl der *Arbeitslosen* betrug am 23.12.43 42.591, und zwar 31.677 Männer und 10.914 Frauen. Gegenüber dem Vormonat ist eine Zunahme von 7.474 Arbeitslosen zu verzeichnen. Für Bauvorhaben der Besatzungstruppe sind z.Zt. insges. 20.907 dän. Arbeitskräfte wie folgt eingesetzt: a.) für Festungsbauten auf Jütland von der OT 28 deutsche und 75 dänische Firmen mit 9.083 Arbeitern und Angestellten, vom Sonderbaustab der Lw. Aalborg 9 deutsche und 23 dän. Firmen mit 2.818 Arbeitern und Angestellten, insges. 11.901. b.) Für Ausbau und Neuanlagen von Flugplätzen vom Neubauamt der Lw. Aalborg 6.406 dän. Arbeiter. c.) Für Bauvorhaben des Heeres 75 dän. Firmen mit 1.100 Arbeitern. d.) Für Bauvorhaben der Kriegsmarine 40 dänische Firmen mit 1.500 Arbeitern. Dem *Reich* wurden im Dezember nur 41 Arbeitskräfte zugeführt. Die Gesamtzahl der in *Norwegen* eingesetzten dän. Arbeiter beträgt 10.754.

6. Verkehrslage
Die Eisenbahnverkehrslage zeigte im Dezember 43 keine wesentliche Erleichterung. Es wurden pro Tag 6.947 Waggons angefordert, gestellt jedoch wurden 3.412. Der ungedeckte Bedarf beläuft sich also auf 3.535 Waggons. Die Anforderungen der Wehrmacht wurden zu 100 % und die des zivilen Bedarfs zu 35 % gedeckt.

7a. Ernährungslage
Infolge des ungewöhnlich milden Wetters stehen die Wintersaaten sehr gut. Das Ergebnis der Ernte 1943 in Dänemark hat die Erwartungen und Vorschätzungen weit übertroffen; Jütland hat am günstigsten abgeschnitten. Der Gesamtertrag der Ernte an Getreide, Hackfrüchten und Heu liegt um 5 % höher als der Durchschnitt der Jahre 1929/40. Auch die Milchproduktion lag infolge des langen Weideganges um 15 % höher als im Vorjahr.

Die Frachtleitstelle Flensburg hat im Dezember 244 Transporte mit 2.361 to Fisch und 344 Transporte mit 3.975 to Fleisch nach Deutschland durchgeführt.

Wertmäßig wurden im Dezember aus den Lebensmittelbeständen des Landes entnommen:
  für die deutschen Truppen in Dänemark 7.629.622,- d.Kr.
  für die deutschen Truppen in Norwegen 6.662.615,- d.Kr.

178. Werner Best an das Auswärtige Amt 24. Januar 1944
Dagsindberetning.
  Kilde: PA/AA R 29.568. RA, pk. 204.

Telegramm

Kopenhagen, den	24. Januar 1944	20.30 Uhr
Ankunft, den	24. Januar 1944	23.30 Uhr

Nr. 97 vom 24.1.44.

Ich bitte, den Herrn Reichsaußenminister die folgende Meldung unverzüglich zuzuleiten:
  Über die Lage in Dänemark berichte ich für den 22.-24.1.44, daß in der Nacht vom 22. zum 23.1.44 je ein Sabotagefall stattfand: In Aarhus (Motorreparaturwerkstatt, die für deutsche Zwecke arbeitete) Fredericia (Schaufensterscheibe) und Odense (Kabel eines Raupenschleppers);[176] in der Nacht vom 23. zum 24.1.44 fand in Aarhus (Installateurgeschäft) und Silkeborg (Schlächtergeschäft) je ein geringfügiger Sabotagefall statt,

---

176 Der var en eksplosion i ejendommen Badstuegade 18, Århus, der husede motorreparationsværkstedet Delenrand, der arbejdede for den tyske værnemagt og Kriegsmarine. Der var sabotage mod købmand Knudsens forretning, Danmarksgade 16, i Fredericia, hvorved tyske interesser ikke blev berørt, og mod to køretøjer i Odense tilhørende den tyske byggeledelse (RA, BdO Inf. nr. 9, 24. januar 1944, *Information* 25.-26. januar 1944, Alkil, 2, 1945-46, s. 1227).

ohne deutsche Interessen zu berühren.[177]

In Kopenhagen hat die deutsche Sicherheitspolizei in der am 19.1.44 (Telegramm Nr. 83)[178] gemeldeten Spionageangelegenheit weitere Festnahmen vorgenommen und außerdem ein weiteres Lager mit militärischen Ausrüstungsstücken ausgehoben.

Dr. Best

179. Lutz Schwerin von Krosigk an Joachim von Ribbentrop 24. Januar 1944

Rigsfinansminister von Krosigk foreslog Ribbentrop, at Danmark fremover kom til at bidrage til besættelsesudgifterne. Det ville bl.a. være med til at dæmpe pengerigeligheden i Danmark og gøre danske foranstaltninger som særbeskatning og tvangsopsparing overflødige. Blandt de forhold ministeren omtalte, var også at den danske regering havde opnået, at de stigende danske besættelsesomkostningsforskud, der hidtil var blevet opgjort i RM, nu blev opgjort i kroner. Kopi af brevet blev sendt til en række andre ministerier og instanser.

Det trak ud med Ribbentrops svar, men internt i AA udløste det hektisk aktivitet, se Sonnleithner til Steengracht 27. januar 1944. Herbert Backe svarede for REMs vedkommende 10. februar, og RWM svarede 20. februar 1944.

Kilde: RA, Danica 465: Moskva, Osobyj Archiv, 1458/3/909/15.

Der Reichsminister der Finanzen *Berlin, 24. Januar 194[4]*
Geheim!

Herrn Reichsminister des Auswärtigen von Ribbentrop,
    Berlin

Sehr geehrter Herr von Ribbentrop!
Ich habe in der Vergangenheit einige Male die Prüfung der Frage angeregt, ob es nicht angebracht sei, die seinerzeit bei der Besetzung Dänemarks getroffene, als provisorisch anzusehende Regelung der Kosten des deutschen Wehrschutzes für dieses Land durch eine endgültige oder wenigstens festere Regelung zu ersetzen.[179] Dem Vernehmen nach hat auch der Herr Reichsbevollmächtigte in Dänemark diese Frage zur Erörterung gestellt.[180] Die jetzt anstehenden Besprechungen des deutsch-dänischen Regierungsausschusses und die dabei zur Erörterung gestellte Frage, ob die Lieferwilligkeit Dänemarks trotz der Vorkommnisse seit dem Spätherbst wieder wie verschiedentlich in der vergangenen Zeit durch eine Konzession auf finanziellem Gebiete gestärkt werden soll, veranlassen mich, zu der Besatzungskostenfrage Dänemarks einmal näher Stellung zu nehmen.

Das Abkommen über die Finanzierung der deutschen Wehrmachtausgaben in Dä-

---

177 Der var sabotage mod installatør Koldby Jensens butik, Paradisgade 12, i Århus og mod slagter Andersens butik, Absalonsgade 17, i Silkeborg (RA, BdO Inf. nr. 10, 28. januar 1944, Alkil, 2, 1945-46, s. 1227).
178 Trykt ovenfor.
179 RFM havde tidligere foreslået at pålægge Danmark et krigsbidrag. Christian Breyhan var bl.a. fortaler for det i et brev til REM 29. december 1942, trykt ovenfor.
180 Se Best til AA 17. september 1943.

nemark, das gleich nach der Besetzung mit den Dänen geschlossen worden ist, sieht einen finanziellen Beitrag des dänischen Staates zu diesen Kosten überhaupt nicht vor. Die Dänische Nationalbank hat nur die in Dänemark benötigten Zahlungsmittel vorzuschießen. Der dänische Staat hat im Verhältnis zu der Nationalbank sich lediglich zu einer Garantie verstanden. *Schuldner* ist mangels ausdrücklicher anderweitiger Verabredung der Kreditnehmer, d.h. das *Deutsche Reich*. Die Dänen werden diesen Standpunkt, wenn nichts anderes geschieht, zweifellos bei geeigneter Gelegenheit offiziell vertreten, während auf deutscher Seite bisher die Auffassung bestand, daß es zu gegebener Zeit möglich sein würde, die Dänen im Endergebnis zur Übernahme der Wehrmachtlasten zu veranlassen.

Die Dänen haben bei der Deutschen Regierung erreicht, daß der jetzt auf etwa 2½ Milliarden Kronen angewachsene Besatzungskostenvorschuß, der bisher auf einem *Reichsmark-Konto der Nationalbank* angeschrieben war, in einen *Kronen*vorschuß umgewandelt wurde.[181] Sie bemühen sich jetzt, auch die *Clearing*forderung gegen Deutschland, die fast 1 Mrd. RM ausmacht, auf *Kronen* umzustellen. Gegen Ende 1943 stieg das Wehrmachtkonto monatlich um etwa 100, das Clearingkonto um etwa 50 Mio. Kr. In letzter Zeit ist das Wehrmachtkonto stärker gewachsen. Bei längerer Kriegsdauer würde also der wirtschaftliche Beitrag Dänemarks sich in einer Forderung von 5, 6, 8 oder mehr Milliarden Kronen gegen Deutschland niederschlagen, ohne daß dem eine *rechtlich begründete Forderung* finanzieller Art zum Ausgleich gegenüberstünde. Dem Druck einer solch hohen Forderung müßte also mit politischen Mitteln allein begegnet werden. Es fragt sich, ob dieser Entwicklung nicht rechtzeitig durch geeignete Maßnahmen vorgebeugt werden sollte.

Die gewaltigen Auswirkungen des totalen Krieges haben schlagartig in allen Ländern unseres Machtbereichs zu einer Aufblähung aller Ziffern und Werte geführt. Während der kriegswirtschaftliche Sektor der Volkswirtschaften in allen Freund- und Feindländern, in denen unsere Truppen sich befinden, mächtig vergrößert wurde, verkümmerte die Produktion der Verbrauchsgüter mehr und mehr.

Die hierdurch hervorgerufenen Spannungen wurden noch durch mangelnde Ordnung bei der Durchführung dieses Umschichtungsprozesses verstärkt. Überall vermehrten sich die inflationistischen Tendenzen, an einigen Stellen haben wir es bereits mit einer echten Inflation zu tun. Zwei Wege, dieser für die Kriegführung außerordentlich gefährlichen Entwicklung zu begegnen, waren von vornherein vorgezeichnet: *die Aufbringung und Finanzierung des Bedarfs unserer Truppen aus dem besetzten Lande selbst und die Abschöpfung der durch die Umstellung auf die Kriegswirtschaft entstandenen überschüssigen Kaufkraft*. Der erste Weg ist fest überall folgerichtig beschritten worden. An die Abschöpfung überschüssiger Kaufkraft wurde dagegen vielfach erst herangegangen, als sich schon die äußeren Symptome einer Inflation zeigten. Dazu traten noch der Mangel einer straffen Organisation und die psychologische Einstellung der beteiligten Stellen in der ersten Kriegszeit, daß es bei der Verausgabung auf die *Höhe* der Kosten im ganzen oder im einzelnen *nicht sonderlich ankäme*. Mittlerweile wird aber immer mehr eingesehen, daß es im wesentlichen gerade auf die Erhaltung des Preis- und Lohnspiegels

---

[181] Reichsbankdirektorium til AA 24. september 1943.

ankommt, und daß dieses Ziel *straffe Ordnungsmaßnahmen* voraussetzt.

Die Beiträge, welche die einzelnen Länder bisher zu der deutschen Kriegsfinanzierung aufgebracht haben, sind zumeist recht beachtlich. Allein Besatzungskosten und kriegswirtschaftliche Lieferungen aller Art (Clearing) betragen bis Oktober 1943 für Frankreich 26,6, Holland 10,6, Belgien 8,2, Serbien 0,7 Mrd. RM. Auch das Protektorat ist bis Ende 1943 mit einem Matrikularbeitrag von 2,6 Mia RM herangezogen worden. Auch das Generalgouvernement leistet seit einiger Zeit nennenswerte Beiträge. Griechenland und Albanien können als Sonderprobleme außer acht gelassen werden. Kroatien und die Slowakei als mitkriegführende Verbündete leisten keine eigentlichen finanziellen Beiträge zu den deutschen Wehrmachtkosten; sie haben ihre eigenen Kriegsausgaben zu finanzieren. Italien wird zurzeit mit einem Beitrag von 7 Mia Lire monatlich in Anspruch genommen, eine Ziffer, die gemessen an den bisherigen kriegsfinanziellen Leistungen Italiens, für den von uns besetzten Teil des Landes sehr hoch ist. So außerordentlich alle diese Anforderungen aber auch scheinen mögen, sie sind unabdingbar. Es ist ganz natürlich, selbst bei rücksichtsloser Ausnutzung aller Produktions- und Arbeitskapazitäten, daß auch die Finanzierung des gesamten Kriegsaufwandes dem besetzten Lande obliegt. Hierzu gehören in erster Linie die deutschen Wehrmachtkosten, gleichgültig, ob es sich um Besatzungskosten im engeren Sinne, um Kriegsbauten größten Stils oder um Operationskosten handelt.

Die Finanzierung dieser unvorhergesehenen großen kriegswirtschaftlichen Aufgaben stellte fast *alle* von uns besetzten Länder, die nicht in gleicher Weise wie Deutschland auf die Anforderungen des totalen Krieges eingestellt waren, vor die schwierigsten Probleme. Insbesondere standen organisatorische und psychologische Gegebenheiten einer *Kaufkraftabschöpfung* entgegen, die *allein* imstande gewesen wäre, das Preis- und Lohnniveau einigermaßen zu erhalten und einer unkontrollierbaren Inflation entgegenzuwirken. Im Falle *Dänemark*, einem Lande mit überwiegend *agrarischem* Einschlag und stark dadurch bedingter *Ausfuhr*, ist naturgemäß eine inflationistische Gefahr weniger akut als in mehr industriell orientierten Ländern. Mit der *Dauer* des Krieges und mit den wachsenden Anforderungen an die dänische Wirtschaft steigt aber die Gefahr einer *Verschlechterung der wirtschaftlichen und finanziellen Lage*. Abgesehen von der lückenhaften Bewirtschaftung der Güter des täglichen Bedarfs ist, so paradox es sein mag, gerade der Umstand, daß Dänemark keinen Kriegskostenbeitrag leisten muß, *eine Gefahr für die Aufrechterhaltung einer geordneten Wirtschaft und damit letzten Endes der bisher sehr beachtlichen landwirtschaftlichen Lieferungen an Deutschland*. Durch Vorschüsse, insbesondere durch die Bevorschussung der Ausfuhrlieferung, sind Milliarden von Kronen in Umlauf gebracht worden. Es ist dadurch ein Zustand ungesunder Geldreichlichkeit entstanden.

Die Dänen haben sich selbst in klarer Erkenntnis dieser Gefahr bemüht, die aus dem Geldüberfluß erwachsenden inflationistischen Gefahren durch Maßnahmen, die Kaufkraft abschöpfen oder binden sollen, zu drosseln. Dies ist ihnen nur bis zu einem gewissen Grade gelungen. Das *wirksamste* Mittel, *Steuererhöhungen*, ist bei den gesetzlichen Maßnahmen der Jahre 1942 und 1943 *völlig verkümmert*. Die *Kriegsverdiener* werden durch weitgehende Abzugsmöglichkeiten bei den Kriegskonjunktursteuern *übermäßig begünstigt*. Die einzelnen Steuermaßnahmen bringen nur *geringe Erträge*. Sie haben daher *wenig praktische Bedeutung*.

Die Bindung überschüssiger Kaufkraft durch *kreditpolitische* Maßnahmen hat beachtliche Ergebnisse gezeitigt. Aber *auch sie* sind *unvollkommen* geblieben. Durch die Gesetze vom 30. September 1943 sind 2.200 Mio. Kronen erfaßt worden. Dabei sind nur *619* Mio. Kronen durch den *Staat* abgeschöpft und bei der Nationalbank gesperrt worden. Der Rest von 1.581 Mio. Kronen ist durch *Festlegung von Bankgeldern bei der Nationalbank* gebunden. Diese Bindung besteht nur darin, daß die Banken verhindert werden, die Gelder zurzeit anderweitig auszuleihen. Auf diese Weise wird zwar eine Anlage der Gelder in kriegsunwichtigen Investitionen verhindert. Diese Beschränkung trifft aber nur die *Banken*, nicht dagegen die Bank*kunden*, die nach wie vor in der Lage sind, ihre Einlagen bei Banken zurückzuziehen und in Sachwerte zu fliehen. Die dargestellte Art der Kapitalkraftbindung ist von praktischer Bedeutung für die Banken. Diese werden gehindert, ihre Einlagen in *Staatspapieren* anzulegen. Die Folgen dieser Regelung werden durch den Fehlschlag der kurzfristigen Anleihen über 400 Mio. Kronen veranschaulicht, die im Spätherbst 1943 aufgelegt, aber nur zu etwa *einem Fünftel untergebracht* werden konnten.

Dieses Ergebnis ist auch nicht verwunderlich, da der dänische Staat, der im Gegensatz zu *allen anderen* europäischen Staaten statt Unterschüsse *Überschüsse* des Etats aufweist, *keine zusätzlichen Mittel aufzubringen braucht*. Dänemark hat keine Besatzungskosten zu tragen. Es hat nicht einmal – nach der Entwaffnung – irgendwelche eigenen Wehrmachtkosten zu finanzieren. Infolgedessen muß jeder Versuch zur endgültigen Regelung des Kaufkraftüberschusses letzten Endes Stückwerk bleiben. Die Kaufkraft, zum mindesten latent, lastet weiter auf der Wirtschaft.

Das System ist von dänischer Seite so aufgebaut, daß der Staat, falls er jetzt genötigt werden sollte, Kosten der Deutschen Wehrmacht zu finanzieren, daran gehindert ist, die geldgebundenen Mittel dafür zu mobilisieren. Aber auch bei Kriegsende wäre er nicht imstande, auf diese Beträge zurückzugreifen, denn er muß seine kurzfristigen Verpflichtungen aus den Sperrguthaben decken, während die übrigen gebundenen Gelder in dem Ausmaße freigegeben werden müßten, in dem auch die Banken ihre Einlagen zurückziehen.

Die einfachste, kürzeste und Erfolg versprechende Methode, die Dänen zu einer durchgreifenden Abschöpfung der überschüssigen Gelder zu veranlassen und damit den Inflationstendenzen mit größerer Wirkung als bisher zu begegnen, wäre *die Aufbringung der Kosten des deutschen Wehrschutzes durch den Staat mittels Steuern und Anleihen*. Vergleicht man die finanzielle Lage Dänemarks mit anderen europäischen Ländern, so besteht kein Zweifel am Erfolg.

Die Übernahme der Besatzungskosten oder eines Beitrags zu den *allgemeinen Kriegskosten* – wie ihn z.B. *Holland* übernommen hat – ist in erster Linie eine Frage von politischer Bedeutung. Sollte die Frage positiv beantwortet werden, so muß die praktische Durchführung im Zusammenhang mit den dänischen Lieferungen an Deutschland betrachtet werden. Ich bin immer dafür eingetreten und halte es weiter für zweckmäßig, daß den von deutschen Truppen besetzten Ländern von allen deutschen Stellen mit größter Disziplin und mustergültiger Ordnung gegenübergetreten wird. In dieser Beziehung ist in Dänemark, wie mir berichtet wird, noch manches zu verbessern. Es darf beispielsweise nicht vorkommen, daß kriegswirtschaftliche Aufträge lediglich unter dem Gesichtspunkt betrachtet werden, daß der Termin um jeden Preis eingehalten werden muß, und daß *Unternehmer* auf diese Weise bis zu *50 % an der Bausumme verdienen.* Ebenso sollte von der Inanspruchnahme des schwarzen Marktes Abstand genommen werden. Die Dänen würden dann selbst geneigt sein, bei der Beschaffung auf regulärem Wege mitzuhelfen. Bei einem zielbewußten Zusammengehen aller deutschen Stellen unter der Führung des für die Kriegswirtschaft Dänemarks hauptverantwortlichen Reichsbevollmächtigten müßten sich wesentliche Einsparungen an den deutschen Unkosten in Dänemark erreichen lassen. Die verantwortlichen Stellen in Dänemark würden auf diese Weise in die Lage versetzt werden, zusätzliche Verpflichtungen gegenüber Deutschland mit größerer Bereitwilligkeit zu übernehmen, als dies zurzeit zu erwarten ist. Ein solches Vorgehen hat sich in einigen Fällen, namentlich bei der Ausgestaltung der Befugnisse des deutschen Sonderbevollmächtigten für den Südosten, Gesandten Neubacher,[182] und des Reichsbevollmächtigten bei der Republikanisch-Faschistischen Republik, Botschafter Rahn, als durchaus nützlich erwiesen.[183]

Was die materielle Belastung der Dänen im einzelnen betrifft, so stelle ich mir vor, daß die *bis jetzt* aufgelaufenen kosten *keine Änderung* erfahren, *daß dagegen die künftigen Kosten ganz oder zum überwiegenden Teil von den Dänen übernommen werden.* Auf diese Weise würde vermieden, daß das nunmehr von den Dänen durchgeführte System der Kapitalkraftbindung gewaltsam geändert wird. Für die Zukunft müßten die Dänen allerdings sowohl an eine stärkere Anspannung auf steuerlichem Gebiet als auch an eine wirksamere kreditpolitische Unschädlichmachung der überschüssigen Kaufkraft herangehen.

Abschrift haben erhalten der Herr Reichsmarschall des Großdeutschen Reiches – Beauftragter für den Vierjahresplan –, der Herr Reichswirtschaftsminister, der Herr Reichsminister für Ernährung und Landwirtschaft, der Herr Reichsminister für Rüstung und Kriegsproduktion, der Herr Generalfeldmarschall Keitel, der Reichskommissar für die Preisbildung und das Reichsbankdirektorium.

Heil Hitler!
Ihr sehr ergebener
gez. Graf Schwerin von Krosigk

Abschrift übermittle ich mit der Bitte um Stellungnahme.

Krosigk

Herrn
Reichswirtschaftsminister Funk

---

182 SS-Obergruppenführer Hermann Neubacher, AAs særbefuldmægtigede for sydøsten og i en række andre anliggender.
183 Rudolf Rahn, ambassadør og befuldmægtiget i Italien.

180. Werner Best an das Auswärtige Amt 25. Januar 1944
Dagsindberetning.
　　Kilde: AA R 29.568. RA, pk. 204.

Telegramm

Kopenhagen, den	25. Januar 1944	20.00 Uhr
Ankunft, den	25. Januar 1944	22.00 Uhr

Nr. 99 vom 25.1.[44.] Citissime!

Ich bitte, die folgende Meldung dem Herrn Reichsaußenminister unverzüglich zuzuleiten:
　　Über die Lage in Dänemark berichte ich für den 24. Januar auf 25. Januar 1944, daß aus dem ganzen Lande keine besonderen Vorkommnisse gemeldet worden sind.

Dr. Best

181. Joseph Goebbels: Tagebuch 25. Januar 1944
　　Goebbels havde drøftet situationen i Danmark med Hitler og skildret de vedvarende sabotager og de katastrofale forhold i det offentlige liv. Hitler gav Best skylden derfor. Best blev endnu beskyttet af SS og især Himmler, men han havde en udtalt svag natur og ville ikke være herre over en kritisk situation. Hitlers krav om terrorhandlinger mod terrorister havde kun delvis fundet genklang. Der måtte findes en middelvej mellem Bests og Terbovens metoder. Hitler var overbevist om, at tingene i Danmark måtte revideres, væk fra den milde form og mod anvendelse af en skarpere tone.
　　Trods den indstilling Goebbels tillagde Hitler, greb den tyske ledelse, bortset fra Ribbentrop, ikke ind i Bests og HSSPFs politik før i midten af juni 1944, og i tiden lige efter 1. april syntes Bests stjerne stigende i førerhovedkvarteret, da hans prioritering af den danske fødevareeksport vandt gehør. Det er bemærkelsesværdigt, hvis Best på dette tidspunkt stadig havde støtte hos SS og især Himmler. Der er ikke andre indikatorer herfor efter oktober 1943, så måske er der ikke dækning for vurderingen, selv om det ville være et prestigetab, hvis Best skulle falde som rigsbefuldmægtiget i Danmark som resultat af sin politiske fiasko. Hans hele karriere forbandt ham med SS og tysk politi.
　　Kilde: *Die Tagebücher von Joseph Goebbels*, Teil II:11, s. 156, 163.

[...]
Traurig stehen die Dinge in Dänemark, wo sich Sabotage- und Terrorakte am laufenden Band ereignen. Es ist das in der Hauptsache auf die weiche und nachgiebige Arbeit Bests zurückzuführen.
[...]
Ich schildere dem Führer im einzelnen die Lage in Dänemark, berichte ihm von den katastrophalen Verhältnissen im öffentlichen Leben, von den fortlaufenden Sabotage- und Terrorakten, erzähle ihm, daß wir nicht einmal in der Lage sind, 10 % der öffentlich vorgeführten Filme zu stellen, daß dagegen aber englische und zum Teil französische und amerikanische Filme laufen. Der Führer schreibt die Schuld daran fast ausschließlich Best zu. Wenn Best auch heute noch von der SS und insbesondere von Himmler

in Schutz genommen wird, so handelt es sich bei ihm doch um eine ausgesprochen schwächliche Natur, die sicherlich in einer kritischen Stunde der Gefahren nicht Herr werden wird. Auch die Anordnung des Führers, mit terroristischen Akten gegen die Terroristen vorzugehen, hat nur zum Teil Gegenliebe gefunden. Das Regime ist falsch, das wir dort betreiben. Es müßte eine Mitte gefunden werden zwischen den Methoden von Terboven und von Best. Heydrich war der richtige Mann, einen solchen Mittelweg einzuschlagen. Aber er war eine einmalige Erscheinung. Jedenfalls ist der Führer der Überzeugung, daß die Dinge in Dänemark schleunigst revidiert werden müssen und daß es notwendig ist, die milde und weiche Tour abzustellen und wieder eine schärfere Tonart zu gebrauchen.

Überhaupt sind wir Deutschen in der Behandlung der Bevölkerung in den besetzten Gebieten zu michelhaft. Daraus erwachsen uns Probleme, die die Bolschewisten überhaupt nicht kennen würden.

[...]

182. Werner Best an das Auswärtige Amt 26. Januar 1944
Dagsindberetning.
    Kilde: PA/AA R 29.568. RA, pk. 204.

T e l e g r a m m

| Kopenhagen, den | 26. Januar 1944 | 19.50 Uhr |
| Ankunft, den | 26. Januar 1944 | 21.25 Uhr |

Nr. 105 vom 26.1.[44.]   Citissime!

Ich bitte, die folgende Meldung unverzüglich dem Herrn Reichsaußenminister zuzuleiten:

    Über die Lage in Dänemark berichte ich für den 25. auf 26.1.44, daß in Jütland zwei Sabotagefälle (Beschädigung von fünf Kraftfahrzeugen und leichte Bahnbeschädigung) stattgefunden haben.[184] In Kopenhagen wurde das Klubhaus des deutschfeindlichen Studenten-Ruder-Klubs gesprengt und aus einer Garage drei Kraftwagen gestohlen.[185]

Dr. Best

---

184 Tre tyske militærbiler blev ødelagt med bomber i Søndergade i Frederikshavn (Alkil, 2, 1945-46, s. 1227).
185 Holger Danske bortførte tre tyske biler fra Vesterports garage, mens Petergruppen forøvede schalburgtage mod Danske Studenters Roklub, Strandvænget (RA, BdO Inf. nr. 10, 28. januar 1944, *Daglige Beretninger*, 1946, s. 29, Kieler, 2, 1993, s. 151, Birkelund 2008, s. 678, Lauritsen 1947, s. 1387, Bøgh 2004, s. 35, tillæg 3 her).

183. Werner Best: Kalenderaufzeichnung 26. Januar 1944

Best noterede bl.a., at han havde besøg af atomfysikeren Werner Heisenberg. De besøgte sammen med Pancke og Bovensiepen Niels Bohr Instituttet.

Niels Bohr Instituttet var blevet beslaglagt af besættelsesmagten 6. december 1943 efter ordre fra Heinrich Müller i Berlin. Ordren til Rudolf Mildner kom efter, at Radio London havde meddelt, at Bohr, der var flygtet til England, var blevet modtaget af Churchill og havde besluttet at give sit arbejde til de allierede. Ved beslaglæggelsen ville tyskerne undersøge, hvad der var foregået på instituttet, om det var af krigsvigtig betydning, og til formålet bad Mildner om, at der blev indkaldt eksperter fra Berlin, hvilket også skete. Om Werner Heisenberg var en af de indkaldte eksperter, får stå hen, men efter krigen forklarede han, at han arbejdede for at få beslaglæggelsen hævet, hvilket meget vel kan være tilfældet. Efter besøget på instituttet 26. januar blev beslaglæggelsen hævet, og der blev fra tysk side 1. februar udsendt en pressemeddelelse, der – meget usædvanligt – både begrundede beslaglæggelsen og årsagen til, at beslaglæggelsen igen var blevet hævet: "Instituttet kan kun tjene som Basis for rent videnskabeligt Forskningsarbejde."

Det er givetvis Best, der har ønsket denne meddelelse udsendt for at markere, at det fra tysk side foretagne skridt var en undtagelse. Han har sandsynligvis også forud orienteret AA om dette af SS foretagne skridt, idet der foreligger en intern skrivelse 12. januar til dr. Reichel i Inland II om undersøgelsen af instituttets videnskabelige materiale, der foreslås overladt Heereswaffenamt. *Information* mente 1. februar 1944 at vide, at der var tale om en interessemodsætning mellem Best og Gestapo om beslaglæggelsens ophævelse, og at det var Best, der ønskede ophævelsen (skrivelse til Reichel 12. januar 1944 (RA, Danica 1000, T-77, sp. 693, nr. 192.450), Goldensohn 2004, s. 381 (Mildners forklaring i Nürnberg), Alkil, 2, 1945-46, s. 867f. (pressemeddelelsen), Rosenthal 1964, s. 166, Blædel 1985, s. 261, Cassidy 1992, s. 468f., Pais 1996, s. 517, Walker 2005, s. 95f.).

Kilde: Bests kalenderoptegnelser 26. januar 1944.

Vormittag im Dagmar-Haus. Morgenbspr. ganz. Abt. 3.
Bspr. mit:
Duckwitz. ORR Dr. Heisenberg. Hauptbannf. Teichmann, Hptm. Daub, Presseref. Schröder.
9-10 Uhr Besichtigung das Niels Bohr-Institut (Blegdamsvej 15) mit Prof. Dr. Heisenberg, SS-Gruf. Pancke, und SS-Staf. Bovensiepen.
[...]

184. Werner Best an das Auswärtige Amt 26. Januar 1944

På de danske rederes vegne bad Best indtrængende om, at de tre oplagte bornholmerbåde, som Kriegsmarine ville beslaglægge, ikke blev det. To grunde derfor blev nævnt: 1.) Gik skibene tabt, ville det medføre uforholdsmæssigt store økonomiske skader, da de var forbindelsesleddet til det øvrige Danmark. 2.) Beslaglæggelsen ville have en meget negativ virkning på den bornholmske befolkning, der betragtede skibene som deres ejendom. Det ville give politisk bagslag hos den stærkt lokalpatriotiske befolkning. Best foreslog i stedet, at Kriegsmarine nøjedes med én af Bornholmbådene og vendte interessen mod et andet skib som "A.P. Bernstorff".

Telegrammet er givetvis formuleret af G.F. Duckwitz, der havde hentet begrundelserne for at undlade at beslaglægge skibene på et møde i UM 24. januar, hvor han havde været til møde med direktør Thorkild Lund fra Dampskibsselskabet af 1866, afdelingschef Wassard, amtmanden på Bornholm P. Chr. v. Stemann og repræsentanter for søfartsministeriet og rederiforeningen. Stemann var her fremkommet med argumentet, at beslaglæggelserne ville give politisk bagslag hos den stærkt lokalpatriotiske befolkning (Stemann, 1, 1961, s. 187, Barfod 1976, s. 112f.).[186]

---

[186] Stemann havde forud tilfældigt truffet Wurmbach i Hotel "d'Angleterres" restaurant og der foreholdt

I Seekriegsleitung beslutttede man at acceptere de af Best givne begrundelser, se notatet 2. februar 1943.

Kilde: BArch, Freiburg RM 7/1813. RA, Danica 628, sp. 7, nr. 5797.

Abschrift Ha Pol XII a 233

Telegramm
der Dienststelle des Auswärtigen Amts in Kopenhagen vom 26. Januar.

Unter Bezugnahme auf das Ferngespräch zwischen dem Gesandten Martius und dem Schiffahrtssachverständigen Duckwitz am 19.1.44 berichte ich über die Inanspruchnahme der Schiffe "Frem", "Rotna" und "Hammershus" für die Deutsche Kriegsmarine, daß die auf Wunsch des kommandierenden Admirals Dänemark auf den 24.1.1944 verschobene Verhandlung mit der Reederei ergeben hat, daß die Reederei eine freiwillige Vercharterung ablehnt. Auf die Ankündigung, daß nunmehr die Beschlagnahme der Schiffe erfolgen werde, wurde sowohl von dänischem Außenministerium wie von der Reederei dringend gebeten, hiervon aus den folgenden Gründen abzusehen.

1.) Die drei Schiffe seien Fährschiffe für den Verkehr zwischen Bornholm und dem übrigen Dänemark, durch deren Inanspruchnahme für die Deutsche Kriegsmarine wahrscheinlichen Verlust die Insel Bornholm zu einer Zeit, in der die Schiffe wieder als Fährschiffe benutzt werden könnten, einen unverhältnismäßigen wirtschaftlichen Schaden erleiden werde, zumal die Schiffe als kombinierte Fracht- und Passagierschiffe gebaut seien, die weder durch andere Schiffe ersetzt noch in absehbarer Zeit neu gebaut werden könnten.

2.) Die Bornholmer Bevölkerung betrachte diese Bornholmer Fährschiffe als ihr Eigentum, da sie auf Anteile aus Mitteln der Bevölkerung gebaut seien, sodaß wie der Amtmann von Bornholm in der Sitzung betonte die Wegnahme der Schiffe in der besonders lokalpatriotischen Bevölkerung starke politische Rückwirkung haben werde. Die dänischen Argumente sind sachlich richtig. Ob sie gegenüber dem Interesse der Deutschen Kriegsmarine an der Benutzung der Schiffe irgendwie ins Gewicht fallen, weiß ich nicht, da mir die Dringlichkeit des Interesses der Kriegsmarine nicht bekannt ist. Ich möchte dringend empfehlen, die Beschlagnahme auf die wirklich sofort benötigten Einheiten – gegebenenfalls auf ein Schiff, als welches zunächst "Frem" vorgeschlagen wird, zu beschränken, ich bitte, diese Frage beim OKM zu klären und dabei auch noch einmal auf den Dampfer "A. P. Bernstorff" hinzuweisen, der bereits an den Reichskommissär Norwegen verkauft war, aber von diesem nicht abgenommen wird.

ham, at beslaglæggelsen af de bornholmske skibe ville betyde en særlig ensidig belastning af en lille befolkningsgruppe, der i forvejen var meget vanskeligt stillet (Stemann, 1, 1961, s. 186).

185. Franz von Sonnleithner an Adolf von Steengracht 27. Januar 1944

Rigsfinansminister Lutz Schwerin von Krosigk havde 24. januar sendt Ribbentrop et brev, hvor han bl.a. foreslog at pålægge Danmark en andel af besættelsesomkostningerne og kom med andre oplysninger, der fik Ribbentrop til at rette fokus på Danmark, idet der syntes at foregå drøftelser og være truffet beslutninger, som han ikke mente at have sanktioneret. Derfor beordrede han svar på en række spørgsmål, hvis adressater var Wiehl og Best, der begge skulle afgive indberetninger, Best skulle desuden indfinde sig i Berlin og muligvis ville Ribbentrop selv møde ham og Wiehl. Blandt spørgsmålene var det meget konkrete, hvem der havde givet tilladelse til at ændre besættelseskontoen fra RM til kroner.

Ribbentrops ordre udløste en hektisk og omfattende aktivitet i AA og hos Best. Wiehl gik straks i gang med at indsamle materiale til en besvarelse til Ribbentrop, og Scherpenberg og von Behr udarbejdede optegnelser med sagsfremstillinger til brug for Wiehl (von Behr udat., Scherpenberg 1. februar, von Behr 11. og 21. februar (alle i pk. 281)), ligesom der blev skrevet til andre, bl.a. Renthe-Fink 8. februar (trykt nedenfor), før Wiehl kunne afgive sin første indstilling 23. februar (trykt nedenfor). Best afgav allerede sin indstilling 5. februar (trykt nedenfor), før han selv begav sig til Berlin. Herbert Backe sendte 10. februar AA et brev, hvori han gik imod rigsfinansministerens forslag i brevet af 24. januar.

Sagen fik et meget langstrakt forløb, fordi rigsfinansministeren nåede at afsende endnu to breve 23. februar og 20. marts med forslag og spørgsmål til Ribbentrop, før Ribbentrop havde fået det første brev besvaret. Det affødte fornyede indstillinger fra Wiehl 12. marts og 5. april (trykt nedenfor), ligesom allerede skrevne udkast til svar blev helt eller delvist forældede, hvorfor det endte med et brev fra Ribbentrop 31. maj til Schwerin von Krosigk (trykt nedenfor), hvor AA forholdt sig til alle rigsfinansministerens spørgsmål.

Undervejs blev også Deutsche Verrechnungskasse og Walter stillet til regnskab for deres roller ved den "tekniske" omstilling af clearingkontoen, se HPA-referatet 17. februar og Breyhan til Meyer-Böwig samme dag.

Kilde: PA/AA R 105.211. RA, pk. 281.

Büro RAM

Herr Staatssekretär v. Steengracht vorgelegt:

Der Herr RAM bittet Sie, um dem Brief des Reichsministers der Finanzen vom 24.1.[187] über die mit der Besetzung Dänemarks zusammenhängenden Kosten folgendes zu veranlassen:

1.) Der Herr RAM bittet um Bericht, wer seinerzeit über mit Regelung der Kosten des deutschen Wehrschutzes die Verhandlungen mit der Dänischen Regierung geführt hat. Dem Herrn RAM ist nicht erinnerlich, daß er die deutschen Unterhändler mit entsprechenden Weisungen versehen hat.

2.) Der Herr RAM bittet ferner um Bericht, wer seinerzeit die Umstellung des Reichsmarkkontos in ein Kronenkonto zugelassen hat und von wem und warum jetzt über die erneute Umwandlung von 1 Milliarde Reichsmark in Kronen verhandelt wird.

3.) Der Herr RAM bittet Sie, die Stellungnahme Min. Dir. Wiehls vom rein wirtschaftlichen Standpunkt zu dem Brief des Reichsfinanzministers grundsätzlich einzuholen. Insbesondere interessiert sich der Herr RAM wie praktisch und technisch die Abschöpfung der Kaufkraft für die vergangene Zeit vorgenommen werden konnte. Der Herr RAM hat bemerkt, daß dies wohl schwierig sein dürfte.

4.) Der Herr RAM bittet Sie, die Stellungnahme Dr. Bests, den Sie zu diesem Zweck am besten nach Berlin bitten würden, einzuholen. Der Herr RAM ist grundsätzlich damit einverstanden, daß die Dänen zur Tragung der Besatzungskosten und der Aus-

---

187 Trykt ovenfor.

lagen für die Wehrmachtsbauten herangezogen werden. Voraussetzung ist aber, daß die dänischen Lieferungen an uns nicht leiden, denen der Herr RAM große Wichtigkeit beimißt. Der Herr RAM hat sich in diesem Zusammenhang für die Höhe der durch Besatzung und Bauten entstehenden Kosten interessiert.

5.) Der Herr RAM bittet auch um Bericht, wie künftighin die Lieferungen der Dänen an uns finanziert werden sollen, ob dies durch deutsche Gegenlieferungen oder auf dem Kreditwege beabsichtigt ist.

6.) Der Herr RAM behält sich eventuell vor, mit den Ministerialdirektoren Wiehl und Best die Angelegenheit hier zu besprechen.[188]

Westfalen, den 27.1.1944

gez. **Sonnleithner**

186. Emil Berger an Emil Wiehl 27. Januar 1944

Berger fulgte op på en drøftelse med AA om, hvorvidt den danske clearingkonto skulle omstilles fra RM til danske kroner. Han gjorde klart, at han anså spørgsmålet for politisk, ikke teknisk-finansielt. Det ville ikke ændre den danske leveringsvillighed, hvis denne indrømmelse ikke ville blive givet danskerne. Den danske bekymring gik på, hvordan RMs fremtidige styrke ville være. Det var som tidligere anført af rigsfinansministeren en væsentlig tysk interesse, at Danmark påtog sig et krigsbidrag, og blev det tilfældet, ville clearingkontoens omstilling til danske kroner ikke få den samme betydning.

Hermed søgte Berger sig på RFMs vegne med argumenter, der skulle bane vejen for, at Danmark kom til at betale et krigsbidrag.

Se RWM til RFM 20. februar 1944.
Kilde: PA/AA R 105.211. RA, pk. 281.

Abschrift Ha Pol. VI 306/44
Der Reichsminister der Finanzen   *Berlin W 8, den 27. Januar 1944*
Y 5104/1-229

Ihr Schreiben vom 24. Januar 1944[189] – Ha Pol. VI 148/44 –
Regierungsausschußverhandlungen mit Dänemark

An das Auswärtige Amt,
   z.Hd. v. Herrn Min. Dir. Wiehl

In der Besprechung vom 20. d.Mts. habe ich die Auffassung vertreten, daß die Frage der Kronen- oder Reichsmarkverschuldung Deutschlands gegenüber Dänemark in erster Linie politischer Natur und daher zweckmäßigerweise im Zuge der Regelung der allgemeinen, mit Schreiben des Herrn Reichsministers der Finanzen vom 24. d.Mts.[190] aufgeworfenen Fragen eines Beitrags Dänemarks zur Kriegsfinanzierung zu klären sei.

Daß Deutschland alles tun muß, was in seinen Kräften steht, um sich gegen eine

---

188 Steengracht bad gennem von Mirbach 28. januar von Grundherr om telefonisk at kalde Best til Berlin i løbet af de næste dage (PA/AA R 29568, RA, pk. 204).
189 Skrivelsen er ikke lokaliseret.
190 Trykt ovenfor.

Erhöhung seiner Auslandsverschuldung in fremden Valuten zu stemmen, bedarf eigentlich keiner Begründung. Wenn das Reichsbankdirektorium die Auffassung vertritt, daß es praktisch das gleiche sei, ob eine in Reichsmark eingegangene Auslandsverpflichtung auf Reichsmark oder fremde Valuta laute, und daß bei einer eventuellen Devalvation der Reichsmark Deutschland gegenüber seinen Clearinggläubigern die Vorteile einer solchen Devalvation preisgeben müßte, so kann dem nicht zuletzt im Hinblick auf die Erfahrungen, die Deutschland mit der Währungspolitik der andern Länder gemacht hat, nicht beigepflichtet werden.

Die *technischen* Gründe, welche die Notenbanken veranlassen, auf eine Reduzierung ihrer Reichsmark-Guthaben bedacht zu sein, sind durchaus einleuchtend. Bei der Beantwortung der Frage aber, ob Deutschland selbst dazu beitragen soll, das Auftauen des wachsenden Milliarden-Blocks vereister Devisenforderungen gegen Deutschland durch technische Maßnahmen zu erleichtern, kann es nur darauf ankommen, ob das deutsche Interesse, auf diese technischen Überlegungen einzugehen, ein zwingendes ist oder nicht. So wie sich das allgemein-politische Verhältnis Dänemarks zu Deutschland gestaltet hat, kann – im Gegensatz zu den Ländern, bei denen wir bisher solche Konzessionen gemacht haben – m.E. hiervon nicht die Rede sein. Es ist mir auch zweifelhaft, ob zwecks Aufrechthaltung oder Verstärkung der dänischen Lieferungen es nötig ist, gerade diese Konzession zu machen.

Von dänischer Seite spielt zweifellos bei dem hartnäckigen Vorbringen dieser Forderung nicht so sehr die technische Verbesserung der Notenbankstatus als vielmehr die politischen Beurteilung des künftigen Wertes der Reichsmark die entscheidende Rolle.

Wie der Herr Reichsminister der Finanzen in seinem Schreiben vom 24. d.Mts. ausführt, ist ein wesentliches deutsches Interesse an einer positiven Regelung eines Kostenbeitrags Dänemarks gegeben. Wird dieser Auffassung zum Durchbruch verholfen, so würde die deutsche Kronenverpflichtung nicht in dem außerordentlichen Maß anwachsen, wie es nach dem gegenwärtigem Zustand der Fall sein müßte. Unter diesen Umständen würde eine Konzession, den Dänen die Umstellung der künftigen Clearing-Salden, auf Kronen zuzugestehen, für Deutschland nicht in dem gleichen Masse nachteilig sein, wie es unter den heutigen Umständen der Fall wäre.

Abschrift dieses Schreibens haben das Reichsministerium für Ernährung und Landwirtschaft (Herr Min. Dir. Walter), Beauftragter für den Vierjahresplan (Herr Min. Dir. Gramsch[191]), das Reichswirtschaftsministerium (Herr Min. Rat Ludwig) und das Reichsbankdirektorium (Herr Reichsbankdirektor Wilhelm) erhalten.

         Im Auftrag
         gez. **Berger**

---

191 Friedrich Gramsch, Ministerialdirektor, leder af Geschäftsgruppe Devisen beim Beauftragter für den Vierjahresplan.

187. Werner Best an das Auswärtige Amt 28. Januar 1944
Dagsindberetning.
   Kilde: PA/AA R 29.568. RA, pk. 204.

Telegramm

Kopenhagen, den	28. Januar 1944	07.20 Uhr
Ankunft, den	28. Januar 1944	09.20 Uhr

Nr. 108 vom 27.1.[44.]   Citissime!

Ich bitte, die folgende Meldung dem Herrn Reichsaußenminister unverzüglich zuzuleiten:

Über die Lage in Dänemark berichte ich für den 26. auf 27. Januar 1944, daß je ein Sabotagefall in Frederikshavn (unbewachter Maschinengewehrsockel) und in Silkeborg (deutschfeindlicher Ruderklub) stattgefunden hat.[192] In Kopenhagen habe ich aus wirtschaftlichen Gründen die seit dem 28. Oktober 1943 bestehende Nachtverkehrssperre um zwei Stunden (22-05 statt 20-5 Uhr) verkürzen lassen.[193]

Dr. Best

188. Der Reichsführer-SS Persönlicher Stab an OKW 28. Januar 1944
RFSS Persönlicher Stab anmodede OKW om, at Kersten fik udstedt en grænsepasseddel for tiden frem til 31. marts, der tillod ubegrænset færd frem og tilbage. Det blev begrundet med, at Kersten skulle varetage fortidsmindebevaringen i Danmark, hvilket var vigtigt, da uvurderlige fortidsminder var blevet ødelagt ved de tyske befæstningsbyggerier. Ødelæggelserne havde desuden en negativ virkning på folkestemningen, så opgaven var også begrundet i politisk nødvendighed.

Den ønskede tilladelse blev givet (ikke lokaliseret), så RFSS Persönlicher Stab 1. februar 1944 kunne udstede en "Dienstreisebescheinigung" til Kersten (BArch, NS 21/86). Trods det synes Kersten ikke at være kommet til Danmark eller at have virket her i første halvår af 1944.[194] Det kan bl.a. hænge sammen med, at museet i Kiel i maj blev udsat for et ødelæggende bombardement, der ganske vist ikke ødelagde samlingerne, da de stort set var blevet evakueret forud, men at netop evakueringen havde optaget Kersten. Herefter var Kersten midlertidigt arbejdsløs og var blevet indkaldt til militærtjeneste, hvilket Sievers til Kersten 2. juni betegnede som "grundløst" (BArch, NS 21/52). Imidlertid var det en akut anledning til på ny at søge at få Kersten kommanderet til Danmark, se Sievers til Kersten 22. juli 1944.
   Kilde: BArch, NS 21/52 (gennemslag).

192 Silkeborg Roklubs bådehus blev schalburgteret af uidentificerede personer og 15 både ødelagt (RA, BdO Inf. nr. 10, 28. januar 1944, Frisch, 3, 1945-48, s. 103, Horskjær 1984, s. 110, tillæg 3).
193 Spærretidens ændring var ikke forud meddelt til danske myndigheder (*Information* 27. januar 1944, Alkil, 2, 1945-46, s. 867).
194 I en efterkrigsforklaring afgivet af Therkel Mathiassen 1946 angives Kersten at være blevet ansat af WB Dänemark i 1944, men efterhånden blev denne for besværlig og atter sendt ud af landet (Schreiber Pedersen 2005, s. 165). Der er ikke fundet samtidigt materiale til støtte for denne forklaring.

Der Reichsführer-SS
Persönlicher Stab
– Amt "A" –
Arbeitsstab Berlin

Berlin-Dahlem, den 28. Jan. 1944
Ruhlandallee 7/11
Lö/Sb.
Einschreiben!
SS-Obersturmführer Wolff zur Kenntnis.

An das Oberkommando der Wehrmacht
Zentralstelle für Durchlaßscheine
Berlin

Als Anlage überreichen wir Ihnen den Grenzübertrittsschein Nr. 21345 für SS-Untersturmführer (F) Dr. Karl Kersten mit der Bitte um Abänderung des Scheines von einmaler Ein- und Ausreise auf wiederholte Grenzübertritte. Gleichzeitig bitten wir um Verlängerung des Grenzübertrittsscheines bis einschl. 31.3.1944.

Begründung: Der Reichsführer-SS hat in Anbetracht der besonderen Bedeutung, die der vorgeschichtliche und Natur-Denkmalschutz im Kulturleben des dänischen Volkes einnimmt, den Mitarbeiter der hiesigen Dienststelle, SS-Untersturmführer Dr. Karl Kersten, beauftragt, in Zusammenarbeit mit dem deutschen Besatzungsbehörden den Schutz dieser Denkmäler im Bereich der militärischen Baugebiete zu übernehmen. Der Einsatz Dr. Kerstens ist umso wichtiger, als bereits durch die Befestigungsbauten der Deutschen Wehrmacht, die zum Schutze der dänischen Küste errichtet wurden, besonders wichtige Denkmäler nordischen Kulturlebens unwiederbringlich zerstört worden sind. Diese Zerstörungen haben angesichts der beispielhaften Naturschutz-Gesetzgebung Dänemarks eine außerordentlich nachhaltige negative Wirkung auf die Volksstimmung zur Folge gehabt, so daß dem Auftrag eine besondere politische Notwendigkeit zugrunde liegt.

Auf Anordnung des Militärbefehlshabers in Dänemark wird daher in Zukunft auf die Naturdenkmäler besonderer Bedeutung Rücksicht genommen. Erst nach Heranziehung des deutschen Beauftragten für den Natur- und Denkmalsschutz in Dänemark und Vorliegen seines Urteils werden diese Denkmäler den Erfordernissen entsprechend behandelt. Der jetzt geplante Einsatz des SS-Untersturmführers Dr. Kersten dient dieser besonderen Aufgabe, die im Hinblick auf die wesentliche Erweiterung, die die militärischen Bauten in Dänemark jetzt erfahren sollen, besonders vordringlich ist.

Neben dieser neuen Aufgabe führt SS-Untersturmführer Dr. Kersten seine ihm in Deutschland übertragenen Arbeiten weiter durch, so daß er gezwungen ist, wiederholt die Grenze zu überschreiten.

Heil Hitler!
[underskrift]
SS-Standartenführer

189. Werner Best an das Auswärtige Amt 29. Januar 1944
Dagsindberetning.
   Kilde: PA/AA R 29.568. RA, pk. 204.

Telegramm

Kopenhagen, den	29. Januar 1944	14.10 Uhr
Ankunft, den	29. Januar 1944	16.45 Uhr

Nr. 114 vom 29.1.44.   Citissime!

Ich bitte, die folgende Meldung unverzüglich dem Herrn Reichsaußenminister zuzuleiten:

Über die Lage in Dänemark berichte ich für den 27.-29. Januar 1944, daß aus der Nacht vom 27. auf 28. Januar 1944 fünf Sabotagefälle (darunter in zwei kleineren Betrieben in Aarhus und Sonderburg, die für deutsche Zwecke arbeiten[195] und aus der Nacht vom 28.-29. Januar 1944 ein Sabotageakt in einer Kopenhagen Autowerkstatt, die für deutsche Zwecke arbeitet sowie Durchschneidung einiger Bremsschläuche an einem im Bahnhof Aarhus stehenden Wehrmachtzug gemeldet worden sind.[196] In Kopenhagen hat die deutsche Sicherheitspolizei erneut ein illegales Lager mit militärischen Ausrüstungsstücken (550 Stahlhelmen, 350 Uniformmäntel, 300 Paar Stiefel, 180 Seitengewehre u.a.) erfaßt und im Zusammenhang hiermit mehrere Personen festgenommen.

Dr. Best

190. Werner Best an das Auswärtige Amt 29. Januar 1944
Dagsindberetning.
   Kilde: PA/AA R 29.568. RA, pk. 204.

Telegramm

Kopenhagen, den	29. Januar 1944	14.15 Uhr
Ankunft, den	29. Januar 1944	16.45 Uhr

---

195 Der var bl.a. sabotage mod Fa. Bülow & Co, Trøjborgvej, Århus (tre tyske biler beskadiget) og mod skræddermester Johns virksomhed, Jernbanegade 22, Sønderborg. Skræddermesterværkstedet nedbrændte, og tyske interesser blev berørt. Sabotagen i Sønderborg blev udført af en lokal gruppe (RA, BdO Inf. nr. 11, 29. januar 1944, Hauerbach 1945, s. 24, Alkil, 2, 1945-46, s. 1228, Trommer 1973, s. 131f.).
196 BOPA forøvede sabotage mod General Motors, Aldersrogade 20, og i Århus blev 12 trykluftsslanger overklippet på et tysk troppetransporttog på baneterrænet, hvorved det blev en time forsinket. BdO bemærkede, at sabotagen mod General Motors lykkedes på trods af, at fabrikken var særligt godt bevogtet. Foruden fabriksværnet var der stationeret 10 danske politifolk og en brandvagt bestående af 10 mand (RA, BdO Inf. nr. 12, 1. februar 1944, Kjeldbæk 1997, s. 372, *Information* 1. februar 1944, Alkil, 2, 1945-46, s. 1228).

Nr. 115 vom 29.1.[44.]

Auf das dortige Telegramm Nr. 89[197] vom 27. Januar 1944 berichte ich, daß der in meinem Telegramm Nr. 83[198] vom 19. Januar 1944 erwähnte festgenommene Chefagent des britischen Nachrichtendienstes ein dänischer Großhändler ist.[199] Ich werde zu gegebener Zeit über das Gesamtergebnis der sicherheitspolizeilichen Ermittlungen berichten.[200]

Dr. Best

191. Werner Best an das Auswärtige Amt 31. Januar 1944

Dagsindberetning. Best kunne bl.a. meddele, at en tysk marineofficer var blevet anskudt i København, hvorfor Best havde pålagt byen en sonebetaling på 2 millioner kroner. Desuden ville der følge modforanstaltninger i henhold til den bekendte ordre.

Officeren Bruno Bolte var blevet skudt kl. 21.10 den 29. januar. Samme dags morgen kl. 8.00 var SS-Sturmbannführer Hermann Seibold blevet hårdt såret på Phistersvej i Hellerup. Det var et overlagt drabsforsøg begået af Holger Danske. Seibold var chef for den tyske efterretningstjeneste i Danmark og mødtes jævnligt med Best på Dagmarhus. Alligevel valgte Best kun at fortælle om attentatforsøget på marineofficeren og alene at bruge ham som anledning til at kræve sonebetaling. Officeren døde senere af sine sår, men det var ikke sket på dette tidspunkt. Det kunne tyde på, at der var en grænse for, hvor meget Best ville fortælle AA om, at situationen var ude af kontrol.[201]

Derimod var den tyske modterror, der blev planlagt og gennemført, en reaktion på begge attentater på besættelsesmagtens repræsentanter. Best gjorde det klart for AA, at der ville blive truffet de krævede foranstaltninger (Bøgh 2004, s. 36-42)

Kilde: PA/AA R 29.568. RA, pk. 204. LAK, Best-sagen (oversat).

Telegramm

Kopenhagen, den	31. Januar 1944	13.50 Uhr
Ankunft, den	31. Januar 1944	15.40 Uhr

Nr. 118 vom 31.1.44. *Citissime!*

Ich bitte die folgende Meldung dem Herrn Reichsaußenminister unverzüglich zuzuleiten:

Über die Lage in Dänemark berichte ich für den 29. auf 30.1.44, daß in Tonhoft bei Sonderburg (Tischlerei, die für deutsche Zwecke arbeitet) und in Apenrade (Schneider-

---

197 Pol. VI 7640 g. Telegrammet er ikke lokaliseret.
198 Pol. VI (V.S.). Trykt ovenfor.
199 Se telegram nr. 83, 19. januar 1944.
200 Der er ikke lokaliseret aktivitetsberetninger om Gestapos virksomhed i Danmark før maj 1944, men de har foreligget, og Best har givetvis sendt disse, ligesom han sendte de senere rapporter.
201 BdO registrerede begge attentater og opgav, at Seibold blev skudt 29. januar kl. 0.20 (RA, BdO Inf. nr. 13, 2. februar 1944. Dyrberg 1989, s. 101, Røjel 1993, s. 179, Øvig Knudsen 2001, s. 195f., Bøgh 2004, s. 36, Birkelund 2008, s. 679). Tidspunktet er der en bemærkelsesværdig uenighed om.

werkstatt ohne deutsche Interessen) Brandstiftungen stattgefunden haben.[202] Bei einem Brand im Kellerraum eines Sanatoriums in Skodsborg bei Kopenhagen ist Brandstiftung nicht erwiesen.[203] Ein Sabotageversuch in einer Maschinenfabrik in Apenrade wurde vom Werkschutz erfolgreich abgewehrt.[204] In Kopenhagen wurde ein Leutnant zur See von unbekannten Tätern auf der Straße angeschossen. Wegen dieses Attentates habe ich eine Sühnezahlung von 2 Mill. Kronen gefordert. Außerdem erfolgen Gegenmaßnahmen im Sinne der bekannten Weisungen.[205]

Dr. Best

192. Werner Best an das Auswärtige Amt 31. Januar 1944
Dagsindberetning.
Kilde: PA/AA R 29.568. RA, pk. 204.

Telegramm

Kopenhagen, den   31. Januar 1944
Ankunft, den   31. Januar 1944   23.30 Uhr

Nr. 120 vom 31.1.44.   Citissime!

Ich bitte, die folgende Meldung unverzüglich dem Herrn Reichsaußenminister zuzuleiten:

Über die Lage in Dänemark berichte ich für den 30. auf 31.1.1944, daß in Kopenhagen das Produktionsgebäude der deutschfeindlichen Filmgesellschaft "Palladium" gesprengt worden ist.[206] Sonst keine besonderen Vorfälle im Lande.

Dr. Best

---

202 Der var et sabotageforsøg hos Andresen & Clausen, Storegade 13, Åbenrå, der kun gav ringe skade. Tyske interesser blev ikke berørt (RA, BdO Inf. nr. 13, 2. februar 1944, Alkil, 2, 1945-46, s. 1228).
203 Det var en mulig sabotagebrand i "Skodsborghus", hvorved der kun opstod ringe skade. Bygningen stod for at skulle overtages af de tyske marinelazaretters forvaltning (RA, BdO Inf. nr. 13, 2. februar 1944, Alkil, 2, 1945-46, s. 1228).
204 Det var et sabotageforsøg mod Callesens Maskinfabrik i Åbenrå, hvor fire bevæbnede mænd trængte ind, men blev beskudt af sabotagevagterne og derpå flygtede (RA, BdO Inf. nr. 13, 2. februar 1944, Alkil, 2, 1945-46, s. 1228).
205 Den tyske marineofficer, Leutnant zur See Bruno Bolte, blev såret med skud ved Højbro (RA, BdO Inf. nr. 13, 2. februar 1944, *Daglige Beretninger*, 1946, s. 33).
206 Petergruppen forøvede schalburgtage mod Hellerup Roklub, Hellerup Havn, hvorved det i nærheden liggende filmselskab "Palladium" blev beskadiget. BdO registrerede alene ødelæggelsen af "Palladium" og bemærkede, at det ikke berørte tyske interesser (RA, BdO Inf. nr. 13, 2. februar 1944, Lauritsen 1947, s. 1387, *Daglige Beretninger*, 1946, s. 33, Bøgh 2004, s. 43, tillæg 3 her).

193. Admiral Dänemark: Lagebetrachtung für Januar 1944, 31. Januar 1944

Wurmbach noterede en tilbagegang i antallet af sabotager i januar 1944, og det drejde sig hovedsageligt om sprængstofattentater rettet mod industrivirksomheder. Kriegsmarine var blevet udsat for sabotage i to tilfælde, det ene alvorligt. Der havde været et attentat mod en marineløjtnant, der var blevet hårdt såret, og Wurmbach noterede, at der var flere tilfælde af forsøg på stikkerlikvideringer. Det var lykkedes at anholde to personer i forbindelse med en illegal udrejse til Sverige, hvilket venteligt ville føre til flere anholdelser.

Kilde: KTB/Adm. Dänemark, RA, Danica 628, sp. 3, s. 3229f., 3235.

L a g e b e t r a c h t u n g
für Januar 1944

[...]

B.) Lage in Dänemark

1. Sabotage

Anzahl der Sabotagefälle etwas zurückgegangen. In der Hauptsache Sprengstoffattentate verübt, die sich vielfach gegen Wirtschaftsbetriebe richteten. Ein Anschlag größeren Ausmaßes wieder bei Werft Burmeister und Wain. Durch 3 Explosionen erheblicher Schaden in Maschinenhallen an Maschinen und Material. Betrieb arbeitet unter Einschränkung weiter.[207] Durch Sprengstoffanschlag gegen 2-tons Kran der Schiffswerft in Aalborg erheblicher Schaden, der Verzögerung Reparaturen an deutschen Schiffen bewirkt.[208] Mehrfach Tank- und Autoreparaturwerkstellen, die für deutsche Wehrmacht arbeiten, durch Sprengstoffanschläge beschädigt. Teilweise auch deutsche Wagen entwendet.

Durch Brandstiftungen außer verschiedenen dänischen Wirtschaftsbetrieben ein Lagerhaus Marineintendantur Esbjerg sowie Geräteschuppen Marineausrüstungsstelle Esbjerg beschädigt. Schaden erheblich.[209] In einem kürzlich beschlagnahmten Gebäude Marinelazarett Skodsborg, in dem Apothekerwaren lagerten, Brandstiftung verübt. Schaden unerheblich.[210]

Eisenbahnanschläge nur in 3 Fällen, mit unerheblicher Auswirkung.

Besondere Vorkommnisse: Ein Leutnant z.S. von einer Sicherungsflottille des BSO in der Dunkelheit auf der Straße in Kopenhagen angeschossen und schwer verletzt.[211] Mehrfach militärische Wachtposten und Sabotagewächter angeschossen und zum Teil verletzt. In mehreren Fällen Anschläge auf dänische Personen verübt, die in Verdacht, Spitzeldienste für deutsche Interessen zu leisten, in einem Falle mit tödlichem Ausgang.

2. Illegaler Personenverkehr

Dem an Ostküste Seelands eingerichteten Zollgrenzschutz (VGAD-K) gelang es, in Nähe Helsingör zwei Personen festzunehmen, die bei illegalem Personenverkehr nach Schweden mitgewirkt. Von Schußwaffe Gebrauch gemacht. Eine Person, dänischer Kri-

---

207 Se Rü Stab Dänemarks notat 11. januar 1944.
208 Se Bests telegram nr. 91, 21. januar 1944.
209 Sabotagen fandt sted 12. januar 1944 omkring kl. 20.05 (RA, BdO Inf. nr. 5, 17. januar 1944).
210 Se Bests telegram nr. 30, 7. januar 1944.
211 Se Bests telegram nr. 118, 31. januar 1944.

minalbeamter, schwer verletzt. Im Zusammenhange damit bisher 6 weitere Personen wegen Mitwirkung überführt. Weitere Verhaftungen, auch gegen Beamte dänischer Küstenpolizei, stehen bevor.[212]
[...]

9. Wasserschutzpolizei
Frage der Eingliederung Wasserschutzpolizei in Küstenüberwachungsdienst Sund mehrfach Gegenstand Besprechungen. Hier folgende Stellung eingenommen:
   Eingliederung kann nur in Form erfolgen, daß zum wenigsten Leiter des Wasserschutzpolizeidienstes (1 Hauptmann und 1 Leutnant) zur Kriegsmarine einberufen werden und gleichzeitig Überwachungsaufgaben Kriegsmarine und Leitung des Polizeikommandos übernehmen, wobei militärische Aufgaben Vorrang. Durchführung rein polizeilicher Aufgaben und Ausübung Exekutive hierdurch nicht berührt.
[...]

194. Rüstungsstab Dänemark: Lagebericht 31. Januar 1944
Forstmann indledte med en samlet opgørelse over sabotagerne i januar uden at foretage en sammenligning med den foregående måned. Der var foretaget fire alvorlige sabotager i januar rettet mod tyske interesser, bl.a. en sabotage mod B&Ws hal 8. januar, som alene medførte et produktionsstop på over et halvt år. De nyindgåede rustningskontrakter med danske virksomheder lå i værdi over månedsgennemsnittet for tiden siden maj 1940. For at få et mere sikkert grundlag for at bedømme værdien af indgåede rustningskontrakter i Danmark var der 1. september 1943 indført et nyt skema, der standardiserede leveranceindberetningerne. På det grundlag gav Forstmann en oversigt over kontrakternes værdi for tiden 1. maj 1940 til 31. december 1943. Resultatet var ganske gunstigt og ville have været endnu bedre, hvis ikke den manglende levering af materialer fra Tyskland havde forsinket produktionen i Danmark. Skulle den gunstige udvikling fortsætte, måtte der en mere langsigtet planlægning til: Der skulle sluttes kontrakter om større og afsluttede serier, udelukkelse af mindre rationelle virksomheder, begunstigelse af mellemstore og større virksomheder, og endelig skulle der gøres noget effektivt for at stoppe sabotagen. Tilførslen af brændstof og kul havde været tilfredsstillende. En tilbagegang i kulleverancerne var der blevet kompenseret for ved en forøget tilførsel af koks.
   Kilde: BArch, Freiburg, RW 27/13. KTB/Rü Stab Dänemark, 1. Vierteljahr 1944, Anlage 15.

Rüstungsstab Dänemark
ZA/Ia Az. 66dl/Wi-Ber. Nr. 22/44 geh.

Anlage 15
Kopenhagen, den 31. Januar 1944.

Bezug: OKW WI Rü Amt /Rü IIIb Nr. 21755/43 v. 9.5.42
Betr.: Lagebericht.

---

212 Den 20. januar 1944 blev en illegal afskibningsgruppe ved Helsingør overrasket af en tysk patrulje, hvorved kriminalassistent Thormod Larsen blev hårdt såret og tillige med en anden anholdt, mens det lykkedes de øvrige udrejsende under ledelse af Erling Kier at undslippe. Dog lykkedes det i de følgende uger Gestapo at oprulle afskibningsgruppen (KB, Bergstrøms dagbog 21. januar 1944, Dethlefsen 1993, s. 91. Se endvidere Der Reichsminister der Finanzen til AA 4. april 1944).

An den Reichsminister für Rüstung und Kriegsproduktion
- Rüstungsamt -
Berlin W 8
Unter den Linden 36

Rü Stab Dänemark übersendet in der Anlage den Lagebericht für Monat Januar 1944.
Forstmann

Rüstungsstab Dänemark   *Kopenhagen, den 31.1.1944*
ZA/Ia Az. 66dl/Wi-Ber. Nr. 22/44 geh.   Geheim!

Vordringliches
Im Januar 1944 wurden 3 tätliche Angriffe gegen Wehrmachtangehörige ausgeführt.
  Ferner kamen 63 die rüstungs- und wehrwirtschaftlichen Interessen berührenden Sabotagefälle vor, die sich wie folgt aufteilen lassen:

1.) gegen Eigentum, Unterkünfte usw. der Besatzungstruppen	16	25 %
2.) gegen Betriebe, die		
a.) mit mittelbaren u. unmittelbaren Wehrmachtaufträgen aus Deutschland	16	25 %
b.) mit Aufträgen der Besatzungstruppen belegt sind	4	6 %
3.) gegen dänische Betriebe ohne direkte Wehrmachtaufträge	21	34 %
4.) gegen Verkehrsanlagen, Eisenbahnen usw.	6	10 %
im ganzen	63	100 %

Schwere Sabotagefälle
Bei Firma Bur-Wain Autodiesel wurde die wichtige Pumpenfertigung (Jäger- u. U-Bootsprogramm) am 8.1.44 durch Sabotage stillgelegt. Es wurden fast alle Hilfsmittel für die Fertigung, z.B. Lehren, Vorrichtungen, Zeichnungen, Arbeitspläne und allgemeine Meßmittel zerstört. Es ist mit dem Ausfall der Fertigung für ca. 6 Monate zu rechnen.[213]
  Die Firma Wilhelm Johnsen A/S, Montageabteilung, wurde am 15.1. sabotiert. Sie fertigt Sende- und Empfangsanlagen für OKM; etwa 325 Anlagen, die in der Montage waren, wurden zerstört. Wiederaufnahme der Montagearbeiten etwa am 1.4.44.[214]
  Am 16.1.44 wurde die Maschinenfabrik der Firma Burmeister & Wain sabotiert. Die Kraftversorgung wurde zum 2. Mal durch Sprengung der aufgestellten Notaggregate schwer getroffen.[215]
  Die Firma Anders A. Pindstoftes Maskinfabrik, Kopenhagen-Valby wurde am 17.1.44 durch Sabotage erheblich beschädigt. Erst nach Beendigung der Aufräumungsarbeiten kann festgestellt werden, welche Schäden an Wehrmacht- und Rüstungsgut entstan-

---

213 Se Rü Stab Dänemarks notat 11. januar 1944, hvor der blev regnet med en produktionsstandsning på 2-3 måneder.
214 Firmaet Wilhelm Johnsen var identisk med Always Radio. Se Bests telegram nr. 67, 17. januar 1944.
215 Se Bests telegram nr. 67, 17. januar 1944.

den sind.[216]

1a. Stand der Fertigung
1.) Monatsübersicht für Dezember 1943.
Mittelbare und unmittelbare Wehrmachtaufträge (A-Aufträge):

Gesamtauftragsbestand am 30.11.1943	RM	485.430.000,-
Zugang im Dezember 1943	RM	14.284.000,-
	RM	499.714.000,-
abzüglich die Aufträge, welche keine Fertigung betreffen und vom 1.5.40. bis 31.5.42 erteilt wurden	RM	11.308.000,-
Gesamtauftragsbestand an reinen Fertigungsaufträgen am 31.12.43	RM	488.406.000,-
Auslieferungen im Dezember 1943	RM	17.939.000,-

Ab 1.6.1942 sind Nichtfertigungsaufträge, wie Mieten, Frachten und Löhne gem. Anordnung zur Ausfüllung der "Ausnutzungsmeldung" nicht mehr erfaßt. Die Werte für die Zeit vom 1.5.40 bis 31.5.42 (RM 11.308.000,--) wurden bisher jedoch noch nicht abgezogen. Diese Korrektur ist wie oben nachgeholt.
Aufträge des kriegswichtigen zivilen Bedarfs (C-Aufträge):

Gesamtauftragsbestand am 30.11.1942	RM	69.733.000,-
Zugang im Dezember 1943	RM	499.000,-
Gesamtauftragsbestand am 31.12.1943	RM	70.232.000,-
Auslieferungen im Dezember 1943	RM	3.769.000,-

2.) Gesamtübersicht über die seit 1940 nach Dänemark erfolgte Auftragsverfolgung und Auftragsauslieferung von mittelbaren und unmittelbaren Wehrmachtaufträgen (A-Aufträge):

Das wertmäßige Ergebnis der Auftragsverlagerung und der Auslieferungen obiger Aufträge nach Dänemark in der Zeit vom 1.5.1940 (Besetzung 9. April 1940) bis 31. Dezember 1943 ist neu ermittelt worden. Da bisher keine einheitliche und zuverlässige Auslieferungsmeldung der dänischen Firmen vorhanden war, wurde dieselbe am 1.9.1943 auf einem für alle auftragsvermittelnden Abteilungen des Rüstungsstabes einheitlichen Formblatt eingeführt. Die Auslieferungswerte ab 1.9.43 können daher den Anspruch auf ausreichende Richtigkeit erheben. Infolge zahlreicher Abweichungen durch unvollkommene Lieferberichte und nachträglicher Veränderungen der früheren Werte wurde es ferner notwendig, eine einmalige Bestandsaufnahme für alle deutschen Aufträge, die am 31.12.1943 in dänischen Betrieben in Fertigung begriffen waren, durchzuführen.

Das Ergebnis umfaßt alle nach Dänemark erteilten Fertigungs- und Bearbeitungsaufträge der Wehrmachtbeschaffungsstellen und der deutschen Industrie. Die angegebenen Werte erstrecken sich aber nicht auf die sonstigen Beiträge der dänischen Wirtschaft für die deutsche Kriegsproduktion, wie Leistungen für Truppenbedarf und auf dem Bausektor, Transportleistungen, ernährungs-, land- und forstwirtschaftliche Leistungen, Beschaf-

---
216 Se Bests telegram nr. 67, 17. januar 1944.

fungen auf dem schwarzen Markt und Aufträge des kriegswichtigen zivilen Bedarfs.

Die Erhebung ergab folgendes Bild:

	in RM	darin enthalten für Hansa-Prog. in RM	Werte Ohne Hansa-Prog. in RM
vom 1.5.40 bis 31.12.43 wurden verlagert (A-Aufträge)	504.652.00		
Abzüglich Nichtfertigungsaufträge (Mieten, Frachten, Löhne)	16.246.000		
d.h. reine Fertigungsaufträge	488.406.000	51.679.000	436.727.000
Auftragsbestand am 31.12.43 (lt. bes. Erhebung)	163.238.000	45.081.000	118.157.000
Auslieferungen vom 1.5.40 bis 31.12.43	325.168.000	6.598.000	318.570.000
Auslieferungsquote	67 %	13 %	73 %

Es ist gerechtfertigt, daß erst im Sommer 1943 angelaufene Hansa-Programm mit seinen langfristigen Schiffsaufträgen aus den Ergebnissen der Statistik herauszunehmen. Mit einer Auslieferungsquote von 73 % ist der Beweis erbracht, daß die dänische Industrie gute Leistungen bei normalen Lieferfristen hervorgebracht hat.

In den letzten Monaten ist eine Ausbringungssteigerung gegenüber dem Gesamtdurchschnitt festzustellen. Das zeigt folgender Vergleich:

	durchschn. Auftragseingang pro Monat in RM	durchschn. Auslieferung pro Monat in RM
1.5.40-31.12.43	9.926.000	7.243.000
1.9.43-31.12.43	11.202.000	10.518.000

Obige Werte verstehen sich ohne Hansa-Programm.

Die Gesamt-Auslieferung wäre noch günstiger gewesen, wenn vor allem die Materialien für die Verlagerungsaufträge nicht so schleppend aus dem Reich eingegangen wären, vielmehr den Betrieben entsprechend dem Fertigungsverlauf termingerecht zur Verfügung gestanden hätten. Oft hat es lange gedauert, bis nach der Auftragserteilung die Materialien eintrafen. In vielen Betrieben befanden sich längere Zeit vorgearbeitete Teile, die wegen fehlender Zulieferungen nicht fertiggestellt werden konnten. Aber auch eine noch größere Ausnutzung der dänischen Produktionskapazität wäre möglich gewesen, wenn die Durchlaufgeschwindigkeit der Aufträge durch schnelleren Materialeingang aus dem Reich gesteigert worden wäre.

Die rationelle Ausnutzung der Kapazitäten in Dänemark kann zur Zeit aber nicht nur durch schnelleren Materialeingang gesteigert werden, sondern auch dadurch, daß von den deutschen Auftraggebern mehr als bisher

a.) langfristige Planung,
b.) Verlagerung von großen und geschlossenen Serien,
c.) allmähliche Ausschaltung weniger rationeller Betriebe,
d.) bevorzugte Verlagerung in mittlere und größere Betriebe vorgesehen wird.

Darüber hinaus ist die weitgehende Verhinderung von Sabotageakten unbedingte Voraussetzung für eine weitere erfolgreiche Auftragsverlagerung nach Dänemark, damit die Aufnahmebereitschaft der dänischen Betriebe und die Verlagerungsfreudigkeit der deutschen Industrie nicht leiden. Rü Stab Dän. unterstützt die zuständigen Dienststellen durch Anregungen und Hinweise in ihren Sabotageabwehrmaßnahmen. Anträge des Rü Stab auf dauernden polizeilichen oder militärischen Schutz der mit kriegswichtigster Fertigung belegten Betriebe sind bisher wegen Personalmangel abgelehnt worden.

Das im Lagebericht von Dezember 1943 erwähnte Abrechnungsverfahren bei Instandsetzungsarbeiten an Schiffen der deutschen Kriegsmarine auf dänischen Werften ist in Übereinstimmung mit dem dänischen Außenministerium ab 15.1.44 eingeführt worden.

Die Auffüllung des gemäß Lagebericht vom 31.3.43. bei ESAB Kopenhagen eingerichteten Schweiß-Elektrodenlagers macht zur Zeit erhebliche Schwierigkeiten. Durch einen von Admiral Norwegen erteilten Auftrag auf ca. 300 to Elektroden hat die ESAB z.Zt. insgesamt etwa 800 to Elektroden zu liefern, ist dazu aber außerstande, weil nahezu sämtliche Materialien für die Umhüllmasse fehlen. Das Material wurde bisher aus Schweden bezogen. Lieferungen von dort sind jedoch jetzt wegen der stockenden dänisch-schwedischen Handelsbeziehungen nicht möglich, so daß seitens des Rü Stab deutsche Unterlieferanten gesucht werden. Im Augenblick wird mit einer geringen Menge von etwa 30 to Elektroden für das Hansa-Programm seitens Siemens-Schuckert-Werken Berlin geholfen. Falls keine deutschen Zulieferungen einsetzen, müssen fertige Elektroden in steigendem Masse eingeführt werden.

1c. Versorgung der Betrieb mit Roh- und Betriebsstoffen

Der deutsche Lieferungsrückstand an Eisen und Stahl betrug am 30.11.43 14.535 to. – Zunahme gegenüber dem Stand vom 31.10.43 354 to. Für Ne-Metalle ist der Lieferungsrückstand 183 to gegen 195 to im Vormonat.

Die von der Reichsstelle für Eisen und Metalle mit sofortiger Wirkung am 16.12.43 Az. Dr. Vr./Nz 35/43 angeordnete Einführung besonderer Bestellrechte für Grob- Mittel- und Feinbleche hat den Rü Stab Dänemark veranlaßt, beim Rüstungslieferungsamt in Berlin ein Überbrückungskontingent in Bestellrechten "B" (Bleche) von 6.000 to zu beantragen, um untragbare Verzögerungen der nach Dänemark verlagerten Fertigung zu vermeiden. Von diesen 6.000 to entfallen 3.100 to auf bereits nach Deutschland gegebene Bestellungen. Die restlichen 2.900 to sind für Blechbestellungen zu weiteren Verlagerungsaufträgen, die noch ohne Bestellrecht "B" hier einliefen, in Aussicht genommen. Der Anteil der Blechmengen zu diesen Aufträgen ist auf Grund der Erfahrungen der Jahre 1940/43 geschätzt worden. Die Nachforderung des Bezugsrechtes vom Auftraggeber zu jedem einzelnen Verlagerungsauftrag würde großen Zeitverlust bedeuten und die Gesamtfertigung ins Stocken bringen. Eine Bevorschussung durch dänische Auftragnehmer kann infolge der Herabsetzung des dänischen Versorgungskontingentes nicht erfolgen.

2b. Lage der Treibstoffversorgung

Alle Treibstoffanforderungen sind erfüllt. Es sind 1.540 Ltr. Benzin und 107.765 kg Dieselöl zugewiesen worden. Die hohe Anforderung an Dieselöl wurde durch eine Sonderzuteilung von 90 to für die Monate Januar und Februar 44 bedingt. Durch Sabotage an der Kraftzentrale von Burmeister & Wain mußten Dieselöl-Hilfsaggregate aufgestellt werden, um Teile des Werkes wieder in Betrieb zu nehmen.

2c. Lage der Kohlenversorgung

Im Dezember 1943 wurden eingeführt:

        182.900 to Kohle   (November 43 … 197.400 to Kohle)
         42.000 to Koks   (November 43 … 27.300 to Koks)
insgesamt 224.900 to   (November 43 … 224.700 to)

Die gesteigerte Kokseinfuhr liegt mit 42.000 to nur unwesentlich über dem Durchschnitt des letzten halben Jahres (36.000 to).

Die Gesamtlage auf dem Koksgebiet ist als ungenügend zu bezeichnen, insbesondere sind in den letzten Monaten Schwierigkeiten in der Versorgung der Industrie mit Gießereikoks aufgetreten.

Die Zufuhren ausländischer Brennstoffe im Jahre 1943 im Vergleich zu den Vorjahren zeigt folgende Übersicht

	Kohle		Koks	
	Gesamt in 1.000 to	Monatsdurchschnitt in 1.000 to	Gesamt in 1.000 to	Monatsdurchschnitt in 1.000 to
1941	2.400	200,0	1.050	87,5
1942	1.894	157,8	701	58,3
1943	2.030	169,1	521	43,3

An einheimischen Brennstoffen wurden 1943 über 6 Mill. to Torf und 2 Mill. to Braunkohle gegenüber nur 4,5 Mill. to Torf und 1,5 Mill. to Braunkohle im Jahre 1942 produziert.

Diese einheimischen Brennstoffe entsprachen 1942 einem Heizwert von etwa 2 Mill. to Steinkohle.

Ein Vergleich der Versorgungslage in den letzten beiden Jahren unter Berücksichtigung der einheimischen Produktion (Kohleneinfuhr + Kokseinfuhr + Heizwert einheimischer Brennstoffe) ergibt einen Heizwert, der

      1942 4.595.000 to Steinkohle
und 1943 5.257.000 to Steinkohle entspricht.

Die Versorgungslage hat sich demnach durch die günstige Produktion einheimischer Brennstoffe gebessert und die von dänischer Seite gewünschte Versorgungsmindestmenge von 6 Mill. to annähernd erreicht.

Diese Entwicklung ist allerdings durch die günstige Wetterlage entstanden, da bei der Brennstoffeinfuhr in den Wintermonaten keine Stockung durch Vereisung der Wasserstraßen eintrat und die einheimische Produktion ohne jahreszeitliche Unterbrechung fortgesetzt werden konnte. Diese Zahlen dürfen aber nicht darüber hinwegtäuschen, daß Industrien, z.B. die Gaswerke, die sich nicht auf einheimische Brennstoffe umstellen können, vor Schwierigkeiten gestellt werden.

FEBRUAR 1944

195. Politische Informationen für die deutschen Dienststellen in Dänemark
1. Februar 1944
Best ofrede tysk terror en betydelig plads, især ved at gengive udenlandsk presses skarpe reaktioner herpå, og han tøvede ikke med at benytte begrebet "modterror". Schalburgkorpsets udvikling beskrev han optimistisk uden de store armbevægelser. Til gengæld blev det omtalt, at Theofilius Larsen i Frits Clausens fravær havde ekskluderet flere medlemmer af DNSAP. Afsnittet "Fjendtlige stemmer" blev i udpræget grad brugt til at gengive især nogle af de absurditeter og falske påstande, der blev kolporteret i udlandet om forholdene i Danmark, blandt hvilke var fjernelsen af det danske politi og indførelse af tvungen arbejdstjeneste.
Kilde: PA/AA R 29.568. RA, pk. 204. Uddrag (afs. IV) tillige i pk. 225. RA, Centralkartoteket, pk. 680.

Der Reichsbevollmächtigte in Dänemark　　　*Kopenhagen, den 1. Februar 1944.*
　　　　　　　　　　　　　　　　　　　　Nur für den Dienstgebrauch!

P o l i t i s c h e   I n f o r m a t i o n e n
für die deutschen Dienststellen in Dänemark.

Betr.:　I. Die politische Entwicklung in Dänemark im Januar 1944.
　　　II. Mitteilungen aus der Außenpolitik.
　　　III. Mitteilungen aus der Wirtschaft.
　　　IV. Dänischer Kriegseinsatz.
　　　V. Die Krankenkasse bei der deutschen Arbeitsvermittlungsstelle in Kopenhagen.
　　　VI. Feindliche Stimmen über Dänemark.

I. Die politische Entwicklung in Dänemark im Januar 1944
Die politische Lage – vor allem im Verhältnis der deutschen Behörden zur dänischen Verwaltung und zur Bevölkerung – war weiterhin einerseits durch die mit der Befestigung Jütlands zusammenhängenden Probleme und andrerseits durch das Problem des Terrors und Gegenterrors bestimmt.

1.) Die durch die OT in Jütland durchgeführten Befestigungsarbeiten sind nach der kurzen Weihnachtspause wieder voll aufgenommen und im Laufe des Januar planmäßig vorwärtsgetrieben worden. Der weitaus größte Teil der vor Weihnachten beschäftigten Arbeiter ist pünktlich an die Arbeitsplätze zurückgekehrt; für ausgefallene Kräfte war Ersatz sofort zur Stelle. Darüber hinaus war es mühelos möglich, bis Mitte Januar zusätzlich mehrere tausend Arbeiter einzustellen. Damit ist der Arbeiterbedarf für das laufende Bauprogramm voll gedeckt. Eine größere Zahl von Arbeitern, die sich für Jütland gemeldet hatte, aber dort nicht mehr gebraucht wurde, wurde durch die deutschen Arbeitsvermittlungsstellen ins Reich vermittelt. (Hierzu ist interessant, daß die feindliche Propaganda noch immer krampfhaft an der Behauptung festhält, daß Arbeitszwang ausgeübt werde oder beabsichtigt sei, wie aus den Beispielen unter VI. "Feindliche Stimmen über Dänemark" ersichtlich ist; hierauf zielen also die Wünsche des Feindes!)

Das Verbot der Beschäftigung landwirtschaftlicher Arbeiter bei den Befestigungsarbeiten, das zur Sicherung der landwirtschaftlichen Produktion erlassen worden war, ist aus entsprechenden Gründen auf forstwirtschaftliche Arbeiter ausgedehnt worden.

Hinsichtlich der mit der Durchführung der Befestigungsarbeiten betrauten Unternehmer, die sich nicht alle als geeignet erwiesen haben, nimmt die OT gegenwärtig eine Reinigungsaktion vor.

Während die Haupt-(Akkord)Löhne für die eigentlichen Bauarbeiten schon zu Beginn des Einsatzes festgelegt worden waren, war es notwendig, nachträglich noch einige Neben-Lohnfragen zu lösen; dabei handelte es sich im Wesentlichen um die Entlohnung bei Arbeitsausfall infolge Luftalarms, langer Anmarschwege oder anderer Umstände sowie u.a. die Vergütung der Anreise zum Arbeitsplatz und ähnliches. Diese Regelung ist im Januar durch Vereinbarung mit der dänischen Zentralverwaltung erfolgt. Zugrundegelegt ist bei ihr – ebenso wie bei der Regelung der Hauptlöhne – der Gesichtspunkt, daß es darauf ankommt, durch günstige Lohnbedingungen werbende Wirkung auszuüben, ohne jedoch den Rahmen des bestehenden Lohnsystems zu sprengen.

Gewisse Schwierigkeiten, die der Durchführung der Befestigungsarbeiten durch Evakuierung von Teilen der jütländischen Westküste drohten (Unterbringungs- und Versorgungsfragen), haben sich noch nicht in dem erwarteten Masse bemerkbar gemacht, da es bisher möglich gewesen ist, die Evakuierung in entsprechenden Grenzen zu halten.

Hinsichtlich der Materialbeschaffung steht z.Zt. das Holzproblem im Vordergrunde. Die interessierten Dienststellen des Reichsbevollmächtigten, der Wehrmacht, der Rüstungsstabes und der OT arbeiten daran, eine einheitliche Steuerung des mit den Befestigungsarbeiten zusammenhängenden Holzbedarfs zu schaffen.

2.) Gegen den Terror, durch den die von Feindagenten gesteuerten illegalen Gruppen die Lage im Lande zu verschärfen suchen, ist in den letzten Wochen ein gewisser Gegenterror erwachsen, der z.Zt. in Dänemark und im Ausland beträchtliches Aufsehen erregt hat.

Nachdem schon am 30.12.1943 in Kopenhagen der Vorsitzende der Konservativen Partei Ole Björn Kraft durch einen Revolveranschlag verletzt worden war,[1] ist am 4.1.1944 in Jütland der als extrem deutschfeindlich bekannte Pastor und Schriftsteller Kaj Munk entführt und ermordet worden.[2]

Daraufhin haben bereits am 5.1.1944 die fünf Sammlungs-Parteien, die bis zum 29.8.1943 die Regierung des Staatsministers von Scavenius getragen und die seit dem Rücktritt dieser Regierung vor der Öffentlichkeit geschwiegen hatten, den folgenden Aufruf Veröffentlicht:[3]

"Die unterzeichneten Vertreter der Sozialdemokratie, der Konservativen Volkspartei, der Venstre, der Radikalen Venstre und des dänischen Rechtsverbandes erklären unter Verurteilung der Attentat- und Sabotagehandlungen, die sich entwickelt haben und durch

1 Se Bests telegram nr. 9, 4. januar 1944.
2 Se Bests telegram nr. 18, 5. januar 1944.
3 På dansk hos Alkil, 2, 1945-46, s. 1542.

die man auf Grund gegensätzlicher Einstellung und Anschauungen einander nach dem Leben trachtet: Wir verwerfen Gewaltmethoden im politischen Kampf und wir sind davon überzeugt, daß die ganz überwiegende Mehrheit des dänischen Volkes sich mit Abscheu gegen solche Kampfmethoden wendet. Wir fühlen uns daher berechtigt, unserer Empörung und Trauer über die erfolgten Überfälle und Attentate Ausdruck zu geben und eindringlich auf die Notwendigkeit hinzuweisen, daß diese Entwicklung aufhören muß. Dänische Bürger müssen sich, auch unter den jetzigen Verhältnissen verpflichtet fühlen, nicht zur Eigenmächtigkeit zu greifen. Rückfälle in die Rachemethoden der Vergangenheit müssen verworfen werden. Das dänische Volk soll jetzt und in Zukunft allein auf der Grundlage des Gesetzes und des Rechtes bauen.
    Buhl. Fibiger. Knud Kristensen.
      A.N. Hansen. Oluf Petersen."

Der Gegenterror, der sich offensichtlich jeweils gegen die führenden Kreise des gegnerischen Lagers richtet (vgl. die Fälle Ole Björn Kraft und Kaj Munk oder den folgenden Fall: in Slagelse, einer kleinen Stadt Seelands, wurde wenige Tage nach der Ermordung eines nationalsozialistischen Fischhändlers ein als konservativer Exponent bekannter Arzt erschossen),[4] hat die feindliche Propaganda in England und Schweden zur Weißglut erhitzt, wie aus den Beispielen unter VI. "Feindliche Stimmen über Dänemark" ersichtlich ist.

   Die deutsche Sicherheitspolizei hat weiterhin gute Erfolge gegen illegale Kräfte jeder Art erzielt. So wurde eine größere Organisation, die von Fallschirmagenten geschaffen worden war, durch zahlreiche Festnahmen im ganzen Lande zerschlagen.[5] Weitere Lager von Sabotagematerial und Waffen wie von hintergezogenen Militärausrüstungen wurden erfaßt.[6] 77 Personen wurden wegen illegaler Betätigung – meist kommunistischer Tendenz – in Konzentrationslager des Reiches überführt.[7]

   In Kopenhagen wurden gemischte Überfallkommandos aus Feldgendarmerie, deutscher Ordnungspolizei und dänischer Polizei gebildet, die zum Eingreifen bei allen Zwischenfällen, an denen Deutsche und Dänen beteiligt sind, bereit stehen.[8] In zeitlichem Zusammenhang hiermit (ob in tatsächlichem, steht nicht fest) brachte der schwedische und der englische Rundfunk die in Dänemark größtes Aufsehen erregende Falschmeldung, daß die Deutschen alle polizeilichen Aufgaben übernommen hätten und die dänische Polizei internieren wollten (s. die Meldungen vom 17. und 18.1.44 unter VI.1.!).

---

4 Se Bests telegrammer nr. 18, 5. januar og nr. 30, 7. januar 1944.
5 Her henvises sandsynlgvis til oprulningerne som følge af anholdelsen af de to SOE-agenter hos søstrene Ulrich i Århus 13. december 1943 og razziaerne landet over efter illegale blade (se Bests telegram nr. 1528, 11. december 1943).
6 Se Bests telegram nr. 114, 29. januar 1944.
7 Der var 21. januar 1944 overført 77 personer fra Horserødlejren til Sachsenhausen. Transporten foregik med bil (Hæstrup, 1, 1966-71, s. 349, Barfod 1969, s. 47f. (der opgiver antallet til 79)).
8 Den tysk-danske udrykningskommando blev etableret 18. januar 1944 og fik populært navn efter stedet, hvor det var placeret: Gernersgadevagten (Alkil, 1, 1945-46, s. 120).

II. Mitteilungen aus der Außenpolitik

Die italienische Regierung hat einstweilen davon Abstand genommen, einen besonderen Vertreter nach Kopenhagen zu entsenden. Der zunächst für Kopenhagen in Aussicht genommene Gesandte Graf Barbarich ist in das italienische Außenministerium einberufen worden. Die italienische Botschaft in Berlin beabsichtigt, den Schutz der in Dänemark lebenden Italiener selbst zu übernehmen.

III. Mitteilungen aus der Wirtschaft

1.) Der Abschluß der Dänischen Nationalbank 1943

Die Bilanz der Dänischen Nationalbank hat am Jahresschluß 1943 mit 4,8 Milliarden Kronen die höchste Summe erreicht, die bisher in der Geschichte der Bank verzeichnet wurde. Die Summe ist im Laufe des Jahres um rund 1,9 Milliarden Kronen gestiegen. Die Steigerung ist zurückzuführen auf die Erhöhung des Clearingkontos um rund 870 Millionen Kronen und die Steigerung der Besatzungskostenvorschüsse um rund 1 Milliarde Kronen. (Im Jahre 1942 sind das Clearingkonto nur um 264 Millionen und die Besatzungsmittel um 429 Millionen Kronen gestiegen.)

Der Notenumlauf ist im Verhältnis zu dieser enormen Steigerung der Aktiven nur um 376 Millionen Kronen gewachsen. Die verhältnismäßig geringe Erhöhung ist in erster Linie das Ergebnis der von dänischer Seite getroffenen Maßnahmen zur Bindung bzw. Abschöpfung der unbeschäftigten Gelder. Diese Maßnahmen sind nicht unerheblich verstärkt worden durch die Bemühungen der Nationalbank und – auf dem Wehrmachtsektor – der Verbindungsstelle der Hauptverwaltung der Reichskreditkassen, den bargeldlosen Zahlungsverkehr zu fördern. Die Erhöhung der bei der Nationalbank in der Scheckabrechnung eingelieferten Schecks läßt den Erfolg dieser Bemühungen erkennen. Die Monatsdurchschnittssumme der Einlieferungen hat sich im letzten Jahre um etwa 300 Millionen Kronen erhöht und hat im Dezember 1943 mit 1.916 Millionen Kronen eine Höhe erreicht, die bisher nicht verzeichnet wurde.

Die Steigerung auf der Aktivseite um die erwähnten 1,9 Milliarden Kronen findet auf der Passivseite der Bilanz der Nationalbank ihren Niederschlag in dem Anwachsen der fremden Gelder um 1,4 Milliarden Kronen und in der erwähnten Erhöhung des Notenumlaufs um 376 Millionen Kronen. Die restlichen rund 100 Millionen Kronen erscheinen in einer Erhöhung des Postens "Verschiedene Kreditoren."

Die Jahresabschlußbilanz ergibt folgende für die Beurteilung der Situation wichtige Kontostände:

Clearingkonto	1.990	Millionen	Kronen
Verschiedene Debitoren	2.392	–	–
Notenumlauf	1.359	–	–
Foliokonten	1.941	–	–

(das sind die von anderen Kreditinstituten usw. bei der Nationalbank unterhaltenen Guthaben).

Aus der Bevorschussung der Exportförderungen gegenüber Deutschland (Clearing) und der Bereitstellung der Besatzungsmittel ergibt sich im Jahre 1943 eine finanzielle Gesamtleistung zugunsten des Reichs in Höhe von etwa 1,9 Milliarden Kronen.

Die Beschränkung des Notenumlaufs und die Folgen der Geldabschöpfung haben es zusammen mit preis- und lohnpolitischen Maßnahmen bisher vermocht, die Währung vor Erschütterungen zu bewahren, obgleich nicht übersehen werden darf, daß in einigen westjütischen Städten infolge der Erhöhung des Lohnaufkommens Erscheinungen zu beobachten sind, die lebhaft an die Inflationszeiten in Deutschland erinnern. Bisher sind diese Erscheinungen jedoch lokal begrenzt geblieben.[9]

2.) Kriegskonjunktursteuern und Zwangssparen
Einen wichtigen Teil des Gesetzgebungswerkes vom Sommer dieses Jahres zur Bekämpfung der Geldreichlichkeit bilden die in der dänischen Öffentlichkeit viel erörterten Vorschriften über die Kriegskonjunktursteuern und das Zwangssparen. In der folgenden Gegenüberstellung werden die ursprünglich bei Einführung der Vorschriften erwarteten Beträge mit den nunmehr vorliegenden vorläufigen Aufkommensziffern verglichen:

	Erwartet wurden in Millionen Kronen:	Vorläufiges Aufkommen in Millionen Kronen:
Kriegskonjunktursteuern:		
Kriegskonjunktursteuern der natürlichen Personen	33	37
Mehreinkommensteuer der Aktiengesellschaften	10	16,6
Mehreinkommensteuer der Genossenschaften	(nicht veranschlagt)	0,7
Zwangssparen:		
Zwangssparen der natürlichen Personen	65	42
Zwangssparen der Aktiengesellschaften	25	4,2
Zwangssparen der Genossenschaften	1	0,148

Überraschend ist – zumal wenn man die den Dänen eigene Vorsicht bei Schätzungen in Betracht zieht – das starke Zurückbleiben der Zwangssparbeträge in den verschiedenen Rubriken gegenüber dem Voranschlag. Die Schätzung des Zwangssparens für Aktiengesellschaften durch das dänische Finanzministerium war allerdings von Anfang an als reichlich optimistisch zu erkennen, wenn auch nicht ein derart starkes Absinken des Ergebnisses vorausgesehen werden konnte. Das Aufkommen an Mehreinkommensteuer und Zwangssparbeträgen bei den Genossenschaften kann als finanziell bedeutungslos bezeichnet werden.

Während über fast alle Eingaben auf Erlaß oder Ermäßigung des Zwangssparens inzwischen entschieden worden ist, bedürfen noch zahlreiche Einsprüche gegen die Kriegskonjunktursteuer, in denen meist geltend gemacht wird, daß die erhöhten Einkünfte nicht auf Kriegskonjunktur beruhen, der Bearbeitung durch die Steuerverwaltung. Dadurch werden sich die Aufkommensziffern für die Kriegskonjunktursteuern verringern und gleichzeitig gewisse Erhöhungen bei den Zwangssparbeträgen eintreten.

---

9 Hele afsnit III.1. er, bortset fra de sidste 3 ½ linje, næsten fuldstændig identisk med en indberetning, som Best lod sende til AA. AA lod (ved von Behr) 3. februar 1944 (Ha Pol VI 31/44) en afskrift tilgå RWM (Ludwig), REM (Walter), RFM og Reichsbankdirektorium. RFM lod 7. marts 1944 en afskrift gå videre til Korff i Oslo (RA, Danica 201, pk. 81A).

Die Zwangssparbeträge ermäßigen sich nämlich kraft Gesetzes um die von den Verpflichteten zu entrichtende Kriegskonjunktursteuer. Eine Herabsetzung der letzteren bringt deshalb im Regelfall eine Erhöhung der Zwangssparverpflichtung mit sich.

3.) Das Hansa-Neubauprogramm
Nachdem im vergangenen Jahre die ersten Schiffe des Hansa-Neubauprogrammes auf der Helsingör-Werft vom Stapel gelaufen sind (ein Frachtschiff zu 3.000 ts und ein Frachtschiff zu 5.000 ts), ist am 6. Januar 1944 ein weiterer Hansa-Neubau von 3.000 ts bei der Werft von Burmeister & Wain in Kopenhagen und ein Schiff derselben Größe am 8. Januar auf der Odense-Werft vom Stapel gelaufen.

IV. Dänischer Kriegseinsatz
1.) Die Ergänzungslage für die Waffen-SS ist in den letzten Monaten erheblich durch die politische und militärische Gesamtlage beeinflußt worden.
Mit dem Stichtag 20.1.1944 befanden sich 2.620 dänische Freiwillige in der Waffen-SS und etwa 600 dänische Freiwillige in den übrigen Wehrmachtsteilen.
Bis zum selben Tage sind bisher 366 dänische Freiwillige in der Waffen-SS gefallen.
Im Deutschen Roten Kreuz befinden sich bis jetzt 72 dänische DRK-Schwestern.
Jeder dänische und volksdeutsche SS-Freiwillige und jede dänische DRK-Schwester hat im Dezember 1943 ein Weihnachtspäckchen erhalten. Den dänischen Freiwilligen wurde außerdem das Buch "Danmarks Historie" von Ejnar Vaaben geschenkt.[10]
Seit dem 1. November 1943 werden die Einheiten der Waffen-SS mit dänischen Freiwilligen, die bisher lediglich die Zeitung "Fädrelandet" erhielten, regelmäßig mit der Wochenzeitschrift "Kritisk Ugerevy" und der Monatszeitschrift "Paa godt Dansk" beliefert.[11]
Über den dänischen Rundfunk wurden verschiedene Weihnachtssendungen für die dänischen Freiwilligen gesendet.

2.) Das von dem SS-Obersturmbannführer Martinsen geführte Schalburg-Korps entwickelt sich unter Berücksichtigung aller lagebedingten Schwierigkeiten verhältnismäßig günstig.
Die kasernierte Gruppe I des Korps, die Uniformen des ehemaligen dänischen Heeres mit besonderen Abzeichen trägt, zählt z.Zt. 533 Führer, Unterführer und Männer. Sie wird nach erfolgter militärischer Ausbildung zu einem geeigneten Kampfeinsatz gelangen.
Die von Dr. Popp-Madsen geführte politische Gruppe II des Korps, die unter dem selbständigen Namen "Folkevärn" auftritt, zählt bereits über 4.000 Mitglieder.[12]

3.) Die DNSAP (dänische Nationalsozialistische Arbeiterpartei) wird in Abwesenheit des als Oberstabsarzt bei der Waffen-SS tätigen Dr. Frits Clausen von dem Parteisekretär

10 Ejnar Vaaben: *Danmarks Historie*, 1937.
11 Alle tre blade var fuldt tysk kontrollerede og finansierede.
12 Folkeværnet nåede aldrig over 2-3.000 medlemmer, idet det ikke lykkedes at fravriste DNSAP et større antal medlemmer (Monrad Pedersen 2000, s. 71).

Theofilius Larsen geleitet.[13] Dieser hat mehrere Parteimitglieder, die schon seit langer Zeit von deutscher wie auch von dänischer nationalsozialistischer Seite scharf kritisiert worden waren, aus der Partei entfernt.[14] Obwohl die Partei z.Zt. keine Aktivität nach außen entfaltet und im wesentlichen ihren Bestand zu halten strebt, hatte sie in den letzten Wochen – zum ersten Male seit geraumer Zeit – einen Zuwachs von etwa 200 Mitgliedern zu verzeichnen.

V. Die Krankenkasse bei der deutschen Arbeitsvermittlungsstelle in Kopenhagen
Im Jahre 1943 wurden 4.063 Mitgliederkrankenfälle – im Monatsdurchschnitt 338 – angemeldet. Während in den ersten Monaten des Jahres 1943 noch die gleiche Anzahl von Krankheitsfällen wie im Durchschnitt des Jahres 1942 gemeldet wurde, trat später ein Absinken ein.

Mit der Zentralstelle der dänischen Krankenkassen wurden im Jahre 1943 im ganzen 3.900 Mitgliederüberweisungsfälle mit einem Betrage von 1.254.033,38 Kronen abgerechnet. Hieraus ergibt sich für einen Krankheitsfall ein Durchschnittssatz von 321,55 Kronen. Dieser verhältnismäßig hohe Betrag ist darauf zurückzuführen, daß die Ärzte in Dänemark geneigt sind, eine Arbeitsunfähigkeit solange zu bescheinigen (auch für Zeiten, in denen nach deutschen Grundsätzen ärztliche Behandlung als ausreichend erachtet wird), bis ein absoluter Gesundheitszustand erreicht und ärztliche Behandlung nicht mehr erforderlich ist.

Eine wesentliche Vereinfachung der Abrechnung der Familienhilfekosten ist durch die deutsch-dänische Vereinbarung vom 19.4.43 erzielt worden. Die Familienangehörigen der nach Deutschland bezw. nach Norwegen vermittelten dänischen Arbeiter erhalten die Leistungen von ihren dänischen Krankenkassen nach dänischem Recht. Die dafür entstehenden Kosten werden nach dieser Vereinbarung pauschal abgegolten. Der Pauschalsatz beträgt monatlich 0,37 RM (= jährlich 8,50 dän. Kronen) für jeden dänischen Versicherten. Diese Vereinbarung ist rückwirkend vom 1.1.1941 in Kraft getreten. Da die Zustimmung der obersten Verwaltungsbehörde zu der ermittelten Durchschnittszahl der in den Jahren 1941 und 1942 in Deutschland versichert gewesenen dänischen Arbeitskräfte noch aussteht, wurden zunächst Vorschüsse in Höhe von 528.000,- Kronen gezahlt.

Infolge der steigenden Inanspruchnahme dänischer Zahnärzte durch reichsdeutsche Versicherte – besonders durch die Behandlung der nach Dänemark verschickten Kinder – wurde zwischen den deutschen und dänischen Zahnärzte-Organisationen ein Abkommen über die Bezahlung der Behandlungskosten abgeschlossen, dem der mit der deutschen Wehrmacht am 18.6.1940 abgeschlossene Tarif zugrunde gelegt ist. Damit ist eine einheitliche Bezahlung der Behandlungskosten durch dänische Zahnärzte sowohl der Wehrmachtsangehörigen als auch der reichsdeutschen Zivilangestellten erreicht.

---

13 Frits Clausen havde meldt sig til SS for en periode af seks måneder fra 1. november 1943.
14 Brødrene Bryld var 30. november 1943 blevet frataget alle lederhverv i DNSAP og blev 11. marts 1944 slettet som medlemmer. Se *Politiske Informationen* 1. april 1944, afsnittet "Fjendtlige stemmer" og Berger til Himmler 16. april 1944.

VI. Feindliche Stimmen über Dänemark
1.) Der britische und schwedische Rundfunk

London, 2.1.1944.
Christmas Möller: Dänemark hätte auf den 29. August nicht verzichten können. Dänemarks Zukunft ist heute gesichert, weil das Volk diesen Weg wählte. Auch die aktive Arbeit in Dänemark, die Sabotage, ist von solchen Ausmaßen und von solcher Qualität, daß dadurch zum Ausdruck kommt, daß das dänische Volk ernstlich am Kampfe teilnehmen will.

London, 2.1.1944.
Kein Däne will bestreiten, daß es zu wenig Kontakt zwischen Rußland und Westeuropa und auch mit Dänemark gab, und das muß geändert werden. Aber jeder Däne hat bemerkt, daß der große Führer Rußlands behauptet hat, daß Rußland auch für die Freiheit der kleinen Länder kämpft. Auch Eden sprach nach seiner Rückkehr aus Moskau von dem Platz, den die kleineren Länder in der europäischen Familie einnehmen müßten.

London, 3.1.1944.
Terkel M. Terkelsen: Das Jahr 1943 ist charakteristisch durch den wachsenden deutschen und nazistischen Terror, der am vorigen Donnerstag mit dem Mordversuch gegen den Reichstagsabgeordneten Ole Björn Kraft kulminierte. Für denjenigen, der die Entwicklung in Dänemark in den letzten Monaten verfolgt hat, ist es keine Überraschung, daß man, nachdem alle anderen Mittel fehlgeschlagen sind, von nazistischer Seite Zuflucht zum Revolver als politisches Argument nimmt. Die Deutschen und die Nazisten versuchen eifrig, die Schuld zurückzuweisen, als ob das Wort Mord überhaupt nicht im nazistischen Wörterbuch existiere. Dagegen wird man kaum von deutscher Seite leugnen, daß man Terror anwendet in der Hoffnung, auf diesem Wege den dänischen Widerstand zu brechen.

Hanneken gab offen zu, daß der Sinn der Hinrichtungen ist, Terror und Furcht unter dem dänischen Volk hervorzurufen, um auf diese Weise die dänische Widerstandsbewegung zu brechen. Dr. Best gab in einer Erklärung an die Presse derselben Ansicht Ausdruck, wenn er auch andere Worte wählte.[15] Endlich haben Hanneken und Best sich in einem Punkt gefunden. Es ist vielleicht charakteristisch, daß die Einigkeit zwischen den beiden sich auf die Anwendung des Terrors gegen die dänischen Patrioten begrenzt. Es ist selbstverständlich, daß Krenchel und andere dänische Nazisten sich dem Chor anschlossen, der am lautesten schrie, daß der Terror ein Mittel gegen den aktiven Widerstand sei.

London, 6.1.1944.
Die Dänen verloren einen ihrer geistigen Führer, als der bekannte Verfasser und Pastor Kaj Munk bei Silkeborg, wo das Hauptquartier des deutschen Generals von Hanneken ist, ermordet aufgefunden wurde. Der Mord an dem 46jährigen Patrioten und Dichter hat in ganz Dänemark den größten Abscheu hervorgerufen. Obwohl er seiner Zeit ein

---

15 Bests presseudtalelse 5. december 1943.

großer Bewunderer von Mussolini war, kämpfte er doch ständig gegen den Nazismus. Munk war sehr populär unter seinen Landsleuten, und die Deutschen wagten es nicht, ihn zu verhaften.

In einer Äußerung über den Mord von Kaj Munk sagte Sigrid Undset u.a.: "Jedes Mal, wenn wir etwas Mitleid mit den Deutschen fühlen, erhalten wir Nachrichten, die uns an ihre Grausamkeit erinnern. Nun haben sie also Kaj Munk, den chronischen Oppositionsmann, durch seine Ermordung zum Schweigen gebracht. Wieder einmal haben wir uns klar gemacht, daß das geistige Leben Deutschlands auf die Gestapo reduziert worden ist. In Deutschland selbst hat man alles, was es an intellektuellen und moralischen Werten gab, in Schutt und Asche gelegt. Gründlicher als die feindlichen Flugzeuge es den deutschen Städten tun. Der Kritik Kaj Munks über die Beschützer Dänemarks hat also die Gestapo ein Ende gemacht. Ich muß gestehen, daß ich nicht zu den Bewunderern Kaj Munks gehörte. Ich bin auch nicht eine von denjenigen, die glauben, daß ihm seine Gedichte die Unsterblichkeit gebracht hätten. Sein Kampf gegen die Gestapo hat sie ihm aber eingetragen. Sein Name wird in der Geschichte Dänemarks weiterleben."

London, 7.1.1944.
Wie "Svenska Dagbladet" meldet, will der dänische Pressedienst in Stockholm wissen, daß diese Zwangsmobilisierung dänischer Arbeitskraft für deutsche Festungsbauten in Dänemark unmittelbar bevorsteht. Man nimmt an, daß die Ausschreibung in erster Linie diejenigen umfassen wird, die am 20. August 1943 wehrpflichtig waren. Doch ist es zweifelhaft, ob die deutschen Forderungen dadurch erfüllt werden; man erwartet umfassende Mobilisierung. Weiter wird behauptet, daß die Einführung eines 16-monatlichen Zwangsdienstes für alle Dänen, die zum Arbeitsdienst einberufen werden, beabsichtigt wird. Die Einberufungsbefehle sollen laut den Meldungen schon jetzt in Odense gedruckt werden.

London, 8.1.1944.
Wie bereits gemeldet, verlautet, daß die Deutschen mit der Einführung der Zwangsmobilisierung von Arbeitskraft in Dänemark drohen. Solche Maßregeln sind bereits in Norwegen eingeführt worden, jedoch mit auffallend geringem Erfolg dank des Widerstandes der norwegischen Arbeiter. Die norwegische Untergrundzeitung "Frit Oversigt" hebt hervor, daß jeder weiß, daß Arbeitsdienst nichts mit Selbstverteidigung zu tun hat. Er ist eine Mobilisierung; das ist der Grund dafür, daß alle an der Sabotage festhalten müssen, nicht an der Linie der Zusammenarbeit. Die Zeitung fügt hinzu, daß das Problem des Menschenmaterials für das deutsche Oberkommando vielleicht die wichtigste Frage ist; daher ist es Hochverrat, für die Deutschen zu arbeiten. Es ist durchaus möglich, der Mobilisierung zu entgehen, schreibt die Zeitung, und die Norweger haben ihre Fantasie in großem Masse angewendet. Die Nazisten haben alle Methoden angewendet, um die Arbeitskraft, vor allem Beamte, zu organisieren. Jeder, der ein Angebot einer Stellung im Staats- oder Kommunaldienst erhält, muß dies ablehnen. Wer arbeitslos wird, muß so schnell wie möglich wieder erfaßt werden; hier können die Bauern ihre Vaterlandsliebe zeigen. Keiner darf eine Stellung suchen, die auf Grund der Zwangsmobilisierung

frei geworden ist. Keine Frau darf Arbeit auf sich nehmen, die normal von Männern ausgeführt wird. Junge Leute dürfen keine Arbeit suchen, die normal von Erwachsenen geleistet wird. Kein Arbeitgeber darf Männer durch Frauen ersetzen.

London, 10.1.1944.
Die schwedische Presse, darunter "Svenska Dagbladet," berichtet über die Instruktionen, die den dänischen Blättern am Abend des 5. Januar gegeben wurden, wie die Nachricht über den Meuchelmord an Kaj Munk behandelt werden sollte. Es wurde verboten, Nekrologe zu bringen, und der Mord an Kaj Munk sollte in genau derselben Form wie der Mord an dem nazistischen Angeber Fischhändler Pedersen veröffentlicht werden. Dasselbe galt auch für "Pressens Radioavis." Die Rundfunkzeitung sollte das Begräbnis von Kaj Munk und von Fischhändler Pedersen in ungefähr gleichen Wendungen schildern.[16]

Hörby (Schweden), 12.1.1944.
Die Deutschen setzen ihre Vorbereitungen gegen eine Invasion in Jütland fort. Am vorigen Sonntag wurden alle öffentlichen Gebäude in Esbjerg von den Deutschen beschlagnahmt. Man ist der Meinung, daß dasselbe in der nächsten Zukunft auch in den anderen Städten Westjütlands geschehen wird.

London 12.1.1944.
Seit dem 29. August ist das Ansehen Dänemarks in der freien Welt ständig gewachsen. Diese Entwicklung erreichte heute ihren Höhepunkt, als der britische Außenminister Anthony Eden bei einem Frühstück der "Anglo Danish Society" König Christian, der dänischen Handelsflotte und allen Dänen huldigte, die mit ihren Kameraden in den besetzten Ländern ihren Einsatz für die Schwächung der Nazisten leisten. Eden sagte u.a.: "Ihr seid Frontkämpfer in den Reihen der Vereinigten Nationen. So wie die dänischen Schiffe, die in unseren Diensten stehen, seid Ihr mit Euren Taten dabei, den Dannebrog an der Seite der alliierten Fahnen zu hissen. Im Namen der Regierung Seiner Majestät habe ich heute die Möglichkeit, auch zu sagen, daß wir nie an Eurer Hingabe für die Sache der Alliierten gezweifelt haben."
Außenminister Eden huldigte König Christian und sagte: "Wir können gut verstehen, welche großen Prüfungen er mit seinem Volk hat durchmachen müssen. Er hat dadurch die Bewunderung und die Liebe seines Volkes und seiner Freunde gewonnen. Im August v.J. stand praktisch das ganze dänische Volk hinter seinem König und wollte keinen Kompromiß mit den Deutschen schließen." Eden huldigte anschließend allen Dänen, die die tüchtige Sabotage auf dänischem Boden durchführen: "Tüchtig durchgeführte und gut organisierte Sabotagehandlungen folgen Schlag auf Schlag. Es sind wohlberechnete Schläge, die den Deutschen im Namen der Vereinigten Nationen zugefügt werden. Wir huldigen den Führern der Saboteure und den mutigen Leuten, die die Sabotage durchführen. Die Deutschen, die unter der falschen Maske der Freundschaft nach Dänemark kamen, sind Dänemarks Feinde."

---

16 Det var tilfældet (jfr. Bindsløv Frederiksen 1960, s. 410f. med illustration af opsætningen af de to artikler).

London, 12.1.1944.
Die schwedische Zeitung "Aftonbladet" macht darauf aufmerksam, daß in Dänemark eine strengere Zensur eingeführt worden ist. Es sei jetzt verboten, den 9. April und den 29. August zu erwähnen, auch dürfen keine chronologischen militärischen Übersichten mehr veröffentlicht werden.

Hörby (Schweden), 14.1.1944.
Die deutsche Sicherheitspolizei führte heute in Aarhus eine Razzia auf ehemalige dänische Offiziere durch, die jedoch ergebnislos verlief. Gleichzeitig wurde eine ähnliche Aktion in Aalborg unternommen, das Resultat steht noch aus.

Hörby (Schweden), 15.1.1944.
Die gestern Abend durchgegebene Meldung über eine Razzia auf ehemalige dänische Offiziere in Aarhus soll einem Telegramm aus Kopenhagen zufolge nicht stattgefunden haben.

London, 16.1.1944.
Christmas Möller: Die vergangene Woche ist wiederum reich an entscheidenden und großen Ereignissen gewesen. Das erste Ereignis ist die Rede des Außenministers Eden in der Anglo-Danish Society. Daheim habt Ihr bereits ein Referat von dieser so ermutigenden und viel versprechenden Rede erhalten. Mr. Eden war nicht nur Optimist im Hinblick auf den Ausfall des Krieges und die kommende Befreiung Dänemarks und anderer Länder, sondern der britische Außenminister, der größte Mann des Imperiums nach Churchill, unterstrich auf schärfste Weise, daß der Einsatz der Dänen von großer Bedeutung ist und daß die Alliierten damit rechnen, daß das dänische Volk seinen aktiven Einsatz und die positive Hilfe für die Alliierten fortsetzen wird. Die Rede von Mr. Eden war eine Huldigung und eine Anerkennung dafür, was die Dänen hier draußen, in erster Linie unsere Seeleute, für den gemeinsamen Plan geleistet haben. Er huldigte auch der Heimatfront. Von Höchster alliierter Seite erfuhren wir Dänen, daß auch vom Standpunkt der Alliierten aus der 29. August richtig war. Man ist zufrieden, daß wir vom passiven Widerstand zum aktiven übergegangen sind.

London, 17.1.1944.
Soeben haben wir aus Stockholm von dem dänischen Pressedienst die Meldung erhalten, daß die Deutschen ab heute den Polizeidienst in Kopenhagen übernommen haben. Dem dänischen Pressedienst zufolge sollen die Deutschen heute das Gebäude der Polizei sowie alle Polizeireviere übernommen haben. Vorbereitungen für die Internierung der dänischen Polizei sind getroffen worden. Die Meldung des dänischen Pressedienstes ist von der anderen Seite noch nicht bestätigt worden.[17]

---

17 Det vakte stor kritik af BBC hos danske journalister ved Dansk Pressetjeneste i Stockholm, at radioen kolporterede den falske historie om dansk politis internering (Bennett 1966, s. 176f.). Denne og talrige andre uverificerede og direkte fejlagtige "historier", der blev bragt i BBCs danske udsendelser, var fast stof i "Fjendtlige stemmer" som bevis for fjendens løgnagtige propaganda. Best og gesandtskabet behøvede ikke selv at opfinde historierne.

Hörby (Schweden), 18.1.1944.
Der dänische Pressedienst in Stockholm teilte gestern mit, daß die Deutschen eine Aktion gegen die dänische Polizei eingeleitet haben und daß die dänische Polizei in Kopenhagen von den Deutschen übernommen worden ist. Später am Abend wurde diese Meldung dementiert.

Über Ritzaus Büro hat der Chef der dänischen Polizei erklärt, daß diese Nachricht frei erfunden worden ist.

London, 18.1.1944.
Der Chef der Gestapo in Dänemark ist durch einen hohen Gestapobeamten namens Bovensiepen ersetzt worden. Seine Aufgabe ist, die Ordnung in Dänemark wieder herzustellen. Bis 1943 war er Chef der Gestapo in Halle. Anschließend wurde er zum Gestapochef in Berlin ernannt und noch im selben Jahr zum Chef des Sicherheitsdienst im 3. Wehrmachtsbezirk Berlin. Man kann daraus ersehen, daß neue, scharfe Maßnahmen gegen Dänemark geplant sind.[18]

Die Meldung aus Schweden, daß die Deutschen die Absicht hatten, den Polizeidienst in Kopenhagen zu übernehmen, ist jetzt bestätigt worden. Es besteht kein Zweifel, daß die Deutschen sich in weitere Gebiete der dänischen Polizei eingemischt haben. Sie haben durchgesetzt, daß deutsche Ausrückungskommandos sich in dänischen Polizeiwagen an die Stellen begeben, wo Zusammenstöße zwischen deutschen und dänischen Staatsangehörigen stattfinden. Von allen Dänen wird das als ein neuer Versuch aufgefaßt, eine noch stärkere Kontrolle über die dänische Polizei auszuüben. Es ist sicher, daß von deutscher Seite die Aufgabe der neuen Ausrückungskommandos sehr weit gefaßt wird.

London, 19.1.1944.
… Kommentar zur Lage in Dänemark: Seitdem die Regierung zurücktrat und die Deutschen in Dänemark den Ausnahmezustand und damit die Form einer militärischen Diktatur einführten, war die Stellung der dänischen Polizei bedroht.[19] Unter einer dänischen Regierung führte die Polizei ihre Pflichten nach den Verordnungen und auf die Verantwortung der Regierung durch. Ohne Rücksicht darauf, welch eine Einstellung der einzelne Polizist hatte, hatte er die Pflicht und die Aufgabe, für Ruhe und Ordnung zu sorgen, welche die Regierung anstrebte, – trotz der Konspirationen der Besatzungsmacht mit den dänischen Nazisten, welche Aufruhr machten und sich für ihre politische Niederlage rächen wollten. Die Deutschen erkannten die Tüchtigkeit der dänischen Polizei an. Sie mußten 2 Punkte berücksichtigen in ihrem Verhältnis zu der dänischen Polizei: 1.) war militärische Ruhe im Lande erforderlich und 2.) wünschte die deutsche Nazipartei, daß Dänemark entweder ein Waffenbruder oder eine deutsche Naziprovinz wird, auf alle Fälle aber nazifiziert wird. Die dänische Polizei hat einen zähen Kampf korrekt geführt, – zu korrekt würden die Deutschen sagen. Ihre Treue gegenüber gewissen nordischen Rechtsprinzipien, die mit der wilden Jagd auf unschuldige Menschen

---

18 Det sidste er ubetvivleligt, men i øvrigt var oplysningerne om Otto Bovensiepens karriere upålidelige (se Henrik Lundtofte i *Hvem var hvem 1940-1945*, 2005, s. 46f.).
19 De engelske oplysninger om det danske politis situation blev hentet fra svensk presse, hvor den danske politifuldmægtig Vilhelm Leifer gav interview efter at være flygtet fra Danmark (Bennett 1966, s. 177).

nicht übereinstimmen, hat die Einführung eines vollständigen Terrors in Dänemark in Verbindung mit dem Ausnahmezustand General von Hannekens verhindert. Deshalb fort mit den Prinzipienzeiten! Man wird bestimmt von der amtlichen Seite erfahren, daß es eine ausgezeichnete Regelung ist, wenn die deutschen Polizeisoldaten auf die Straßen ausrücken, um einige betrunkene Marinesoldaten zu verhaften. Man wird aber von der amtlichen Seite, einschließlich Herrn Stamm, darüber Stillschweigen bewahren, was innerhalb der Mauern des Polizeigebäudes vor sich geht. Die dänischen Polizisten werden den Befehl erhalten, den Straßenverkehr zu leiten, so, als ob nichts geschehen wäre.

London, 21.1.1944.
Blythgen-Petersen: Ich habe gehört, daß die Deutschen den dänischen Zeitungen die Veröffentlichung von Landkarten über Stellungen an der Ostfront verboten haben. Das sollte darauf hindeuten, daß der deutsche Versuch, den Kommunistschrecken in das Volk zu jagen, fehlgeschlagen hat. Sonst könnten sie schon die besetzten Länder dazu bringen, sich um das Hakenkreuz zu scharen, nachdem die russischen Heere die Festung Europa von Osten stürmen.

Auch vor Dänemark können die Deutschen die Tatsachen nicht verheimlichen. Das Land ist wohl besetzt; es ist jedoch nur der Boden und das Eigentum, worauf die Deutschen sitzen. Sie können aber dem Volke das Denken nicht verbieten. Die Deutschen sind bei dem Versuch, den freien Gedankengang der Dänen zu drosseln, zu kurz gekommen. Bei der deutschen Nation stehen die Gedanken manchmal still. Als Beispiel liegt uns vor eine Nummer des "Schwarzen Korps" vom 16. Dezember, wo auch der Einsatz der Dänen an der Ostfront im Kampfe gegen die Rote Gefahr gegen die europäische Zivilisation gelobt wird. Gleichzeitig wird Dänemark als ein unbesetztes Land dargestellt, wo das deutsche Heer nur gewisse Vorsichtsmaßnahmen gegen feindliche Angriffe von außen treffen mußte. Der dänische Staat bewahre seine Souveränität und hätte freie Hände im Bezug auf die Gesetzgebung, die Verwaltung und die Wirtschaft. Der König und die Regierung hätten die besten Absichten. Aber was bedeutet es in einem demokratischen Lande, heißt es weiter bedauernd, wenn die guten Absichten nicht vom Volke geteilt werden. Auf diese Weise wird die Agitation der deutschen Generale, Gesandten und Gestapochefs in Dänemark verschleiert. So wie man dem Lande nicht die volle Wahrheit über die Lage an der Ostfront mitteilen will, wagen sie auch dem deutschen Volke nicht die Wahrheit über die Entwicklung in Dänemark zu erklären. Sogar das aggressive "Schwarze Korps" will nicht den Wunschtraum von dem kleinen vorbildlichen Dänemark, das so freiwillig an dem, was die Deutschen, einmal eine Neuordnung nannten, mitarbeitet, aufgeben, obwohl Dänemarks Stellung vollständig klar ist. Gleichzeitig erklärt "Das Reich," daß die Teilnahme der dänischen Arbeiter an den Festungsbauten vollständig freiwillig und in Zusammenarbeit mit den Gewerkschaften stattfindet. Da man nun weiß, welch einen Druck die Deutschen auf diese Zusammenarbeit ausgeübt haben, ist es doch zu viel, ständig zu hören, wie die Deutschen Dänemark als ein Land darstellen, das die Zusammenarbeit mit den Deutschen fortsetzt, um den deutschen Schutz zu erhalten. Die Verhältnisse sind aber die, daß eine jede Hilfe, die den Deutschen geleister wird, ungeachtet wie aufgezwungen sie ist, die Zeit für einen deutschen Zusammenbruch und für einen Frieden hinausschiebt. Es scheint jedoch, daß Deutschlands Lage nach der alliierten Luftoffensive so schwach geworden ist, daß die Deutschen nicht einmal die wirkliche Lage in Dänemark erfahren dürfen. Auch hier muß das deutsche Volk von einer Fiktion leben. Das "Rote Gespenst" und die "Musterprotektorat"-Idee sind nichts anderes als eine Erfindung der Propaganda gewesen, um das deutsche Volk für Hitler springen zu lassen.

London, 22.1.1944.
Sendung aus Amerika. Es spricht Hans Pilvinger:
Die Mordanschläge in Dänemark haben hier in Amerika Empörung hervorgerufen. Dänemark steht im Bewußtsein der Amerikaner als ein in politischer Hinsicht hochkultiviertes Land da, in dem Meinungsverschiedenheiten nicht durch Mord ausgeglichen werden. Wir sind uns vollkommen darüber im klaren, daß die Deutschen den Mord als Argument in der politischen Diskussion in Dänemark eingeführt haben. Sie werden wenigstens einen Satz der dänischen Sprache lernen müssen, der sagt, daß das Blei, das von den Streitern des Geistes in der Druckmaschine verwendet wird, tausendmal gefährlicher ist als das Blei in den Kanonen und Bomben der Barbaren. Diese Worte des großen Dänen Georg Brandes könnten als Denkschrift über Kaj Munk stehen. Diese beiden Persönlichkeiten im dänischen Geistesleben haben weit verschiedene Lebensauffassungen, aber ihre Worte und Gedanken können nicht ermordet werden. Daß die Nazisten in Dänemark den Mord an Kaj Munk nicht aufklären wollen und ebenso nicht die Mörder, ist an und für sich gleichgültig; warum soll man gerade 4 Mörder auswählen, wenn man so viele vorrätig hat? Ob diese auf dem Papier deutsch oder dänisch sind, ist ebenfalls weniger wichtig, die Untat ist im Geist der Gestapo geschehen. Hier in Amerika ist man davon überzeugt, daß die Dänen die ausgestreckte Hand des Nazismus nicht entgegennehmen wollten, sie war mit Blut befleckt. Die Dänen sind nicht bereit, die Rolle des kleinen Kanarienvogels des Massenmörders zu spielen, dieser Vogel ist weggeflogen. Sigrid Undset hat in einer Äußerung, die sie in einer Rundfunksendung aus Amerika brachte, gesagt: Noch einmal ist uns klar geworden, daß man gegen diejenigen, die mit den Nazisten uneinig sind, nur ein Argument hat: – die Gestapo! Das deutsche Geistesleben ist heute zu einem Begriff reduziert, worden: Gestapo, und alles, was Deutschland an intellektuellen und moralischen Werten kannte, ist zerstört worden, davon einiges gründlicher, als die Bomben des Feindes deutsche Städte zerstören können.

2.) Die Schwedische Presse
"Sydsvenska Dagbladet" vom 3.1.1944 berichtete über die Organisation der deutschen Polizei in Dänemark, unterschied genau zwischen Gestapo, Ordnungspolizei, Feldgendarmerie und Geheimer Feldpolizei und bemerkte zum Schluß, daß der Reichsbevollmächtigte Dr. Best zudem über eine eigene Wachmannschaft verfüge, die Sicherheitsdienst (SD) genannt werde. Der SD sei zum ersten Male bei der Judenverfolgung in Aktion getreten. Im übrigen hätten die SD-Leute als Dr. Bests Privatdetektive hauptsächlich die Aufgabe, die Volksstimmung auszuforschen und vor allem festzustellen, wie die Bevölkerung in ihrem überwiegenden Teil auf die Judenrazzia reagiere. Der SD solle ferner die Beziehung zwischen den deutschen und den dänischen Behörden überwachen und Anlässe zu Reibungen und Spannungen nach Möglichkeit klarstellen. Das Blatt

schloß: "Inwieweit Dr. Best hierbei an die Zukunft denkt oder nur herausbringen will, wie weit man in der Unterdrückung des dänischen Volkes gehen kann, sind Fragen, die Anlaß zu mancherlei Betrachtungen geben."

"Die Dänen suchen den Denunzianten das Leben zu nehmen" stellte "Göteborgs Handels- und Schiffahrtszeitung" vom 5.1.1944 mit Befriedigung fest. In diesem Zusammenhang wurde über ein Revolverattentat berichtet, das am 28. Dezember gegen den "berüchtigten Denunzianten" Max Pelving durchgeführt wurde.[20] Die dänischen Freiheitskämpfer hätten sich darum bemüht, die Braut des Genannten, die auf Österbro wohne, ums Leben zu bringen, seien aber jetzt dazu übergegangen, ihn selber "umzulegen." Über den gegen die Braut gerichteten Überfall wurde berichtet, daß Saboteure eines Abends in ihre Wohnung eindrangen und dabei eine Reihe von Schüssen abgaben. Als die Revolverhelden verschwanden, sei die Braut vor Schreck bewußtlos auf dem Boden gelegen. Man habe sie für tot gehalten, doch habe sich dann herausgestellt, daß die Schüsse ihr Ziel verfehlt hatten.[21] Über das Schicksal Max Pelvings, der leicht verletzt wurde, wird nichts weiteres berichtet.

In verleumderischer Weise brachte "Göteborgs Handels- und Schiffahrtszeitung" vom 7.1.1944 unter der Überschrift "Das Schalburg-Korps ein starkes Anziehungsmoment für Verbrecher" die Mitteilung, daß minderwertige Elemente sich in steigender Zahl dem Schalburg-Korps anschließen. So soll vor kurzem der "Reichsregistratur" eine Liste von 30 neuerworbenen Schalburgleuten vorgelegt worden sein, bei denen ermittelt wurde, daß 28 von ihnen vorbestraft waren. Außerdem soll man im Korps selbst entdeckt haben, daß zwei der Angehörigen aus der Irrenanstalt aus Ebberödgaard entflohen waren. Der eine von ihnen habe sich in einem Ausbildungslager auf Nordseeland befunden, der andere sei von der deutschen Polizei entlarvt worden, als er ein etwas eigenartiges Benehmen an den Tag legte. Beide Schalburgleute seien, wie das Göteborger Blatt nach "Dansk Pressetjeneste" meldete, nach dreiwöchiger Mitgliedschaft im Korps wieder in die Irrenanstalt zurückgebracht worden. Schließlich meldete die Hetzzeitung noch, daß das Büro des Schalburg-Korps täglich telefonische Anrufe, besonders von Frauen, erhalte, welche anfragten, ob es richtig sei, daß man vorbestraft sein müsse, um Mitglied des Korps zu werden. Dazu wird betont, daß die vom dänischen Militär entlassenen Offiziere und Mannschaften immer wieder schriftlich aufgefordert würden, sich zum Freiwilligendienst zu melden, und daß diese ständigen Aufforderungen geradezu die Form eines Kettenbriefsystems angenommen hätten.

"Göteborgs Handels- und Schiffahrtszeitung" brachte am 11.1.1944 sensationelle Meldungen über die Ermordung Kaj Munks. Es sei ein Gerücht im Umlauf gewesen, wonach die Deutschen beabsichtigten, im Hinblick auf die Verschärfung der Verhältnisse in Dänemark neben anderen auch Pastor Kaj Munk als Geisel festzunehmen. Diese Gerüchte seien aber später dementiert worden, (von wem wird natürlich nicht gesagt, da tatsächlich kein Anlaß zu einem solchen Dementi vorlag.) Es könne aber kein Zweifel

---

20 Se Bests telegram nr. 1565, 21. december 1943.
21 Der blev ikke forøvet noget attentat på Pelvings kæreste. Det drejer sig sandsynligvis i stedet om Holger Danskes attentatforsøg på Hedvig Delbo 14. december 1943. Delbo, der af BdO blev betegnet som "V-Person für die hiesige Dienststelle tätig", blev likvideret af Holger Danske 9. marts 1944 (RA, BdO, Inf. nr. 27, 15. marts 1944, Birkelund 2008, s. 679).

darüber bestehen, daß er auf der Proskriptionsliste Himmlers stand. Dann wurde der Wortlaut eines Protestschreibens wiedergegeben, das Kaj Munk aus Anlaß des Verbotes, den norwegischen Kirchenstreit in den dänischen Kirchen zu erörtern, an das Kirchenministerium richtete. Das genannte Verbot habe zu mancherlei Protestaktionen geführt und u.a. einzelne Pastoren veranlaßt, Sammelpetitionen bei dem genannten Ministerium einzureichen. Kaj Munk aber sei seine eigenen Wege gegangen und habe in temperamentvoller Weise ein Schreiben verfaßt, das den folgenden Wortlaut hat:

"An das Kirchenministerium! Es ist mir heute ein Rundschreiben betreffend das Verhalten der dänischen Pastoren gegenüber den norwegischen Verhältnissen zugegangen. Ich möchte mir hiermit erlauben, dem Ministerium in aller Ergebenheit mitzuteilen, daß ich nicht nur nicht imstande bin, den ergangenen Anordnungen Folge zu leisten, sondern daß ich diesen sogar direkt entgegenarbeiten muß. Statt das Außenministerium zu ersuchen, seine eigenen Angelegenheiten zu erledigen und die Kirche ihre Sachen durchführen zu lassen (wozu Herr Scavenius vermutlich nicht der rechte Mann ist), hat das Kirchenministerium Front in entgegengesetzter Richtung eingenommen.

Dänische Pastoren haben den Eid auf die symbolischen Bücher und auf viele andere gute Dinge abgelegt, aber doch noch nicht auf den hochgeehrten Herrn Außenminister. Es ist mein priesterliches Gelübde, auf das ich mich stütze. Ich fühle mich aufs engste mit meinen norwegischen Glaubensgenossen verbunden, sowohl deswegen, weil sie Norweger sind, wie auch deshalb, weil sie Glaubensgenossen sind. Sie kämpfen einen Kampf für dieselben Ideale, für die auch ich zu kämpfen geschworen habe. Falls ich aus Menschenfurcht mich als passiver Zuschauer verhalten wollte, würde ich mir selber als Verbrecher gegen unseren christlichen Glauben, gegen meine dänische (d.h. nordische) Art und auch gegen mein priesterliches Gelübde vorkommen. Es ist besser, daß man in Dänemark im Verhältnis zu Deutschland als im Verhältnis zum Herrn Jesus Unrecht tue.

Vielleicht müßte man Klage gegen das Ministerium anstrengen. Rechtlich gesehen liegen diese Dinge ja hier so, daß ein vorgesetzter Beamter seine Untergebenen zum Amtsmißbrauch verleiten will: denn wir Pastoren sind dazu bestellt, das Wort zu predigen und es nicht zu verschweigen. Sollten wir mit dem Unrecht paktieren, dann müßte dies die ernstesten Folgen für Land und Volk nach sich ziehen.

Falls das Kirchenministerium nicht umgehend Maßnahmen einleiten sollte, um das wenig bedachte Rundschreiben zurückzuziehen, würde ich mich veranlaßt sehen, eine Aufforderung an meine Amtsbrüder zu richten, die derart abgefaßt wäre, daß wir einen Sonntag festlegen, an welchem wir alle eine gemeinsame christliche Demonstration in unseren Kirchen zu Gunsten unserer lieben und tapferen Bruderkirche in Norwegen veranlassen. Hier stehe ich, ich kann nicht anders, denn es ist nicht ratsam, daß ein Mensch gegen sein Gewissen handelt. Mit ausgezeichneter Hochachtung Kaj Munk."

"Stockholms Tidningen" und "Morgentidningen" vom 17.1.1944 brachten ein Faksimile der oberen Hälfte der "Nationaltidende" vom 6. Januar, "Dagens Nyheter" zeigte gleichzeitig ein Faksimile des hierauf bezüglichen Teiles der ersten Seite von "Politiken" und "Berlingske Tidende." In den Berichten der schwedischen Blätter wurde mitgeteilt, daß den dänischen Zeitungen auferlegt worden sei, über die Ermordung von Kaj Munk und über die Ermordung des Fischhändlers Jens Chr. Petersen in Slagelse in genau dem gleichen Umfang, der gleichen Aufmachung und der gleichen Plazierung zu berichten.

Wenn ein Bild von Kaj Munk gebracht werden solle, müßten die Zeitungen ein entsprechend großes Bild auch vom Fischhändler Petersen bringen usw. Alle Kopenhagener Zeitungen hätten daraufhin nur in zweispaltigen Mitteilungen ohne Bilder berichtet (Diese Mitteilung ist richtig.) Den schwedischen Blätter zufolge sei gleichzeitig auf deutsche Anweisung hin (dies ist unrichtig) ein Aufruf gegen die politischen Morde erlassen worden, der von den Vorsitzenden der vier politischen Parteien unterzeichnet wurde, wobei, wie "Stockholms Tidningen" bemerkte, der Mord an Kaj Munk und das Attentat gegen den Folketingsabgeordneten Ole Björn Kraft mit anderen Attentaten, die patriotische Kreise in der letzten Zeit gegen die von der Gestapo bezahlten politischen Agenten einleiteten, gleichgestellt wurden. Für die dänische Bevölkerung hätten diese beiden Dinge nichts miteinander zu tun. Die deutsche Anweisung, die beiden Attentate einander gleichzustellen, geben jedoch einen Fingerzeig bezüglich der Hintergründe des Verbrechens von Silkeborg, und die Tatsache, daß Dr. Vigholt ein bekannter dänischer Mann in derselben Stadt war, in welcher der ermordete nazistische Fischhändler wohnte, weist in die gleiche Richtung. Anscheinend hat man es hier mit einer organisierten nazistischen Terroraktion zu tun, die darauf abgestellt ist, die dänischen Patrioten davor abzuschrecken, selbst Justiz zu üben.

"Morgentidningen" vom 20.1.1944 gab das Gerücht wieder, wonach in Dänemark damit gerechnet werde, daß die deutschen Behörden den Mord an Kaj Munk zum Anlaß nehmen, um neue Polizeimannschaften im Lande einzusetzen. Die große deutsche Aktion würde man sicherlich damit begründen, daß sich die dänischen Behörden nicht imstande gesehen hätten, die öffentliche Ruhe und Ordnung im Lande aufrecht zu erhalten. In diesem Zusammenhang berichtete das Blatt, daß seit Jahresbeginn 5 neue deutsche Polizeibataillone eingetroffen seien, die meist aus Sudetendeutschen beständen. Diese Polizeisoldaten seien besonders für die Durchführung von Razzien ausgebildet, d.h. für sogenannte Blitzstopps, bei denen Absperrungen gewisser Stadtteile mit körperlicher Untersuchung von Passanten, Nachforschungen usw. vorgenommen werden. Die dänische Polizei erhalte im übrigen jetzt nicht mehr von deutscher Seite Auskünfte über Personen, die in deutsche Konzentrationslager verbracht wurden.

Das in Malmö erscheinende schwedische Blatt "Arbejdet" vom 22. Januar brachte einen scharfen Angriff gegen die verlogene Sensationsberichterstattung des von jüdisch-dänischen Flüchtlingsjournalisten geleiteten Pressebüros "Dansk Pressetjänst." Der aus der Feder des Hauptschriftleiters und schwedischen sozialdemokratischen Reichstagsabgeordneten Vougt stammende Artikel zeugt von einer für ein fahrendes sozialdemokratisches Blatt in Schweden beachtlichen Sachlichkeit, die des öfteren die Beiträge aus der Feder Vougts auszuzeichnen pflegt. Mit seinen kürzlichen Meldungen über eine angebliche deutsche Aktion gegen die dänische Polizei und mit seinen Sensationsberichten über die Ermordung Kaj Munks habe sich das dänische Pressebüro gründlich blamiert. Derartige Meldungen spekulierten lediglich auf die Aufnahme-Freundlichkeit schwedischer Leser für alle Nachrichten über Rechtlosigkeit in Dänemark. Es sei bedenklich, wenn die schwedische Presse dahin gelange, als Vermittler unwahrer Nachrichten aufzutreten. Das dänische Pressebüro möge bedenken, daß man allmählich zwischen zuverlässigen Meldungen und Unwahrheiten unterscheiden lerne. Mit Sensationsjournalistik diene der dänische Pressedienst seinem Lande keinesfalls. Die einzig richtige

Linie einer Nachrichtenvermittlung sei schließlich doch das Bestreben nach Wahrheit und Zuverlässigkeit.

"Aftonbladet" vom 29.1.1944 berichtete, daß die sechs in Aarhus zum Tode verurteilten dänischen "Patrioten" jetzt in dem Keller der von der deutschen Polizei beschlagnahmen Ölfabrik hingerichtet worden seien. Die Leichen habe man trotz inständiger Bitten der Angehörigen nicht ausgeliefert, sondern nach Deutschland überführt.

Die Meldung des "Dansk Pressetjänst," wonach die dänische Polizei aus ihrem Dienst entlassen sein soll, hat zahlreichen schwedischen Blättern offensichtlichen Verdruß bereitet. So teilte "Aftontidningen" mit, daß das genannte Nachrichtenbüro auf mehrfache Rückfrage hin an der Richtigkeit seiner Behauptung festgehalten und betont habe, daß die Meldung mittlerweile auch von den dänischen, nach Schweden geflüchteten Polizisten bestätigt worden sei. Andrerseits habe die Zeitung festgestellt, daß man sowohl aus Malmö, Landskrona, wie auch aus Helsingborg erfahren habe, daß dort überhaupt keine geflüchteten dänischen Polizisten eingetroffen seien. Helsingborg habe überdies mitgeteilt, daß die dänische Polizei auf der anderen Seite des Sundes offensichtlich unbeanstandet, weiterarbeite, ebenso die Küsten- und Fährpolizei in Helsingör. Als die Dementis bekannt wurden, hat "Dansk Pressetjänst," lauft "Aftonbladet" erklärt, daß wenigstens eine dieser Behauptungen nachweisbar von deutscher Seite inspiriert gewesen sei; in jedem Falle sei die Erklärung des Reichspolizeichefs K. Begtrup-Hansen unter Druck abgegeben worden, vielleicht sogar nach einem reindeutschen Diktat. Das Büro machte dann noch geltend, daß vor einiger Zeit 6.000 Gestapoleute in Dänemark angekommen seien; ausgesuchte Leute, die schon früher bei ähnlichen Aktionen in der Tschechoslowakei und in Belgien mitgewirkt hätten.[22] Schließlich verfiel das Büro auf die Ausrede, daß, wenn die soviel erörterte Aktion nicht durchgeführt worden sei, dieses darauf zurückgeführt werden müsse, daß die vorzeitige Bekanntgabe der in Frage kommenden Maßnahmen ihre endgültige Durchführung unmöglich gemacht hätte.

196. Rüstungsstab Dänemark: Aktenvermerk über die Besprechung mit dem Reichsbevollmächtigten 1. Februar 1944

Forstmann beklagede sig over for Best over sabotagen; senest i tre mindre byer, hvor en fremmed gruppe sabotører nok burde vække opsigt og være til at fange. Værdier bestemt for Tyskland blev ødelagt på den måde, og råmaterialerne var svært erstattelige. Sabotagevagterne var ikke tilstrækkeligt bevæbnede, fordi der ikke var nok tillid til dem, og dansk politi kunne ikke bevæbne dem, da det selv manglede våben. Forstmann ønskede, at der stod mere i aviserne om sabotageværnet i stedet for om sabotage. Der var endnu ikke blevet gjort noget ved ansættelsen af angivere, der mod høj belønning gav deres viden til besættelsesmagten. Best bemærkede, at der ikke havde været en betydende stigning i sabotagen, men at der var en stærk sabotagegruppe, der endnu ikke var fanget. Der skulle blive gjort noget ved pressen og offentliggørelsen af, at der ville blive givet høje dusører for oplysninger om sabotage.

Kilde: BArch, Freiburg, RW 27/13, KTB/Rü Stab Dänemark, 1. Vierteljahr 1944, Anlage 17.

Abschrift! Anlage 17
Chef Rü Stab Dänemark *Kopenhagen, den 1.2.1944.*

22 Der kom få hundrede tyske Gestapofolk til Danmark.

Aktenvermerk
über die Besprechung mit dem Reichsbevollmächtigten in Dänemark,
SS-Gruppenführer Dr. Best, am 1.2.1944.

Chef Rü Stab Dänemark führte aus, nochmal über die ungenügende Bekämpfung der Sabotage sprechen zu müssen, da sich in letzter Zeit besonders schwere Sabotagefälle ereigneten. Deutschland ist mehr denn je heute auf die Auftragsverlagerung nach Dänemark angewiesen, weil durch die Luftangriffe immer mehr Fertigungsstätten im Reich zerstört werden. Wenn jetzt auch die kleinere Betriebe in Jütland systematisch von Saboteuren heimgesucht werden, dann ist das sehr bedauerlich. Es scheint sich dabei um eine Gruppe von Saboteuren zu handeln, die erst in Sonderburg,[23] dann in Hadersleben[24] und zuletzt in Randers ihr Handwerk getrieben hat.[25] Es müßte der Kripo doch möglich sein, eine solche Gruppe fremder, nicht ortsansässiger Männer, die in solch kleinen Städten auftreten, zu fassen.[26] In Randers ist das Material für 6.000 Knabenanzüge vernichtet worden. Gewiß ist das an Geld nicht viel, vielleicht RM 60.000,-, aber wir haben in Deutschland nicht genügend Rohstoffe, um es uns leisten zu können, derartige Verluste durch Sabotage zu erleiden. Die Sabotageakte führen auch dazu, daß die deutschen Firmen und Verlagerer unruhig werden und Rü Stab Dän. bestürmen mit der Frage, ob man überhaupt noch nach Dänemark verlagern könne. Militärischer oder polizeilicher Schutz der Betriebe wird deutscherseits wegen Personalmangel abgelehnt. Man macht den Vorschlag, die Sabotagewachen zu verstärken. Die Kosten für den Werkschutz sind aber für die Betriebe auch nur begrenzt tragbar. Auf der andern Seite sind die dänischen Wächter unzuverlässig, so daß man ihnen nicht gerne Waffen gibt. Im übrigen sind viel zu wenig Waffen vorhanden, um den bisherigen Werkschutz genügend auszurüsten. Wehrmacht und Polizei lehnen es ab, Rü Stab Dän. Waffen für den Werkschutz zu überlassen. Rü Stab Dän. wird sich deshalb an OKH wenden. Weiter führte Chef Rü Stab Dän. aus, daß gestern der dänische Polizeioberst Holten von der Reichspolizei bei ihm vorgesprochen habe, der sich über die unzulängliche Bewaffnung der dänischen Polizei beklagte und gleichzeitig bat, ihn bei seinen Anträgen auf Überlassung von Munition zu unterstützen. Nicht einmal alle Polizeibeamten, die Straßendienst machten, hätten für ihre Revolver Munition. Er sei auch nicht in der Lage, den Werkschutz zu bewaffnen. Es fehle auch an Übungsmunition.

Chef Rü Stab Dän. wies zum Schluß darauf hin, daß sich die dänische Öffentlichkeit darüber wundere, daß seit längerer Zeit nichts mehr über Ergebnisse der Sabotageabwehr in den Zeitungen verlaute. Wohl stehen täglich weitschweifende Artikel über verübte Sabotageakte in den Zeitungen, aber, wie gesagt, nichts über die Sabotageabwehr.

---

23 Se Bests telegram nr. 114, 29. januar 1944.
24 Der er ikke registreret sabotage i Haderslev mellem 27. og 30. januar, men til gengæld var der to sabotager i Åbenrå og yderligere en i Sønderborg (RA, BdO Inf. 12, 1. februar 1944, Alkil, 2, 1945-46, s. 1228).
25 Junkers klædefabrik blev 30. januar 1944 udsat for et brandattentat og udbrændte fuldstændig. Virksomheden arbejdede delvis for værnemagten og havde 200 beskæftigede (RA, BdO Inf. nr. 13, 2. februar 1944, Alkil, 2, 1945-45, s. 1228).
26 Forstmann tog fejl, både når han gik ud fra, at det var den samme sabotagegruppe, der var på spil i alle tre byer, og når han mente, at der var tale om en og samme gruppe (se Trommer 1973, s. 131f.).

– Auch bezügl. der Anregung des Rü Stab Dän., hohe Belohnungen für Denunzianten, die bei jeder deutschen Dienststelle ihre Angaben machen können, auszusetzen, sei bisher nichts geschehen.

Reichsbevollmächtigter Dr. Best erwiderte, daß er eine Zunahme der Sabotagefälle nicht feststellen könne. Es handele sich in Kopenhagen um eine starke Gruppe von Saboteuren, die noch vernichtet werden müsse und hierzu würde alles getan.

Betr. Bewaffnung der dänischen Polizei, Veröffentlichung von Erfolgen in der Sabotageabwehr und Belohnung für Denunzianten werde er sofort das Erforderliche veranlassen.

gez. **Forstmann**

Anmerkung:
Nach inzwischen eingegangener Meldung sind die oben erwähnten 6.000 Stck. Knabenanzüge 2 Tage bevor sich der Sabotageakt ereignete, abgeliefert worden, so daß Schaden an deutschem Eigentum nicht entstand. Chef Rü Stab Dän. gab dem Reichsbevollmächtigten hiervon telef. Kenntnis. Er sagte, diese Mitteilung sei ja sehr erfreulich, er würde aber trotzdem wie oben erwähnt bemüht sein, durch die besprochenen Maßnahmen eine weitestgehende Einschränkung des Sabotage zu erreichen.

197. Partei-Kanzlei der NSDAP an das Auswärtige Amt 1. Februar 1944

Partei-Kanzlei der NSDAP havde fra en schweizisk pressetjeneste erfaret, at det var kommet til en konflikt mellem den danske kirke og besættelsesmagten – en konflikt, der sluttelig havde ført til en undskyldning fra tysk side, da det havde drejet sig om en misforståelse. Den sag ville kancelliet have nærmere belyst.

Horst Wagner sendte et identisk brev videre til Best 11. februar 1944 (RA, pk. 218), og Best svarede AA 24. juni, mens kancelliet først fik svar med stor forsinkelse 13. august 1944.

Konflikten lå adskillige måneder tilbage efter aktionen mod de danske jøder. Biskop Axel Malmstrøm havde i oktober 1943 bedt for de danske jøder i en radiogudstjeneste, hvorpå man fra tysk side havde klaget, advaret og tilrådet fremtidig forsigtighed, men det var blevet til, at radioprædikenerne for fremtiden skulle censureres. Dette afviste Københavns biskop Fuglsang Damgaard, hvad de øvrige biskopper tilsluttede sig. Fra tysk side meddelte man derpå korrekt, at der var tale om en misforståelse (Thostrup Jacobsen 1991, s. 156f. med note 80).

Kilde: NHWE, Id. dok.: APK-007450.

Nationalsozialistische Deutsche Arbeiterpartei   *München 33, den 1. Februar 1944*
Partei-Kanzlei   Führerbau III D 3 – Khn
                                                                                     3315/0/108

An das Auswärtige Amt
    zu Hd. SA-Brigadeführer Parteigenossen Frenzel
    Berlin
    Am Karlsbad 4-5

Betrifft: Politisch-konfessionelle Angelegenheiten in Dänemark.

Der "Schweizer Evangelische Pressedienst" Nr. 47/43 berichtet, es sei zwischen der dänischen Kirche und den Besatzungsbehörden zu einem Konflikt gekommen, der schließlich durch das Einlenken von deutscher Seite vermieden worden sei. Bischof Malmström hätte in einem Kirchendienst, der durch Radio übertragen wurde, für die Juden gebetet. Darauf hätten die deutschen Besatzungsbehörden eine Vorzensur der Kirchendienste gefordert. Bischof [Fuglsang] Damgaard habe daraufhin durch Vermittlung des dänischen Außenministeriums den deutschen Behörden mitgeteilt, bei Einführung der Zensur würden künftig weder die Kirchendienste am Sonntag noch die Morgenandachten durch den Rundfunk gesendet werden; außerdem werde der Grund dieser Maßnahme von sämtlichen Kanzeln mitgeteilt werden. Nach einer Woche habe der Bischof von den deutschen Behörden eine Entschuldigung erhalten, in der mitgeteilt worden sei, es habe sich um ein Mißverständnis auf Grund einer unrichtigen Übersetzung gehandelt.

Es wird um Mitteilung gebeten, welcher Sachverhalt dieser Meldung zu Grunde liegt.

Heil Hitler!
I.A.
[uden underskrift]

198. Seekriegsleitung: [Vermerk] 2. Februar 1944
Seekriegsleitung besluttede, at den militære nødvendighed endnu engang måtte vige for den også yderst krigsvigtige opretholdelse af den danske leveringsvillighed med hensyn til kød, smør og fisk. De danske fødevareleverancer måtte hæves betydeligt i 1944 pga. Ukraines bortfald. Det skulle forsøges i det mindste at skaffe et andet skib i stedet for Bornholmsskibene.

Se OKM til AA 8. februar.

Kilde: BArch, Freiburg, RM 7/1813. RA, Danica 628, sp. 7, nr. 5796.

Seekriegsleitung   *Berlin, den 2. Februar 1944.*
Zu B-Nr. 1. Skl. I i 3700/44 geh.

I.) Setze auf Abschrift der Anlage und gef. Stz/2.2.44 des Einganges:

Abschriftlich an:
  Skl. Qu A I
  Skl. Qu A VI

mit der Bitte um baldmöglichste Stellungnahme zu den Darlegungen des Reichsbevollmächtigten in Kopenhagen. Die militärischen Notwendigkeiten werden nochmals mit der gleichfalls äußerst kriegswichtigen Erhaltung der weiteren dänischen Lieferwilligkeit bezüglich Fleisch, Fett und Fische abzuwägen sein. Die aus Dänemark im Jahre 1944 zu liefernden Nahrungsmittelmengen müssen wegen der Ausfälle in der Ukraine noch erheblich gesteigert werden.

Möglicherweise ergibt sich der Ausweg, daß zumindest anstelle eines der Bornholm-Schiffe ein auf dem dänischen Festland aufliegendes Schiff in Benutzung genommen wird, nachdem Skl. Qu A VI mehrere derartige Fahrzeuge bereits als für die Kriegsmarine ebenfalls in Frage kommend bezeichnet hat.

II.) I i
C/Skl.
i.A. 1./Skl.
i.A. I i

199. Werner Best an das Auswärtige Amt 2. Februar 1944
Dagsindberetning.
   Kilde: PA/AA R 29.568. RA, pk. 204. LAK, Best-sagen (oversat).

Telegramm

Kopenhagen, den	2. Februar 1944	09.25 Uhr
Ankunft, den	2. Februar 1944	10.25 Uhr

Nr. 129 vom 2.2.[44.]   Citissime!

Ich bitte, folgende Meldung unverzüglich dem Herrn Reichsaußenminister zuzuleiten:
   Über die Lage in Dänemark berichte ich für den 31. Januar auf den 1. Februar 1944, daß bei Aarhus ein Überlandkabel durch Sabotage beschädigt worden ist, ohne daß die Stromversorgung unterbrochen wurde.[27] In Kopenhagen wurden in einem Betrieb die Waffen der Sabotagewächter entwendet, in einem anderen Betrieb wurde ein Sabotageversuch abgewehrt.[28] Weiter wurde in Kopenhagen der deutschfeindliche Leibgarde-Kapitän Graf Kield Brockenhuus-Schack lebensgefährlich angeschossen und ein dänischer Polizeibeamter erschossen.[29] (Hierzu Hinweis auf meine Tagesmeldung Nr. 118 vom 31. Januar 1944, letzter Satz).[30]

Dr. Best

27 Transformatoren ved Frichsvej blev ødelagt og kablet brændt (RA, BdO Inf. nr. 13, 2. februar 1944, Hauerbach 1945, s. 24).
28 Tre revolverbevæbnede personer fratog sabotagevagterne på Tandhjulsfabrikken, Rådmandsgade 68, deres pistoler, mens sabotagevagterne ved fabrikken Globus i Glostrup, der arbejdede for det tyske luftvåben, ved Elektricitetsværket, Nyborggade 13, skød efter seks angribende sabotører, der flygtede (RA, BdO Inf. nr. 13, 2. februar 1944. Jfr. *Daglige Beretninger*, 1946, s. 34f.).
29 Tyske officerer fra Panckes stab og medlemmer af Schalburgkorpsets efterretningstjeneste forsøgte clearingmord på Kjeld Brockenhuus Schack på Torkel Badensvej 2 i Hellerup, hvilket mislykkedes, mens politibetjent John Falkenaa faldt for gruppens kugler ud for Randbølvej 8 (*Højesteretstidende* 1947, s. 137, Bøgh 2004, s. 36f., 41, tillæg 3 her).
30 Ved denne henvisning fortæller Best direkte, at de to attentater var gengæld for angrebet på den tyske marineofficer dagen før.

200. Werner Best an das Auswärtige Amt 2. Februar 1944
Dagsindberetning.
   Kilde: PA/AA R 29.568. RA, pk. 204.

Telegramm

| Kopenhagen, den | 2. Februar 1944 | 20.10 Uhr |
| Ankunft, den | 2. Februar 1944 | 22.45 Uhr |

Nr. 137 vom 2.2.[44.]   Citissime!

Ich bitte, die folgende Meldung unverzüglich dem Herrn Reichsaußenminister zuzuleiten:

Über die Lage in Dänemark berichte ich für den 1. auf 2.2.44, daß 3 unbedeutende Sabotagefälle (Strohwagen in Hjörring und Zementlager und Cafe-Bar in Esbjerg) gemeldet sind.[31]

Die deutsche Sicherheitspolizei hat in den letzten 24 Stunden 30 Personen wegen Sabotage, Waffenbesitzes und illegaler Propaganda festgenommen.[32]

Dr. Best

201. Werner Best an das Auswärtige Amt 3. Februar 1944
Da den danske regering på Bests krav havde afgivet en større mængde generatorbrænde månedligt til OT og værnemagten, var der risiko for, at der ikke var generatorbrænde til rådighed til gennemførelsen af den danske eksport til Tyskland, hvorfor Best bad om, at leveringen af generatorbrænde fra Tyskland blev sat op.

Han fik svar af von Behr 24. februar.

De forøgede værnemagtsarbejder i Jylland fra efteråret havde øget kravet om og presset på danske ressourcer betydeligt, det gjaldt transportsystemet, vognmandskørsel, materialer af enhver art (herunder f.eks. 200.000 pæle krævet 13. december 1943), indkvarteringsmuligheder og arbejdskraft. I de fleste tilfælde lod det sig ikke gøre at søge at kompensere ved forøgelse af importen fra Tyskland, men med generatortræet forsøgte Best et større modtræk.
   Kilde: PA/AA R 113.561.

DG Kopenhagen Nr. 20 3.2. 14.50   Ha Pol VI 323/44

Auswärtig Berlin Nr. 142 vom 3.2.1944 =   Geheim

Die dänische Regierung hat auf meine Forderung zugesagt, der OT und der Wehrmacht für die Zwecke der Befestigungsarbeiten für die kommenden Monate ab Januar 1944 monatlich 60.000 hl Generatortankholz zur Verfügung zu stellen. Bei einer eigenen Trocknungskapazität von monatlich 250.000 hl und dem gänzlichen Mangel

---

31 Der var brand i to jernbanevognlæs halm på Hjørring station, mens "Lido" Bar i Esbjerg var udsat for en sabotagebrand (Alkil, 2, 1945-46, s. 1228, Henningsen 1955, s. 210).
32 Se RSHAs notat 4. februar 1944.

an Vorräten bedeutet dies eine erhebliche Einschränkung des dänischen Lastwagenverkehrs und damit u.a. auch eine bedenklich Gefährdung der Lebensmittelausfuhr nach Deutschland. Bereits jetzt haben sich auf Grund des Mangels an Generatorholz Transportschwierigkeiten bei Großschlächtereien und Molkereien ergeben.

Ich bitte, zur Abwendung der drohenden Beeinträchtigung der dänischen wirtschaftlichen Leistungen für das Reich bei OKH Infest und Generatorkraft A.G. auf beschleunigte Abgabe von monatlich 60.000 hl gebrauchsfertigen Tankholzes möglichst ab Februar 1944 an Rü Stab Dänemark für OT und Wehrmacht zu dringen.

Dr. Best

202. Werner Best an das Auswärtige Amt 3. Februar 1944
Dagsindberetning.
Kilde: PA/AA R 29.568. RA, pk. 204.

Telegramm

Kopenhagen, den	3. Februar 1944	19.30 Uhr
Ankunft, den	3. Februar 1944	23.30 Uhr

Nr. 148 vom 3.2.[44.]   Citissime!

Ich bitte, die folgende Meldung unverzüglich dem Herrn Reichsaußenminister zuzuleiten:

Über die Lage in Dänemark berichte ich für den 2. auf 3.2.1944, daß in Kopenhagen die Läden zweier Schlächtermeister beschädigt worden sind.[33] In Aarhus wurde eine deutschfeindliche Konditorei und ein Haus mit zwei deutschfeindlichen Geschäften durch Sprengbomben stark beschädigt.[34]

Dr. Best

---

33 Der var sabotage mod slagter Harald Hansens butik, Islands Brygge 23, og i slagterforretningen, Torvegade 62. Begge leverede til den tyske værnemagt (RA, BdO Inf. nr. 14, 4. februar 1944, Alkil, 2, 1945-46, s. 1228).
34 Medlemmer af Petergruppen var i Århus på dette tidspunkt (Bøgh 2004, s. 44), så raseringen af Emerys Konditori i Guldsmedgade var givetvis schalburgtage (og ikke sabotage som anført hos Alkil, 2, 1945-46, s. 1228), og det samme gjaldt bomben mod en bygning Søndergade 70 (Jensen 1968, s. 222), da BdO oplyser, at tyske interesser ikke blev berørt, ligesom det var tyske soldater forbudt at komme på konditoriet (RA, BdO Inf. nr. 14, 4. februar 1944). Tillæg 3 her.

203. Werner Best an das Auswärtige Amt 3. Februar 1944

Best modsatte sig af politiske grunde, at Korff blev nyt medlem af det tysk-danske regeringsudvalg, da Korff havde en egensindig opfattelse af det finansielle forhold mellem Tyskland og Danmark.

Wiehl svarede Best 12. februar 1944.

I AA delte man tilsyneladende Bests opfattelse af, at valget af Korff var uhensigtsmæssigt. Scherpenberg udarbejdede i januar to udkast til et svar til RFM i anledning af Korffs udpegning. Først blev det beklaget, at RFM længe ikke havde ladet sin repræsentant møde frem i udvalget, men at ministeriet dog var blevet holdt underrettet. Dernæst blev der rejst to indvendinger mod Korffs udnævnelse. Begge angik hans ansættelse i Norge: "Das AA hat aus grundsätzlichen Erwägungen es bisher stets vermieden, für die Tätigkeit in Kopenhagen Persönlichkeiten zu verwenden, die gleichzeitig beim Reichskommissar in Oslo tätig waren. ... Die Vereinigung der beiden Tätigkeiten schließt immer die Gefahr in sich, daß die dänischen Verhältnisse nach dem Maßstab der norwegischen Verhältnisse beurteilt und behandelt, und die grundlegenden Unterschiede, die bezüglich der völkerrechtlichen Stellung Dänemarks und Norwegens bestehen, verwischt werden." (RA, pk. 270). Dertil kom, at afstanden til Oslo kunne gøre det vanskeligt for Korff at nå frem til de regelmæssige møder i København. Så vidt AA. Ingen af Scherpenbergs udkast blev afsendt, og siden hen blev alene Korffs vanskelighed med at nå frem til møderne foreholdt RFM.

Selv skrev Korff 8. februar et notat, hvorefter Best 24. januar havde lykønsket ham med at have fået den nye opgave som medlem af regeringsudvalget, hvorved Korff "dadurch in der Lage sei, auch weiterhin zu den grundsätzlichen Finanzfragen in Dänemark Stellung zu nehmen." (RA, Danica 201, pk. 81A). Best nævnte naturligvis ikke med et ord over for Korff, at han var imod hans udpegning.

Kilde: RA, pk. 270.

Telegramm

Kopenhagen, den	3. Februar 1944	19.45 Uhr
Ankunft, den	4. Februar 1944	

Nr. 149 vom 3.2.44.

Auf das dortige Telegramm Nr. 67 vom 21.1.44[35] teile ich mit, daß ich gegen die Mitwirkung des Oberregierungsrates Korff im Regierungsausschuß insofern Bedenken, als Korff hinsichtlich der finanziellen Beziehungen zwischen dem Reich und Dänemark eigensinnig bestimmte Auffassungen vertritt, die ich aus politischen Gründen ablehnen muß. Er ist nach meiner Auffassung der Urheber des Schreibens des Reichsfinanzministers vom 24.1.44[36] (Y 5104/1/227 V) und wird zweifellos diese Auffassung auch im Rahmen des Regierungsausschusses immer wieder vertreten und sich dabei auf seine langjährige Kenntnis der dänischen Verhältnisse berufen. Ein anderer Vertreter des Reichsfinanzministeriums könnte sich, auch wenn er Auftragsgemäß die gleichen Auffassungen zu vertreten hätte, wenigstens nicht im gleichen Maße wie Korff als sachverständige Autorität für Dänemark aufspielen.

Dr. Best

---

35 Trykt ovenfor under 20. januar 1944.
36 Skrivelsen er ikke lokaliseret.

204. Hermann Wiedemann an Rüstungsstab Dänemark 3. Februar 1944

Best havde fået den danske regering til at levere 60.000 hl generatortræ månedligt fra januar 1944. Da det imidlertid ikke kun hæmmede det danske erhvervsliv, men også levnedsmiddeleksporten til Tyskland, bad han Rüstungsstab Dänemark om, at det medvirkede til, at det nødvendige træ blev leveret fra Tyskland. Der var indhentet et positivt tilsagn fra Rigsforstamtet i Berlin.

Se endvidere Bests telegram nr. 142 til AA samme dag.

Kilde: BArch, Freiburg, RW 19: Wi I E1: Dänemark. RA, KTB/Rü Stab Dä, 1. Vierteljahr 1944, Anlage 7.

Abschrift! Anlage: 7.
Der Reichsbevollmächtigte in Dänemark *Kopenhagen, den 3. Februar 1944.*
Hauptabteilung Wirtschaft
III/1004/44.

Betr.: Generatorholz für Wehrmacht und OT.

An den Rüstungsstab Dänemark
    z.Hd. v. Herrn Hauptmann Mücke
    Kopenhagen

Die dänische Regierung hat auf Ersuchen des Reichsbevollmächtigten für Wehrmacht und OT ab Januar 1944 monatlich 60.000 hl Generatortankholz zur Verfügung gestellt. Durch diesen Entzug von Tankholz aus der dänischen Wirtschaft werden sich ernsthafte Beeinträchtigungen nicht nur der innerdänischen Wirtschaft, sondern auch der Lebensmittelausfuhr nach Deutschland ergeben. Ich bitte deshalb darauf hinzuwirken, daß seitens der Generatorkraft A.G. Berlin die notwendigen Mengen Tankholz zur Verfügung gestellt werden. Nach Mitteilung des Reichsforstamtes, Berlin, besteht für die Generatorkraft A.G. grundsätzlich Bereitschaft, weitere Tankholzmengen nach Dänemark zu liefern.

    Abschrift dieses Schreibens ist an die OT gegangen.

Im Auftrag
gez. Wiedemann

F.d.R.d.A.
Hauptmann

205. Emil Geiger an Werner Best 3. Februar 1944

Helga Kastoft, hustruen til de danske kommunisters formand Aksel Larsen, prøvede ihærdigt at opnå tilladelse til at besøge ham i fangenskabet i Tyskland. Hun havde skriftligt henvendt sig til Werner Best 15. januar for at opnå dette, og Det Danske Gesandtskab i Berlin havde 28. januar henvendt sig til AA i samme sag. Da AA ikke havde modtaget Helga Kastofts ansøgning, bad Geiger Best om at fremsende den.

Geiger skrev igen til Best om de deporterede kommunister 25. februar (Det Danske Gesandtskabs verbalnote 28. januar 1944 i PA/AA R 99.502).

Kilde: PA/AA R 99.502.

Inl. II B 344
Im durchdruck
Den 3. Februar 1944.

Dem Reichsbevollmächtigten in Dänemark,
    Kopenhagen,

mit Beziehung auf den Bericht vom 8. Januar 1944 –II/214/44[37] – mit der Bitte um Kenntnisnahme übersandt. Ich wäre für Bericht dankbar, ob dort der Antrag der Ehefrau Larsen vorliegt. Gegebenenfalls bitte ich um Übersendung.

Im Auftrag
gez. **Geiger**

206. RSHA: Vermerk 4. Februar 1944

RSHA noterede sig Bovensiepens meddelelse om, at den illegale kommunistiske bladorganisation i Kolding var blevet oprullet, og at et stort antal personer var blevet arresteret, hvoraf dog godt halvdelen siden var blevet løsladt på grund af den strafbare handlings ubetydelighed. Imidlertid var 22 af de øvrige blevet overført til koncentrationslejren Sachsenhausen, mens de resterende endnu sad i Kolding Arrest.

Gestapos razziaer i Kolding 3.-4. december 1943 og 21. januar 1944 havde ført til ikke alene den illegale bladgruppes opløsning, men også afbræk for den øvrige modstandsaktivitet. Gestapos arbejde var blevet lettet betydeligt af, at nogle af de først anholdte valgte at angive de øvrige gruppemedlemmer. De 22, der blev deporteret til Tyskland, var en del af en større gruppe på i alt 77 tyske fanger, der 21. januar 1944 blev sendt til koncentrationslejren Sachsenhausen. De resterende kom fra Kolding Arrest til Vestre Fængsel, siden Horserødlejren og Frøslevlejren. Fra Frøslevlejren blev flere deporteret til Tyskland. Adskillige af de deporterede omkom[38] (Buschhardt, Fabritius, Tønnesen 1954, s. 49, Hæstrup, 1, 1966-71, s. 349, Barfod 1969, s. 399-401, Trommer 1973, s. 213, Holmgård 1990, s. 13-23).

Kilde: RA, Danica 1069, sp. 7, nr. 9096.

IV A 1 a
Berlin, d. 4.2.44.

1.) Auszugsweise Wiedergabe eines Berichtes des BdS in Dänemark vom 25.1.44:
"Die Aktion der Außendienststelle Kolding gegen die Hersteller und Verbreiter der komm. Zeitschrift "Budstikken" und "Land og Folk" ist nunmehr zu einem Teilabschluß gelangt. Insgesamt wurden 76 Personen festgenommen, von denen 36 Personen wegen geringen strafbaren Handlungen entlassen werden konnten. 22 Personen sind dem KL-Sachsenhausen überstellt. Die restlichen Personen befinden sich noch in Haft in Kolding.

2.) IV A 1
zu den Akten: a.) Dänemark, I/1
             b.) Dänemark, illegale Druckschriften.
I.A.
[underskrift]

37 Trykt ovenfor.
38 *Faldne i Danmarks modstandskamp*, 1970, s. 69 (Svend Otto Brødsgaard), s. 113, (Karinus Feldsted), s. 243 (Alfred Kristensen).

207. Werner Best an das Auswärtige Amt 4. Februar 1944
Dagsindberetning.
Kilde: PA/AA R 29.568. RA, pk. 204.

Telegramm

| Kopenhagen, den | 4. Februar 1944 | 19.40 Uhr |
| Ankunft, den | 4. Februar 1944 | 21.45 Uhr |

Nr. 154 vom 4.2.[44.]   Citissime!

Ich bitte, die folgende Meldung unverzüglich dem Herrn Reichsaußenminister zuzuleiten:

Über die Lage in Dänemark berichte ich für den 3. auf 4.2.1944, daß durch Werftsabotage in Svendborg 3 im Bau befindliche Schiffe beschädigt wurden.[39]

In Kopenhagen wurde durch einen kleinen Sprengkörper an einem Kolonialwarengeschäft geringer Sachschaden verursacht.[40]

In Aarhus wurde ein deutschfeindlicher Rechtsanwalt erschossen.[41]

Dr. Best

208. Werner Best an das Auswärtige Amt 5. Februar 1944
Det var RAMs ønske, at danskere i udlandet blev påvirket gennem propaganda, og Best bad derfor om at få en indstillet dansk kortbølgesender bragt i drift igen.
Kilde: PA/AA R 29.568. PKB, 13, nr. 453.

Telegramm

| Kopenhagen, den | 5. Februar 1944 | 15.00 Uhr |
| Ankunft, den | 5. Februar 1944 | 24.00 Uhr |

Nr. 157 vom 5.2.[44.]

Um gemäß dem Wunsch des Herrn Reichsaußenministers die überseeischen Auslandsdänen propagandistisch beeinflussen zu können, ist vorgesehen, daß der am 9. April 1940 stillgelegte dänische Kurzwellensender Skamlebäk auf Welle 31,51 m (9520 Kilohertz) wieder in Betrieb genommen wird.

---

39 På stålskibsværftet blev en minestryger og en specialnybygning bestemt for den tyske marine sænket, og på H. Rasmussens og Henningsens værft blev en motorbåd sænket og maskinel ødelagt (RA, BdO Inf. nr. 15, 5. februar 1944, *Information* 6. februar 1944, Alkil, 2, 1945-46, s. 1228).
40 Det drejede sig om bomben mod købmand Waldemar Jensens kolonialforretning, Strandvejen 98, København, der kun anrettede ringe skade og ikke berørte tyske interesser (RA, BdO Inf. nr. 15, 5. februar 1944).
41 Landsretssagfører Holger Christensen blev myrdet af et medlem af Petergruppen (Andresén 1945, s. 316, Lauritsen 1947, s. 1387, Bøgh 2004, s. 44, tillæg 3 her).

In der für solche Propaganda am besten geeigneten Zeit von 23 bis 24 Uhr wird diese Welle jedoch von einer deutschen Rundfunkstation benutzt. Ich bitte daher dringend um beschleunigte Freimachung dieser aufgrund internationaler Vorkriegsabmachungen für Dänemark reservierten Welle zur angegebenen Zeit.

Dr. Best

209. Werner Best an das Auswärtige Amt 5. Februar 1944
Dagsindberetning.
Kilde: PA/AA R 29.568. RA, pk. 204.

Telegramm

Kopenhagen, den	5. Februar 1944	15.05 Uhr
Ankunft, den	5. Februar 1944	16.30 Uhr

Nr. 163 vom 5.2.44.   Citissime!

Ich bitte, die folgende Meldung unverzüglich dem Herrn Reichsaußenminister zuzuleiten:
Über die Lage in Dänemark berichte ich für den 4. auf 5.2.44, daß aus dem Lande keine besonderen Vorfälle gemeldet worden sind.

Dr. Best

210. Werner Best an das Auswärtige Amt 5. Februar 1944
Best anmodede AA om, at ministeriet afviste at afkræve Danmark et bidrag til den tyske krigsfinansiering, som foreslået af RFM. Blandt Bests argumenter var det sidste og mest tungtvejende, at det ville påvirke de danske bønders produktionsvilje.
Best fik svar med telegram nr. 182, 9. februar.
Med dette telegram var sagen, som var rejst på baggrund af Schwerin von Krosigks brev 24. januar, på ingen måde slut for Bests vedkommende. Han rejste som ønsket af Ribbentrop på et kort besøg til Berlin for at føre drøftelser i bl.a. AA om denne sag. Herbert Backe blev ligeledes mobiliseret og tog stilling 10. februar, trykt nedenfor, fulgt op af RWM 20. februar.
Kilde: PA/AA R 29.568. RA, pk. 204. LAK, Best-sagen.

Abschrift
Der Reichsbevollmächtigte in Dänemark   *Berlin, den 5. Februar 1944*
Tgb. Nr. III/1008/44.   *Geheim!*

An das Auswärtige Amt, Berlin

Betr.: Dänemarks Beitrag zur Kriegsfinanzierung
Dortiges Schreiben Ha Pol. 448/44g vom 27.1.1944[42]

---

42 Skrivelsen er ikke lokaliseret, men indeholdt givetvis helt eller delvis Sonnleithners instruks til Steen-

Zu dem Schreiben des Herrn Reichsministers der Finanzen an den Herrn Reichsaußenminister betreffend Dänemarks Beitrag zur Kriegsfinanzierung vom 24.1.1944[43] (Y 5104/1 – 227 V) nehme ich dahin Stellung, daß ich bitte, die von dem Herrn Reichsfinanzminister zur Erörterung gestellte Änderung der Aufbringung der Besatzungsausgaben in Dänemark abzulehnen.

Meine Stellungnahme begründe ich wie folgt:

I.) Es ist nach meiner Auffassung unter keinem Gesichtspunkte deutscher Interessen notwendig, die gegenwärtige Aufbringung der Besatzungskosten durch Vorschüsse der dänischen Nationalbank aufzuheben und dafür endgültige, durch Steuern und Anleihen aufzubringende Beiträge des dänischen Staates zu fordern.

1.) Daß bei der Erhebung von Besatzungskostenvorschüssen das Deutsche Reich Schuldner und die dänische Nationalbank Gläubiger wird, ist ein rein formaler Vorgang, der zur Zeit das Deutsche Reich sachlich nicht im geringsten belastet. Auf der dänischen Seite ist man sich im Grunde durchaus darüber im klaren, daß die geleisteten Vorschüsse eines Tages als dänischen Beitrag zum gegenwärtigen Kriege festgestellt und daß die formellen Forderungen an das Deutsche Reich alsdann gestrichen werden. Mit der Kriegsentscheidung wird – das wissen die Dänen – das Schicksal Dänemarks entschieden und sie werden diese Entscheidung mit allen politischen, wirtschaftlichen und finanziellen Konsequenzen realistisch hinnehmen, ohne daß die Höhe der bis dahin aufgelaufenen formellen Forderungen an das Deutsche Reich diese Lösung erschweren wird.

2.) Zu währungs- und preispolitischen Zwecken sind die Steuern und Anleihen, die an Stelle der Nationalbankvorschüsse zur Finanzierung der Besatzungsausgaben aufgebracht werden müßten, nicht erforderlich. Die bisher in Dänemark gegen die Folgen der Geldreichlichkeit und des Warenmangels getroffenen Maßnahmen haben sich – ebenso wie die Preisüberraschung und die Lohnpolitik – durchaus bewährt und werden auch weiterhin zur Vermeidung unerwünschter Inflationserscheinung ausreichen. Auch langfristige Staatsanleihen werden bereits ohne den unmittelbaren Druck deutscher Forderungen zu Währung politischen Zwecken – zum Beispiel für Finanzierung zukünftiger Arbeitsbeschaffung – aufgelegt.

II.) Eine Änderung der bisherigen Form der Finanzierung der Besatzungskosten würde schwerwiegende politische und wirtschaftliche Folgen zum Nachteil der deutschen Interessen auslösen.

1.) Eine Abänderung der deutsch-dänischen Vereinbarungen über die Finanzierung der Besatzungskosten könnte nicht durch vertragliche Vereinbarung mit dem dänischen Staat herbeigeführt werden, da während des Nichtbestehens einer politischen Regierung die dänische Zentralverwaltung sich nicht zu einer so grundsätzlichen politischen Entscheidung befugt ansehen würde. Ebenso würde, da der Reichstag seit der Verkündung des militärischen Ausnahmezustandes am 29.8.43 seine Tätigkeit eingestellt hat und die Zentralverwaltung seitdem nur in einem beschränkten Rahmen notwendige Rechtsanordnungen erläßt, keine Möglichkeit bestehen, die zur

---

gracht af samme dato, trykt ovenfor.
43 Trykt ovenfor.

Aufbringung der Besatzungskosten erforderlichen Steuergesetzen usw. zu erlassen. Es bliebe deshalb nichts anderes übrig, als daß der Reichsbevollmächtigte aus deutschem Recht die Erhebung der erforderlichen Abgaben anordnete. Dies würde eine völlige Änderung der gegenwärtigen Politik gegenüber Dänemark bedeuten, die es bis jetzt vermieden hat, den völkerrechtlichen und staatsrechtlichen Status des Landes zu verändern und die politischen Zukunftslösungen zu präjudizieren.

2.) Selbst wenn unter völliger Veränderung der deutschen Politik gegenüber Dänemark die Erhebung der Besatzungskosten durch deutsche Anordnung versucht würde, so wäre ein beträchtlicher Widerstand sowohl der dänischen Behörden wie auch der Steuerzahler zu erwarten, der mangels ausreichender deutscher Kräfte nicht ohne weiteres unschädlich gemacht werden könnte. Die gesamte dänische Bevölkerung würde diese Maßnahme als einen Bruch der deutschen Zusicherungen vom April 1940 betrachten und sich moralisch zu jeder Art von Widerstand gegen die deutschen Maßnahmen berechtigt und verpflichtet fühlen.

3.) Insbesondere würden die Rückwirkungen einer solchen Maßnahme die wirtschaftlichen Leistungen Dänemarks für das Reich entscheidend beeinträchtigen. Sowohl das nationale Gefühl erlittenen Unrechts und fremden Zwanges wie auch die Befürchtung, erzielte Gewinne durch Steuererhebungen zugunsten der deutschen zu verlieren, würden vor alles den Produktionswillen der dänischen Bauern in einem Masse vermindern, daß keineswegs durch deutsche Zwangsmaßnahmen – für die auch personelle Kräfte durchaus fehlen – ausgeglichen werden könnte. Hierdurch würden die ernährungswirtschaftlichen Lieferrungen Dänemarks, die einen integrierenden Bestandteil der deutschen Volkserfahrung bilden, ausfallen oder jedenfalls in untragbarer Weise vermindert werden.

Zusammenfassend stelle ich fest, daß durch die von dem Herrn Reichsfinanzminister zur Erörterung gestellte Änderung lediglich der formale Vorteil einer buchmäßigen erzielt und dafür unabsehbarer Schaden politischer und wirtschaftlicher Art verursacht würde.

gez. **Dr. Best**

211. Werner Best an das Auswärtige Amt 5. Februar 1944
Best bad om forøgelse af de tyske saltleverancer til Danmark, da en stor mængde dansk svinekød skulle nedsaltes for tysk regning. Da det delvis var tale om et transportproblem, bad Best om at få det løst.
  AA sendte henvendelsen videre til RWM, hvorfra den 11. februar sendtes videre til rigstransportministeren, hvilket Best blev orienteret om af von Behr 18. februar.
  Kilde: PA/AA R 113.561.

Telegramm

| Kopenhagen, den | 5. Februar 1944 | 22.50 Uhr |
| Ankunft, den | 6. Februar 1944 | 00.15 Uhr |

Nr. 165 vom 5.2.[44.]   Cito!

Die dänische Salzversorgungslage hat sich in den letzten Wochen dadurch verschärft, daß große Mengen von Schweinefleisch für deutsche Rechnung bei dänischen Schlachtereien eingesalzen werden mußten, auch in Zukunft muß in großem Umfange Fleisch gesalzen werden. Da die Salzzufuhren den infolge dieser weiterhin anhaltenden Schweinefleischeinlagerung stark gestiegenen Bedarf nicht annähernd decken, besteht Gefahr des Verderbens, wenn nicht umgehend der Salzmangel behoben wird.

Schwierigkeiten sollen insbesondere dadurch entstanden sein, daß den deutschen Salzwerken nicht genügend Waggons für die Abbeförderung des Salzes nach den dänischen Stationen oder deutschen Verschiffungshäfen zur Verfügung gestellt werden.

Es ist dringend erforderlich, daß die bei dem deutschen Salzverband, Siedesalz- und Hüttensalzverkauf Berlin W 15, Brandenburgischestr. 14 und bei dem deutschen Salzverband, Steinsalzverkauf, Schönebergerstr. 5, Berlin SW 11 vorliegenden Aufträge dänischer Salzimportfirmen bevorzugt ausgeführt werden.

Ich bitte um Mitteilung des Veranlaßten. Neben dem Reichswirtschaftsministerium bitte ich auch das Reichsernährungsministerium von dem Vorstehenden in Kenntnis zu setzen.

Dr. Best

212. Eberhard Reichel an Amtsrat Fleissner 5. Februar 1944

Rolf Kassler havde ved et møde med Wagner i AA forelagt en række problemer vedrørende det tyske mindretal. Spørgsmålet om mindretallets statstilhørsforhold var stadig ikke løst. Yderligere blev mindretallets frivillige ved værnemagten tilsidesat, f.eks. kunne de ikke finde anvendelse som flyvende personel. Soldater på orlov fra Nordslesvig havde store problemer med at nå hjem pga. pas- og grænseproblemer. Endelig virkede sabotagen i Danmark negativt på DBNs krigsvigtige arbejde i Nordslesvig.

AA lod problemerne gå videre som spørgsmål til bl.a. OKW og SS-Führungshauptamt, og der indløb forholdsvis hurtigt svar vedrørende problem 2 og 3 (refereret kort i noterne), mens der i sagens natur ikke var meget at gøre ved det 4. problem, mens spørgsmålet om statstilhørsforholdet blev taget op af Best til AA 21. august 1944, da det stadig ikke var løst.

Kilde: PA/AA R 100.357. RA, pk. 237.

LR Dr. Reichel

Notiz
für Herrn AR Fleissner

Herr Gesandtschaftsrat Kassler hat anläßlich einer Besprechung bei Herrn VLR Wagner die nachfolgenden Punkte zur Sprache gebracht:
1.) Die Staatsangehörigkeitsfrage der Volkdeutschen aus Nordschleswig sei nach wie vor nicht geregelt. Der Reichsbevollmächtigte strebt unter allen Umständen eine Ausnahme von dem bekannten Führer-Erlaß für die nordschleswiger Freiwilligen an.[44] Eine Entscheidung in diesem Sinne sei dringend erforderlich.

---

44 Trykt ovenfor 19. maj 1943.

2.) Aufgrund der Tatsache, daß die Volksdeutschen aus Nordschleswig nicht deutsche Reichsangehörige seien, entstünden ihnen in der Wehrmacht immer noch Nachteile; z.B. könnten sie nicht als fliegendes Personal verwendet werden usw. Er bitte dringend, daß derartige Zurücksetzungen mit dem OKW abgestellt werden.[45]

3.) Die Urlaubsreisen nach Nordschleswig seien noch immer nicht befriedigend geregelt. Zahlreiche Urlauber würden viele Tage damit zubringen, in Berlin bei Dienststellen des OKW herumzulaufen, um sich die entsprechenden Bescheinigungen zu beschaffen. Teilweise gelinge dies auch nicht, so daß viele Urlaub gehabt hätten, ohne in ihrer Heimat gewesen zu sein. Dies bringe eine erhebliche Verärgerung mit sich.[46]

4.) Der Leiter der Deutschen Berufsgruppen in Nordschleswig, Hansen Damm, soll einrücken. Dies würde sich in Anbetracht der Sabotage in Dänemark auf die überaus kriegswichtige Arbeit der Deutschen Berufsgruppen in Nordschleswig, die heute allein die Gewähr dafür bieten würden, Rüstungsaufträge termingemäß abzuliefern, sehr nachteilig auswirken.

Berlin, den 5. Februar 1944.

Reichel

213. Hermann von Hanneken an OKH 6. Februar 1944

Der blev udført en række skibssabotager i Svendborg 3. og 4. februar, som det fremgår af Bests telegram nr. 154, 4. februar. Von Hanneken kunne meddele, at der ville blive gennemført soneforanstaltninger herfor i henhold til RFSS' ordre af 30. december 1943.

Soneforanstaltningerne blev realiseret 9. februar i form af to bombeattentater i Svendborg udført af Petergruppen. Dette eksempel på en dagsindberetning fra von Hannekens side er undtagelsen, men illustrerer både hans almindelige viden om den tyske modterrorpolitik og forudgående viden om konkrete enkeltaktioner (Bøgh 2004, s. 45, tillæg 3 her).

Kilde: RA, Danica 1000, T-78, sp. 320, nr. 275.007.

F e r n s c h r e i b e n

KR – HXSI 771 6.2.44 19.05 =
OKH/Gen. St. D H/OP Abt. =

Tagesmeldung 6.2.44
    2 Sabotagefälle an Fabrikanlagen. Wehrmachtinteressen durch Sachschaden leicht betroffen.

---

45 OKW bad gennem AA (Reichel) den 11. februar 1944 gesandtskabet om, at der fremkom konkrete eksempler på frivillige fra mindretallet, der var blevet tilsidesat (PA/AA R 100.357, RA, pk. 237).

46 Barandon havde 18. december 1943 klaget til AA over de orlovsrejsendes besværligheder og vedhæftet et notat på tre sider, dateret 10. december 1943 med orlovsbestemmelserne gældende for frivillige fra det tyske mindretal i Nordslesvig. Der var tale om et større bureaukrati. Reichel sendte et foreløbigt svar til København 11. februar 1944, hvorefter orlovsbesværlighederne var et overstået midlertidigt problem. SS-Führungshauptamt svarede 17. februar 1944 AA på kritikken af de frivilliges problemer under orlov med, at der var regler, der skulle følges for opretholdelse af den perfekte grænsekontrol, mens OKW 1. marts svarede, at det meste var en myte og meget var overdrevet (alle akter i PA/AA R 100.356 og 100.357 og RA, pk. 237).

Verminen westl. Ringköbing – Fjord und Seegebiet nordostwärts Skagen durch große Anzahl tieffliegender Feindmaschinen.

Zusatz zu Ziffer 1 und 5. Sühnemaßnahmen wegen Schiffsbeschädigungen werden gem. Verfügung Reichsfhr. SS v. 30.12.43 getroffen.

Wehrm. Befh. Dän. I A nr. 105/44

214. Werner Best an das Auswärtige Amt 7. Februar 1944
Dagsindberetning.
Kilde: PA/AA R 29.568. RA, pk. 204.

Telegramm

Kopenhagen, den	7. Februar 1944	20.30 Uhr
Ankunft, den	7. Februar 1944	23.30 Uhr

Nr. 169 vom 7.2.[44.]   Citissime!

Ich bitte, die folgende Meldung unverzüglich dem Herrn Reichsaußenminister zuzuleiten:

Über die Lage in Dänemark berichte ich für den 5. auf 6.2.1944, daß in Apenrade 2 Sabotageakte gegen Maschinenwerkstätten, die für deutsche Zwecke arbeiten, stattgefunden haben. Die Saboteure wurden außerhalb der Stadt von der deutschen Sicherheitspolizei gestellt, einer erschossen und 6 festgenommen.[47]

Dr. Best

215. Walter Forstmann an Hermann von Hanneken 7. Februar 1944
Rüstungsstab Dänemark indberettede periodisk om de skader, der blev påført værnemagten ved sabotage. Hidtil var staben ikke blevet orienteret om, hvad der kom ind af penge ved skadesbehandlingen og bad om at få det i fremtiden.
Kilde: BArch, Freiburg, RW 19: Wi I E1: Dänemark og RW 27/13. RA, Danica 1000, T-77, sp. 696, KTB/Rü Stab Dänemark, 1. Vierteljahr 1944, Anlage 6 (og Anlage 18 i RW 27/13).

Abschrift von Abschrift!   Anlage 6.

---

47 Tilrejsende medlemmer af Holger Danske og lokale modstandsfolk forøvede sabotage mod fabrikken "Hamag" i Lavgade, mens aktionen mod Åbenrå Motorfabrik mislykkedes. Efterfølgende samledes modstandsfolkene hos automobilhandler Peder Koch, hvis hus senere blev omringet af tysk politi, hvor en modstandsmand (Peer Borup) blev dræbt under ildkampen og adskillige arresteret, herunder danske politimænd. Blandt de arresterede var Koch, der senere afgik ved døden i tysk koncentrationslejr, sammen med to andre af de anholdte, Knud Nordentoft og Klaus Rønholt (RA, BdO Inf. nr. 16, 8. februar 1944, *Faldne i Danmarks frihedskamp*, 1970, s. 61f., 241, 333f., 388f., Trommer 1973, s. 135, Kieler, 2, 1993, s. 151, Kieler, 2, 2001, s. 17-42, Birkelund 2008, s. 130-133, 679).

Abteilung Wehrwirtschaft   *Kopenhagen, den 7.2.1944.*
im Rü Stab Dänemark
Gr.: Ib/Ic Az.: 1b2.

Betr.: Ersatz von deutschem Wehrmachtgut, das durch Sabotage zerstört wird.
Bezug: Dort. Schr. Abt. Qu., Nr. 124/43 vom 13.5.1943.

An den Wehrmachtbefehlshaber Dänemark, Abt. Qu.,
   Kopenhagen.

Abt. Wwi im Rü Stab Dän. meldet gemäß o.a. Bezugsschreiben periodisch alle an deutschem Wehrmachtgut durch Sabotage entstandenen Schäden, soweit dieselben Rüstungsbelange betreffen, und die Kosten, die durch die Wiederherstellung eines durch Sabotage beschädigten Wehrmachteigentums verursacht worden sind. Die weitere Behandlung dieser Meldung ist hier nicht bekannt.
   Da Abt. Wwi im Rü Stab Dän. jedoch von den deutschen Wehrmachtdienststellen, die im Einzelfall den Schaden erlitten haben, wegen der geldlichen Abwicklung des Schadensfalles angegangen wird, wird um Auskunft gebeten, wie die weitere Behandlung dieser Sachschäden von dort erfolgt, in welcher Weise insbesondere die von Abt. Wwi im Rü Stab Dän. gemeldeten Schadensbeträge vereinnahmt werden. Es ist erforderlich, daß Abt. Wwi im Rü Stab Dän. in jedem Einzelfalle über die Vereinnahmung des Schadensbetrages unterrichtet wird, damit von hier aus die betreffenden deutschen Dienststellen benachrichtigt werden können.
                                        gez. **Forstmann**
F.d.R.d.A
Hauptmann

216. Emil Wiehl an Werner Best 8. Februar 1944
Best blev stillet et spørgsmål om en økonomisk overenskomst, der lå længe før hans tiltrædelse som rigsbefuldmægtiget: Hvorfor havde Danmark tilsyneladende ladet spørgsmålet om tilbagebetaling af forskuddene fra Danmarks Nationalbank til besættelsesmagten stå åbent, da man lavede en aftale i august 1940?
   Renthe-Fink i Frankrig fik samme spørgsmål fra Wiehl, som udløber af Schwerin von Krosigks brev 24. januar 1944.
   Best svarede med telegram nr. 237, 22. februar 1944 (Jensen 1971, s. 95).
   Kilde: PA/AA R 105.211. RA, pk. 281.

T e l e g r a m m

Berlin, den   8. Februar 1944

Diplogerma Kopenhagen
Nr. 118
Referent: LR Baron v. Behr

Betrefft: Besatzungskosten Dänemark

Für Reichsbevollmächtigten.

Unter Bezugnahme auf unsere gestrige Rücksprache bitte Reichsbankdirektor Sattler zu umgehender Äußerung zu folgenden Fragen zu veranlassen:
1.) Ist bei Verhandlungen über Abschluß Abkommens vom August 1940 zwischen Hauptverwaltung Reichskreditkassen und Dänischer Nationalbank oder später deutscherseits erklärt worden, daß Rückzahlung der von Dänischer Nationalbank geleisteten Vorschüsse nicht beabsichtigt.
2.) Verneinendenfalls – aus welchen Gründen wurde Frage Rückzahlung offen gelassen.
3.) Aus welchen Tatsachen kann geschlossen werden, daß Dänen sich stets darüber klar waren, daß Rückzahlung der Vorschüsse nicht erfolgen werde.

Wiehl

217. Paul von Behr an Emil Wiehl 8. Februar 1944

Inden sin afrejse fra Berlin nåede Best ikke at videregive en vigtig besked om sin drøftelse med statssekretær Fritz Reinhardt til Wiehl, hvorfor han telefonisk lod den viderebesørge til Wiehl af von Behr. Reinhardt havde erklæret, at han ville foreslå Schwerin von Krosigk at udsætte spørgsmålet om Danmarks betaling af besættelsesomkostninger i et halvt år.

Wiehl gjorde i sin redegørelse 23. februar 1943 brug af denne oplysning.[48]
Kilde: PA/AA R 105.211. RA, pk. 281.

Legationsrat Baron v. Behr

Dr. Best in Kopenhagen, der Sie nicht erreichen konnte, bat mich, Ihnen folgendes mitzuteilen.

Im Ergebnis seiner gestrigen eingehenden Rücksprache mit Staatssekretär Reinhardt hat letzterer erklärt, er werde seinen Minister vorschlagen, die Angelegenheit, über die Dr. Best mit Ihnen gestern sprach (gemeint ist offenbar Heranziehung Dänemarks zur Zahlung der Besatzungskosten) vorerst um ½ Jahr zurückzustellen. Dr. Best meinte, daß damit vielleicht die Angelegenheit als erledigt angesehen werden könne.

Er stellte ferner anheim, Sie möchten sich mit Min. Dir. Berger in Verbindung setzen.

Hiermit Herrn Min. Dir. Wiehl ergebenst vorgelegt.
Berlin, den 8. Februar 1944.
[uden underskrift]

---

48 Best forklarede 6. august 1945 om forhandlingerne med Reinhardt, at han over for denne havde gjort gældende, at man ved at kræve et krigsbidrag ville inddrage Danmark i krigen og derved ændre landets status, ligesom man også af hensyn til stemningen i landet skulle afholde sig fra sådanne krav (Best-sagen, LAK).

218. Emil Wiehl an Cecil von Renthe-Fink 8. Februar 1944
Renthe-Fink blev stillet spørgsmålet: Hvorfor havde Danmark tilsyneladende ladet spørgsmålet om tilbagebetaling af forskuddene fra Danmarks Nationalbank til besættelsesmagten stå åbent, da man lavede en aftale i august 1940?
    Renthe-Fink svarede 11. februar 1944.
    Kilde: PA/AA R 105.211. RA, pk. 281.

Telegramm

Berlin, den   8. Februar 1944

Diplogerma Paris
Consugerma Vichy Nr. 144
Referent: LR Baron v. Behr

Betrefft: Besatzungskosten Dänemark

Für Gesandten Renthe-Fink.
Im Zusammenhang mit dänischem Wunsch nach Umstellung Clearing-Kontos auf dänische Kronen hat sich als notwendig erwiesen, einige Einzelheiten aus Verhandlungen zu klären, die dem Abschluß des Abkommens vom August 1940 zwischen Hauptverwaltung Reichskreditkassen und dänischer Nationalbank über Finanzierung Besatzungskosten vorausgingen. Da auf Grund hiesiger Akten restlose Klärung nicht möglich, wäre ich für tunlichst umgehende Beantwortung folgender Fragen dankbar:
1.) Ist bei erwähnten Verhandlungen oder später deutscherseits erklärt worden, daß Rückzahlung der von dänischer Nationalbank geleisteten Vorschüsse nicht beabsichtigt?
2.) Verneinendenfalle – aus welchen Gründen wurde Frage Rückzahlung offen gelassen?
3.) Aus welchen Tatsachen kann geschlossen werden, daß Dänen sich stets klar darüber waren, daß Rückzahlung der Vorschüsse nicht erfolgen werde?
                                                               Wiehl

219. Werner Best an das Auswärtige Amt 8. Februar 1944
Dagsindberetning.
    Kilde: PA/AA R 29.568. RA, pk. 204, 228 og 438a.

Telegramm

Kopenhagen, den	8. Februar 1944	14.30 Uhr
Ankunft, den	8. Februar 1944	17.10 Uhr

Nr. 172 vom 8.2.44.   Citissime!

Ich bitte, die folgende Meldung unverzüglich dem Herrn Reichsaußenminister zuzuleiten.

Über die Lage in Dänemark berichte ich für den 6. auf 7.2.44, daß die folgenden Sabotagefälle gemeldet worden sind: In Kopenhagen eine Autoreparaturwerkstatt, die für deutsche Zwecke arbeitet und die Ladenscheibe eines Schuhgeschäftes, in Randers geringe Beschädigung eines Hotels.[49] Bei Hobro (Jütland) wurden 30 mit Lastfallschirmen abgeworfene Trommeln gefunden, die 61 Maschinenpistolen und 7 Pistolen nebst Munition, sowie Sabotagemittel (Sprengstoff, Zünder, Übertragungsladungen) enthielten.[50] Vor der Ostküste Seelands wurde ein schwedischer Kutter aufgebracht, in dem sich ein schwedischer Staatsangehöriger als Bootsführer und 8 früher aus Dänemark geflüchtete dänische Staatsangehörige, die offenbar mit illegalen Aufträgen nach Dänemark zurückgesandt worden sind, befanden. Die Vernehmungen der Festgenommenen laufen noch.[51] Von der deutschen Sicherheitspolizei wurden wegen Sabotageverdachts oder Verdachts illegaler Betätigung in Aarhus 17 Personen und in Kopenhagen 5 Personen (darunter 3 kommunistische Funktionäre) festgenommen.[52]

Dr. Best

[49] Der var sabotage mod Reinhardts Autoværksted, Sejerøgade 6, København, udført af Holger Danske, en bombe i skotøjsbutikken Karl Holstein-Magnussen, Godthåbsvej 235, ligeledes København (ejeren var dansk nazist), og sabotage mod Hotel "Corner" i Randers, hvor der overvejende kom værnemagtsmedlemmer (RA, BdO Inf. nr. 16, 8. februar 1944, *Information* 8. februar 1944, Alkil, 2, 1945-46, s. 1228, *Daglige Beretninger*, 1946, s. 40, Birkelund 2008, s. 679).

[50] Våbnene blev nedkastet nær landsbyen Troestrup, 14 km sydvest for Hobro. Nedkastningen blev iagttaget af lokale beboere, der alarmerede politiet i Hobro (RA, BdO Inf. nr. 17, 9. februar 1944, *Information* 9. februar 1944).

[51] Den svenske kutter er ikke identificeret, men havde efter de spinkle foreliggende oplysninger foruden den svenske skipper 8 danskere med tilbage til Danmark. Det bekræftes af *Information*, men yderligere en båd blev taget i skudehavnen i København 18. februar, så *Information* kan navngive nogle af de i alt anholdte: Axel Bo, Olaf Rasmussen og Menzel. Tre af de anholdte skulle være officerer. Den svenske kutters opbringning førte ifølge Bergstrøm (med Outze og danske politifolk som kilde) til en del anholdelser (bl.a. af overbetjent Jagd fra søpolitiet) og til eftersøgning af redaktør Børge Rønne. Sidstnævnte var en af stifterne af den såkaldte Kier-rute sammen med bogbinder Erling Kier, der fra oktober 1943 havde besejlet ruten Helsingørområdet-Helsingborg. Tysk politi havde efter det foreliggende haft held til at slå til mod to centrale illegale Sverigesruter. Hertil kommer, at en af de anholdte, Jørgen Menzel, 7. februar medbragte kurérpost til Lucjan Maslocka, leder af den polsk-engelske efterretningstjeneste i Danmark, hvilket førte til talrige arrestationer en måned senere. Jørgen Menzel blev dømt til døden i juni, men senere benådet (KB, Bergstrøms dagbog 10.,12. og 18. februar 1944, *Information* 18. og 19. februar 1944, Dethlefsen 1993, s. 90f., Alkil, 2, 1945-46, s. 884 (Detlefsen omtaler s. 94 en afskibning fra Hendil-gruppen fra februar 1944, som Gestapo havde held til at ramme, men antager, at det drejede sig om en mislykket afskibning fra Asiatisk Plads 3. februar. Det er næppe tilfældet, Nellemann 1989, s. 71, Bests beretning nr. 323, 10. marts 1944).

[52] Anholdelserne havde fundet sted i efteråret 1943, og domfældelserne var sket; det er uvist, hvorfor meddelelse herom først blev givet flere måneder senere. De anholdte var student Georg Mørch Christiansen, kontorist Aage Henri Andersen, repræsentant Alf Tolboe Jensen, typograflærling Frede Klitgaard, gørtlerlærling Karl Nielsen, maskinarbejder Svend Thomsen, arbejdsdreng Hans Bartram, lagerforvalter Karl Hansen, sygekassebud Hans-Erik Nielsen, student Jørgen Rytter, student Børge Olesen og kontorist Arthur Sørensen, hvorved 22 sabotageaktioner i tiden 10. februar 1942 til 5. september 1943 blev opklaret (RA, BdO Inf. 17, 9. februar 1944, hvor alle aktionerne på dato er opført). De blev dømt i Århus 24. november 1943, hvor tre blev dødsdømt: Georg Mørch Christiansen (henrettet 2. december 1943), Aage Andersen (senere benådet) og Alf Tolboe Jensen (henrettet 20. december 1943), mens alle de øvrige (og Aage Andersen) blev ført til Tyskland for at afsone livsvarigt tugthus (Andrésen 1945, s. 197-201, 269, *Faldne i Danmarks frihedskamp*, 1970, s. 90f., 195). – BdO meldte også, at der natten til 8. februar var anholdt 17 personer i Århus for sabotage, medvirken til flugt, udbredelse af illegale skrifter og forfalskning af identitetskort (BdO Inf. nr. 18, 10. februar 1944).

220. Werner Best an das Auswärtige Amt 8. Februar 1944
Best orienterede om Argentinas diplomatiske forhold til Danmark, efter at landet havde afbrudt de diplomatiske forbindelser med aksemagterne.
 Kilde: PA/AA R 29.568. PKB, 13, nr. 507.

Telegramm

Kopenhagen, den	8. Februar 1944	14.35 Uhr
Ankunft, den	8. Februar 1944	17.10 Uhr

Nr. 173 vom 8.2.[44.]

Der dänische diplomatische Vertreter in Buenos Aires [N. P.] Pedersen, der nach der Entlassung des Gesandten Finnlund die Geschäfte der dänischen Gesandtschaft in Buenos Aires führt, hat das folgende Telegramm an das dänische Außenministerium gerichtet (Übersetzung aus dem Spanischen):[53]
 "Angesichts des Beschlusses der argentinischen Regierung, die Beziehungen mit Deutschland abzubrechen und im Hinblick auf die gegenwärtige Situation in Dänemark erklärt diese Gesandtschaft, treu dem Könige, weiterhin aus Dänemark kommende Instruktionen nicht ausführen zu können. Die Gesandtschaft wird fortfahren mit Einwilligung der argentinischen Regierung Dänemark zu vertreten und die dänischen Interessen in Argentinien wahrzunehmen."
 Irgendwelche Maßnahmen sind nicht zu treffen, da schon bisher zwischen dem dänischen Außenministerium und der dänischen Gesandtschaft in Buenos Aires keinerlei Verbindung mehr bestand und Pedersen als Geschäftsmann und "Chargé des Affaires H.C." keinerlei Gehalt vom dänischen Staat bezog. Nach einer durch den Rundfunk bekannt gewordenen Meldung von "Associated Press" aus Buenos Aires soll die argentinische Regierung nach dem Abbruch der Beziehungen mit den Achsenmächten auch die Beziehungen zu Dänemark abgebrochen haben. Hierüber ist im dänischen Außenministerium nichts bekannt, auch durch unsere Telegrammkontrolle ist keinerlei derartige Mitteilung gegangen.

Dr. Best

221. OKM an das Auswärtige Amt 8. Februar 1944
Efter de af Werner Best fremsatte indvendinger var det i OKM blevet besluttet kun at beslaglægge en af de tre Bornholmerbåde, "Hammershus", mens man gav afkald på de øvrige.
 "Hammershus" blev beslaglagt 18. februar og fra 26. februar bevogtet af en prisekommando på 2 officerer og 12 mand. Skibet afsejlede 16. marts til Swinemünde (Barfod 1976, s. 113f.).
 Kilde: BArch, Freiburg, RM 7/1813. RA, Danica 628, sp. 7, nr. 5795.

---

53 Gesandt Finnlund er ikke identificeret og er i PKB udeladt af registret.

Oberkommando der Kriegsmarine *Berlin, den 8. 2.1944*
B. Nr. 1/Skl. I ia 4496/44 g. Eilt
Vfg. Geheim

I. Schreibe:
An das Auswärtige Amt
    z.Hd. von Herrn Gesandten Martius
    Berlin
    Gef. Ap/8.2.44
Auswärtige Amt
    z.Hd. von Herrn Gesandten Leitner
    Berlin

Vorg.: Ha Pol XII a 233 vom 27.1.44[54]
Betr.: Bornholm-Schiffe.

Auf die dortige Bitte und die Darlegungen des Reichsbevollmächtigten hin sind die militärischen Notwendigkeiten zum Einsatz der Bornholm-Schiffe nochmals überprüft worden. Um den dortigen Wünschen entgegenzukommen, ist mit Rücksicht auf den besonderen Charakter dieser Schiffe trotz des bestehenden Bedarfs entschieden worden, daß nur die "Hammershus" beschlagnahmt wird und auf eine Beschlagnahme von "Frem" und "Rotna" verzichtet wird.

II. Abschr. von I an Skl. Qu A VI
III. I ia.
                                                1/Skl.

222. Werner Best an das Auswärtige Amt 8. Februar 1944

Dagsindberetning. Med henvisning til anholdelserne i Åbenrå plejede Best overfor AA den hypotese, at sabotagen i provinsen mest blev udført af grupper, der kom fra København.
    Det var ikke tilfældet, og det var heller ikke samme gruppe som den i Åbenrå, der havde forøvet sabotagen 8. januar 1944 mod B&W. Sidstnævnte var udført af BOPA, mens det var Holger Danske, der var på besøg i Åbenrå.
    Kilde: PA/AA R 29.568. RA, pk. 204.

                    Telegramm

Kopenhagen, den   8. Februar 1944   19.45 Uhr
Ankunft, den   8. Februar 1944   21.50 Uhr

Nr. 175 vom 8.2.[44.]   Citissime!

---

54 Skrivelsen er trykt ovenfor under 26. januar 1944.

Ich bitte, die folgende Meldung unverzüglich dem Herrn Reichsaußenminister zuzuleiten:

Über die Lage in Dänemark berichte ich für den 7. auf 8.2.1944, daß in Kopenhagen 2 deutschfeindliche Filmateliers gesprengt worden sind.[55]

Die Vernehmung der bei Apenrade gefaßten Saboteure (mein Telegramm Nr. 169 vom 7.2.1944) hat ergeben, daß diese auch die schwere Sabotage in der Werft Burmeister und Wain in Kopenhagen am 8.1.1944 (mein Telegramm Nr. 37 vom 8.1.1944)[56] begangen haben, (womit wieder einmal erwiesen ist, daß die Sabotageakt in den verschiedenen Orten des Landes immer wieder von denselben, meist von Kopenhagen ausgesandten Sabotagegruppen verübt werden).

Dr. Best

223. Walter Forstmann an Flugabwehrkommando Dänemark 8. Februar 1944

Forstmann gentog en tidligere anmodning om at få flakskyts til beskyttelse af fabrikken Nordværk mod både luftangreb og som sabotagebeskyttelse. Fabrikken var vigtig for tysk rustningsproduktion og havde lige været ude for sabotage, hvorved en vagt var blevet dræbt og en anden såret. Københavns kommandant havde afvist at stille vagter.

Forstmann fik afslag på opstilling, men lovning på tre flakkanoner til fabrikken, når der kunne stilles dansk personale. Det var endnu ikke sket 19. maj 1944, se Forstmann til Rüstungsamt anf. dato.

FAK = Flugabwehrkommando.

Kilde: BArch, Freiburg, RW 27/13, KTB/Rü Stab Dän 1. Vierteljahr 1944, Anlage 20.

Abschrift   Anlage 20
Chef Rüstungsstab Dänemark   8.2.1944
Ic 400

Dort. Schr. Abt. Ia, Az. 34 g 5 Br. B. Nr. 966/43 geh. vom 15.10.43.
Flakschutz für Maschinenfabrik Nordvärk A/S (General Motors), Kphg.

An Flugabwehrkommando Dänemark, Gefechtsstand.

Mit Schreiben vom 1.10.43 hat Rü Stab Dän. bei der Flakuntergruppe Seeland, z.Hd. von Oberstltn. Hahn, beantragt, die o.a. Firma gegen feindliche Luftangriffe durch Flak zu sichern.

Am 15.10.43 teilte FAK Dänemark mit, daß z.Zt. ein Schutz dieser Firma durch leichte Waffen nicht möglich sei, da hierzu im Augenblick keine Kräfte zur Verfügung ständen. Hinzugefügt wurde, daß FAK keine Dänemark jedoch den Schutz der Firma vorgemerkt habe und zur gegebenen Zeit auf die Angelegenheit zurückkommen werde.

Rü Stab Dänemark stellt hiermit erneut den Antrag, die o.a. Firma durch 3 leichte MK zu sichern. Der Schutz des Werkes durch die beantragten MK ist aber nicht nur

---

55 Petergruppen forøvede schalburgtage mod filmselskabet "ASA" i Lyngby og mod "Nordisk Filmskompagni" i Valby, og BdO konstaterede, at tyske interesser ikke blev berørt (RA, BdO Inf. nr. 18, 10. februar 1944, Lauritsen 1947, s. 1387, Bøgh 2004, s. 44f., tillæg 3 her).

56 Trykt ovenfor.

gegen feindliche Luftangriffe gedacht, sondern auch zur Sabotageabwehr.

Die Firma BMW Flugmotorenwerke München haben die großen Hallen dieser Firma (30.000 qm) mit einem Betrag von 1,5 Millionen d.Kr. ausgebaut und eingerichtet. Es werden dort Flugzeugmotoren voll repariert. Es handelt sich also um eine kriegsentscheidende Fertigung. Am 29.1.44 wurden dort durch Sabotage die Transformatorenstation und die Heizungsanlage völlig zerstört, obgleich dort ein an sich tatkräftiger dänischer Werkschutz eingesetzt war. Ein Sabotagewächter wurde getötet und einer schwer verletzt.[57]

Ds.E. wird allein das Vorhandensein der Geschütze und der Bedienung Saboteure abhalten, gegen das Werk vorzugehen und außerdem dem eigentlichen Werkschutz das Rückgrat stärken.

Bereits am 14.1.44 hat Rü Stab Dänemark in der gleichen Angelegenheit beim Kommandeur des Höheren Kommandos Kopenhagen den Antrag gestellt, dem Werk einen militärischen Schutz zu geben, was jedoch wegen Personalmangels abgelehnt wurde.[58]

Da es sich um eine dringendste Luftwaffenfertigung handelt, sieht sich Rü Stab Dänemark veranlaßt, sich nochmals an das FAK Dänemark um Unterstützung zu wenden. Major Kuhlmann, Leiter der Abt. Luftwaffe im Rü Stab Dänemark, hat Befehl erhalten, wegen der Einzelheiten mit dem dortigen Kommando Rücksprache zu nehmen.

Der Chef des Rüstungsstabes Dänemark
gez. **Forstmann**
Kapitän zur See

224. Hans Clausen Korff: Betr. Umstellung des Clearingkontos 8. Februar 1944

Til orientering for RFM udarbejdede Korff et notat om de drøftelser, han i januar havde haft i København vedrørende spørgsmålet om clearingkontoens omstilling fra RM til kroner. Der kom divergerende holdninger til udtryk. Best var indifferent, men ville i tilfælde af en imødekommelse af det danske ønske indkassere den politiske gevinst. Fra Krause havde Korff på tredje hånd hørt, at Hitler skulle være indforstået med omstillingen, mens Walter endnu forbeholdt sig sin stilling. Wassard lod som om, at spørgsmålet var uden praktisk betydning, men talte alligevel for omstillingen. RFM repræsenteret ved Berger var fortsat modstander af en omstilling, men ministeriets stilling var vanskelig, da det overvejende ikke kunne tiltræde de argumenter mod en omstilling, der blev fremført. Walter ville tilvejebringe en afgørelse inden næste møde i regeringsudvalget.

Selv om Hitler blev citeret for at være positiv over for en imødekommelse af det danske ønske, fik det ingen indflydelse på holdningen hos de involverede i de videre forhandlinger. Der var kun tale om løs snak, og der lå ingen direkte ordre fra Hitler, så det kunne man tillade sig at se bort fra.

Se Breyhan til Meyer-Böwig 17. februar og Wiehls optegnelse 23. februar 1944 for den videre behandling af clearing-spørgsmålet.

Kilde: RA, Danica 201, pk. 81A.

Abteilung Finanzen   Oslo, 8. Februar 1944
II Wi

[57] Det var BOPA, der stod for sabotagen, hvorved en sabotagevagt blev dræbt og en såret. Erstatningssummen andrag 486.000 kr. (Kjeldbæk 1997, s. 472, Lundbak 2007, s. 625f.).
[58] Forstmanns henvendelse 14. januar 1944 er trykt ovenfor.

Aktenvermerk
Betr. Umstellung des Clearingkontos

Gelegentlich des Aufenthalts in Kopenhagen in der Zeit vom 20.-31.1. ds.Jrs. wurden über die Frage einer Umstellung des Clearingkontos von RM auf Kronen folgende Besprechungen geführt:

1.) Der Reichsbevollmächtigte Dr. Best erklärte, daß ihm die Frage bedeutungslos erscheine, da sie s.E. keine praktische Auswirkung habe.[59] Er lege aber deshalb auf eine den Dänen günstige Entscheidung Wert, um ihnen bei Gelegenheit einen "Bonbon" geben zu können.[60]

2.) Der Reichsbanknebenstellen-Direktor Krause teilte gelegentlich einer Unterhaltung mit, daß Reichsminister Funk im Verlauf eines Gesprächs in der Reichsbank erklärt habe, der Führer habe sich mit einer Umstellung des Clearingkontos einverstanden erklärt, um für die dänischen Lieferungen eine Anerkennung zu gewähren.[61]

3.) Min. Dir. Dr. Walter unterrichtete den Unterzeichneten am 24.1. ds.Jrs. über das Ergebnis der Verhandlungen im Hp.A. Dar nach ist dort infolge des Widerstandes des RFM und der Verkoppelung dieser Frage mit der Frage der Besatzungskosten noch keine Entscheidung getroffen. Min. Dir. Walter drängte auf eine baldige Entscheidung, da die Sache fast 1 Jahr schwebe.

4.) Gelegentlich einer Unterhaltung mit Abt. Chef Wassard im dänischen Außenministerium erklärte dieser, er sei durchaus der Auffassung, daß die Clearingumstellung von RM auf Kronen keinerlei praktische Bedeutung hätte. Die Dänen gewännen nichts damit und von deutscher Seite gebe man nichts auf. Die Entscheidung, was mit dem Konto geschehe, hänge von ganzen anderen Dingen, nämlich dem Ausgang des Krieges, ab. Was aber von großer Bedeutung sei, sei die Möglichkeit, diese Frage zur Stützung des Ansehens der Krone auszunutzen. Wenn die National Bank erklären könne, daß sie keine RM-Forderungen, sondern nur noch Kronen-Forderungen habe, so würde das das Ansehen der Krone wesentlich stützen und dazu beitragen, die Lieferfreudigkeit zu heben.

Auf den Einwand des Unterzeichneten gab Wassard zu, daß z.Zt. niemand wüßte, wie das Konto geführt werde. Wenn die Umstellung erfolge, habe man aber die Möglichkeit, eine Erklärung abzugeben, die etwaige Zweifel beseitigen würde. Die Bedenken auf deutscher Seite seien nur theoretischer Natur und s.E. ohne praktische Bedeutung.

5.) Min. Direktor Berger erklärte am 2. ds.Mts., daß das RFM in der Clearing-Frage grundsätzlich an seiner Auffassung festhalte. Die Stellung des RFM sei jedoch schwierig, weil es in dieser Frage nicht federführend sei und die Argumente, die gegen eine Umstellung sprechen, überwiegend nicht vom RFM zu vertreten seien.

Min. Dir. Walter wollte eine Entscheidung noch vor der nächsten Regierungsausschußsitzung herbeiführen. Ob ihm dies infolge der Verknüpfung mit der Besatzungskostenfrage gelänge, sei jedoch zweifelhaft.

Korff

---

59 Denne indstilling blev citeret af Schwerin von Krosigk 25. februar 1944 til Ribbentrop.
60 Det var en holdning, Best flere gange gav udtryk for. Han ville have politisk gevinst af en indrømmelse.
61 Denne oplysning videregav Walter på HPAs møde 17. februar 1944.

225. Werner Best an das Auswärtige Amt 9. Februar 1944

Dagsindberetning. Den eneste nyhed var aktioner mod et tyskfjendtligt forretningsforetagende og mod en retsbygning i Svendborg, hvor der havde været rettet sabotage mod tyske interesser nogle dage tidligere.
  Det var umisforståeligt i AA, at der var tale om gengældelsesaktioner.
  Kilde: RA, pk. 204.

Telegramm

Kopenhagen, den	9. Februar 1944	20.25 Uhr
Ankunft, den	10. Februar 1944	01.50 Uhr

Nr. 179 vom 9.2.[44.]   Citissime!

Ich bitte die folgende Meldung dem Herrn Reichsaußenminister unverzüglich zuzuleiten:

Über die Lage in Dänemark berichte ich für den 8. auf 9.2.44, daß in Svendborg, wo am 4.2.44 eine gegen deutsche Interessen gerichtete Werftsabotage stattgefunden hatte (mein Telegramm Nr. 154 vom 4.2.44[62]) ein deutschfeindliches Geschäftshaus sowie das Polizei- und Gerichtsgebäude gesprengt worden sind.[63]

Dr. Best

226. Werner Best an das Auswärtige Amt 9. Februar 1944

Best havde været i Berlin og forhandlet med statssekretær Fritz Reinhardt om det danske bidrag til den tyske krigsfinansiering. Reinhardt havde indvilget i at foreslå rigsfinansministeren, at spørgsmålet blev udsat i seks måneder. Det samme foreslog Best vedrørende omstilling af clearingkontoen.
  Jfr. Bests telegram til AA, 5. februar ovenfor.
  Kilde: PA/AA R 105.211. RA, pk. 281.

Telegramm

Kopenhagen, den	9. Februar 1944	20.30 Uhr
Ankunft, den	10. Februar 1944	01.30 Uhr

Nr. 182 vom 9.2.44.

Wie ich bereits fernmündlich dem Auswärtigen Amt (Legationsrat v. Behr) berichtet habe,[64] hat meine Besprechung mit dem Staatssekretär Reinhardt am 7.2. in Berlin in der Frage des Beitrags Dänemarks zur Kriegsfinanzierung das Ergebnis gehabt, daß Staatssekretär Reinhardt dem Reichsfinanzminister vorschlagen will, die Angelegenheit zunächst für 6 Monate zurückzustellen.

---

62 bei Pol. VI V.S. Trykt ovenfor.
63 Petergruppen schalburgterede ejendommen Møllegade 22 og Tinghuset i Svendborg (Lauritsen 1947, s. 1387, Bøgh 2004, s. 45, tillæg 3 her. BdO registrerede ikke aktionerne).
64 Behr til Wiehl 8. februar 1944.

Bei dieser Unterhaltung ist auch die Frage der Umstellung des deutsch-dänischen Clearingkontos auf Dänenkronen berührt worden. Ich halte es für durchaus vertretbar, daß auch die Entscheidung über die Kontoumstellung um 6 Monate zurückgestellt wird. Meine sachliche Stellungnahme zu dieser Frage darf ich mir einstweilen vorbehalten.

Dr. Best

227. Franz Ebner an Alex Walter 9. Februar 1944

Ebner havde på Walters vegne anmodet UM om overførsel af et engangsbeløb på 500.000 kr. for en regning fra OKH vedrørende det beslaglagte våben- og ammunitionsarsenal. Det var blevet afvist som clearingkontoen uvedkommende. Rüstungsstab Dänemark var blevet underrettet. Ebner regnede ikke med, at værnemagtsintendanten ville betale i stedet. Best ville nu henvende sig til AA i sagen.

Best skrev til AA med telegram nr. 188, 11. februar 1944.

Kilde: PA/AA R 105.211. RA, pk. 281.

Abschrift zu V B 4 – 149
Ministerialdirigent Dr. Ebner *Kopenhagen, den 9. Februar 1944.*

Herrn Ministerialdirektor Dr. Walter,
    Vorsitzender des deutschen Regierungsausschusses für den
    deutsch-dänischen Wirtschafts- und Verrechnungsverkehr
    Berlin W 8
    Reichsministerium für Ernährung und Landwirtschaft,
    Wilhelmstr. 72

Ich habe in Ihrem Auftrage Herrn Wassard gemäß dem an Sie gerichteten Schreiben des Rüstungsstabes vom 13.1.1944[65] gebeten, der einmaligen Überweisung eines Betrages von 500.000 d.Kr. für Rechnung des OKH [ulæseligt ord] Chef Ing 4 an die Wehrmachtdienststelle Waffen- und Munitionsarsenals in Dänemark, Kopenhagen, zu entsprechen. Daraufhin ist heute die ablehnende Antwort mit Schreiben vom 3.2.1944 hier eingegangen, die als Anlage beigefügt ist.[66] Ich habe den Rüstungsstab von der ablehnenden Antwort des dänischen Außenministeriums in Kenntnis gebeten.

Ich darf hinzufügen, daß nach Ansicht von Herrn Krause der Intendant beim Wehrmachtbefehlshaber voraussichtlich nicht zustimmen wird, daß der erforderliche Betrag aus Besatzungsmitteln entnommen wird.

In dieser Angelegenheit soll heute ein Drahtbericht an das Auswärtige Amt vom Reichsbevollmächtigten herausgeben.

gez. **Ebner**

---

65 Skrivelsen er ikke lokaliseret.
66 Bilaget fra Wassard til Ebner 3. februar 1944 er ikke medtaget. Heri gjorde Wassard opmærksom på, at der i tilfældet Nordværk ikke gjorde sig særlige forhold gældende, men at der var tale om et nygrundlagt dansk firma.

228. Günther Toepke an OKW/WFSt 9. Februar 1944
Von Hanneken lod fremsende en status over kystbefæstningsbyggeriet i Danmark pr. 31. januar 1944.
  Kilde: KTB/WB Dänemark 9. Februar 1944.

Abschrift   Geheime Kommandosache
                   F e r n s c h r e i b e n
                                                 3 Ausfertigungen
                                                  1. Ausfertigung
An OKW/WFSt
Durch Kurier (nachr.)
Fest. Pi. St 31
Qu./WuG.

Bezug: OKW/WFSt/Op. Nr. 001424/42 g.Kdos. v. 4.5.42
Betr.: Stand des Küstenausbaues.

Ständiger Ausbau der Küstenbefestigung in Dänemark nach dem Stand vom 31.1.44:
1.) Insgesamt zu bauen   1.329   Bauwerke
2.) davon in Arbeit   605   –
3.) davon betoniert   475   –
4.) davon an Truppen übergeben   660   –

Eingesetzte Kräfte:
150 Firmen mit 24.462 Arbeitern.
Insgesamt 9.686 m Festakabel verlegt. In Inf.-Stützpunkten und Heeresküstenbatterien große Zahl von Bauwerken festungsmäßig oder behelfsmäßig mit Festungs- bzw. Feld- oder Beute-Fernsprechern ausgestattet und angeschlossen. Der Ausbau der übrigen Stützpunkte wurde fortgesetzt.
Verlegung von Minen wurde mit dieses FS vom 2.2.44 252/44 g.Kdos. gemeldet.
  Gef.St., den 9.2.44
             Wehrmachtbefehlshaber Dänemark
                  Ia Nr. 352/44 g.Kdos.
                     gez. **Toepke**

229. Werner Best an das Auswärtige Amt 10. Februar 1944
Dagsindberetning.
  Kilde: PA/AA R 29.568. RA, pk. 204. LAK, Best-sagen (afskrift).

                   T e l e g r a m m

Kopenhagen, den   10. Februar 1944   20.20 Uhr
Ankunft, den   10. Februar 1944   22.10 Uhr

Nr. 186 vom 10.2.[44.] Citissime!

Ich bitte, die folgende Meldung unverzüglich dem Herrn Reichsaußenminister zuzuleiten:
 Über die Lage in Dänemark berichte ich für den 9. auf 10.2.1944, daß in Jütland an der Bahnstrecke Herning-Silkeborg eine Sprengung am Bahnkörper stattfand, ohne daß der Verkehr unterbrochen wurde.[67] In Kopenhagen wurden 6 aktive Kommunisten, darunter ein Mitglied des Zentralkomitees, von der deutschen Sicherheitspolizei festgenommen und umfangreiches illegales Schriftmaterial sichergestellt, auch der Abteilungsleiter der illegalen kommunistischen Partei in Skamlebäk wurde festgenommen.[68] Die in Kopenhagen seit dem 28.10.1943 bestehende Nachtverkehrssperre habe ich aus wirtschaftlichen Gründen im Hinblick auf die vom Wehrmachtsbefehlshaber Dänemark und vom höheren SS- und Polizeiführer geteilte Beurteilung der Lage aufheben lassen.[69]

Dr. Best

230. Reichsjugendführung an das Auswärtige Amt 10. Februar 1944

AA havde 7. januar meddelt Reichsjugendführung, at Best anså det for sandsynligt, at den danske regering ville være rede til at udvide antallet af tyske bybørn, der kom til Danmark. Det var fulgt op ved at søge midler til at få antallet hævet fra 1.000 til 5.000 børn. For at fremme sagen ville Reichsjugendführung være taknemmelig, hvis AA kunne få Best til at få den danske regerings billigelse af at modtage det større månedlige beløb til virkeliggørelse af planen.
 Se Bests telegram nr. 503, 20. april 1943 til AA.
 Kilde: BArch, R 901 113.555. RA, pk. 271.

Nationalsozialistische Deutsche Arbeiterpartei *Berlin, am 10. Februar 1944*
Hitler-Jugend/Reichsjugendführung
Der Beauftragte des Verwaltungschefs für die KLV
I/Ba.

An das Auswärtige Amt,
 Herrn Legationsrat von Scherpenberg
 Berlin.
 Hildebrandstr. 15

Betrifft: Erweiterte Kinderlandverschickung nach Dänemark

Mit Schreiben vom 7. Januar 1944[70] teilt das Auswärtige Amt unter dem Zeichen "Nr.

---

67 Ifølge *Information* 10. februar 1944 fremkaldte sabotagen ved vogterhus 119 en kortere afbrydelse af trafikken, mens Best gengav BdOs melding (RA, BdO Inf. nr. 19, 11. februar 1944).
68 De anholdte er ikke identificeret. Muligvis var den anholdte fra Skamlebæk identisk med elektriker Hans Andersen, Skamlebæk Radiostation (*Information* 12. februar 1944).
69 Spærretiden ophævedes fra og med 10. februar om aftenen (Alkil, 2, 1945-46, s. 869).
70 Skrivelsen er ikke lokaliseret.

Inl. I Partei 7193/43" mit, daß der Reichsbevollmächtigte in Dänemark ein Entgegenkommen der dänischen Regierungsstellen bei Erweiterung der KLV in Dänemark für wahrscheinlich hält.

In Verfolg dessen wurde nun über den Herrn Reichschatzmeister der NSDAP an den Herrn Reichswirtschaftsminister ein Antrag auf eine der Erhöhung der Belegungszahl von 1.000 auf 5.000 Jugendliche entsprechende Devisenzuteilung in Höhe von
   RM 425.000,- Kr. 811.750,-
gestellt, von welchem ich Abschrift zur Kenntnisnahme beifüge.

Um nun den ganzen Vorgang gegebenenfalls zu beschleunigen, vielmehr sobald als möglich eine erhöhte Belegung durchführen zu können, wäre ich außerordentlich dankbar, wenn der Herr Reichsbevollmächtigte in Kopenhagen seitens des Auswärtigen Amtes angewiesen werden könnte, die Zustimmung der dänischen Regierungsstellen zum monatlichen Transfer des obigen Betrages einzuholen, welche die Voraussetzung zur Verwirklichung unserer Pläne bedeuten würde.
Heil Hitler!
Teetz
Hauptbannführer

Anlage![71]

231. Herbert Backe an Lutz Schwerin von Krosigk 10. Februar 1944

Af hensyn til de danske leverancer af landbrugsprodukter til Tyskland fandt statssekretær for REM, Herbert Backe, ikke tiden inde til at kræve et dansk bidrag til betaling af krigsomkostningerne, som det var foreslået af Schwerin von Krosigk 24. januar. Backe fandt, at der var leveret en forbløffende mængde fødevarer fra Danmark til Tyskland og gav eksempler for de seneste år.

Det var en stillingtagen på linje med Bests, men den behøver ikke at have været koordineret med ham, da Backe havde modtaget brevet direkte fra RFM og i forvejen repræsenterede de i svaret fremsatte synspunkter (Brandenborg Jensen 2005, s. 359f. med en modsat opfattelse). AA sendte 15. februar en afskrift af Backes brev til Best.
   Kilde: PA/AA R 29.568. RA, pk. 204. PKB, 13, nr. 438.

Abschrift.
Der Reichsminister für Ernährung und Landwirtschaft   Berlin, den 10. Februar 1944
M.d.F.d.G.b. V B 4 – 110 M-19g/44   Wilhelmstr. 72

Betr.: Besatzungskosten Dänemark

An den Herrn Reichsminister der Finanzen
   Berlin

Sehr verehrter Herr Reichsminister!
Die in Ihrem Schreiben vom 24. Januar 1944[72] an den Herrn Reichsaußenminister

---
[71] Foreligger ikke.
[72] Trykt ovenfor.

behandelte Frage der Besatzungskosten in Dänemark berührt meinen Geschäftsbereich insoweit, als es sich darum handelt, ob die von Ihnen angestrebte endgültige Übernahme eines Teiles der Besatzungskosten durch Dänemark geeignet sein würde, die Erzeugungs- und Lieferwilligkeit der dänischen Landwirtschaft zu erhalten oder zu beeinträchtigen. Dazu möchte ich folgendes bemerken:

1.) Die Lieferung landwirtschaftlicher Erzeugnisse aus Dänemark nach Deutschland hat sich trotz der auch für Dänemark nicht leichten Futtermittellage erstaunlich gut entwickelt, wie folgende beispielsweise angeführten Zahlen beweisen:

a.) *Fleisch:* Lieferung in der Zeit vom 1.10.42 – 30.9.43 = 80.000 t
Geschätzte Lieferung in der gleichen Zeit 1943/44 mindestens 150.000 t

b.) *Butter:* Wirtschaftsjahr 1941/42 = 37.600 t
1942/43 = 51.100 t
1943/44 geschätzt auf ebenfalls 51.100 t

c.) *Sämereien:* Gesamtwert der zum größten Teil bereits getätigten Einfuhren 1943/44 bei Feldsämereien etwa 20 Mill. RM
bei Gemüsesämereien etwa 6,5 Mill. RM
Damit ist Dänemark der wichtigste Sämereilieferant Deutschlands geworden.

d.) *Fische:* Wirtschaftsjahr 1939 = 54.000 t
1942 = 82.000 t
1943 = 102.000 t
Dänemark deckt damit 2/3 des deutschen Gesamtbedarfs an frischen Seefischen.

e.) *Pferde:* 1943 Einfuhr 38.000 St
Damit ist Dänemark bei weitem der größte Pferdelieferant Deutschlands geworden.

Die Entwicklung hat gezeigt, daß die Währungsverhältnisse in Dänemark keinerlei Beeinträchtigung der dänischen Lieferwilligkeit gebracht haben. Sie wäre nach meiner Auffassung auch nur zu befürchten, wenn die Ruhe in Dänemark beeinträchtigt würde oder wenn Deutschland, wie es leider jetzt der Fall ist, Produktions- und Bedarfsgüter nach Dänemark in immer weniger ausreichendem Masse liefern würde. Sollte diese Entwicklung sich fortsetzen, dann muß damit gerechnet werden, daß die dänische Landwirtschaft das bisherige Interesse an möglichst starker Erzeugung verliert, weil sie für die von ihr erlösten Kronen nicht mehr ausreichend kaufen kann.

2.) Ich möchte ferner darauf aufmerksam machen, daß es infolge Fehlens einer dänischen Regierung wohl kaum möglich sein würde, durch ein dänisches Steuergesetz die notwendigen Maßnahmen durchzuführen, so daß es wahrscheinlich nötig werden würde, die erforderlichen Anordnungen durch den Reichsbevollmächtigten in Kopenhagen zu erlassen. In diesem Falle müßte aber mit einer passiven Resistenz der dänischen Verwaltung und vor allem der dänischen Steuerzahler gerechnet werden. Eine weitere steuerliche Belastung der dänischen Landwirtschaft würde meiner Ansicht nach auch deren Bereitwilligkeit, ihre Erzeugung in dem bisherigen Umfange aufrechtzuerhalten oder womöglich noch zu steigern, stark beeinträchtigen, zumal die engl. Propaganda sich dieses Mittel zur Beeinflussung der Stimmung der dänischen Bauern nicht entgehen lassen würde. Einerseits würde also das erwünschte Ziel

nur unvollständig erreicht, andererseits aber eine höchst unerwünschte Beunruhigung in die dänische Bevölkerung, insbesondere aber in die Landwirtschaft hineingetragen werden.
3.) Die dänischen Preise und Löhne sind fast 2 Jahre hindurch stabil geblieben. Das beweist, daß bisher nachteilige Wirkungen in der dänischen Finanz- und Währungsgebarung nicht zu verzeichnen gewesen sind. Daß bei den schnell ansteigenden Besatzungskosten in Zukunft erhebliche Gefahren entstehen können, ist nicht zu bestreiten; immerhin besteht meiner Ansicht nach keine Veranlassung, die Frage der Besatzungskosten gerade im jetzigen Zeitpunkte aufzunehmen.

Abschrift dieses Schreibens haben der Herr Reichsaußenminister und der Herr Reichswirtschaftsminister erhalten.

Heil Hitler!
Ihr sehr ergebener
gez. **Backe**

232. Reichsfinanzministerium: Niederschrift ... über die Frage der Gegenseitigkeit bei dem Ersatz von Kriegssachschäden 10. Februar 1944

I dagene 7. til 10. februar 1944 fandt der i Wustrau ved Neuruppin en forhandling sted mellem en tysk og en dansk delegation vedrørende gensidighed ved erstatning for krigsskader. Deltagerne var på begge sider ministerielle repræsentanter, dog deltog på dansk side en enkelt repræsentant for forsikringsbranchen, direktør Knud Christensen. Man opnåede en aftale om gensidig forsikring af beboelsesejendomme samt indbo, sidstnævnte dog højst til en værdi af 60.000 RM. Aftalen gjaldt ikke danske skibe eller fly og genstande på dem. Den tyske delegation ville anbefale sin regering at indgå aftalen.

Aftalen blev ratificeret. I et koncept til et brev til Schwerin von Krosigk fra februar blev han af en unavngivet embedsmand i RFM anbefalet at tiltræde aftalen. Det blev fremhævet, at aftalen var af særlig betydning, "weil hier zum ersten Mal die Herstellung der Gegenseitigkeit zwischen zwei Ländern behandelt worden ist, von denen das eine (nämlich das Deutsche Reich) Entschädigung aus allgemeinen Haushaltsmitteln und das andere (nämlich Dänemark) Entschädigung auf der Grundlage der Versicherung gewährt."

Aftalen er endnu et vidnesbyrd om den særstilling Danmark indtog blandt de besatte lande.
Se endvidere Korffs notat 15. juni og *Politische Informationen* 5. juli 1944, afsnit III, 8.
Kilde: BArch, R 2/288 og R 2/30.410. RA, Danica 201, pk. 81, læg 1080.

Abschrift

Niederschrift

In der Zeit vom 7. bis 10. Februar 1944 fanden in Wustrau bei Neuruppin Verhandlungen zwischen einer Deutschen und einer Dänischen Delegation über die Frage der Gegenseitigkeit bei dem Ersatz von Kriegssachschäden statt.
An den Verhandlungen haben teilgenommen:
auf deutscher Seite:
Gesandter Dr. Erich Albrecht
   vom Auswärtigen Amt
Ministerialdirigent Dr. Johannes Schwandt
   vom Reichsfinanzministerium

Reichsrichter Dr. Bernhard Danckelmann
   vom Reichsministerium des Innern
Ministerialrat Hans Quecke
   vom Reichswirtschaftsministerium
Verwaltungsrichter Dr. Hans Jürgen Kühne
   vom Reichsministerium des Innern
Legationsrat Dr. Gerhard Stahlberg
   vom Auswärtigen Amt
auf dänischer Seite:
Legationsrat Peter Olaf von Treschow
   vom Königlichen Außenministerium
Oberregierungsrat Kield Gustav Graf Knuth-Winterfeldt
   vom Königlichen Außenministerium
Ministerialdirektor Peter Villadsen
   vom Königlichen Ministerium für Handel, Industrie und Seefahrt
Direktor Knud Christensen
   von der Dänischen Kriegsversicherung
Legationssekretär Frede Schön
   von der Königlich Dänischen Gesandtschaft in Berlin.

Die Delegationen haben die deutsche und die dänische Gesetzgebung auf dem Gebiete des Ersatzes von Kriegssachschäden eingehend geprüft.

Sie haben dabei zunächst festgestellt, daß die Gelder, die zum Ersatz von Kriegssachschäden benötigt werden, in Deutschland aus allgemeinen Haushaltmitteln entnommen werden, während sie in Dänemark durch Zwangsbeiträge aufgebracht werden, welche die durch die Kriegsversicherungsgesetzgebung geschaffenen öffentlich-rechtlichen Kriegsversicherungsverbände erheben. Im übrigen besteht zwischen der deutschen und der dänischen Regelung eine weitgehende Übereinstimmung hinsichtlich der Voraussetzungen und des Umfangs der zu gewährenden Entschädigung.

Die Dänische Delegation erklärt, daß nach der dänischen Kriegsversicherungsgesetzgebung deutsche Staatsangehörige mit Einschluß der juristischen Personen ebenso wie dänische Staatsangehörige behandelt werden. Ergänzend wird die Dänische Delegation den zuständigen dänischen Stellen eine Regelung folgenden Inhalts empfehlen:

1.) Deutsche Staatsangehörige, die nicht zur Wehrmacht gehören und die nach Dänemark einreisen, ohne dort ihren Wohnsitz oder gewöhnlichen Aufenthalt zu haben, werden, um einen Anspruch auf Entschädigung für Kriegssachschäden zu erlangen, bei einer in Dänemark zugelassenen Feuerversicherungsgesellschaft versichert. Wegen der Einzelheiten wird auf die Anlage zu dieser Niederschrift verwiesen.

2.) Die dänischen Behörden werden durch Geltendmachung ihres Einflusses sicherstellen, daß, soweit die Voraussetzung für den Ersatz von Kriegssachschäden der Abschluß einer Versicherung ist, deutsche Staatsangehörige diese Versicherung in jedem Fall in Dänemark abschließen können, und daß ferner deutsche Staatsangehörige in derselben Weise wie dänische Staatsangehörige die Möglichkeit haben, Entschädigungsanweisungen der Kriegsversicherung bei Banken, Sparkassen und anderen

Kreditinstituten in voller Höhe zu den gleichen Bedingungen wie dänische Staatsangehörige zu beleihen.

Im übrigen hält die Dänische Delegation die bestehenden Unterschiede der beiderseitigen Kriegssachschädenregelung für unwesentlich und ist der Auffassung, daß die Gegenseitigkeit gemäß § 5 der Dritten Durchführungs- und Ergänzungsverordnung vom 28. Januar 1942 zur Kriegssachschädenverordnung im Verhältnis zwischen Deutschland und Dänemark anerkannt werden kann.

Die Deutsche Delegation ist bereit, ihrer Regierung zu empfehlen, einen Erlaß folgenden Inhalts an die nachgeordneten Behörden herauszugeben:

Dänischen Staatsangehörigen wird, die nach §13 Absatz 2 der Kriegssachschädenverordnung vom 30. November 1940 (Reichsgesetzbl. I S. 1547) und der Dritten Durchführungs- und Ergänzungsverordnung zur Kriegssachschädenverordnung (Behandlung der Kriegsschäden nichtdeutscher Personen) vom 28. Januar 1942 (Reichsgesetzbl. I S. 49) erforderliche Genehmigung zur Antragstellung uneingeschränkt erteilt werden, soweit Entschädigung oder Feststellung von Sachschäden begehrt wird. Im Falle von Schäden an Wohnhäusern – abgesehen von solchen, die zu einem Betriebsvermögen gehören und ganz oder überwiegend dem Betriebe dienen – wird die Genehmigung auch für Nutzungsschäden erteilt werden. Bei Schäden an Hausrat kann die Genehmigung auf einen Höchstbetrag von 60.000 RM begrenzt werden. Ist der Geschädigte eine juristische Person oder eine Personenvereinigung mit dem Sitz entweder im Großdeutschen Reich oder in Dänemark, so werden für die Entschließung über die Genehmigung zur Antragstellung dänische Beteiligte wie deutsche Beteiligte behandelt.

Dies gilt auch für alle im Verlauf des gegenwärtigen Kriegs bereits eingetretenen Schadensfälle.

Ausgeschlossen von dieser Regelung sind Schäden an dänischen Schiffen, an dänischen Luftfahrzeugen und den an Bord solcher Fahrzeuge befindlichen Sachen.

Diese Weisung soll sich nicht auf das Generalgouvernement, die der Verwaltung der Chefs der Zivilverwaltung unterstehenden Gebiete und die besetzten Gebiete beziehen.

Die Aufhebung dieses Erlasses bleibt vorbehalten für den Fall, daß nach Auffassung der Deutschen Regierung die für ihn bestehenden Voraussetzungen nicht mehr gegeben sind. In diesem Falle wird die Deutsche Regierung vorher mit den dänischen Behörden in Verbindung treten.

Wustrau, den 10. Februar 1944.

Abschrift

Anlage zur Niederschrift vom 10. Februar 1944

Zur Durchführung der auf Seite 2 unter Ziffer 1) der Niederschrift vom 10. Februar 1944 vorgesehenen Versicherung zeichnet die Deutsche Vertretung in Kopenhagen eine Generalpolice, durch welche die mitgeführte Habe deutscher Staatsangehöriger bis zum Betrage von je 3.000 Kronen gegen Feuer versichert wird. Dadurch erlangen die Versicherten die Berechtigung zur Entschädigung für etwaige Kriegssachschäden im Sinne der dänischen Vorschriften.

Die Prämien für die Police werden gemäß einer von dem Königlichen Außenministerium zu erlassenden Instruktion von den zur Erteilung von Sichtvermerken berechtigten dänischen diplomatischen oder konsularischen Vertretungen bei der Erteilung des Sichtvermerks erhoben. Die Vertretungen geben gleichzeitig den Versicherten eine Bescheinigung darüber, daß eine solche Versicherung gezeichnet worden ist, z.B. durch Eintragung eines diesbezüglichen Vermerks im Reisepaß. Die betreffenden Vertretungen rechnen die Prämien mit der Versicherungsgesellschaft ab und übermitteln dieser innerhalb einer näher festzusetzenden Zeitspanne ein Verzeichnis der Personen, deren Habe von der Generalpolice umfaßt ist. Der Versicherungsschutz gilt für die Zeit, in der sich die Habe der Versicherten in Dänemark befindet. Personen, die sich in Dänemark länger als 90 aufeinander folgende Tage aufhalten, werden für die Zeit nach Ablauf dieser Frist nicht mehr als Personen betrachtet, die sich in Dänemark nur vorübergehend aufhalten.

Tritt ein gewöhnlicher Feuerschaden ein, soll insoweit eine Anmeldung bei der betreffenden Versicherungsgesellschaft erfolgen. Tritt ein Kriegssachschaden ein, soll eine solche Anmeldung bei der Kriegsversicherung von privatem Hausrat (Krigsforsikringen af privat Indbo), Adresse: Grønningen 25, Kopenhagen K, erfolgen. Auszahlung von Entschädigungen für Kriegssachschäden findet nach den für dänische Staatsangehörige geltenden Regeln statt.

233. Kriegstagebuch/Seekriegsleitung 10. Februar 1944

Der havde været drøftelser i København om Admiral Dänemarks stabs og alarmenheders indsats i tilfælde af et fjendtligt angreb. I drøftelserne havde deltaget repræsentanter for Seekriegsleitung, Befehlshaber der Sicherung Ostsee (BSO) og Københavns kommandant Ernst Richter. Wurmbach blev orienteret om, at alarmenheden på niveau A blev reduceret med 10-13.000 mand.[73] WB Dänemark ville i tilfælde af en invasion flytte Admiral Dänemarks alarmenheder på Fyn og Sjælland til Jylland. Det var Wurmbach og Seekriegsleitung imod, da disse enheder var særligt egnet til indsats i havnene. De var også imod WB Dänemarks bestemmelse om straks at flytte Admiral Dänemarks stab til Århus i tilfælde af en invasion og at give den korpsstatus med ansvar for forsvaret af Nordjylland. BSO havde ikke til hensigt at flytte til Århus, men ville i stedet sende en forbindelsesofficer dertil. Den samlede repræsentation for Kriegsmarine måtte forblive under Admiral Dänemark. Richter havde vist stor forståelse for marinens synspunkter.

Führerweisung Nr. 51 havde foreskrevet, at Kriegsmarine skulle stille egnede soldater til indsats på landjorden, hvilken ordre Seekriegsleitung måtte følge, men i foråret 1944 gjorde Seekriegsleitung et energisk forsøg på at begrænse omfanget deraf mest muligt, ligesom kontrollen over alarmenhederne søgtes bevaret. I marts lykkedes det stort set Seekriegsleitung at omgå Hitlers ordre helt, men Dönitz modsatte sig dog, at der blev fremsat forslag om totalt at opløse alarmenhederne (Andersen 2007, s. 179f.).

Kilde: KTB/Skl 10. februar 1944, s. 210f.

[...]
VI.) Chef Skl Qu A II hat am 7. und 8/2. in Kopenhagen mit Kmdr. Admiral Dänemark Organisation und Einsatz der Alarmeinheiten, Frage des Einsatzes des Kmdr. Admiral mit Stab im Angriffsfall, Frage der Zusammenarbeit der Führung von Küste und Küstenvorfeld im Angriffsfall besprochen. Außerdem wurden Besprechungen mit

---

73 Seekriegsleitung havde inddelt alarmenhederne i tre undværlighedsniveauer ("Entbehrlichkeitsstufen"): A, B og C, hvor A omfattede de lettest undværlige mandskabsgrupper og C de vanskeligst.

Chef BSO und mit dem höheren Befehlshaber Kopenhagen als Vertreter des W. Befh. im Raum Seeland – Fünen abgehalten.

Admiral Dänemark wurde unterrichtet, daß Kopfzahl in der Entbehrlichkeitsstufe A auf z.Zt. etwa 10 – 13.000 Köpfe verringert wird. W. Befh. beabsichtigt, Alarmeinheiten des Adm. Dänemark, die auf Seeland und Fünen eingesetzt sind, im Angriffsfall in die Kampffront nach Jütland zu verlegen. Skl ist gleicher Auffassung wie Admiral Dänemark, daß diese Alarmeinheiten in besonderer Weise für den Einsatz in den Häfen und Stützpunkten in Betracht kommen, deren Bewachungskräfte nicht geschwächt sondern im Gegenteil im Angriffsfall schlagartig verstärkt werden müßten. Diese Auffassung der Skl ist dem W. Befh. Dänemark schriftlich übermittelt worden. Der ihm vertretende höhere Befehlshaber Kopenhagen stimmt der Auffassung der Marine persönlich zu.

Die Absicht des W. Befh. Dänemark, den Kmdr. Admiral mit Stab im Angriffsfall als Korpskommando mit Wehrmachtsbefugnissen für die Verteidigung Nordjütland einzusetzen, während die gleichen Befugnisse in Südjütland vom höheren Befehlshaber Kopenhagen übernommen werden sollen, ist von Chef Skl bereits von vornherein abgelehnt worden. Skl wird auch fernerhin keiner Regelung zustimmen, die die Spitze der Marineorganisation in Dänemark im Angriffsfall ihren eigentlichen Aufgaben für Seekriegführung und Nachschub über See entzieht. Kmdr. Admiral ist von Chef Skl Qu A II ermächtigt, diesen Standpunkt der Skl dem W. Befh. gegenüber einzunehmen. Auch nach den Zusatzbestimmungen des Ob.d.M. zu Führerweisung 40 kann der W. Befh. ohne Genehmigung des Ob.d.M. keine Marinebefehlshabern oder Kommandeuren die wehrmachtsmäßige Führung eines Abschnitts übertragen.

Im Angriffsfall wird nach den Absichten der Seekriegsleitung Kmdr. Admiral Dänemark sofort nach Aarhus verlegen. BSO beabsichtigt, in Kopenhagen zu bleiben und in Aarhus durch einen Verbindungsoffizier die notwendige Verbindung mit dem W. Befh. zu erhalten. BSO begründet diesen Standpunkt mit nachrichtentechnischen Belangen. Skl steht auf dem Standpunkt, daß im Angriffsfall ebenso wie der Kmdr. Admiral auch der BSO in engste örtliche Verbindung mit dem W. Befh. treten muß. BSO muß gleichfalls nach Aarhus verlegen.

Diese Auffassung ist dem BSO von Chef Skl Qu A II mit Erfolg klar gemacht. Einheitliche Vertretung der gesamten Marinebelange muß, wie dies schon in einem früheren Erlaß der Skl befohlen ist, beim Kmdr. Admiral liegen.

Der stellvertretende W. Befh., höherer Befehlshaber Kopenhagen, Gen. Lt. Richter, zeigte großes Verständnis für die Belange der Kriegsmarine, insbesondere auch hinsichtlich des Einsatzes der Alarmeinheiten. Aussprache mit ihm ergab volle Übereinstimmung in allen Punkten.
[...]

234. Franz Ebner: Dänische Landwirtschaft 10. Februar 1944
Et notat om den forventede udvikling i de danske leverancer af landbrugsprodukter til Tyskland i 1943/44 sammenholdt med året før. Der blev regnet ud fra en tysk "normalforbruger".
Det er givetvis udarbejdet af Ebner i tilknytning til et ikke lokaliseret dokument fra AA vedrørende

de dansk-tyske handelsforhandlinger, der var gennemført 26.-31. januar 1944, da der først i dokumentet henvises til III, dvs. Hauptabteilung III: Wirtschaft i Det Tyske Gesandtskab[74] (om forhandlingerne Jensen 1971, s. 222f.).

De anførte leveringsydelser blev efterfølgende lettere revideret af Ebner til brug for Wirtschaftliches Lagebericht 22. marts 1944, trykt nedenfor.

Kilde: BArch, Freiburg, RW 19:Wi I E1: Dänemark.

Zu III/6008/44   *Kopenhagen, den 10. Februar 1944*

Dänische Landwirtschaft:
Hauptlieferungen an das Reich im Wirtschaftsjahr:

	1942/43	1943/44	
Fleisch	77.000 to	128.000 to	1.)
		(ggf. mehr)	
Butter	51.000 to	51.000 to	2.)
Fische	91.000 to	102.000 to	3.)
Pferde	27.000 Stück	38.000 Stück	

Zu 1.) Unter der Voraussetzung ruhiger Weiterentwicklung in Dänemark werden die Fleischlieferungen wahrscheinlich die angegebene Menge von 128.000 to um etwa 20.000 to übersteigen. Das bedeutet praktisch, daß bei einer Lieferung von 145 – 150.000 to Fleisch Dänemark das Großdeutsche Reich, 90 Mill. Normalverbraucher gerechnet, bei der jetzigen Fleischration 6-7 Wochen mit Fleisch versorgt.

Zu 2.) Bei Butter bedeuten die dänischen Lieferungen eine Versorgung Großdeutschlands (90 Mill. Normalverbraucher gerechnet) bei den jetzigen Butterrationen für eine Zeitdauer von 4-5 Wochen.

Zu 3.) Die dänischen Fischlieferungen bedeuten nach eigenen Angaben des Fischereireferats des Reichsernährungsministeriums "das Rückgrat der Frischfischversorgung der deutschen Großstädte".

Bei den Nebengebieten sind besonders wichtig die dänischen Lieferungen an Gras- und Futterpflanzensamen. Diese Lieferungen sind für die Bebauung des europäischen Bodens unersetzlich. Bei Grassarten liefert Dänemark z.B. den gesamteuropäischen Zuschußbedarf.

235. Werner Best an das Auswärtige Amt 11. Februar 1944

Til drift og udbygning af de efter 29. august 1943 overtagne dele af de danske forsvarsanlæg og installationer, søgte værnemagten at få betaling over clearingkontoen i Danmarks Nationalbank. Dette afviste de danske medlemmer af det tysk-danske regeringsudvalg at medvirke til, da det var et rent værnemagtsanliggende (se Ebner til Ludwig 9. februar). Best anmodede i et hastende tilfælde AA om at måtte anvise i det mindste 300.000 kr. af 500.000 kr. over clearingkontoen til indretning af et anlæg i Danmark af firmaet Daimler-Benz til brug for Rüstungsstab Dänemark eller om, at der i stedet måtte blive ydet et forskud.

---

74 Se også Ebner til Rüstungsstab Dänemark 11. januar 1944 for en lignende henvisning til Hauptabteilung III og tillæg 5.

Han fik svar den følgende dag. Svartelegrammet er ikke kendt, men det fremgår af den senere korrespondance, at der skulle lægges politisk pres på de danske medlemmer af regeringsudvalget for at afgive de ønskede midler. På dette svarede Alex Walter fra København 1. marts med telegram nr. 271.
Kilde: PA/AA R 105.211. RA, pk. 281.

T e l e g r a m m

DG Kopenhagen Nr. 76 11/2 18.50
Mit G.-Schreiber.

Auswärtig Berlin Nr. 188 vom 11.2.1944.

Die in Anlehnung an den Rüstungsstab Dänemark geschaffene Dienststelle Waffen- und Munitionsarsenale hat im Zuge der Ereignisse des 29. August 1943 die treuhänderische Verwaltung und Oberleitung der dänischen Heeresarsenale, die aus Waffen- und Munitionsarsenale und Pulverfabrik besteht, übernommen. Bei diesen Betrieben befindet sich insbesondere eine moderne Eisenbetonhalle, die für industrielle Fertigung bestens geeignet ist. Es fehlen jedoch eine Reihe von Einrichtungsgegenständen, wie Aufzüge, Umformeranlagen, Heizung, elektrische Einrichtung, Transformator, Büroräume usw. Weiterhin müssen für eine erhöhte Anzahl von Gefolgschaftsmitgliedern sanitäre Anlagen, Speiseräume usw. geschaffen werden. Die Ausnutzung mit der technischen Oberleitung der Firma Daimler-Benz A.G., Werk 40, Berlin-Marienfelde gedacht. Bei den zu verlagernden Fertigungen handelt es sich im vordringliche Wehrmachtsaufträge. Die Programme müssen im Benehmen mit OKH WA Chef Ing. 4 durchgeführt werden.

Der Rüstungsstab Dänemark ist an den Vorsitzenden des deutschen Regierungsausschusses mit der bitte herangetreten. Mit den dänischen Behörden eine Überweisung für die vorgenannten Zwecke in Höhe von 500.000 d.Kr. durch Aufnahme in die Auftragsliste A des Rüstungsstabes Dänemark zu verabreden. Dieser Wunsch ist bei dem Vorsitzenden des dänischen Regierungsausschusses vorgebracht worden, der sich jedoch dahingehend geäußert hat, daß diese Sache eine reine Wehrmachtsangelegenheit sei, bei der er nicht mitzuwirken habe. Rüstungsstab Dänemark hält es für notwendig, daß mindestens ein Betrag von rund 300.000 d.Kr. schnellstens bereitgestellt wird. Da, wie oben ausgeführt, eine Fertigung von Verlagerungsaufträgen durch die Daimler-Benz AG beabsichtigt wird, können m.E. nicht Vorschüsse aus Besatzungsmitteln gezahlt werden. Ich bitte, die Angelegenheit dort im Benehmen mit den zuständigen Ressorts zu prüfen und insbesondere die Frage zu klären, ob von mir aus auf eine Durchsetzung der beantragten Clearingüberweisung gedrungen werden soll. Falls die Angelegenheit einen längeren Aufschub nicht mehr duldet, bitte ich ferner um Prüfung, ob ich ermächtigt werden kann, einen Betrag von bis zu 300.000 d.Kr. vorschußweise zur Verfügung zu stellen. Zu der Frage der Abwicklung dieses Vorschusses würde ich gegebenenfalls besonders berichten.

Dr. Best

236. Werner Best an das Auswärtige Amt 11. Februar 1944
Dagsindberetning.
   Kilde: PA/AA R 29.568. RA, pk. 204.

Telegramm

| Kopenhagen, den | 11. Februar 1944 | 19.30 Uhr |
| Ankunft, den | 12. Februar 1944 | 02.30 Uhr |

Nr. 191 vom 11.2.[44.]   Citissime!

Ich bitte, die folgende Meldung unverzüglich dem Herrn Reichsaußenminister zuzuleiten:
   Über die Lage in Dänemark berichte ich für den 10. auf 11.2.1944, daß aus dem Lande keine besonderen Vorfälle gemeldet sind.
   Die deutsche Sicherheitspolizei hat in Verfolg der gestern erwähnten Aktion gegen die illegale kommunistische Partei 3 Ortsgruppenleiter in Kalundborg, Nästved und Helsingör festgenommen.[75]

Dr. Best

237. Hermann von Hanneken: Besprechung mit Günther Pancke und Erik von Heimburg 11. Februar 1944
Von Hanneken drøftede med Pancke og von Heimburg det tyske politis indsats i tilfælde af en invasion.
   Se befalingen til det tyske ordenspoliti fra Richter 15. februar.
   Kilde: KTB/WB Dänemark, Anlage 11. Februar 1944.

[...]
In der Besprechung beim W.B. Dänemark mit Gruppenführer Pancke und Gen. Major von Heimburg wurde der Einsatz der Polizei im Falle einer Invasion besprochen. Der an die Polizei ergangene Befehl ist Ergebnis der Besprechung.
[...]

238. Rüstungsstab Dänemark: Überblick über die im 4. Vierteljahr aufgetretene wichtigen Probleme 11. Februar 1944
Forstmann valgte stort set at afstå fra at komme med egne kommentarer til den politiske udvikling i 4. kvartal, men gengav (uden kildeangivelse) hele afsnit I af Bests *Politische Informationen* 1. december 1943 i stedet. Efter at have gjort rede for forsyningsproblemerne og de optimistiske eksportforventninger sluttede Forstmann af med at sætte sin lid til, at tysk politi og en ændret tysk krigslykke kunne sætte stop for sabotagen.
   Kilde: BArch, Freiburg, RW 19:Wi I E1: Dänemark. RA, Danica 1000, T-77, sp. 696, KTB/Rü Stab Dänemark, 4. Vierteljahr 1943.

Der Leiter der Abteilung Wehrwirtschaft   *Kopenhagen, den 11. Februar 1944.*
im Rü Stab Dänemark

---

75 De arresterede er ikke identificeret.

Überblick
über die im 4. Vierteljahr 1943 aufgetretenen wichtigen Probleme

Der militärische Ausnahmezustand wurde am 6. Oktober 1943 00.00 Uhr beendet. Hervorzuheben ist, daß die Verordnung des Befehlshabers betr. Lieferung und Leistung dänischer Firmen für die deutsche Wehrmacht in Dänemark vom 4.9.1943 in Kraft bleibt. Aufgrund dieser Verordnung sind die dänischen Firmen verpflichtet, im Rahmen ihrer Leistungsfähigkeit deutsche Aufträge anzunehmen.

In der Leitung der dänischen Staatsgeschäfte ist keine Änderung eingetreten; sie wird weiterhin von der "Zentralverwaltung," d.h. von den Ministerien unter der Leitung der dienstältesten Beamten wahrgenommen. Für die Wahrung der deutschen Interessen haben sich keinerlei Schwierigkeiten ergeben. Jede deutsche Forderung wird von der dänischen Zentralverwaltung mit den ihr zur Verfügung stehenden Mitteln loyal erfüllt. Die Wirkungsmöglichkeiten der Zentralverwaltung finden ihre Grenzen darin, daß sie keine grundsätzlich neuen Rechtsbestimmungen erlassen kann; ihre "Lovanordninger" (Gesetzanordnungen) sollen nur das geltende Recht fortentwickeln und den jeweiligen Situationen anpassen. Deshalb werden, soweit die dänische Zentralverwaltung im Einzelfall die erforderlichen Maßnahmen nicht treffen kann, die in Frage stehenden Notwendigkeiten durch unmittelbare deutsche Maßnahmen verwirklicht.

Die zur verstärkten Sicherung Jütlands gegen feindliche Angriffe eingeleiteten Vorkehrungen haben dazu geführt, daß die dänische Zentralverwaltung auf deutschen Wunsch folgende Maßnahme getroffen hat:

"Der Stiftsamtmann Herschend aus Vejle, dem Fachleute aus verschiedenen Verwaltungen beigegeben sind, ist mit der Entgegennahme der auf die Sonderaufgaben in Jütland bezüglichen deutschen Forderungen und mit der einheitlichen Steuerung der dänischen Behörden in Jütland hinsichtlich der Erfüllung dieser Forderungen beauftragt worden. Für den Fall, daß Jütland einmal von Kopenhagen abgeschnitten würde, soll der Stiftsamtmann Herschend für dieses Gebiet alle Befugnisse der dänischen Zentralverwaltung ausüben."

Der Feind bemüht sich weiterhin, durch Veranlassung von Sabotageakten und von Anschlägen die deutschen militärischen und kriegswirtschaftlichen Interessen zu schädigen und die Lage im Lande zu erschweren. In der Abwehr dieser Angriffe hat die erst seit 2 Monaten in Dänemark eingesetzte deutsche Polizei bereits gute Erfolge erzielt. Eine Anzahl von Saboteuren konnte festgenommen und hierdurch einige Gruppen unschädlich gemacht werden. 2 Saboteure wurden zum Tode verurteilt und hingerichtet;[76] 11 weitere Todesurteile wurden im Laufe des Monats November gefällt.

Auch gegen illegale Tätigkeit jeder Art, in der die kommunistische Betätigung einen besonderen Raum einnimmt, wird mit Erfolg eingeschritten. Eine Anzahl Kommunisten – darunter Teilnehmer an den Augustunruhen in Odense – ist in ein Konzentrationslager im Reich überführt worden. Im November wurde über die Städte Horsens, Aarhus, Langaa und Aalborg wegen örtlicher Vorfälle der "zivile Ausnahmezustand" mit

---

[76] Se Bests telegram nr. 1450, 22. november 1943.

einer Reihe von einschränkenden Maßnahmen verhängt.⁷⁷ In Kopenhagen beschränkten sich diese Maßnahmen vornehmlich auf Durchführung einer Sperrzeit für Restaurants, Theater, Kinos, öffentliche Lokale usw. um 20 Uhr und Publikumsverkehr um 21 Uhr während der Berichtsmonate.

Durch den befohlenen verstärkten Ausbau der Befestigungsanlagen auf Jütland und den Bau neuer Flugplätze in Dänemark sind die Anforderungen an Generatorholz stark angestiegen. Der Festungs-Pionierstab benötigt monatlich mindestens 60.000 hl, die Luftwaffe 50.000 hl. Die dänische Regierung hat sich außerstande erklärt, diese Mengen aus ihren Beständen abzugeben. Sie will vorläufig mit 60.000 hl monatlich in Vorlage treten, weist jedoch hin, daß selbst bei diesem Entzug von Tankholz die dänische Wirtschaft ernsthafte Beeinträchtigungen erleiden würde, außerdem die Lebensmittelausfuhr nach Deutschland gefährdet sei. Die Verhandlungen über die Festsetzung der von der dänischen Regierung und der auf dem Nachschubwege bereit zu stellenden Mengen Tankholz dauern zur Zeit noch an.

Durch die erhöhte Belegung Dänemarks mit deutschen Truppen war der Wehrmachtbefehlshaber gezwungen, weitgehend auf die einheimische Torf- und Braunkohlenproduktion zurückzugreifen. Der Antrag des Wehrmachtbefehlshabers bzw. der Abt. Wwi beim Rü Stab Dänemark auf Lieferung von 80.000 to Torf und 20.000 to Braunkohle wurde seitens der dänischen Regierung zunächst nachdrücklich abgelehnt, da die dänische Regierung sich angesichts des ihres Erachtens zu geringen Brennstoffzufuhren aus Deutschland nicht in der Lage sah, derartige Mengen aus der dänischen einheimischen Produktion frei zu geben.

Das RWiMin. äußerte ebenfalls im Hinblick auf die reibungslose Aufrechterhaltung der dänischen landwirtschaftlichen Lieferungen nach Deutschland erhebliche Bedenken, dem Antrag des Wehrmachtbefehlshabers statt zu geben. Nach schwierigen Verhandlungen gelang es jedoch Abt. Wwi. über dem Bevollmächtigten des Reiches, die Bedenken des RWiMin. zu zerstreuen und auch die dänische Regierung von der Notwendigkeit der Lieferung des angeforderten Brennstoffes zu überzeugen. Letztere stellte jedoch das Ansuchen an die deutsche Regierung als Ausgleich für den Ausfall an heimischer Produktion 30.000 to Steinkohle aus Deutschland zu liefern, um diese wiederum der dänischen Wirtschaft zuführen zu können. Wie die Verhältnisse auf dem Brennstoffgebiet tatsächlich liegen, zeigt folgende Jahresübersicht:

Die Zufuhren ausländischer Brennstoffe im Jahre 1943 im Vergleich zu den Vorjahren betrugen:

	Kohle:		Koks:	
	Gesamt	Monats-durchschnitt	Gesamt	Monats-durchschnitt
	in 1.000 to	in 1.000 to	in 1.000 to	in 1.000 to
1941	2.400	200,0	1.050	87,5
1942	1.894	157,8	701	58,3
1943	2.030	169,1	521	43,3

---

77 Fra indberetningens begyndelse og hertil gengiver Forstmann uændret hele afsnit I af *Politische Informationen* 1. december 1943.

An einheimischen Brennstoffen wurden 1943 über 6 Mill. to Torf und 2 Mill. to Braunkohle gegenüber nur 4,5 Mill. to Torf und 1,5 Mill. to Braunkohle im Jahre 1942 gewonnen. Diese einheimischen Brennstoffe entsprachen 1942 einem Heizwert von etwa 2,7 Mill. to Steinkohle.

Ein Vergleich der Versorgungslage in den letzten beiden Jahren unter Berücksichtigung der einheimischen Produktion (Kohleneinfuhr + Kokseinfuhr + Heizwert einheimischer Brennstoffe) ergibt einen Heizwert, der

    1942 4.595.000 to Steinkohle
 und 1943 5.251.000 to Steinkohle entspricht.

Die Versorgungslage hat sich demnach durch die günstige Förderung einheimischer Brennstoffe gebessert und die von dänischer Seite gewünschte Versorgungsmindestmenge von 6 Mill. to annähernd erreicht. Diese Entwicklung ist allerdings durch die günstige Wetterlage entstanden, da bei der Brennstoffeinfuhr in den Wintermonaten keine Stockung durch Vereisung der Wasserstraßen eintrat und die einheimische Produktion ohne jahreszeitliche Unterbrechung fortgesetzt werden konnte.

Von sachverständiger Seite wird das Ergebnis der Ernte 1943 in Dänemark als die Erwartungen weit übertreffend bezeichnet: Dies sei in erster Linie auf die guten Wachstumsbedingungen zusammen mit einer energischen Bekämpfung der Schädlinge zurückzuführen. Natürlich sei das Ergebnis in den einzelnen Gegenden des Landes abweichend gewesen. Im ganzen gesehen, habe Jütland am günstigsten abgeschnitten, während der Mehrertrag nach Osten und Süden hin abnahm, was gleichfalls aus den Abrechnungen der Milchkontrollvereine hervorgehe. Aber insgesamt habe 1943 eine so große Ernte gebracht, daß der Gesamtertrag an Getreide, Hackfrüchten und Heu, den Durchschnitt der Jahr 1929-1940 um 3,6 Mill. Ertragseinheiten oder rd. 5 % übersteige. Eine Ertragseinheit gleicht dem Futterwert von einem Doppelzentner Gerste. Diese bedeutende Feldproduktion sei um so überraschender und erfreulicher, als kein Sachverständiger im Frühjahr 1943 gewagt habe, einen Ernteertrag von mehr als höchstens 85-90 % des Ertrags der Vorkriegsjahre bei günstiger klimatischer Lage vorauszusagen. Dabei sei das Ergebnis 105 % geworden.

Es habe den Anschein, daß der Rückgang des Milch- und Butterertrags je Kuh jetzt zum Stillstand gebracht sei. Dies sei ein Zeichen dafür, daß die dänische Landwirtschaft ihren Haustierbestand der Basis der eigenen Futterproduktion angepaßt habe, der 85 % der Feldproduktion umsetze."

Die Sabotagefälle haben nicht nachgelassen, die Hetze der illegalen Organisationen, genährt durch die ausländischen Sender, Abwürfe von zahlreichem Material an Sprengstoffen, Waffen, Hetzzeitschriften, Absetzen von Fallschirmagenten, hat sich erheblich verstärkt.

Die Saboteure traten bei ihnen wichtig erscheinenden Überfällen in einer derartigen Zahl auf, daß man teilweise von zentralgeleiteten und wohl-organisierten Banden sprechen kann, die dänische Polizei versagt bei der Bekämpfung der Saboteure. Sabotagewachen aber können ihren Zweck nur erfüllen, wenn sie mit den modernsten Waffen ausgerüstet sind und dann auch im Ernstfall rücksichtslos von ihnen Gebrauch machen. Die Unsicherheit über die politische Einstellung der Wächter erschwert natürlich die Abgabe guter Waffen.

Eine deutsche militärische Sicherung der wichtigsten rüstungswehrwirtschaftlichen Betriebe ist zur Zeit nicht möglich, da die Besatzungstruppen für militärische Zwecke voll ausgenutzt sind, nur vorübergehend kann eine solche Sicherung in Einzelfällen erfolgen. Eine Besserung der Lage ist nur zu erwarten, wenn es den seit August 1943 eingesetzten deutschen polizeilichen Sicherheitsorganen gelingt, die illegalen dänischen Organisationen in ihrem Kern zu treffen und wenn Deutschland wieder die klare Handlungsfreiheit auf den verschiedenen Kriegsschauplätzen in der Hand hat.

239. Horst Wagner an Werner Best 11. Februar 1944
Best blev udspurgt om en konflikt, der ifølge schweizisk presse skulle have været mellem den danske kirke og besættelsesmagten, og hvor et krav om forcensur af gudstjenester i radioen var blevet trukket tilbage, da kirken havde truet med at ophøre med at sende radiogudstjenester.
    Best tog sig god tid til at svare. AA fik det 24. juni 1944.
    Se forud Partei-Kanzlei der NSDAP til AA 1. februar.
    Kilde: RA, pk. 218.

Durchdr. als Konzept/E
Ref. Kolrep
zu Inl. I D-153/44   den 11.2.1944

An den Bevollmächtigten des Reiches in Dänemark
    Kopenhagen

Betrifft: Politisch-konfessionelle Angelegenheiten in Dänemark

Der "Schweizer Evangelische Pressedienst" Nr. 47/43 berichtet, es sei zwischen der dänischen Kirche und den Besatzungsbehörden zu einem Konflikt gekommen, der schließlich durch das Einlenken von deutscher Seite vermieden worden sei. Bischof Malmström hätte in einem Kirchendienst, der durch Radio übertragen wurde, für die Juden gebetet. Darauf hätten die deutschen Besatzungsbehörden eine Vorzensur der Kirchendienste gefordert. Bischof [Fuglsang] Damgaard habe daraufhin durch Vermittlung des dänischen Außenministeriums den deutschen Behörden mitgeteilt, bei Einführung der Zensur würden künftig weder die Kirchendienste am Sonntag noch die Morgenandachten durch den Rundfunk gesendet werden; außerdem werde der Grund dieser Maßnahme von sämtlichen Kanzeln mitgeteilt werden. Nach einer Woche habe der Bischof von den deutschen Behörden eine Entschuldigung erhalten, in der mitgeteilt worden sei, es habe sich um ein Mißverständnis auf Grund einer unrichtigen Übersetzung gehandelt.
    Es wird um Mitteilung gebeten, welcher Sachverhalt dieser Meldung zu Grunde liegt.
                                                            Im Auftrag
                                                            Wagner

240. Cecil von Renthe-Fink an Emil Wiehl 11. Februar 1944

Renthe-Fink svarede på de spørgsmål, som Wiehl havde stillet ham 8. februar. Der var under forhandlingerne om finansieringen af besættelsesomkostningerne i 1940 ikke talt om tilbagebetalingen af de danske forskud. Tilbagebetalingsspørgsmålet blev ikke berørt på grund af Danmarks særlige stilling og for ikke at forringe dansk erhvervslivs lyst til at levere til Tyskland. Danskerne var vel klar over, at en tilbagebetaling næppe ville finde sted, hvis krigen varede i længere tid.
Kilde: PA/AA R 105.211. RA, pk. 281.

S DB Vichy Renthe-Fink Nr. 5 11.2. 08.10 Etat
Auswärtig Berlin Nr. 27   G.-Schreiben Geheim

Betr. Deutsch-Dänisches Clearingabkommen

Antwort auf Frage 1: Soweit ich mich erinnern kann, ist bei den Verhandlungen, die dem Abschluß im August 1940 zwischen Hauptverwaltung Reichskreditkasse und Nationalbank über Finanzierung Besatzungskosten vorausgingen Dänen – nicht – erklärt worden, daß Rückzahlung der von der von dänischer Nationalbank geleisteten Vorschüsse nicht beabsichtigt sei. Es ist aber meines Wissens auch alles unterlassen worden, was eine spätere Erklärung daß wir die Vorschüsse nicht zurückzahlen würden, hätte präjudizieren können.

Antwort auf Frage 2: Die Frage der Rückzahlung ist wegen der besonderen Lage Dänemarks offengelassen worden, und weil wir befürchteten, daß andernfalls die Bereitwilligkeit der dänischen Wirtschaft und Dänemarks überhaupt zu Leistungen an Deutschland wesentlich verringert werden könnten. Wenn ich mich recht erinnere, schwebten auch damals die Verhandlungen mit Dänen über den Abschluß einer Zollunion.

Antwort auf Frage 3: Dänen sind sich wohl immer darüber klar gewesen, daß Rückzahlung der Vorschüsse bei einem längeren Kriege kaum erfolgen würde. Dänen haben daher stets mit peinlicher Genauigkeit darauf gehalten, daß alle Posten, die Clearing fähig waren, aus dem Besatzungskostenkonto auf Clearingkonto übertragen wurden.

Generalkonsul Dr. Krüger, Kopenhagen, müßte m.E. in der Lage sein genaue Auskunft über diese Fragen zu erteilen.

Renthe-Fink

241. Horst Wagner an Joachim von Ribbentrop 11. Februar 1944

Best havde været kaldt til AA i et andet anliggende (Mirbach til von Grundherr 28. januar), og havde under sit seneste besøg undladt at opsøge Wagner. Da Ribbentrop havde givet Wagner besked på, at Best skulle orienteres om den brevveksling, der havde været mellem Ribbentrop og Himmler om forholdet mellem Best og Pancke, spurgte Wagner, om han nu skulle sende korrespondancen til Best eller vente til hans næste besøg.

Wagner fik besked på at oversende et uddrag af korrespondancen. Se Wagner til Best 21. februar 1944.

Når Best ikke havde opsøgt Wagner, mens han var i AA, kan det alene have skyldtes tidspres, dog kan Bests modsætningsforhold til Wagner også have spillet ind (jfr. Wagners udaterede brev til Walter Hewel fra januar 1944).
Kilde: PA/AA R 100.758 og 101.040.

Leiter Gruppe Inland II
zu Inl. II 295g *Geheim*

Der Herr RAM hatte angeordnet, daß ich Min. Dir. Best bei seinem nächsten Aufenthalt in Berlin Einsicht nehmen lasse in den Briefwechsel RAM-Reichsführer SS über das Verhältnis Best zum Höheren Polizeiführer in Dänemark. Von dieser Ministerweisung ist Dr. Best telegrafisch unterrichtet worden.

Da Dr. Best während seines letzten Hierseins am 7./8.2. mich nicht aufgesucht hat, bitte ich um Weisung, ob ich Dr. Best Abschrift des Briefwechsels übersenden soll, oder ob die Angelegenheit Zeit bis zu seinem nächsten Besuch hat.

Hiermit über Herrn St.S. Büro RAM zugeleitet mit der Bitte, eine Entscheidung des Herrn RAM einzuholen.
Berlin, den 11.2.1944
Wagner

242. Werner Best an das Auswärtige Amt 12. Februar 1944
Dagsindberetning.
Kilde: PA/AA R 29.568. RA, pk. 204.

Telegramm

Kopenhagen, den	12. Februar 1944	15.50 Uhr
Ankunft, den	12. Februar 1944	17.25 Uhr

Nr. 199 vom 12.2.44.   Citissime!

Ich bitte, die folgende Meldung unverzüglich dem Herrn Reichsaußenminister zuzuleiten:

Über die Lage in Dänemark berichte ich für den 11. auf 12.2.44, daß in der Aalborger Werft ein dort zur Reparatur befindlicher Dampfer der Kriegsmarine durch Sabotage beschädigt wurden.[78]

In Kollund wurden zwei weitere Saboteure der in meinem Telegramm Nr. 169 von 7.2.44 erwähnten Gruppe beim Versuch ihrer Festnahme erschossen.[79]

Dr. Best

---

[78] S/S "Dorpath" blev udsat for sabotage på Ålborg Værft (RA, BdO Inf. nr. 20, 14. februar 1944, *Information* 12. februar 1944, *Det stod ikke i Avisen*, 1945, s. 169, Alkil, 2, 1945-46, s. 1228).

[79] Det var Anker Hansen og Karl Laursen, der 10. februar under forberedelsen af en aktion mod Danfoss i Nordborg blev sporet af Gestapo på Strandhotellet i Kollund (RA, BdO Inf. nr. 20, 14. februar 1944, *Faldne i Danmarks frihedskamp*, 1970, s. 143f., 266, Trommer 1973, s. 132).

243. Emil Wiehl an Werner Best 12. Februar 1944

Wiehl spurgte Best, om han opretholdt sin modstand mod, at Korff blev nyt permanent medlem af det tysk-danske regeringsudvalg efter hans drøftelser med RFM.
  Best svarede med telegram nr. 203, 14. februar 1944.
  Kilde: RA, pk. 270.

Telegramm

Berlin, den   12. Februar 1944

Diplogerma Kopenhagen Nr. 139
Referent: LR Baron v. Behr

Betreff: Stellungnahme des Reichsbevollmächtigten für Vertreter des Reichsfinanzministeriums für Regierungsausschuß in Dänemark

Für Reichsbevollmächtigten.
Unter Bezugnahme auf Ihr Fernschreiben Nr. 149 vom 3. Februar[80] betreffend Ernennung Korffs zum ständigen Vertreter Finanzministeriums im Regierungsausschuß bitte ich um Bericht, ob Sie Ihre ablehnende Stellungnahme auch nach Ihren hiesigen Besprechungen mit Reichsfinanzministerium aufrecht erhalten.
                                                            Wiehl

244. Hermann von Hanneken an Rüstungsstab Dänemark 12. Februar 1944

Et af de redskaber, hvorved Best blev holdt orienteret om sabotagen i Danmark, var gennem de lister, som værnemagten regelmæssigt tilsendte ham over hver enkelt skade forøvet mod værnemagtens ejendom af enhver art. Listerne gik videre til de danske myndigheder med henblik på undersøgelse af det berettigede i at yde erstatning. Der er kun bevaret fragmenter af listerne, der førte til omfattende erstatningskrav. I august 1944 opgav værnemagten dem til 6.250.000 kr. I erstatningskravet indgik delvis skader vedrørende Rüstungsstab Dänemarks arbejdsområde, men som det fremgår af denne skrivelse, kunne Rüstungsstab Dänemark ikke få sin erstatning særskilt udsondret og betalt (Vang Hansen, Kjeldbæk, Maurer 1985, s. 10f.).
  Kilde: BArch, Freiburg, RW 19: Wi I E1: Dänemark. RA, Danica 1000, T-77, sp. 696, KTB/Rü Stab Dänemark, 1. Vierteljahr 1944, Anlage 5.

Abschrift von Abschrift!   Anlage 5.
Wehrmachtbefehlshaber Dänemark   *Gef.St., den 12.2.1944*
Abt. Qu. 12/44 offen

Betr.: Ersatz von deutschem Wehrmachtgut, das durch Sabotage zerstört wird.
Bezug: Dort. Schr. v. 7.2.44, Gr. Ib/Ic Az. Ib2.[81]

---

80 Trykt ovenfor.
81 Forstmann til Hanneken 7. februar 1944, trykt ovenfor.

An Abteilung Wehrwirtschaft
   im Rü Stab Dänemark, Kopenhagen

Sämtliche Sabotagefälle werden hier chronologisch in Listen zusammengefaßt, die etwa 14-tägig beim Reichsbevollmächtigten eingereicht, dort einer Vorprüfung unterzogen und sodann an die dänische Regierung zur Erledigung weitergegeben werden.
   Seit Mai 1943 sind insgesamt 16 Listen mit 483 Lfd. Nummern eingereicht. Hierauf hat die dänische Regierung 8 Listen abgerechnet. Außer dem geforderten Naturalersatz sind insgesamt 214.452,80 Kr. Geldersatz geleistet worden. Diese Beträge sind auf ein Sonderkonto bei der Danmarks Nationalbank eingezahlt. Da die dänische Regierung bisher nicht mitgeteilt hat, auf welche Posten sich diese Beträge beziehen, kann im Einzelfall vorläufig nicht angegeben werden, welche vom Rü Stab gemeldeten Schadensfälle abgewickelt sind. Eine entsprechende Auskunft ist von der dänischen Regierung bereits angefordert worden.
   Eine Auszahlung einzelner Posten an deutsche Dienststellen kann nicht erfolgen. Soweit von Dienststellen der Wehrmacht Beträge verauslagt sind, sind sie in die regelmäßigen Geldanforderungen beim Intendanten Wehrmachtbefehlshaber aufzunehmen.
   Für den Wehrmachtbefehlshaber Dänemark
                        Der Quartiermeister:
                        gez. **Meyer**
F.d.R.d.A.
Hauptmann

245. Hans Jordan: Die Lage im Norden 12. Februar 1944

Jordan redegjorde over for OKW for situationen på den nordeuropæiske krigsskueplads. Han anså ikke de tyske stridskræfter i Danmark for at være af høj værdi, deres kampkraft var begrænset. Det var muligt, at der ville ske en invasion omkring Esbjerg. Andre invasionsområder var ikke sandsynlige. Mulige mål for fjendtlige angreb var de store lufthavne og de svære kystbatterier. Der var planlagt tilførsel af forstærkninger i tilfælde af en invasion, men forstærkningerne kunne muligvis allerede være taget i anvendelse et andet sted. Rommels besigtigelse af kystforsvaret havde ført til et større antal organisatoriske og forsvarsmæssige ændringer. Den fæstningsmæssige udbygning blev nu gennemført. 24.000 danskere deltog frivilligt i arbejdet organiseret gennem deres egne organisationer. Der var blevet lagt titusindvis af miner, men forsvarskraften var stadig af "Befehlscharakter", selv om der på det sidste var sket forbedringer.
   Se tillige Walter Hubatschs vurdering 1. april 1944 (Rosengreen 1982, s. 98f., Andersen 2007, s. 159).
   Kilde: KTB/OKW Nachtrag 1944, s. 44-48.

[Der nördliche Kriegsschauplatz]
[…]

C. Dänemark 12.2.44

1.) Einsatz der eigenen Kräfte
Nachdem befohlen worden ist, die Verteidigung Dänemarks mit Nachdruck zu verstärken, sind die 6 Divisionen in Dänemark wie folgt eingesetzt worden:

um den Hafen von Esbjerg die 361. Div.,
an der Westküste die 160. und 166. Res.-Div.,
an der Spitze von Jütland die 416. Div.,
an der Ostküste die 20. Lw.-Feld-Div. und die 233. Res.-Pz.-Div.

Der Wert dieser Verbände ist sehr unterschiedlich. Unter ihnen befindet sich nur eine normale Division, nämlich die 361. Div., eine Neuaufstellung 21. Welle; von ihr sind bei Esbjerg selbst nur einige Bataillone eingesetzt, die übrigen betreiben noch Ausbildung. Die Aufstellung ist abgeschlossen. Der Wert der 160. und 166. Res.-Div. ist schwankend, je nach dem Zeitpunkt der letzten Abgabe. Da das Stammpersonal sehr gut und das Menschenmaterial an sich gut ist, ist beiden Divisionen ein gewisser Gefechtswert doch zuzusprechen. Ihre Bewaffnung wird weiter verbessert. Die 416. Div. ist zwar eine Division des Feldheeres, findet in ihm aber keine Parallele, da es sich von Haus aus um Landesschützeneinheiten handelt. Zu ihr gehören daher ältere Mannschaften; außerdem besteht sie nur aus 2 Regimentern. Die 20. Lw.-Feld-Div. ist in Wirklichkeit nur eine Radfahr-Brigade, deren innerer Wert dem der übrigen Lw.-Felddivisionen gleichkommt.

Die 233. Res.-Pz.-Div. ist nach dem Werte wohl der beste Verband, doch trifft auf ihn das Gleiche zu wie auf die beiden Inf.-Res.-Divisionen. Die Bewaffnung ist verhältnismäßig gut (etwa 50 Panzer, davon etwa 20 von vollwertigem Typ). Sie und die 20. Lw.-Feld-Div. bilden die bewegliche Reserve des Befehlshabers Dänemark.

2.) Die Gefährdung Dänemarks

An der Westküste ist eine Landung erst von Esbjerg an möglich. Nach Süden hin wird sie durch das Wattenmeer unmöglich gemacht. Der Hafen von Esbjerg ist nach Süden hin noch durch das Wattenmeer geschützt, von Westen aus hat er als Zugang eine schmale Rinne. Es ist daher anzunehmen, daß der Feind bei einer Landung in diesem Raum nördlich landen und dann Esbjerg von hinten aus umfassend abgreifen wird. Deshalb ist zur Sicherung dieses Hafens hier eine ganze Division eingesetzt und die anschließende Küste durch 2 Divisionen gesichert. Am rechten Flügel der 166. Div. teilt der Ringköbing-Fjord die Nordspitze von Jütland derart ab, daß sie praktisch als Insel anzusehen ist. In diesem ganzen Raum gibt es nur noch kleine Fischerhäfen. Der nächste brauchbare Hafen ist daher erst Aalborg in Nordjütland, das wieder für große Schiffe brauchbar ist, außerdem durch drei Flugplätze anlockt. Aber dieser Hafen ist nur von Osten aus zugänglich. Er müßte also schon durch Luftlandekräfte angegriffen werden. Eine Landung an der Ostküste oder auf den dänischen Inseln selbst ist nicht in Rechnung zu stellen, solange Jütland noch im eigenen Besitze ist, da der Feind dann bei der Anfahrt eine lange Flanke böte und seinen Nachschub unseren Luftstreitkräften aussetzte. Mit einer feindlichen Landung in Nordjütland ist praktisch nur zu rechnen im Zusammenhang mit einer Landung in Südnorwegen (s. vorige Aufzeichnung). Das Gelingen eines solchen Doppelstoßes könnte sich kriegsentscheidend auswirken, aber er bedeutet für den Feind sowohl zur See wie in der Luft ein großes Wagnis; deshalb wird zur Zeit nicht mit dieser Möglichkeit gerechnet. Dort, wo kein Wattenmeer vorhanden ist, eignet sich die Küste überall zur Anlandung. Könnte sich der Feind in Nordjütland festsetzen, so wäre wegen der inselförmigen Abtrennung ein Gegenstoß schwer zu führen.

Innerhalb des Landes bieten sich keine Hindernisse an. Überflutungen wie in Holland sind nicht möglich, die Straßen sind überall gut.

3.) Als Ziel feindlicher Vorstöße
sind besonders die dänischen Flugplätze ins Auge zu fassen: Einer bei Esbjerg, drei bei Aalborg und mitten im Lande der Flugplatz Grove, der einer der größten Flugplätze Europas überhaupt ist.

Für die eigene Verteidigung hat ferner besondere Bedeutung der Stützpunkt Hansted an der Nordwestspitze Jütlands; denn hier ist eine 38-cm-Batterie der Kriegsmarine aufgestellt, der eine Gegenbatterie in Südnorwegen entspricht. Beide können das Skagerrak sperren bis auf eine nicht gedeckte Zwischenzone von 10 km Breite. Diese Batterie wird unterstützt bzw. geschützt durch eine 17-cm-Batterie, eine 10,5-cm-Batterie, 3 7,5-cm-Batterien, Flak und 1 Inf.-Bataillon. Im Stützpunkt Hansted sind also mehrere 1000 Mann zusammengefaßt. Die Batterie ist als besonders luftgefährdet anzusehen. Es ist jedoch nur möglich gewesen, Splitterschutz zu schaffen; ihr Wert ist daher umstritten.

4.) An Heerestruppen stehen dem W. Bfh. Dänemark zur Verfügung:
1 Sturmgesch.-Ers.-Abt. von etwa 4.000 Mann, aber mit nur 20 Sturmgesch.,
1 Artl.-Abt. (15 cm) bei Esbjerg,
5 Ostbataillone, die an der Küste und auf dem Flugplatz Grove eingesetzt sind,
1 Pi-Ausbildungs- und Ersatz-Rgt., das bei Esbjerg und Fredericia untergebracht ist,
ferner 1 Marschbtl. und 5 Genesenen-Bataillone auf den Inseln, die lediglich imstande sind, die Ordnung im Lande aufrecht zu erhalten.

An Küstenartillerie gibt es zur Zeit etwa 17 Heeresküstenbatterien mit Beutegeschützen, die jetzt, soweit es möglich ist, verstärkt werden, ferner 10 Marineküstenartl.-Batterien, die zum Teil gut, zum Teil von den Dänen übernommen und ohne großen Wert sind. Es besteht die Absicht, noch größere Geschütze nach Esbjerg zu bringen.

5.) Als Verstärkungen bei einem großen Angriff gegen Dänemark ist die Zuführung von 2 Gen.-Kommandos mit 4-5 Divisionen und von Heeresartillerie in Aussicht genommen, doch ist damit zu rechnen, daß im gegebenen Falle ein Teil der vorgesehenen Verstärkungen bereits anders eingesetzt ist. Diese Zuführungen werden meist aus dem Westen kommen müssen, da die noch im Heimatkriegsgebiet untergebrachten Verbände wohl schon vergeben sein werden. Für den Fall "Blume" ist die Abgabe der 361. Div. und einer Artl.-Abt. vorgesehen, da in dem Fall eines Angriffs auf Frankreich nicht mehr mit einer Großlandung in Dänemark gerechnet wird. Für den Fall "Falke" (Angriff gegen Norwegen) soll der Wehrm. Befehlshaber die 20. Lw.-Feld-Div. abgeben, um, falls es noch möglich ist, diese dann noch nach Norwegen hinüberzuführen.

6.) Auf Grund der ihm erteilten Befehle und des von Gfm. Rommel vorgelegten Berichts hat der W. Bfh. Dänemark eine größere Anzahl von Anträgen vorgelegt, u.a.
a.) Verstärkung seiner Pi- und Nachr.-Kräfte, die bisher nicht im ausreichenden Maße vorhanden sind, da die vorhandenen Divisionen ja fast alle nur Behelfsdivisionen sind. Eine Erfüllung dieser Anträge ist jedoch nicht möglich. Käme es zur Landung,

würden die zuzuführenden Generalkommandos Pi- und Nachr.-Kräfte mitbringen.
b.) eine Festsetzung der Stärke der Reserve-Divisionen. Doch ist dies nicht möglich, um den Gang der Ausbildung nicht zu stören.
c.) Kräfte für die Besetzung des Landesinnern, das nach der Umgruppierung völlig entleert ist, im Hinblick auf die Möglichkeit von Unruhen im Augenblick einer Großlandung. Auch die Erfüllung dieses Antrages ist nicht möglich.

7.) In Kopenhagen sitzt die Oberfeldkommandantur 398, die den Wehrm. Bfh. jetzt bei dem Bevollmächtigten des Großdeutschen Reiches, Best, vertritt und außerdem territorialer Befehlshaber auf den Inseln ist.

8.) Der festungsähnliche Ausbau wird nur an der Westküste durchgeführt. Hier sind jetzt 24.000 Zivilisten eingesetzt auf Grund freiwilliger Meldung und einer durch die Dänen selbst gesteuerten Organisation. Sie werden gut bezahlt, und die Arbeit kommt gut voran. In der letzten Zeit sind 120.000 Minen verlegt worden, d.h. doppelt so viel wie in den letzten beiden Jahren, in denen die Rücksicht auf die Bevölkerung im Vordergrunde stand. Jetzt sind alle Friedensrücksichten zurückgestellt worden. Auch die Truppe hat ganz den Anforderungen der Verteidigung in Unterbringung usw. sich anzupassen.

9.) Der Bestand an schwerer Pak in Dänemark ist in letzter Zeit von etwa 30 auf etwa 80 gesteigert worden.

10.) Die Verteidigungskraft Dänemarks hat zwar noch immer den Behelfscharakter, der ihr von ihren Anfängen her anhaftet, aber sie hat doch in der letzten Zeit eine sehr wesentliche Steigerung erfahren.
gez. **Schramm**

246. Werner Best an das Auswärtige Amt 14. Februar 1944
Dagsindberetning.
Kilde: PA/AA R 29.568. RA, pk. 204.

Telegramm

| Kopenhagen, den | 14. Februar 1944 | 20.35 Uhr |
| Ankunft, den | 14. Februar 1944 | 21.50 Uhr |

Nr. 201 vom 14.2.44.   Citissime!

Ich bitte, die folgende Meldung dem Herrn Reichsaußenminister unverzüglich zuzuleiten:
Über die Lage in Dänemark berichte ich für den 13. auf den 14.2.44, daß aus dem ganzen Lande keine besonderen Vorkommnisse gemeldet worden sind.
Dr. Best

247. Werner Best an das Auswärtige Amt 14. Februar 1944

Der skulle udpeges en ny repræsentant til det udenlandske diplomati i København, det er uvist fra hvilket land, og Best anbefalede, at den pågældende blev holdt på chargé d'affaires-niveau, da det var tvivlsomt, om den danske konge ville modtage en gesandt, og fordi den tyske ledelse var ude på at få Christian 10. til at udøve regeringsfunktioner igen (PKB, 13, Beretning 1954, s. 107 angives fejlagtigt, at der skulle være tale om en tysk repræsentant).

Kilde: PKB, 13, nr. 439.

Telegramm

Kopenhagen, den	15. Februar 1944	14.45 Uhr
Ankunft, den	15. Februar 1944	17.50 Uhr

Nr. 202 vom 14.2.[44.]

Auf Telegramm vom 10. Nr. 131[82] erwidere ich, daß ich die Entsendung eines Geschäftsträgers empfehle, weil einerseits zweifelhaft ist, ob der König einen Gesandten empfangen würde, und weil es andererseits den Wünschen unserer Führung entsprechen dürfte, daß dem König ein Anstoß zur Wiederausübung von Regierungsfunktionen gegeben wird.

Dr. Best

248. Werner Best an das Auswärtige Amt 14. Februar 1944

Best opgav sin modstand mod Korffs medlemskab af det tysk-danske regeringsudvalg, så længe Korff ikke krævede en ændring af systemet vedrørende de danske besættelsesudgifter.

Korff blev medlem af udvalget, se Wiehl til RFM 21. februar 1944.

Kilde: RA, pk. 270.

Telegramm

Kopenhagen, den	14. Februar 1944	20.40 Uhr
Ankunft, den	15. Februar 1944	23.15 Uhr

Nr. 203 vom 14.2.[44.]

Auf das dortige Telegramm Nr. 130 vom 13.2.44[83] erwidere ich, daß ich bereit bin, keine Bedenken gegen die Beteiligung des Oberregierungsrats Korff am Regierungsausschuß so lange zurückzustellen, als der Reichsfinanzminister seine Forderungen auf Änderung des Systems der dänischen Besatzungskosten-Vorschüsse zurückstellt, weil insolange der Oberregierungsrat Korff auch im Regierungsausschuß von der Vertretung solcher Vorschläge absehen müßte.

Dr. Best

---

82 Pol. VI 7697 g. Telegrammet er ikke lokaliseret.
83 Det var rettelig telegram nr. 139, 12. februar 1944, trykt ovenfor.

249. Otto Bovensiepen an RSHA 15. Februar 1944

På grundlag af dagspressen og enkelte tidsskrifter gav Bovensiepen en oversigt over diskussionen om dansk og svensk erhvervslivs muligheder efter krigsafslutningen. Det var dog den danske diskussion, der var i fokus. Bovensiepen fastslog, at debatten foregik på den præmis, at Tyskland ville tabe krigen. Derefter gennemgik han både de fremtidige planer og de planer, der allerede var sat i gang, bl.a. på boligbyggeri- og byplansområdet. Han drog ingen konklusioner, men indberetningen er næppe udarbejdet for alene at højne oplysningsniveauet i RSHA.

Herom vidner også Bests kommentar til beretningen 19. februar (trykt nedenfor). Hensigten kan have været at se mulighederne i at gribe ind i de trufne planer og prioriteringer til fordel for den tyske krigsøkonomi. F.eks. kunne arbejderne beskæftiget ved boligbyggeriet overføres til tyske byggearbejder.

Bovensiepens indberetninger til RSHA er kun undtagelsesvis kendt, når bortses fra de månedlige indberetninger om politiarbejdet og de senere affattede "Meldungen aus Dänemark." Som den her gengivne indberetning er de kun kendte, fordi de er bevaret i arkiver uden for RSHA. I dette tilfælde er det i værnemagtens arkiver.

Kilde: RA, Danica 1069, sp. 12, nr. 15.740-50.

Der Befehlshaber der Sicherheitspolizei *Kopenhagen, den 15.2.1944*
und des SD in Dänemark
III D- E/P

An das Reichssicherheitshauptamt
    AMT III – III D – W.
    III D1
    III D2
    III D3
    III D4
    III D5
Zur Kenntnisnahme an:
    III B5
    z.Hd. SS-Obersturmbannführer von Löw
    Berlin
an den Höheren SS- und Polizeiführer SS-Obergruppenführer Pancke
    im Hause
an den Herrn Reichsbevollmächtigten SS-Gruppenführer Dr. Best
    im Hause.

Betr.: Erörterungen in Dänemark und Schweden über die Wirtschaft nach dem Kriege.
Vorg.: ohne.

Die dänische Presse und Literatur, dänische Wirtschaftsführer, Staatsmänner und dänische Gemeinden haben in den vergangenen Monaten in theoretischen Betrachtungen und praktischen Plänen häufig die Frage behandelt, wie die Wirtschaft nach dem Kriege gestaltet werden soll. Zur gleichen Zeit ist auch in Schweden eine ähnliche Diskussion festzustellen, von der hier insbesondere Einzelheiten über die Erörterungen und Pläne des schwedischen Staates bekannt wurden. Es ist bemerkenswert, daß die dänischen und schwedischen Nachkriegserörterungen zeitlich etwa zusammenfallen mit den verschiedenen Nachkriegsplänen wirtschaftlicher Art der Feindmächte (z.B. englischer Keynes-Plan und amerikanischer White-Plan). Auch die Betrachtungen des Völkerbundes über den "Übergang von der Kriegs- zur Friedenswirtschaft" gehören in diesen Rahmen (siehe hiesigen Bericht vom 10.2.44).[84]

Die Erörterungen über die Nachkriegswirtschaft in Dänemark wurden eingeleitet durch Hinweise in den Zeitungen in der Richtung, daß es erforderlich sei, sich rechtzeitig über die Gestaltung der Wirtschaft nach dem Kriege klar zu werden. Man verwies dabei auf die ungenügenden Vorbereitungen für die Nachkriegszeit während des ersten Weltkrieges. So schreibt z.B. die Zeitung "Berlingske Tidende" am 13.11.43 unter der Überschrift "Rechtzeitige Planung"

"Wenn die Verhältnisse sich nach dem ersten Weltkrieg so katastrophal entwickelten, war es ja eben, weil die Situation uns überraschte und wir nicht darauf vorbereitet waren."

Die Zeitung "Politiken" vom 16.11.43 erhebt die Frage, "Wo setzt man an, wenn Dänemarks Ökonomie nach dem Kriege wiederhergestellt werden soll?" "Politiken" warnt in diesem Artikel davor, abzuwarten, welche Politik "die Großen" beabsichtigen und welche Bestimmungen den Dänen diktiert werden sollen. Es könne wohl sein, daß die wirtschaftlichen Möglichkeiten nach dem Kriege für Dänemark durch Verhältnisse begrenzt würden, auf die das dänische Volk keinen Einfluß habe. Man müsse aber unbedingt die übrig bleibenden Möglichkeiten ausnutzen.

In Auslassungen von dänischen Staatsmännern kommt deutlich und unverhohlen die Hoffnung auf Wiederherstellung der früheren Zustände zum Ausdruck. So erklärte z.B. der Handelsminister Halfdan Henriksen in seiner Rede auf der konservativen Ollerup-Versammlung am 17.8.43, daß in der Zukunft die politischen Parteien wieder frei und ungebunden ihre parteipolitischen Gedanken und Ideen geltend machen können. In der Übergangszeit, die nach dem Kriege folge, müßte man versuchen, die vielen Staatseingriffe allmählich abzuwickeln. Das Erwerbsleben müßte sich ganz anders frei entfalten können, als es jetzt der Fall sei.

Mit diesen Äußerungen ist der Ausgangspunkt aller dänischen Erörterungen zur Gestaltung der Wirtschaft nach dem Kriege gekennzeichnet. Es wurde hier keine Stimme bekannt, die davon ausgeht, daß das Deutsche Reich mit seinen nationalsozialistischen Ideen im nordischen Raum Einfluß nehmen könnte. Grundlage aller Erörterungen ist vielmehr stillschweigend die Wiederherstellung einer ähnlichen politischen Lage wie vor dem Kriege und die überwiegende Hoffnung auf einen Sieg der Alliierten.

In Schweden ist die Grundeinstellung ähnlich. Hier hat sich in besonders starkem Maße der schwedische Staat mit Planungen für die Nachkriegszeit beschäftigt.

Die oben gekennzeichnete und durch den Handelsminister zum Ausdruck gebrachte politische Grundhaltung ist ausschlaggebend für die Linie der Wirtschaftsgestaltung. Der Handelsminister zeigt in seiner erwähnten Rede die wirtschaftlichen Konsequenzen der politischen Einstellung auf:

"Die Freiheit des Erwerbslebens wünschen wir wieder zu erreichen, sobald die Möglichkeiten vorhanden sind, und ich wünsche festzustellen, daß nur freie Gewerbe, die

---

84 Denne indberetning er ikke lokaliseret.

ohne Einschränkungen arbeiten, imstande sein werden, unserem Lande seine Gesundheit und Stärke wiederzugeben ... Nur die freie, frische, persönliche Erwerbsinitiative wird auf die Dauer die Beschäftigungsaufgaben bewältigen können."

Die Veröffentlichung der Zeitung "Politiken" vom 30.11.43 über Vorbereitungen der Industrie für die Arbeit nach dem Kriege liegt auf derselben Linie. Die Zeitung kommt zu der Feststellung, daß man zur Durchführung von Plänen auf wirtschaftlichem Gebiet keinen Impuls von oben, "geschweige denn einen autoritär bestimmten gemeinsamen Plan" benötigt.

Damit ist die Frage nach rein privatwirtschaftlicher Initiative oder staatlich gelenkten Arbeiten aufgeworfen. Vorweg kann festgestellt werden, daß die meisten Veröffentlichungen die Notwendigkeit der Einschaltung der staatlichen Initiative zur Ankurbelung des Wirtschaftslebens nach dem Kriege nicht verkennen. Die oben erwähnten Stimmen, die jeden staatlichen Impuls aus liberalistischer Prinzipienreiterei ablehnen zu müssen glauben, sind insgesamt betrachtet doch in der Minderheit. Die meisten Betrachtungen gehen davon aus, daß nach dem Kriege die Gefahr einer großen Arbeitslosigkeit bestehen wird, wenn die Arbeiten für die Kriegsführung aufhören und die Soldaten zurückkehren werden (so z.B. Prof. Thorkil Kristensen in der Zeitschrift "Dansk Politik"). Es würde notwendig sein, so heißt es in verschiedenen Veröffentlichungen, daß der Staat eine wirkliche Beschäftigungspolitik betreibt. "Die öffentliche Hand muß mobilisiert werden", erklärt z.B. auch der frühere Verkehrsminister Elgaard. Der frühere Arbeitsminister Kjärböl äußerte am 18.8.43, daß eine "umfassende Bereitschaftsliste über Arbeiten" eingerichtet werden müßte, die geplant und zur Verwirklichung bereit sind. Auch die industrielle Zeitschrift "Tidsskrift for Industri" erkennt laut "Politiken" vom 3.11.43 die Notwendigkeit von "Arbeiten zur Stärkung der produktiven Voraussetzungen des Landes". Sie glaubt, daß insbesondere die Ausbesserung von Häfen und Bahnanlagen gefördert werden müßte.

Daß die Durchführung öffentlicher Arbeiten nicht nur in theoretischen Erörterungen stecken bleibt, zeigt die Ausgabe einer dänischen Staatsanleihe in Höhe von 60 Millionen Kronen am 13.11.43. Der Ertrag der Anleihe ist in den dazu ergangenen Veröffentlichungen eindeutig für "öffentliche Beschäftigungsarbeiten" nach dem Kriege festgelegt.

Von der Ankurbelung der Beschäftigung verspricht man sich einen großen Einfluß auf das Preisniveau. Der oben schon erwähnte Prof. Kristensen meint, daß eine Neigung zum Preissturz kaum ausbleiben werde. Die Frachtsätze würden wegen der Gefahrenverringerung fallen. (Dazu ist zu bemerken, daß Dänemark an der Gestaltung der Frachtsätze als stark Schiffahrt treibendes Land sehr interessiert ist). Auch dadurch daß mehr Waren auf den Markt kommen, würden die Preise sinken. Ein maßgeblicher Vertreter der Kaufmannschaft, Direktor Olesen, erklärte schon im März v.J., daß der Preissturz, wenn er nach dem Kriege einsetze, nicht aufgehalten werden dürfe. Die Zeitung "Politiken" führt über die Geldpolitik Schwedens nach dem Kriege auf Grund von Äußerungen von 5 Sachverständigen der schwedischen Reichsbank aus, daß nach dem Kriege zunächst keine Vorkehrungen zur Beseitigung der Preissteigerung getroffen werden dürften. Man sei im Gegenteil auf die erhöhten Einnahmen (Standpunkt des Fiskus) angewiesen, auch nachdem die Warenversorgung wieder normal geworden ist. Wenn dann allerdings die Produktion wieder erhöht und der Warenaustausch wieder voll angelaufen sei, müsse man dafür sorgen, daß eine Preisermäßigung eintrete.

In bezug auf die Höhe der Löhne nach dem Kriege erklärt z.B. der Ausschuß der schwedischen Reichsbank, daß man nicht aus geldpolitischen Gesichtspunkten nach dem Waffenstillstand Veränderungen im Lohnstand anstreben dürfe. Auch die dänischen Veröffentlichungen kommen zu der Ansicht, daß die Löhne beibehalten werden müßten.

Von besonderem Interesse für die dänische Öffentlichkeit ist zweifellos die Frage der Gestaltung des internationalen Warenverkehrs nach dem Kriege. Der genannte Prof. Kristensen weist darauf hin, daß gewisse überstaatliche Organe nach dem Kriege entstehen könnten, die den einzelnen Ländern die Entschlußfreiheit in dieser Hinsicht rauben. Er spielt damit zweifellos auf die englisch-amerikanischen Pläne an. Kristensen fährt dann in seinen diesbezüglichen Betrachtungen folgendermaßen fort:

"Zu all diesen kommt dann die Tatsache, daß Dänemark während des Krieges große ausländische Guthaben bekommen hat, nicht nur in Deutschland, sondern auch bei den Westmächten, die einen Teil unserer Handelsflotte benutzt haben. In welcher Weise diese Kaufkraft uns zur Verfügung gestellt wird, kann man jedoch noch nicht sagen."

Von besonderem Interesse ist nach einem Artikel in der Zeitung "Socialdemokraten" vom 17.10.43 die Gestaltung der künftigen Absatzverhältnisse für veredelte landwirtschaftliche Erzeugnisse. Er kommt dabei zu dem Ergebnis, das übrigens in anderen Veröffentlichungen ebenso auftaucht, daß die dänische landwirtschaftliche Ausfuhr nach dem Kriege einer verschärften Konkurrenz sowohl von den Dominions als auch von der englischen heimischen Landwirtschaft gegenübersteht. (Man beachte hier wieder die einseitige Orientierung nach dem englischen Markt hin).

Der Devisenausschuß des schwedischen Staates spricht sich dahingehend aus, daß man nach dem Kriege in Europa mit einer ungenügenden Einfuhr weiterhin rechnen müsse. Die während des Krieges herrschenden Verhältnisse würden noch lange Zeit wegen der großen Warenknappheit in allen Ländern fortbestehen und neben einer Kontrolle des inländischen Warenverbrauchs auch eine laufende Regelung des Außenhandels erforderlich machen.

Die Veröffentlichungen und die Äußerungen dänischer Wirtschaftsfachleute gehen neben der Betrachtung der Möglichkeiten der Entwicklung der allgemeinen wirtschaftlichen Verhältnisse teilweise auch stark auf die voraussichtliche Entwicklung einzelner Produktions- und Wirtschaftszweige ein. So nimmt einen breiten Raum die voraussichtliche Entwicklung der Landwirtschaft ein. Wie oben schon angedeutet, weisen zahlreiche Veröffentlichungen auf die Gefahren für die Landwirtschaft Dänemarks durch die Verselbständigung zahlreicher ausländischer Märkte hin. Der Qualitätsvorsprung, den die dänische Landwirtschaft vor dem Kriege hatte, sei in weitem Umfange von anderen Ländern eingeholt worden (so z.B. die Zeitung "Politiken" vom 16.11.43). In einem weiteren Artikel vom 24.11.43 läßt sich "Politiken" in breiter Form über die Exportmöglichkeiten der dänischen Landwirtschaft nach dem Kriege aus. Es werden darin die Äußerungen eines bekannten Großlandwirts gebracht, der in ziemlich unverhohlener Weise auf die Notwendigkeit eines Übergangs der dänischen Landwirtschaftsproduktion auf die alten "Qualitätserzeugnisse" im Gegensatz zu den jetzt hergestellten Produktion aufmerksam macht. Er schreibt, daß z.B. die Schweine nicht mehr nach dem Gewicht, sondern nach der "Geschmacksqualität" von den Schlachthäusern eingeschätzt werden müßten. Seine weiteren Ausführungen über den Unterschied zwischen Fleisch, das mit Korn und Milch produziert ist und solchem, das durch Fütterung mit "Abfällen, Knochenmehl, Kartoffeln und Rüben" hergestellt wird, ist eine eindeutige Aufforderung dazu, von den sogen. fetten "Deutschland-Schweinen" auf die mageren "Englandsschweine" überzugehen. Auch die Butter müßte nach Ansicht des genannten Großlandwirts wieder ihre alte Qualität bekommen, die sie jetzt bei der Fütterung mit Fischmehl, Knochenmehl und der "übelriechenden Rübenblättersilage" nicht haben könne. (Die Umstellung der Fütterung setze nach der Besetzung Dänemarks ein!)

Von großem Interesse ist in zweiter Linie für die dänische Wirtschaft die sogenannte Ersatzproduktion. Man läßt sich in zum Teil breiten Ausführungen darüber aus, ob und in welchem Umfange die Ersatzproduktion beibehalten werden müßte. Man ist sich darüber im klaren, daß die Beschaffung der benötigten Rohstoffe noch einige Zeit in Anspruch nehmen wird und daß daher die Ersatzproduktion nicht sofort nach dem Kriege aufhören könne. Es sei deshalb falsch, so stellt selbst ein Vertreter der Arbeitgeber fest, sich etwa im gegenwärtigen Zeitpunkt gegen die Förderung der Ersatzproduktion zu sträuben. Die Ersatzproduktion werde einen breiten Raum in der Zukunft einnehmen, wenn es darum gehe, die Beschäftigung nach dem Kriege anzukurbeln. Als eine weitere Hauptforderung für die Industrie wird weiterhin neben der Erhaltung der Ersatzproduktion gefordert, daß man die größten Anstrengungen machen müßte, um die nötigen Rohstoffe zu bekommen, daß man aber auch nicht vergessen dürfe, die Arbeitsverhältnisse zu erforschen, die Arbeiterausbildung zu betreiben und den Tüchtigen die Möglichkeit zur Förderung geben.

Die Aussichten für das Gewerbe und dessen Absichten werden treffend gekennzeichnet durch ein Interview, das der Privatbankier Bruhn der Zeitung "Berlingske Tidende" am 4.12.43 gab. Der Bankier erwiderte auf die Frage, was die Banken zurzeit mit ihren vielen Geldern machen:

"Wir warten ab. Die Banken halten das Geld für die Aufgaben bereit, die nach dem Kriege erfüllt werden müssen. Die Banken sind während dieses Krieges sehr vorsichtig gewesen."

Diese Äußerung zeigt übrigens auch deutlich, daß die dänischen Banken mit ihren vielen Geldern nicht für irgendwelche deutschen Belange eingesetzt sind, obwohl die Möglichkeit dazu doch zweifellos vorhanden wäre.

Einen breiten Raum in den Nachkriegsbesprechungen nehmen auch die Erörterungen über das künftige Flugwesen ein. In allen Veröffentlichungen kommt zum Ausdruck, daß ein reger inner-dänischer Flugverkehr eingerichtet werden müßte. Der dänische Luftfahrtdirektor riet z.B. in Zeitungsveröffentlichungen allen dänischen Städten, schon jetzt Flugplätze in ihre Stadtplanung mit einzurechnen. Ein Netz von inländischen Fluglinien werde sich über ganz Dänemark spannen. Eine große Zukunft sichert man dem Droschkenflug, dem Ausflugsverkehr mit Flugzeug und dem Schulflug zu. Ein ministerieller Flugplanausschuß ist bereits eingerichtet; er soll die Provinzialstadträte in allen Fragen des Flugwesens und der Anlage von Flugplätzen beraten. Zunächst ist die Errichtung von 5 Fluglinien, die alle ihren Ausgangspunkt in Kopenhagen haben, geplant, und zwar sollen von Kopenhagen aus die Städte Aalborg, Aarhus, Esbjerg, Odense und Rönne beflogen werden. Auch eine Flugverbindung nach Bornholm ist vorgesehen.

Planungen auf dem Gebiet des Wohnungswesens sind nur in Schweden bekannt geworden, sie sollen allerdings für den gesamten Norden Geltung haben. So bringt die Kopenhagener Zeitung "Politiken" vom 18.11.43 eine Meldung aus Stockholm, wonach unter dem finnischen Professor Alvar Aalto ein nordisches Institut für Wiederaufbau eingerichtet wurde. Es soll in einer umfassenden "Laboratoriumsarbeit" die Tausende von Einzelheiten bearbeiten, die zur Planung des Hausbaues erforderlich sind. In einer Unterredung mit "Politiken" erklärte Prof. Aalto u.a.:

"Wir kommen um die Normalisierung nicht herum. Die Architektur kann aber nicht nach denselben Methoden wie die Technik vereinheitlicht werden."

Im Hausbau könne die Normalisierung nur bis zu einem gewissen Grade erreicht werden, weil das Individuum nicht normalisiert werden könne. Das Haus werde immer in anderer Weise als die Maschine an die menschliche Persönlichkeit geknüpft sein. Wenn auch nicht in unmittelbarem Zusammenhang mit der Nachkriegsproduktion, so darf hier doch erwähnt werden, daß in Dänemark schon seit längerem Planungen über die Möglichkeit einer Produktion von fertigen Kleinhäusern bestehen, die für die große Anzahl der kleinen Landwirte (Häusler) hier eine große Rolle spielen würden.

So wie die nordischen Länder insgesamt einen Planungsausschuß für den Wohnungsbau ins Leben gerufen haben, sind auch in Dänemark einige Institute und Ausschüsse zur Erforschung von wirtschaftlichen Nachkriegsproblemen gegründet worden. Die dänische Regierung hat im vergangenen Jahr, als sie noch im Amt war, einen Beschäftigungsausschuß unter Beteiligung sämtlicher Fachministerien gegründet (Tagespresse vom 27.7.43) Wohl infolge der Einstellung der eigentlichen dänischen Regierungstätigkeit um Zusammenhang mit dem Ausnahmezustand von August bis Oktober 1943 ist über eine weitere Tätigkeit dieses Ausschusses nichts bekannt geworden.

Eine größere Bedeutung kommt dem sogen. Erwerbsökonomischen Institut zu, das gemeinsam von einem Ausschuß von Vertretern des dänischen Arbeitsgeberverbandes und des Industrierates geleitet wird. Es stellt eine Gründung der Industrie dar und hat seine Tätigkeit unter der Leitung eines Sekretärs schon aufgenommen. Neben der Industrie ist auch das Handwerk an dem Institut beteiligt. Das Institut soll vor allem die wirtschaftlichen Möglichkeiten nach dem Kriege erforschen. In diesem Zusammenhang darf nicht unerwähnt bleiben, daß neben der Zusammenarbeit der dänischen Gewerbetreibenden in dem erwerbswirtschaftlichen Institut auch eine gewisse Zusammenarbeit der nordischen Wirtschaftler zu verzeichnen ist. So trafen sich z.B. die leitenden Gewerbetreibenden der nordischen Länder am 15.4.43 zu einer Sitzung in Kopenhagen.

Als eine wesentliche Aufgabe bei der Erforschung der Nachkriegsprobleme wird dabei die Beobachtung der Pläne und Erörterungen des Auslandes in bezug auf die wirtschaftlichen Verhältnisse nach dem Kriege betrachtet.

In Schweden wurden u.a. gegründet:
1.) Ein besondere Organ der Regierung mit der Aufgabe, zu untersuchen, wie die Umstellung des Erwerbslebens zur Friedensproduktion erfolgen soll.
2.) Ein Bankausschuß unter Leitung von 5 von der Reichsbank benannten Sachverständigen, der die Konjunkturentwicklung, den Preisstand und die Bedeutung des Lohnniveaus für die allgemeine Politik nach dem Kriege einer Betrachtung unterziehen soll.

3.) Ein Devisenausschuß, der insbesondere die Devisenlage und die voraussichtliche Entwicklung des internationalen Warenverkehrs nach dem Kriege erörtern soll.

Zum Schluß sollen die wenigen bisher bekannt gewordenen konkreten Pläne für die Nachkriegszeit, die im wesentlichen von einzelnen dänischen Städten der Öffentlichkeit benannt wurden, aufgezählt werden.

1.) Die Stadt Kopenhagen stellte am 11.11.43 auf Vorschlag des Oberbürgermeisters 1 Million Kronen für die Planung von Bereitschaftsarbeiten nach dem Kriege bereit.
2.) Von den nordjütländischen Landgemeinden wurde ein Zehnjahresplan für die Nachkriegszeit ausgearbeitet ("Politiken" vom 23.9.43). Es handelt sich dabei um die Kultivierung von etwa 36.000 to Land (1 to Land gleich etwa ½ ha) an der Westküste auf einer Strecke von nördlich von Blokhus bis gegen Tranum-Strand bei Svensklöv, die aus Einöden, Torfmooren, Heide und Dünen besteht.
3.) Das sogen. Limfjord-Programm, über das allerdings anscheinend noch keine Einzelheiten vorliegen. Man plant die Schließung des Thyborön-Kanals und damit die Trockenlegung des Limfjords.
4.) Planung von Bereitschaftsarbeiten in Höhe von 40 Millionen Kronen in Aarhus.

Die schwedische Regierung stellt für die Planung nach dem Kriege, d.h. insbesondere für öffentliche Arbeitsbeschaffungsprogramme den Betrag von 10 Millionen schwed. Kronen zur Verfügung (Nr. 365 des hier vorliegenden Protokolls des schwedischen Reichstages vom 15.10.43.). Außerdem planen die Schweden eine Hilfe für die Beseitigung der schlimmsten Kriegsfolgen in den nordischen Ländern. Eine ähnliche Hilfe ist auch für die übrigen europäischen Länder vorgesehen; man will sie aber nach den Auslassungen des Finanzministers abhängig machen von der Bereitschaft dieser Länder, Schweden mit Einfuhren zu unterstützen.

Bovensiepen
SS-Standartenführer

250. Werner Best an das Auswärtige Amt 15. Februar 1944

Best anmodede om, at det kun var ham, der bar titlen rigsbefuldmægtiget i Danmark. Det var i anledning af, at rigstrafikministeren havde udnævnt en banebefuldmægtiget i Danmark.
  Svaret er ikke lokaliseret, men der optræder senere en tysk rigsbanebefuldmægtiget i Danmark, så Bests ønske blev ikke imødekommet (se Knutzen 1948, f. eks. s. 148).
  Kilde: PA/AA R 29.568. RA, pk. 204.

Telegramm

Kopenhagen, den	15. Februar 1944	19.40 Uhr
Ankunft, den	16. Februar 1944	03.20 Uhr

Nr. 205 vom 15.2.44. Geheime Reichssache!

Auf Schrifterlaß vom 18.1.1944. Ha. Pol. XII B 183[85] und Drahterlaß Nr. 112[86] vom 5.2.44.

Der Reichsverkehrsminister hat, wie er dem Auswärtigen Amt mit Schreiben vom 15.1.44 – 2 Arl (N) mitgeteilt hat, eine Neuregelung der Vertretung der deutschen Reichsbahn in Dänemark vorgenommen. Danach ist die Dienstbezeichnung "Bevollmächtigter der deutschen Reichsbahn in Dänemark" beseitigt worden. Der bisherige Inhaber dieser Dienststelle, Reichsbahnrat Klein, hat dafür die Geschäfte des "Bahnbevollmächtigten in Dänemark" übernommen und führt mithin jetzt diese Dienstbezeichnung.

Die Annahme des Reichsverkehrsministers, daß mit dieser Regelung meinen Wünschen "voll Rechnung getragen sei" siehe den Schlußsatz seines Schreibens vom 15.1.44! – ist irrig. Ich habe in meinem Drahtbericht Nr. 1541[87] vom 16.12.43 zum Ausdruck gebracht, daß ich Wert darauf lege, daß neben mir in Dänemark niemand die Bezeichnung "Bevollmächtigter" führt. Das gilt selbstverständlich auch hinsichtlich der Bezeichnung "Bahnbevollmächtigter."

Daß die Bezeichnung "Bahnbevollmächtigter" – wie der Reichsverkehrsminister ausführt, seit Jahrzehnten bei den deutschen Eisenbahnen in Gebrauch ist und von Beamten mit ähnlichen Aufgaben, wie sie der Reichsbahnrat Klein hat, geführt wird, ist kein zwingender Grund dafür, daß diese Bezeichnung auch in Dänemark angewandt werden muß. Es ist bei den Verwaltungen aller Sparten durchaus üblich, daß in den besetzten Gebieten in Anpassung an die jeweiligen besonderen Verhältnisse andere Dienstbezeichnungen als im Reich gewählt werden. Nach meiner Auffassung ist es deshalb keine unbillige Zumutung, wenn der Reichsverkehrsminister gebeten wird, das Wort "Bevollmächtigter" aus der Dienstbezeichnung seines Vertreters in Dänemark zu eliminieren und etwa durch "Beauftragter" zu ersetzen.

Ich bitte daher, sich mit ihm deswegen noch einmal in Verbindung zu setzen.

Dr. Best

251. Werner Best an das Auswärtige Amt 15. Februar 1944
Dagsindberetning.
Kilde: PA/AA R 29.568. RA, pk. 204.

Telegramm

Kopenhagen. den	15. Februar 1944	20.20 Uhr
Ankunft, den	16. Februar 1944	03.20 Uhr

---

85 Telegrammet er ikke lokaliseret.
86 Ha. Pol. XII b 593. Telegrammet er ikke lokaliseret.
87 bei Ha. Pol. Telegrammet er ikke lokaliseret.

Nr. 207 vom 15.2.[44.]   Citissime!

Ich bitte, die folgende Meldung unverzüglich dem Herrn Reichsaußenminister zuzuleiten:

Über die Lage in Dänemark berichte ich für den 14. auf 15.2.1944, daß aus dem ganzen Land keine besonderen Vorkommnisse gemeldet worden sind.

Dr. Best

252. Bernhard Heyne an Franz Ebner 15. Februar 1944

Der skulle 7. februar være afgået en vigtig leverance til værnemagten fra B&W. Den var endnu ikke afsendt, og den blev stadig forsinket af telefonbomber mod virksomheden. Telefonbomberne fik arbejderne til at forlade arbejdet. Rüstungsstab Dänemark ønskede, at gesandtskabet greb ind.

Se Wurmbach til Best 22. februar 1944.

Kilde: BArch, Freiburg, RW 27/13. RA, Danica 1000, T-77, sp. 696. KTB/Rü Stab Dä, 1. Vierteljahr 1944, Anlage 21.

Abschrift!   Anlage 21
Chef Rüstungsstab Dänemark   *15. Februar 1944*

Arbeitseinstellung bei Fa. Burmeister & Wain, Maschinenfabrik,
   Kopenhagen, Strandgade 4.

An den Bevollmächtigten des Reiches in Dänemark
   Herrn Dr. Ebner o.V.i.A.,
   Kopenhagen
   Vesterporthaus

Firma Burmeister & Wain hat einen sehr wichtigen Wehrmachtauftrag durchzuführen, der am 7. Februar 1944 versandt werden sollte.

Auf fernmdl. Anfrage, ob der Versand getätigt sei, wurde jeden Tag mitgeteilt, daß morgens zwischen 7 und 8 Uhr ein Anruf erfolgt sei mit dem Inhalt, daß in der Fabrik Bomben gelegt worden seien. Die Arbeiterschaft hat daraufhin jedesmal die Arbeit eingestellt und die Maschinenfabrik verlassen.[88] Infolgedessen unterblieb der Versand.

Da auch am heutigen Tage die Belegschaft der Maschinenfabrik in der gleichen Weise die Arbeit verlassen hat,[89] könnt auch heute der Versand nicht vorgenommen werden. Hierdurch wird der Hochlauf wichtigster Kriegsfertigungen in Deutschland äußerst gefährdet.

Unter Bezugnahme auf die Besprechung mit Kapitän z.S. Dr. Forstmann am Freitag, dem 11.2.44, wird um Einschreiten und sofortige Abhilfe gebeten.

In Vertretung
gez. **Heyne**
Oberstleutnant

---

88 Jfr. KTB/Marinedienststelle Kopenhagen 7. februar 1944 og flg. dage (RA, Danica 628, sp. 6, nr. 4292f., *Daglige Beretninger*, 1946, s. 51).
89 Jfr. *Daglige Beretninger*, 1946, s. 52.

253. Ernst Richter: Einsatz der Polizei bei Kampfhandlungen 15. Februar 1944

WB Dänemark havde udstukket nye retningslinjer for tysk ordenspolitis indsats ved kamphandlinger, som Richter orienterede sine underførere om. Ved kamphandlinger skulle tysk ordenspoliti overtage beskyttelsen af militære objekter, indtil der kom forstærkning fra Tyskland. Ved et overraskelsesangreb skulle politropperne indgå som en kampenhed under WB Dänemarks ledelse. Underførerne skulle før 25. februar opregne de militære objekter, der i givet fald skulle bevogtes og ligeledes de krigsvigtige objekter, der ikke var bevogtningskapacitet til. Det tyske sikkerhedspoliti varetog særskilte opgaver.

Se Richter til WB Dänemark 28. februar 1944.

Kilde: BArch, Freiburg, RW 38/180. KTB/HKK, Anlage 60.

Höheres Kommando Kopenhagen	St.Qu., 15.2.1944
Ia Nr. 91/44 g.Kdos.	Anlage 60.
Geheime Kommandosache	23 Ausfertigungen
	20. Ausfertigung

Bezug: Höh. Kdo. Ia Nr. 4248/43 g v. 21.12.43
Betr.: Einsatz der Polizei bei Kampfhandlungen

Die Bezugsverfügung wird aufgehoben und ist zu vernichten.
Der Einsatz der Polizei bei Kampfhandlungen ist vom WBD wie folgt neu geregelt:
I.) Bei Eintritt von Kampfhandlungen kommen für die in Dänemark eingesetzten Polizeikräfte des BdO folgende Aufgaben in Frage:
1.) *Zusätzlich* zu den rein polizeilichen Aufgaben die *Übernahme militärischen Objektschutzes* in den von Truppen des W. Bef. Dänemark freiwerdenden Räumen. Hierzu Verbindungsaufnahme der Standortältesten mit den im eigenen Bereich liegenden Polizeikräften. Die Wünsche der Standortältesten sind auf die *militärisch* wichtigsten Objekte zu beschränken. Dabei ist an die geringe Beweglichkeit der Polizeikräfte zu denken.

Nach Zuführung von Verstärkungsverbänden aus dem Reich werden die für militärischen Objektschutz eingesetzten Polizeikräfte abgelöst und zu anderweitiger Verwendung eingesetzt werden.
2.) Im Falle unmittelbaren und überraschenden Feindangriffs auf Standorte, die außer mit Truppen des WBD auch mit Polizei belegt sind, sind diese Polizeikräfte zu Kampfgruppen zusammenzufassen und unter dem *Befehl* des ältesten anwesenden *Truppenführers* zum Einsatz zu bringen.
3.) Falls die Polizei zur Durchführung *polizeilicher* Aufgaben Verstärkung durch Truppenteile des Heeres, der Luftwaffe und der Marine erhält, *führt* der älteste anwesende *Polizeiführer*.
II.) Die unter Ziff. 1.) befohlene Regelung trifft für die Organe der Sicherheitspolizei nicht zu. Ihr Einsatz regelt sich nach Sonderbefehl. Bei Lage gemäß Ziff. 2.) ist die Sicherheitspolizei in die bestehenden Kampfgruppen der Polizei und des Heeres einzugliedern und zum Kampf einzusetzen.
III.) Die Standortältesten melden zum 25.2.44:
a.) die in ihren Territorialbereichen von der Polizei zu übernehmenden militärischen Objekte gemäß Ziff. I., 1.),
b.) weitere *kriegswichtige* Objekte, für die Bewachungskräfte nicht zur Verfügung stehen.

Verteiler:

W. C. Kdtr.		Kopenhagen	1.	Ausf.
StOÄ		Helsingör	2.	–
–		Hilleröd	3.	–
–	für	Roskilde u. Holbäk	4.	Ausf.
–	–	Slagelse u. Sorö	5.	–
–		Korsör	6.	–
–		Hornbäk	7.	–
–		Nästved	8.	–
–		Vordingborg	9.	–
–	für	Berritsgaard, Maribo, Nysted, Nyköbing F.	10.	–
–	–	Nyborg u. Svendborg	11.	–
–		Odense	12.	–
–	–	Middelfart, Assens u. Faaborg	13.	–

Adm. Dän mit der Bitte um Weiterleitung an:

	StOÄ	Bornholm	14.	Ausf.
	–	Ollerup	15.	–
	–	Seelandsodde	16.	–

Verb. Stab Gen. d. Luftwaffe mit der Bitte um Weiterleitung an:

	StOÄ	Värlöse	17.	–
	–	Aunö	18.	–
Ia			19.	–
KTB			20.	–
O.D.			21.	–

nachr. an:

Höh. SS- u. Pol. Fhr. Dän.	22.	–
Ia/ Kalender	23.	–

Richter
Generalleutnant

254. Eberhard von Thadden an Adolf Eichmann 16. Februar 1944

Den danske gesandt Mohr havde været i AA angående de danske mischlinge, der angiveligt mod de tyske bestemmelser var blevet transporteret til Theresienstadt. Sagen var svær at behandle på grund af, at en betydelig del af akterne var brændt. På grund af det havde Mohr stillet afskrifter af bilag i sagen til rådighed, som hermed blev videresendt til Eichmann.

Mohr havde til AA udarbejdet en notits 19. januar 1944, hvori blev opregnet de bilag, som blev videregivet:

    1. Optegnelse af 22. oktober 1943.
    2. Notits af 23. oktober 1943.
    3. P.M. af 25. oktober 1943.
    4. Optegnelse af 29. oktober med bilag.
    5. Optegnelse af 11. november 1944 med bilag.
    6. Skrivelser til von Thadden af 7., 8., 14. og 23. oktober 1943 og 11. og 19. november 1943 med bilag.

Med bilagene blev sendt en liste over de fejldeporterede personer (PA/AA R 99.414).[90] (Weitkamp 2008, s. 191).
Von Thadden skrev på ny i sagen til Eichmann 25. februar 1944.
Kilde: PA/AA R 99.414.

Durchdruck als Konzept (R. lb.) Jo.
Auswärtiges Amt   den 16.2.1944
Nr. Inl. II A 524

An das Reichssicherheitshauptamt
  z.Hd. v. SS-Obersturmbannführer Eichmann o.V.i.A.
  Berlin 62
  Kurfürstenstraße 116

Der Dänischen Gesandtschaft war bei ihren wiederholten Rückfragen wegen Überführung der angeblich entgegen den Bestimmungen abtransportierten dänischen Mischlingen nach Theresienstadt erwidert worden, die Angelegenheit gestalte sich sehr schwierig, weil durch Feindeinwirkung ein erheblicher Teil der Unterlagen verbrannt sei.
  Im Hinblick hierauf hat nunmehr die Dänische Gesandtschaft Abschriften der Unterlagen, soweit sie ihr zur Verfügung standen, übersandt, die mit dem Anheimstellen des Weiteren anliegend weitergeleitet werden.[91]
                              Im Auftrag
                              gez. v. Thadden

255. Werner Best an das Auswärtige Amt 17. Februar 1944
Dagsindberetning.
  Kilde: PA/AA R 29.568. RA, pk. 204.

                              Telegramm

Kopenhagen, den   17. Februar 1944   00.40 Uhr
Ankunft, den   17. Februar 1944   11.30 Uhr

Nr. 212 vom 16.2.44.   Citissime!

(verzögert, da Auswärtiges Amt sich nicht meldete).

Ich bitte, die folgende Meldung unverzüglich dem Herrn Reichsaußenminister zuzuleiten:
  Über die Lage in Dänemark berichte ich für den 15. auf den 16.2.44, daß aus dem ganzen Lande keine besonderen Vorkommnisse gemeldet worden sind.
                              Dr. Best

---

90 Yahil 1967, s. 260 med note 52 opgiver det som værende en notits af von Thadden 19. januar 1943, men af indholdet fremgår det, at den er rettet til AA. Notitsen er uden underskrift og dateret Berlin.
91 Bilagene er ikke ved skrivelsen, men findes i UMs arkiv (jfr. Hæstrup 1966-71, 1, s. 185, 191. Se Henckes notitser 8. oktober, 6. december 1943 og 6. januar 1944 vedrørende Mohrs henvendelser).

256. Werner Best an das Auswärtige Amt 17. Februar 1944

Best meddelte, at der i forståelse med ham af Jens Møller var oprettet en selvforsvarsgruppe under Sleswigsche Kameradschaft til imødegåelse af den tiltagende sabotage i Nordslesvig. Gruppen var udtrykkelig ikke rettet mod den danske grænsebefolkning, men skulle beskytte danske anlæg i Nordslesvig.

Oprettelsen kom som en overraskelse for de danske myndigheder, der ikke var orienteret forud og måtte tage oprettelsen til efterretning[92] (Hvidtfeldt 1953, s. 179-182, Noack 1975, s. 168-170).
Kilde: PA/AA R 100.357. RA, pk. 237. PKB, 14, nr. 436.

Telegramm

Kopenhagen, den	17. Februar 1944	16.00 Uhr
Ankunft, den	17. Februar 1944	24.00 Uhr

Nr. 215 vom 17.2.44.

Der Führer der deutschen Volksgruppe in Nordschleswig, Dr. Möller, hat im Benehmen mit mir die mannschaftliche Gliederung der Volksgruppe (SK), die Schleswigsche Kameradschaft (SK) beauftragt, besondere zusätzliche Maßnahmen zum Schutze volksdeutscher Einrichtungen in Nordschleswig gegen Sabotageakte durchzuführen. Zu diesem Zwecke ist im Rahmen der SK unter Leitung des SK-Führers Larsen eine Selbstschutzgruppe gebildet worden. Diese besteht vorläufig aus rund 200 Mann, die in der schwarzen Uniform der SK und mit Schußwaffen ausgerüstet neben der Ausübung ihres zivilen Berufes Dienst tun. In einem am 16.2. in der nordschleswigschen Zeitung veröffentlichten Aufruf Dr. Möllers wird u.a. ausgeführt, daß die Bildung der Selbstschutzgruppe notwendig war, weil in den letzten Wochen eine Verlegung der feindlichen Sabotagetätigkeit nach Nordschleswig festzustellen war. Dabei wird ausdrücklich hervorgehoben, daß sich die angeordnete Maßnahme nicht gegen die dänische Grenzbevölkerung richte, sondern im Gegenteil auch dem Schütze dänischer Einrichtungen in Nordschleswig diene.

Dr. Best

257. Werner Best an das Auswärtige Amt 17. Februar 1944

Dagsindberetning.
Kilde: PA/AA R 29.568. RA, pk. 204.

Telegramm

Kopenhagen, den	17. Februar 1944	21.25 Uhr
Ankunft, den	17. Februar 1944	23.45 Uhr

Nr. 216 vom 17.2.44.   Citissime!

---

[92] Efter maj 1945 søgte både Best og Jens Møller at lægge røgslør over, hvem den egentlige initiativtager til selvforsvarsgruppen var. Best forklarede bl.a., at han af politiske grunde ikke til AA kunne fortælle, at han selv havde taget initiativet, senere kunne han ikke huske, hvorfra initiativet kom (Hvidtfeldt 1953, s. 181 og PKB, 13, nr. 451, note 1).

Ich bitte, die folgende Meldung unverzüglich dem Herrn Reichsaußenminister zuzuleiten:
Über die Lage in Dänemark berichte ich für den 16. auf 17.2.44, daß aus dem ganzen Lande keine besonderen Vorfälle gemeldet worden sind.[93]

Dr. Best

258. Zum HPA-Protokoll vom 17.2.1944, 17. Februar 1944

På HPAs møde 17. februar 1944 blev blandt andet drøftet det danske ønske om at få clearingkontoen omstillet fra RM til kroner.[94] Rigsbankdirektør Johannes Rex redegjorde for, at Deutsche Verrechnungskasse siden september 1943 af banktekniske grunde havde ladet kontoen opgøre i danske kroner, men at danskerne ikke havde fået løfte om, at det skulle forblive sådan, men at der skulle tages en endelig beslutning fra tysk side. Derpå talte Walter og Ministerialdirigent Karl-Gisbert Schultze (Schulze)-Schultius begge for at imødekomme det danske ønske. Walter pegede på risikoen for, at danskerne ville få mistillid til deres valuta, og at det ville påvirke deres leveringslyst. Ministerialdirigent Fritz Litter fra RFM afviste fortsat det danske ønske, da RM skulle være det nye Europas valuta, og at det kunne få konsekvenser i forhold til andre lande. Walter påpegede, at rigsminister Funk for nogen tid siden havde fået Hitlers accept af, at det danske ønske blev imødekommet. Mødet mundede ud i den beslutning, at den siden september 1943 indførte praksis indtil videre kunne fortsættes, og at Walter kunne meddele danskerne det ved de kommende tysk-danske regeringsudvalgsforhandlinger. Det blev samtidig pålagt Deutsche Verrechnungskasse fremover forud at indhente HPAs afgørelse, når så vigtige spørgsmål som i september 1943 skulle afgøres. Wiehl og Litter meddelte slutteligt, at de forbeholdt sig deres respektive ministres beslutning.

Samme dag var det sandsynligvis Litter selv, der briefede Breyhan om mødets resultat, et resultat som han videregav til Meyer-Böwig endnu samme dag. Det var en sag, der hastede.

Kilde: PA/AA R 105.211. RA, pk. 271.

Zum HPA-Protokoll vom 17.2.1944.

I. Dänemark

Bei Erörterung des dänischen Wunsches nach Umstellung unserer Clearingschuld von Reichsmark auf Dänen-Kronen legte, auf Aufforderung von MD Wiehl, Reichsbankdirektor Rex die banktechnische Seite der Frage dar. Bei der Deutschen Verrechnungskasse und der Dänischen Nationalbank werden je zwei Konten, eins in RM und eins in Dänen-Kronen geführt, über die die Zahlungen im Verrechnungsverkehr gebucht werden, je nachdem die Faktura oder der Zahlungsauftrag auf Reichsmark oder Dänen-Kronen lauten. Da wir im Warenverkehr und bei den übrigen im Verrechnungsverkehr abgewickelten Zahlungen Dänemark in den letzten 4 Jahren fortlaufend passiv waren (im Durchschnitt jährlich mit etwa 250 Mio. RM) und etwa 90 % unserer Warenkäufe in Dänemark handelsüblich in Dänen-Kronen fakturiert werden, so standen uns für unsere Zahlungen an Dänemark nicht genügend Kronen zur Verfügung; vielmehr konnten wir einen großen Teil unserer Einkäufe in Dänemark nur in der Weise finanzieren, daß die Dänische Nationalbank der Deutschen Verrechnungskasse die fehlenden Kronen

---

93 Lederen af Holger Danske, Jørgen Staffeldt, og hans bror Mogens blev arresteret af Gestapo i Nordisk Boghandel på Kongens Nytorv i København (*Faldne i Danmarks frihedskamp*, 1970, s. 411f., Henrik Lundbak i *Gads leksikon Hvem var hvem 1940-1945*, 2005, s. 338f., Birkelund 2008, s. 133).

94 På mødet blev tillige drøftet RFMs ønske om, at Danmark skulle yde et bidrag til krigen (se Breyhan til Meyer-Böwig 17. februar 1944).

zur Verfügung stellte, wofür die Verrechnungskasse der Dänischen Nationalbank auf einem Reichsmarkkonto erkannte. Nach den zwischen den Verrechnungsbanken normalerweise geltenden Grundsätzen und nach den Bestimmungen des deutsch-dänischen Verrechnungsabkommens hätte die Deutsche Verrechnungskasse die fehlenden Kronenbeträge von der Nationalbank kaufen und – Mangels Deckung – sich für diese Käufe in Dänen-Kronen bei der Nationalbank verschulden müssen.

Als im September 1943 die Verschuldung der Deutschen Verrechnungskasse annähernd einen Betrag von 800 Mio. RM erreichte, erklärte die Dänische Nationalbank, sie könne aus währungspolitischen Gründen das bisherige Verfahren nicht mehr beibehalten, sondern müsse verlangen, daß die Deutsche Verrechnungskasse die benötigten Kronenbeträge bei ihr kaufe; sie werde diese Kronenbeträge auch ohne vorhandene Deckung, d.h. also vorschußweise zur Verfügung stellen und dafür die Deutsche Verrechnungskasse auf einem Kronenkonto belasten. Gleichzeitig stellte sie den Antrag, auch die bisher aufgelaufene Reichsmarkschuld auf Dänen-Kronen umzustellen.[95]

Die Deutsche Verrechnungskasse hat mit Genehmigung des Reichsbankdirektoriums zur Vermeidung von Stockungen im Verrechnungsverkehr dem dänischen Wunsch insoweit entsprochen, als sie ab September 1943 dazu überging, das Defizit in der Verrechnungsbilanz durch Kauf von Dänen-Kronen bei der Nationalbank zu decken. Dieses Zugeständnis machte sie unter dem Vorbehalt, daß die endgültige Entscheidung in dieser Frage von der Reichsregierung getroffen werden müsse.[96] Eine Erörterung der Frage betreffend Umstellung des bis zum September aufgelaufenen Reichsmarksaldos lehnte die Deutsche Verrechnungskasse ab. Die seit September 1943 erfolgte Kronenverschuldung der Deutschen Verrechnungskasse erreicht zurzeit den Betrag von ca. 250 Mio. Dänen-Kronen.

Für eine Umstellung unserer gesamten Clearingschuld von Reichsmark auf Dänen-Kronen traten Min. Direktor Walter und Min. Dirigent Schultze-Schultius ein[97], indem sie betonten, daß der Wunsch der Dänen auf Grund der Bestimmungen des deutsch-dänischen Verrechnungsabkommens als durchaus berechtigt anerkannt werden müßten. Es sei auch verständlich, daß die Dänen als Gegenposten für die zur Bezahlung der deutschen Warenkäufe in Dänemark ausgegebenen Noten eine Forderung in Dänen-Kronen gegen uns in ihren Büchern führen wollten. Eine Ablehnung des dänischen Wunsches könnte dazu führen, daß das Vertrauen der dänischen Bevölkerung in ihre Währung erschüttert und dadurch insbesondere die Lieferfreudigkeit der dänischen Landwirte herabgesetzt werde. Im Hinblick auf die in den nächsten Tagen beginnenden Verhandlungen mit den Dänen über die deutschen Lieferungen nach Dänemark im Jahre 1944, bei deren Festsetzung viele dänische dringende Wünsche voraussichtlich keine Berücksichtigung finden würden, erklärte es Min. Direktor Walter für sehr wünschenswert, daß er ermächtigt werde, das Zugeständnis bezüglich der Umstellung unserer Clearingschuld den Dänen jetzt zu machen.

Demgegenüber entwickelte Min. Dirigent Litter nochmals den ablehnenden Stand-

---

95 Nationalbankens brev var af 6. august 1943.
96 Reichsbankdirektorium skrev 24. september 1943 til AA om den nye ordning og gjorde opmærksom på, at banken ikke havde fået lovning på, at det var en permanent ordning. Samme dag lod AA en kopi af dette brev sende til Walter til orientering (RA, pk. 271).
97 Karl-Gisbert Schultze (Schulze)-Schultius, Ministerialdirigent, leder af Außenhandelsabteilung i RWM.

punkt des Reichsfinanzministeriums, wobei er insbesondere betonte, daß ein Nachgeben in dieser Frage im Widerspruch stehe mit dem von uns verfochtenen Grundsatz, daß die Reichsmarkwährung die zentrale Standardwährung des neuen Europa sein müsse. Auch müsse es grundsätzlich als unerwünscht bezeichnet werden, unsere Verschuldung in einer ausländischen Währung zu erhöhen, umsomehr als das Zugeständnis an die Dänen leicht zu Berufungen anderer Länder führen könnte.

Min. Direktor Walter wies seinerseits daraufhin, daß Herr Reichsminister Funk sich bereits vor längerer Zeit für ein Entgegenkommen gegenüber dem dänischen Wunsch ausgesprochen habe und gelegentlich eines Vortrages beim Führer sich dieser damit einverstanden erklärt habe, daß dem dänischen Wunsch entsprochen werde, wenn dadurch eine Erhöhung der dänischen Lieferungsfreudigkeit erzielt werde.[98]

Nach eingehender Erörterung des ganzen Fragenkomplexes wurde folgender Beschluß gefaßt:

Es wird in Aussicht genommen, dem dänischen Wunsch insoweit[99] zu entsprechen, als die Deutsche Verrechnungskasse ermächtigt wird, das seit September 1943 geübte Verfahren bis auf weiteres beizubehalten, d.h. das Defizit im Verrechnungsverkehr durch Kauf von Dänen-Kronen bei der Nationalbank zu decken und sich für diese Käufe in Dänen-Kronen bei der Nationalbank zu verschulden; die in Reichsmark angewachsene Schuld bleibt in dieser Währung bestehen, wie auch weitere in Reichsmark zu leistende Zahlungen an dänische Gläubiger über dieses Konto geleitet werden. Min. Direktor Walter wird ermächtigt dieses Zugeständnis an die Dänen bei den bevorstehenden Verhandlungen zu verwerten, jedoch mit dem Vorbehalt, daß dieses Zugeständnis vorerst nur für dieses Vertragsjahr gilt.

Die Deutsche Verrechnungskasse wird ersucht, künftig vor so wichtigen Beschlüssen, wie sie die Verrechnungskasse im September im Fall Dänemark getroffen hat, die Entscheidung des Handelspolitischen Ausschusses einzuholen.

MD Wiehl behielt sich die endgültige Entscheidung des Auswärtigen Amtes vor, ebenso Min. Dirigent Litter die Entscheidung des Reichsfinanzministeriums.[100]

259. Christian Breyhan an Hans Meyer-Böwig 17. Februar 1944

Breyhan refererede holdningerne på dagens møde i HPA vedrørende Danmark. Det gjaldt spørgsmålene om at pålægge Danmark et krigsbidrag og om at omstille clearingkontoen fra RM til kroner. Referatet skulle tjene dr. Brack som baggrundsorientering i forbindelse med hans forestående rejse til København og Korff forud for de forestående tysk-danske regeringsudvalgsforhandlinger. HPA havde ikke taget endelig stilling til, om Danmark skulle betale et krigsbidrag, mens det foreløbigt for et år blev tilladt, at den praksis, som Rigsbanken på egen hånd havde indført med clearingkontoen i september 1943, blev videreført. Besked skulle videre til Korff og Brack telefonisk, helst i nævnte rækkefølge.

Notatet er trods sin knappe form og de talrige forkortelser særdeles informationstæt, og et eksempel på det komplicerede spil, som ikke nødvendigvis fremgår af nok så mange enkeltdokumenter. Det er ret

---

98 Se om Hitlers angivelige tilsagn Korffs notat 8. februar 1944.
99 Rettet fra vorerst.
100 Von Ribbentrop traf sin beslutning 31. maj (brev til Schwerin von Krosigk anf. dato) og rigsfinansministeren svarede 10. november 1944.

enestående i sin art og supplerer det direkte referat af mødet i HPA, som også helt undtagelsesvis er bevaret og bragt foranstående.

Kilde: BArch, R 2/30.515.

Abschrift
zu Y 5704/-285   Bln., 17.2.

Herrn ORR Meyer-Böwig.

Betr. Reise Dr. Brack nach K.

Ich bitte, Herrn Brack (sofort) telef. mitzuteilen, daß Korff ab nächsten Montag auf etwa 4 Tage in K. ist (Reg. Ausschuß).[101] Es ist zweckmäßig, daß Brack diese Tage zu seinem Besuch ausnutzt. Frage an Brack, ob er meinen letzten Brief mit dem Material (insbes. Ausführungen Korffs zum Gesetzgebungswerk und zum Professorengutachten) erhalten hat.

Über die heutige HPA-Sitzung ist Brack zur *vertraulichen* Kenntnis mitzuteilen (wichtig als Stütze für seine Stellungnahme in K.): – soll Brack am Tel. notieren –

a.) Wiehl teilte mit, daß ihm Tischbein (OKW) erklärt habe, Keitel habe keine Bedenken gegen den Vorschlag des Rdf, Bes.-Kostenbeitrag zu erheben.[102] Als Stellungnahme Ribbentrops erklärte Wiehl: R. habe gegen den Vorschlag keine Bedenken, was die *politische* Seite betreffe. Was die von Walter u.a. geäußerten Bedenken *wirtschaftspolitischer* Art (Lieferwilligkeit) betreffe,[103] so erwarte dazu Ribbentrop noch eine Vorlage des AA.[104]

Best sei 100 %ig gegen den Bes.-Kostenbeitrag (Berichtigung RFM: nur *zurzeit!*). Hinweis auf Besprechung St/Best.[105] Schultze-Schlutius erklärte, RWiMin Funk sei der Ansicht Walters, lehne also den Vorschlag RdF ab. Ebenso Backe.[106] Auf die Frage Wiehls, ob RFM trotz Unterredung Best/St den Vorschlag weiter verfolgt wissen wollte, erklärte Dirig. Litter, zu einem Aufschub der Sache könne er heute noch nicht Stellung nehmen.

b.) Clearingumstellung

Es stellte sich bei der Erörterung heraus, daß die RBank (Verr-Kasse) – im Einvernehmen mit Puhl – bereits seit Herbst 1943 alle Geschäfte, die in Kronen fakturiert werden, über Kronen (nicht RM) im Clearing abwickelt.[107] Die Kronen-fakturierten Geschäfte sind offenbar die weitaus überwiegenden (Walter: 90 %!). Seit 1943 Herbst demnach Clearingverschuldung in Kronen etwa 200 Mio. Kronen. HPA und Ressorts durch dieses Verfahren überrascht. Walter (Reg. Aussch.-Vors.) hat zuge-

---

101 De tysk-danske regeringsudvalgsforhandlinger begyndte 24. februar (Jensen 1971, s. 235).
102 Schwerin von Krosigk til Ribbentrop 24. januar 1944.
103 Se bl.a. Berger til Wiehl 27. januar 1944 og Walter i HPA 17. februar.
104 AAs forslag til Ribbentrop var længe undervejs, se Ribbentrop til Schwerin von Krosigk 31. maj 1944.
105 Der henvises til Bests besøg 7. februar, hvor spørgsmålet var drøftet med von Steengracht (jfr. Wiehls notat 23. februar 1944).
106 Backe til Schwerin von Krosigk 10. februar 1944.
107 Se HPA-mødereferatet 17. februar 1944. Se endvidere Korff til Breyhan 28. december 1943, Schwerin von Krosigk til Ribbentrop 24. januar og Ribbentrops reaktion 27. januar 1944 (Sonnleithner til Steengracht 27. januar).

stimmt, wie er *auf Befragen* erklären mußte.[108] Zwangslage für HPA: Desavouierung des Vorgehens der RBank?

Wiehl erklärte, daß RBank, mindestens aber Walter, den HPA vorher hätte Fragen müssen (zumal das Begehren der Dänen schon seit 1 Jahr gestellt ist). Walter erklärte, Funk habe sich der Zustimmung des Führers [verge]wissert.[109] Der dafür angezogene Brief Funks an Puhl ergab aber nur allgemeine Redensarten über Steigerung der Lieferungen aller Gebiete durch Konzessionen und andere Mittel (wurde verlesen).[110] Wiehl erklärte, Ribbentrop habe geäußert, er sei von der Berechtigung der Umwandlung noch nicht überzeugt, er wünsche eine Vorlage darüber, *welche* zwingenden banktechnischen Gründe die RBank für ihre Befürwortung anführe. Wiehl: den bankbilanztechnischen Wünschen [der] Dänen sei wohl mit der Umstellung des *Wehrmacht*kontos bereits ge[nü]gend Rechnung getragen. Anderseits könne man das von der RBank [im] Herbst eingeleitete Verfahren (Verschuldung Clearing in Kronen) nicht gut abstoppen. Gramsch: er würde, wenn er als Politiker [etwas zu]sagen habe, die Umstellung ablehnen. RFM-Vertreter: Protest gegen die Überrumplung des HPA durch RBank; Hinweis, daß der alte Clearingvertrag (der, vor dem Krieg geschlossen, den Dänen das Rechts zur *Kronen*-Gutschrift gebe) durch die Kriegsverhältnisse und die Praxis seit 4 Jahren überholt sei. Der Clearingvertrag sei auf ein Auspendeln der gegenseitigen Leistungen abgestellt. Hier han[delt] es sich um die kriegsbedingten Leistungen Dänemarks. Hinweis a[uf] Besprechung St/Best. (meine letzte Aufzeichnung).[111]

RBankVertreter konnte oder wollte keine plausiblen Gründe das f[ür] Vorprellen der RBank angeben. Offenbar war der Grund, den dänischen Freunden eine freundliche Geste zu machen. Dagegen das Schr. des RBankDirektoriums[112]: die *endgültige* Entscheidung müßten anderen Ressorts treffen.

Beschluß: Die Zusage muß für das laufende Vertragsjahr [bei]behalten werden, da eine Änderung die RBank desavouiere und Walter die Arbeit wesentlich erschwere. Wiehl behielt sich zu dem Beschluß die Zustimmung seines Min vor. RFM (Litter): Ich bin nicht in der Lage, die Zustimmung des RFM zu erteilen. Bitte des HPA, RdF noch einmal die neue Sachlage vorzutragen. HPA will endgültig Anfang nächster Woche entscheiden, auch darüber, ob Walter oder Best den "Bonbon" verteilen soll.[113] Für die Vergangenheit (bis Herbst 1943) ist mit Ablehnung zu rechnen.

Bitte auch Korff telef. unterrichten. Am besten zunächst Korff, dann Brack?
Wegen Unterrichtung des St bitte mit Herrn Dir 5 sprechen[114] (Brief St für Brack).

gez. **Breyhan**

---

108 Walters indrømmelse fremkom muligvis på mødet i HPA 17. februar.
109 Jfr. Korff i notat 8. februar og HPA-referatet 17. februar 1944.
110 Brevet er ikke lokaliseret.
111 Denne skrivelse er ikke lokaliseret.
112 Se Reichsbankdirektorium til AA 11. januar 1944.
113 Hermed menes om det enten var Walter eller Best, der skulle melde til dansk side, at opgørelsen af clearingkontoen indtil videre ville blive som hidtil. Udtrykket var brugt af Korff i en optegnelse 8. februar 1944, se ovenfor.
114 Det var Emil Berger.

260. Kriegstagebuch/Kriegsmarinedienststelle Kopenhagen 17. Februar 1944

De fire i januar beslaglagte danske skibe blev besigtiget af Kriegsmarine, og man besluttede sig for at henvende sig til Duckwitz for via AA at få det danske rederi til at levere det nødvendige komplette udstyr til mindst 50 mand til hvert af skibene.

Der forelå endnu ingen afgørelse 13. marts, da overtagelsen af de fire skibe blev drøftet med Duckwitz, men hvor han igen blev bedt om at henvende sig til rederierne for at få leveret det manglende udstyr. Dette gentog sig 21. marts. Drøftelsens resultat kendes ikke, men når motorskibet "England" allerede dagen efter blev slæbt til Schwinemünde, tyder det på, at henvendelsen var forgæves. Det ønskede blev næppe leveret på blot 24 timer (KTB/Kriegsmarinedienststelle Kopenhagen 13., 21. og 22. marts 1944, RA, Danica 628, sp. 6, nr. 4294, 4296).

Kilde: KTB/Kriegsmarinedienststelle Kopenhagen 17. februar 1944, RA, Danica 628, sp. 6, nr. 4293.

[…]

Mit einer Kommission vom Kommandierenden Admiral U.-Boote Kiel und der TA Hamburg[115] wird eingehende Besichtigung der Beschlagnahmten vier Dänenschiffe durchgeführt. Vereinbart wurde, an den Schiffahrtssachverständigen beim Reichsbevollmächtigten heranzutreten, daß dieser über das Auswärtige Amt die Reederei veranlaßt, für jedes der vier Schiffe für mindestens 50 Mann komplette Ausrüstung, wie Matratzen, Wolldecken und Kojenwäsche an Bord zu liefern. Entgegen den vorliegenden Befehlen vom OKM sollen die Schiffe nun doch mit ziviler Besatzung besetzt werden.

Schiffe sollen mit Schlepperassistenz in deutschen Hafen überführt werden.

[…]

261. Werner Best an das Auswärtige Amt 18. Februar 1944

Dagsindberetning.
Kilde: PA/AA R 29.568. RA, pk. 204.

Telegramm

Kopenhagen, den	18. Februar 1944	20.00 Uhr
Ankunft, den	18. Februar 1944	21.15 Uhr

Nr. 223 vom 18.2.44.   Citissime!

Ich bitte, die folgende Meldung unverzüglich dem Herrn Reichsaußenminister zuzuleiten:

Über die Lage in Dänemark berichte ich für den 17. auf 18.2.44, daß aus dem ganzen Lande keine besonderen Vorfälle gemeldet worden sind.

Dr. Best

---

115 Technisches Amt für Hilfsschiffsfragen der KM in Hamburg.

262. Andor Hencke: Notizen 18. Februar 1944

Hencke resumerede et møde, han havde haft med den danske gesandt i Berlin, Mohr. Det havde drejet sig om to forskellige anliggender, hvorfor han havde fordelt dem på to notater. Det første drejede sig om de deporterede kommunister, hvor Mohr bl.a. ønskede de syge kvinder hjemført, en undersøgelse af om de deporterede havde begået strafbare handlinger, at de deporterede måtte få besøg fra Det Danske Gesandtskab og om Aksel Larsens hustru, Helga Kastofts, anmodning om besøgstilladelse. Henckes indstilling var, at gesandten havde krav på svar på disse spørgsmål.

Det andet notat omhandlede de deporterede danske jøder. Hovedærindet var et ønske om hjemførsel af de jøder og halvjøder, som efter de opstillede tyske kriterier ikke skulle være deporteret. Hencke indstillede, at RSHA blev afæsket et svar på, om ikke disse jøder kunne tilbageføres i henhold til Bests tilsagn (Hæstrup, 1, 1966-71, s. 351f., 566, n. 20 og 21, Yahil 1967, s. 262, Weitkamp 2008, s. 191).

Hencke gengav i et notat 25. februar RSHAs svar vedrørende kommunisterne, mens Thadden samme dag kontaktede Eichmann vedrørende de danske jøder.

Kilde: PA/AA R 99.414. RA, pk. 204, nr. 43.383-86. PKB, 13, nr. 761 (uddrag af notits nr. 61 med væsentlig udeladelse).

U.St.S. Pol. Nr. 61 *Berlin, den 18. Februar 1944.*
1 Anlage[116]

Der Dänische Gesandte übergab mir heute die anliegende Notiz, die sich befaßt
1.) mit der Rückführung von angeblich kranken dänischen Staatsangehörigen, die im Lager Stutthof bezw., soweit es sich um Frauen handelt, im Lager Ravensbrück sich befinden;
2.) mit der Bitte um Auskunft darüber, welcher strafbaren Handlungen sich die nach Deutschland überführten Personen schuldig gemacht haben.

   Zu diesem Punkt bemerkte Herr Mohr, daß bei den dänischen Behörden der Eindruck bestünde, als ob eine Reihe von Festnahmen auf Grund von Denunziationen erfolgt sind, die einer ordentlichen Nachprüfung nicht standhalten würden. Herr Mohr scheint davon überzeugt zu sein, daß unter den Abtransportierten verschiedene Personen sind, die weder kommunistisch eingestellt seien noch sich überhaupt politisch betätigt hätten.
3.) mit der Wiederholung des Antrags, die internierten Dänen durch ein Mitglied der Dänischen Gesandtschaft besuchen zu können;
4.) mit der Frage der Besuchserlaubnis für die Ehefrau des kommunistischen Reichstagsabgeordneten Aksel Larsen, der sich in Sachsenhausen befindet.

Hiermit Inl. II zuständigkeitshalber übersandt.

Die Wünsche des Dänischen Gesandten halten sich durchaus im Rahmen einer berechtigten Intervention. Er hat, wenn wir überhaupt das Vorhandensein einer Dänischen Gesandtschaft in Berlin zulassen, was bekanntlich aus politischen Gründen erfolgt ist, einen Anspruch darauf, klare Antworten – positiv oder negativ – zu erhalten. Ich bitte daher beim Reichssicherheitshauptamt darauf zu dringen, daß diese Antworten schnellstens erteilt werden. Wenn die Wünsche des Gesandten abgelehnt werden, muß dies in einer vom Auswärtigen Amt vertretbaren Form begründet werden. Mir liegt daran, dem

---

116 Bilaget er ikke vedlagt.

Dänischen Gesandten in etwa einer Woche, d.h. vor seiner beabsichtigten Reise nach Kopenhagen, einen Bescheid geben zu können.

(gez.) **Hencke**

U.St.S. Pol. Nr. 62 *Berlin, den 18. Februar 1944*

Bei seinem heutigen Routinebesuch kam der Dänische Gesandte wie stets auf die Rückführung der versehentlich als Volljuden aus Dänemark seinerzeit abtransportierten Personen zu sprechen. Er berief sich dabei wiederum auf die Zusagen, die dem Dänischen Außenministerium seinerzeit vom Reichsbevollmächtigten gemacht worden sind. In diesem Zusammenhang erwähnte Herr Mohr, daß nach seinen Informationen von den abtransportierten dänischen Juden inzwischen 18 verstorben seien. Zwei von den Verstorbenen würden unter die Gruppe derjenigen Personen fallen, die nach den Erklärungen des Reichsbevollmächtigten nicht hätten abtransportiert werden sollen.

Ferner sagte mir der Gesandte, daß ihm seinerzeit in Aussicht gestellt worden sei, die abtransportierten dänischen Juden im März d.J. durch ein Mitglied der Dänischen Gesandtschaft besuchen lassen zu können. Es trifft, wie ich bemerken möchte, zu, daß sich das Reichssicherheitshauptamt vor einigen Monaten in diesem Sinne ausgesprochen hat, wobei ich mir darüber im Klaren bin, daß ein solcher Besuch unerwünscht ist.

Ich habe den Wunsch des Dänischen Gesandten mit dem Bemerken zur Kenntnis genommen, daß ihm ja bereits früher von mir mitgeteilt worden sei, daß die betreffenden Akten infolge der feindlichen Luftangriffe vernichtet worden wären und eine Rekonstruierung längere Zeit in Anspruch nehmen würde. Er äußerte daraufhin die Bitte, das Auswärtige Amt möge sich für eine Beschleunigung einsetzen. Ich sagte ihm zu, seinen Wunsch an die zuständigen Stellen weiterzuleiten.

Hiermit Inl. II zuständigkeitshalber übersandt.

Ich bitte, beim Reichssicherheitshauptamt nochmals vorstellig zu werden, daß diejenigen dänischen Mischlinge usw., die nach der Erklärung des Reichsbevollmächtigten nicht unter den Personenkreis der Abzutransportierenden fallen, nach Dänemark zurückgestellt werden. Wenn einmal eine solche Zusage, wie dies geschehen ist, erteilt worden ist, muß sie m.E. vom Auswärtigen Amt auch eingehalten werden. Für eine möglichst baldige Stellungnahme wäre ich dankbar.

(gez.) **Hencke**

263. Joseph Goebbels: Tagebuch 18. Februar 1944

Best havde sendt Goebbels en indberetning om Danmark, hvorefter det danske erhvervsliv ydede et klækkeligt bidrag til tysk krigsøkonomi. Best sluttede deraf, at hans blide metode til behandling af den danske befolkning var rigtig. Det kunne man efter Goebbels mening ikke slutte. Man skulle også sikre sig politisk, og det syntes ikke at være tilfældet i Danmark.

Kilde: *Die Tagebücher von Joseph Goebbels*, Teil II:11, s. 307.

[...]
Der Reichbevollmächtigte [...] Dänemark schickt mir einen Bericht über die [...]tungen des dänischen Volkes und der dänischen Wirtsch[aft] [...] die deutsche Kriegswirtschaft. Aus diesem Ber[icht] ist zu entnehmen, daß Dänemark doch einen erklecklichen Beitrag zu unseren Kriegsanstrengungen zusteuert. Best folgert daraus, daß die von ihm angewandte weichere Methode der Behandlung des dänischen Volkes richtig sei. Ich kann mich diesem Standpunkt nicht anschließen. Den[...] [...] müssen wir ja neben der wirtschaftlichen auc[h] [...] die [poli]tische Sicherung eines von uns besetz[ten] [...] sorgen und das scheint mir bei [D]änemark nich[t] [...] sein.
[...]

264. Werner Best an Otto Bovensiepen 19. Februar 1944

I anledning af Bovensiepens overvejelser af 15. februar 1944 vedrørende den danske og svenske økonomi efter krigen gjorde Best indsigelse på et enkelt punkt, nemlig vedrørende betydningen de danske bankers mange penge. Han ville undgå, at der fra tysk side blev gjort krav om udlevering gældende, idet han gjorde klart, at det ikke med disse penge var muligt at gøre dansk erhvervsliv mere nyttig for Tyskland.

Brevet er bevaret i værnemagtens arkiv, hvorfor spørgsmålet ikke kan være forblevet en intern korrespondance på Dagmarhus.

Kilde: RA, Danica 1069, sp. 12, nr. 15.751.

Kopenhagen, den 19.2.1944.

An den Befehlshaber der Sicherheitspolizei und des SD,
  im Hause.

In dem Bericht betreffend Erörterungen in Dänemark und Schweden über die Wirtschaft nach dem Kriege vom 15.2.44[117] findet sich auf Seite 8 der Satz "Diese Äußerung zeigt übrigens auch deutlich, daß die dänischen Banken mit ihren vielen Geldern nicht für irgendwelche deutschen Belange eingesetzt sind, obwohl die Möglichkeit dazu doch zweifellos vorhanden wäre."

Dieser Satz geht offenbar von der falschen Voraussetzung aus, daß aufgehäuftes Geld ein selbständig verwendbarer Wert wäre. Dies ist jedoch nicht der Fall. Vielmehr beweist der gegenwärtige Zustand des Warenmangels in allen Ländern mehr denn je, daß Geld nur ein Transportmittel für wirtschaftliche Werte ist. Die wirtschaftlichen Werte, die in Dänemark für deutsche Zwecke nutzbar gemacht werden können – landwirtschaftliche Erzeugung und gewerbliche Fertigung – werden bereits in vollem Umfang in Anspruch genommen. Es ist keine Möglichkeit zu sehen, mit Hilfe der in den dänischen Banken aufgehäuften Geldmengen einen weiteren wirtschaftlichen Nutzen für deutsche Belange zu erzielen.

Die Nachkriegsspekulationen der dänischen Wirtschaftskreise basieren schlechthin auf der Erwartung des baldigen Siegen der Alliierten und auf der Hoffnung, daß als-

---

117 Trykt ovenfor.

dann mit auswärtiger Hilfe bezw. durch internationale Währungsvereinbarungen der Vorkriegswert der dänischen Krone wiederhergestellt würde. Für den Fall einer solchen rein geldkapitalistischen Lösung würden diese Spekulationen recht behalten. In jedem andern Fall wird das in den dänischen Banken aufgehäufte Geld einerseits durch eine wahrscheinlich ungünstigere Währungsregelung und andererseits durch Heranziehung zur Deckung öffentlicher Lasten – insbesondere aus Anlaß der endgültigen Regelung der dänischen Besetzungs- und Clearingprobleme – im wesentlichen absorbiert werden.
[uden underskrift]

265. Der Reichswirtschaftsminister an Lutz Schwerin von Krosigk 20. Februar 1944
RWM erklærede sig uenig med RFM i, at Danmark burde pålægges et krigsbidrag, med den begrundelse, at det ville virke destabiliserende på valutaen. Den danske befolkning ville ikke kunne forstå en sådan foranstaltning, og det kunne påvirke leveringsvilligheden over for Tyskland, som var af væsentlig betydning. RWM stillede sig også positivt til det danske ønske om at få clearingkontoen opgjort i kroner.
Kopi af brevet blev sendt til en stribe instanser.
Kilde: RA, Danica 465, Moskva: Osobyj Archiv: 1458/3/909/15 (koncept).

Der Reichswirtschaftsminister   *Berlin, den 20. Februar 1944*
Nr. IV 87/44/g
Referent: Min. Dir. Dr. Riehle

1.) An den Herrn Reichsminister der Finanzen
    Berlin W 8
    Wilh. Pl. 1-2

Die in Ihrem an Herrn Minister von Ribbentrop gerichteten Schreiben vom 24. 1. 44.[118] anschnittene Frage dürfte in erster Linie eine Frage der politischen Zweckmäßigkeit sein, deren Beantwortung dem Herrn Außenminister unterliegt. Es können sich aber aus der eventuellen Zahlung eines finanziellen Kriegsbeitrages des dänischen Staates erhebliche wirtschaftliche Auswirkungen ergeben, die mich veranlassen, zu Ihrem Schreiben Stellung zu nehmen:

Sie begründen die Zahlung eines Kriegslastenbeitrages durch Dänemark unter anderem damit, daß es in Dänemark bisher nur unvollkommen gelungen sei, die überschüssige Kaufkraft zu binden, und daß es aus währungspolitischen Gründen erwünscht sei, Dänemark zu veranlassen, in stärkerem Maße Steuern und Anleihen vorzusehen, aus denen der Kriegsbeitrag gezahlt werden könnte. Es ist an sich richtig, daß durch eine Erhöhung der Steuern und durch die Ausgabe geeigneter Anleihen eine zweckmäßige Abschöpfung erfolgt. Ich muß aber darauf hinweisen, daß in keinem anderen außerdeutschen Lande die Erhaltung der Währung mit solchem ernsten Willen und mit solchem Erfolg angestrebt wurde wie in Dänemark. Es wird unter diesen Umständen die dänische Regierung kaum von der Notwendigkeit weiterer Steuererhöhungen und

118 Trykt ovenfor.

Anleihen überzeugt werden können. Ich selbst halte sie im gegenwärtigen Augenblick währungspolitisch nicht für erforderlich. Andererseits ist zu beachten, daß es bisher gelang, die dänische Wirtschaft in hervorragendem Masse für das deutsche Wirtschaftspotential einzuschalten. Insbesondere auf dem Ernährungssektor hat Dänemark Lieferungen geleistet, die von erheblicher Bedeutung waren. Auch für die Folgezeit sind ~~hier~~ [dort] Lieferungen zu erwarten, die für die Ernährung schlechthin unentbehrlich sind. Das Maß dieser Lieferungen hängt in erheblichem Umfange von dem Lieferwillen der dänischen Bevölkerung ab. Ich befürchte, daß die dänische Bevölkerung die Zahlung eines Kriegslastenbeitrages und die zu seiner Aufbringung erforderliche Steuererhöhung nicht im ~~notwendigen Umfange~~ verstehen würde, und daß sich hieraus unvermeidliche Rückwirkungen auf den Lieferwillen und damit auf die Lieferungen ergeben würden. Ich halte eine solche Gefahr für grösser als den evtl. Nutzen, der sich daraus ergeben könnte, daß der aus den Besatzungskosten zu Gunsten Dänemarks anlaufende Saldo in geringerem Umfange auflaufen würde. Ich halte es darüber hinaus auch für unerheblich, ob die von der dänischen Regierung bezw. Nationalbank auf Besatzungskostenkonto vorgelegten Beträge in Reichsmark oder in Kronen gutgeschrieben werden, und stehe auch den für die Clearingforderungen in dieser Hinsicht geltend gemachten Wünschen der dänischen Regierung nicht ablehnend gegenüber. Ich halte die Festigkeit der deutschen Währung für stärker als die der dänischen Währung, so daß aus einer Kronengutschrift dem Deutschen Reich wohl ein Nutzen, aber kein Nachteil erwachsen kann.

Abschrift haben erhalten der Herr Reichsmarschall des Großdeutschen Reiches – Beauftragter für den Vierjahresplan –, der Reichsminister des Auswärtigen, ~~der~~ Herr Reichsminister für Ernährung und Landwirtschaft, der Herr Reichsminister für Rüstung u. Kriegsproduktion, der Herr Generalfeldmarschall Keitel, der Reichskommissar für die Preisbildung und das Reichsbankdirektorium.

Heil Hitler!
[sign.]
N.d.H. M.

2.) Unter Abschrift von 1.) ist zu setzen:
An den[119]
a.) Herrn Reichsmarschall des Großdeutschen Reiches
Beauftragter für den Vierjahresplan
b.) Herrn Reichsminister des Auswärtigen
c.) Herrn Reichsminister für Ernährung und Landwirtschaft
d.) Herrn Reichsminister für Rüstung u. Kriegsproduktion
e.) Herrn Generalfeldmarschall Keitel
f.) Herrn Reichskommissar für die Preisbildung
g.) das Reichsbankdirektorium
   Berlin
Abschrift übersende ich zur gefl. Kenntnisnahme.

---

119 Med håndskrift er tilføjet nærmere adressater. Udeladt her.

266. Werner Best an das Auswärtige Amt 21. Februar 1944
Dagsindberetning.
Kilde: PA/AA R 29.568. RA, pk. 204.

Telegramm

| Kopenhagen, den | 21. Februar 1944 | 19.30 Uhr |
| Ankunft, den | 22. Februar 1944 | 06.30 Uhr |

Nr. 229 vom 19.2.[44.]   Citissime!

Ich bitte, die folgende Meldung unverzüglich dem Herrn Reichsaußenminister zuzuleiten:
    Über die Lage in Dänemark berichte ich für den 18. auf 19. Februar, daß aus dem ganzen Lande keine besonderen Vorfälle gemeldet worden sind.

Best

267. Emil Wiehl an das Reichsfinanzministerium 21. Februar 1944
RFM ønskede Korff som medlem af det tysk-danske regeringsudvalg trods AAs og Walters betænkeligheder. Det erklærede Wiehl sig indforstået med, hvilket Best og Walter samtidigt blev orienteret om. Wiehl gjorde opmærksom på, at der kunne være problemer med, at Korff kunne komme fra Oslo til møder, der blev indkaldt til med kort frist.
    Dermed så Wiehl helt bort fra det den 14. februar af Best udtalte forbehold, som det ville have været helt umuligt at videregive til RFM. Best havde imidlertid endnu engang fået markeret, hvor stor opmærksomhed han gav den politik, regeringsudvalget førte.
    Kilde: RA, pk. 270.

Berlin, den 21. Febr. 1944   zu Ha Pol. VI 275
                                                                                        427/44

Ref: LR Baron v. Behr

An das Reichsfinanzministerium
Auf den Schnellbrief vom 22. v. Mts.[120] – Y 5104:1-228 V –

Da das RFM trotz der vom AA und dem Vorsitzenden des Regierungsausschusses für Dänemark geltend gemachten Bedenken auf die Teilnahme des ORR Korff an den Verhandlungen der Regierungsausschüsse Wert legt, erkläre ich mich damit einverstanden, daß ORR Korff als Vertreter des RFM dem Regierungsausschuß für Dänemark bis auf Weiteres zugeteilt wird. Der Vorsitzende des Regierungsausschusses für Dänemark und der Reichsbevollmächtigte in Dänemark werden gleichzeitig entsprechend unterrichtet.
    Ich muß aber bei dieser Gelegenheit erneut darauf [hinweisen], daß eine rechtzeitige Unterrichtung des ORR Korff in Oslo über die das RFM interessierenden Verhand-

120 Berger til AA 22. januar 1944, trykt ovenfor.

lungen, sowie seine Hinzuziehung zu den oft kurzfristig anberaumten Beratungen des
Ausschusses nicht in allen Fällen möglich sein wird.

I.A.

gez. **Wiehl**

268. Horst Wagner an Werner Best 21. Februar 1944
Best fik efter Ribbentrops ordre fremsendt kopier af uddrag af brevene vekslet mellem Himmler og Ribbentrop vedrørende kompetenceforholdet mellem Pancke og Best.
 Ribbentrop, Wagner og Inland II i det hele taget kunne ikke være i tvivl om, hvor stor betydning Best havde tillagt det, at han blev HSSPFs overordnede og ikke ligestillede, men Ribbentrop ville over for Best dokumentere, at AA ikke havde kunnet gennemtrumfe det (Birn 1986, s. 292).
 Brevene af 31. december og 4. januar er ikke lokaliseret i deres helhed.
 Kilde: PA/AA R 100.758. LAK, Best-sagen (afskrift).

– Reinkonzept –
Auswärtiges Amt   *Berlin, den 21. Febr. 1944*
Leiter Gruppe Inland II
zu Inl. II 295g

An den Reichsbevollmächtigten in Dänemark
    Herrn Gesandten Dr. Best
    Kopenhagen

Sehr geehrter Herr Gesandter!
Der Herr Staatssekretär hat mich beauftragt, Ihnen einen Auszug aus dem Briefwechsel des Herrn Reichsaußenministers mit dem Reichsführer-SS vom 31.12.1943 bezw. 4.1.1944 zu übersenden. Es handelt sich um die Details der Briefe, die sich mit Ihrem Verhältnis zu dem Höheren SS- und Polizeiführer in Dänemark befassen.

Auszug Brief Reichsaußenminister:
 … wie notwendig es ist, daß eine vollkommene Klarheit über die Verantwortlichkeiten der einzelnen Stellen draußen besteht. Ich hatte schon neulich die Absicht, gelegentlich der Ernennung des Höheren SS- und Polizeiführers in Dänemark Dir hierüber ein Wort zu sagen. Denn: Es liegt auf der Hand, daß die Verantwortung für die politische Entwicklung in den verschiedenen fremden Ländern allein bei der Obersten deutschen politischen Stelle liegen kann, … in Dänemark beim Reichsbevollmächtigten, … Danach ist es nicht möglich, daß eine andere, sei es militärische, polizeiliche oder zivile Stelle eine eigene politische Tätigkeit entfaltet, mit fremden Regierungen verhandelt usw. Dies ist auch nach einigen vorübergehenden Schönheitsfehlern jetzt überall zum Segen unserer Außenpolitik durchgeführt. Dementsprechend erhalten u.a. auch die Höheren SS- und Polizeiführer usw., die den politisch Verantwortlichen als Berater in polizeilichen Fragen beigegeben sind, und die die polizeilichen Dinge in den Ländern behandelt, ihre politischen Anweisungen von diesen, während sie ihre fachlichen Anweisungen von ihrer vorgesetzten Heimatdienststelle erhalten. Ich bin sicher, daß Du mit dieser Auffassung

ganz einig gehst, und ich möchte Dich nur herzlich bitten, zur Vermeidung von irgendwelchen Unebenheiten in der Zukunft nochmals einen entsprechenden Befehl hierüber an Deine Herren in ... Dänemark zu erteilen. Daß im übrigen meine Herren Weisung haben im engsten Einvernehmen und in bester Kameradschaft mit den Herren der Polizei zusammenzuarbeiten, brauche ich hierbei wohl nicht noch besonders zu unterstreichen. Ich halte vielmehr diese engste Zusammenarbeit für geradezu unerläßlich und bin sicher, daß durch eine klare Situation bezüglich der Verantwortlichen das gute Einvernehmen zwischen unseren Herren draußen nur noch weiter gefördert wird.

Auszug Brief Reichsführer-SS:
... Meinen herzlichen Dank für Deinen Brief vom 31.12. Ich darf dir mit wenigen Zeilen sagen, daß ich meine Männer in allen Teilen Europas in dem von Dir gewünschten Sinne noch einmal angewiesen und unterrichtet habe. Ich habe die feste Überzeugung, daß es hier niemals grundsätzliche Schwierigkeiten geben wird. Alle meine Männer haben die Anweisung bekommen, die im Jahre 1943 so schön angelaufene und bewährte gemeinsame Arbeit unter stärkster Beachtung der gegebenen Richtlinien in diesem neuen entscheidenden Jahr 1944 weiter zu pflegen und sie noch besser und herzlicher zu gestalten ...

Entsprechend der mir erteilten Weisung darf ich bitten, den Inhalt dieser Briefe nur zu Ihrer persönlichen Information zu verwenden.
Heil Hitler!
gez. **Wagner**

269. Werner Best an das Auswärtige Amt 22. Februar 1944
Dagsindberetning.
Kilde: PA/AA R 29.568. RA, pk. 204.

Telegramm

| Kopenhagen, den | 22. Februar 1944 | 13.30 Uhr |
| Ankunft, den | 22. Februar 1944 | 17.30 Uhr |

Nr. 232 vom 21.2.44.   Citissime!

Ich bitte, die folgende Meldung dem Herrn Reichsaußenminister unverzüglich zuzuleiten:
Über die Lage in Dänemark berichte ich für den 19. auf 21. Februar, daß am ...[121] des 19. in der Nähe von Aarhus mehrere Beschädigungen von Eisenbahnschienen durch Sprengkörper ausgeführt wurden, ohne daß der Verkehr beeinträchtigt wurde.[122] In der

---
121 fehlt anscheinend Klartext.
122 Samsing-gruppen saboterede den østjyske længdebane ved en viadukt nord for Ravnsbjergbakken. Sabotagen førte til afsporing af et persontog med danske rejsende (Hauerbach 1945, s. 24, Hansen 1946,

folgenden Nacht wurde auf dem Güterbahnhof in Aarhus eine auf einen Kraftwagen montierte Scheinwerferanlage beschädigt.[123]

Dr. Best

270. Werner Best an das Auswärtige Amt 22. Februar 1944
Vedrørende telegramfejl.
   Kilde: PA/AA R 29.568. RA, pk. 204.

Telegramm

Kopenhagen, den	22. Februar 1944	13.30 Uhr
Ankunft, den	22. Februar 1944	18.20 Uhr

Nr. 233 vom 21.2.44.

Auf Telegramm vom 19. Nr. 161[124] berichte ich, daß es sich um einen fehlgeschlagenen Fall der in meinem Telegramm Nr. 71[125] vom 18. Januar bezeichneten Art handelt.

Best

271. Werner Best an das Auswärtige Amt 22. Februar 1944
Best svarede på forespørgslen fra Wiehl 8. februar ved at gengive, hvad Sattler vidste om den i 1940 indgåede overenskomst vedrørende Danmarks Nationalbanks forskud til dækning af besættelsesomkostningerne. Der var ikke talt om tilbagebetalingen, men Sattler kunne ikke bekræfte, at danskerne var klar over, at forskuddet ikke ville blive betalt tilbage. Best sluttede med at berette, at han i fortrolige forhandlinger med danskerne havde fået den opfattelse, at de ikke regnede med en tilbagebetaling.[126]
   Kilde: PA/AA R 105.211. RA, pk. 281.

Telegramm

Kopenhagen, den	22. Februar 1944	10.47 Uhr
Ankunft, den	23. Februar 1944	12.30 Uhr

Nr. 237 vom 22.2.[44.]

---

s. 38f.).
123 Der var en eksplosion på en tysk projektørvogn på godsbanen i Århus. Sabotagen blev udført af Samsing-gruppen (*Information* 24. februar 1944, Alkil, 2, 1945-46, s. 1229, Hansen 1946, s. 39 (der henlægger sabotagen til natten til 23. februar)).
124 Pol. VI 7773 g betr. Attentat auf den Leibarzt des dänischen Königs Warburg. Telegrammet er ikke lokaliseret. – Petergruppen havde 14. februar forsøgt clearingmord på professor Erik Warburg (Lauritsen 1947, s. 1387, Bøgh 2004, s. 45-47, tillæg 3 her).
125 Pol. VI gRs. Trykt ovenfor.
126 Se tillige Renthe-Finks svar på samme spørgsmål 11. februar, trykt ovenfor.

Mit Bezug auf dortseitiges Telegramm Nr. 118[127] vom 8. Februar.
Ich teile mit, daß Reichsbankdirektor Sattler zu den Fragen des dortigen Telegramms wie folgt Stellung genommen hat:

"Zu 1. Bei den Verhandlungen über den Abschluß der Vereinbarung vom August 1940 und später ist weder von mir noch in meiner Gegenwart von einem anderen deutschen Vertreter erklärt oder auch nur angedeutet worden, daß Rückzahlung der von Danmarks Nationalbank geleisteten Vorschüsse nicht beabsichtigt sei.

Zu 2. Die Frage der Rückzahlung wurde offen gelassen
   a.) bei den Verhandlungen im August 1940 im Hinblick auf Ziffer 2 Absatz 3 der Verhandlungsanweisung des Auswärtigen Amts vom 23. Juli 1940 – X V 2603 –, die unter anderem vorschrieben:

"Eine Mitteilung dahingehend, daß die dänische Regierung die Besatzungskosten selbst zu tragen haben wird, soll in diesem Zeitpunkt noch nicht erfolgen …"

Ferner:

"Die Ansprüche gegen die Hauptverwaltung der Reichskreditkasse stellen einen mittelbaren Anspruch gegen das Reich dar. Der dänischen Regierung soll jedoch hierzu mitgeteilt werden, daß damit nicht eine Übernahme der Kosten auf die Reichskasse verbunden sein solle, daß vielmehr über die Frage der Liquidierung des Kontos erst bei der späteren Gesamtregelung eine Entscheidung getroffen werden wird."

(Diese Auflage wurde durch die Fassung des Artikels III der Vereinbarung und durch mündliche Erklärung in den Verhandlungen – vergl. die mit dem Vereinbarungsentwurf eingereichten "Bemerkungen" zu Artikel III – erfüllt).

   b.) während meiner sich an die Verhandlungen anschließenden, bis zum 19. Juni 1943 dauernden Tätigkeit als Leiter der Verbindungsstelle mit Rücksicht auf die durch die Artikel IV und V der Vereinbarung lediglich auf die technische Durchführung des Abkommens beschränkte Funktion der Verbindungsstelle und

   c.) seit 19. Juni 1943 als Beauftragter des Verwaltungsrats der Reichskreditkasse mangels einer vom Verwaltungsrat in dieser Hinsicht erhaltenen Ermächtigung.

Zu 3. Tatsachen, aus denen geschlossen werden kann, daß sich die Dänen stets darüber klar waren, daß Rückzahlung der Vorschüsse nicht erfolgen werde, sind mir nicht bekannt."

Zu Punkt 3 bemerke ich folgendes:
Ob die Dänen sich stets darüber klar waren, daß Rückzahlung der Vorschüsse nicht erfolgen werde, kann ich für die Zeit vor meinem Amtsantritt nicht sagen. Seit November 1942 ist mir aber öfter in vertraulichen Unterhaltungen mit führenden Dänen zu verstehen gegeben worden, daß man sich nicht darüber täuscht, daß auf eine effektive Rückzahlung der Vorschüsse nicht zu rechnen sei.

Best

---

127 Ha Pol. VI 368/44: Besatzungskosten Dänemark. Trykt ovenfor.

272. Hans-Heinrich Wurmbach an Werner Best 22. Februar 1944

B&W havde siden 9. februar været ramt af arbejdsnedlæggelser, fordi virksomheden telefonisk blev truet med, at der var lagt bomber, hvilket fik arbejderne til at forlade fabrikken. Det indebar forsinkelse af færdiggørelsen af skibe til Kriegsmarine. Med henvisning til von Hannekens forordning af 4. september 1943, hvorefter strejker var forbudt, ønskede admiral Wurmbach, at Best greb ind.

Problemet var forud blevet rejst af Heyne over for Ebner 15. februar, men uden resultat. Best svarede Wurmbach 23. februar.

Kilde: BArch, Freiburg, RW 27/13. KTB, Rü Stab Dänemark, 1. Vierteljahr 1944, Anlage 21.

Abschrift
Der Kommandierende Admiral Dänemark   *Stabsquartier, den 22.2.44*
B. Nr. H 1694

An den Bevollmächtigten des Reiches in Dänemark, Herrn Dr. Werner Best
    Kopenhagen
    Dagmarhus

nachrichtlich:
    Wehrmachtbefehlshaber Dänemark, Postort.
    Marineoberkommando Ostsee, Kiel.
    Oberkommando der Kriegsmarine / K Stb. Postort.
    Rüstungsstab Dänemark, Postort.

Lieber Herr Best!
Bei der Firma Burmeister & Wain wird seit dem 9.2.44 mit Ausnahme des 14.2.44 nicht gearbeitet. Die Arbeitsniederlegung erfolgte angeblich, weil wiederholt durch Saboteure fernmündlich der Belegschaft mitgeteilt wurde, daß Sprengkörper auf dem Werftgelände liegen, und daß diese in kürzester Frist zur Explosion kommen werden.[128] Die Versuche der Direktion der Firma, die Belegschaft zur Wiederaufnahme der Arbeit zu bewegen, sind offensichtlich gescheitert. Durch die Arbeitseinstellung verzögern sich die Fertigstellungstermine verschiedener Schiffe, die von der Kriegsmarine dringend benötigt werden. Es muß damit gerechnet werden, daß eine Verzögerung der Fertigstellung des WBS "Wuppertal" besonders schwerwiegende Folgen haben kann, da dieses Schiff nur zeitweise eingesetzt werden kann. Auch die übrigen Schiffe, unter anderem "Mimi Horn", die Transportschiffe "Bullaren" und "Warthe" und das Vorpostenboot Vp 1604 werden so dringend benötigt, daß weitere Lieferverzögerungen nicht vertretbar sind.

Gemäß § 1 der Verordnung des Wehrmachtbefehlshabers Dänemark betreffs Lieferungen und Leistungen dänischer Firmen für die Deutsche Wehrmacht vom 4.9.43 dürfen "Kündigungen des Arbeitsverhältnisses bei solchen Firmen, die mit Aufträgen der Bedarfsstellen in Anspruch genommen oder über eine künftige Inanspruchnahme benachrichtigt worden sind, nur im üblichen Umfang ausgesprochen und angenommen werden."

Wenn auch im vorliegenden Fall eine Kündigung weder vom Arbeitgeber noch vom

---

128 Jfr. Heyne til Ebner 15. februar og *Daglige Beretninger*, 1946, s. 52, der ikke melder om "fantasibomber" på B&W efter 17. februar.

Arbeitnehmer ausgesprochen ist, so muß doch in analoger Auslegung der Verordnung im Zusammenhang mit dem Aufruf des Wehrmachtbefehlshabers Dänemark anläßlich der Verhängung des Ausnahmezustandes gefolgert werden, daß das gegenwärtige Verhalten der Belegschaft der Firma Burmeister & Wain gegen die Verordnung vom 4.9.43 klar verstößt. Dieser Verstoß, der – wie ausgeführt – schwerwiegende Folgen für die Kriegsmarine hat, wird durch die angebliche Gefährdung der Belegschaft bei Arbeitsleistung nicht entschuldigt, zumal da im Hinblick auf die durch die Presse bekanntgegebenen Lohnverhandlungen zwischen Arbeitgeber und Arbeitnehmer geschlossen werden muß, daß der eigentliche Grund der Arbeitsniederlegung nicht in der Furcht vor Sabotage, sondern in der bisherigen Nicht-Erfüllung der Forderungen der Arbeitnehmer zu sehen ist.

Da die Verordnung des Wehrmachtbefehlshabers vom 4.9.43 und vor allem das Streikverbot auch nach Aufhebung des militärischen Ausnahmezustandes bestehen geblieben sind, halte ich es im Hinblick auf die schwerwiegenden Folgen einer weiteren Arbeitsverweigerung für unbedingt erforderlich, den gegenwärtigen Zustand so schnell wie möglich zu beseitigen.

Heil Hitler!
Ihr
gez. Wurmbach

273. Werner Best an das Auswärtige Amt 22. Februar 1944

Best pressede på for at få en afgørelse af, hvem der skulle udøve benådningsretten ved en kommende SS- og Politigeright i Danmark. Han brugte som argument, at både von Hanneken og Pancke indtrængende havde bedt ham om at få sagen fremskyndet, da antallet af sabotører, der ventede på at komme for en krigsret, voksede støt.

Best blev orienteret om sagens stilling af Albricht ved telegram nr. 216, 3. marts (Rosengreen 1982, s. 90).

Kilde: PA/AA R 101.040. RA, pk. 229 og 438a. LAK, Best-sagen (afskrift).

Telegramm

Kopenhagen, den	23. Februar 1944	12.58 Uhr
Ankunft, den	23. Februar 1944	20.10 Uhr

Nr. 238 vom 22.2.44.

Unter Bezugnahme auf dortseitiges Telegramm Nr. 120[129] vom 9. Februar und im Anschluß an mein Telegramm Nr. 125[130] vom 1. Febr. 1944 berichte ich, daß die höheren SS- und Polizeiführer und der Befehlshaber der Sicherheitspolizei mich dringend gebeten haben, für beschleunigte Entscheidung über die Zuständigkeit des SS- und Polizei-

---

129 R 5 083 g. Telegrammet er ikke lokaliseret.
130 bei Inl. II. Telegrammet er ikke lokaliseret.

FEBRUAR 1944

gerichtes XXX in Kopenhagen zur Aburteilung von Landeseinwohnern zu sorgen, da die Zahl der zur Aburteilung heranstehenden Saboteure ständig wächst und diese nach der Auffassung der deutschen Polizei nicht mehr vor die Kriegsgerichte, deren Verfahren zu langwierig wäre, gebracht werden sollen. Da ich es für untragbar halte, daß die Aburteilung von Straftaten die in Dänemark gegen deutsche Interessen begangen worden sind, monatelang stocken, ...[131] dringend, bei dem Reichsführer SS und bei dem Oberkommando der Wehrmacht auf Beschleunigung Regelung der Gerichtsfrage zu drängen. Für laufende Unterrichtung über den Fortgang der Sache wäre ich dankbar, damit ich mich jeweils zu den beabsichtigten Regelungen äußern kann.

Best

274. H.W. Ebeling an den Einsatzstab Rosenberg 22. Februar 1944

Einsatzleiter H.W. Ebeling efterlyste fra København svar på et brev, som han 17. november havde sendt til Einsatzstab Rosenberg og hvis vigtighed var blevet større efter, at Arthur Rosenberg 6. januar havde bestemt, at Ebeling skulle indsamle den nazistiske litteratur fra alle germanske folk.

Ebeling skrev flere breve til Einsatzstab Rosenberg i de følgende dage, men opnåede først et svar derfra 1. marts 1944.

Einsatzstab Rosenberg beskæftigede sig siden efteråret 1940 med "indsamling" eller "sikring"/tyveri af jødisk ejendom, jødiske biblioteker og kunstskatte i det besatte Europa, og en repræsentant for staben, H.W. Ebeling var kommet til København nogle få dage før aktionen mod de danske jøder i oktober 1943, hvor han aflagde Werner Best besøg 27. september og kom igen få dage efter aktionen (6. oktober). Formålet med Ebelings besøg er ukendt, men det drejede sig sandsynligvis om muligheden for, at Einsatzstab Rosenberg kunne tilegne sig jødisk ejendom i Danmark i forbindelse med jødeaktionen. Det blev der imidlertid ikke tale om, da Best havde ladet træffe en aftale med den danske stat derom.[132] Ebeling var også igen hos Best dagen før Eichmanns besøg i København 2. november 1943, men det havde næppe nogen sammenhæng. Det af Einsatzstab Rosenberg i København oprettede tjenestested kom ikke til at beskæftige sig med tilegnelsen af jødisk ejendom i Danmark af nogen art, hvad Best også gjorde tydeligt for Einsatzstab Rosenbergs leder Gerhard Utikal under et besøg i København marts 1944. Til gengæld havde Einsatzstab Rosenberg svært ved at finde ud af, hvad Ebeling i stedet skulle foretage sig i København, hvilket resulterede i manglende besvarelser på hans henvendelser og upræcise og skiftende pålæg om, hvad han i stedet skulle foretage sig.[133]

Denne usikkerhed hang sammen med, at Arthur Rosenberg først skulle have det nye opgaveområde på plads, som bl.a. Ebeling skulle beskæftige sig med. Rosenberg var 16. og 17. november 1943 i førerhovedkvarteret for at overbevise Hitler om, at der skulle udnævnes såkaldte "Offizieren für nationalsozialistische" eller "weltanschauliche Erziehung". Hitler blev overbevist om ideens rigtighed, men ved Martin Bormanns mellemkomst kom førerordren derom af 22. december 1943 til at falde ud til hans fordel, idet "Offizier für die nationalsozialistische Führung" kom til at ligge i Partikancelliets regi, og Rosenberg måtte nøjes med at få en repræsentant i den nye afdeling "Arbeitsstab der Partei-Kanzlei". Det indebar, at Ebeling ikke blev en af Rosenbergs officerer i nationalsocialistisk opdragelse, men måtte udføre mere beskedne opgaver, men først i februar erkendte Rosenberg sit nederlag. Det påvirkede arbejdet for den lokale repræsentant i Danmark (Bollmus 1970, s. 140f. (magtkampen mellem Rosenberg om Bormann om føringsofficeren),

---

131 fehlt anscheinend Klartext.
132 Se Bests telegram nr. 1188, 2. oktober 1943 og Ebner til AA 20. oktober 1943.
133 Ebeling havde før ankomsten til Danmark beskæftiget sig med skandinaviske forhold. I april 1943 havde han haft som opgave at undersøge sammenfletningen af jøder og frimurere i Sverige (Einsatzstab Rosenberg til AA 15. april 1943 (IfZG, NG-1887)).

Umbreit 1988b, s. 318f., Piper 2005, s. 486-508 (om ERR), Bests kalenderoptegnelser, anf. datoer, Klee 2005, s. 326, Koeppen 24. marts 1944 (trykt nedenfor)).[134]
   Kilde: BArch, NS 30/32. RA, Danica 1000, T-450, sp. 87, nr. 747.

Einsatz[stab Reichsleiter Rosen]berg   *Kopenhagen, den 22. Februar 1944*
für die besetzten Gebiete

An den Einsatzstab Reichsleiter Rosenberg für die besetzten Gebiete
   – Stabsführung –
   Ratibor/OS.
   Postfach 142

Beiliegend empfangen sie die Abschrift meines Schreibens vom 17.11.43 auf das ich bislang ohne Antwort geblieben bin. Der Inhalt des Schreibens ist insofern besonders wichtig geworden, als der Reichsleiter am 6.1.1944 bestimmte, daß eine Bibliothek, die alle nationalsozialistischen Schriften der germanischen Völker umfassen soll, von mir zusammengestellt würde. Ich wäre Ihnen dankbar, wenn Sie möglichst umgehend dazu Stellung nehmen würden.
                    Heil Hitler!
                    Ebeling
              Oberst-Einsatzführer

1 Anlage[135]
Durchschlag an Stabsführung, Berlin

275. Werner Best an das Auswärtige Amt 23. Februar 1944
Dagsindberetning.
   Kilde: PA/AA R 29.568. RA, pk. 204.

                    Telegramm

Kopenhagen, den	23. Februar 1944	00.25 Uhr
Ankunft, den	23. Februar 1944	19.50 Uhr

Nr. 239 vom 22.2.44.   Citissime!

Ich bitte, die folgende Meldung dem Herrn Reichsaußenminister unverzüglich zuzuleiten:

---

134 Hovedparten af Ebelings korrespondance fra København er af underordnet interesse, dog skal det omtales, at det 18. januar blev beordret og 24. februar 1944 indskærpet, at alle henvendelser til Ebeling fremover skulle ske via et Feldpostnummer, så hans opholdssted derefter ville være ubekendt for alle uden for Einsatzstab Rosenberg.
135 Bilaget af 17. november 1943 er ikke lokaliseret. Det er Alfred Rosenbergs bestemmelse 6. januar 1944 heller ikke.

Über die Lage in Dänemark berichte ich für den 21. auf 22. Februar, daß in Esbjerg ein Zellstofflager der Organisation Todt verbrannt ist.¹³⁶ Der Zellstoff kann aus dänischen Beständen ersetzt werden.

Best

276. Emil Wiehl: Aufzeichnung 23. Februar 1944

I anledning af rigsfinansminister Schwerin von Krosigks brev 24. januar 1944 til Ribbentrop, blev Wiehl 27. januar via Sonnleithner bedt om at tage stilling til en række spørgsmål i den forbindelse. Først redegjorde han for forhandlingerne i 1940 om reguleringen af besættelsesomkostningerne, dernæst drøftede han det danske ønske om at få besættelsesomkostningerne opgivet i danske kroner i stedet for i RM. Best var gået ind derfor, da han mente, at det alene var et bankteknisk spørgsmål, mens AA i øvrigt ikke havde beskæftiget sig dermed. Clearingkontoens omstilling fra RM til danske kroner var det næste spørgsmål, Wiehl tog op. Også det var et ønske fra dansk side, men det var vedvarende blevet afvist fra tysk side. Det indstillede Wiehl, at det fortsat blev; andre ministerier var indstillet på at følge den beslutning. Videre tog Wiehl stilling til finansministerens brev, hvori der blev gået ind for, at danskerne skulle kunne budgettere besættelsesomkostningerne. Her henviste Wiehl for det første til en indberetning fra Best, der ikke kunne se det hensigtsmæssige i en sådan omlægning. Wiehl var enig og kunne meddele, at også OKW ville være imod. Forholdsregler mod inflation skulle findes på anden vis. Wiehl var også blevet bedt tage stilling til Bests indberetning 7. februar. Heri havde Best gjort opmærksom på faren ved de stærkt stigende besættelsesomkostninger. Wiehl var enig heri og mente, at man med alle midler skulle søge at løse de finanspolitiske problemer, der opstod med værnemagtens store forbrug, under hensyntagen til de militære interesser. Sluttelig tog han stilling til finansieringen af de danske leverancer. De kunne finansieres med tyske modleverancer, men da disse haltede bagud, havde danskerne frivilligt givet en kredit i kroner frem til september 1943. Wiehl foreslog, at den ordning blev fortsat.

Se videre Wiehl 5 og 12. marts 5. april, samt Ribbentrop til Schwerin von Krosigk 31. maj 1944.
Kilde: PA/AA R 105.211. RA, pk. 204 og 281.

Dir. Ha Pol Nr. 57
Eilt wegen der Genehmigung
zu III)   *Berlin, den 23. Februar 1944*

Aufzeichnung

zu dem Brief des Reichsfinanzministers an Herrn Reichsaußenminister
vom 24. Januar über Besatzungskosten Dänemark.¹³⁷
(Die von Ges. v. Sonnleithner übermittelte Weisung vom 27. Jan. 1944)¹³⁸

Vorbemerkung:
Die Weisung konnte nicht früher erledigt werden, weil die Unterlagen über die früheren Vorgänge aus den in Krummhübel befindlichen Akten und durch Auskünfte von Ges. v. Renthe-Fink¹³⁹ und aus Kopenhagen beschafft werden mußten.

---

136 Det var en lagerhal ved havnen i Esbjerg, der brændte. Den indeholdt 60.000 sække cement bestemt for OT, cementen blev ødelagt (RA, BdO Inf. nr. 22, 25. februar 1944).
137 Trykt ovenfor.
138 Sonnleithners instruks er trykt ovenfor.
139 Se Wiehls telegram til Renthe-Fink 8. februar og dennes svar 11. februar 1944, trykt ovenfor.

I. Verhandlungen 1940 über Regelung der Kosten des Wehrschutzes. (Ziffer 1 der Weisung)

Nach Besetzung Dänemarks im April 1940 sind zunächst alle deutschen Kosten durch Ausgabe von Reichskreditkassenscheinen gedeckt worden. Die Dänen legten sehr bald Wert darauf, die Reichskreditkassenscheine als Zahlungsmittel in ihrem Lande wieder auszuschalten und erboten sich, sie durch die dänische Nationalbank in Dänenkronen umtauschen und weiterhin Dänenkronen zur Verfügung stellen zu lassen. Ein entsprechendes Abkommen ist Ende August 1940 zwischen der Hauptverwaltung der deutschen Reichskreditkassen (praktisch Reichsbank) und der dänischen Nationalbank abgeschlossen worden, das Ende Oktober 1940 durch Notenwechsel von beiden Regierungen genehmigt wurde. Sämtliche Ressorts, auch das Reichsfinanzministerium, waren in Berlin laufend beteiligt und haben zugestimmt. Der Herr Reichsaußenminister ist mit der Sache, soweit aus den Akten ersichtlich, nicht befaßt worden, wohl deshalb weil es sich um eine ausschließlich währungstechnische Angelegenheit ohne politische Bedeutung handelte.

In dem Bankabkommen erklärte sich die Hauptverwaltung der Reichskreditkassen damit einverstanden, daß die bis dahin in Dänemark ausgegebenen Reichskreditkassenscheine gegen Umtausch in Dänenkronen aus dem Verkehr gezogen und ihr nach Berlin übersandt würden, gegen Gutschrift auf einem unverzinslichen Reichsmarkkonto der dänischen Nationalbank. Auch die weiterhin von der dänischen Nationalbank für Besatzungskosten vorzuschießenden Dänenkronen sollten ihr auf diesem Reichsmarkkonto gutgebracht werden. Bei den Verhandlungen, die zu dem Abkommen führten, ist der wiederholt vorgebrachte dänische Wunsch, eine Vereinbarung über die Rückzahlung des Reichsmarkguthabens aufzunehmen, von uns abgelehnt worden. Wir haben im Gegenteil verlangt, eine ausdrückliche Vereinbarung aufzunehmen, daß über die Frage der Liquidierung des Kontos erst bei der späteren Gesamtregelung eine Entscheidung getroffen werden solle. Nur auf dringenden dänischen Wunsch, den die dänische Nationalbank damit begründete, daß sie nach ihrem Bankgesetz langfristige Vorschüsse nicht geben dürfe, wurde diese Vereinbarung nicht ausdrücklich aufgenommen. Nach übereinstimmender Auffassung aller an den Verhandlungen beteiligt gewesenen deutschen Vertreter waren sich jedoch die Dänen aufgrund dieser Vorgänge immer klar darüber, daß bei einem längeren Kriege eine Rückzahlung der Vorschüsse nicht erfolgen würde.

II. Umwandlung des Besatzungskostenkontos von Reichsmark in Dänenkronen. (Ziffer 2, erster Halbsatz der Weisung)

Die Umwandlung wurde im Sommer 1942 anläßlich eines Besuches des Reichsbankvizepräsidenten Puhl in Kopenhagen von der dänischen Nationalbank mit der Begründung angeregt, es widerspreche ihren bilanzmäßigen Erfordernissen, für eine so erhebliche Verpflichtung in Dänenkronen als Deckung ausschließlich ein Guthaben in einer fremden Währung zu haben. Die Reichsbank erkannte diese Notwendigkeit als banktechnisch begründet an und setzte sich für Erfüllung des Wunsches ein. Im HPA wurde jedoch Ende August 1942 beschlossen, die Erfüllung zurückzustellen und sie nur dann in Betracht zu ziehen, wenn wichtige wirtschaftliche Gegenkonzessionen damit zu erreichen seien. Im weiteren Verlauf brachte die dänische Regierung den Wunsch immer dringlicher vor. Der Reichsbevollmächtigte Dr. Best trat Ende November 1942 für seine Erfüllung ein.[140] Gleichzeitig erhöhten sich die Besatzungskosten durch die eingeleiteten umfangreichen Befestigungsarbeiten immer mehr, und es war nach Ansicht des Reichsbevollmächtigten mit Schwierigkeiten bei ihrer weiteren Finanzierung durch die Dänen zu rechnen. Nunmehr sprachen sich alle Ressorts für die Umwandlung aus. Das Reichsfinanzministerium, das bis dahin Bedenken dagegen geltend gemacht hatte, stellte diese Ende Januar 1943 durch ein von Ministerialdirigenten Bayerhoffer unterzeichnetes Schreiben zurück, wenn das Auswärtige Amt die Umwandlung für erforderlich halte, um die wirtschaftlichen und politischen Beziehungen zwischen dem Reich und Dänemark zu fördern.[141] Diese Voraussetzungewar [?] zweifellos gegeben. Der Reichsbevollmächtigte erklärte deshalb gemäß erhaltener Weisung am 10. März 1943 der dänischen Regierung die Zustimmung zur Umwandlung.[142] Mitte Mai wurde das Konto von 826 Millionen RM in 1.582 Millionen Dänenkronen umgewandelt. Seither ist es auf rund 2,4 Milliarden Dänenkronen angestiegen.

Im Hinblick auf die mehr formelle Bedeutung des Kontos (S. oben I, Abs. 2) fügte der Reichsbevollmächtigte bei Mitteilung der Zustimmung am 10.3.1943 die ausdrückliche Erklärung bei, daß die Umstellung als eine banktechnische Maßnahme aufzufassen sei, die an dem Charakter des Kontos nichts ändere. Diese Erklärung wurde vom dänischen Staatsminister widerspruchslos entgegengenommen.

Eine Befassung des Herrn Reichsaußenministers mit der Umwandlung ist, soweit aus den Akten ersichtlich, nicht erfolgt weil es sich auch dabei um eine in erster Linie finanztechnische Maßnahme von nur mittelbarer politischer Bedeutung handelte, und weil auch bei den übrigen beteiligten Ressorts ein[e] Befassung der betreffenden Reichsminister nicht in Erscheinung trat.[143]

III. Umstellung des Clearingkontos von rund 1 Milliarde Reichsmark in Dänenkronen. (Ziffer 2, zweiter Halbsatz der Weisung)
Diese Umwandlung wird von der dänischen Regierung im Regierungsausschuß seit Herbst v.Js. mit steigender Dringlichkeit betrieben. Die deutsche Delegation hat bisher stets Verhandlungen darüber abgelehnt.

Die dänische Ausfuhr nach Deutschland hat sich in den Kriegsjahren überraschend gut gehalten und ist sogar in manchen Lebensmitteln, z.B. Butter und Fleisch nicht unerheblich gestiegen; sie konnte mit der sinkenden deutschen Ausfuhr nach Dänemark immer weniger kompensiert werden. Außerdem mußten im wachsenden Masse

---

140 Bests indberetning 25. november 1942, trykt ovenfor.
141 Skrivelse af 20. januar 1943, jfr. von Behrs Ergänzung zur Aufzeichnung von 11. Februar 1944, 21. februar 1944 (RA, pk. 281).
142 Det var Wiehl, der 6. marts 1943 bemyndigede Best til at ændre besættelseskontoen fra RM til kroner (se Best til Wiehl anf. dato), hvilket von Behr i den anden af to optegnelser til Wiehl 21. februar 1944 også gjorde klart: "Am 6. März 1943 wurde die ganze Frage eingehend bei Ihnen mit MD Walter und MD Berger besprochen und daraufhin die telegrafische Weisung an Dr. Best am 6. März erteilt." Det var i AA alene Wiehl, der havde truffet beslutningen om omlægningen, hvilket han imidlertid ikke direkte lod gå videre i redegørelsen til Ribbentrop trods det, at Ribbentrop udtrykkeligt havde ønsket det spørgsmål besvaret.
143 Selv om Wiehl her lod en vis uvidenhed råde, var det ikke på grund af mangel på relevante akter, at han ikke svarede mere præcist. Han ville ikke gøre det tydeligere, selv om han vidste bedre.

Finanzzahlungen, z.B. für Dienstleistungen an Dänemark geleistet werden. Die Folge war ein steigender deutscher passiver Saldo im Clearing. Nach den Verträgen ist die dänische Nationalbank nicht verpflichtet, im Clearing in Vorlage zu treten, sondern nur die Kroneneingänge aus der deutschen Ausfuhr nach Dänemark an die Lieferanten der dänischen Ausfuhr nach Deutschland zur Auszahlung zu bringen. Hätte sie sich daran gehalten, so hätte schon seit langem ein wachsender Teil dieser dänischen Lieferanten keine Bezahlung mehr erhalten können und deshalb naturgemäß weniger geliefert. Die dänische Nationalbank hat diese Lieferanten jedoch, ohne dazu verpflichtet zu sein, in Dänenkronen befriedigt und sie dadurch ausfuhrwillig erhalten, und sich selbst lange Zeit mit Deckung durch das entsprechende RM-Guthaben auf ihrem Clearingkonto bei der Deutschen Verrechnungskasse begnügt. Erst als dieses Guthaben im Herbst v.Js. auf rund 850 Millionen RM angestiegen war, hat sie aus den gleichen Gründen wie bei Umwandlung des Besatzungskostenkontos (vgl. oben zu II) darauf hingewiesen, daß sie für die gegen Bezahlung in Dänenkronen verkauften Waren nicht länger in Vorlage treten könne, sich aber zur weiteren Auszahlung in Dänenkronen bereit erklärt, wenn die Deutsche Verrechnungskasse diese Kronen bei ihr kaufe, wobei diese Käufe nicht gegen effektive Devisen sondern lediglich gegen Gutschrift auf einem Kronenkonto in Berlin zu erfolgen brauchten. Für die gegen Bezahlung in Reichsmark verkauften Waren könne es bei dem bisherigen Verfahren bleiben. Die Verrechnungskasse hat sich vorläufig auf diesen Vorschlag eingelassen, der praktisch darauf hinausläuft, daß die dänische Nationalbank seit Herbst v.Js. für den Hauptteil der Kronenauszahlungen, mit denen sie in Vorlage tritt, bei der Verrechnungskasse kein Clearingguthaben mehr in Reichsmark sondern in Dänenkronen erhält.

Die dänische Nationalbank hat danach zurzeit bei der Deutschen Verrechnungskasse außer einem inzwischen bis zu 930 Millionen RM aufgelaufenen RM-Guthaben ein Kronenguthaben von 272 Millionen Dänenkronen (= 141 Millionen Reichsmark). Der Wunsch der dänischen Regierung geht nunmehr dahin, das RM-Guthaben in ein Kronenguthaben umgewandelt zu bekommen und das von der Verrechnungskasse einstweilen praktisch gehandhabte Verfahren, nach welchem die dänische Nationalbank seit Herbst v.Js. für ihre Vorlagen in Dänenkronen bei der Verrechnungskasse ein Kronenguthaben erwirbt, von der Reichsregierung sanktioniert und für die Zukunft fortgesetzt zu erhalten.

Im HPA vom 17. Februar ist der erste Wunsch auf Umwandlung des RM-Clearing-Kontos abgelehnt worden.[144] Angesichts der erst vor knapp einem Jahr erfolgten Umwandlung des Besatzungskostenkontos liegt ein solche Notwendigkeit nicht vor. Zum zweiten Wunsch hat der HPA einstimmig beanstandet, daß die Verrechnungskasse ohne Befassung des HPA schon im vorigen Herbst von einem RM-Konto zu einem Kronenkonto übergegangen ist; die Verrechnungskasse begründet dies damit, daß sie nach Vertragslage dazu verpflichtet gewesen sei und Zahlungsstockungen unbedingt hätten vermieden werden müssen. Nachdem aber praktisch seit einem halben Jahr so verfahren worden ist, glaubt der HPA, daß eine Zurücknahme dieses Entgegenkommens und Rückkehr zu dem früheren Verfahren auf dänischer Seite erhebliche Schwierigkeiten

---

144 HPAs mødeprotokol 17. februar 1944, trykt ovenfor.

hervorrufen würde, und daß dadurch die jetzt besonders wichtigen und sich reibungslos abwickelnden dänischen Lebensmittellieferungen in untragbarer Weise beeinträchtigt würden. Es soll deshalb der dänischen Regierung erklärt werden, daß eine Umwandlung des RM-Clearing-Kontos nicht in Betracht gezogen werden könne, daß aber das im vorigen Herbst eingeführte Verfahren der Gutschriften auf Kronenkonto fortgesetzt werden würde. Das letztere Entgegenkommen soll dem Reichsbevollmächtigten an die Hand gegeben werden, falls er es für dänische Gegenleistungen verwerten kann. Die Möglichkeit hierzu wird allerdings nicht hoch einzuschätzen sein, nachdem das Verfahren seit einem halben Jahr praktisch angewandt wird.

Ich habe die Entscheidung des Herrn Reichsaußenminister zu diesem Beschluß vorbehalten. Reichswirtschaftsministerium und Reichsfinanzministerium haben die Zustimmung ihrer Minister vorbehalten, Reichswirtschaftsministerium weil Reichsminister Funk auch die Umwandlung des RM-Kontos für die Vergangenheit in Kronen befürwortete, Reichsfinanzministerium weil der Reichsfinanzminister vielleicht die Fortsetzung der Kronengutschriften nicht gutheißen werde. Ich glaube jedoch, daß die beiden Minister zustimmen werden, und bitte für diesen Fall um die Ermächtigung, den Beschluß auszuführen.

IV. Stellungnahme zu dem Brief des Reichsfinanzministers. (Ziffer 3 der Weisung.)
Vom rein finanztechnischen, sozusagen buchmäßigen Standpunkt aus hätte es wohl gewisse Vorteile, wenn die Dänen veranlaßt werden könnten, die Besatzungskosten haushaltsmäßig aufzubringen und [d]amit anzuerkennen, daß diese ihnen dauernd zur Last fallen. Dann wäre diese Frage schon jetzt offen so geklärt, wie wir sie trotz formell anderer Kontoführung tatsächlich für geregelt halten. Dies würde wohl auf hufden [beiden?] Seiten klarere Buchführungen und Bilanzen ermöglichen. Dieser Gesichtspunkt scheint mir jedoch von untergeordneter Bedeutung und keinesfalls schwerwiegend genug zu sein, um diejenigen Nachteile und Risiken in Kauf zu nehmen, die mit dem Vorschlag des Reichsfinanzministers, die Dänen zu einer offenen Übernahme der Besatzungskosten zu veranlassen, verbunden wären. Der Reichsbevollmächtigte Dr. Best hat in seinem hier beiliegenden Bericht vom 5. Februar dargelegt,[145] daß einmal keinerlei Grund vorliegt, den gegenwärtigen, unseren Bedürfnissen in jeder Hinsicht reibungslos Rechnung tragenden Zustand zu ändern, weil a.) die Dänen wissen, daß die gegenwärtigen Gutschriften ihrer "Vorschüsse" nur formelle Bedeutung haben (vgl. oben Ziffer I, Abs. 2 und II, Abs. 2), und weil b.) die dänischen Abschöpfungs- und sonstigen Maßnahmen bisher durchaus genügt haben und auch weiterhin genügen werden, um unerwünschte Inflationserscheinungen hinten zu halten; daß aber auf der anderen Seite jede Änderung der bisherigen Finanzierung schwerwiegenden politische und wirtschaftliche Nachteile auslösen würde, wie Widerstand der dänischen Steuerzahler, Verminderung des Produktionswillens der dänischen Landwirte, Erschütterung des Vertrauens in die Stabilität der dänischen Wirtschaft und damit gerade Auslösung der Gefahren, die der Reichsfinanzminister mit seinem Vorschlag bannen will.
Ich teile diese wirtschaftlichen Bedenken von Dr. Best in vollem Umfange. Auch

---

145 Bests telegram 5. februar 1944 er trykt ovenfor.

Reichswirtschaftsministerium und Reichsernährungsministerium kommen in ihrer Stellungnahme zu dem Wunsche des Reichsfinanzministers zum gleichen Ergebnis. Das OKW hat mündlich mitgeteilt, Generalfeldmarschall Keitel habe gegen den Vorschlag des Reichsfinanzministers keine militärischen Bedenken, er sei jedoch der Ansicht, daß es sich dabei um eine rein politische bzw. finanzielle Frage handele die erforderlichenfalls vom Herrn Reichsaußenminister ohne weitere Fühlungnahme mit dem OKW dem Führer unterbreitet werden könne.

Die Abschöpfung der auf die Kaufkraft drückenden Geldreichlichkeit in Dänemark könnte an sich auf für die Vergangenheit, d.h. für die durch die großen Gewinne bei den Leistungen für die Besatzungsmacht (Befestigungsbauten etc.) erworbenen Vermögen durch vermehrte Steuern und Anleihen nach dem Vorschlage des Reichsfinanzministers erfolgen. Die dabei im Wege stehenden Schwierigkeiten sind im Bericht von Dr. Best unter II, 1 dargelegt. Im übrigen hat die dänische Regierung, wie der Reichsfinanzminister ausführt, (Seite 3 seines Briefes) durch Gesetz vom 30. Sept. 1943 Gelder in etwa dem gleichen Ausmaß bei Banken festgelegt, wie es der Höhe des Besatzungskostenkontos entspricht. Auf diese Weise hat sie eine Abschöpfung auch für die Vergangenheit erreicht, die nach Ziffer I, 2 des Best'schen Berichts sich in Verbindung mit den dort erwähnten weiteren Maßnahmen als ausreichend erwiesen hat, um übermäßige Inflation zu verhindern.

V. Stellungnahme Dr. Best. (Ziffer 4 der Weisung)
Ist im anliegenden Bericht enthalten.[146]

Dr. Best hat den Bericht am 7. Februar mir persönlich übergeben und dabei Herrn Staatssekretär, Unterstaatssekretär Pol. und mir seinen Standpunkt eingehend dargelegt.[147] Er hat außerdem eine Unterredung mit Staatssekretär Reinhardt vom Reichsfinanzministerium über die Angelegenheit gehabt und diesen mit seinen Gründen weitgehend überzeugt. Staatssekretär Reinhardt hat zugesagt, dem Reichsfinanzminister vorzuschlagen, die Angelegenheit zunächst für sechs Monate zurückzustellen. Nach der Äußerung des Vertreters des Reichsfinanzministeriums im HPA vom 17. Februar ist damit zu rechnen, daß dies geschieht. In diesem Falle wäre wohl eine schriftliche Beantwortung des Schreibens des Reichsfinanzministers vorerst nicht erforderlich.[148]

Die Höhe der durch Besatzung und Bauten in Dänemark entstandenen Kosten hat sich wie folgt entwickelt:

Stand des Besatzungskostenkontos
Ende 1940	RM	203,4	Mill.			
Ende 1941	RM	423,7	–			
Ende 1942	RM	670,4	–			
Ende 1943	RM	1.220,9	–	=	d.Kr. 2.339,0	Mill.
31.1.1944	RM	1.258.4	–	=	d.Kr. 2.410,7	–

---

146 Bests telegram 5. februar 1944.
147 Best var som nævnt ovenfor på et endagsbesøg i Berlin, hvor han foruden Schröder, Steengracht og Wiehl i AA havde møde med Bergmann, Frenzel og von Grundherr. Om aftenen hos Frits Reinhardt (Bests kalenderoptegnelser).
148 Se Best til Wiehl 8. februar 1944.

Diese enorme Steigerung im Jahre 1943 ist durch die militärische Notwendigkeit äußerster Forcierung der Befestigungsbauten und verstärkter Besatzungstruppen begründet.

Dem Reichsfinanzminister ist in dem Punkt seinen Ausführungen beizupflichten, daß eine große Gefahr für das dänische Preisgefüge und damit für die Stabilität der dänischen Währung und in der auf diesen militärischen Notwendigkeiten beruhenden Preispolitik der deutschen Wehrmacht bei Durchführung vordringlicher Arbeiten liegt. Es wurde schon bisher dauernd darauf hingewirkt, und muß auch weiter alles versucht werden, um bei voller Wahrung der militärischen Interessen diesen wirtschaftlichen Gefahren entgegenzuarbeiten. Erneute Prüfung dieser Frage mit dem OKW wird sich empfehlen.

VI. Finanzierung der dänischen Lieferungen. (Ziffer V der Weisung).
Wie oben in Ziffer III ausgeführt, können die dänischen Lieferungen nur z.T. mit deutschen Gegenlieferungen finanziert werden (1943 Januar bis November: dänische Lieferungen 544 Millionen Reichsmark, deutsche Lieferungen 344 Mill. RM). Für den deutschen Passivsaldo tritt Dänemark freiwillig in Vorlage durch Kronenkredite bis September 1943 gegen Markgutschrift von 850 Mill. RM, seither gegen Kronengutschrift von 272 Kr. Es wird oben vorgeschlagen, dieses Verfahren der Kronengutschrift fortzusetzen.

VII. Ministerialdirektor Dr. Best ist am 8. Febr. wieder nach Kopenhagen zurückgefahren, weil damals die notwendigen Unterlagen für die Erledigung der Weisung noch nicht beschafft waren. Für eine evtl. Besprechung beim Herrn Reichsaußenminister steht er auf Abruf in Kopenhagen jederzeit bereit.

Hiermit über Herrn Staatssekretär Herrn Reichsaußenminister vorgelegt.
[uden underskrift]

277. H.W. Ebeling an den Einsatzstab Rosenberg 23. Februar 1944
Einsatzführer Ebeling havde bedt om undervisningsmateriale til Schalburgkorpset, og som svar på, hvilket antal der var brug for, svarede han et til to eksemplarer af hver bog.
  Einsatzstab Rosenberg svarede 1. marts 1944.
  Kilde: BArch, NS 30/32. RA, Danica 1000, T-450, sp. 87, nr. 754.

Einsatzstab Reichsleiter Rosenberg   *Kopenhagen, den 23. Februar 1944*
für die besetzten Gebiete

An den Einsatzstab Reichsleiter Rosenberg für die besetzten Gebiete
  – Stabsführung –
  Berlin W 35
  Margaretenstr. 17

Betr.: Bericht über das Schalburg-Korps, Brief an Stabsführer vom 10. Dezember 1943.[149]

Im Anschluß an diesen Bericht wurde dem Reichsleiter am 6. Januar 1944 der Wunsch nach nationalsozialistischer Schulungsliteratur für das Schalburg-Korps mitgeteilt. Der Reichsleiter stellte grundsätzlich seine Hilfe in Aussicht. Unter dem 13. Januar erhielt ich von Ihnen eine Anfrage, wieviel Schriften benötigt würden. Von den kleinen Schulungsschriften der Dienststelle brauche ich nach Möglichkeit je drei – wie ich Ihnen sofort mitteilte -, von geeigneten Büchern je 1 bis 2 Exemplare. Ich würde es begrüßen, wenn Sie diese Angelegenheit demnächst erledigen könnten.

Heil Hitler!
Ebeling
[Oberst-Einsatzführer]}

Durchschlag an Hauptabteilung IV, Ratibor

278. Rüstungsstab Dänemark: Lagebericht 23. Februar 1944

Mangel på brændstof og træ til fæstningsbyggeri og som generatorbrænde var situationsberetningens hovedanliggende. Situationen var truende. Hvis ikke der kom forsyninger udefra, ville det blive nødvendigt at foretage beslaglæggelser til skade for dansk erhvervsliv.

Kilde: BArch, Freiburg, RW 19: Wi I E 1: Dänemark og RW 27/23. RA, Danica 1000, T-77, sp. 696, KTB/Rü Stab Dänemark, 1. Vierteljahr 1944.

Abteilung Wehrwirtschaft im Rü Stab Dänemark   *Kopenhagen, den 23.2.1944*
Gr. Ia Az. 66d 1 Nr. 1065/44g

Bezug: OKW Az. 1 e 24 Wi Amt Z 1/II Nr. 1143/43 geh. v. 20.2.43
Betr.: Lagebericht.

An den Wehrwirtschaftstab im Oberkommando der Wehrmacht
   Berlin W 35
   Bendlerstr. 11/13

Abt. Wwi im Rü Stab Dänemark übersendet in der Anlage Lagebericht gemäß o.a. Bezugsverfügung.

Forstmann

Abteilung Wehrwirtschaft der Rü Stab Dänemark   *Kopenhagen, den 23.2.1944*
Gr. Ia Az. 66d1 Nr. 1065/44g   Geheim!

---

149 Indberetningen er ikke lokaliseret.

Vordringliches
Die für die Fertigstellung der Befestigungsanlagen in Jütland einschließlich der neuen Flugplätze festgesetzten Termine haben eine unvorgesehene und auf kürzeste Zeit bemessene Bedarfsanforderung an Baumaterialen aller Art mit sich gebracht. Zur Beseitigung der bei der Beschaffung auftretenden Schwierigkeiten sind ständig Verhandlungen mit der Dänischen Regierung notwendig. Sie werden bezgl. Holz von Abt. Wwi im Einvernehmen mit dem Sachverständigen für die Forstwirtschaft beim Reichsbevollmächtigten durchgeführt. Die schwierigste Aufgabe ist die Beschaffung von Generatorholz und Bauholz.

Die Versorgungslage mit Generatorholz ist z.Zt. folgende:

Die Dänische Regierung hat sich vorläufig bereit erklärt, aus ihren Beständen monatlich 60.000 hl zur Verfügung zu stellen. Der Sachverständige für die Forstwirtschaft beim Reichsbevollmächtigten hat nach Prüfung der dän. Forstwirtschaft darauf hingewiesen, daß durch einen weiteren Entzug von Tankholz aus der dän. Wirtschaft sich ernsthafte Beeinträchtigungen nicht nur hinsichtlich der innerdänischen Wirtschaft, sondern auch der Lebensmittelausfuhr nach Deutschland ergeben würden.

Der dänischerseits zur Verfügung gestellten Menge von monatlich 60.000 hl stehen z.Zt. folgende Anforderungen gegenüber:

Festungspionierstab 31 bzw. OT 70.000 hl. monatlich, Neubauamt der Luftwaffe 80.000 hl. monatlich, Wehrmachtbefehlshaber Dänemark einmaliger Mob-Vorrat 30.000 hl (60.000 hl Mob-Vorrat sind bereits früher dänischerseits zur Verfügung gestellt worden). Dies bedeutet für die Monate Januar bis August eine Gesamtanforderung von ca. 1.230.000 hl. Der Gesamteinschlag aus dän. Forsten wird auf ca. 8.000.000 hl jährlich geschätzt. Er ist jedoch bisher nur in unzureichendem Masse dänischerseits durchgeführt worden. Hinzu kommt, daß die vorhandenen Trocknungsvorrichtungen bei weitem nicht ausreichen, um derartige Mengen bei der Kürze der Liefertermine aufzuarbeiten.

Unter Berücksichtigung der Tatsache, daß die zur Aufbereitung des Generatortankholzes zur Verfügung stehenden, meist kleineren Sägewerke durchweg abseits der Hauptverkehrsstraßen liegen, ist auch das Transportproblem ganz besonders schwierig. So konnten die für Januar vorgesehenen Lieferungen bis Ende Februar noch nicht restlos durchgeführt werden. Seitens der OT ist ein Spezialsachbearbeiter für die Durchführung sämtlicher Generatortankholzlieferungen eingesetzt worden, dem die Gestellung der notwendigen Waggons und des Schiffsraums obliegt.

Abt. Wwi hat mit Rücksicht auf die vom Sachverständigen der Forstwirtschaft beim Reichsbevollmächtigten in Dänemark geschilderten Beeinträchtigungen der dän. Belange eine zusätzliche Generatortankholz-Menge von 200.000 hl bei der Generatorwerft A.G., Berlin, bzw. bei OKH Gen. Mot. in Fest. III angefordert. Die Zentralstelle für Generatoren hat am 24.2.44 fernmündlich mitgeteilt, daß ein Nachschub aus deutschen Beständen abgelehnt werden müßte und die Versorgung unbedingt aus dän. Beständen zu erfolgen hätte. Hieraus ergibt sich die Notwendigkeit, zur Beschlagnahme der in Dänemark noch vorhandenen Generatorholz-Bestände zu schreiten, wie das bereits bei der Beschaffung von Pfählen für Drahtverhaue und Tankgräber der Fall war.

Falls also kein Nachschub aus dem Reich erfolgt und auch die aus Finnland und dem Osten angeforderten zusätzlichen Lieferungen nicht in den nächsten Monaten erfolgen sollten, müßten die Beschlagnahmen ohne Rücksicht auf die zu erwartende Beeinträchtigung der dän. Wirtschaft durchgeführt werden.

Auch die Anforderung an anderem Holz sind beträchtlich gestiegen. Für Aufträge der Besatzungstruppen in Dänemark sind im Januar 1944 von der Abt. Wwi Bedarfsbescheinigungen über 6.490 cbm und 10.605 fm Nadelholz für die vorschußweise Freigabe aus Beständen der dänischen Wirtschaft ausgegeben worden.

Infolge der Baumaßnahmen an der dänischen Westküste wird der Holzverbrauch im I. und II. Jahresquartal 1944 gegenüber dem Holzverbrauch in der gleichen Zeit wesentlich höher liegen. Es werden z.B. von der OT im I. Quartal 1944 für Eisenbetonarbeiten allein ca. 15.000 cbm Schalholz und vom Festungspionierstab Dänemark für Panzergräben, Flächenhindernisse usw. ca. 50.000 fm Rundholz benötigt. Außerdem beanspruchen die Wehrmachtteile wegen der Truppenverstärkungen und -verschiebungen erhebliche Holzmengen zur Errichtung von Unterkünften und für den Bau von Feldstellungen. Der Holzverbrauch wird unter Zugrundelegung des mit der Dänischen Regierung vereinbarten Umrechnungsfaktors für Rundholz vom 4 fm Rundholz = 1 cbm Schnittholz im I. und II. Jahresquartal zusammen voraussichtlich mindestens 60.000 cbm betragen. Die Rundholzmengen werden in dänischen Waldungen eingeschlagen. Schwierigkeiten sind hierbei hauptsächlich in der Preisfrage aufgetreten.

Die Schnittholzläger in Dänemark haben sich, da die Verschiffung das Nachschubholzes jahreszeitlich bedingt erst wieder im März/April in größerem Umfange erfolgt, erheblich verringert. Dadurch sind in der durchweg kurzfristigen Beschaffung der erforderlichen Holzmengen für Bauarbeiten Schwierigkeiten aufgetreten. Bis zum Eintreffen größerer Nachschub-Holzmengen wird die Sicherstellung des erforderlichen Bedarfs durch genaue Erfassung der vorhandenen dänischen Holzbestände, u.U. durch Beschlagnahme, gesteuert. Die Sicherstellung erfolgt auch hier, wie bei dem Generatorholz, in engster Zusammenarbeit mit dem Sachverständigen für die Forstwirtschaft beim Reichsbevollmächtigten in Dänemark und dem Wehrmachtintendanten Dänemark. Das Dänische Forstministerium hat einen dän. Forstmeister mit den nötigen Vollmachten versehen und nach Jütland beordert, um in Zusammenarbeit mit den deutschen und dän. Regierungsstellen unnötige Härten zu vermeiden und eine möglichst forstgerechte Durchführung der unbedingt notwendigen Entnahmen von Holz aus der dän. Holzwirtschaft zu gewährleisten.

Die Versorgungslage mit Kohle und Koks ist z.Zt. im Hinblick auf den milden Winter als nicht ernst anzusprechen, wenn auch die Kohlenlieferungen im Januar um 30.000 to gegenüber Dezember zurückgegangen sind.

Die Versorgung der dän. Zementindustrie mit Kohle muß als unzureichend bezeichnet werden. Von den für das I. Quartal 1944 zugesicherten 75.000 to waren am 1.2.44 nur 900 to geliefert. Abt. Wwi setzte sich deshalb mit der Transportleitstelle Hamburg, Hapaghaus, in Verbindung und forderte, daß die Kohlentransporte für Zementherstellung als absolut vordringlich zu behandeln seien. Im Februar wurden 10.000 to Zementkohle angeliefert.

1a. Aufträge der Besatzungstruppe
Von der Abt. Wwi wurden im Januar 1944 Rohstoffsicherungen von Fertigungs- und

Bauaufträgen sowie Wareneinkäufen der Besatzungstruppe in Dänemark, soweit hierzu Eisen, Stahl, NE-Metalle sowie Kautschuk benötigt wurden, in Höhe von 1,5 Mill. RM durchgeführt.

5. Arbeitseinsatz
Die Zahl der Arbeitslosen betrug am 21.1.1944 47.602 (39.038 Männer und 8.564 Frauen). Gegenüber dem Vormonat ist eine Zunahme von 4.611 Arbeitslosen zu verzeichnen. Für Bauvorhaben der Besatzungstruppe sind z.Zt. insgesamt 24.943 dän. Arbeitskräfte wie folgt eingesetzt: a.) für Festungsbauten auf Jütland von der OT 28 deutsche und 88 dän. Firmen mit 21.276 Arbeitern und Angestellten, vom Sonderbaustab der Luftw. in Aalborg 9 deutsche und 25 dän. Firmen mit 3.667 Arbeitern und Angestellten, b.) für Ausbau und Neuanlagen von Flugplätzen vom Neubauamt der Luftw. Aalborg 14.300 dän. Arbeiter, c.) für Bauvorhaben des Heeres 118 dän. Firmen mit 1.900 Arbeitern, d.) für Bauvorhaben der Kriegsmarine 64 dän. Firmen mit 650 Arbeitern. Dem Reich wurden im Januar 1.754 Arbeitskräfte zugeführt. Die Gesamtzahl der in Norwegen eingesetzten dän. Arbeiter beträgt 10.892.

6. Verkehrslage
Die Gesamtverkehrslage in Dänemark zeigte im Januar 1944 trotz zeitbedingter Verkehrsschwäche keine wesentliche Entlastung. Die Forderung an Transportraum der Wehrmacht lag gegenüber dem Vormonat noch höher.

  Waggongestellung: Anforderung pro Tag   4.509
                                 gestellt   3.573
                      ungedeckter Bedarf   936

Der Wehrmachtsbedarf konnte im Januar zu 100 %, der zivile Bedarf zu 35 % angeforderten Wagenmengen gedeckt werden.

Auf der Strecke Warnemünde-Gedser verkehren z.Zt. nur 3 Fähren. Die großen Fähren "Schwerin" und "Dänemark" sind zur Reparatur herausgezogen. Durch den Einsatz der beiden kleineren Fähren "Mecklenburg" und "Prinz Christian," die nur eine begrenzte Leistung haben, ist ein gewisser Rückstau auf der Fährstrecke eingetreten, der durch Umleitung über Flensburg behoben werden mußte. Aus diesem Grunde ist seit dem 20.1. der zivile Verkehr – Frachtgut und Wagenladungen – von Deutschland nach Dänemark bis auf weiteres gesperrt.

7a. Ernährungslage
Der Saatenstand ist günstig. Eine Schweinezählung am 3.1.44 ergab 2.291.000 Stück gegenüber 2.449.000 Stück am 20.11.43. Im letzten Vierteljahr 1943 wurden an das Reich 45.000 to Fleisch geliefert. Diese Zahl wird auch im ersten Vierteljahr 1944 erreicht werden. Über die Frachtleitstelle Flensburg wurden im Januar 71 Transporte mit 562 to Fisch und 303 Transporte mit 3.547 to Fleisch durchgeführt.

Wertmäßig wurden im Dezember 1943 aus den Lebensmittelbeständen des Landes entnommen:
  für die deutschen Truppen in Dänemark D.Kr. 7.048.691,91
  für die deutschen Truppen in Norwegen D.Kr. 3.914.818,46.

279. Werner Best an Hans-Heinrich Wurmbach 23. Februar 1944

På baggrund af admiral Wurmbachs henvendelse 22. februar vedrørende arbejdsnedlæggelsen på B&W meddelte Best, at han havde sat sig i forbindelse med den danske centraladministration og krævet, at arbejdet straks blev genoptaget. Han havde fået tilsagn om, at arbejdet ville blive genoptaget næste morgen, efter at politiet og fabriksværnet havde gennemsøgt fabrikken for bomber.

Kilde: BArch, Freiburg, RW 27/13. KTB, Rü Stab Dänemark, 1. Vierteljahr 1944, Anlage 21.

Abschrift! Anlage 21
Der Reichsbevollmächtigte in Dänemark. *Kopenhagen, den 23. Februar 1944.*
Sch 4/1 a 1.

An den Kommandierenden Admiral Dänemark
  Herrn Vizeadmiral Wurmbach,
  Kopenhagen
  Hotel Phönix.

Nachrichtlich
  an den Wehrmachtbefehlshaber Dänemark,
  an den Rüstungsstab Dänemark.

Betrifft: Den Werftbetrieb der Firma Burmeister & Wain in Kopenhagen

Lieber Herr Wurmbach!
Auf Ihr Schreiben vom 22.2.44 hin habe ich mich noch am selben Tage persönlich mit der dänischen Zentralverwaltung in Verbindung gesetzt und in einer Besprechung die Forderung gestellt, daß die Arbeit in dem Werftbetrieb der Firma Burmeister & Wain unverzüglich wieder aufgenommen werde, widrigenfalls ich von den Bestimmungen über das Streikverbot Gebrauch machen würde. Es wurde mir schnellste Regelung der Angelegenheit zugesagt.

Soeben – 13.00 Uhr – ist mir mitgeteilt worden, daß die von der dänischen Zentralverwaltung erstrebte Regelung von allen Beteiligten freiwillig angenommen worden ist, und daß von morgen früh ab wieder normal gearbeitet wird.

Die Befürchtungen der Arbeiter auf Grund der sogenannten "Telefonsabotage" werden dadurch ausgeräumt, daß täglich durch eine Durchsuchung der Arbeitsplätze mit Hilfe der Polizei und des Werkschutzes festgestellt wird, daß keine Gefahren vorliegen. Durch dieses Vorbild wird im übrigen ganz allgemein die Wirksamkeit der sogenannten "Telefonsabotage" stark vermindert werden.

  Heil Hitler!
  gez. Ihr **Best**

280. Seekriegsleitung an K III 23. Februar 1944

K III (Hauptamt Schiffbau im OKM) ville have tilladelse til at skrotte nogle af de sænkede danske krigsskibe og genanvende skrottet i den tyske krigsproduktion. Der skulle allerede foreligge en afgørelse af 20. september 1943. Seekriegsleitung svarede, at der 4. september 1943 var truffet den afgørelse, at de danske fartøjer forblev dansk ejendom, men dog kunne anvendes af Kriegsmarine. Tilsvarende havde værnemagten truffet beslutning om ikke at betragte dansk krigsmateriel som krigsbytte, men at forbeholde sig ret til at benytte det til krigsafslutningen, hvorefter en endelig aftale derom skulle træffes. Derfor kunne K III ikke bare skrotte krigsskibene, men der skulle træffes en særlig ordning. Ønskede K III trods dette en skrotning, skulle det oplyses, hvilke skibe det drejede sig om.

K III svarede 17. marts 1944 ved at oplyse navnene på de fartøjer, der ønskedes skrottet (BArch, Freiburg, RM 7/1815. RA, Danica 628, sp. 7, nr. 5943). OKM henvendte sig derpå til AA 28. marts 1944.

Kilde: BArch, Freiburg, RM 7/1815. RA, Danica 628, sp. 7, nr. 5938f.

Seekriegsleitung *Berlin, den 23.2.1944*
Zu: B. Nr. 1/Skl. I ia 6767/44[150]

I. Schreibe: An K III

Vorg.: K III Ua Nr. 1493 vom 14.2.44[151]
Betr.: Verwendung dänischer Kriegsschiffe.

Das OKW hat mit Schreiben B. Nr. OKW/WFSt/Q II(N) 004954/43 g.Kdos vom 4.9.43 entschieden, daß dänische Fahrzeuge dän. Eigentum bleiben, jedoch unter Eigentumsvorbehalt von der deutschen Marine in Benutzung genommen werden können.

Eine entsprechende Entscheidung ist später für das dän. Kriegsmaterial getroffen worden. Mit OKW/WFSt Q (Verw.) 806/43 vom 23.9.43 wurde entschieden: "Das von der dän. Wehrmacht übernommene Material ist in Übereinstimmung mit dem Ausw. Amt nicht als Kriegsbeute zu betrachten, sondern wird unter Vorbehalt endgültiger Regelung nach Kriegsende durch die deutsche Wehrmacht in Gebrauch genommen".

Demnach ist ein Vorgehen gem. den Absichten von K nicht möglich. Sollte ein sehr dringendes Interesse an der Verschrottung dän. Kriegsschiffe bestehen, so müßte hierfür eine besondere Regelung getroffen werden und die Dänische Regierung entweder jetzt oder später entschädigt werden. Falls K trotzdem eine Verschrottung für erforderlich hält, wird gebeten mitzuteilen, welche Schiffe hierfür vorgesehen werden und welche Regelung für eine Entschädigung der Dänischen Regierung nach Ansicht von K in Aussicht genommen werden kann.

1/Skl.

---

150 Skrivelsen er ikke lokaliseret. Se Rü Stab Dänemark til Rüstungskommando Leipzig 13. januar 1944.
151 K III til 1. Skl. 14. februar 1944, RA, Danica 628, sp. 5940.

281. Werner Best an das Auswärtige Amt 23. Februar 1944
Dagsindberetning.
    Kilde: PA/AA R 29.568. RA, pk. 204.

Telegramm

Kopenhagen, den	23. Februar 1944	19.48 Uhr
Ankunft, den	24. Februar 1944	03.00 Uhr

Nr. 242 vom 23.2.[44.]   Citissime!

Ich bitte, die folgende Meldung dem Herrn Reichsaußenminister unverzüglich zuzuleiten:
    Über die Lage in Dänemark berichte ich für den 22. auf 23. Februar, daß aus dem ganzen Lande keine besonderen Vorkommnisse gemeldet worden sind.

                                                                    Best

282. Werner Best an das Auswärtige Amt 24. Februar 1944
Dagsindberetning.
    Kilde: PA/AA R 29.568. RA, pk. 204.

Telegramm

Kopenhagen, den	24. Februar 1944	
Ankunft, den	25. Februar 1944	09.50 Uhr

Nr. 248 vom 24.2.[44.]   Citissime

Ich bitte, die folgende Meldung dem Herrn Reichsaußenminister unverzüglich zuzuleiten:
    Über die Lage in Dänemark berichte ich für den 23. auf 24. Februar 1944, daß aus dem ganzen Lande keine besonderen Vorkommnisse gemeldet worden sind.

                                                                    Best

283. Emil Geiger an Werner Best 24. Februar 1944
Geiger bad om, at AA for fremtiden blev orienteret om anholdelser af kendte danskere, når det drejede sig om bl.a. sabotagehandlinger og deportationer til tysk koncentrationslejr. Derfor skulle Best for fremtiden holde sig i forbindelse med den stedlige chef for sikkerhedspolitiet. AA ønskede at være på højde med situationen, når den danske gesandt i Berlin mødte op.
    I et internt notat til Inland II samme dag uddybede Geiger sin begrundelse for at sende Best dette telegram. Se følgende.
    Kilde: PA/AA R 99.502. RA, pk. 232.

Durchdr. a.K./R. lb./Sr. *Berlin, den 24. Februar 1944*
Inl. II B 713
(Veranl: Inl. II 104g.Rs.)

An den Reichsbevollmächtigten für Dänemark in Kopenhagen

Betr: Verhaftungen in Dänemark.

Der hiesige Dänische Gesandte hat neuerdings wiederholt wegen verschiedener, hier bereits anhängiger Fälle, in denen dänische Staatsangehörige festgenommen und zum Teil einem Konzentrationslager überwiesen worden waren, vorgesprochen. Um in der Lage zu sein, den Gesandten auch in neu eintretenden Fällen zu unterrichten, bitte ich, künftig im Benehmen mit dem Befehlshaber der dortigen Sicherheitspolizei zu berichten, wenn Verhaftungen von politischen oder sonst bekannten Persönlichkeiten dänischer Staatsangehörigkeit erfolgen, wenn es sich um Sabotageakte u.ä. handelt oder wenn Überweisungen in Konzentrationslager stattfinden. Dabei bitte ich auch um Angabe des Verhaftungsgrundes und weiterer interessierender Einzelheiten.
Im Auftrag
gez. **Geiger**

284. Emil Geiger: Notiz 24. Februar 1944

Geiger begrundede over for AA, hvorfor han ønskede det foregående telegram sendt til Best. Det ville spare tid, hvis Best stod i stadig kontakt med chefen for sikkerhedspolitiet i København, så man kunne undgå den tidsrøvende vej over Gestapochefen i Berlin.

Af en påtegning fremgår det, at Geiger fik tilladelse til at sende telegrammet.

Det er et udtryk for frustrationen i AA over den ændrede situation i København, efter at Mildner var blevet afløst af Bovensiepen. Den tætte kontakt, som Best havde haft til Mildner, fungerede ikke i forhold til Bovensiepen.
Kilde: PA/AA R 99.502. RA, pk. 232.

Inland II 454g Pol VI

Es wird bei dieser Gelegenheit der Entwurf eines Erlasses an den Reichsbevollmächtigten in Dänemark mit der Bitte um Zustimmung beigefügt. Das darin vorgesehene Verfahren dürfte sich empfehlen, da der Reichsbevollmächtigte mit dem Befehlshaber der Sicherheitspolizei in Kopenhagen in ständiger Fühlung steht und auf diese Weise der häufig zeitraubende Weg über den Chef der Sicherheitspolizei und des SD in Berlin vermieden wird.
Berlin, den 24. Februar 1944.
Geiger

285. Paul von Behr an Werner Best 24. Februar 1944

Von Behr svarede på Bests henvendelse om tilførsel af generatorbrænde fra Tyskland, at en tilførsel tidligst, om overhovedet, kunne finde sted fra april.
    Von Behr havde forud 16. februar skrevet til RWM og støttet Bests ønske.
    Best udfærdigede et svar til AA endnu samme dag.
    Kilde: PA/AA R 113.561.

Telegramm

Nr. 112 26.2.44 02.30 DG Kopenhagen erh. AN+

Berlin, den   24. Februar 1944
Diplogerma Kopenhagen Nr. 179
Referent: LR Baron v. Behr
Betreff:

Auf Telegramm 142 vom 3. Februar:[152]

Die für Zuteilung von Generatortankholz zuständige Zentralstelle für Generatoren mitteilt, daß beantragte Lieferungen von Generatortankholz nach Dänemark für Februar-März nicht möglich, weil vorhandene Vorräte zur Deckung kriegswichtigen Inlandbedarfs notwendig. Ob Teillieferung für April möglich sein wird, wird zurzeit geprüft.

                                                Behr

286. Werner Best an das Auswärtige Amt 24. Februar 1944

Med udsigten til ikke at få tilført yderligere generatorbrænde fra Tyskland fulgte Best øjeblikkelig op på sagen og beskrev igen den akutte situation.
    Von Behr svarede ham fire uger senere, den 20. marts, efter at have kontaktet Zentralstelle für Generatoren 28. februar. I mellemtiden havde Forstmann 2. marts skrevet til Wehrwirtschaftstab under OKW i samme sag.
    Kilde: PA/AA R 113.561. BArch, Freiburg, RW 19: Wi I E1: Dänemark. RA, KTB/Rü Stab Dänemark, Anlage 10.

Telegramm

Kopenhagen, den   24. Februar 1944
Ankunft, den   26. Februar 1944   13.00 Uhr

Nr. 252 vom 24.2.[44.]

In meinem Telegramm Nr. 142[153] vom 3. Februar habe ich bereits auf die drohende Be-

---

152 Trykt ovenfor.
153 bei Ha Pol VI. Trykt ovenfor.

einträchtigung der dänischen wirtschaftlichen Leistungen für das Reich durch die monatliche Lieferung von 60.000 Hektoliter Generator-Tankholz an die Wehrmacht und die Organisation Todt in Dänemark hingewiesen. Nunmehr ist auf Grund einer Bedarfsanmeldung des Neubauamts der Luftwaffe der Bedarf – auch unter Berücksichtigung einer Beimischung von 33 Prozent Generatortorf – auf monatlich 80.000 Hektoliter gestiegen. Wenn diese Menge von Generator Tankholz allein aus den in Dänemark vorhandenen Beständen, aus denen noch nicht einmal die für den Januar festgesetzte Rate voll geliefert werden konnte, entnommen werden sollte, kämen lebenswichtige wirtschaftlich Transporte zum Nachteil der Leistungen und Lieferungen für das Reich zum Erliegen. Da andererseits die Befestigungsarbeiten in Jütland, die allen wirtschaftlichen Belangen vorhergehen sollen, keineswegs verzögert werden dürfen, bitte ich dringend, unverzüglich bei OKH Infest und bei der Generator-Kraft AG mit aller Entschiedenheit darauf zu drängen, daß die monatliche Lieferung von 80.000 Hektoliter gebrauchsfertigen Tankholz an den Rüstungsstab Dänemark für Wehrmacht und Organisation Todt sofort in Gang gebracht wird.

Best

287. Werner Best an das Auswärtige Amt 25. Februar 1944
Dagsindberetning.
Kilde: PA/AA R 29.568. RA, pk. 204.

T e l e g r a m m

Kopenhagen, den	25. Februar 1944	
Ankunft, den	26. Februar 1944	13.30 Uhr

Nr. 255 vom 25.2.44.   Citissime!

Ich bitte die folgende Meldung dem Herrn Reichsaußenminister unverzüglich zuzuleiten:

Über die Lage in Dänemark berichte ich für den 24. auf den 25. Februar, daß aus dem ganzen Land keine besonderen Vorkommisse gemeldet worden sind.

Best

288. Lutz Schwerin von Krosigk an Joachim von Ribbentrop 25. Februar 1944
I sit brev af 24. januar havde Schwerin von Krosigk bl.a. stillet spørgsmålstegn ved, om det var nødvendigt at give danskerne den indrømmelse at få besættelsesomkostningerne opgjort i kroner i stedet for i RM for at få øget deres leveringsvillighed. Den opfattelse fastholdt han nu og henviste bl.a. til, at Best ikke fandt en sådan indrømmelse nødvendig.
Se Wiehl til Ribbentrop 5. marts 1944. Ribbentrop svarede Schwerin von Krosigk 31. maj 1944.
Kilde: PA/AA R 29.568. RA, pk. 204.

Abschrift
Der Reichsminister der Finanzen Berlin, den 25. Februar 1944
I 5104/1 – 227 V 2. Ang.

Ich habe in meinem Schreiben vom 24. Januar 1944 über die dänische Kriegsfinanzierung,[154] zu dem Ihre Stellungnahme noch aussteht, auch die Frage aufgeworfen, ob es notwendig ist, die Lieferbereitschaft Dänemarks wie verschiedentlich in der vergangenen Zeit jetzt wieder durch eine Konzession auf finanziellem Gebiet zu stärken. Zurzeit steht bei den Besprechungen des Deutsch-dänischen Regierungsausschusses zur Erörterung, ob das laufende Verrechnungskonto (ab Herbst 1943), das bisher in Reichsmark geführt wurde, ebenso wie das Besatzungskostenguthaben der Dänen von Reichsmark auf Kronen umgestellt werden soll oder nicht. Ich werde zu einer Zustimmung auch zu dieser Maßnahme gedrängt mit der Begründung, daß die Reichsbank diese Umstellung seit Herbst bereits vollzogen habe. Hierzu möchte ich, wenn dem so sein sollte, zunächst beanstanden, daß in einer so grundsätzlichen Frage, die auch finanzielle Rückwirkungen von beträchtlichem Ausmaß nach sich ziehen kann, ein solches einseitiges Vorgehen einer einzelnen Stelle die anderen Ressorts der unangenehmen Lage ausgesetzt, entweder ihre sachlichen Einwendungen aufzugeben oder aber durch deren Aufrechterhaltung das Prestige der betreffenden Stellen nach außen zu mindern. Zu meinem Bedauern bin ich nicht imstande, meine sachlichen Einwendungen zurückzustellen.

Ich halte die Frage, in welcher Währung die deutschen Schulden gegenüber dem Ausland ausgedrückt werden, entsprechend der bis jetzt eingenommenen Haltung auf Grund der allgemeinen Erfahrungen, die Deutschland mit Valutaschulden gemacht hat, nicht für nebensächlich, sondern bin – wie es auch die Reichsbank früher mit Nachdruck vertrat – der Meinung, daß es grundsätzlich im deutschen Interesse liegt, Forderungen und Schulden in *Reichsmark* auszudrücken, wo wir es nur irgend können. Dadurch, daß wir ein möglichst großes Volumen ausländischer Forderungen mit der Reichsmarkvaluta verbinden, zwingen wir das Ausland zu einem pfleglichen Interesse an der deutschen Währung. Wie das Schicksal der Währungen sich künftig gestalten wird, läßt sich heute in keiner Weise übersehen. Die Dänenkrone ist z.B. im Verhältnis zur Reichsmark aufgewertet worden. Es könnte durchaus sein, daß angesichts der weit größeren Beanspruchung der deutschen Wirtschaft gegenüber der dänischen Wirtschaft für die Zwecke des jetzigen Krieges die Aufrechterhaltung des jetzigen Verhältnisses zwischen den beiden Währungen nicht in vollem Umfange gelingt und eine Kronenforderung gegen Deutschland eine finanzielle *Belastung Deutschlands* mit sich bringt. Aus diesem Grunde sollte nach meiner Auffassung dem dänischen Verlangen, immer mehr von den dänischen Reichsmarkforderungen in Kronen umzuwandeln oder anders gesprochen die Kronenkäufe der Deutschen Verrechnungskasse gegen Reichsmark einzustellen, nicht entsprochen werden.

Wie sich aus einem Schreiben des Reichsbankdirektoriums vom 24. September 1943 ergibt,[155] hat die Reichsbank vorgeschlagen, vorbehaltlich der Zustimmung der Res-

---

154 Trykt ovenfor.
155 Se RFM til AA 11. november 1943.

sorts, insbesondere des Reichsfinanzministeriums, diese Kronenkäufe für die Zukunft einzustellen. Der Vizepräsident der Deutschen Reichsbank, Puhl, hat gegenüber dem Gouverneur der Dänischen Nationalbank am gleichen Tage zum Ausdruck gebracht, daß er dem Wunsch nach *Einstellung* dieser Kronenkäufe "in dem von ihm gewünschten Ausmaße" nicht entsprechen könne. Nach diesen Erklärungen muß ich annehmen, daß die Dänen keine endgültige Zusage erhalten haben und daß das bisherige Entgegenkommen der Reichsbank sich in einem bescheidenen Rahmen hält. Ich halte es also mit dieser Maßgabe für angebracht, das Entgegenkommen, wenn es schon im Interesse des deutschen Ansehens überhaupt erforderlich sein sollte, im geringstmöglichen Umfange gelten zu lassen und die im Herbst vorigen Jahres eingeleitete Praxis der deutschen Verrechnungskasse gegenüber Dänemark sofort wieder abzubauen.

Die Frage würde ein anderes Gesicht gewinnen, wie ich es an anderer Stelle ausgeführt habe, wenn die von mir angeregte Frage eines Kostenbeitrags Dänemarks im positiven Sinne entschieden würde, da unter solchen Umständen eine Umstellung der künftigen Clearings-Salden Dänemarks auf Kronen für Deutschland nicht in dem gleichen Maße nachteilig wäre, wie es unter den heutigen Umständen der Fall sein könnte.

Zur Begründung für die dem Wunsche der Dänen entgegenkommende Haltung der Wirtschaftsressorts wird auf die Erhaltung der Lieferfreudigkeit Dänemarks hingewiesen. Wenn ich die Leistungen Dänemarks auf dem Gebiet der landwirtschaftlichen und sonstigen Lieferungen durchaus anerkenne, so bezweifle ich doch sehr, daß es notwendig ist, nach den außerordentlichen finanziellen Konzessionen an Dänemark, die für gleiche Zwecke erfolgten, auch die jetzige, nach meiner Auffassung von den Dänen aus durchsichtigen Gründen erstrebte Umwandlung einer großen Reichsmarkforderung in Kronen zuzugestehen. Der Herr Reichsbevollmächtigte des Großdeutschen Reiches in Dänemark hat hier vor kurzem zum Ausdruck gebracht, daß er eine solche Konzession zu dem genannten Zweck nicht für erforderlich halte.

Abschrift haben der Herr Reichswirtschaftsminister, der Herr Reichsminister für Ernährung und Landwirtschaft der Herr Beauftragte für den Vierjahresplan und das Reichsbankdirektorium erhalten.

gez. **Krosigk**

289. Deutsche Verrechnungskasse an das Auswärtige Amt 25. Februar 1944

Bests (og Forstmanns) forslag fra december om at oprette en større globalkonto hos den danske nationalbank, der stod til rådighed som forskud for danske leverancer, var blevet vurderet hos de involverede parter. Flere gik ind derfor, men Walter havde for kort tid siden telefonisk vendt sig imod det. Skulle der være tale om forskud, måtte det stilles af varemodtagerne. Det blev anbefalet at gå videre med sagen ved en direkte henvendelse til Walter.

Wiehl orienterede 4. marts 1944 Best om resultatet.
Kilde: BArch, R 901 113.555. RA, pk. 271.

Deutsche Verrechnungskasse 25. Februar 1944
Berlin SW 111 II a 1204
 Durchschrift

An das Auswärtige Amt
   Berlin W 8
   Wilhelmstr. 74-76

Betr.: Zu Ihrem Schreiben vom 15. Dezember 1943 – III/7344/43 – teilen wir Ihnen
   folgendes mit:

Der Vorschlag des Herrn Reichsbevollmächtigten, im Interesse eines reibungslosen Verlaufs der dänischen Lieferungen nach Deutschland der Danmarks Nationalbank einen größeren Globalbetrag im voraus zur Verfügung zu stellen, damit diese für den Fall von Störungen der Überweisungen der Deutschen Verrechnungskasse infolge von Fliegerangriffen im Einvernehmen mit Ihnen beschleunigte Auszahlungen an die dänischen Exporteure vornehmen kann, ist von den zuständigen Ressorts geprüft worden.
   Während der Herr Reichswirtschaftsminister gegen den Vorschlag keine Bedenken[156] erhebt und auch der Herr Reichsminister für Ernährung und Landwirtschaft sich zunächst nicht abweisend geäußert hatte, soll sich nach telephonischer Mitteilung von Herrn Min. Rat Prause (RFM) neuerdings Herr Ministerialdirektor Dr. Walter gegen solche Vorauszahlungen ausgesprochen haben. Der Herr Reichsminister der Finanzen ist ebenfalls der Ansicht, daß die im November 1943 aufgetretenen einmaligen Stockungen im Zahlungsverkehr Deutschland/Dänemark eine allgemeine Vorlage zu Lasten der Reichskasse nicht rechtfertigen und weist darauf hin, daß auch andere Verrechnungsländer mit ähnlichen Wünschen hervortreten könnten.
   Wenn schon die Vorauszahlung eines Globalbetrages für notwendig gehalten wird, will es uns naheliegend erscheinen, daß die Warenempfänger selbst, z.B. die zentralen Einkaufsstellen des Ernährungssektors oder des Rüstungssektors vorsorglich Einzahlungen leisten.
   Wir bitten, die Angelegenheit gegebenenfalls [auf?] Herrn Ministerialdirektor Dr. Walter direkt weiterzubetreiben.
                        Deutsche Verrechnungskasse
                              Unterschriften

An den Reichsbevollmächtigten in Dänemark
   Verbindungsstelle der Hauptverwaltung der Reichskreditkassen
   Herrn Direktor Krause,
   Kopenhagen, Dagmarhus

Betr.: Ha Pol VI 5331/43
Vorstehende Durchschrift überreichen wir zur gefälligen Kenntnisnahme.
                        Deutsche Verrechnungskasse
                              [Underskrift]

---

156 Hvordan Deutsche Verrechnungskasse var nået til denne opfattelse, er uvist. Som nævnt hos Wiehl til Best 4. marts 1944, var RWM imod Bests forslag. RWM havde 8. januar 1944 fået brev fra Rüstungsamt med besked om, at det var imod Bests forslag og i stedet foreslog at give forskud til de firmaer, der ikke selv havde midler nok til at gennemføre tyske rustningskontrakter. Kopi af dette brev gik til AA og Rüstungsstab Dänemark (RA, pk. 271).

290. Emil Geiger: Notiz 25. Februar 1944

Geiger kunne videregive den meddelelse, at det tyske sikkerhedspoliti hverken ville give besøgstilladelse til slægtninge til de deporterede danske kommunister eller tillade pengeoverførsler til dem. Hvilke lejre de var overført til, kunne endnu ikke oplyses.

Kilde: PA/AA R 99.502.

Inl. II B619 Abh. I

Betr.: Dänischen Kommunisten Larsen u.a.

Zu den von der Dänischen Gesandtschaft angeschnittenen Fragen hinsichtlich der in Konzentrationslagern in Deutschland befindlichen dänischen Kommunisten wurden seitens des Chefs der Sicherheitspolizei und des SD folgende Auskünfte erteilt:

Die Lagerverwaltungen seien angewiesen worden, die nach dänischer Angabe erkrankten Häftlinge durch den Lagerarzt auf ihren Gesundheitszustand untersuchen zu lassen. Die Angelegenheit sei noch in der Schwebe. Von den Lagerverwaltungen sei ein Bericht noch nicht eingegangen. Es wird hierzu bemerkt, daß bei Inl. II bisher nur die Fälle Nytorp, Nielsen, Mortensen, Jepsen und Kristensen bekannt geworden sind. Der Name Hertha Bentsen erscheint in der Notiz des Dänischen Gesandten vom 16. Februar 1944 erstmalig. Es wird festgestellt werden, ob dieser Fall etwa einer anderen Abteilung (z.B. R) vorliegt.

Zu der Frage, welcher strafbaren Handlungen sich die am 23. November und 19. Dezember 1943 nach Deutschland überführten Personen im einzelnen schuldig gemacht haben, wurde seitens des Chefs der Sicherheitspolizei und des SD darauf hingewiesen, daß sämtliche Fälle in Dänemark im Einvernehmen mit den dänischen Polizeibehörden geprüft worden seien. Letztere müßten also über die Einzelfälle Bescheid wissen. Wenn indes von der Dänischen Gesandtschaft einzelne Fälle benannt werden sollten, in denen nach ihrer Ansicht die Festnahme auf Grund von Denunziationen und ohne Verschulden erfolgt sein sollte, so wäre der Chef der Sicherheitspolizei und des SD gerne bereit, diese Sonderfälle einer erneuten eingehenden Prüfung zu unterziehen.

Auf welche Lager die am 23. November und 19. Dezember 1943 überführten Personen verteilt seien, ließe sich im Augenblick nicht genau sagen, da die Unterlagen nicht zur Hand seien. Es sollen hierüber die erforderlichen Feststellungen alsbald getroffen werden und Mitteilung ergeben.

Die Notwendigkeit der Erteilung einer Sprecherlaubnis an einen dänischen Beauftragten könne grundsätzlich nicht anerkannt werden; es sei denn, daß das Auswärtige Amt aus politischen Gründen die Gewährung einer Ausnahme für angezeigt halte.

Ebenso könne der Besuch von Häftlingen durch ihre Ehefrauen grundsätzlich nicht gestattet werden. Vor allem sei nicht ersichtlich, warum gerade einer so üblen Persönlichkeit wie dem Kommunisten Axel Larsen, der den deutschen Dienststellen schwer zu schaffen gemacht habe, eine solche Vergünstigung gewährt werden solle. Gerade in seinem Falle sei der Chef der Sicherheitspolizei und des SD für Ablehnung. Er sei indes auch hier zu einer Prüfung des Falles bereit, falls seitens des Auswärtiges Amts der Wunsch bestehen sollte, aus politischen Gründen dem dänischen Wunsche hinsichtlich des Besuches der Frau Larsen zu entsprechen. Nach der Note der Dänischen Gesandtschaft vom 28. Januar 1944 hat die Frau des Larsen ihren Antrag auf Erteilung der Besuchserlaubnis dem Reichsbevollmächtigten in Kopenhagen übermittelt. Dieser ist mit Erlaß vom 3. Februar 1944 zur Vorlage des Antrags aufgefordert worden. Es dürfte sich empfehlen, zunächst seine Stellungnahme abzuwarten.[157]

Gelegentlich seines Besuches bei dem Herrn U.St.S. Pol am 5. Januar 1944 hatte der Dänische Gesandte auch die Frage angeschnitten, ob es möglich sei, den in Deutschland in Haft befindlichen dänischen Kommunisten täglich den Gegenwert des Betrages vom 1,50 Kronen zu kleinen Einkäufen in den Lagerkantinen zur Verfügung zu stellen. Seitens des Chefs der Sicherheitspolizei und des SD wurde hierzu erklärt, daß zu solchen Geldüberweisungen keinerlei Notwendigkeit bestehe. Die Häftlinge würden genügend verpflegt.

Hiermit ihr Herr Wagner Inl. II dem Herrn U.St.S. Pol mit Beziehung auf den Vorgang U.St.S. Pol. Nr. 61 vom 18. Februar 1944 vorgelegt.[158]

Sobald die vom Chef der Sicherheitspolizei und des SD in Aussicht gestellte Mitteilung über die Verteilung der oben erwähnten zwei Dänengruppen auf die einzelnen Lager eingegangen ist, wird weitere Vorlage erfolgen.

Berlin, den 25. Februar 1944

Gez. **Geiger**

2.) Im Durchdruck Pol VI – Herr v. Grundherr mit der Bitte um Kenntnisnahme vorgelegt.

Berlin, den 25. Februar 1944

Gez. **Geiger**

3.) Vermerk:
Die Angelegenheit wurde mit Krim. Dir. Lindow fernmündlich besprochen, mit Ausnahme der Frage der Verteilung der oben erwähnten beiden Dänengruppen auf die einzelnen Lager. Wegen des letzten Punktes wurde in Abwesenheit von Reg. Rat. Dr. Berndorff (verreist) mit Reg. Ob. Insp. Feistmar [?] Hausapparat 806, besprochen.

4.) Auszugsweise Abschrift wegen der erkrankten Häftlinge zu Inl. II B 160 nehmen.

5.) MV. nach 2 Wochen [10 Tagen].

291. Emil Geiger an Werner Best 25. Februar 1944
Geiger rykkede Best for svar på hans stillingtagen til, om den danske kommunist Aksel Larsen kunne modtage besøg.
Best svarede 17. marts.
Kilde: PA/AA R 99.502.

157 Geiger rykkede Best for svar endnu samme dag. Se nedenfor og svaret 17. marts.
158 Trykt ovenfor.

Durchdr. a. Konz. (R. lb.) Wo
Inl. II B 619 Ang. II   *Berlin, den 25. Februar 1944.*

An den Bevollmächtigten des Reichs in Dänemark
   in Kopenhagen

Im Anschluß an den Erlaß vom 3. Februar 1944 – Inl. II B 344[159] –
Betr.: den dänischen Kommunisten Axel Larsen.

Ich bitte um Vorlage des Antrags der Frau Larsen auf Erteilung der Erlaubnis zum Besuch ihres im Konzentrationslager in Deutschland befindlichen Ehemannes Aksel Larsen, sofern er dort eingegangen sein sollte, und um Stellungnahme.
                              Im Auftrag
                              gez. **Geiger**

292. Eberhard von Thadden an Adolf Eichmann 25. Februar 1944

I forlængelse af den trufne aftale med Eichmann om tilbageførsel af danske mischlinge (halvjøder o.a.), spurgte von Thadden om flere tilbageførsler kunne ventes. Hvis ikke, ville AA gerne have at vide, hvilken begrundelse der skulle gives danskerne. AA havde meddelt den danske gesandt, at det lovede besøg i Theresienstadt tidligst kunne finde sted i maj (Yahil 1967, s. 262, Weitkamp 2008, s. 191).
   Se Best til AA 27. marts 1944.
   Kilde: PA/AA R 99.414. RA, pk. 220.

Durchdruck als Konzept (R. lb) Jo
Auswärtiges Amt   *den 25.2.1944*
Nr. Inl. II A

An das Reichssicherheitshauptamt
   z.Hd. v. SS-Obersturmbannführer Eichmann o.V.i.A.
   Kurfürstenstraße 116

Der Dänische Gesandte kam gegenüber dem Unterstaatssekretär der Politischen Abteilung erneut auf die Frage des Rücktransportes einiger Mischlinge aus Theresienstadt nach Dänemark zu sprechen.[160] Er stellte hierbei die Behauptung auf, daß von den aus Dänemark abtransportierten Juden inzwischen 18 verstorben seinen. Davon 2 von denjenigen, die unter die Mischlingsgruppe fallen.
   Weiterhin schnitt der Dänische Gesandte erneut die Frage an, ob nicht die Möglichkeit bestehe, die dänischen Juden in Theresienstadt zu besuchen, wie ihm das in November für Frühjahr d.J. in Aussicht gestellt worden sei.
   Das Auswärtige Amt wäre für tunlichst unverzügliche Unterrichtung dankbar, ob

---

159 Trykt ovenfor.
160 Se Henckes notits nr. 62, 18. februar.

im Zuge der von Obersturmbannführer Eichmann in Kopenhagen getroffenen Abrede mit der Entlassung weiterer Mischlinge – bisher sind nach diesseitiger Kenntnis 5 entlassen worden – zu rechnen ist, oder mit welcher Begründung den Dänen gegenüber die Nichtentlassung weiterer Mischlinge begründet werden soll. Das Auswärtige Amt ist der Auffassung, daß entweder tunlichst unverzüglich weitere Entlassungen erfolgen müssen, oder den Dänen mit genauer Begründung mitgeteilt werden muß, weshalb weitere Entlassungen nicht in Betracht kommen können.

Hinsichtlich des Besuches des Lagers Theresienstadt beabsichtigt das Auswärtige Amt, den Dänischen Gesandten mit einer Antwort bis etwa Mai hinzuhalten, da nach mündlicher Mitteilung von Obersturmbannführer Eichmann ein Besuch vor diesem Zeitpunkt unerwünscht wäre.

Im Auftrag
Gez. v. Thadden

293. Werner Best an das Auswärtige Amt 26. Februar 1944

Modsætningsforholdet mellem Werner Best og Frits Clausen opstod kort efter førstnævntes ankomst til København i november 1942, da Clausen blev præsenteret for planerne for et kommende Schalburgkorps, og blev påfølgende forværret efter folketingsvalget med den egentlige oprettelse af Schalburgkorpset. Frits Clausen strittede imod, og det var fuldt ud tilstrækkeligt for den rigsbefuldmægtigede. Da en sladderhistorie om Frits Clausens drikkeri i slutningen af januar 1944 nåede København, greb Best lejligheden til at lade sagen udvikle sig. I stedet for at sætte en stopper for rygterne pustede han til dem, både i København og Berlin.

Frits Clausen forklarede 1947, at sladderhistorien om ham var iscenesat og lod der ikke herske tvivl om, at en frivillig dansk SS-læge var impliceret. Han nævnte ikke lægens navn, men det var Emil Petersen, som netop tog det som sin opgave at følge Frits Clausen fra København til Berlin og videre til Minsk. Petersen vendte tilbage til København omkring 1. februar og udspredte sin historie om Clausen og fortsatte derpå arbejdet ved Fürsorgeoffizier der Waffen-SS til maj 1945 (Lauridsen 2003b, s. 365-370).[161]

Kilde: PA/AA R 29.568. LAK, Frits Clausen-sagen XIV/349. PKB, 13, nr. 440. *Føreren har ordet!* 2003, s. 792f. (på dansk).

Telegramm

Kopenhagen, den   26. Februar 1944
Ankunft, den   26. Februar 1944   16.00 Uhr

Nr. 251 vom 24.2.44.

Der Parteiführer der DNSAP Dr. Clausen, der seit 1. November 1943 als Oberstabsarzt, SS-Sturmbannführer – zur Waffen-SS eingezogen war, ist nach einer mir vom SS Hauptamt zugegangenen Mitteilung auf Anordnung des Reichsführers SS mit einem Alkoholverbot belegt und zu einer Entziehungskur in der Nerven-Heilanstalt (SS-Lazarett) Würzburg eingewiesen worden, weil er während seiner Tätigkeit in Minsk übermäßig

---

161 Emil Petersen (1906-1955) blev anholdt og dømt efter maj 1945 og rejste efter sin løsladelse 1948 til Brasilien og genoptog lægegerningen (*Politiken* og *Berlingske Tidende* 30. juni 1955).

getrunken und in diesem Zustand das weibliche Personal seines Lazaretts belästigt hat.

Diese Tatsache ist durch Urlauber in Dänemark bekannt worden[162] und bereits von der illegalen Propaganda aufgegriffen worden. Die DNSAP, deren ...[163] in den letzten Monaten sich auf die Erhaltung ihres Anhänger-Bestandes beschränkt hat, kommt hierdurch in eine sehr schwierige Lage. Von einem Teil der Mitglieder wird gefordert, daß Dr. Clausen nunmehr die Führung der Partei niederlegt. Ich absehe vorläufig von einem Eingreifen, damit nicht im Hinblick darauf, daß die beschriebenen Vorgänge mit Dr. Clausen sich außerhalb Dänemarks abgespielt haben, behauptet werden kann, daß diese Vorgänge von deutscher Seite herbeigeführt worden seien, um Dr. Clausen unmöglich zu machen. Für die nationalsozialistische Bewegung in Dänemark wäre es jedoch eine Entlastung, wenn Dr. Clausen mit einer einleuchtenden Begründung den Parteivorsitz niederlegt.

Best

294. Werner Best an das Auswärtige Amt 26. Februar 1944
Dagsindberetning.
  Kilde: PA/AA R 29.568. RA, pk. 204.

Telegramm

Kopenhagen, den	26. Februar 1944	
Ankunft, den	26. Februar 1944	17.45 Uhr

Nr. 258 vom 26.2.44.   Citissime!

Ich bitte die folgende Meldung dem Herrn Reichsaußenminister unverzüglich zuzuleiten:
  Über die Lage in Dänemark berichte ich, daß für den 25. auf 26. Februar aus dem ganzen Lande keine besonderen Vorkommnisse gemeldet worden sind.

Dr. Best

295. Rolf Kassler an das Auswärtige Amt 26. Februar 1944
Best rykkede for betaling af 300.000 kr. til brug for det tyske mindretal.
  Kilde: PA/AA R 100.945. RA, pk. 234.

Der Reichsbevollmächtigte in Dänemark   *Kopenhagen, den 26. Februar 1944.*
I C/N Sch 1 geh.

---

162 Det har ikke været Best ubekendt, at det var én bestemt dansk læge i Waffen-SS, Emil Petersen, der hjembragte rygtet og ikke tilfældige "Urlauber." Det var bestilt arbejde. Emil Petersen var hos Best på Dagmarhus 3. februar 1944 (Bests kalenderoptegnelser anf. dato).
163 I Gr[uppe] verst[ümmelt].

Auf den Erlaß vom 4. Februar 1944[164] – Inl. II C 422 –

An das Auswärtige Amt, Berlin

Betr.: Zahlung von 300.000,- Kronen an die Deutsche Volksgruppe in Nordschleswig.
– 2 Durchdrücke –
– 2 Anlagen –

Der Betrag von 300.000,- Kronen für den Haushaltsplan der Volksgruppe des Jahres 1943 ist dem Schatzamt der Deutschen Volksgruppe in Nordschleswig im Laufe dem letzten Quartale 1943 ausgezahlt worden. (Vgl. den abschriftlich nochmals beigefügten Bericht vom 8. Januar 1944 – I C/N Sch 1 geh. –)[165]

Da der für diese Zahlung erforderliche Kronenbetrag im Rahmen des Kronenkontos IV nicht zur Verfügung stand, ist er im Hinblick auf die Dringlichkeit der Zahlung aus den hier zur Verfügung stehenden Besatzungsmitteln vorgeschossen worden.

Die endgültige Verrechnung des Gesamtbetrages von 300.000,- Kr. mit dem Reichsmarkgegenwert von 156.600,70 RM (Kurs 191,57) kann erst erfolgen, wenn der durch das starke Anwachsen der Familienunterhaltszahlungen im Etat meiner Behörde entstandene Kronen-Fehlbetrag von 1.600.000,- Kr. der hiesigen Zahlstelle wieder zufließt. Auf den ebenfalls abschriftlich beigefügten Drahtbericht vom 22.11.1943 – Nr. 1448 – nehme ich Bezug.[166]

I.A.
gez. **Kassler**

296. H.W. Ebeling an den Einsatzstab Rosenberg 26. Februar 1944

Einsatzführer Ebeling orienterede Einsatzstab Rosenberg om Haupteinsatzführer Reichardts ophold og foredrag i København, som var blevet ramt af en del uheld efter først at være blevet udskudt og dernæst programsat i sidste øjeblik. Trods problemerne var Ebeling af den opfattelse, at foredragene havde gjort stærkt indtryk.

Det er et spørgsmål, om Werner Best betragtede Reichardts ophold som en succes, selv om han havde vist sin gode vilje ved at invitere de højeste tyske myndigheder til stede. Forløbet af foredragene var mildt sagt dilettantisk, og så var de oven i købet en gang blev udsat og noget andet havde måttet sættes på programmet. Imidlertid havde den rigsbefuldmægtigede gjort, hvad der kunne forventes af ham, og foredragsemnerne havde været politisk uskadelige.

Efterfølgende bad Ebeling 1. marts 1944 Reichardt på AO in Dänemarks vegne om et bidrag til tidsskriftet *Skagerrak* ud fra noget velegnet i foredragene (nr. 747), hvilket Reichardt 8. marts lovede at fremsende endnu samme måned (nr. 744). Dog fremkom der ikke en artikel under hans navn.

Forløbet af denne foredragsaften var ikke enestående. Der var i det hele taget kritik af den foredragstjeneste, som Amt Rosenberg udfoldede gennem den NS-Führungsoffizier, som han gennem sin repræsentant i "Arbeitsstab der Partei-Kanzlei" stod for. Der blev klaget over, at foredragene var skolemesteragtige, og at de overhovedet ikke bragte noget nyt (Bollmus 1970, s. 142f.).

Kilde: BArch, NS 30/32. RA, Danica 1000, T-450, sp. 87, nr. 750-752.

---

164 Skrivelsen er ikke lokaliseret.
165 Trykt ovenfor.
166 Trykt ovenfor.

Einsatzstab Reichsleiter Rosenberg   *Kopenhagen, den 26. Februar 1944*
für die besetzten Gebiete

An den Einsatzstab Reichsleiter Rosenberg für die besetzten Gebiete
– Stabsführung –
Berlin W 35
Margaretenstr. 17

Betr.: Vorträge des Haupteinsatzführers Reichardt über ideologische und taktische Schulungsmaßnahmen in der Sowjetunion.

Trotz meines, der Stabsführung am 8.2.1944 persönlich übermittelten Wunsches, HEF Reichardt erst nach 22.2.1944 reisen zu lassen, wurde er von der Stabsführung am 13.2. in Marsch gesetzt.[167] Er kam hier ohne Filme an. Diese mußten in Warnemünde wegen fehlender Versiegelung zurückbleiben. Um sie zu holen, war eine Reise des HEF Reichardt und des EF Kock[168] am 16. und 17.2. nach Rostock notwendig.

Der erste Vortrag fand am 18.2.1944 vor der Ortsgruppe der AO Kopenhagen, im Hause Öster Allé 33 statt. Anwesend waren etwa 80 Personen. Der Filmvortag wurde mit starkem Interesse aufgenommen. Die Ausführungen Pg. Reichardt's waren mit Rücksicht auf die Zuhörerschaft mehr allgemeiner Art. Leider zog sich der Vortrag über eine erhebliche längere Zeit, als vorher bestimmt, hinaus, da z.T. Filmstreifen in falschen Kästen lagen, andere wieder einen falschen Vorspann hatten. Die Aufnahmefähigkeit der Zuhörerschaft wurde dadurch sicherlich stark beeinflußt.[169]

Am Montag, den 21.2.1944, morgens 11 Uhr, wurden die Filme mit ausdrücklicher Genehmigung des Reichsbevollmächtigten (Telefongespräch mit Gesandtschaftsrat Pg. Gernand am 19.2. um 16 Uhr nachmittags) einer Anzahl dänischer Herren im Hause der Nordischen Gesellschaft vorgeführt. Trotzdem sich dazu zehn Herren angesagt hatten, erschienen nur vier, die jedoch für das ihnen Gebotene außerordentlich interessiert waren. Es handelte sich um Redakteur Svend Borberg (Berlingske Tidende), Redakteur Bangstedt (Fädrelandet), Aage Andersen (Rassenreferent im Schalburgkorps) und Dr. Thorwald Knudsen.[170] Die stichwortartigen allgemeinen Erläuterungen Pg. Reichardt's wurden bei dieser Gelegenheit besonders dankbar empfunden.

Um 17.30 Uhr des gleichen Tages fand der Vortrag auf Wunsch des Bevollmächtig-

---

167 Ebelings brev af 8. februar er ikke lokaliseret, men det var en reaktion på Reichardts brev 1. februar 1944, hvori Reichardt annoncerede sit ophold i København til at finde sted fra 9. til 13. februar og videre meddelte: "Ich will über das Thema "Ideologie und Technik der bolschewistischen Massenorganisation" sprechen, wobei ich die gesamte Entwicklung zwischen 1918 und 1944 behandeln werde, und zwar unter besonderer Berücksichtigung der Kriegsagitation sowie der jüngsten politischen Ereignisse (Religionsfrage, panslawistische Bestrebungen, Vordringen des Bolschewismus in Europa). Ich werde Ausschnitte aus einzelnen Sowjetfilmen mitbringen, voraussichtlich aus "Alexander Newski", "Peter der Große", "Zirkus" u.ä." (samme kilde nr. 763).
168 Se om Kock Werner Koeppens beretning 24. marts 1944.
169 Arrangementet blev ikke omtalt i *Skagerrak* trods besøget fra Berlin.
170 Thorvald Knudsen havde ikke nogen akademisk grad af nogen art.

ten des Reiches, Gruppenführers Dr. Best, im Kinosaal des Vesterport-Gebäudes statt.[171] Hierzu waren sämtliche Hauptabteilungs- und Abteilungsleiter der Gesandtschaft gebeten worden. Außerdem waren anwesend: SS-Gruppenführer Pancke, Generalleutnant der Polizei Heimburg, ferner hier tätige Gesandten, Generalkonsuln und Konsuln, nebst den Kulturattachés. Der Vortrag fand nach Erscheinen des Gruppenführers ohne irgendwelche Begrüßung seitens des Einladenden statt. Leider riß der Film der ersten Rolle (Mann mit Gewehr) dreimal und mußte abgesetzt werden. Die übrigen Filmstreifen rollten reibungslos ab. Durch die ersten umfangreichen Störungen war jedoch kostbare Zeit verstrichen, sodaß HEF Reichardt zu eingehenden Worten nicht mehr kam. Ein besonderes Pech sollte, daß der Filmvorführer den überhaupt nicht zur Vorführung vorgesehenen zweiten Streifen aus dem Film "Peter der Große" mit einspannte und laufen ließ. Gruppenführer Dr. Best erhob sich, dankte flüchtig HEF Reichardt im Dunkeln und verließ wegen anderweitiger Abhaltungen den Raum. Auch am Schluß fand sich niemand unter den Anwesenden, der durch einige abschließende Wort dem Vortrag die nötige Abrundung gegeben hätte. Trotzdem bin ich davon überzeugt, daß auf manchen der Anwesenden das Gebotene starken Eindruck gemacht hat.

Ich bin trotz dieses nicht gerade vielversprechenden Verlaufs zufrieden, daß wenigstens HEF Reichardt hier war. Auf Grund Ihrer Januar-Mitteilung, daß er bereits am 2.2.44 käme, hatte der Bevollmächtigte schon den hiesigen Befehlshaber mit seinen Herren zu einer Filmvorführung mit anschließendem geselligen Beisammensein eingeladen. Wegen der dortigen mangelnden Reisevorbereitungen mußte ich R.'s Ankunft einen Tag vorher absagen. Die Veranstaltung fand mit einem deutschen Spielfilm als einfache Unterhaltung trotzdem statt, natürlich ohne daß ich dazu geladen wurde.[172]

Haupteinsatzführer Reichardt konnte die Arbeiten in Ratibor interessant und anschaulich schildern, sodaß ich einen ganz netten Einblick bekommen habe. Auswertungswünsche bezüglich des Nordens überbrachte er nicht, doch wurde er über die im Norden vorhandenen Möglichkeiten unterrichtet, die jedoch fast alle wegen mangelnder finanzieller Grundlagen nicht genutzt werden können.

Heil Hitler!
Ebeling
Oberst-Einsatzführer

Durchschlag an Hauptabt. IV, Ratibor

---

171 Best noterede kun knapt i sin kalender, at han havde været i Vesterport til et foredrag af Dr. (!) fra Einsatzstab Rosenberg om russisk filmpropaganda. Foredragsholderens navn fik han ikke med, hvilket kan indikere, hvad han mente om arrangementet (Bests kalenderoptegnelser 21. februar 1944).
172 Arrangementet fandt sted 5. februar, hvor der blev vist filmen "Der weiße Traum" (Bests kalenderoptegnelser 5. februar 1944).

297. Werner Best an das Auswärtige Amt 28. Februar 1944
Dagsindberetning.
   Best var øjeblikkeligt orienteret om den tyske modterror, også når den foregik i provinsen.
   Kilde: PA/AA R 29.568. RA, pk. 204.

Telegramm

Kopenhagen, den   28. Februar 1944   21.10 Uhr
Ankunft, den   28. Februar 1944   23.00 Uhr

Nr. 264 vom 28.2.[44.]   Citissime!

Ich bitte, die folgende Meldung unverzüglich dem Herrn Reichsaußenminister zuzuleiten:
   Über die Lage in Dänemark berichte ich für die Zeit vom 26.-28.2.1944, daß je ein Sabotagefall aus Aarhus (Wäscherei) und aus Nyhesselager auf Fünen (Autowerkstatt) gemeldet worden ist.[173] In Esbjerg wurde das Haus eines deutsch-feindlichen Buchhändlers und ein deutsch-feindliches Hotel,[174] in Fredericia ebenfalls das Haus eines deutsch-feindlichen Buchhändlers durch Spreng- bezw. Brandbomben beschädigt.[175] In Kopenhagen wurde ein Lager mit 3 Tonnen kommunistischer Literatur (im wesentlichen ganz neue Bücher und Schriften über die Sowjetunion in dänischer Sprache) eine Druckerei der kommunistischen illegalen Zeitschrift "Land og Folk" sowie ein Sprengstoff- und Waffenlager mit 70 kg Sprengstoff, 9 Maschinengewehren, mehreren 1.000 Schuß Munition usw. von der deutschen Sicherheitspolizei erfaßt und in diesen Zusammenhängen 18 Personen festgenommen.[176]

Dr. Best

298. Alex Walter an das Auswärtige Amt und das Reichsernährungsministerium 28. Februar 1944
AA og REM blev orienteret om, at Tysk Røde Kors havde henvendt sig direkte til Dansk Røde Kors for at få levnedsmidler til lazaretter og krigsfanger. Dansk Røde Kors havde henvist Tysk Røde Kors til at få del i den danske eksport til Tyskland. Walter fandt ikke Tysk Røde Kors' fremgangsmåde hensigtsmæssig og bad Ribbentrop foretage det fornødne.
   Walter skrev 3. april 1944 til Tysk Røde Kors.
   Kilde: BArch, R 901 113.555. RA, pk. 271.

---

173 Der var en sabotagebrand i Vaskeriet, Silkeborgvej 236, Åbyhøj, hvorved tysk vasketøj til en værdi af 20.000 kr. blev ødelagt, og en brand hos Autofirmaet Brun, Hesselager, Svendborg, hvorved der kun opstod ringe skade (RA, BdO inf. nr. 23, 29. februar 1944, Alkil, 2, 1945-46, s. 1229).

174 Petergruppen var i Jylland. I Esbjerg blev den 28. februar Engers Hansens Boghandel, Kongensgade 65, og Paladshotellet, Skolegade, schalburgteret (RA, BdO Inf. nr. 23, 29. februar 1944, Henningsen 1955, s. 212-215., Bøgh 2004, s. 54f., tillæg 3 her).

175 Der blev 26. februar anbragt en brandbombe i kælderen hos boghandler Gambek, Fælledvej 55, Fredericia, men denne aktion er ikke tillagt Petergruppen. Aktionen kan have undgået anklagemyndighedens opmærksomhed, da den kun forvoldte ringe skade, men BdO konstaterede, at aktionen ikke berørte tyske interesser (RA, BdO Inf. nr. 23, 29. februar 1944, Alkil, 2, 1945-46, s. 1229).

176 Arrestationerne af kommunister i København er kun sporadisk omtalt i *Information* 28. februar. Om lageret af kommunistisk litteratur, se Bovensiepen til RSHA 22. juni 1944.

Auswärtig Berlin Nr. 260 vom 28.2.1944

Auch für Reichsernährungsministerium.
Inhalt: Antrag des Deutschen Roten Kreuzes auf Erwerbung Sonderwertgrenze für Lebensmittel.

Dänen haben mir ergangene Abschrift eines Telegrammes des Deutschen Roten Kreuzes an das Dänische Rote Kreuz übergeben:
"Deutschrotkreuz bittet unter Bezugnahme kürzliche Besprechungen Fischer Dänischrotkreuz zu erwirken, zuständiger Regierungsstellen Sonderwertgrenze höhe fünfundzwanzigtausend RM für Ausfuhr Dörrgemüse, Käse, Fischkonserven und andere Lebensmittel. Bestimmt für Betreuung Lazarett und Kriegsgefangene und Notstandseinsatz. Erbitten sofortige Vermittlung Hinblick jetzt laufende Regierungsverhandlungen –Deutschrotkreuz."
Dänen haben dazu bemerkt, daß sie nur bereit seien Ausfuhrgenehmigung für Dörrgemüse zu erteilen. Im übrigen müßten sie hinsichtlich der übrigen Waren anheimstellen: Aus den dänischen Ausfuhren nach Deutschland die Wünsche des Deutschen Roten Kreuzes zu erfüllen, falls dies deutscherseits für wichtig gehalten werde.
Ich bitte das REM um weitere Veranlassung und bemerke, daß ich Vorgehen des Deutschen Roten Kreuzes nicht für zweckmäßig halte, da Dänen solche Wünsche nur bei gleichzeitiger Kürzung der vereinbarten Lieferungen nach Deutschland erfüllen würden. Sollte man deutscherseits damit einverstanden sein, so bitte ich entsprechende Weisung.

Walter. = **Dr. Best**

299. Das Auswärtige Amt an die Zentralstelle für Generatoren 28. Februar 1944

Efter to henvendelser fra Best bad AA om, at det endnu engang måtte blive undersøgt, om det ikke var muligt at tildele værnemagten og OT i Danmark generatortræ fra lagrene i Tyskland for i det mindste at dække en del af merforbruget. Det blev nævnt, at det var livsvigtigt for Tyskland at opretholde de danske leverancer. RWM, REM og Generatorkraft A.G. fik en afskrift af henvendelsen.
REM skrev 2. marts 1944 et ekspresbrev til støtte for AAs anmodning til Zentralstelle für Generatoren (ikke medtaget), mens Walter Forstmann henvendte sig til Wehrwirtschaftsstab i OKW i samme sag samme dag, trykt nedenfor.
Kilde: BArch, R 901 113.561.

Durchdr. als Konz. gef.Kg. (R'schr. lb)
Ref: LR Baron v. Behr
Auswärtiges Amt
zu Ha Pol. VI 567/44

28. Februar [194]4
Schnellbrief!

An die Zentralstelle für Generatoren
    z.Hd. v. Herrn Forstmeister Pflügner
    Berlin-Spandau-West
    Arbeiterstadt, Große Halle
    Stadtstrandstraße

Unter Bezugnahme auf den dort vorliegenden Bericht des Reichsbevollmächtigten in Dänemark vom 3. d.Mts.[177] übersende ich in der Anlage Abschrift eines weiteren telegraphischen Berichts vom 24. d.Mts.[178] mit der Bitte, die Frage der Zuteilung von Generator-Tankholz für die deutsche Wehrmacht und die Organisation Todt in Dänemark erneut zu prüfen und angesichts der Notwendigkeit, die lebenswichtigen Lieferungen aus Dänemark für das Reich aufrechtzuerhalten, zu mindestens eine teilweise Deckung des Mehrbedarfs an Generator-Tankholz aus den Vorräten im Reich schnellstens in die Wege zu leiten. Über die dort getroffenen Entscheidungen bitte ich das Auswärtige Amt mit tunlichster Beschleunigung zu unterrichten.

Das Reichswirtschaftsministerium, das Reichsministerium für Ernährung und Landwirtschaft und die Generatorkraft A.G. erhalten Abschrift.

Im Auftrag
gez. v. **Behr**

300. Ernst Richter an WB Dänemark 28. Februar 1944
Richter orienterede WB Dänemark om tysk politis indsats i tilfælde af kamphandlinger inden for sit befalingsområde. Der var kun tysk politi i København og Odense; politiet tog sig ikke af beskyttelse af militære objekter. I Odense påtog politiet sig beskyttelse af tre krigsvigtige objekter, mens der i en række provinsbyer og i København var en lang række bygninger, fabrikker og offentlige værker, der hverken blev beskyttet af værnemagten eller tysk politi.

Med tysk politi forstod Richter her alene tysk *ordens*politi, som det fremgår af den anvisning for tysk politi i tilfælde af kamphandlinger, han udsendte 15. februar 1944, trykt ovenfor.

Richters orientering gjorde det klart, at der var betydelige begrænsninger i WB Dänemarks muligheder for at udnytte og inddrage tysk ordenspoliti til bevogtningsopgaver. Rüstungsstab Dänemarks forsøg på at sikre bevogtningen af krigsvigtige virksomheder på den måde, var hidtil også slået fejl. Der var en intern magtkamp mellem de tyske instanser om anvendelsen af bevogtningsressourcerne, og det tyske ordenspoliti søgte mest muligt at friholde sig for opgaven. I stedet samarbejdede det mest muligt med sikkerhedspolitiet om løsningen af politimæssige opgaver.

Kilde: BArch, Freiburg, RW 38/180. KTB/HKK, Anlage 66.

Höheres Kommando Kopenhagen
Ia Nr. 91/44 g.Kdos.
Geheime Kommandosache

Anlage 66
St.Qu., den 28.2.1944

3 Ausfertigungen
3. Ausfertigung

Bezug: WBD Ia 394/44 g.Kdos. v. 13.2.
Betr.: Einsatz der Polizei bei Kampfhandlungen.

An Wehrmachtsbefehlshaber Dänemark
    Silkeborg

---

177 Bests telegram nr. 142, trykt ovenfor.
178 Bests telegram nr. 252, trykt ovenfor.

Zur Bezugsverfügung Ziff. IV meldet das Höh. Kdo.:
1.) Deutsche Polizeikräfte befinden sich nur in Kopenhagen und Odense.
2.) Der Schutz mil. Objekte wird von der Polizei nirgends übernommen.
3.) Von kriegswichtigen Objekten übernimmt die Polizei die Sicherung von
   a.) Rathaus und Polizei Odense
   b.) Thrige-Fabrik Odense
   c.) Munke-Mühle Odense
4.) Für folgende kriegswichtige Objekte stehen weder Wehrmacht- noch deutsche Polizei-Bewachungskräfte zur Verfügung:

Nästved:	Sydsjällands Kölehus og Nästved Joverk	
Helsingör:	H.ör Fernskib og Maskinbyggeri	
Svendborg:	Schiffswerft Rasmussen u. Schiffswerft Svendborg	
Kalundborg:	Motorfabriken Bukh A/S	
Masnedö:	Elektrizitätswerk	
Kopenhagen:	Finsensvej 6 (Neb. Gaswerk)	Kraftwerk Frederiksberg
–	Tömrergravsgade:	Kraftwerk H.C. Örsted
–	Öster Allé:	Kraftwerk Trianglen
–	Bernstorffsgade 15-17:	Vestre Elektrizitätswerk
–	Flintholm Allé:	Flintholm Gaswerk
–	Zionsvej:	Östre Gaswerk
–	Strandvej:	Strandvej Gaswerk
–	Vigerslev Allé:	Valby Gaswerk
–	Borups Allé 177:	Wasserwerk
–	Gladsaxevej:	Wasserwerk
–	Roskildevej 211/213:	Wasserwerk
–	Vestersögade:	Wasserwerk
–	Baldersgade:	A/S Atlas
–	Kastrup:	Frontreperaturbetrieb der deutsch [ulæselig håndskrift]
–	Teglholmen:	Gießerei
–	Pile Allé:	Hans Lystrup
–	Refshaleöen:	Schiffswerft
–	Gl. Köge Landevej:	Valby Jernstöberi og Maskinfabrik
–	Öresundsvej:	Völund A/S

Richter
Generalleutnant

301. Werner Best an das Auswärtige Amt 29. Februar 1944
Dagsindberetning.
 Kilde: PA/AA R 29.568. RA, pk. 204.

Telegramm

Kopenhagen, den	29. Februar 1944	21.40 Uhr
Ankunft, den	29. Februar 1944	23.45 Uhr

Nr. 267 vom 29.2.44.   Citissime!

Ich bitte, die folgende Meldung unverzüglich dem Herrn Reichsaußenminister zuzuleiten:
 Über die Lage in Dänemark berichte ich für den 28. auf den 29.2.1944, daß aus dem ganzen Lande keine besonderen Vorfälle gemeldet worden sind.

Dr. Best

302. Kriegstagebuch/Seekriegsleitung 29. Februar 1944
Der blev af Heeresgruppe B rettet en stærk kritik mod forsvarsberedskabet ved den jyske vestkyst. Efter Rommels inspektion var forskellen i forsvarsberedskabets niveau til naboområderne blevet endnu større. Heeresgruppe B ønskede oplyst, om det var en blivende situation eller om den kunne regnes med en ændring. Seekriegsleitung reagerede på kritikken med den opfattelse, at OKW var helt klar over situationen, og at forsvarsberedskabet i MOK Nords område kun haltede bagefter, fordi der var beordret en styrkelse af forsvaret andre steder på MOK Nords bekostning.
 Kilde: KTB/Skl 29. februar 1944, s. 633f.

[...]

Admiral bei Heeresgruppe B berichtet zu diesem Gegenstand unter dem 28/2. wie folgt:[179]
"Nach Durchführung Verschartung und Maßnahmen Feldmarschalls Rommel in Dänemark und Westraum bleibt Verteidigungskraft deutscher Nordseeküste noch viel stärker als bisher hinter den Nachbargebieten zurück. Artillerie schwach, kein Geschütz verschartet, weder Landesabwehrgeschütze noch schwere Infanteriewaffen unter Beton, keine Landminenverlegung größeren Umfangs außer Insel Roem,[180] keine Ansumpfung, fast keine Panzermauern oder Panzergräben, keine Vorstrandhindernisse, Mangel an Pak, Granatwerfern, Handwaffen und Stacheldraht. Mittel für Auslegung Alarmsperren in Flußmündungen und Hafeneinfahrten noch ungeklärt, keine Beobachtungssperren, Maßnahmen für Unbrauchbarmachung Häfen noch in Vorbereitung. Leistungsfähigkeit Batteriebesatzungen stark zurückgegangen, weiterer Abfall bei Fortsetzung Auskämmung unvermeidbar. Auf dem Festland außerhalb der Standorte überhaupt keine Verteidigungsmaßnahmen, Truppen Marine und 10. AK weit ins Binnenland verstreut, schlecht bewaffnet, Kampfkraft gering, selbst Alarmeinheiten Gruppe A bei augenblick-

---
179 Fjernskrivermeddelelsen er i BArch, Freiburg, RM 7/995.
180 Rømø.

licher Organisation für sofortigen Einsatz unbrauchbar. Insgesamt hier unverhältnismäßig schwache Stelle in der sonst gut verstärkten nordwesteuropäischen Sperrmauer geblieben, so daß Flanken dänischer und holländischer Küstenverteidigung in der Luft hängen. Bisher keine Unterrichtung Heeresgruppe B, auf die Dauer aber erforderlich. Erbitte daher Weisung, ob Fortdauer augenblicklichen Verteidigungszustandes beabsichtigt oder mit Änderung in der Bewertung der Deutschen Bucht zu rechnen."

Skl ist der Ansicht, daß Heeresgruppe B über diese Lage vollständig aufgeklärt werden muß. OKW ist voll im Bilde und weiß, daß die Rückständigkeit der Verteidigungsanlagen im Bereich des MOK Nord nur deswegen gegeben ist, weil andere Räume weisungsgemäß auf Kosten dieses Bereiches stärker ausgestattet worden sind.

[…]

303. Admiral Dänemark: Lagebetrachtung für Februar 1944, 29. Februar 1944

Admiral Wurmbach konstaterede ved månedens udgang en betragtelig tilbagegang i antallet af sabotager, hvilket han formodede skyldtes anholdelse af sabotagegrupper.
Kilde: KTB/ADM Dän. 29. februar 1944, RA, Danica 628, sp. 3, s. 3257f.

L a g e b e t r a c h t u n g
für Februar 1944

[…]

B.) Lage in Dänemark.

1.) Sabotagefälle

Nach anfänglich verhältnismäßig starker Sabotagetätigkeit erheblicher Rückgang der Sabotagefälle im Laufe des Monats, vermutlich zurückzuführen auf Festnahme von Saboteurgruppen. Gesamtzahl gemeldeter Sabotagefälle ungefähr 60. Außerdem glückte es, aus einem Flugzeug abgeworfene Lastenfallschirme mit Sprengmaterial und Waffen abzufangen. Bei Festgenommenen handelt es sich durchweg um Angehörige nationaler Kreise, insbesondere Studenten.[181] Eine Reihe dänischer Polizeibeamter festgenommen wegen Begünstigung von Saboteuren.

Soweit Marinebelange berührt, ist Sprengstoffanschlag gegen Werften in Svendborg hervorzuheben. Ein Minensuchbott und ein Spezialneubau durch Explosion gesunken. Ferner wurde ein Motorschiff versenkt.[182] Auf Werft in Aalborg Dampfer "Dorpat" vom SVK Kiel durch im Schiffsinnern verursachte Sprengung zum Sinken gebracht.[183]

Steigerung der Sabotagetätigkeit in Esbjerg, wo u.a. Lagerhalle der OT mit 60.000 Sack Zement zerstört.[184]

Im großen gesehen hat sich Sabotagetätigkeit der Zahl und Bedeutung nach in sehr mäßigen Grenzen gehalten.

---

181 Se telegram nr. 172, 8. februar 1944.
182 Se telegram nr. 154, 4. februar 1944.
183 Se telegram nr. 199, 12. februar 1944.
184 Se telegram nr. 239, 22. februar 1944.

2.) Illegaler Personenverkehr
Zollgrenzschutz gelang es im Hafen von Humlebäk 4 dänische Zivilpersonen festzunehmen, die im Begriff standen, nach Schweden zu flüchten. 2 dänische Polizeibeamte, die an Fluchtunternehmen beteiligt waren, ebenfalls festgenommen. Weitere Verhaftungen stehen bevor. Beschlagnahmt wurden u.a. Waffen und Propagandamaterial sowie ein PKW.[185]
[…]

304. Rüstungsstab Dänemark: Lagebericht 29. Februar 1944
Forstmann konstaterede i lighed med admiral Wurmbach, at antallet af sabotager var faldet, og tillagde det tyske sikkerhedspolitis virksomhed æren derfor. Værdien af indgåede nye kontrakter holdt sig på et stabilt niveau, og der kunne berettes om nye opgaver til flere danske virksomheder. For Hansaprogrammets vedkommende skulle der finde en prøvesejlads sted 2. marts. Strøm- og gasforsyningen havde været tilstrækkelig, tilførslen af råvarer og brændstoffer ligeledes, men den danske regering havde måttet indføre nye rationeringsmærker for koks og briketter pga. den hårde vinter.
Kilde: BArch, Freiburg, RW 27/13. KTB/Rü Stab Dänemark, 1. Vierteljahr 1944, Anlage 23.

Rüstungsstab Dänemark *Kopenhagen, den 29. Febr. 1944.*
ZA/Ia Az. 66dl/Wi-Ber. Nr. 94/44 geh. Geheim

Bezug: OKW Wi Rü Amt / Rü IIIb Nr. 21755/43 v. 9.5.42
Betr.: Lagebericht.

An den Reichsminister für Rüstung und Kriegsproduktion
   Rüstungsamt
   Berlin W 8
   Unter den Linden 36

Rü Stab Dänemark übersendet in der Anlage den Lagebericht für Monat Februar 1944.

Forstmann

Rüstungsstab Dänemark *Kopenhagen, den 29. Febr. 1944.*
ZA/Ia Az. 66dl/Wi-Ber. Nr. 94/44 geh. Geheim!

Vordringliches
Die Sabotageakte haben im Februar ganz erheblich nachgelassen. Während 63 Sabotagefälle, welche die rüstungs- und wehrwirtschaftlichen Interessen berührten, im Januar vorkamen, ereigneten sich im Februar 44 derartige Sabotagefälle, aber durchweg leichterer Art. Dieses beachtliche Absinken der Sabotagefälle ist auf die intensive Tätigkeit des

---

[185] Se telegram nr. 172. 8. februar 1944.

deutschen Sicherheitsdienstes zurückzuführen, dem es nach verhältnismäßig kurzem Einsatz gelang, viele Saboteure mit ihren Führern festzunehmen.

Die "Telefon-Sabotagen", d.h. die telefonische anonyme Ankündigung von bevorstehenden Explosionen ausgelegter Bomben, waren der Grund dafür, daß auf der Werft von Burmeister & Wain 13 Tage hindurch die Arbeit ruhte, weil morgens kurz nach Arbeitsbeginn telefonisch auf bevorstehende Explosionen aufmerksam gemacht wurde. Starke Einflußnahme deutscher Dienststellen führte zur Beseitigung dieses unhaltbaren Zustandes und zu Vereinbarungen zwischen Arbeitgebern und Arbeitnehmern, die für die Zukunft einen ruhigen Verlauf der Arbeit gewährleisten.[186]

1a. Stand der Fertigung
Gesamtverlagerung nach Dänemark vom 9.4.1940 bis 31.1.1944.
a.) mittelbare und unmittelbare Wehrmachtaufträge (A-Aufträge):
am 31.12.43   RM   488.406.000,-
Zugang im Januar 1944   –   4.371.586,-
am 31.1.1944   RM   492.777.586,-
Auslieferung im Jan. 1944 –   16.666.762,-

b.) Aufträge des kriegswichtigen zivilen Bedarfs (C-Aufträge):
am 31.12.43   RM   70.232.000,-
Zugang im Januar 1944   –   255.390,-
am 31.1.1944   RM   70.487.390,-
Auslieferung im Jan. 1944 –   7.084.307,-

Übersicht über die Auftragsverlagerung nach Dänemark in A-Aufträgen bis 31.12.1943.

	Jahreswert in RM	Monatsdurchschnitt in RM
1.5.40-31.12.40	36.900.000,-	4.612.000,-
1.1.41-31.12.41	137.406.000,-	11.451.000,-
1.1.42-31.12.42	126.100.000,-	10.510.000,-
1.1.43-31.12.43	188.000.000,-	15.669.000,-
	488.406.000,-	

Im Waffenarsenal war der Arbeitsfortgang günstig. Die Fertigungen von Doppelscheibenrädern, Ausgleichern, Brennstoffpumpen, Lüftern, Ringen, Zweibeinen, Ballonen, Meßinstrumenten und Krananlagen, wurden durch Materialmangel infolge Transportschwierigkeiten behindert.

Für das Munitionsarsenal ist von OKH seit Sept. 1943 noch kein Auftrag erteilt worden. Da die Kapazitäten infolgedessen nicht voll ausgenutzt wurden, mußten 73 Arbeiter entlassen werden.

Mangels endgültiger Stellungnahme der Rhein. Westf. Sprengstoff A.G., konnte das Arbeitsprogramm in der Pulverfabrik Frederiksværk noch nicht geklärt werden. Eine Regelung soll jedoch in Kürze erfolgen.

---

186 Se Heyne til Ebner 15. februar, Wurmbach til Best 22. februar og Best til Wurmbach 23. februar 1944.

Wie im Lagebericht vom 30.9.43 erwähnt, besteht ein größerer Bedarf in HFG-Geräten. Es war bisher möglich, monatlich 6 Geräte, 24 m lang herauszubringen. Es wurde neu die Firma Aukoma A/S, Sonderburg mir der Fertigung von 3 Geräten im Monat beauftragt. Darüber hinaus werden z.Zt. noch Verhandlungen mit der Helsingör Värft geführt, um pro Monat zwei bis drei 12 m Geräte herauszubringen, selbstverständlich ohne Beeinträchtigung des bisherigen Programmes für die 24 m Stäbe und des Hansa-Programms.

Gegenüber dem Lagebericht vom 31.12.43 hat sich der Stand des Hansa-Programmes wie folgt geändert:

	3.000 to	5.000 to	9.000 to
auf Kiel gelegt	4	9	1
davon vom Stapel gelaufen	4	1	–

Die Probefahrt des ersten 3.000 to Dampfers findet am 2. März 1944 statt.

Energieversorgung

Die Elektrizitäts- und Gasversorgung im Berichtsmonat war ausreichend. Die Liefertermine der für die Sicherstellung des Elektrizitätsbedarfs in Jütland wichtigen Turbosätze (Apenrade und Esbjerg) verzögern sich trotz Einstufung (SS 4018-0004).

In letzter Zeit treten steigende Anforderungen der kleinen Landzentralen in Jütland an Dieselöl auf, da die Sammelschienen überlastet sind.

Rü Stab Dän. hält die Zuweisung geringer Mengen für nicht empfehlenswert, weil die Probleme nicht regional, sondern zentral gelöst werden müssen. Zwecks Zusammenarbeit ist mit dem dänischen Elektrizitätsrat dahingehend Verbindung aufgenommen worden, daß alle auftretenden Fragen in engster Zusammenarbeit mit diesem und somit an zentraler Stelle zur Entscheidung gebracht werden.

1c. Versorgung der Betriebe mit Roh- und Betriebsstoffen
Der deutsche Lieferungsrückstand an Eisen und Stahl betrug am 31.12.43 14.285 to, das ist 250 to weniger, als am 30.11.43. Für Ne-Metalle ist der Lieferungsrückstand 197 to, mithin 14 to mehr als im Vormonat. Das im Januar erwähnte Überbrückungskontingent Bestellrecht B (Bleche) ist vom Planungsamt mit Schreiben Pla. 02/335 vom 4.2.44 abgelehnt worden. Dagegen ist Rü Stab Dän. ein Vorschußkontingent von 2.400 to Grob/Mittelbleche (232) und 1.600 to Feinbleche (242) durch die Reichsstelle Eisen und Metalle für eilige schwebende Verlagerungsaufträge übertragen worden. Gemäß Schreiben der Reichsstelle Einsen und Metalle ES I 01217 So/Gr v. 18.2.44 soll die Abdeckung der Hälfte zum 31.5.44, des Restes bis zum 30.6.44 erfolgen.

2b. Lage der Treibstoffversorgung
Es sind 1.880 ltr. Benzin und 56.750 kg Dieselöl zugewiesen worden. Schwierigkeiten in der Triebstoffversorgung der Betriebe sind nicht aufgetreten.

2c. Lage der Kohlenversorgung
Im Januar 1944 wurden eingeführt:

```
      152.500   to Kohle           (Dez. 43... 182.900   to Kohle)
       43.000   to Koks            (Dez. 43...  42.000   to Koks)
            5,5 –  Sudetenkohle    (Dez. 43...      10,4 – Kohle)
           40,0 –  Braunkohlenbriketts (Dez. 43...  40,0 – Braunkohlenbriketts)
insg. 195.545,5 to                 (Dez. 43... 224.950,4 to )
```

In diesem Lagebericht sind erstmalig auch die deutschen Braunkohlenlieferungen enthalten.)

Trotz der geringen Koks- und Brikettmengen zwang die einbrechende Kälte die dänische Regierung zur Herausgabe einer neuen Rationierungsmarke für den dänischen Hausbrand.

MARTS 1944

305. Politische Informationen für die deutschen Dienststellen in Dänemark 1. März 1944

Det var en optimistisk Best, der udsendte *Politische Informationen* 1. marts. Han udbredte sig først om stemningen i den danske befolkning, dens forhåbninger og ønsker og sporede en bekymring for kommunismen og en mere skeptisk holdning til sabotagen. Der blev kun brugt få ord på sabotagen, som var taget kraftigt af siden midten af februar, hvad Best betragtede som en konsekvens af den førte tyske politik. De stigende danske leverancer til Tyskland var den virkelig gode nyhed, dertil at Tyskland kunne øge leverancerne af fast brændstof. De øvrige nyheder skulle understrege normaliteten i det tysk-danske samarbejde. Der var et særligt afsnit om den tyske kontrol med dansk radio og presse og om den tyske radiopropaganda i Danmark, som blev betegnet som overlegen over for den dansksprogede propaganda i udenlandsk radio.

Hermed søgte Best at forebygge kritikken af sin håndtering af det tyske propagandaarbejde i Danmark, en kritik som bl.a. havde arnested i RMVP.

Kilde: RA, Centralkartoteket pk. 680.

Der Reichsbevollmächtigte in Dänemark *Kopenhagen, den 1. März 1944.*
Nur für den Dienstgebrauch!

Politische Informationen
für die deutschen Dienststellen in Dänemark.

Betr.:   I. Die politische Entwicklung in Dänemark im Februar 1944.
   II. Mitteilungen aus der Außenpolitik.
   III. Mitteilungen aus der Wirtschaft.
   IV. Die Überwachung des dänischen Rundfunks und der dänischen Presse.
   V. Neufestsetzung der Löhne in Dänemark für das Jahr 1944.
   VI. Feindliche Stimmen über Dänemark.

I. Die politische Entwicklung in Dänemark im Februar 1944

1.) Die Stimmung und Haltung der dänischen Bevölkerung ist seit der Jahreswende in einer eigentümlichen Entwicklung begriffen. Während seit Beginn des Winters die "Invasion" mit Sicherheit für das erste Vierteljahr dieses Jahres erwartet und als "Befreiung" erhofft wurde, beginnt allmählich eine gewisse Skepsis hinsichtlich des Stattfindens der "Invasion" und hinsichtlich ihrer Folgen für Dänemark Platz zu greifen. Die Stimmen mehren sich, die – z.B. unter den Gesichtspunkten des Luftschutzes und der Katastrophenhilfe – auf die Gefährdung des Lebens und Eigentums der dänischen Bevölkerung hinweisen. Im Grunde ziehen die meisten Dänen es heute vor, daß die "Befreiung" Dänemarks nicht auf dänischem Boden sondern an anderer Stelle entschieden werden möge.

Da noch immer die meisten Dänen die deutsche Niederlage und damit – wie sie glauben – den Abzug der deutschen Besatzung in diesem Jahr erwarten, werden in bestimmten Kreisen bereits Probleme der dann entstehenden Situation erörtert. Insbesondere die Aufrechterhaltung der Ordnung und Sicherheit und die Abwendung von Aktionen des in der illegalen Bewegung besonders starken und aktiven Kommunismus bilden einen Gegenstand der Sorge politischer Kreise wie auch nichtkommunistischer illegaler Gruppen. Da eine dänische Wehrmacht nicht mehr besteht und die dänische Polizei durch Inaktivität an Ansehen und Wirkungsmöglichkeit verloren hat, werden die Hoffnungen jetzt je nach der Einstellung der Gruppen auf eine angelsächsische Besetzung oder auf eine schwedische Besetzung oder auf die Selbsthilfe nationaler Verbände und ehemaliger Soldaten gesetzt. Aus diesen Erwägungen sind bereits Spannungen und Auseinandersetzungen in der illegalen Bewegung zwischen Nichtkommunisten und Kommunisten entstanden, die beschwörende Mahnungen der feindlichen Propaganda ausgelöst haben (siehe Sendung aus London vom 11.2.44 unter VI, 1!)

2.) Die dargestellte Stimmungsentwicklung hat auch dazu geführt, daß die Stellungnahme der Bevölkerung zu Sabotage und Terror skeptischer geworden ist, und daß die ablehnenden Stimmen sich beträchtlich mehren. Die illegalen Gruppen scheinen einerseits durch die angedeuteten Auseinandersetzungen wie auch andrerseits durch die ihnen von der deutschen Sicherheitspolizei zugefügten Schläge, die u.a. zu einer fast panischen Spitzelfurcht geführt haben (siehe Sendung aus London vom 17.2.44 unter VI, 1!), in ihrer Aktivität gehemmt zu sein. Die Folge ist, daß im Monat Februar die Zahl der Sabotagefälle auf etwa die Hälfte der Zahl des Monats Januar zurückgegangen ist und daß nach einigen Fällen von Terror und Gegenterror in den ersten Februartagen keine Terrorakte mehr stattfanden.[1]

3.) Die Aktivität der deutschen Sicherheitspolizei entfaltet sich zu immer größerer Wirksamkeit auf allen Gebieten der Abwehr illegaler Angriffe auf deutsche Interessen. Im Monat Februar wurden festgenommen:[2]

wegen Sabotageverdachts und Waffenbesitzes   136 Personen,
wegen kommunistischer Betätigung   155 Personen,
wegen illegaler Transporte nach Schweden   38 Personen.

Aus der Sabotagebekämpfung ist hervorzuheben, daß am 6.2.1944 in Apenrade eine Sabotagegruppe nach begangener Tat gefaßt werden konnte; im Zusammenhang hiermit wurden 35 Personen dieser Sabotageorganisation, deren Instrukteur ein Fallschirmsagent war, festgenommen.[3] – Mit welchem Materialnachschub die Sabotagegruppen versorgt werden, erhellt aus einigen im Februar erfaßten Fallschirm-Lastabwürfen und Materiallagern, in denen neben großen Mengen Sprengstoffs usw. etwa 100 Maschinenpistolen, 9 Maschinengewehre und andere Waffen mit entsprechenden Munitionsmengen gefunden wurden.[4]

Bei der Bekämpfung des Kommunismus wurden eine Reihe von Spitzenfunktionären festgenommen, mehrere Druckereien (in denen u.a. "Land og Folk" und "Frit Danmark" gedruckt wurden) sowie ein Literaturlager mit 3 to ganz neuer Propaganda-

---

1 Der var indført sabotagestop fra midten af februar 1944, hvad Best af gode grunde ikke kunne vide på dette tidspunkt.
2 Talstørrelser som også opgives af Forstmann i "Überblick über die im 1. Vierteljahr 1944 aufgetretene wichtigen Probleme" 20. maj 1944, trykt nedenfor.
3 Se Bests telegram nr. 169, 7. februar 1944.
4 Se hertil Bests telegram nr. 172, 8. februar 1944.

schriften über die Sowjetunion in dänischer Sprache erfaßt.[5]

Wegen illegaler Transporte nach Schweden wurden durch Fahrzeuge der Kriegsmarine zwei Boote – eines schwedischer und eines dänischer Herkunft – aufgebracht.[6]

4.) Die deutsche Volksgruppe hat aus ihrer aktiven Mannschaft (SK = Schlesswigsche Kameradschaft) eine Selbstschutz-Gruppe gegen Sabotage und Terror gebildet, die mit Uniformen (schwarzen SS-Röcken) und Waffen ausgestattet worden ist.[7]

5.) Seit einiger Zeit wurde gegenüber dänischen Betrieben, die für deutsche Zwecke arbeiten, die sogenannte "Telefonsabotage" angewandt, indem durch telefonischen Anruf mitgeteilt wurde, daß im Betrieb Bomben gelegt seien und daß die Arbeiter den Betrieb verlassen möchten. Die hierdurch verursachte Beunruhigung der Arbeiter, die regelmäßig die Arbeitsplätze verließen, führte für den Betrieb zu Arbeitsausfällen und für die Arbeiter zu Lohnausfällen. Nunmehr ist in einem Kopenhagener Betrieb, der längere Zeit durch "Telefonsabotage" beunruhigt wurde, eine Regelung getroffen worden, die als Vorbild wirken wird. Die Arbeitsplätze werden jeden Morgen von Fachkräften auf das Nichtvorhandensein von Bomben untersucht. Bei Anrufen begeben sich die Arbeiter für die Zeit der Untersuchung in die Schutzräume und nehmen alsbald die Arbeit wieder auf. Für die ausgefallene Arbeitszeit wird der halbe Lohn gezahlt. Der Lohnausfall kann durch Mehrarbeit ausgeglichen werden.[8]

6.) Die Befestigungsarbeiten in Jütland sind planmäßig fortgesetzt worden. Nach der Fertigstellung bestimmter Vorhaben, die im November 1943 in Angriff genommen waren, konnte die Zahl der dort beschäftigten Arbeiter bereits verringert werden. Neue Vorhaben werden in der nächsten Zeit wieder eine starke Vermehrung der Arbeitskräfte und einen vermehrten Einsatz von Material und Baugerät erfordern. Die Vorbereitungen hierfür sind im Gange.

II. Mitteilungen aus der Außenpolitik

1.) Der Argentinische Geschäftsträger Bafico in Kopenhagen hat nach dem Abbruch der diplomatischen Beziehungen zwischen Argentinien und dem Deutschen Reiche seine Tätigkeit eingestellt. Der bisherige (ehrenamtliche) Dänische Geschäftsträger in Buenos Aires, der nach der Entlassung des abgefallenen Gesandten Finn Lund die Geschäfte der Gesandtschaft fortführte, hat dem dänischen Außenministerium mitgeteilt, daß er in Zukunft aus Dänemark kommende Instruktionen nicht mehr ausführen könne. "Die Gesandtschaft werde jedoch mit Einwilligung der argentinischen Regierung fortfahren, die dänischen Interessen in Argentinien wahrzunehmen."[9]

2.) Island hat die diplomatischen Beziehungen zur Sowjetunion aufgenommen. Erster Isländischer Gesandter in Moskau wurde der bisherige Isländische Gesandte in London Petur Benediktsson. Zum Isländischen Gesandten in London wurde der bisherige Staatssekretär Thorvard ernannt.

5 Se Bests telegram nr. 264, 28. februar 1944.
6 Se Bests telegram nr. 172, 8. februar 1944.
7 Se Bests telegram nr. 215, 17. februar 1944.
8 Aftalen var indgået på B&W, men der opstod nye problemer pga. telefonbomberne (*Information* 25. februar 1944, Forstmann til Best 16. marts 1944).
9 Se Bests telegram nr. 173, 8. februar 1944.

Die Frage der Aufhebung des Unionsvertrages zwischen Island und Dänemark ist dadurch in ein neues Stadium getreten, daß der isländische Reichvorsteher dem Alting die Wahl einer Nationalversammlung vorgeschlagen hat, durch die diese Frage endgültig geklärt werden soll. Drei isländische Parteien haben sich jedoch gegen diesen Vorschlag gewendet und verlangt, daß zur Regelung dieser Frage der gesetzlich vorgeschriebene Weg: Beschluß des Alting und anschließende Wahl durch Volksabstimmung, beschritten werde.

III. Mitteilungen aus der Wirtschaft
1.) Die landwirtschaftlichen Lieferungen nach Deutschland
Die landwirtschaftlichen Lieferungen nach Deutschland im laufenden Quartal sind als sehr gut zu bezeichnen. Die Fleischausfuhr wird etwa die gleiche Menge wie im vierten Quartal 1943 erreichen. Die Butterlieferung wird nach der bisherigen Ausfuhr die geschätzten Erwartungen noch übersteigen. Die Fischfänge waren trotz schlechter Witterung recht günstig, sodaß größere Mengen zur Ausfuhr nach Deutschland kamen.

Bei den Regierungsausschuß-Verhandlungen im Januar 1944 konnte nochmals eine weitere Erhöhung der Ausfuhr von Gras-, Klee- und Futtersaaten sowie Gemüsesämereien vereinbart werden. Damit wird die an sich gute Ausfuhr des Jahres 1942 um weit über 100 % überschritten.[10]

2.) Die Kohlenversorgungslage in Dänemark
Während die deutschen Lieferungen von Kohle und Koks in den Jahren 1940 und 1941 über 3,5 Millionen to lagen, sind diese für die Jahre 1942 und 1943 um rund je 1 Million to zurückgegangen. In kleinerem Umfange wurde die Minderlieferungen durch die Lieferung erhöhter Mengen deutscher Braunkohlenbriketts ausgeglichen. Insgesamt gesehen war die Kohlenversorgungslage jedoch in den vergangenen 2 Jahren so angespannt, daß nur für den allerdringendsten Bedarf ausländische Brennstoffe zugeteilt werden konnten. Alle übrigen Bedürfnisse wurden durch Verwendung von Torf und Braunkohle aus dänischer Produktion befriedigt. Während die Produktion an Torf und Braunkohle im Jahre 1942 wegen der schlechten Witterungsverhältnisse sehr zu wünschen übrig ließ, ergab das Jahr 1943 mit rund 6 Millionen to Torf und 2 Millionen to Braunkohle die bisher höchste Förderung. Dieser Tatsache ist es zu verdanken, daß bisher die größten Versorgungsschwierigkeiten überwunden werden konnten.

Anläßlich der im Januar 1944 geführten Regierungsausschuß-Verhandlungen wurden für das erste Halbjahr 1944 die folgenden Lieferungen nach Dänemark vorgesehen:

    1.400.000 to Steinkohle und Koks,
      250.000 to Braunkohlenbriketts,
      100.000 to Schwelkoks.

Hierbei wird von deutscher Seite grundsätzlich zur Auflage gemacht, daß von den aus dem rheinisch-westfälischen Kohlenrevier zu liefernden Mengen mindestens 30 % in

---

10 Jfr. Jensen 1971, s. 222f., 229f., der formulerer det sådan, at leverancerne "imod al menneskelig beregning kunne sættes i vejret."

Rotterdam abgeholt werden müssen. Da die Fahrt auf Rotterdam jedoch gegenwärtig mit erheblichen Schwierigkeiten verbunden ist, wurde das Zugeständnis gemacht, daß – soweit im Rahmen der über Rotterdam zu liefernden Mengen eine Umlagerung auf andere deutsche Nordseehäfen ermöglicht werden kann – dies zugelassen wird, daß aber dann die dänischen Abnehmer für diese umzuleitenden Mengen eine besondere Transportvergütung zahlen.

3.) Aus dem privaten Kreditgewerbe
Die eben erschienen Jahresberichte der großen dänische Privatbanken enthalten durchweg die bereits in den vorjährigen Berichten wiedergegebene Auffassung, daß die Geldflüssigkeit weiterhin die Geschäftsmöglichkeiten der Banken ungünstig beeinflußt hat. Die ständig steigenden Einlagen und die zurückgehenden Ausleihungen haben die Einnahmen vermindert, während die Ausgaben – insbesondere für Löhne und Steuern – gestiegen sind. Während die Mehrzahl der Banken nicht mit einem großen Betriebsüberschuß rechnet, weisen einige – insbesondere die Landmandsbank – Gewinne aus, die über dem normalen, eigentlich zu erwartenden Gewinn liegen. Hier liegen besondere Verhältnisse vor; ein Einblick in den Rechenschaftsbericht der Landmandsbank ergibt, daß beinahe der ganze Gewinnzugang von früher abgeschriebenen Forderungen herrührt, die wider Erwarten eingegangen sind, sowie zum Teil aus Kursgewinnen.

Der Unterschied zwischen den Einlagezinsen und den berechneten Zinsen für Ausleihungen betrug im Jahre 1942 für sämtliche Banken Dänemarks 2,95 % für die Kopenhagener Hauptbanken 3,29 % während für die Sparkassen die Zinsmarge 0,90 % betrug. Für das Jahr 1943 sind die Durchschnittszahlen noch nicht ermittelt; sie werden sich etwa in der gleichen Höhe halten.

Die geschilderten Verhältnisse hinsichtlich der mangelnden gewinnbringenden Ausleihungsmöglichkeiten haben die Banken und Sparkassen veranlaßt, die Annahme von höherverzinslichen Einzahlungen und auch Spargeldern vielfach abzulehnen oder zu beschränken. Die in der Presse darüber gebrachten Notizen sind etwas tendenziös, da die Banken Einlagen auf gering verzinsliche Konten immer annehmen.

4.) Kommunen und Geldreichlichkeit
Die kommunale Rechnungslegung für das Haushaltsjahr 1942/43 weist als Regel – vor allem infolge des Ansteigens der Steuereinnahmen und des Absinkens der Sozialausgaben – einen beträchtlichen Überschuß aus. Aus diesem Anlaß ist in der Öffentlichkeit die allzu vorsichtige Budgetierung der Kommunalverwaltungen scharf kritisiert und die Herabsetzung der Kommunalsteuern gefordert worden.

Durch ein solches Vorgehen würden die Kommunen den auf Abschöpfung und Bindung der überschüssigen Kaufkraft gerichteten Bestrebungen des Staates zuwiderhandeln. Einer derartigen Finanzgebarung der Kommunen ist schon vor längerer Zeit dadurch entgegengewirkt worden, daß das dänische Arbeitsministerium die Kommunen in einem Rundschreiben aufforderte, Pläne für die Bekämpfung der Arbeitslosigkeit zum Kriegsende auszuarbeiten. Zu einer solchen Planung gehört vor allem die Bereitstellung von Mitteln. Die Überlegung geht nämlich dahin, daß um den Zeitpunkt des Kriegsendes oder eventuell schon etwas früher der Bedarf an Arbeitskräften stark nachlassen werde, weil viele Arbeiter, die infolge der Kriegsverhältnisse im Ausland beschäftigt sind, zurückkehren werden und weil die ausländische Nachfrage nach dänischer Produktion und Arbeitsleistung zurückgehen und die Ersatzwarenherstellung zum Stillstand kommen werde. Die Preis-, Absatz- und Unkostenverhältnisse sowie die Rohwarenzufuhr worden voraussichtlich so unsicher sein, daß eine ausreichende Privatinitiative, die eine volle Beschäftigung sichern könnte, nicht zu erwarten sei.

Damit machen sich die betreffenden Kommunen (zusammen mit der im allgemeinen gewohnheitsmäßig übervorsichtigen Budgetierung) eine Haushaltsgebarung zu eigen, die im Hinblick auf die Diskrepanz zwischen Waren- und Geldmenge erwünscht ist. Daß insofern an maßgebender dänischer Stelle der Finanzgebarung der Kommunen laufend die nötige Aufmerksamkeit gewidmet wird, geht aus einem in diesen Tagen herausgegangenen Rundschreiben des dänischen Innenministeriums an die Amtmänner hervor, in dem die Forderung ausgesprochen wird, die Kommunen müßten durch entsprechende Steuererhebungen die jetzige Konjunktur zur Schaffung finanzieller Reserven für zukünftige Aufgaben ausnutzen.

Erwähnenswert ist als Gegenbeispiel, daß in Schweden laut Pressemeldungen die meisten Städte und Landgemeinden ihre Steuern herabsetzen.

IV. Die Überwachung des dänischen Rundfunks und der dänischen Presse
1.) Rundfunk
Schon seit der Besetzung Dänemarks 1940 hat insofern eine gewisse Überwachung des dänischen Staatsrundfunks stattgefunden, als der Rundfunkreferent des Reichsbevollmächtigten sich mit den Programmen und den Sendungen befaßte und als gegen unerwünschte Programmpunkte und Sendungen bei der dänischen Regierung Einspruch eingelegt wurde.[11] Gleichzeitig wurden im Rahmen der allgemeinen kulturpolitischen Zusammenarbeit durch Vereinbarung deutsche Beiträge in das Programm des dänischen Staatsrundfunks eingefügt.

Nach der Verkündung des militärischen Ausnahmezustandes und dem Rücktritt der dänischen Regierung am 29.8.1943 ließ der Reichsbevollmächtigte die Anlagen des dänischen Staatsrundfunks besetzen und bestellte seinen Rundfunkreferenten zum Rundfunkkommissar. Seit jenem Augenblick steht die Programmgestaltung des dänischen Staatsrundfunks schon in allen Vorbereitungsstadien unter unmittelbarer deutscher Aufsicht. Jede unerwünschte Sendung kann gestrichen und jede gewünschte Sendung in das Programm eingefügt werden.

Auf Anordnung des Reichsbevollmächtigten wurde das Sendeprogramm des dänischen Staatsrundfunks grundsätzlich unverändert gelassen, um das Interesse der dänischen Hörer an den Sendungen nicht zu beeinträchtigen. Auch der Nachrichtendienst ("Pressens Radio-Avis") behielt die gewohnte Form, wenn auch sein Inhalt nunmehr ausschließlich aus deutschen Quellen stammt.

Neu eingefügt wurde die Sendung politischer Kommentare und Vorträge, durch die insbesondere der feindlichen Rundfunkpropaganda scharf entgegengetreten wurde. Mit Hilfe dänischer Mitarbeiter, die durch die der "dänischen Mentalität" entsprechende

---

11 Tysk radioreferent siden foråret 1941 var Ernst A. Lohmann.

Gestaltung ihrer Beiträge die Bevölkerung wirksam anzusprechen wissen, ist erreicht worden, daß die Polemik des dänischen Staatsrundfunks in Stil und Inhalt als den Sendungen des Londoner Rundfunks in dänischer Sprache und der Dänemark-Propaganda des schwedischen Rundfunks überlegen bezeichnet werden darf. Als Beispiele dieser Arbeitsweise seien die folgenden Sendungen aus dem Monat Februar 1944 aufgeführt:

Kommentar:	Enthüllungen aus "Land og Folk" (Polemik gegen die dänischen Kommunisten).
Kommentar:	Aufzeigung lächerlicher Widersprüche in Christmas Möllers Rede am Sonntag, den 30.1.1944.
Vortrag:	"Brief eines Saboteurs" von Rechtsanwalt Ejnar Krenchel.[12]
Kommentar:	Über die Schuld der illegalen Kreise am sittlichen Niedergang des Volkes.
Kommentar:	Roosevelt und die Auflösung der kommunistischen Partei in den USA.
Vortrag:	"Nordafrikanische Probleme" von Erling Bache.[13]
Kommentar:	Lächerlichmachung von Christmas Möller mit spottender Musikeinlage ("Listen to the BBC") und Originalübertragung seiner Aussprüche.
Vortrag:	"Nur 3 Kopeken. – Selbst der Tod ist ihnen nicht heilig" von SS-Kriegsberichterstatter Aage Nielsen (Niels Dorph).[14]
Kommentar:	Der Arbeiter zur Sabotage.
Vortrag:	"Die Bedingungen für die Aufnahme ins Schalburg-Korps" von (dem dänischen) Oberleutnant T.I.P.O. Madsen.[15]
Vortrag:	"Neuskandinavismus" von cand.pol. Aage Petersen.[16]
Kommentar:	Über Blythgen-Petersens Widersprüche zu den Kommunisten (mit Originalübertragung und Musikeinlage).
Kommentar:	Christmas Möllers Dummheiten im englischen Unterhaus.
Vortrag:	"Litauische Erinnerungen" von Pressefotografin Hanna Holbäk.[17]
Kommentar:	Der Mord an Frau Mayer, eine illegale Heldentat.[18]
Vortrag:	"Das Schicksal eines Kopenhageners – Steen Giebelhausen" von Kriegsberichterstatter cand.pol. Mollerup-Thomsen.[19]

12 Landsretssagfører Ejnar Krenchel holdt efter 29. august 1943 og et år frem 12 radiotaler mod sabotagen (Lundtofte 2007).
13 Erling Bache, journalist, forfatter og medlem af DNSAP, bidrog med 8 radioforedrag 1943-44 (Christiansen/Nørgaard 1945, s. 196, Lauridsen 2002a, s. 477).
14 Grosserer Niels Dorph, medlem af DNSAP, holdt 10 radioforedrag 1943-44 (Christiansen/Nørgaard 1945, s. 196).
15 Premierløjtnant T.I.P.O. Madsen, medlem af DNSAP og senere medlem af Schalburgkorpset, holdt fire radioforedrag 1943-44 (Christiansen/Nørgaard 1945, s. 196).
16 Redaktør, cand.polit. Aage Petersen holdt 9 radioforedrag 1943-44 (Christiansen/Nørgaard 1945, s. 196).
17 Hanna Holbæk var Danmarks første kvindelige pressefotograf og tillige den eneste kendte kvindelige fotograf på den yderste højrefløj, medlem af DNSAP. Hun holdt to radioforedrag 1943-44 (Christiansen/Nørgaard 1945, s. 196).
18 Mordet på Mathilde Meyer blev begået 20. oktober 1943 i Rude Skov af en blanding af modstandsfolk og bekendte af hende på grundlag af rygter og løgne (Bak 2007).
19 Cand.polit. J. Mollerup-Thomsen var begyndt sin tyskorienterede radiovirksomhed før 29. august 1943 med fire foredrag og holdt 15 derefter (Christiansen/Nørgaard 1945, s. 194).

Vortrag: "Offenherzige Briefe" von Axel Hoyer.[20]
Vortrag: "Trotzkis Taschenbuch" von SS-Kriegsberichterstatter cand.pol. Mollerup-Thomsen.
Vortrag: "Propaganda" von cand.pol. Aage Petersen (gegen englische Propagandamethoden).
Kommentar: "Dagens Nyheter" und die aufsässigen dänischen Flüchtlinge.
Kommentar: Schwedische Studenten mokieren sich über die dänischen Gäste.

Da in Dänemark bei etwa 3,8 Millionen Einwohnern über eine Million Rundfunkapparate in Benützung sind, stellt der dänische Staatsrundfunk unter der deutschen Aufsicht durch sein unverändert dänisches Programm mit Einfügung der geschickten Polemik gegen die Feindpropaganda einen besonders wichtigen regulierenden Faktor für die Meinungsbildung der dänischen Bevölkerung dar.

2.) Presse
Auch die dänische Presse konnte von der Besetzung Dänemarks bis zum August 1943 nur durch Vorstellungen des Reichsbevollmächtigten bei der dänischen Regierung in politischer Hinsicht korrigiert werden. Der dänischen Regierung aber standen angesichts der verfassungsmäßig garantierten Pressefreiheit nur geringe rechtliche Möglichkeiten zur Verfügung, um auf die Presse einzuwirken.

Nach der Verkündung des militärischen Ausnahmezustandes und dem Rücktritt der dänischen Regierung am 29.8.1943 ordnete der Reichsbevollmächtigte die Vorzensur der dänischen Presse an, die seitdem von dem Pressereferenten des Reichsbevollmächtigten in einer näher geregelten Zusammenarbeit mit der Pressestelle des dänischen Außenministeriums durchgeführt wird;[21] für militärische Gegenstände findet eine Mitwirkung des Wehrmachtpropagandaoffiziers beim Wehrmachtbefehlshaber statt. Seit jenem Augenblick ist auch die vorher noch zugelassene Benützung schwedischer Nachrichtenquellen untersagt, sodaß die dänischen Zeitungen ausschließlich auf deutsches Nachrichtenmaterial angewiesen sind. Sie werden jedoch von Berlin her mit dem für die Presse des neutralen Auslandes bestimmten Nachrichtenmaterial beliefert, wie auch die dänischen Korrespondenten im Reiche gleich den Korrespondenten des neutralen Auslandes behandelt werden.

Die Vorzensur der dänischen Presse kontrolliert in erster Linie den Inhalt des zu veröffentlichenden Stoffes darauf, ob seine Veröffentlichung in Dänemark tragbar und zweckmäßig ist; Dies gilt auch für den von Berlin freigegebenen und Verfügung gestellten Stoff. Auf die Form der Veröffentlichung in den einzelnen Zeitungen – Plazierung der Nachrichten, Schlagzeilen usw. – versuchen die Zensoren nach Möglichkeit Einfluß zu nehmen; eine lückenlose Zensur des Zeitungsbildes – insbesondere der Provinzpresse – läßt sich jedoch mit den wenigen vorhandenen Kräften nicht durchführen.

---

20 Axel Høyer var journalist, tidligere medlem af DNSAP, derpå medlem af nazistiske smågrupper. Han var den mest benyttede tyskorienterede radioforedragsholder 1943-44, med over 60 udsendelser (Christiansen/Nørgaard 1945, s. 196, Lauridsen 2002a, s. 506, Lundtofte 2008).
21 Tysk pressereferent var Jürgen Schröder, på dansk side var det Udenrigsministeriets Pressebureau under ledelse af Karl Eskelund.

Durch die Vorzensur wird die dänische Presse an Veröffentlichungen, die den deutschen Interessen und Absichten widersprechen, gehindert. Inhaltlich bringt die Presse nur noch politischen Stoff aus deutschen Quellen. Auf eine eigene Stellungnahme zu politischen Fragen verzichten die Zeitungen seit der Einführung der Vorzensur. Von deutscher Seite wird davon abgesehen, die Zeitungen zu einer politischen Stellungnahme zu zwingen, die ihrer bisherigen Tendenz widerspräche und deshalb unglaubhaft wirken und bei den Lesern negative Reaktion auslösen müßte.

Das Instrument der Presse wird aber dazu benützt, um offen deutsche oder im deutschen Sinne liegende Veröffentlichungen an die Leser aller Zeitungen heranzutragen. Über die offiziöse Presseagentur "Ritzaus Büro" werden solche Aufsätze der Presse zugeleitet mit der Auflage, sie in einer näher bezeichneten Aufmachung zu veröffentlichen. Als Beispiele solcher Veröffentlichungen seien die folgende Aufsätze aus dem Monat Februar aufgeführt:

"Brief eines Saboteurs" (Besprechung des Rundfunkvortrags des Rechtsanwalts Ejnar Krenchel),
"Möglichkeiten des Jahres 1944" (Übersetzung eines deutschen Aufsatzes),
"Sollen die Mörder-Ligen fortfahren – ja oder nein?" von Rechtsanwalt Ejnar Krenchel,
"Die Frage des Tages: Was nützt Dänemark?",
"Schilderung eines dänischen Kriegsberichters von dem Durchbruch bei Tscherkassi,"
"Wenn sie landen: Dänemark als Kriegsschauplatz,"
"Dänemarks politische Zukunft."

Auf diese Weise wird die Presse des vielleicht lesefreudigsten Landes Europas zur Aufklärung der Bevölkerung über deutsche Tatsachen und Auffassungen in einer Weise eingesetzt, durch die in weiterem Umfange als durch irgendwelche anderen Propaganda-Methoden die Bevölkerung angesprochen wird. Daß dies offen geschieht und daß der Eindruck einer Vergewaltigung oder Verfälschung der dänischen Presse vermieden wird, dürfte die Wirksamkeit dieser Aufklärung erhöhen.

V. Neufestsetzung der Löhne in Dänemark für das Jahr 1944
Die Lohngestaltung in Dänemark erfolgt auf Grund freier Übereinkunft zwischen den Arbeitgeber- und den Arbeitnehmerverbänden, die jeweils für ein Jahr Gültigkeit hat. Das vorjährige Abkommen galt bis zum 29.2.1944. da fristgerecht von den Fachverbänden der Arbeitnehmer Anträge auf Lohnerhöhung gestellt waren, wurden zu Beginn des Monats Februar dieses Jahres neue Verhandlungen eingeleitet, die mit einem Schiedsspruch der Schlichtungsstelle für Arbeitsfragen vom 21.2.1944 endeten. Durch diesen wurden die Löhne in ganz Dänemark und für fast alle Berufe um etwa 2½ % erhöht. für die in der Landwirtschaft und Schiffahrt, beim Staat und den Kommunen beschäftigten Arbeitskräfte ist demnächst eine Sonderregelung zu erwarten. Da der Schiedsspruch zwingend sich nur auf die Betriebe auswirkt, die im Arbeitgeberverband organisiert sind, werden direkt etwa 248.000 Arbeiter von der Lohnerhöhung betroffen. Nach den Erfahrungen und Gepflogenheiten in Dänemark sind Übereinkommen der Hauptor-

ganisationen und Schiedssprüche aber auch richtunggebend für alle übrigen Betriebe, die insgesamt ungefähr die gleiche Anzahl von Arbeitskräften beschäftigen. Diese Entscheidung hat eine jährliche Mehrausgabe an Arbeitslöhnen von 50 Millionen Kronen zur Folge. (Zum Vergleich: Für das laufende Vierteljahr sind 465 Millionen Kronen für Wehrmachtsausgaben angefordert.) Die Lohnforderungen der Fachverbände der Arbeitnehmer waren die folgenden:

1.) Erhöhung der Teuerungszuschläge um ca. 13 Öre je Stunde (bisher für Arbeiter über 23 Jahre 45,15 Öre und für Arbeiter zwischen 18 und 23 Jahren 40,15 Öre).

2.) Heraufsetzung der Minimallöhne (Erhöhung der Skalazuschläge)
    für Stundenlohn bis   115   Öre 10 Öre Zuschlag
     –   –   [von] 116-130   –   9 –   –
     –   –   –   131-140   –   8 –   –
     –   –   –   141-150   –   7 –   –
     –   –   –   151-160   –   6 –   –
     –   –   –   161-169   –   5 –   –

3.) Erhöhung der Akkordlöhne
    bei Stundenlohn bis   130   Öre um 10 Öre
     –   –   von 131-140   –   –   9   –
     –   –   –   141-150   –   –   8   –
     –   –   –   151-160   –   –   7   –
     –   –   –   161-170   –   –   6   –
     –   –   –   171-179   –   –   5   –

4.) Erhöhung der Schichtlöhne
    von 18-23 Uhr Erhöhung von 15 auf 25 Öre je Stunde,
     – 23-6   –   –   – 25 – 35 – –   –

Die Entscheidungen des Schiedsspruchs vom 21.2.1944 lauten:
    zu 1.) Erhöhung des Teuerungszuschlages
         für männl. Arbeiter über 18 Jahre 5 Öre
          –   –   –   unter 18   – 2   –
    zu 2.) Erhöhung abgelehnt,
    zu 3.) Erhöhung abgelehnt,
    zu 4.) zur Entscheidung an einen Sonderausschuß überwiesen.

Während die Arbeitnehmerfachverbände ihre Lohnforderung damit begründeten, daß infolge der ständig gestiegenen Preisentwicklung die Löhne zum Lebensunterhalt nicht mehr ausreichen, wiesen die Arbeitgeber darauf hin, daß im verflossenen Jahr der Lebenshaltungsindex nicht nur nicht gestiegen, vielmehr noch ein wenig abgeschwächt worden sei. Die Indexziffern und die Lohnsteigerung zeigen seit dem Jahre 1939 die folgende Entwicklung:

	Index	Steigerung in Punkten	Durchschnitts-Facharbeiterlohn		Steigerung in Öre
1939	187		176	Öre	
1940	234	47	194	–	18
1941	271	37	206	–	12
1942	281	10	216	–	10
1943					
I. Quart.	286	⎫			
II. –	286	⎬ 5	210 –		-6
III. –	284	⎪	(nur II. Quart.)		
IV. –	286	⎭			

Danach ist in den Jahren 1940 bis 1942 die Lohnentwicklung der des Index einigermaßen angeglichen, während sie seit 1943 um etwas zurückgeblieben ist, sodaß eine Lohnerhöhung eine durchaus berechtigte Forderung war. Diese konnte sich jedoch nur auf die niedrigen Lohnstufen beziehen, da die Spitzenlöhne insbesondere im Metall- und Bausektor bereits recht hoch lagen. Hinzu kommt, daß in diesen Berufen fast ausschließlich im Akkord gearbeitet wird, wodurch der erreichte Durchschnittslohn noch wesentlich erhöht wird.

Der Schiedsspruch hat dem Zurückbleiben des Facharbeiterlohnes gegenüber der Steigerung des Index insofern Rechnung getragen, als er den Teuerungszuschlag – wie oben dargelegt – erhöht hat, während die Erhöhung der Minimal- und Akkordlöhne abgelehnt wurde. Der Grund ist wohl darin zu suchen, daß er eine gewisse Lohnerhöhung allen Arbeitnehmerkreisen zugute kommen lassen wollte. Aus einer Erhöhung des Minimallohnes (Erhöhung der Skalazuschläge) hätte nur eine kleine Minderheit und zwar ausschließlich jugendliche und weibliche Kräfte Nutzen gezogen; denn durch kollektive Vereinbarungen oder Schiedssprüche werden nur die Mindestlöhne festgesetzt. Sonderabmachungen zwischen den einzelnen Betriebe und ihren Gefolgschaften oder einem Betriebsführer und den einzelnen Arbeitskräften bezüglich der tatsächlich zu zahlenden Löhne sind in Dänemark nicht nur erlaubt sondern bilden die Regel.

VI. Feindliche Stimmen über Dänemark
1.) Der britische und schwedische Rundfunk

London, 1.2.1944.
Die Ausplünderung Dänemarks geht planmäßig weiter. In den 3 letzten Monaten des Jahres 1943 zeigte sich die deutsche Wehrmacht besonders gierig. Die Besatzungsarmee beschlagnahmte 58 Millionen Eier und 1.365 to Fleisch, 432 to Butter, 12.120 to Gemüse und 30.000 to Kartoffeln. Und hierzu kommen die Lebensmittel, die Dänemark nach Deutschland ausführen muß. Ein entsprechendes Verhältnis macht sich auch in der Zementproduktion geltend. Die monatliche Produktion beträgt 62.000 to, aber hiervon nehmen die Deutschen allein 42.000 to, mit anderen Worten, weniger als ein Drittel der dänischen Zementproduktion kommt dem dänischen Wohnungsbau zugute. Vor ein paar Monaten verlangten die Deutschen weitere 10.000 to monatlich.

London, 2.2.1944.
Wir bringen nun einen politischen Kommentar von der dänischen unterirdischen Front über die Gesetzlosigkeit in Dänemark: Es besteht kein Zweifel daran, wer am vorigen Sonntag die Bomben in Hellerup-Ruderklub warf. Das sind dieselben "Nazilümmel" gewesen, die Bomben in den Studentenverein warfen. Die Absicht dieser Bombenattentate ist klar. Die organisierte Sabotage der Patrioten hat die Sympathie der Bevölkerung gewonnen. Die Nazisten müssen jetzt die Stimmung wenden. Die Gesetzlosigkeit soll triumphieren, damit die Deutschen einen Grund finden können, weiter einzugreifen. Solch ein Eingriff kann vielleicht scheinbar eine augenblickliche Erleichterung bringen. Abschließend wird es aber noch mehr Gesetzlosigkeit und Terror geben, weil, solange die Deutschen in Dänemark sind und die dänischen Nazilümmel sich außerhalb der Gefängnisse und ähnlicher Anstalten aufhalten, die die Gesetzlosigkeit in Dänemark schaffen.

London, 7.2.1944.
Terkel M. Terkelsen: Der deutsche Schutz Dänemarks kostet das Land augenblicklich 9 Millionen Kronen pro Tag. Das Kontingent für die Aufnahme in den deutschen Lebensraum steigt auf diese Weise von Monat zu Monat. Vor einem halben Jahr kostete die Besatzung Dänemark 5-6 Millionen Kronen täglich. Es gibt 3 Ursachen dafür, daß die deutsche Schuld in Dänemark mit Siebenmeilenschritten steigt. Die erste Ursache ist der Bau der Befestigungsanlagen. Als Rommel auf seiner Inspektionsreise Dänemark besuchte, drückte er seine vollkommene Unzufriedenheit mit den deutschen Befestigungsanlagen in Dänemark aus. "Glauben Sie, daß es Bleisoldaten sind, gegen die wir kämpfen müssen?" fragte er von Hanneken. Rommel sagte, er wüßte es besser, da er ja in Nordafrika mit diesen Soldaten Bekanntschaft gemacht hatte. Das Resultat dieses Besuches war, daß das ganze System verbessert werden mußte, daß man neue Bunker und neue Panzergraben bauen sollte, und alles für das Geld, das aus der Nationalbank geholt wird. Die Tatsache, daß die Deutschen für die Unternehmer Überpreise und für die Arbeiter doppelten Stundenlohn bezahlen, beweist, daß die neuen Arbeiten tief in die Papierbehälter der Nationalbank greifen. Die zweite Ursache, daß die Schuld der Deutschen in Dänemark gestiegen ist, ist, daß die Nazisten 1943 die Zitrone noch härter Preßten als im vergangenen Jahr. Die Deutschen stellten größere Forderungen an den Export landwirtschaftlicher Erzeugnisse. Die dänischen Bauern kamen den neuen Forderungen entgegen dank der Rekordernte von 1943. Im vierten Besatzungsjahr stieg die landwirtschaftliche Produktion. Der Schweinebestand wurde fast verdoppelt, und die Deutschen konnten mehr Lebensmittel ausführen als im Vorjahre. Dasselbe gilt auch für die Industrie. Die wachsende Bombardierung Deutschlands zwang die Nazisten, sich nach neuen Produktionsmöglichkeiten umzusehen. Ihre Blick fiel auf Dänemark, wo Maschinen und Arbeitskraft vorhanden waren. Die Deutschen setzten den Export von Kohlen und Eisen, die für die dänische Eigenindustrie gebraucht wurden, herab und stellten größere Forderungen an die Industrie hinsichtlich der Produktion für die deutsche Kriegsindustrie. Widerwillig gaben die Industrie und die Arbeiter diesen Forderungen nach. Gleichzeitig setzte die gutorganisierte Sabotage eine Fabrik nach der anderen außer Betrieb. Trotzdem gelang es den Deutschen, einen augenblicklichen Vor-

teil zu erzielen. Das erhöhte gleichzeitig die deutsche Schuld auf dem Clearing-Konto. Als dritter Grund kann der Rückgang der deutschen Lieferungen an Dänemark genannt werden. Die Herstellungs- und Transportschwierigkeiten haben von Monat zu Monat die Warenmengen, die Deutschland an Dänemark liefern sollte, verkleinert. Das Resultat ist, daß Dänemark mehr aus als einführt, mit anderen Worten: Dänemark führt die guten dänischen Waren aus und erhält dafür den wertlosen deutschen Kredit. In den ersten 10 Monaten des Jahres 1943 hatte Dänemark einen Exportüberschuß von 10 Millionen Kronen gegen einen Importüberschuß von 156 Millionen Kronen im selben Zeitraum des Jahres 1941. Auf diese Weise gelang es den Deutschen im Jahre 1943, Dänemark an waren und Arbeitsleistungen im Wert von 1.923 Millionen Kronen zu plündern, d.h. fast 2 Milliarden in einem Jahr. Alles, was Dänemark erhalten hat, ist ein Wechsel von 2 Milliarden Kronen bei der Bankerotten deutschen Papierwirtschaft.

London, 11.2.1944.
Es spricht Blythgen-Petersen: Hitlers Angeber, verkleidet als Fallschirmjäger aus England, schleichen nun in die dänischen Häuser, um auf diese Weise Auskünfte zu schaffen. Die Gestapo benutzt Quislinge, die unter dem Vorwand, dänische Flüchtlinge zu sein, die sich unterwegs nach Schweden befinden, die illegalen Transporte ausspionieren sollen. So fein sind die Methoden, die die Deutschen gebrauchen. Aber wenn man sich mit Zufriedenheit die Schwäche der deutschen Stellung und die Stärke der dänischen Front vor Augen führt, muß man doch gegen die verkleideten Angeber auf dem Posten sein. Es ist noch mehr Grund vorhanden, den richtigen Patrioten Hilfe zu leisten unter anderem dadurch, daß man die falschen illegalen Blätter, die von den Deutschen hergestellt werden, in den Ofen wirft und die richtigen in Umlauf bringt. Es ist ja kein Zufall, daß die Deutschen gerade das kommunistische "Land og Folk" verfälschen.[22] Die Deutschen geben den Kommunisten die Schuld an den Attentaten auf die Konservativen, um dadurch unter diesem Teil der Bevölkerung, der hinter diesen Leuten steht, Kommunistenschreck hervorzurufen. Gleichzeitig beschuldigt man die Kommunisten, daß sie einen bewaffneten politischen Putsch vorbereiten, sobald die Deutschen das Land verlassen. Weiter beschuldigt das deutschfabrizierte illegale "Land og Folk" führende Offiziere der Organisierung militärischen Widerstandes gegen die Kommunisten. Es ist ja klar, daß keiner der beiden Partner – Kommunisten und Offiziere – so dumm ist, daß die deutschen Behauptungen auch nur die geringste Wahrheit enthalten. Im anderen Falle könnte niemand den Deutschen einen größeren Dienst leisten. Das große Ziel der Deutschen ist, Streitigkeiten und parteipolitische Gegensätze in Dänemark zu entfachen. Das alles geschieht so, als ob in Dänemark und draußen in der Welt nichts stattgefunden hätte, und als ob in Dänemark nicht immer noch der gemeinsame Feind: Deutschland, säße. Alles dies beweist erneut, wie schwach und arm die Deutschen in ihren politischen Behauptungen sind. Nur mit Lüge können sie dem Kommunismus entgegentreten. Fand man die Kommunisten nicht unter den besten Leuten in Rußland? Hat man Beweise dafür, daß die Kommunisten sich nach dem Kriege nicht für die

---

22 Der blev af Gestapo i tiden januar til april 1944 udsendt syv falske numre af *Land og Folk* (Buschardt og Tønnesen 1965, s. 145).

demokratischen Methoden einsetzen? Es wäre dumm von den Kommunisten, anstatt den offenen Weg der Demokratie zu gehen, sich in den Seitenstraßen mit Putschplänen zu beschäftigen. Es wäre auch dumm, von der anderen Seite Gegenveranstaltungen gegen die behauptete Möglichkeit zu treffen, und endlich kommt ja auch eine alliierte, hoffentlich kurze Militärbesetzung nach der Vertreibung der Deutschen. Laßt die Alliierten sehen, daß alles, was es heute in Dänemark an Waffen gibt, gegen den gemeinsamen Feind – die Deutschen – gerichtet und nicht für einen Bürgerkrieg bereitgestellt wird, den die Deutschen als Trost für ihre Niederlage wünschen. Dänemarks Weg ist der Weg der Demokratie, und der deutsche Versuch, das Volk mit dem Kommunismus zu erschrecken, soll klar und deutlich beantwortet werden. Bei der Besetzung haben die Deutschen die kommunistische Partei verboten. Die Kommunisten haben dasselbe Recht wie die anderen dänischen demokratischen Parteien und können Dänemarks Zukunft auf demokratische Weise bestimmen.

London, 17.2.1944.
"Sydsvenska Dagbladet" schreibt, daß augenblicklich ungefähr 75 % der dänischen Industrie in größerem oder kleinerem Ausmaße für die Deutschen arbeite. Die Deutschen versuchen, diese Tatsache dadurch zu verschleiern, daß sie Rohmaterial aus Deutschland mitnehmen, sodaß die dänischen Fabriken nur einzelne Teile, z.B. eines Flugzeuges, herstellen, das dann zusammengestellt wird.

Der dänische Pressedient in Stockholm beschäftigt sich mit der großen Anzahl von Spitzeln, die die Deutschen in Dänemark engagiert haben. Allein in Jütland sollen sich 600 befinden. Viele dieser Spitzel sind Dänen, die wiederholt in Polizeirapporten erwähnt worden sind. Die Deutschen bieten diesen Spitzeln eine hohe Bezahlung an, zeitweise sogar wöchentlich Kr. 300,- plus Bonus. Deutsche Spitzel tauchen überall im Lande auf, sei es in den Gasthäusern, Fabriken oder Kontoren. Sie versuchen, sich mit guten dänischen Bürgern anzufreunden, um daraufhin diese bei den Deutschen anzuzeigen. Die Deutschen haben sogar weibliche Arbeitskraft gesucht, d.h. Frauen, die die Gespräche in den Straßenbahnen Kopenhagen ablauschen sollen.

London, 27.2.1944.
Es spricht Christmas Möller: Meine Hörer können sich vielleicht daran erinnern, daß ich ab und zu die Rechnung aufstelle und Euch daheim und hier draußen Frage: Ist die Lage nun so geworden, daß wir durch die Trennung voneinander so weit auseinander gekommen sind, daß unsere Gesichtspunkte jetzt ganz verschieden sind? Ich will diese Frage auch heute Abend stellen und den Versuch machen, sie zu beantworten. Trennung ist immer gefährlich. Wir erfahren die Dinge auf weit verschiedene Weise. Wir leben unter sehr verschiedenen Verhältnissen. Deshalb ist es auch nicht sonderbar, wenn abweichende Anschauungen entstehen. Heute Abend will ich mich nur an die folgenden zwei Fragen halten: Die allgemeine Situation und die Lage Dänemarks insbesondere.

Daheim wird Ihnen die allgemeine Lage so geschildert, daß Churchill müde sei, daß der Mut sinke, und daß durch den wiederaufgenommenen, sogenannten Blitz London fast in Ruinen läge. Weiter wird hinzugefügt, daß das deutsche Volk selbstverständlich schwere Zeiten durchgemacht hat, aber paßt auf! Bald wird es anders! So versuchen die

Deutschen selbst und einige ihrer dänischen Handlanger die Lage zu schildern. Wie sieht die Lage denn für uns, die wir hier draußen sind, aus? Ganz und absolut entgegengesetzt. Die Position Churchills als Führer des Krieges zu einem siegreichen Ende ist absolut unerschüttert. Der Rückgang, den die Regierung bei einigen Wahlen erlebte, ist nicht Ausdruck des Mißtrauens zu ihrer Kriegsführung, sondern bedeutet, daß die Wähler selbst bestimmen, wen sie wählen wollen. Diese Wahlen sind nicht Zeichen der Schwäche, sondern Ausdruck der enormen geistigen Stärke des britischen Volkes. Könnten Sie sich vorstellen, daß etwas ähnliches in Deutschland möglich wäre? Man würde so etwas nie wagen. Im Hitlerdeutschland besitzt man nicht den Mut, dem Volke seine politische Freiheit zu geben.

Und nun die Lage Dänemarks. Man kann verstehen, daß viele außerhalb dieses Landes der Auffassung sind, daß wir entweder als Verbündete anerkannt seien, oder daß ich z.B. bei einer Versammlung der internationalen Gruppe des Parlaments direkt darum gefleht habe. Beide Meinungen sind unrichtig. Die bedeutungsvollste Äußerung, die bisher gemacht wurde, war die von Außenminister Eden. Eden huldigte der dänischen Heimatfront und dem Widerstand. Diese Huldigung war das Bemerkenswerteste seiner Rede. Diese Huldigung sagte und sagt Dänemark, daß es nun in der entscheidenden Phase des Krieges nicht so wichtig ist, ob man die richtige Meinung, Glauben und Anschauung hat, sondern daß das was zählt und wiegt die Taten sind, die aktive Hilfe, Sabotage, Kriegsführung. Weshalb huldigte Churchill Tito so sehr? Aus diesem Grunde muß jeder Däne mich verstehen und meiner Überzeugung nach diesem Rat in der weiteren Entwicklung der Dinge folge leisten.

Man sagt daheim, daß ich darum gebettelt habe, als Alliierter betrachtet zu werden. Nein, ich sagte das Gegenteil. Ich sagte, daß ich verstehe, daß wir nicht voll und ganz Verbündete werden könnten. Das täte mir leid, aber ein jeder könne verstehen, daß Dänemarks Schicksal sich so entwickelt habe, und daß es so bleiben werde, bis wir wieder frei handeln können. Ich fügte jedoch hinzu: Durch die Sabotage und durch den aktiven Widerstand hat Dänemark es verdient, daß es als eine gewisse Art von Verbündeter betrachtet wird und die daraus folgenden Vorteile erhält. Auf diesem Standpunkt bleibe ich auch.

2.) Die schwedische Presse
Anfang Februar veröffentlichte der (hier nicht vorhandene) "Eskilstuna Kurir" die Meldung, der Ingenieur Dr. Rudolf Christiani von der Firma Christiani & Nielsen in Kopenhagen sei im Auftrage des Reichsbevollmächtigten Dr. Best nach Stockholm gekommen und habe dem schwedischen Außenminister Günther den Vorschlag unterbreitet, daß Norwegen und Dänemark von den deutschen Truppen geräumt werden sollten, wenn Schweden diese Länder besetzen und ihre Neutralität für die Dauer des Krieges garantieren wolle. Das schwedische Außenministerium ließ daraufhin die folgende Erklärung veröffentlichen:
"Das Ganze beschränkt sich darauf, daß ein dänischer Ingenieur namens Christiani einmal Ende 1943 dem Außenminister und anderen Personen gewisse von ihm selbst ausgearbeitete äußerst spekulative Vorschläge betreffend eine Zurückziehung der deutschen Truppen aus Dänemark und Norwegen vortrug, welche Vorschläge solcher Art

waren, daß sie nicht von Dr. Best herrühren konnten und im übrigen ohne Interesse waren."

Zu dieser Angelegenheit schrieb die Zeitung "Dagens Nyheter" am 4.2.1944: "Christiani ist ein hervorragender Ingenieur; seine Firma Christiani & Nielsen hat viele international anerkannte Arbeiten ausgeführt, aber damit sollte er sich auch zufrieden geben. Statt dessen hat er mit seiner unglücklichen Liebe zur Diplomatie sich in Sachen gemischt, von denen er nichts versteht. Einmal war davon die Rede, daß Christiani Leiter einer hohen technischen Behörde werden sollte, was im Sinne der Deutschen gelegen hätte. Dies aber hat Christiani selbst dementiert. Seine Geschäftsverbindungen mit den Deutschen sind jedoch weiterhin äußerst lebhaft.

Ingenieur Christiani war einer der ersten Dänen, die Dr. Best zum Mittag einluden.[23] Dies kann deshalb von Interesse sein, weil behauptet wird, Christianis Plan sei mit Billigung von Dr. Best zustande gekommen.

In Schweden lebende Dänen machen geltend, daß Ingenieur Christiani mit der in Stockholm erscheinenden Zeitschrift "Nordisk Handling" Verbindung gehabt habe, aber deren Redakteur Arne Lindgren versichert, Christiani nicht einmal zu kennen. Andrerseits kann man nach einem Studium der bisher erschienenen Nummern von "Nordisk Handling" – die Zeitschrift erschien erstmalig im Frühjahr 1943 – feststellen, daß die Zeitschrift stark für eine Lösung des norwegischen und dänischen Problems nach den gleichen Richtlinien eingetreten ist, wie sie Christiani Herrn Günther vorgetragen hat. Redakteur Lindgren versichert jedoch, daß die Zeitschrift diesen Vorschlag nicht von Christiani erhalten habe, sondern umgekehrt dieser in der "Nordisk Handling" entnahm. –

Viele dänische Flüchtlinge sind "Nordisk Handling" gegenüber sehr skeptisch eingestellt und machen geltend, daß die Zeitschrift den Deutschen in die Hände arbeite. Redakteur Lindgren protestiert zwar dagegen und erklärt, seine Zeitschrift habe allein das Interesse der nordischen Staaten im Auge: "Aber wir wollen nicht auf die Engländer warten, sondern wünschen, daß sich der Norden selber befreit."

Unter der Überschrift "Operette und Tragödie" veröffentlichte "Kristianstad Läns Tidningen" vom 18.2.1944 einen längeren Auszug aus dem Buche von Gunnar Pihl "Deutschland in der letzten Rande".[24] Diesem Auszug, der sich mit den Ereignissen in Dänemark befaßt, ist ein Bild des Reichsbevollmächtigten Dr. Best beigefügt. Es heißt darin u.a.:

"Das dänische Martyrium trat in ein akutes Stadium ein, als die Deutschen dreißig Monate lang versucht hatten, die Dänen kennen zu lernen, ohne daß es ihnen glückte. Es fehlten ihnen alle Voraussetzungen dazu, ein Volk dieser Mentalität zu begreifen.

Als Nachfolger General Lüdtkes wurde General von Hanneken Hitlers militärischer Chef in Dänemark. Der neue politische Vertrauensmann Dr. Werner Best installierte sich in Kopenhagen, versuchte, sich beliebt zu machen, und sprach in Aarhus in der Dänisch-Deutschen Gesellschaft über Verständigung. Wahrscheinlich meinte er, was er

---

23 Det var tilfældet. Christiani var hos Best 3. februar 1943 (Bests kalenderoptegnelser anf. dato).
24 Gunnar Pihl: *Tysklands sidste Runde* udkom illegalt i Danmark i to udgaver i 1943 på henholdsvis "Trods Alt" Forlag og Samtidens Forlag

sagte. Er hatte die Zeit unter dem Regime Brünings vergessen, als er das "Boxheimer Dokument" verfaßte, um auf dem Papier ein geplantes Attentat gegen die Nazisten zu beweisen und somit die Nazis als politische Märtyrer darzustellen. Best dachte, wenn die Dänen verständig seien, könne Dänemark weiterhin als Musterland unter deutscher Besetzung vorgezeigt werden. Das Mustervolk beantwortete dies mit Bomben.

Die Krise in Dänemark wurde akut, wie es ja geschehen muß, wenn ein germanisches Volk mit uralten Freiheitstraditionen mißverstanden und mißhandelt wird von einer slawisch-germanisch gemischten Militärmacht und zivilen Mithelfern, die für eine so schwere Aufgabe wie die dänische keinerlei Voraussetzungen mitbrachten. General von Hanneken verlor den Kopf. Sowohl er wie Werner Best hatten so lange und so ausführlich mit den Dänen diskutiert und waren auf soviel Höflichkeit und schließlich auf so viele Schwierigkeiten gestoßen, daß ihnen ganz schwindelig wurde.

Best, als der intelligentere und geschmeidigere, versuchte, die Zusammenarbeit zwischen Deutschen und Dänen so reibungslos wie möglich zu machen und meinte, nicht ohne Grund, daß Konflikte zwischen Bevölkerung und Besatzungsmacht unausbleiblich seien. Er war klug genug, sich daran zu erinnern, wie es zur Zeit der englischen und französischen Besetzung an der Ruhr zuging. "Wir haben es ja ebenso gemacht", sagte Best mit einem heldenmütigen Versuch, objektiv zu sein. Sabotage und Attentate seien in besetzt Ländern nicht zu umgehen. Aber der preußische General von Hanneken konnte die Beleidigung der deutschen Uniform nicht verdauen und tobte über derartige Berichte, die von allen Seiten einliefen. Ohne daß Best eine Ahnung davon hatte, setzte er sich hin und diktierte einen kurzen aber saftigen Bericht und schickte ihn an Hitler. Der deutsche Herrscher war jedoch schon mündlich unterrichtet worden von einer höchst qualifizierten und urteilsfähigen Person: ein deutscher Leutnant bei der Luftwaffe hatte Hitler informiert. Der Leutnant berichtete und Hitler hörte zu. Als der Bericht des deutschen Generals in Kopenhagen ankam, war Hitler vorbereitet und reagierte so, wie es Oberst Scherff ausführlich in seinem Geburtstagsartikel beschrieben hat. Keine eiskalte Ruhe, denn das läßt sein Temperament nicht zu, sondern leidenschaftliche Ausbrüche. Außenminister Joachim von Ribbentrop befahl Best zu sich. Der Boxheimer-Verfasser eilte atemlos zu Ribbentrop und empfing von ihm den Befehl, den Ausnahmezustand zu verhängen. Best tat, als ob er diesen höchsten Wunsch billigte, versuchte aber auf alle Fälle, persönlich mit Hitler in Verbindung zu kommen, ein Versuch, der an und für sich für ihn spricht. Aber er erhielt die Antwort, daß eine Unterredung mit dem Diktator unnötig sei; der Diktator sei über die Verhältnisse in Dänemark bestens unterrichtet und brauche keine weiteren Erläuterungen (als die des Fliegerleutnants).

Zerschmettert und platt wie ein Eierkuchen ohne Füllung kehrte Werner Best, Hitlers Reichsbevollmächtigter in Dänemark, nach Kopenhagen zurück, – gerade rechtzeitig, um Zeuge zu sein, wie 5.000 deutsche Soldaten, die in Norwegen auf brutale Methoden und rücksichtslosen Raub gedrillt waren, ihren Einzug in die alte Kulturhauptstadt der Dänen hielten. Sie stahlen wie die Raben, denn sie kamen ja in ein Land, wo es noch etwas gab. Hanneken sah ruhig zu. Er war hohen Vorbildern gefolgt und hatte sich mit allem, was ein General braucht, reichlich versehen. Der Ausnahmezustand begann ...

Die Deutschen hatten die Macht. Aber sie waren nun wieder festgefahren, weil sie auf das Unbegreifliche und Undefinierbare stießen, das "Kultur" und in Sonderheit dänische Kultur und Lebenserfahrung heißt. Ihr Nervensystem hielt dem nicht stand. Sie setzten die Gestapo in Bewegung und begannen, sich an den dänischen Juden zu vergreifen ..."

Aus einem Dänemark-Artikel der Zeitung "Dagens Nyheter" sind die folgenden Mitteilungen über die dänischen Emigranten interessant:

"Ein Leitartikel in "Danskere" (dem Stockholmer Organ der dänischen Emigranten) hat neulich angedeutet, wie leicht verletzlich verschiedene Dänen hier geworden sind und was für Mißverständnisse aufkommen können. Der Verfasser richtet eine leise Kritik gegen die Schweden, versucht aber, seinen Landsleuten klar zu machen, daß hinter solchen Erscheinungen wie der Quarantäne für Flüchtlinge, die einen Menschen ermordet haben, und hinter der Behandlung des Intermezzos im dänischen Flüchtlingslager, wo einer Frau die Haare abgeschnitten wurden, die gewöhnlichen und friedensmäßigen Reaktionen eines geordneten Staates liegen. Man muß sich den Ausdruck "herablassender Ton" einprägen, der im Bezug auf einen schwedischen Pressekommentar gebraucht wird. Ein Schwede, der dies liest, wird überrascht sein, aber es zeigt, wie unangenehm dänische Kreise berührt sind, wenn man ihnen anscheinend den Flüchtlingsstempel aufdrückt. Es besteht für die Dänen in Schweden die Gefahr, von der Mentalität der Emigranten angesteckt zu werden. Sie werden zu überspannten, überempfindlichen und ständig labilen Querulanten. Sobald zwei oder drei Dänen zusammen sind, entwickelt sich in diesem Milieu leicht ein kleines Kopenhagen mit lebhaften, widerstreitenden Meinungen."

In dem Schwedischen Studentenorgan "Lundagaard" ist das Problem der Mißstimmungen zwischen dänischen und schwedischen Studenten angeschnitten worden. In dem Artikel, der in "Nya Dagligt Allehanda" vom 22.2.1944 wiedergegeben wird, heißt es u.a.: "Als die dänischen Studenten nach Lund kamen, waren wir bereit, sie mit der größten Herzlichkeit zu empfangen. Die materielle Hilfe war so selbstverständlich, daß man nicht darüber zu diskutieren braucht, – aber die Tatsachen daß ein Teil von ihnen so auftrat wie ein Frontsoldat gegenüber einem Staatskrüppel, hat uns oftmals die Zunge gelähmt und unsere schönen und edlen Gedanken unausgesprochen gelassen. Wenn dann ein Flüchtling, der kein Saboteur war, sondern sein Land aus rein persönlichen Sicherheitsgründen verlassen hatte, ebenso oder noch großspuriger auftrat, waren wir stumm vor Staunen. Er kann eine Ausnahme gewesen sein, aber wir schwedischen Studenten sind doch nur gewöhnliche Sterbliche, und die Ausnahmen können der Regel schaden.

Wir wollen unsere dänischen Gäste als Vertreter ihres Landes empfangen, aber sie selbst sollten sich etwas öfter als Zufallsgäste an einer nordischen Universität betrachten. Wir wollten gerne, daß sie sich mit uns eins fühlen sollten, statt dessen haben sie sich als landflüchtige Miniaturpolitiker zu einer eigenen Nation zusammengeschlossen und isoliert, was auf jeden Fall ein großer Mißgriff war. Die dänische Nation in Lund ist wie ein politischer Bienenkorb mit einem unzugänglichen Flugloch, und das Summen, das zu uns anderen hinausdringt, ist oft weniger erbaulich. Außerdem wird zu oft ausgeschwärmt. Die schwedischen Studenten sind schlechte Politiker, aber die Dänen sind keineswegs bessere."

306. Gottlob Berger: Auf dem Weg zum germanischen Reich [1. März] 1944

Berger holdt i foråret 1944 en tale, hvor han rekapitulerede Germanische Leitstelles historie og redegjorde for hvervningen af frivillige til tysk krigstjeneste for sluttelig at komme ind på den politiske udvikling i de germanske lande og de fortsatte planer for at udbygge den storgermanske tanke og skaffe yderligere frivillige. Det var her afgørende, at man gjorde rigtig brug af fratrådte SS-frivillige; det var de krigsfrivillige selv, der havde optaget SS' tankeverden og kunne omsætte den i deres hjemlande. Der skulle mest muligt gøres brug af lokale mænd, når de germanske korps skulle opbygges. Det var sket i en række lande, bl.a. Danmark. Der skulle hverves tysklandsarbejdere til de germanske korps, men kernen skulle være de tidligere frontsoldater. De skulle føres sammen med den germanske Hitlerjugend i bl.a. Danmark, ligesom Germanische Leitstelle ville nyorganisere studenterforbundene i de germanske lande. Hertil kom, at der var oprettet SS-mandskabshjem og Lebensbornheime, og for at styrke den nazistiske verdensanskuelse blev der de samme steder hurtigt indført Arbejdstjeneste, NSV og NS-Frauenschaft. I den seneste tid havde mange piger og kvinder fra de germanske lande meldt sig til Røde Kors. Krigsudviklingen ville hurtigt føre til det germanske rige, og i de fleste germanske lande havde man indset dette. Kun i et storgermansk rige var der en fremtid for hollændere, flamlændere, walloner og nordmænd (Materne 2000, s. 2, 105).

Måske var det en tilfældighed, at Danmark ikke blev nævnt direkte til sidst i talen, men det var i det mindste et land, hvor der på tidspunktet for talen var store problemer både med DNSAP og Schalburg-korpset. NSU, Det danske Arbejdsfællesskab og Arbejdstjenesten havde Germanische Leitstelle med Bests hjælp fået frigjort formelt fra DNSAP i september 1943, ligesom et beskedent antal danske kvinder havde meldt sig til Røde Kors. NSV var også bragt til verden, hjem til SS-frivillige ligeledes, men Lebensborn-hjemmene lod dog stadig vente på sig. Organiseringen af danske studenter kneb det mere med. Trods det fremgår det, at Bests bestræbelser i Danmark nøje fulgte de målsætninger for det germanske arbejde, som Berger fremlagde i sin tale.

Kilde: BArch, NS 19/3987 (uddrag).

[Gottlob Berger:]
Auf dem Weg zum germanischen Reich

[...]

Am 31.1.1944 ist der Stand der Freiwilligen aus germanischen Ländern folgender:

Norwegen	3.878
Dänemark (Dänen)	5.006
Niederlande	18.473
Flandern	5.033
Wallonien	1.812
Schweden	101
Schweiz	584
	34.887

Dazu kommen aus Frankreich 2.480 Freiwillige, so daß wir heute insgesamt 37.367 Freiwillige im Rahmen der Waffen-SS haben.
Zugang wöchentlich 2.000 Mann.

In der Zahl der Wallonen sind die bei der Übernahme der Legion "Wallonie" von der Wehrmacht zur Waffen-SS überführten Freiwilligen nicht enthalten.

Ein Beweis für die Einsatzfreiwilligkeit und Opferbereitschaft unserer germanischen Freiwilligen stellte die Zahl der gefallenen und vermißten germanischen Freiwilligen dar:

Niederlande	1.281
Norwegen	346
Finnland	222
Flandern	454
Dänemark	601
Schweden	9
Schweiz	44
Wallonien	304
Nordfrankreich	52
	3.313

Die Zahl der Verwundeten bis 31.1.1944 ist folgende:

Niederlande	2.255
Norwegen	596
Finnland	557
Flandern	937
Dänemark	1.049
Schweden	7
Schweiz	52
Wallonien	–
Nordfrankreich	5
	5.458

Auf das Gesamte gesehen ist die Zahl der Freiwilligen im Vergleich zur gesamten Bevölkerung der germanischen Länder allerdings verhältnismäßig klein. Wenn wir uns die Zahl der Freiwilligen aus den deutschen Volksgruppen im Südosten vergegenwärtigen und daran denken, daß die Deutsche Volksgruppe im Rumänien 12 % der Gesamtbevölkerung als Freiwillige zur Waffen-SS geschickt hat, so erscheint die Zahl der Freiwilligen aus den germanischen Ländern erschreckend niedrig.

6.262 Volksdeutsche gefallen.

Aber wir müssen daran denken, daß die germanischen Freiwilligen aus Ländern kommen, mit denen wir zuerst im Kriege standen. Wir dürfen auch nicht vergessen, daß in diesen Ländern überall große politische Fehler gemacht wurden und daß die deutsche Führung hier nicht einheitlich vorging.

Bei zielbewußter einheitlicher Führung könnte die Zahl der Freiwilligen aus den germanischen Ländern heute wesentlich größer sein. Die Zahl allein aber ist nicht entscheidend. Entscheidend ist die Tatsache, daß über 40.000 germanische Freiwillige heute in der Waffen-SS gemeinsam für die Sicherung und Neuordnung Europas kämpfen. Diese Männer werden in Zukunft den Stamm der Vorkämpfer für ein neues Europa in den germanischen Ländern bilden. Sie haben in der Waffen-SS eine nationalsozialistische Erziehung erhalten, die standhalten wird. Vor allem ist es der Blutsgedanke und die Idee der sozialen Gerechtigkeit, die in ihnen Wurzel geschlagen haben. So können wir heute schon sagen, daß aus dem gemeinsamen Kampf, den diese germanischen Freiwilligen mit uns kämpfen, einst das große germanische Reich unter der deutschen Führung erwachsen wird.

Die politische Entwicklung in den germanischen Ländern
Wir haben von Anfang an unsere Werbung darauf eingestellt, daß die germanische Schutzstaffel die Vortruppe des germanischen Reiches ist. Wir haben stets betont, daß die germanische Schutzstafel trotz ihrer einheitlichen weltanschaulichen Ausrichtung niemals das Volkstum und Brauchtum der jeweiligen Länder verletzen wird. Im Gegenteil, es wurde den Völkern immer wieder gesagt, daß die SS aus dem Blutsgedanken heraus sich zum Hüter des Volkstums macht.

Wir haben deshalb in den einzelnen Ländern von vornherein mit den Erneuerungsbewegungen Fühlung genommen. Aus diesen Bewegungen kamen zu Beginn zahlreiche Freiwillige. Allerdings konnten wir die Werbung nicht ausschließlich auf die Erneuerungsparteien abstellen, weil erstens dieser Kreis zu klein war und zweitens die Führung dieser Erneuerungsbewegungen nicht überall einwandfrei nationalsozialistisch gesinnt war. So kam es, daß oft gerade die besten germanischen Freiwilligen sich von den Führern der Erneuerungsbewegungen absetzten und so ein scharfer Gegensatz entstand zwischen den großgermanisch eingestellten SS-Freiwilligen und der Leitung der Erneuerungsbewegungen.

Um die Entwicklung zum großgermanischen Gedanken, die sich in der Waffen-SS anbahnt und die auf den Kampffeldern des Ostens ihre ersten Bewährungsprobe bestand, zu fördern, wurde als besondere Dienststelle des Reichsführers-SS die *Germanische Leitstelle* unter meiner Führung in Berlin eingerichtet.

Der Reichsführer-SS mußte bestrebt sein, die Arbeit sämtlicher Parteigliederungen im germanischen Raum zusammenzufassen.

So entwickelte sich aus der im Jahre 1941 ins Leben gerufenen germanischen Freiwilligenstelle im SS-Hauptamt die Germanische Leitstelle. Ihre untersteht das Ersatzwesen im germanischen Raum, aber auch das im Südosten.

Daneben ist Sie beauftragt, die Politischen Aufgaben des Reichsführers-SS im germanischen Raum durchzuführen. In den einzelnen Ländern entstanden Außenstellen der Germanischen Leitstelle, die zugleich die Zentralstellen für die germanische Werbearbeit darstellen und denen das Ersatzkommando und der Fürsorge-Offizier der Waffen-SS unterstellt sind.

Entscheidend für die politische Entwicklung in den germanischen Ländern ist der richtige Einsatz der aus der Waffen-SS Entlassenen und der versehrten Kriegsfreiwilligen selbst, die das Ideengut der SS in sich aufgenommen haben und in entsprechende Positionen in ihren Heimatländern eingesetzt werden müssen. Das Hauptziel der germanisch-völkischen Reichspolitik muß es sein, die germanischen Länder weitgehend durch landesangehörige Männer führen und verwalten zu lassen. So sind wir dazu übergegangen, in den germanischen Ländern eine Allgemeine-SS, eine germanische Schutzstaffel aufzubauen. Diese steht heute schon in Norwegen, in Dänemark[25], in den Niederlanden, in Flandern und in Wallonien.

Insbesondere werben wir für die Allgemeine-Germanische-SS auch unter den Arbeitern, die aus diesen Ländern ins Reich gekommen sind. Wir haben hier die germanischen Sturmbanne aufgebaut. Die Angehörigen der germanischen Völker, die im Reich

---

25 Schalburgkorpset.

arbeiten, haben am meisten Gelegenheit, sich mit den Einrichtungen des nationalsozialistischen Staates vertraut zu machen.[26] Sie stehen unter dem Einfluß unserer Weltanschauung und sind andererseits der anglo-amerikanischen, jüdischen und bolschewistischen Propaganda am meisten entzogen. Wir dürfen hoffen, daß hier eine große Zahl von Männern sich findet, die für den Nationalsozialismus gewonnen werden können und später Vorkämpfer unserer Idee in ihrer Heimat werden.

Den Kern der allgemeinen germanischen Schutzstaffel bilden die Frontsoldaten. [W]ir sind nun daran gegangen, daß diese Frontsoldaten auch die Nachwuchsorganisationen führen. Mit ihnen zusammen schufen wir die germanische HJ in Flandern, Norwegen, Dänemark, Holland und Wallonien, die selbstverständlich von der Reichsjugendführung geführt wird. Es sind erfreuliche Ansätze, die sich hier zeigen, denn auch in den germanischen Ländern ist die Jugend am aufgeschlossensten für die große Idee unseres Führers und am ehesten bereit, bei ihrer Verwirklichung mitzuhelfen.[27]

Die Germanische Leitstelle geht auch daran, die studentischen Verbände in den germanischen Ländern neu zu organisieren.[28] Auf Befehl des Reichsführers-SS wurden in den Niederlanden und in Flandern "Napolas" errichtet, deren Schüler zu 2/3 germanische Angehörige und zu 1/3 Deutsche sind. Unter den Namen "Reichsschulen" wurden sie vom Reichserziehungsministerium als voll berechtigte höhere Schulen anerkannt.

Wir haben auch SS-Mannschaftshäuser und Lebensbornheime in den germanischen Ländern aufgebaut.[29]

Um der nationalsozialistischen Weltanschauung rasch Eingang in den germanischen Ländern zu verschaffen, wurden daselbst der Arbeitsdienst[30], die NSV[31] und die NS-Frauenschaft[32] eingeführt. Diese Gliederungen sind in ihrer Arbeit auf das engste mit der Germanischen Leitstelle verbunden. Ein monatlich tagender Parteiausschuß legt unter meiner Führung die politischen Richtlinien für den germanischen Raum fest.

In letzter Zeit sind wir daran gegangen, Frauen aus den germanischen Ländern für das Rote Kreuz zu gewinnen. Viele germanische Frauen und Mädchen haben sich ge-

---

26 Det Danske Arbejdsfællesskab (DDA), der havde til formål at organiserede danske arbejdere beskæftiget ved tyske anlæg i Danmark og danske tysklandsarbejdere, blev 15. september 1943 udskilt fra DNSAP og tilknyttet og finansieret af Germanische Leitstelle via Werner Best (Lauridsen 2002a, s. 488).

27 I Danmark blev Nationalsocialistisk Ungdom 15. september 1943 formelt frigjort fra DNSAP og fortsatte i et tættere samarbejde med Germanische Leitstelle, ligesom organisationen fik tysk økonomisk støtte (Kirkebæk 2004, s. 207-215).

28 Nærmere om organiseringen af danske studenter er ikke kendt.

29 Et SS-mandskabshjem på Strandvejen ved København blev indrettet 1943 (jfr. Diederichsen; Entwicklungsbericht… 30. september 1943, trykt ovenfor). RFSS rettede 8. august 1943 en henvendelse til en række SS-ledere i de besatte lande, bl.a. Best og Kanstein, om oprettelse af Lebensborn (trykt ovenfor). Dog synes der for Danmarks vedkommende først at være kommet skred i planerne i november 1944 (se Best til AA 11. november 1944).

30 DNSAP havde oprettet Landsarbejdstjenesten (LAT) i 1941. LAT blev formelt udskilt fra DNSAP 15. september 1943 og gjort til en selvstændig organisation tilknyttet og finansieret af Germanische Leitstelle via Werner Best (Lauridsen 2002a, s. 515).

31 Hvornår Nationalsozialistische Volkswohlfahrt (NSV) blev etableret i Danmark er ukendt, men det optrådte foråret 1945 i forbindelse med administrationen af den tyske flygtningestrøm (se Bests telegram nr. 145, 9. februar 1945). Det var en organisation i forbindelse med AO der NSDAP.

32 I Danmark synes NS-Frauenschaft alene etableret blandt det tyske mindretal og rigstyskere, mens Germanische Leitstelle ikke formåede at overtage DNSAPs kvindegrupper.

meldet und sind heute schon in den SS- und Wehrmacht-Lazaretten eingesetzt. Auch in den germanischen Ländern zeigt sich wieder, daß die Frauen oft entschiedener sich zum Nationalsozialismus bekennen als die Männer.[33] Den Beweis dafür liefern viele Briefe, die an die germanischen Freiwilligen geschrieben werden. Diese Briefe sind oft erschütternde Zeugnisse für die Opferbereitschaft germanischer Frauen, die trotz aller Anfeindungen, denen sie zu Hause ausgesetzt sind, ihre Söhne und Männer ermahnen, an der Front ihre Pflicht treu zu erfüllen.

[...]

Die Entwicklung des Krieges hat viel dazu beigetragen, daß unser Weg zum germanischen Reich zu seinem raschen und erfolgreichen Ende führt. Die Niederländer haben ihr überseeisches Reich verloren und werden es nie wieder bekommen. Sie können ohne dieses in ihrer engen und kleinen Heimat nicht leben. Nur in einem großgermanischen Reich haben sie eine Zukunft.

Diese Erkenntnis wird allen Niederländern sehr rasch aufgehen. Dasselbe gilt, wenn auch in anderer Weise, für die Flamen, Wallonier und Norweger. Ihnen allen blüht eine glückliche Zukunft nur in einem großgermanischen Reich, das sie vor der Vernichtung, vor dem Bolschewismus, vor der jüdischen Weltherrschaft und vor der amerikanischen Überfremdung schützt.

[...]

307. Alex Walter an das Auswärtige Amt 1. März 1944

Walter mente ikke, at man skulle øve politisk tryk på danskerne i spørgsmålet om betalingen af udgifterne til våben- og ammunitionsarsenalet (se Bests telegram nr. 188, 11. februar 1944). I stedet støttede han Bests forslag om at yde et forskud. AA blev bedt om at underrette RWM om Walters indstilling.

Svar på telegrammet indløb 7. marts med nr. 234.

Kilde: PA/AA R 105.211. RA, pk. 281.

Telegramm

| Kopenhagen, den | 1. März 1944 | 20.40 Uhr |
| Ankunft, den | 1. März 1944 | 23.00 Uhr |

Nr. 271 vom 1.3.[44.]

Auf Schreiben vom 12. Februar 1944 [34] – Ha Pol VI 410/44. –
Betrifft: Zahlung an Dienststelle Waffen- und Munitionsarsenal Dänemark.

Ich halte einen politischen Druck auf Dänen nicht für vertretbar. Nach Unterhaltung mit Beteiligten befürworte ich Vorschlag Vorschußleistung durch Reichsbevollmächtig-

---

33 Det var kun et beskedent antal danske piger og kvinder, der meldte sig som frivillige Røde Kors-sygeplejersker og meget beskedent i forhold til det antal danske mænd, som meldte sig til tysk krigstjeneste (se *Politische Informationen* 1. februar 1944, afsnit IV.1 og Tudvad 2009).
34 Skrivelsen er ikke lokaliseret.

te. Vorschuß wird voraussichtlich innerhalb eines Jahres aus Betriebseinnahmen abgedeckt werden können.

Ich bitte, Reichswirtschaftsministerium von meiner Stellungnahme zu unterrichten.

Walter/Best

308. Werner Best an das Auswärtige Amt 1. März 1944
Dagsindberetning.
Kilde: PA/AA R 29.568. RA, pk. 204.

Telegramm

Kopenhagen, den	1. März 1944	
Ankunft, den	1. März 1944	23.00 Uhr

Nr. 277 vom 1.3.44.

Ich bitte, die folgende Meldung unverzüglich dem Herrn Reichsaußenminister zuzuleiten:

Über die Lage in Dänemark berichte ich für den 29. Februar auf 1. März, daß in Fredericia eine dortige Eisengießerei durch 3 Explosionen stark beschädigt und außer Betrieb gesetzt worden ist.[35]

Best

309. Einsatzstab Rosenberg an H.W. Ebeling 1. März 1944
Einsatzführer Ebeling fik svar på sin henvendelse 23. februar fra afdelingen "indsamling og sortering" ved Einsatzstab Rosenberg. Afdelingsleder Ruhbaum var i december blevet opmærksom på, at der skulle indsamles bøger på de skandinaviske sprog. Dog var der fortsat meget få af dem, faktisk var ingen fundet siden da. Ebeling skulle få besked, når sådanne bøger som han søgte, indkom.
Se Einsatzstab Rosenberg til Ebeling 20. marts og 1. juni 1944.
Kilde: BArch, NS 30/32. RA, Danica 1000, T-450, sp. 87, nr. 746.

Einsatzstab Reichsleiter Rosenberg *Ratibor, den 1.3.1944*
Die Stabsleitung
Hauptabteilung Erfassung und Sichtung

An Oberst Einsatzführer Ebeling
Feldpostnummer 25 362/AG

Betr. Aufbau von Spezialbüchereien
Ihr Schreiben vom 22.2.44[36]

---

35 Der eksploderede en hjemmelavet sprængbombe hos A.V. Martinsen, Nymarksvej 22, Fredericia (Alkil, 2, 1945-46, s. 1229).
36 Trykt ovenfor.

Im Dezember 1943 wurde ich darauf aufmerksam gemacht, daß Bücher in Skandinavischen Sprachen gesammelt werden sollen.

In einem Vermerk zu der Mitteilung wies ich damals darauf hin, daß solche Werke bei der Sichtung der Westbestände sehr selten anfallen. Tatsächlich haben wir seitdem kein einziges Buch in einer skandinavischen Sprache gefunden.

In der "Wunschliste" führen wir weiter einen entsprechenden Hinweis über die von Ihnen gesuchten Bücher. Sobald einige gesammelt sind, gebe ich Ihnen Nachricht.
Heil Hitler!
I.a.
Ruhbaum

310. Rolf Kassler an das Auswärtige Amt 1. März 1944
Der stod 1.400 frivillige fra det tyske mindretal til rådighed for en militær indsats i en nødsituation. Det var aftalt, at ca. 700 i givet tilfælde skulle bevogte militære objekter og de øvrige anvendes som chauffører og ved anden tjeneste bag fronten.
Kassler fulgte op på sagen til AA 16. juni 1944.
Kilde: PA/AA R 100.944.

Der Reichsbevollmächtigte in Dänemark *Kopenhagen, den 1. März 1944.*
I C/N Sch 14. – Geheim –

An das Auswärtige Amt, Berlin.

Betr.: Militärischen Noteinsatz von Angehörigen der Deutschen Volksgruppe in Nordschleswig.
– 2 Durchschläge –

Für den militärischen Noteinsatz in Nordschleswig stehen gegenwärtig außer den Reichsdeutschen 1.400 Angehörige der Deutschen Volksgruppe in Nordschleswig auf Grund ihrer freiwilligen Meldung zur Verfügung. Es ist vorgesehen, davon etwa 700 Mann im Einsatzfalle zum Schutz militärischer Objekte in Nordschleswig zu verwenden und weitere 700 Mann der Truppe in Jütland anzugliedern, bei der sie als Kraftfahrer und für rückwärtige Dienste eingesetzt werden sollen.

Der Wehrmachtbefehlshaber Dänemark hat sich mit dem Vorschlag des Volksgruppenführers einverstanden erklärt, daß die weitere militärische Ausbildung der volksdeutschen Noteinsatzpflichtigen nach den Richtlinien der Wehrmacht und unter Anleitung von Offizieren durch die SK. (Schleswigsche Kameradschaft) erfolgt. Zu diesem Zweck werden zur Zeit 125 Unterführer der SK. in zwei Lehrgängen der Wehrmacht in Nordschleswig ausgebildet.
I.A.
Kassler

311. Werner Best an das Auswärtige Amt 2. März 1944
Dagsindberetning.
   Kilde: PA/AA R 29.568. RA, pk. 204.

Telegramm

Kopenhagen, den	2. März 1944	20.30 Uhr
Ankunft, den	2. März 1944	22.10 Uhr

Nr. 279 vom 2.3.[44.]   Citissime!

Ich bitte, die folgende Meldung dem Herrn Reichsaußenminister unverzüglich zuzuleiten:
   Über die Lage in Dänemark berichte ich, das für den 1. auf 2. März 1944 keine besonderen Vorkommnisse gemeldet worden sind.

Dr. Best

312. Walter Forstmann an Wehrwirtschaftsstab 2. März 1944
I lighed med Best søgte Forstmann at presse sine foresatte i Berlin til at skaffe forhøjede leverancer af generatortræ fra Tyskland til Danmark.
   Se endvidere referatet af konferencen i Rüstungsstab Danmark 9. marts 1944.
   Kilde: BArch, Freiburg, RW 19: Wi I E1: Dänemark, KTB/Rü Stab Dä, 1. Vierteljahr 1944, Anlage 9.

Abschrift   Anlage 9.
Abteilung Wehrwirtschaft im Rü Stab Dänemark   *Kopenhagen, den 2. März 1944.*
Gr. Ia Az. 10b Nr. 1070/44 g.

Bezug: ohne
Betr.: Beschaffung von Generatorholz für Wehrmachtzwecke.

An den Wehrwirtschaftstab im Oberkommando der Wehrmacht,
   Berlin W 35, Bendlerstr. 11-13.

Wie aus anliegendem Lagebericht vom 23.2.1944[37] und der Abschrift des Antrags des Reichsbevollmächtigten in Dänemark an das Auswärtige Amt vom 24.2.44[38] hervorgeht, ist die Holzversorgungslage in Dänemark, insbesondere für Generatortankholz, außerordentlich schwierig geworden.
   Es wird gebeten, auch dortseits auf OKH, Int. Fest., und die Generatorkraft AG einzuwirken, um diesen Engpaß durch die geforderten erhöhten Lieferungen aus dem Reich zu überbrücken.

gez. **Forstmann**

2 Anlagen.

37 Trykt ovenfor.
38 Telegram nr. 252, trykt ovenfor.

313. Otto Bovensiepen an RSHA 2. März 1944

Bovensiepen indberettede de seneste 14 dages resultater af arbejdet med bekæmpelsen af den illegale kommunisme i Danmark. Det var lykkedes at ramme en fordelingscentral for illegal litteratur, at beslaglægge et stort lager af illegale skrifter og at finde frem til et trykkeri, hvor *Land og Folk* blev trykt. Der var foretaget talrige arrestationer og flere var i vente. Efterforskningen besværliggjordes imidlertid af, at modstandsfolkene levede illegalt og ofte skiftede navn.

For den beslaglagte litteraturs videre skæbne, se Bovensiepen til RSHA samme dag og RSHAs notat 17. maj 1944.

Kilde: RA, Danica 1069, sp. 7, nr. 8101.

Abschrift.
Der Befehlshaber der Sicherheitspolizei *Kopenhagen, den 2. März 1944*
und des SD in Dänemark
– IV A 1 – B. Nr. 668/44.

An das Reichssicherheitshauptamt – IV A 1 –
nachrichtlich dem RSHA – IV D 4 –
Berlin SW 11,
Prinz-Albrecht-Str. 8.

Betrifft: Illegaler Kommunismus in Dänemark.
Bezug: Letzter Bericht vom 17.2.1944[39] – B. Nr. IV A 1 – 4229/43

Am 9.2.1944 konnten der kommunistische Spitzenfunktionär Anders Dössing, geb. am 29.6.1914 in Kopenhagen, und seine ebenfalls in maßgebender Funktion stehende Ehefrau Ellen Margrete Dössing geb. Arming, geb. am 29.8.1913 in Nakskov, festgenommen werden. Dössing hat in der DKP namhafte Funktionen bekleidet. Er war Distriktsleiter und zuletzt Verantwortlicher des ZK für die Materialbelieferung und Kassierung der "Frit Danmark"-Gruppen im gesamten Gebiet von Seeland.[40]

Im Gebiet von Seeland bestehen in den Städten Kalundborg, Nästved, Helsingör, Värlöse, Slagelse, Slangerup, Korsör, Nyköbing und Frederiksvärk "Frit Danmark"-Gruppen. Diese Gruppen wurden Dössing zentral mit der Schrift "Frit Danmark" beliefert. Sie befaßten sich aber außerdem selber auch mit der Herstellung von illegalen Druckschriften, die auf der Linie von "Frit Danmark", wie z.B. "Hjemmefronten", "Nyhedstjenesten" usw., liegen.

In den kleineren Ortschaften Seelands sind Gruppen, die 5 bis 7 Mann stark sind, gebildet worden. Diese sogenannten Untergruppen sind den größeren Städten angeschlossen. Wie aus einem Zirkularschreiben vom November 1943 hervorgeht, muß in den einzelnen Gruppen mindestens ein kommunistischer Funktionär vertreten sein. Die illegale Organisation "Frit Danmark" wurde ja bekanntlich von dem Kommunistenführer Aksel Larsen und dem nach England geflüchteten Leiter der konservativen Partei, Christmas Möller, gegründet.

---

39 Indberetningen er ikke lokaliseret.
40 Cand.polit. Anders Døssing var rejsesekretær for Frit Danmark fra efteråret 1943 og indtil sin arrestation (Bjørnvad 1988, s. 69, 201).

Die Ehefrau Dössing war maßgebend in den Propagandaapparat des ZK der illegalen DKP eingeschaltet und arbeitete in enger Verbindung mit ihrem Ehemann. Wie aus dem bei ihr vorgefundenen Beweismaterial ersichtlich ist, waren ihr die auf Seeland und den umliegenden kleineren Inseln bestehenden kommunistischen Gruppen zur Betreuung überwiesen worden. Bisher gelang die Festnahme des illegalen Ortsgruppenleiters in Helsingör. Die Festnahme der in Maribo, Köge und auf der Insel Samsö eingesetzten Funktionäre steht bevor.

Im Zuge der bisherigen Nachforschungen wurde am 25.2.1944 der Lit.-Obmann des ZK, der Student Hans Eric Kastoft, geb. am 19.8.1918 in Varde, festgenommen.[41] Kastoft ist der Schwager des früheren Leiters der dänischen kommunistischen Partei Aksel Larsen, der bereits seit 1 ½ Jahren illegal lebte. In seiner Eigenschaft als Lit.-Obmann des ZK der illegalen DKP unterhielt Kastoft schon allein in Groß-Kopenhagen zu 24 Materialanlieferungsstellen entsprechende Verbindung. Darüber hinaus war er Leiter der Redaktion des kommunistischen Parteiorgans "Land und Volk", welches als Manuskript von ihm an zehn in Dänemark bestehende Herstellerquellen, einschließlich der drei in den Provinzen bestehenden Bezirke, versandt wurde.

Von den bisher festgestellten 17 Materialanlaufstellen konnten bereits 10 ausgehoben werden.

Als Lit.-Obmann des ZK unterhielt Kastoft des weiteren ein umfangreiches Literaturlager in einem Keller des Hauses Folehaven 24 in Kopenhagen. Es lagerten dort schätzungsweise 5 to. kommunistisches Propagandamaterial, darunter große Menge ganz neu erschienener Broschüren über die Sowjetunion in dänischer Sprache. Das gesamte Lager wurde beschlagnahmt und die Bestände hier sichergestellt.

Festgenommen sind bisher in dieser Sache 18 Personen, darunter ein Student, der als Verbindungsmann in der Belieferung von kommunistischer Literatur an die bestehenden Studentengruppen fungierte.

Am 27.2.1944 wurde eine Druckerei in der Korsgade 16 in Kopenhagen ausgehoben, in welcher die Hetzschrift "Land und Volk" Nr. 39 vom 24.2.1944 in einigen tausend Exemplaren in Auftrag gegeben war. In dieser Sache wurden zwei Spitzenfunktionäre, die im August v.J. aus dem Lager Horseröd entwichen waren, festgenommen.[42] Die Drucksätze sowie das Papier zur Herstellung der illegalen Schriften "Land und Volk" und "Frit Danmark" konnten beschlagnahmt werden.

Die Ermittlungen in diesen drei Komplexen dauern noch an. Es wäre schon zu viel mehr Festnahmen gekommen, wenn nicht der größte Teil aller gegen Deutschland arbeitenden Funktionäre, das trifft auch die nationalen Widerstandskreise zu, illegal lebte. Es ist nun außerordentlich schwer, die jeweilige Unterkunft der festzunehmenden Personen zu ermitteln, weil diese nirgend polizeilich gemeldet sind und laufend auch ihre Quartiere wechseln.

Von den bei Kastoft beschlagnahmten Druckschriften habe ich ein Sortiment zusammengestellt, das ich unter dieser Buchnummer als Postpaket absende.

gez. **Bovensiepen**

---

41 Jfr. *Information* 28. februar 1944.
42 De to anholdte er ikke identificeret.

314. Otto Bovensiepen an RSHA 2. März 1944
Bovensiepen oversendte et udvalg af litteratur beslaglagt hos det illegale DKP.
   Se RSHAs notat 17. maj 1944.
   Kilde: RA, Danica 1069, sp. 7, nr. 8098.

Der Befehlshaber der Sicherheitspolizei   *Kopenhagen, den 2. März 1944*
und des SD in Dänemark
– IV A 1 –

An das Reichssicherheitshauptamt – IV A 1 – a
   nachrichtlich dem RSHA – IV D 4 –
   Berlin SW 11,

Betrifft: Literaturlager des ZK der Illegalen DKP.
Vorgang: Hiesiger Bericht vom 2.3.1944 – B. Nr. IV A 1-668/44.[43]
Anlagen: 1 Paket.

Hiermit übersende ich ein Sortiment des im Literatur-Lager des ZK der illegalen DKP vorgefundenen und beschlagnahmten Schriften- und Bildermaterials mit der Bitte um Kenntnisnahme.
                              Bovensiepen

Paket folgt per Post [med håndskrift tilføjet:] 16.5. an Amt VII.

315. Werner Best an das Auswärtige Amt 3. März 1944
Best havde fået en forespørgsel direkte fra RSHA vedrørende de deporterede danske statsborgere. Herom orienterede han AA, idet han gengav sit svar. Han fandt ikke, at der var noget i vejen for, at der kunne sendes de deporterede en daglig økonomisk understøttelse, heller ikke de kommunister, der var blevet interneret i 1941 og siden overført til Tyskland. De var arresteret på tysk forlangende og havde ikke begået nogen strafbar handling mod tyske interesser. Tilbageførsel af danske statsborgere kunne indtil videre ikke finde sted, hvad Best allerede havde meddelt UM. Han sluttede med skarpt at anmode om, at tjenestevejene blev fulgt ved kommunikationen med RSHA.
   Best indtog over for RSHA det diametralt modsatte standpunkt med hensyn til økonomisk støtte til de deporterede (se Geigers notits 25. februar). Rimeligvis har han vidst, at hans indstilling ingen virkning ville få, hvad den heller ikke gjorde, men det lettede hans samarbejde med UM.
   Se Geigers notits 22. april 1944.
   Kilde: PA/AA R 99.502.

Der Reichsbevollmächtigte in Dänemark   *Kopenhagen, den 3. März 1944.*
II 236/44

An das Auswärtige Amt,
   Berlin.

---

43 Trykt ovenfor.

Betrifft: Die Verbringung dänischer Staatsangehöriger in Konzentrationslager im Reich.
Anlagen: 2 Berichtsdoppel.
1 Abschrift.

Der Befehlshaber der Sicherheitspolizei und des SD hat mir das in Abschrift beigefügte Schreiben des Reichssicherheitshauptamtes vom 3.2.44[44] vorgelegt mit der Bitte, ihm meine Auffassung zu den vom Reichssicherheitshauptamt gestellten Fragen mitzuteilen. Hiernach wird der Befehlshaber der Sicherheitspolizei und des SD an das Reichssicherheitshauptamt berichten, das hierüber dem Auswärtigen Amt Nachricht geben will.
Ich habe dem Befehlshaber der Sicherheitspolizei und des SD zu dem Schreiben des Reichssicherheitshauptamtes vom 3.2.44 die folgende Äußerung gegeben:
"1.) Wenn die dänische Verwaltung den in Konzentrationslagern im Reich einsitzenden dänischen Staatsbürgern eine Unterstützung von täglich 1,50 Kronen zur Verfügung stellen will, so habe ich hiergegen keine Bedenken hinsichtlich aller Personen, die nicht wegen gegen deutsche Interessen gerichtete Handlungen in Haft genommen und in das Reich verbracht worden sind. Dies gilt insbesondere für die im Oktober 1943 aus dem dänischen Internierungslager Horseröd in das Reich verbrachten ehemaligen Kommunisten, die im Jahre 1941 auf deutsche Verlangen hin vorbeugend – nicht wegen irgendwelcher begangener Handlungen – interniert worden waren und die zusammen mit den in Dänemark festgenommenen Juden in das Reich verbracht wurden.
Hinsichtlich der wegen gegen deutsche Interessen gerichtete Handlungen festgenommenen und in das Reich verbrachten dänischen Staatsangehörigen besteht an sich kein Anlaß zur Bewilligung irgendwelcher Vergünstigungen. Sollte jedoch der von der dänischen Verwaltung angebotene Unterstützungsbetrag von 1,50 Kronen die Möglichkeit bieten, die zweifellos knappe Ernährung der Häftlinge zu verbessern, so wäre dies erwünscht, um Krankheits- und Todesfälle mit ihren politischen Rückwirkungen zu verhüten. Denn jeder dänische Staatsbürger, der in einem deutschen Konzentrationslager stirbt, belastet die Möglichkeiten einer künftigen positiven und konstruktiven Dänemark-Politik des Reiches.
2.) Dem dänischen Außenministerium habe ich bereits auf die bei mir erhobenen Vorstellungen eröffnet, daß vorläufig – bis zur vollen Wiederherstellung der Ruhe und Ordnung in Dänemark – auf eine Rückführung der ins Reich verbrachten dänischen Staatsangehörigen nicht gerechnet werden könne.
Über die Namen und den Aufenthalt der Häftlinge ist das dänische Außenministerium von mir auf Grund der Unterlagen, die Sie mir vorgelegt haben, unterrichtet worden."
Ich bitte aus Anlaß dieses Vorgangs, daß über Anliegen und Vorstellungen des dänischen Gesandten in Berlin jeweils eine Verständigung zwischen dem Auswärtigen Amt und mir herbeigeführt werden möge, bevor das Auswärtige Amt wegen solcher Fragen an andere Reichsbehörden herantritt. Im vorliegenden Falle hätte der Umweg über das Reichssicherheitshauptamt und den Befehlshaber der Sicherheitspolizei und des SD zu mir erspart werden können. Es ist auch nicht erwünscht, daß aus einem solchen Anlaß

---

44 Foreligger ikke.

auf einem anderen Dienstwege als auf dem zwischen dem Auswärtigen Amt und mir eine Beurteilung dänischer Wünsche eingeholt wird und Weisungen erteilt werden, "die Angelegenheit dort mit dem dänischen Außenministerium zu regeln."

W. Best

316. Erich Albrecht an Werner Best 3. März 1944
Best havde 22. februar rykket for en afgørelse af, hvem der skulle have benådningsretten ved en kommende SS- og Polizeigericht i Danmark. Albrecht kunne officielt oplyse, at sagen endnu ikke var færdigbehandlet hos SS, men at han uformelt havde fået at vide, at RFSS med stor sandsynlighvis ville lade den tilfalde HSSPF (Rosengreen 1982, s. 90 har afvigende formulering uden grundlag i telegrammet).
Best reagerede med telegram nr. 341, 15. marts 1943.
Kilde: PA/AA R 100.758. RA, pk. 229.

T e l e g r a m m

Berlin, den   3. März 1944

Bevollmächtigter Deutschen Reichs in Dänemark, Dr. Best,
    Kopenhagen

Nr. 216
Ref.: Ksl. Dr. Weyrauch
Betr.: Deutsche Gerichtsbarkeit in Dänemark.

Auf Drahtbericht Nr. 238 v. 22.2.[45] und mit Beziehung auf Erlaß v. 23.2. R 5113 g

Erneute Rückfrage bei Reichssicherheitshauptamt hat folgendes ergeben:
1.) Reichssicherheitshauptamt ist noch nicht in der Lage, offizielle Stellungnahme in Frage Gnadenrechts mitzuteilen, da für Bearbeitung mehrere Abteilungen (III, III AS, IV D 4) zuständig und federführende Abteilung (III As) Unterlagen noch nicht wieder zurückerhalten hat.
2.) Inoffiziell ist Sachbearbeiter heute vom Reichssicherheitshauptamt (Hauptsturmführer Meyer, Abt. III AS) fernmündlich mitgeteilt worden, daß Reichsführer-SS mit größter Wahrscheinlichkeit sich für Übertragung Gnadenrechts an Höheren SS- und Polizeiführer entscheiden würde.
Auswärtiges Amt beabsichtigt, zu dem ihm vom OKW übersandten Entwurf des Erlasses über die Ausübung der Gerichtsbarkeit in Dänemark (vergl. obenangeführter Erlaß vom 23.2.) nicht Stellung zu nehmen, bis Frage Gnadenrechts endgültig geklärt ist.

Albrecht

---

45 Trykt ovenfor.

317. Werner Best an das Auswärtige Amt 3. März 1944
Dagsindberetning.
   Kilde: PA/AA R 29.568. RA, pk. 204.

Telegramm

Kopenhagen, den	3. März 1944	20.00 Uhr
Ankunft, den	3. März 1944	23.25 Uhr

Nr. 293 vom 3.3.[44.]   Citissime!

Ich bitte, die folgende Meldung unverzüglich dem Herrn Reichsaußenminister zuzuleiten:
   Über die Lage in Dänemark berichte ich für den 2. auf 3.3.1944, daß aus dem ganzen Lande keine besonderen Vorfälle gemeldet worden sind.
                                        Dr. Best

318. Werner Best an das Auswärtige Amt 4. März 1944
Dagsindberetning.
   Kilde: PA/AA R 29.568. RA, pk. 204.

Telegramm

Kopenhagen, den	4. März 1944	14.20 Uhr
Ankunft, den	4. März 1944	18.35 Uhr

Nr. 294 vom 4.3.44.   Citissime!

Ich bitte, die folgende Meldung unverzüglich dem Herrn Reichsaußenminister zuzuleiten:
   Über die Lage in Dänemark berichte ich für den 3. auf 4.3.44, daß in Svendborg ein unbedeutender Sabotagefall (Schiffsmotor auf Kraftwagen) stattgefunden hat.[46] In Odense explodierte ein Sprengkörper vor der dänischen Polizeistation und verletzte 2 Beamte.[47]
                                        Dr. Best

---

46 Der blev af sabotørerne Poul Holm og Otto Martinussen forøvet sabotage mod en dieselmotor til en nybygning (Sperrbrecher 190) til Kriegsmarine på Svendborg Værft (RA, BdO Inf. nr. 24, 7. marts 1944, Alkil, 2, 1945-46, s. 1229).
47 Medlemmer af Peter-gruppen kastede en bombe mod to patruljerende betjente. De blev begge hårdt såret, og den ene døde senere af sine kvæstelser (RA, BdO Inf. nr. 24, 7. marts 1944, Hæstrup 1979, s. 338, Bøgh 2004, s. 59f., Skov 2005, s. 8, tillæg 3 her).

319. Emil Wiehl an Werner Best 4. März 1944

Wiehl meddelte Best, at hans forslag om at forudindbetale et forskud til Danmarks Nationalbank for at hindre stop for eller forsinkelse af de tyske betalinger til danske virksomheder ikke kunne imødekommes. Heller ikke Alex Walter, som havde været positiv over for forslaget, gik længere ind for det. Opstod der problemer med betalingstrafikken igen, måtte Best indgive meddelelse derom, så sagen kunne blive taget op på ny.

På dette tidspunkt havde Walter Forstmann delvist fået det problem løst, som han havde rejst overfor Best 3. december 1943, idet der var blevet oprettet en valutaforskudsfond på flere millioner kroner, som Rüstungsstab Dänemark kunne trække på. Det fremgår bl.a. af, at Oberwerftstab Kopenhagen under Admiral Dänemark 25. februar 1944 trak 2 millioner kroner på denne fond til forskudsfonden for skibsreparationer, som der herefter løbende blev betalt til skibsreparationer fra for Kriegsmarine (BArch, Freiburg, RW 19: Wi I E1: Dänemark 1.7., kontrakt nr. 9423).

Kilde: BArch, R 2/30.515 og R 901 113.555. RA, pk. 271.

Durchdr. als Konz. gef. Kg. (R'Schr. 1b)
Ref.: LR Baron v. Behr
Auswärtiges Amt *Berlin, den 4. März 1944*
Ha Pol. VI 592/44

An den Bevollmächtigten des Großdeutschen Reichs in Dänemark
Kopenhagen

Auf das Telegramm 1588 vom 24.12.1943[48]
Das Reichsfinanzministerium und das Reichswirtschaftsministerium haben sich gegen die Überweisung eines Globalbetrages an die dänische Nationalbank ausgesprochen, aus dem im Falle von Stockungen im Zahlungsverkehr Deutschland-Dänemark Vorschußzahlungen an Empfangsberechtigte in Dänemark geleistet werden soll. Auch Ministerialdirektor Walter, der zuerst dem dortigen Vorschlag beitrat, hat, wie aus einem Schreiben der Deutschen Verrechnungskasse vom 25. v.Mts.[49] zu ersehen ist, sich gegen solche Vorauszahlungen ausgesprochen.

Ich trete der Auffassung bei, daß die nach den Luftangriffen im November aufgetretenen einmaligen Stockungen im Zahlungsverkehr mit Dänemark – auch schon wegen möglicher Berufungen anderer Länder – noch nicht die Überweisung eines größeren Globalbetrages an die dänische Nationalbank für Vorauszahlungen rechtfertigen. Sollten solche Stockungen im Zahlungsverkehr mit Dänemark infolge von Luftangriffen wiederum auftreten, so bitte ich erneut zu berichten, damit die Frage hier nochmals geprüft werde.

Im Auftrag
gez. **Wiehl**

---

48 Trykt ovenfor.
49 Trykt ovenfor.

320. Wilhelm Keitel: Bekämpfung von Terroristen 4. März 1944

OKW beordrede en skærpet kurs over for sabotører i de besatte lande. Under kamphandlinger skulle sabotørerne uden videre likvideres, og anvendelsen af krigsretten begrænses mest muligt.

Ordren kom indtil videre ikke til realisering i Danmark, hvor kamphandlinger ikke fandt sted, og hvor væbnede konfrontationer mellem den tyske hær og danske sabotører var yderst sjældne. Til gengæld blev der i Danmark gjort brug af krigsretten (Rosengreen 1982, s. 113).

Kilde: RA, Danica 1069, sp. 2, nr. 1705.

Oberkommando der Wehrmacht *F.H.Qu., den 4.3.1944*
Nr. 002143/44 g.K./WFSt/Qu.(Verw. 1) Geheime Kommandosache
16 Ausfertigungen
Betr.: Bekämpfung von Terroristen. – Gerichtsbarkeit. 14. Ausfertigung

Um ein noch schärferes Durchgreifen gegenüber dem weiterhin zunehmenden Unwesen der Terror- und Sabotage-Akte zu gewährleisten, wird befohlen:

Terrorakte gegenüber Angehörige der Besatzungsmacht und Sabotage an Einrichtungen der Landesverteidigung, insbesondere auch gegen Eisenbahnanlagen, sind Freischärlerei. Freischärler hat die Truppe im Kampf zu erledigen. Eine Übergabe an das Kriegsgericht ist nur zu verantworten, wenn der Täter erst später ermittelt oder ergriffen wird.

Soweit hiernach gerichtliche Verfahren erforderlich werden, verbleibt es grundsätzlich bei der bisherigen gerichtlichen Zuständigkeit. Sofern es sich jedoch um Terror- oder Sabotage-Akte im Zusammenarbeit mit dem militärischen Großbauten im Westen handelt, ist für die erforderlich werdenen Verfahren das Sondergericht beim HKVAM ausschließlich zuständig.

Der Chef des Oberkommandos der Wehrmacht
gez. **Keitel**

321. Emil Wiehl an Joachim von Ribbentrop 5. März 1944

Endnu inden finansminister Schwerin von Krosigk havde fået svar på sit brev af 24. januar, havde han fremsendt et nyt til AA 25. februar, hvori han fastholdt sine indvendinger mod, at clearingkontoen blev opgjort i kroner i stedet for som tidligere i RM. Wiehl foreslog, at et svar blev udsat, til de andre ressortområder var blevet hørt. Specielt med hensyn til Best, havde Best ikke været orienteret om sagens rette sammenhæng, da han afgav sin indstilling. Wiehl foreslog, at han blev orienteret, og at AA indhentede hans indstilling.

Se videre Wiehl 23. februar og 12. marts 5. april, samt Ribbentrop til Schwerin von Krosigk 31. maj 1944.

Kilde: PA/AA R 29.568. RA, pk. 204.

Dir. Ha Pol 77. *Berlin, den 5. März 1944.*

Büro RAM mit der Bitte um Weitergabe mit Kurier.

Notiz
zu dem Brief des Reichsfinanzministers an Herrn Reichsaußenminister vom
25. Februar betreffend Umstellung unserer Clearingschuld gegenüber Dänemark
auf Dänenkronen.

In Punkt III (letzter Satz) meiner Aufzeichnung vom 23. Februar hatte ich die Erwartung ausgesprochen, daß das Reichswirtschaftsministerium und das Reichsfinanzministerium dem in der Sitzung des HPA vom 17. Februar gefaßten Beschluß, zu dem sie die Stellungnahme ihrer Chefs vorbehalten hatten, zustimmen würden. Nach diesem wurde in Aussicht genommen, dem dänischen Wunsch insoweit zu entsprechen, als die Deutsche Verrechnungskasse ermächtigt werden sollte, das seit September geübte Verfahren bis auf weiteres beizubehalten, nach welchem die Reichsbank das Defizit im Verrechnungsverkehr durch Kauf von Dänenkronen bei der Nationalbank deckt und sich für diese Käufe in Dänenkronen bei der Nationalbank verschuldet; die in Reichsmark angewachsene Schuld von rund 930 Mio. RM sollte in Reichsmark bestehen bleiben, wie auch weitere in Reichsmark zu leistende Zahlungen an dänische Gläubiger über dieses Konto geleistet werden sollten.

Der Reichswirtschaftsminister hat inzwischen zugestimmt. Der Reichsfinanzminister hält jedoch in seinem Schreiben vom 25. Febr. d.J. seien Einwände gegen diese Entscheidung aufrecht. Die Deutsche Verrechnungskasse soll nach dem Vorschlag des Herrn Reichsfinanzministers sofort zu dem früher geübten Verfahren zurückkehren, nach dem sie der dänischen Nationalbank für die von ihr verauslagten Kronenbeträge Gutschrift nur in Reichsmark erteilt. Um das Reichsbankdirektorium gegenüber den Dänen nicht ganz zu desavouieren wäre der Reichsfinanzminister eventuell bereit, die Kronenkäufe seit September (bis zum 3. März insgesamt 291 Mio. Dänenkrone) nachträglich zu sanktionieren.

Ich schlage vor, die Beantwortung des neuen Briefes des Reichsfinanzministers zurückzustellen, bis sich Reichswirtschaftsministerium, Reichsernährungsministerium, Vierjahresplan und Reichsbankdirektorium, denen er Abschrift übersandt hat, dazu geäußert haben. Ich bin sicher, daß diese Ressorts bei dem früheren Beschluß stehen bleiben werden. Nötigenfalls hätte eine neue Beratung in HPA stattzufinden. Für diese bitte ich um die Ermächtigung, aus den in der früheren Aufzeichnung genannten Gründen den früheren Beschluß weiter zu vertreten. Es geht meiner Ansicht nach nicht an, die Reichsbank derart zu desavouieren. Das vom Reichsfinanzminister vorgeschlagene Verfahren würde zu großen Schwierigkeiten mit den Dänen und Auswirkungen auf die weitere Vorschußwilligkeit der Dänischen Nationalbank und letztlich auch auf die Lieferwilligkeit der dänischen Wirtschaft führen, die gegenwärtig politisch und handelspolitisch höchst unerwünscht sind.

Zu dem Hinweis, daß der Reichsbevollmächtigte ein Entgegenkommen gegenüber dem dänische Wunsche nicht für erforderlich halte ist zu bemerken, daß der Reichsbevollmächtigte sich nach Mitteilung des Reichsfinanzministeriums in diesem Sinne geäußert haben soll bei der Unterredung, die er am 8. Februar mit St.S. Reinhardt vom Reichsfinanzministerium gehabt hat (Ziff. V meiner früheren Aufzeichnung). Damals hat aber Dr. Best von dem wahren Sachverhalt, nämlich von dem eigenmächtigen teilweisen Übergang der Reichsbank von Reichsmarkkonto zum Kronenkonto vom September v.J. nichts gewußt. Dr. Best ist zu diesem Punkt um Bericht gebeten.

Vorschlag für Beantwortung der beiden Briefe des Reichsfinanzministers werde ich nötigenfalls zu gegebener Zeit vorlegen.

Hiermit über Herrn Staatssekretär Herrn Reichsaußenminister vorgelegt.

gez. **Wiehl**

Zusätzlicher Vermerk:
Das in dem Schreiben des Reichsfinanzministers vom 25.2. d.J. angeführte Schreiben des Reichsbankdirektoriums vom 24.9.1943 befindet sich in den Akten in Krummhübel. Wortlaut ist telegrafisch erbeten und wird nachgerichtet.[50]

322. Martin Bormann an Heinrich Himmler 5. März 1944

Gottlob Berger havde henvendt sig til stabslederen for Hauptamt für Volkstumsfragen, E. Cassel, med et forslag om, at der blev indgået en personalunion mellem Germanische Leitstelle og Gauamtsleiter für Volkstumsfragen. Cassel var gået ind derpå og bad om partikancelliets tilladelse, idet Berger på sin side skulle indhente RFSS' sanktion.[51] Bormann reagerede kraftigt mod dette forslag direkte til Himmler og fastholdt, at Germanische Leitstelles virkeområde var i udlandet, mens NSDAPs organer tog sig af opgaverne i riget, idet Germanische Leitstelle alene havde ret til at føre forhandlinger med germansk-völkische grupper, men at det ikke indebar overtagelse af partiopgaverne. SS kunne heller ikke i kraft af særbemyndigelsen indskrænke AO der NSDAPs og andre partiinstansers aktiviteter i de besatte områder. Bormann afviste helt forslaget (Materne 2000, s. 106f.).[52]

Bormanns brev blev forelagt Berger, der svarede Rudolf Brandt 4. april 1944, trykt nedenfor.

Med sit forslag genåbnede Berger den magtkamp, der havde udspillet sig om Bormanns forordning af 12. august 1942 og Lammers' cirkulære 6. februar 1943. Atter belyste magtkampen også, hvilke forventninger og mål, Germanische Leitstelle stillede til de germansk-völkische grupper i de besatte lande.

Kilde: BArch, NS 19/3647. *De SS en Nederland*, 2, 1976, nr. 512.

Führerhauptquartier, den 5.3.1944

Sehr geehrter Parteigenosse Himmler!
Der Chef der germanischen Leitstelle, SS-Obergruppenführer Berger, hat sich an den Stabsleiter des Hauptamtes für Volkstumsfragen, Pg. Cassel, mit dem Vorschlag gewandt die Gauamtsleiter für Volkstumsfragen in Personalunion zu Gaubeauftragten der germanischen Leitstelle zu machen. Seine Weisungen an diese würden nicht direkt, sondern über das Hauptamt für Volkstumsfragen geleitet. Pg. Cassel sucht um Zustimmung der Partei-Kanzlei nach und bemerkt, daß das Einverständnis des Reichsführers-SS zu dieser Regelung SS-Obergruppenführer Berger von sich aus einholen wolle.

Dieses Vorhaben läßt erkennen, daß bei der germanischen Leitstelle über ihren Aufgabenbereich nicht völlige Klarheit besteht:

D[i]e Aufgaben der germanischen Leitstelle liegen nicht innerhalb der Reichsgrenzen, sondern in den besetzten germanischen Gebieten. Aber selbst hier ginge SS-Obergruppenführer Berger zu weit, wenn er die gesamte Betreuung des blutgleichen Volkstums der germanischen Länder in Anspruch nimmt, die germanische Leitstelle somit als politische Führungsstelle für alle germanischen Fragen betrachten wollte.

---

50 Se Wiehl til RAM 12. marts 1944.
51 Berger skrev til Himmler 26. januar 1944 angående forslaget (BArch, NS 19/3647, Materne 2000, s. 107).
52 Cassel forsvarede sin positive holdning til Bergers forslag i et brev til Brandt 17. marts 1944, idet han mente, at Bormann havde misforstået forudsætningerne for forslaget (BArch, NS 19/3647. RA, Danica 1000, T-175, sp. 74, nr. 592.317f. *De SS en Nederland*, 2, 1976, nr. 518).

Es muß berücksichtigt werden, daß die Reichskommißare in den besetzten germanischen Gebieten ihren Auftrag unmittelbar vom Führer erhielten und diesem direkt unterstehen. In Erfüllung dieses Auftrages kann die ihnen vom Führer erteilte Vollmacht von keiner anderen Stelle beeinträchtigt werden.

Im Gegensatz zur Auffassung des Chefs der germanischen Leitstelle muß auch festgestellt werden, daß die germanische Arbeit im Bereich der NSDAP, ihrer Gliederungen und angeschlossenen Verbände eine Parteiaufgabe ist und den Sonderauftrag des Reichsführers-SS nur insoweit berührt, als für Verhandlungen mit germanisch-völkischen Gruppen der Reichsführer-SS zuständig ist, um draußen das Hineinregieren irgendwelcher Parteidienststellen des Reiches zu verhindern.

Die Tätigkeit der Landesgruppen der AO und der Arbeitsbereiche der NSDAP in den besetzten Gebieten erfährt durch den Sonderauftrag des Reichsführers-SS ebenfalls keine Einschränkung.

Weiterhin schließt das Aufgabengebiet der Gauamtsleiter für Volkstumsfragen die Bearbeitung germanischer Fragen mit ein, sodaß es ihrer Einsetzung als Beauftragte der germanischen Leitstelle nicht bedarf. Zur Betreuung der germanischen Arbeiter im Reich und zu ihrer Werbung zur Waffen-SS ist dies auch nicht nötig; denn die Betreuung der germanischen Arbeiter ist zusammen mit der Betreuung aller aus dem Ausland hereingeholten Arbeitskräfte seit Jahren in Übereinstimmung mit den zuständigen Dienststellen der Partei und des Staates der Deutschen Arbeitsfront übertragen. Zur Werbung für die Waffen-SS unter den im Reich eingesetzten germanischen Arbeitern dürften die Werbestellen der Waffen-SS ausreichen.

Die vom Stabsleiter des Hauptamtes für Volkstumsfragen erbetene Zustimmung zu einer zusätzlichen Beauftragung der Gauamtsleiter für Volkstumsfragen durch die germanische Leitstelle kann ich daher nicht erteilen.

Heil Hitler! Ihr
M. Bormann

323. Joseph Goebbels: Tagebuch 5. März 1944

Goebbels havde modtaget en indberetning, der for ham viste skyggesiderne ved den førte politik i Danmark. Medierne arbejdede for en stor del for fjenden, og Best modarbejdede det ikke, da han ville skåne landets suverænitet. Goebbels ville træffe foranstaltninger for at vende den udvikling. Han fandt det interessant, at bønderne vendte sig mod sabotørerne. Bolsjevismen blev i store dele af befolkningen antaget for en bussemand opfundet af nazismen. De skulle lige prøve virkeligt at lære bussemand at kende.

Kilde: *Die Tagebücher von Joseph Goebbels*, Teil II:11, s. 414f.

[...]

Ein Bericht aus Dänemark weist nach, daß die dort von Best betriebene Politik doch sehr starke Schattenseiten zeigt. Presse, Film und Rundfunk in Dänemark arbeiten zum großen Teil zugunsten des Feindes. Best ist dagegen gänzlich inaktiv, da er die Souveränität des Landes schonen will. Ich bin demgegenüber der Meinung, daß wir etwas tun müssen. Wenn es so weit kommt, daß unsere Soldaten dort schon Waffen an die Aufständischen und Partisanen verkaufen, so ist Matthäi am letzten. Wir sind gezwungen,

nunmehr gegen eine solche Entwicklung Front zu machen. Ich treffe Maßnahmen, um meinen Willen in der dänischen Frage langsam durchzusetzen. Interessant ist, daß vor allem die bäuerliche Bevölkerung sich gegen die Saboteure wendet. Sie läßt sich nicht gern ihre Anwesen in Brand stecken. Der Bolschewismus wird in großen Kreisen der dänischen Bevölkerung für ein von den Nationalsozialisten erfundener Kinderschreck gehalten. Die Dänen würden sich wundern, wenn sie diesen Kinderschreck einmal tatsächlich kennenlernen würden.
[...]

324. Dr. Niebuhr: Dänemark-Bericht 6. März 1944

Dr. Niebuhr fra RWM var sendt til København med den opgave at undersøge mulighederne for at udvide eksporten til Tyskland af specielt forbrugsvarer. Indledningsvis redegjorde han for situationen i Danmark: Først og fremmest finansierede den danske stat selv den danske eksport til Tyskland og sørgede samtidig for at holde inflationen i ave. Der blev ført skarp kontrol med eksporten til Tyskland, UM havde oprettet et organ som medvirkede ved alle forhandlinger med tyske instanser. De talrige sabotagetilfælde havde en skadelig virkning, idet de gjorde mange industridrivende bekymrede. Der var af værnemagten efter 29. august 1943 indført leveringstvang, men det havde ikke været nødvendigt at effektuere den. Det Tyske Gesandtskab havde medvirket ved undersøgelsen, men havde villet sikre sig, at Niebuhrs opgave ikke på nogen måde vakte anstød i den danske administration. Derfor skulle han bl.a. redegøre for, hvilke spørgsmål han ville stille forud. Han havde mødt stor imødekommenhed, men på visse felter (industriens tekniske kapacitet og arbejdsindsatsen) kunne han ikke få en tilstrækkelig statistik for at udfylde sin opgave. Han havde også mødt Walter, der talte om forudsætningerne for at øge de danske leverancer, nemlig en vækst i de utilstrækkelige tyske leverancer til Danmark. Gesandtskabet anbefalede ikke, at man bad de danske myndigheder om at få oplyst industriens kapacitet, da det dels ville tage måneder, dels vække mistillid mellem de tyske og danske tjenestesteder (Winkel 1976, s. 158, 172).

Kilde: BArch, R 3102/10.766.

Dänemark-Bericht

I. Allgemeine Lage

Die Aufgaben der deutschen Dienststellen in Dänemark sind infolge der bestehenden politischen und wirtschaftlichen Verhältnisse schwierig zu erfüllen. Der souverän gebliebene dänische Staat wird als gleichberechtigter wirtschaftlicher Vertragspartner behandelt. Er hat dabei eine starke Stellung, weil das Deutsche Reich die bedeutenden dänischen Lieferungen – hauptsächlich Lebensmittel – nur zum Teil mit Gegenlieferungen begleichen kann. Ein erheblicher Rest bleibt als Clearingsüberschuß zugunsten Dänemarks stehen, zurzeit etwa 2 Milliarden aus dem Handelsverkehr und etwa die gleiche Summe für Besatzungskosten. Der dänische Staat finanziert also seine wirtschaftlichen Leistungen für das Deutsche Reich zu einem großen Teil selbst. Um das Clearingguthaben nicht zu sehr ansteigen zu lassen, hält Dänemark die Preise für die Ausfuhr nach dem Deutschen Reich niedrig. Zur Verminderung der inflatorischen Wirkungen ist die dänische Regierung bemüht, den Konsumwarenmarkt möglichst reichlich zu versorgen. Ferner sucht die Regierung den Industrieapparat aufrechtzuerhalten, der Landwirtschaft die notwendigen industriellen Produktionsmittel zu liefern und die Schiffsverluste zu ersetzen. Auf diese Aufgaben entfällt ein großer Teil der dänischen Erzeugung. Die Regierung ist zudem der Meinung, daß die deutschen Bauvorhaben in Jütland und die Beschäftigung dänischer Arbeiter im Deutschen Reich eine weitere Vermehrung der Arbeitskräfte in der Industrie nicht mehr zulassen. Aus den angeführten Gründen will die dänische Regierung eine Ausweitung der industriellen Lieferungen nach dem Deutschen Reich vermeiden. Meine Aufgabe, die zusätzlichen Erzeugungsmöglichkeiten, vor allem auf dem Gebiet der Verbrauchsgüterindustrie, festzustellen, hat bei den Dänen Mißtrauen erweckt, da sie als Vorarbeit für eine Erhöhung der Verlagerung betrachtet wurde. Der auf dänischer Seite die Verhandlungen führende Kontorchef Dr. Peschardt bemerkte, daß auch sie ihre Geheimnisse hätten und gerade diese würden von einigen der von mir gestellten Fragen berührt. Das dänische Außenministerium hat in seiner Wirtschaftsabteilung eine zentrale Stelle für die Verhandlungen mit deutschen Stellen geschaffen.[53] Es nimmt auf alle direkten Verhandlungen mit den übrigen dänischen Behörden und den Industrieverbänden Einfluß und ist diesen gegenüber weitgehend weisungsberechtigt. Ferner übt es eine Kontrolle aller deutschen Verlagerungs- und Wehrmachtsaufträge aus; für jeden Auftrag muß eine Verkaufsgenehmigung des dänischen Industrierates eingeholt werden, die mit einer scharfen Kalkulationskontrolle verbunden ist. Trotz der geschilderten Stellungnahme der Regierung hat die Unterbringung der Verlagerungs- und Wehrmachtsaufträge bisher keine größeren Schwierigkeiten gemacht, das liegt im wesentlichen daran, daß die Höhe der Lieferungen – etwa 130 Millionen Kr. – gegenüber dem Verkaufswert der Industrieproduktion, ohne die industrielle Nahrungsmittelproduktion, von 2,6 Milliarden Kr. gering ist. Einen schädlichen Einfluß üben die zahlreichen Sabotagefälle aus; viele Industrielle sind bedenklich geworden. Für die Aufträge der Deutschen Wehrmacht besteht seit dem 29.8.43 ein Annahmezwang, der jedoch bisher noch nicht angewandt zu werden brauchte.

II. Ablauf der Verhandlungen

Die Schwierigkeiten, die mir anfangs von der Hauptabteilung Wirtschaft des Reichsbevollmächtigten bei der Durchführung meines Auftrages gemacht worden sind, hatten ihren Grund in der schwierigen, oben geschilderten Lage. Die Verhandlungen begannen mit kurzen Vorbesprechungen mit dem Bevollmächtigten für Wirtschaftsfragen Ministerialdirigent Dr. Ebner, Oberregierungsrat Stier und Regierungsrat Dr. Meulemann von der Hauptabteilung Wirtschaft des Reichsbevollmächtigten. Am 31. Januar wurde ich von dem Reichsbevollmächtigten Dr. Best in Gegenwart von Dr. Ebner empfangen.[54] Dr. Best sagte, daß meine Fragen dem dänischen Außenministerium vorzulegen seien, ohne daß ich selbst mit dänischen Stellen verhandeln solle. Nachdem ich versichert hatte, mich nach den Entschließungen zu richten, bat ich, mich zu den Verhandlungen mit den dänischen Stellen hinzuzuziehen und sprach kurz über die vorzulegenden Fragen. Dr. Ebner stellte sich daraufhin auf den Standpunkt, es müsse auf jeden Fall die Entscheidung des Auswärtigen Amtes eingeholt werden, womit Dr. Best einverstanden war.

---

53 Odel-udvalget.
54 Jfr. Bests kalenderoptegnelser anf. dato.

Jedoch wurde mit einer Besprechung zwischen Dr. Meulemann und mir die Angelegenheit wieder aufgenommen, ohne die Antwort des Auswärtigen Amtes abzuwarten. Ich hatte beabsichtigt, mich bei den dänischen Stellen zunächst über die vorhandenen Unterlagen zu unterrichten, doch verlangte die Hauptabteilung Wirtschaft des Reichsbevollmächtigten, daß dem dänischen Außenministerium die notwendigen, von mir zusammengestellten Fragen (Anlage 1) vor Beginn der Verhandlungen übermittelt wurden. Die Fragen dienten als Grundlage der drei im Außenministerium abgehaltenen Besprechungen, an denen Vertreter des Statistischen Departements und des Industrierats teilnahmen.

Ich erhielt in einer abschließenden Sitzung in der Hauptabteilung Wirtschaft noch die im Dezember 1943 auf Anforderung von Ministerialdirigent Dr. Bauer für einen Teil der Textilindustrie aufgestellten Beschäftigtenangaben. Am letzten Tage empfing mich noch der Vorsitzende des deutsch-dänischen Regierungsausschusses, Ministerialdirektor Walter der über die Voraussetzungen für eine Erhöhung der Verlagerung sprach. Die unzureichenden deutschen Lieferungen an Dänemark hätten zu einer Vernachlässigung notwendiger Reparaturarbeiten und in gewissen Industriezweigen zu einer Verringerung der Erzeugung und zu Stillegungen geführt. Wolle man die dänischen industriellen Lieferungen und damit die Erzeugung erhöhen, so müsse man zunächst den Dänen die Wiederingangsetzung ihrer stillgelegten Maschinen ermöglichen und ihnen für ihren Reparaturbedarf Eisen liefern, vielleicht auch Arbeiter aus dem Reich zurückgeben. Man könne also die deutschen industriellen Aufträge nicht von einem Tag zum andern erhöhen. Im Laufe dieser Unterredung wies Ministerialdirigent Ebner nochmals darauf hin, daß die Erhöhung der Lieferungen mit den Dänen ausgehandelt werden müsse und nicht diktiert werden könne. Ferner sei zu prüfen, ob die Erhöhung industrieller Aufträge die Nahrungsmittellieferungen nicht ungünstig beeinflußt.

Im Rüstungsstab wurde ich sehr entgegenkommend aufgenommen; ich erhielt Einblick in die vorhandenen Unterlagen, die ich auswertete. Angaben über Beschäftigung und Kapazität lagen nur für die Schiffbauindustrie vor.

Auch der Bevollmächtigte des Generalbevollmächtigten für den Arbeitseinsatz, Oberregierungsrat Dr. Heise, stellte mir seine Statistiken und Berichte zur Verfügung, die, wie sich aus den folgenden Angaben über die Arbeiterfrage ergibt, für meine Aufgabe wenig boten.

Zwei weitere Besuche in der Deutschen Handelskammer in Kopenhagen und im deutschen wissenschaftlichen Institut der Universität verliefen ergebnislos.

III. Die Untersuchungsergebnisse
Allgemeines: Dänemark hat eine gute, jährliche Produktionsstatistik, die u.a. Angaben über Produktionswert, Produktionsindexe und Beschäftigtenzahlen für die einzelnen Industriezweige bringt. Außerdem wird für jeden Industriezweig eine weitgehende Aufteilung der Erzeugnisse und verarbeiteten Rohstoffe nach dem Wert und größtenteils auch nach der Menge gegeben. Über die geleisteten Arbeitsstunden liegt nur eine jährliche Arbeitsstundenzahl für die gesamte Industrie vor. Kurzarbeit wird nicht gezählt, eine allgemeine jährliche Durchschnittszahl der täglichen Arbeitsdauer ist aus der Beschäftigtenzahl und den geleisteten Arbeitsstunden zu errechnen. Außerdem läßt sich für einen Teil der Tex-

tilindustrie aus den für Ministerialdirigent Dr. Bauer aufgestellten Beschäftigtenzahl die durchschnittliche tägliche Arbeitsdauer für September und Oktober 1943 errechnen.

Die Arbeitslosenstatistik erfaßt wöchentlich die bei den Arbeitslosenkassen der Fachverbände (Gewerkschaften) arbeitslos gemeldeten Arbeiter. Die Zahlen unterscheiden nur nach der Mitgliedschaft in den Fachverbänden und nicht nach handwerklichen, gelernten und ungelernten Arbeitern. Diese Unterscheidung ist sehr unzulänglich. Neben der Arbeitslosenstatistik wird noch eine globale Zahl der Arbeitssuchenden angegeben, die in keiner Arbeitslosenkasse gemeldet sind. Diese Zahl ist regelmäßig klein.

Eine Beschäftigtenstatistik in der Art der deutschen Industrieberichterstattung gibt es nicht.

Angaben über die industrielle Kapazität liegen nur für den Schiffbau vor, die von dem Leiter des Hauptausschusses Schiffbau in Kopenhagen, Lorentzen, zusammengestellt wurden. Sekretär Winge vom dänischen Außenministerium erklärte, daß viele Herren aus Berlin nach der Industriekapazität gefragt haben, keiner habe jedoch Angaben darüber erhalten können, auch Dr. Peschardt im dänischen Außenministerium ist der Ansicht, daß es praktisch keine verwendbaren Arbeitslosen mehr gibt. Die noch vorhandenen Arbeitslosen seien nicht zu verwenden, wie der bei Vollbeschäftigung überbleibende Rest der Arbeitslosen in allen Ländern. Im Gegensatz dazu sagt Oberregierungsrat Dr. Heise, daß man der dänischen Industrie noch 20-30.000 Arbeitskräfte zuführen könne. Damit würden allerdings die Anwerbungen dänischer Arbeiter für die Beschäftigung im Reich aufhören. Ins Reich gingen im Januar 1943 etwa 6.000 Arbeiter, im Januar 1944 etwa 1.750. Der Rückgang sei auf die allgemeine, durch die Kriegslage ungünstig beeinflußte Stimmung und auf die deutschen Arbeitsvorhaben in Jütland zurückzuführen. Zur Frage der Facharbeiter konnte Heise nichts wesentliches sagen. Er führte noch das Beispiel der Beschaffung von Arbeitskräften für die deutschen Bauvorhaben in Jütland an. Zunächst hätte die dänische Regierung den Standpunkt eingenommen, daß dafür nicht genügend Arbeitskräfte aus Dänemark herausgezogen werden könnten, als dann die Arbeitsdienstpflicht als Lösung vorgeschlagen wurde, konnten doch Mittel und Wege gefunden werden, genügend Arbeiter zu stellen.

Trotz der Stellungnahme des Oberregierungsrat Dr. Heise muß die zusätzliche Arbeiterbeschaffung für die Industrie vorsichtig behandelt werden, damit die Landwirtschaftliche Erzeugung nicht unter Arbeitermangel in der Bestell- und Erntezeit leidet.

Größere Arbeitskraftreserven liegen noch in der Kurzarbeit der geringbeschäftigten Industriezweige, besonders in der Textilindustrie. Legt man den achtstündigen Arbeitstag als Vollarbeit zugrunde, so betrug die durchschnittliche Arbeitszeit im September/Oktober 1943 in den Baumwollwebereien 6,4 Stunden, in den Tuchfabriken 7 Stunden und in den Trikotagenfabriken 5,5 Stunden; in der gesamten Industrie betrug sie 1942 durchschnittlich 7,1 Stunden und 1943 (vorläufiges Ergebnis) 6,6 Stunden. Die Größe der durch Kurzarbeit verlorengehenden Arbeitskraft entspricht demnach mindestens 25.000 Arbeitern.

Zahlen in der Anlage 2.

Kohlen: Die deutschen Aufträge für die dänische Industrie können nur bei entsprechender Mehrlieferung von Kohlen erhöht werden.

Die Vorkommen an Steinkohle und Erdgas, sowie die Wasserkräfte sind unerheblich. Die Förderung von Braunkohle betrug 1943 etwa 2 Millionen t, die Torferzeugung etwa 6 Millionen t.

Dänemark führte 1938 etwa 5,4 Millionen t Kohlen und Koks ein, 1939 etwa 60 Millionen t und 1943 etwa 2,8 Millionen t; 1943 wurden außerdem noch 0,6 Millionen t Braunkohlenbriketts eingeführt.

Rohstoffe: Dänemark verlangt für deutsche Aufträge regelmäßig die Zulieferung der Rohstoffe. Das liegt in der Rohstoffarmut des Landes begründet. Abgesehen von anfallenden Altstoffen und den landwirtschaftlichen Ausgangserzeugnissen u.a. Häute, sind nur Rohstoffe für die Industrie der Steine und Erden vorhanden.

Industrielle Erzeugung: Der Verkaufswert (Bruttoproduktionswert) der Produktion ohne die industrielle Nahrungsmittelerzeugung für 1942, betrug 2,6 Milliarden Kr., der erzeugte Wertzuwachs 1,3 Milliarden Kr. Die Zahlen haben sich 1943 nicht erheblich geändert.

Die Produktivität der Industrie ist infolge der zunehmenden Verwendung von Ersatzmaterialien gesunken.

Der Rüstungsstab, der auch Zentralauftragsstelle ist, vermittelte 1943 dänische Lieferungen für Wehrmachts- und Verlagerungsaufträge von etwa 130 Millionen Kr. Verkaufswert (Bruttoproduktionswert). Der Hauptteil entfällt auf die Eisen- und Metallindustrie.

Die dänische Außenhandelsstatistik weist 1943 eine Ausfuhr industrieller Fertigwaren, ohne Nahrungsmittel, nach dem Deutschen Reich von etwa 175 Millionen Kr. aus.

Textilindustrie: Die mir von der Hauptabteilung Wirtschaft für einen Teil der Textilindustrie übergebenen Zahlen sind von der dänischen Vereinigung der Textilfabrikanten im Dezember 1943 für Ministerialdirigent Dr. Bauer zusammengestellt worden. Sie gehen von einer Vollbeschäftigung aus, die offensichtlich nicht die Kapazität ist, sondern eine historische Höchstbeschäftigung der in der Vereinigung zusammengeschlossenen Fabriken.

Webereien und Trikotagenfabriken
Beschäftigungsgrad September und Oktober 1943

Industriezweige	Baumwollwebereien		Tuchfabriken		Trikotagenfabriken	
	Sept. 1943	Okt. 1943	Sept. 1943	Okt. 1943	Sept. 1943	Okt. 1943
normale Arbeiterzahl bei voller Beschäftigung	3.508	3.508	2.332	2.332	4.845	4.845
beschäftigte Arbeiter, dav. Ein Teil Kurzarbeiter	2.554	2.581	2.229	2.223	4.562	4.519
beschäftigte Arbeiter, umgerechnet auf volle Arbeitszeit	2.028	2.052	1.932	1.914	3.066	3.055
Beschäftigung in VH d. Vollbeschäftigung	57,81	58,49	82,85	82,08	63,28	63,05

Benutze ich die erste bis 1942 vorliegende Produktionsindexe der amtlichen Produktionsstatistik für eine ähnliche Zusammenstellung, so ergibt sich folgendes:
Produktionsindexe 1935 = 100

	Baumwoll-spinnereien	Watte-fabriken	Baumwoll-webereien	Wollspinne-reien und Tuchfabriken	Trikotagen-fabriken
1939	105	135	110	113	128
1942	27	81	60	78	64
Beschäftigung 1942 in vH von 1939	25,7	60,0	54,5	69	50
Zahl der durchschnittlich beschäftigten Arbeitskräfte 1942	1.112	162	3.354	3.600	5.804

Da die Verhältnisse sich 1943 gegenüber 1942 nicht erheblich geändert haben, geben auch diese Zahlen ein Bild über die Ausnutzung der Textilindustrie. Zudem umfassen sie, wie aus der Zahl der Arbeitskräfte hervorgeht, weit mehr Fabriken, als die Aufstellung der Vereinigung der Textilfabrikanten.

Von der Reichsstelle für Textilwirtschaft erhielt ich noch eine Aufstellung der Spindeln, Webstühle und Wirkmaschinen in der dänischen Textilindustrie.

Schiffbau: Der deutsche Hauptausschuß für Schiffbau in Kopenhagen gab mir folgende Angaben über die Werften:

Es sind 11 Werften vorhanden, von denen sechs Privatwerften und eine deutschgeleitete Staatswerft mit 15.000 Arbeitern (Ende Januar 1944) arbeiten.

Die Leistungsfähigkeit beträgt 20-25 Neubauten mit 150-200.000 BRT, außerdem können etwa 200 Schiffe mit 350.000 BRT ausgebessert werden.

Die Werften sind zurzeit mit 19 deutschen Frachtschiffen mit 103.000 BRT belegt.

1943 wurden 20 Neubauten mit 147.000 BRT abgeliefert, davon waren 6 Schiffe mit 67.000 BRT für deutsche Rechnung gebaut. Ferner wurden 192 Schiffe mit 352.284 BRT ausgebessert. Die Lieferungen für deutsche Rechnung haben unter Verzögerung der Materiallieferungen gelitten. Der Leiter des Hauptausschusses, Lorentzen, sagte mir, er habe die Werften mit deutschen Aufträgen vollgestopft.

IV. Folgerungen

Für den Untersuchungszweck fehlen Angaben über die technische Kapazität und über den Arbeitseinsatz.

Nach Angabe von Dr. Meulemann aus der Hauptabteilung Wirtschaft kann jedoch die dänische Regierung vom Reichsbevollmächtigten beauftragt werden, Erhebungen der Kapazität vornehmen zu lassen. Eine derartige Erhebung ist sehr schwierig und dauert bis zur fertigen Auswertung mehrere Monate. Außerdem würde das Verhältnis zwischen den deutschen und dänischen Dienststellen belastet und das Mißtrauen der Dänen von neuem geweckt werden.

Die gute dänische Produktionsstatistik bietet jedoch eine Möglichkeit, die unterbeschäftigten Industriezweige herauszufinden und die Beschäftigung für 1942 in ihrem Verhältnis zu 1939 festzustellen.

Auch der Wert der Produktion bei Vollbeschäftigung läßt sich annähernd angeben. Da sich die Lage im Jahre 1943 gegenüber 1942 nicht erheblich geändert hat, haben die so ermittelten Zahlen auch für die gegenwärtigen Verhältnisse Geltung. Würden damit die Verlagerungsaufträge gelenkt und ihr Umfang erhöht werden, so wäre auch die Hauptabteilung Wirtschaft beim Reichsbevollmächtigten weit eher damit einverstanden, als mit einer durch besonderen Auftrag zu erwirkenden schwierigen Erhebung.

Die Ergebnisse sind in zusammenfassenden Tabellen dargestellt und zwar in der Anlage 2 die Zahlen zur Arbeiterfrage und in Anlage 3 die Zahlen zur industriellen Erzeugung.

Für die im Rahmen der Aufgabe besonders wichtigen Industriezweige der Verbrauchsgüterindustrie werden noch weitere Aufstellungen über die erzeugten Mengen der einzelnen Produkte für 1939 und 1942 angefertigt werden.

6.3.44.

Dr. Niebuhr

Anlage 1 Dem dänischen Außenministerium vorgelegte Fragen
– 2 Zahlen zur Arbeiterfrage
– 3 Zahlen zur Industriellen Erzeugung folgt, noch nicht fertig
– 4 Bericht über die Verhandlungen.

[Bilagene er ikke medtaget]

Vor-Bericht
Über die zur Ermittlung der Erzeugungsmöglichkeiten der dänischen Industrie unternommene Reise nach Kopenhagen vom 27.1.-21.2.44

Nach kurzen Vorbesprechungen mit dem Bevollmächtigten für Wirtschaftsfragen Ministerialdirigent Dr. Ebner, Oberregierungsrat Stier und Regierungsrat Dr. Meulemann von der Hauptabteilung Wirtschaft des Reichsbevollmächtigten, wurde ich am 31. Januar von dem Reichsbevollmächtigten Dr. Best in Gegenwart von Dr. Ebner empfangen. Dr. Best sagte, daß meine Fragen dem dänischen Außenministerium vorzulegen seien, ohne daß ich selbst mit dänischen Stellen verhandeln solle. Nachdem ich versichert hatte, mich nach den Entschließungen zu richten, bat ich, mich zu den Verhandlungen mit den dänischen Stellen hinzuzuziehen und sprach kurz über die vorzulegenden Fragen. Dr. Ebner stellte sich daraufhin auf den Standpunkt, es müsse auf jeden Fall die Entscheidung des Auswärtigen Amtes eingeholt werden, womit Dr. Best einverstanden war.

Am selben Tag fand noch eine Besprechung mit Ebner, Stier und Meulemann statt, in dem mir mitgeteilt wurde, daß das Fernschreiben an das Auswärtige Amt abgegangen sei. Die Entscheidung müsse abgewartet werden. Auch die dem dänischen Außenministerium vorzulegenden Fragen könnten nicht vorher gestellt werden.

Jedoch wurde am 5. Februar mit einer Besprechung zwischen Dr. Meulemann und mir die Angelegenheit wieder aufgenommen, ohne die Antwort des Auswärtigen Amtes abzuwarten. Eine Zusammenstellung der notwendigen Fragen (Anlage 1)[55] wurde dem dänischen Außenministerium übermittelt und mit diesem am 16. und 18. Februar insgesamt drei Besprechungen abgehalten, an denen Mitglieder des Statistischen Departements und des Industrierats teilnahmen.

Am 21. Februar übergab ich in einer Abschließenden Sitzung eine kurze Zusammenfassung der Besprechungen (Anlage 2). Ich erhielt zum Schluß noch die im Dezember 1943 auf Anforderung von Ministerialdirektor Dr. Bauer für einen Teil des Textilindustrie aufgestellten Kapazitätsangaben auf Grund von Beschäftigtenzahlen (Anlage 3). Die Angaben sind von der Vereinigung der Textilindustriellen gemacht worden. Am selben Tage empfing mich noch der Vorsitzende des deutsch-dänischen Regierungsausschusses, Ministerialdirektor Walter.

Im Rüstungsstab wurden mir die vorhandenen Berichte und Statistiken zur Verfügung gestellt, die ich auswertete. Angaben über Beschäftigung und Kapazität lagen nur für die Schiffbauindustrie vor (Anlage 4).

Der Bevollmächtigte des Generalbevollmächtigten für den Arbeitseinsatz Sauckel, Oberregierungsrat Dr. Heise, machte Angaben über die Arbeitslage in Dänemark.

Ergebnis: Es gibt in Dänemark keine Statistiken über die industrielle Kapazität mit Ausnahme der erwähnten Zahlen für Textilindustrie und Schiffbau. Die Statistik der Beschäftigung und Erzeugung (Produktionsstatistik) liegt nur bis 1942 vor, die Zahlen für 1943 stehen frühestens im August 1944 zur Verfügung.

Der Reichsbevollmächtigte kann jedoch das dänische Außenministerium beauftragen, Angaben über Kapazität und Kapazitätsreserven erheben zu lassen, wie es für die Textilindustrie bereits geschehen ist.

Zur Verlagerung
Allgemeines: Ministerialdirektor Walter sprach über die Voraussetzungen für eine Erhöhung der Verlagerung. Die unzureichenden deutschen Lieferungen an Dänemark hätten zu einer Vernachlässigung notwendiger Reparaturarbeiten und in gewissen Industriezweigen zu einer Verringerung der Erzeugung und zu Stillegungen geführt. Wolle man die dänischen industriellen Lieferungen und damit die Erzeugung erhöhen, so müsse man zunächst den Dänen die Wiederingangsetzung ihrer stillgelegten Maschinen ermöglichen und ihnen für ihren Reparaturbedarf Eisen liefern, vielleicht auch Arbeiter aus dem Reich zurückgeben. Man könne also die deutschen industriellen Aufträge nicht von einem Tag zum andern erhöhen. Ministerialdirigent Ebner wies mehrmals daraufhin, daß die Erhöhung der Lieferungen mit den Dänen ausgehandelt werden müsse und nicht diktiert werden könne. Ferner sei zu prüfen, ob die Erhöhung industrieller Aufträge die Nahrungsmittellieferungen nicht ungünstig beinflußt. Ein dänischer Verhandlungsteilnehmer, Sekretär Winge vom Außenministerium, wies auf den hohen Clearingsaldo – etwa 4 Milliarden Kr. – hin. Eine Erhöhung der Aufträge würde den Saldo und damit die Belastung des dänischen Volkes erhöhen.

Dänemark hat für wirtschaftliche Verhandlungen mit deutschen Stellen eine Wirt-

---

55 Bilagene er ikke medtaget.

schaftsabteilung im Außenministerium errichtet. Diese schaltet sich auch dann ein, wenn man direkte Verhandlungen mit den dänischen Industrieverbänden aufnehmen will.

Arbeiterfrage
In der Industrie beschäftigte Arbeitskräfte:
1939	1940	1941	1942		1943
183.000	170.000	174.000	185.000	etwa	200.000

Die geleisteten Arbeitsstunden betrugen in Millionen Stunden:
1939	1940	1941	1942	1943
418	364	365	394	393

In verschiedenen Industriezweigen kommt Kurzarbeit vor, vor allem in der Textilindustrie.
Ende Januar 1944 waren 47.000 Arbeitslose vorhanden. Im Deutschen Reich und in Norwegen sind 50-60.000 Arbeiter beschäftigt, bei den deutschen Bauvorhaben in Jütland etwa 20.000.
Kontorchef Peschardt im dänischen Außenministerium ist der Ansicht, daß es praktisch keine verwendbaren Arbeitslosen mehr gibt. Im Gegensatz dazu sagt Oberregierungsrat Dr. Heise, daß man der dänischen Industrie noch 20-30.000 Arbeitskräfte zuführen könne. Damit würden allerdings die Anwerbungen dänischer Arbeiter für die Beschäftigung im Reich aufhören. Ins Reich gingen im Januar 1943 etwa 6.000 Arbeiter, im Januar 1944 etwa 1.750. Der Rückgang sei auf die allgemeine durch die Kriegslage ungünstig beeinflußte Stimmung und auf die deutschen Arbeitsvorhaben in Jütland zurückzuführen. Zur Frage der Facharbeiter konnte Heise nichts Wesentliches anführen.

Kohlen: Die deutschen Aufträge für die dänische Industrie können nur bei entsprechender Mehrlieferung von Kohlen erhöht werden.

Rohstoffe: Dänemark verlangt für deutsche Aufträge regelmäßig die Zulieferung der Rohstoffe.

Industrieerzeugung:
Produktionsindexe (1935=100):
	1939	1940	1941	1942	1943
Konsumwaren	112	94	87	82	87
Produktionsmittel	125	94	93	101	106
Insgesamt	117	94	90	89	94

Der Verkaufswert (Bruttoproduktionswert) der Produktion ohne die industrielle Nahrungsmittelerzeugung für 1942, betrug 2,6 Milliarden Kr., der erzeugte Wertzuwachs 1,3 Milliarden Kr. Die Zahlen haben sich 1943 nicht erheblich geändert.
Die Produktivität der Industrie ist infolge der zunehmenden Verwendung von Ersatzmaterialien gesunken.

Der Rüstungsstab, der auch Zentralauftragsstelle ist, vermittelte 1943 dänische Lieferungen mit etwa 130 Millionen Kr. Verkaufswert (Bruttoproduktionswert). Der Hauptteil entfällt auf die Eisen- und Metallindustrie.

Die dänische Außenhandelsstatistik weist 1943 eine Ausfuhr industrieller Fertigwaren, ohne Nahrungsmittel, nach dem Deutschen Reich von etwa 175 Millionen Kr. aus.

Die Unterbringung der Aufträge hat, infolge der geringen Mengen noch keine größeren Schwierigkeiten gemacht.

Preise: Die Preise sind größtenteils niedriger als im Deutschen Reich. Die Regierung ist bestrebt, die Preise für deutsche Aufträge niedrig zu halten. Eine Kontrollstelle, der Odel-Ausschuß, übt eine scharfe Kontrolle der Kalkulation aus.

325. Paul von Behr an Waldemar Ludwig 6. März 1944

AA orienterede Ludwig om, hvordan Heereswaffenamt forestillede sig, at betalingen til ombygningen af våben- og ammunitionsarsenalet i København kunne finde sted for dansk regning, uden at danskerne kunne opdage det. Det skulle drøftes med Forstmann i nærmeste fremtid.
  Se Behr til Best 7. marts 1944.
  Kilde: PA/AA R 105.211. RA, pk. 281.

Durchdruck als Konz. gef. Kg (R'Schr. 1b)
Ref: LR Baron v. Behr
Auswärtiges Amt   *Berlin, den 6. März 1944*
zu Ha Pol. VI 587/44 Ang. II

An das Reichswirtschaftsministerium
   z.Hd. v. Herrn Min. Rat Ludwig

Im Anschluß an das diesseitige Schreiben vom 4. März d.Js.[56] – Ha Pol. VI 587/44 – betreffend Überweisung von Beträgen zum Umbau des Waffen- und Munitionsarsenals in Kopenhagen teile ich ergebenst folgendes mit.
  Mich hat heute Referent Fleischer vom Heereswaffenamt aufgesucht, um mich davon in Kenntnis zu setzen, daß das Heereswaffenamt plant, die für den Umbau bzw. Ausstattung des Arsenals in Kopenhagen benötigten Beträge (insgesamt voraussichtlich bis zu 1,5 Mill. d.Kr. in der Weise zu überweisen, daß dem Arsenal vom Heereswaffenamt wesentlich erhöhte Aufträge erteilt werden, die, wie andere Verlagerungsaufträge, deren Überweisung im Verrechnungswege bezahlt werden sollen. Das Arsenal würde vorerst nur einen Teil der Aufträge ausführen und daher durch die Überweisungen überschießende Beträge erhalten, die für den Umbau und die Ausstattung des Arsenals verwandt werden könnten.
  Das Heereswaffenamt glaubt, daß die Dänen, die bisher bei der Überweisung für die Finanzierung von Verlagerungsaufträgen in keinem Falle Schwierigkeiten gemacht hat-

---

56 Skrivelsen er ikke lokaliseret. Se Walters telegram til AA 1. marts 1944.

ten, nicht in der Lage wären, nachzuprüfen, ob die vorstehend erwähnten Überweisungen den Wert der tatsächlich in Auftrag gegebenen Rüstungsgegenstände übersteigen. Auf diesem Wege könnten also die sonst bei einer Überweisung im Verrechnungswege zu erwartenden Schwierigkeiten vermieden werden.

Der Chef des Heereswaffenamtes, Generalmajor Schricker, und Referent Fleischer begeben sich in der kommenden Woche nach Kopenhagen, um mit Fregattenkapitän Forstmann die Durchführung dieses Planes zu besprechen, und wie werden nach ihrer Rückkehr von den Ergebnis dieser Besprechung hier Mitteilung machen.

Den Reichsbevollmächtigten und Ministerialdirektor Walter unterrichte ich gleichzeitig auf telegraphischem Wege.

Im Auftrag
gez. v. **Behr**

326. Paul von Behr an Werner Best 7. März 1944

AA kunne som svar på Walters telegram 1. marts meddele, at der ville komme repræsentanter for værnemagten til Købehavn, og at disse planlagde at få udgifterne til ombygning af det omtalte arsenal betalt over clearingkontoen. Kun hvis tungtvejende grunde gjorde sig gældende, kunne betalingen i stedet finde sted over værnemagtskontoen.

Det fremgår senere, at resultatet ved forhandling mellem de involverede tyske som danske parter blev, at betalingen skulle ske af værnemagtskontoen, og at det skete i form af forskud (se bilaget til Bests telegram 10. november 1944).

Kilde: PA/AA R 105.211. RA, pk. 281.

T e l e g r a m m

Berlin, den   7. März 1944

Diplogerma Kopenhagen Nr. 234
Referent: LR Baron v. Behr
Betreff: Arsenal Kopenhagen

Auf Telegramm 271 vom 1.3.[57]
Chef Heereswaffenamt, Generalmajor Schricker, und Referent Fleischer eintreffen kommende Woche Kopenhagen, um mit Fregattenkapitän Forstmann Frage Überweisungen für Ausstattung Umbau Arsenals zu besprechen. Geplant ist, erforderliche Beträge durch erhöhte Überweisungen im Clearing für die Arsenal zu erteilenden Aufträge zur Verfügung zu stellen. Nur falls aus irgendeinem Grunde dieser Weg nicht gangbar sein sollte, plant Heereswaffenamt erforderliche Beträge über Besatzungskostenkonto anzufordern.

Behr

---

57 Trykt ovenfor.

327. Werner Best an das Auswärtige Amt 7. März 1944

Best meddelte, at han indstillede de meningsløse dagsindberetninger af enkelttilfælde. I stedet ville han fremover give besked om, hvilke indberetninger der over WFSt gik til Hitler, såfremt der var noget at melde.

Det store antal dage, hvor der intet særligt var at melde, skyldtes, at der siden begyndelsen af februar af modstandsbevægelsens ledelse havde været dekreteret en væsentlig indskrænkning i sabotagen, uden at det var kommet til et fuldstændigt stop. Havde Best valgt at gengive BdOs meddelelser om sabotager og aktioner, havde forholdene i Danmark ikke forekommet helt så rolige.

AA reagerede ved at kalde Best til Berlin i slutningen af marts, se Henckes optegnelse om besøget 1. april 1944.

Kilde: PA/AA R 29.568. RA, pk. 204. LAK, Best-sagen (afskrift).

Telegramm

Kopenhagen, den	7. März 1944	09.40 Uhr
Ankunft, den	7. März 1944	11.20 Uhr

Nr. 302 vom 6.3.44.
Verzögert durch Leitungsstörung.

Auf das Telegramm Nr. 212[58] vom 5.3.44 erwidere ich, daß ich bereits in meinem Telegramm Nr. 1249 vom 13.10.43[59] gelegentlich einer Tagesmeldung, daß aus Dänemark keine besonderen Vorkommnisse zu melden seien, mitgeteilt habe:

"Ich erstatte diese inhaltslosen Tagesmeldungen nur deshalb weiter, weil auch der Befehlshaber der deutschen Truppen in Dänemark auf Grund ausdrücklichen Befehls weiter Tagesmeldungen an den Wehrmachtführungsstab erstattet."

Ich bin überhaupt der Auffassung, daß die in solchen Tagesmeldungen zu meldenden Einzelvorfälle keine Gegenstände für eine Berichterstattung an höchste Stellen sind.

Um aber den Herrn Reichsaußenminister darüber zu unterrichten, welche Meldungen aus Dänemark über den Wehrmachtführungsstab ggf. an Führer herangetragen werden, werde ich von jetzt an jeweils die Tagesmeldungen des Wehrmachtbefehlshabers (soweit sie nicht "keine besonderen Vorfälle" lauten) übermitteln und, soweit erforderlich, zu ihnen Stellung nehmen.

Dr. Best

328. Werner Best an das Auswärtige Amt 8. März 1944

Der var en øget tilstrømning til den tyske St. Petri skole i København. Best foreslog derfor at genoptage og afslutte indretningen af den nye skolebygning, så den kunne stå færdig senest efteråret 1945. Der var allerede afsat 1 million kroner til byggeriet for første halvår 1944, og Best regnede med at kunne finansiere de resterende 2 millioner kroner ved et forskud fra sin sikringskonto. Han bad om tilladelse til at gennemføre sit forslag.

AAs svar er ikke lokaliseret, men byggeriet blev fremmet igen, så skolen planlagde at flytte i 1945 (*St. Petri Skoles Aarsskrift 1943/44*, 1944, s. 9).

58 Pol. VI 859g II. Telegrammet er ikke lokaliseret.
59 Trykt ovenfor.

Denne kovending fra Bests side må ses på baggrund af, at situationen i Danmark i forårsmånederne 1944 syntes at være stabiliseret, sabotagen var taget mærkbart af, og han havde tillid til, at det var en varigere tilstand forårsaget af de tyske modforanstaltninger.
Kilde: RA, pk. 291.

Telegramm

Kopenhagen, den	8. März 1944	16.55 Uhr
Ankunft, den	8. März 1944	23.45 Uhr

Nr. 311 vom 8.3.[44.]

Infolge der ständig wachsenden Schülerzahl der deutschen St. Petri-Schule, die im vergangenen Schuljahr um fast 20 Prozent wuchs, ist die Aufnahmefähigkeit dieser Schule nunmehr erschöpft. Zu Beginn des kommenden Schuljahres wird es zwar noch möglich sein, die schulpflichtig werdenden Kinder unterzubringen, darüber hinausgehende Aufnahmegesuche können jedoch aus Platzmangel nicht berücksichtigt werden. Aus kulturpolitischen Gründen erscheint mir baldige Abhilfe dringend geboten, zumal die Tatsache der Überfüllung der St. Petri-Schule hier bereits allgemein bekannt ist und sich bei längerer Dauer sehr zum Nachteil der Schule auswirken muß. Eine zur Zeit laufende Aktion mit dem Ziel der Umschulung solcher Kinder Reichs- und Volksdeutscher, die heute noch dänische Schulen besuchen und nahezu 100 Schüler erfaßt haben würde, mußte wegen der Unterbringungsschwierigkeit einstweilen abgestoppt werden. Diese Tatsache ist umso bedauerlicher, als es sich in der Mehrzahl um Kinder aus Mischehen handelt, die im Falle des Verbleibens auf dänischen Schulen dem Deutschtum mit Sicherheit verloren gehen.

Unter diesen Umständen halte ich die beschleunigte Vollendung der neuen Schule mit dem Ziel ihrer Inbetriebnahme zum Herbst d.Js. spätestens aber zum Frühjahr 1945 für absolut unerläßlich und wäre dankbar, wenn alle beteiligten Stellen auf die Bedeutung und den Ernst der Angelegenheit hingewiesen würden. Nach Ansicht des Oberbaurates Schäfer läßt sich das oben angedeutete Ziel bautechnisch erreichen, sofern die entsprechenden Anordnungen baldigst erteilt werden. Außer den bis zum 30. Juni d.Js. erforderlichen und im Rahmen des laufenden Haushaltsplanes vorgesehenen 1.000.000 D.Kr. sind bis zum schlüsselfertigen Zustand des Baues noch weitere 2.000.000 D.Kr. nötig. Hiervon entfallen 1.150.000 D.Kr. auf Innen- und Außenarbeiten, 700.000 D.Kr. auf die Inneneinrichtung und 150.000 D.Kr. auf unvorhergesehene Arbeiten und Nebenkosten. Dieser Betrag könnte von mir aus Sicherungsmitteln bevorschußt werden und müßte alsdann im Rahmen der Haushaltspläne 1944/45 etatisiert werden. Da sich ein Teil der Inneneinrichtung, wie es stets geplant war, möglicherweise auch heute noch aus dem Reich beschaffen läßt, ließe sich insoweit devisenmäßig eine Entlastung erreichen.

Ich bitte, mich in dem vorgeschlagenen Sinne zu ermächtigen.

Dr. Best

329. Rüstungsstab Dänemark: Aktenvermerk [betr. Generatorholz] 9. März 1944

Med indkaldte repræsentanter for den rigsbefuldmægtigede, de tyske byggemyndigheder i Danmark og en dansk træproducent blev det diskuteret, hvordan man kunne skaffe de nødvendige store mængder træ til befæstningsbyggeriet. Der var problemer med arbejdskraften, der flyttede til andre tyske arbejdspladser med højere løn. Der var også købt store mængder træ på det sorte marked, men vejen frem var at få leverancerne fra de danske producenter styret og reguleret gennem UM.

Konferencen løste ikke problemet, og breve fra Wiedemann senere i marts om at få mindre mængder træ fra Tyskland (5.000 hl.) og Finland (3.000 hl.) stødte på transportproblemer (bilag 12-15). Se tillige von Behr til Best 20. marts og Ebners omtale af problemet 22. marts 1944.

Kilde: BArch, Freiburg, RW 19: Wi I E1: Dänemark, KTB/Rü Stab Dä, 1. Vierteljahr 1944, Anlage 11.

Abschrift!   Anlage: 11
Abteilung Wehrwirtschaft im Rü Stab Dänemark   *Kopenhagen, den 9. März 1944.*
Gr. Ia Az. 10 b Nr.-/44.

Aktenvermerk
über die am 8.3.44 stattgefundene Besprechung bei Abt. Wwi.

Anwesend:
1.) Oberforstmeister Dr. Wiedemann (Reichsbevollmächtigten)
2.) Dipl. Ing. Fickert, (G.B. Bau, Techn. Amt IV)
3.) Herr Tommerup-Nielsen, (Dansk Generator Brändsel A/S)
4.) Bau-Ing. Gebhard, (OT)
5.) Reg. Bau-Inspektor Hirschnitz, (Fest. Pi. Stab 31)
6.) Dipl. Ing. Linz, (Neubauamt d. Lw. bezw. Sonderbaustab d. Lw.)
7.) Hauptmann Mücke, (Abt. Wwi im Rü Stab Dänemark)
8.) Hauptmann Rohde, (Abt. Wwi im Rü Stab Dänemark)
Später:
9.) Reg. Baurat Kruse, (Abt. Wwi im Rü Stab Dänemark)
10.) Reg. Bau-Insp. Heiser, (Abt. Wwi im Rü Stab Dänemark)

Betr.: Generatortankholz
Gegenstand der Besprechung war die derzeitige Situation in der Versorgung der für die Bauarbeiten auf Jütland benötigten Generatortankholz-Mengen. Hierzu führte zunächst Herr Tommerup-Nielsen aus, daß die Januar-Lieferungen nunmehr bis auf einen Rest von etwa 2.000 hl durchgeführt seien. Diese Lieferungen betreffen die Luftwaffe in Vojens und Vandel. Die Schwierigkeiten sind dadurch entstanden, daß ein großer Teil der in den Sägewerken Röde Kro beschäftigten Arbeiter wegen besserer Verdienstmöglichkeiten zur Luftwaffe abgewandert sind. Dansk Generator Brändsel wird eine namentliche Liste der abgewanderten Arbeiter herreichen und die Luftwaffe will veranlassen, daß diese Arbeiter auf den Baustellen wieder entlassen werden. Die Baustellen sollen ferner angewiesen werden, Waldarbeiter und Arbeiter aus den Generatorholzmühlen nicht einzustellen.

Die Februar-Lieferungen werden zur Zeit von der Dansk Generator Brändsel durchgeführt. Sie konnten erst im März disponiert werden, weil die Januar-Lieferungen erst verspätet durchgeführt wurden und weitere Mengen nicht zur Verfügung stehen. Dansk

Generator Brændsel erklärt ferner, daß sie nicht in der Lage ist, die Ablieferungen über 60.000 hl monatlich hinaus pro Monat zu erhöhen. Sie glaubt, den bestehenden Rückstand etwa im Mai oder Juni ausgeglichen zu haben.

Bei den für die Fertigstellung der Bauvorhaben gestellten kurzen Terminen ist diese Verzögerung nicht tragbar. Die Vertreter der OT und der Luftwaffe haben erklärt, daß sie die befohlenen Baumaßnahmen bisher nur durchführen konnten, weil sie Schwarzkäufe in Generatorholz im größten Stile getätigt haben. Luftwaffe hat bisher etwa 35.000 hl, OT ca. 18.000 hl "schwarz" gekauft. Dansk Generator Brændsel hat erklärt, daß durch ihre Organisation etwa 5/9 der Gesamtproduktion an Generatorholz erfaßt würde und daß ihre Kapazität sich bei etwa 250.000 hl monatlich bewegt. Die restlichen 4/9 werden behördlich nicht erfaßt und die Schwarzkäufe sind vorwiegend aus diesen Beständen erfolgt.

Die geplante Beschlagnahme der schwarz-angebotenen oder sonst vorhandenen Generatorholzbestände wird nicht als ratsam erachtet, weil sonst vermutlich, wenn derartige Beschlagnahme-Maßnahmen bekannt werden, auch diese Bestände verschwinden und dadurch den deutschen Bedarfsstellen entzogen würden: außerdem sind die Läger nicht genau bekannt, da die Angebote zumeist von Mittelsmännern erfolgen. Eine Beschlagnahme kann nur bei Waldbeständen erfolgen. Die Luftwaffe hat einen Antrag gestellt, ein Waldstück bei Vandel und bei Tustrup zu beschlagnahmen, nachdem sich die Besitzer des betr. Waldstückes bereit erklärt haben, zu verkaufen. Die Beschlagnahme wird im Einvernehmen mit dem Sachverständigen beim Reichsbevollmächtigten, Oberforstmeister Dr. Wiedemann und dem Rüstungsstab Dänemark sofort durchgeführt. Es wurde aber einstimmig festgestellt, daß die Bauvorhaben bei dem jetzigen Stand der Belieferungen mit Generatorholz nur durchgeführt werden können, wenn auch weiterhin Schwarzkäufe erfolgen. Die Dienststelle der Luftwaffe und der OT haben zur Vermeidung gegenseitiger Überbietungen untereinander einen Preis von 7,50 bis höchstens 8,00 Kr. hierbei abgesprochen, der nicht überschritten werden darf.

Das Neubauamt der Luftwaffe und auch die OT haben mit Rücksicht darauf, daß das Generatorholz sehr feucht ist, selbst Trockenanlagen hergerichtet. OT baut in Thisted eine Trockenanlage, die für Trocknung von täglich 300 hl vorgesehen ist. Eine Anlage d. Neubauamtes in Beldringe b. Odense ist im Bau und soll eine Leistung von 3-4000 hl[60] tägl. haben. Weitere Anlagen sind vorgesehen.

Anschließend wurde die Lage der sonstigen Holzversorgung besprochen. Dipl.-Ing. Linz hat hierzu ausgeführt, daß der Umlauf der Holzwanderkarten in diesem Falle vom dänischen Unternehmer zum dän. Außenministerium um zurück ca. 14 Tage in Anspruch nimmt. Dieser Zeitverlust ist untragbar.

Es wurde vorgeschlagen, beim dän. Außenministerium dahin zu wirken, daß die in der monatlichen Liste genannten Holzfirmen vom dän. Außenministerium dahingehend instruiert werden, daß sie bei Vorlage einer Wanderkarte sofort, ohne vorherige Genehmigung des dän. Außenministerium, liefern können. Die Formalitäten selbst können nachträglich durchgeführt werden.

Es wurde ferner vorgesehen, eine Aufteilung der für verklausuliertes Holz vorgesehe-

---

60 Det sidste 0 er overstreget i originalen. Der menes altså formentlig 300-400 hl.

nen Lieferanten unter den Bedarfsträgern und zwar: OT, Luftwaffe, Festungs-Pionier-Stab 31, Marine und Heer herbeizuführen. Dies hat den Zweck, zu vermeiden, daß Lieferanten Lieferungen unter Hinweis auf bereits erfolgte oder zu erfolgende Lieferungen an andere Wehrmachtteile ablehnen.

Oberstforstmeister Dr. Wiedemann hat hierzu erklärt, daß er die neue Liste der Lieferanten für verklausuliertes Holz an die Wehrmacht in diesen Tagen vom dän. Außenministerium erwartet. Nach Eingang der Liste werden die beteiligten Bedarfsstellen die Verteilung der einzelnen Firmen unter sich vornehmen.

Abteilung Wehrwirtschaft wird sofort beim dän. Außenministerium vorstellig, um einen beschleunigten Umlauf der Holzwanderkarten nach dem vorgenannten Verfahren zu erreichen.

gez. **Mücke**

330. Helmut Ziervogel über das von WB Dänemark veranstaltete Kriegsspiel 9. März 1944

Den 3. og 4. marts 1944 gennemførte von Hanneken et krigsspil i biografen i Oksbøllejren. Selve krigsspillet er ikke bevaret, alene oplægget dertil og det efterfølgende referat af OKWs observatør, oberstløjtnant Helmut Ziervogel. Ud over de tyske militære repræsentanter i Danmark deltog Werner Best, Günther Pancke og andre repræsentanter for tysk politi (bl.a. von Heimburg) og OT. Flyvergeneral Wolf var mødt frem fra Hamburg. WB Dänemark var hovedleder, blå leder var Generalleutnant Pflieger og rød leder Generalleutnant Richter (Bests kalenderoptegnelser 3. og 4. marts 1944).[61]

Der var fra starten divergenser mellem von Hanneken og Best. I tilfælde af at det blev alvor med en invasion, ønskede von Hanneken den fulde udøvende magt i hele Danmark, mens Best ville beholde den på øerne, og så ville han stille med en chef for civilforvaltningen for Jylland hos von Hanneken. Tysk politi ville i givet fald blive underlagt den militære øverstbefalende. Krigsspillet gik ud fra en storinvasion nord for Esbjerg, hvor Kriegsmarines modforanstaltninger var virkningsløse og en landgang ikke kunne forhindres. Selv om alle reserver blev sat ind, gik spillet ud fra, at den tilførsel af stridskræfter, som OKW havde stillet i udsigt, kun delvist ville blive opfyldt. Videre gik spillet ud fra, at et tilstrækkeligt antal transportkøretøjer ville mangle, idet mindst 50 % af OTs og de civile lastvogne ville falde ud. Yderligere anmodninger om hjælp blev anset for forgæves, andre mangler viste sig også (flak, efterretningsmidler).

Efter dette lidet opløftende forløb blev det besluttet at foretage forskellige omgrupperinger af styrkerne i Jylland. Best forklarede, at han tilstræbte, at de danske bønder hævede produktionen. Incitamentet var, at de fik penge at købe de få forhåndenværende varer for. Derfor ville han undgå, at disse varer blev opkøbt af besættelsesmagten. Imidlertid kunne soldaterne hos bønderne tiltuske sig levnedsmidler, som der var en overraskende mængde til stede af. Best ville beskytte landbefolkningen mod skrappe foranstaltninger, mens man kunne gå mod bybefolkningen med alle midler. Modsabotagen blev anset som virksom, selv om den også delte den danske befolkning. Konklusionen blev, at von Hanneken skulle søge at få tilført flere styrker, så han kunne opfylde de befalinger, han havde fået.

Krigsspillet blev tydeligvis påvirket af Bests tilstedeværelse, og hans indlæg til drøftelsen bidrog ikke til den militære afklaring af situationen. Han kom med en anden dagsorden og fik den sat. Det er bemærkelsesværdigt, at modsabotagen i pkt. 6 blev anset for virksom. Best er ikke refereret for at have modsagt dette, hvilket kan være en tilfældighed, eller også delte han den udtrykte holdning på dette tidspunkt i forlængelse af hans lige forud udtalte holdning til bybefolkningen (KTB/WB Dänemark 13, februar, 3. og 4. marts 1944, Andersen 2007, s. 172f.).

Kilde: RA, Danica 1069, sp. 12, nr. 15.736-738. KTB/OKW: Nachtrag B 1944, s. 48-50.

---

61 Bests optegnelser vedrørende besøget er undtagelsesvis mere detaljerede. Han omtaler både hvem, der var chauffør under bilturen, snestormen over Fyn o.a.

WFSt/Ktb. 9.3.1944.

Mitteilungen des von WFSt nach Dänemark entsandten Obstlt. d. G. Ziervogel über das am 3.-4.3. von W. Bfh. Dänemark veranstaltete Spiel.

1.) Das schwungvoll durchgeführte und daher anregend wirkende Spiel wurde geleitet von dem W. Bfh., General v. Hanneken. Anwesend waren die Kommandeure herunter bis zu den Btln., der Bevollmächtigte des Reiches, Dr. Best, sowie Vertreter des Luftgaues X und des Stellv. Gen. Kdos X, der Polizei und der OT. Den Kommandeuren fehlte z.T. die Fähigkeit zu schneller und elastischer Befehlsgebung. Der Eindruck war, je jünger, desto besser.

2.) Für den Ernstfall strebt der W. Bfh. die vollziehende Gewalt in seinem ganzen Bereich an. Dagegen will der Bevollmächtigte des Reiches sie auf den Inseln weiter behalten. Für Jütland stellt er einen Chef der Zivilverwaltung beim W. Bfh. ab. Der Höhere SS- und Polizeiführer tritt im Ernstfall sofort zum W. Bfh.

3.) Angenommene Lage: Großlandung nördlich Esbjerg von 3 Inf. Div., 1 Pz. Div. sowie einer Luftlande-Div. mit einer Nebenaktion, durchgeführt[62] durch eine Div.[63] gegen Fanö.[64] (Durch Einladen, betr. Gegenmaßnahmen der Marine, wirkte sich diese Nebenaktion auf den Ausgang nicht aus, da die Gefahr gleich am Anfang als beseitigt angesehen werden konnte.)[65] Im Laufe des Spiels wurde die 116. Res. Div. als überrollt angesehen, worauf aus allen übrigen Abschnitten die zur Verfügung stehenden Reserven herangeführt wurden. Annahme war, daß von den durch das OKW in Aussicht gestellten Kräftezuführungen nur ein Teil eintraf. Das Ergebnis des Spiels war, daß es an ausreichendem Lkw.-Transportraum fehlt, denn es muß damit gerechnet werden, daß durch Sabotage, Weglaufen der Fahrer usw. 50 % wenn nicht mehr, die Lkw der OT und der dänischen Zivil-Lkw ausfallen werden.

Der W. Bfh. wird einen Antrag an Gen Qu richten. Nach der allgemeinen Lage ist nicht damit zu rechnen, daß diesem entsprochen wird. Ferner ergab sich, daß zu wenig Flak, zu wenig Nachrichtenmittel zur Verfügung stehen und daß die Luftverbände, die zugeführt werden, zu spät eintreffen werden.

4.) Es ist jetzt entschieden, daß die 363. Div., die der Gen. St. d.H. gegen die weniger gut ausgebildete 361. Div. (Gen. Gouv.) austauschen wollte, in Dänemark verbleibt. Vorgesehen für anderweitige Verwendung ist die 416. Div. Falls diese den Befehl zum Abtransport bekommt,[66] soll ihr Abschnitt (Nordjütland) vorübergehend durch die 20. Luftwaffenfeld-Div. übernommen werden, dann durch eine der Res. Div., wobei die zweite einen größeren Abschnitt übernehmen muß. Die Pz. Res. Div. ist zurzeit noch zerstückelt. Sie soll stärker konzentriert werden, doch macht dies wegen

---

62 Overstreget og i stedet i hånden skrevet: zur Landung.
63 Overstreget og i stedet i hånden skrevet: KdO.
64 Overstreget og i stedet i hånden skrevet: Lökken.
65 Tilføjet i hånden: Am 2 Tage landete der Feind je eine weitere Div. von 160 Res. Div. und auf Fanö Skallingen wurde mit 2 Batl angegriffen.
66 Den indløb først 3. oktober 1944, og divisionen afgik 5.-7. oktober til vestfronten uden øst- og fæstningsstam-enhederne (Andersen 2007, s. 247).

der Quartiere und des Übungsgeländes Schwierigkeiten. Abschließend soll dann die 20. Luftwaffen-Felddiv. an der Westküste eingesetzt werden

5.) Dänemark liefert zurzeit mehr als es kontingentmäßig liefern müßte. Das Bestreben des Reichsbevollmächtigten ist, der Landbevölkerung, soweit angängig, einen Anreiz zur Produktion dadurch zu belassen, daß sie mit ihrem Geld noch Ware kaufen kann. Deshalb versucht er zu verhindern, daß die wenigen kaufbaren Artikel von der Wehrmacht aufgekauft werden. Durch Tausch- und andere Maßnahmen können sich allerdings die Soldaten Lebensmittel eintauschen. In den bäuerlichen Bezirken besteht darin noch ein Überfluß, der heutzutage überrascht.

Obstlt. Ziervogel hat deshalb beim BDE vorgeschlagen, noch weitere Genesenden-Btl. nach Dänemark zu verlegen.

Da der dänische Bauer die Rechte kennt, die ihm die deutsche Militärverwaltung belassen hat, pocht er gegebenenfalls auf sie.

Der Bevollmächtigte des Reiches kennt diese Lage und erklärt dazu, daß er gegen eine städtische Bevölkerung oder streikende Arbeiter wohl mit allen Mitteln vorgehen kann, nicht aber gegen eine agrarische.

6.) Wirksam gegen die Sabotage ist die Gegensabotage gewesen, denn wenn natürlich auch betritten ist, daß sie von uns ausgeht, so sind denen, die es angeht, die Zusammenhänge doch deutlich. Deshalb ist gegenüber Sabotage-Akten die Stimmung in der Bevölkerung auch geteilt.

7.) Zusammenfassung:

Der Lebensalterdurchschnitt bei der 416. Div. beträgt 43 Jahre. Der Zustand der übrigen Div. krankt darin, daß sie sowohl Ausbildung treiben sollen als auch am Ausbau der Befestigungen beteiligt sind. Ferner ist im Auge zu behalten, daß sie alle keine Normal-Div. darstellen. Es wird viel gearbeitet, der Einsatz der Zivilarbeiter läuft weiter ohne Schwierigkeiten.

Abschließend ist festzustellen, daß der W. Bfh. dabei ist, den Schwung in seinen Bereich hinein zu bringen, der durch die ihm erteilten Befehle von den bisherigen Besatzungstruppen und nunmehrigen Verteidigungsverbänden verlangt wird.

331. Werner Best an das Auswärtige Amt 10. März 1944

Dagsindberetning, hvor Best fulgte den af ham selv lagte nye linje med at citere indberetninger fra WFSt. Dog kunne han ikke lade være med at kommentere oplysningen om betydelige skader ved en sabotagebrand i Ålborg, da det blot handlede om hø og strå. Desuden kunne han fortælle om arrestation af personer med forbindelse til det polske efterretningsvæsen.

Kilde: PA/AA R 29.568. RA, pk. 204. LAK, Best-sagen (afskrift).

Telegramm

Kopenhagen, den	10. März 1944	20.30 Uhr
Ankunft, den	11. März 1944	00.15 Uhr

Nr. 323 vom 10.3.[44.]   Citissime!

Unter Bezugnahme auf das dortige Telegramm Nr. 212/3[67] vom 5.3.44 und auf mein Telegramm Nr. 302[68] von 7.3.44 berichte ich, daß heute der Wehrmachtbefehlshaber Dänemark dem Wehrmachtführungsstab die folgende Tagesmeldung erstattet hat:

"Sabotagebrand Aalborg. Wehrmachtsinteressen betroffen. Schaden erheblich."

Es handelt sich um etwa 500 to Stroh und etwa 200 to Heu, die ohne weiteres aus Beständen des Landes auf dänische Kosten ersetzt werden.[69] In Kopenhagen hat die deutsche Sicherheitspolizei fünf Personen unter dem Verdacht festgenommen, Anlaufstellen für Kuriere des "PDP" (Polnischen Aufständigen-Verbandes) zu unterhalten.[70]

Dr. Best

332. Günther Toepke an OKW/WFSt 10. März 1944

OKW/WFSt modtog en status over kystbefæstningsbyggeriet i Danmark.
    Kilde: KTB/WB Dänemark, Anlage 10. März 1944.

Geheime Kommandosache
Abschrift.

F e r n s c h r e i b e n

An OKW / WFSt   (1. Ausf.)
durch Kurier (nachrichtlich):
Fest. Pi. Stab 31   (2. Ausf.)
Qu. / WuG.   (3. [Ausf.])

Bezug: OKW/WFSt/Op. Nr. 001424/42 g.Kdos. vom 4.5.42
Betr.: Stand des Küstenausbaues in Dänemark.

1.) Ständiger Ausbau: insgesamt bisher betoniert 1.174 Bauwerke mit 885 244 cbm.
    An Truppe übergeben: 802 Bauwerke.
2.) Feldmäßiger Ausbau: (feldm. verst. Ausbau, Ringstände, Siegfried und Std.).
    Insgesamt bisher betoniert 979 Bauwerke mit 25.838 cbm.
    Insgesamt bisher betoniert 63 Panzer mauern mit 9.118 cbm.
3.) Stahlbetonleistung: Ständiger Ausbau und feldmäßiger Ausbau insgesamt 920.200 cbm.
4.) Hindernisse:
    a.) Flächendrahthindernisse und Flandernzäune in festungsmäßig und feldm. ausgebauten Stützpunkten: 498.000 Lfdm. = 4.698 t.
    b.) Kampfwagenhindernisse: 2) 7.104 Lfdm.

---

67 Pol. VI 7843 g. Telegrammet er ikke lokaliseret.
68 bei Pol. VI. Trykt ovenfor.
69 Der var sat ild i tre tyske jernbanevogne med halm og strå hos eternitfabrikken (RA, BdO Inf. nr. 26, 13. marts 1944, Alkil, 2, 1945-46, s. 1229).
70 Den 8. marts arresterede tysk politi Aage Grunnet, Stanislaw Henschel, Elsa og Gaston Neuhard (sidstnævnte løsladt efter kort tid) og Edward Sidor for forbindelse til eller deltagelse i den polske efterretningstjeneste (Nellemann 1989, s. 71).

5.) Arbeitskräfte: 150 Firmen mit 24.462 Arbeitern.[71]
6.) Im Februar insgesamt 15.153 Meter Feldkabel verlegt.
7.) Verlegung von Minen bereits mit Ia/Opi. 614/44 g.K. vom 5.3.44 gemeldet.

                Wehrmachtbefehlshaber Dänemark
                      Ia – Nr. 667/44 g.Kdos.
                          gez. **Toepke**

Gef.St., d. 10.3.44.
F.d.R.

333. Hermann von Hanneken an Werner Best 10. März 1944

Von Hanneken havde 29. november 1943 anmodet Best om, at værnemagtstransporter på jernbanenettet nød ubetinget forrang. Nu gentog han anmodningen gældende for transportsystemet som helhed.

    Anmodningen skal givetvis ses på baggrund af den stigende invasionsfrygt. Bests svar er ikke lokaliseret, men det er tvivlsomt, om han har givet denne ubetingede tilladelse med henvisning til eksporten til Tyskland, og spørgsmålet kom op igen efter den allierede invasion i Normandiet. Da havde Best givet sig (se *Politische Informationen* 5. juli 1944, afsnit IV).

    Kilde: KTB/WB Dänemark 10. März 1944.

[…]

Der Reichsbevollmächtigte in Dänemark wurde erneut aufgefordert, den Vorrang der Wehrmacht auf dänischen Verkehrsunternehmungen unbedingt durchzusetzen.

[…]

334. Werner Best und Hermann von Hanneken: Zu den Abmachungen für den Fall größerer Unruhen oder feindlicher Angriffe 11. März 1944

Der blev indgået en tilføjelse til den tidligere aftale mellem WB Dänemark og den rigsbefuldmægtigede i tilfælde af omfattende uroligheder eller et fjendtligt angreb. WB Dänemark fik herefter ubetinget magt over både kampområdet og det bagvedliggende område, ligesom WB Dänemark afgjorde, hvad der var kampområde. Den rigsbefuldmægtigede kunne herefter ikke udstede forordninger gældende for hele Danmark, kun for "det øvrige statsområde". WB Dänemark afgjorde, om han også ville lade disse forordninger gælde for sine magtområder.

    Ændringen af aftalen har givetvis baggrund i, at invasionstruslen var blevet større, og at et fjendtligt angreb under alle omstændigheder ville gøre disse indrømmelser fra Bests side nødvendige.

    Kilde: BArch, Freiburg, RW 4/895. Drostrup 1997, s. 205 (på dansk med uoplyst kilde).

Abschrift

                                                Gef.St., den 11. März 1944

Zu den Abmachungen für den Fall größerer Unruhen oder feindlicher Angriffe (Bef. Dänemark Ia Nr. 1977/43 geh. vom 24.7.1943[72]) wird ergänzend festgestellt:

---

71 Sammenlign tallene med Rüstungsstab Dänemarks opgivelser 31. marts 1944 til Wehrwirtschaftsstab.
72 En aftale af den dato er ikke lokaliseret. Se aftalen af 16. juni 1943 og desuden Richtlinien… 19. Juli 1943, trykt ovenfor.

1.) Kampfgebiet ist auch das Gebiet, in dem Gefechtshandlungen unmittelbar bevorstehen.
In jedem Fall bestimmt der Wehrmachtbefehlshaber, welches Gebiet Kampfgebiet ist.

2.) Im Kampf- und im rückwärtigen Gebiet haben außer den dänischen Behörden allein der Wehrmachtbefehlshaber und die von ihm beauftragten Dienststellen die Befugnis, Rechtsvorschriften oder allgemeine Verwaltungsanordnungen zu erlassen. Hält der Bevollmächtigte den Erlaß von Rechtsvorschriften oder allgemeinen Verwaltungsanordnungen für nötig, die in ganz Dänemark gelten, so erläßt er sie für das "übrige Staatsgebiet", der Wehrmachtbefehlshaber wird gleichlautende Vorschriften für das Kampf- und das rückwärtige Gebiet erlassen, sofern dem nicht die besonderen Verhältnisse dieser Gebiete entgegenstehen.

Der Bevollmächtigte des Deutschen Reiches in Dänemark
gez. **Dr. Best**

Der Wehrmachtbefehlshaber Dänemark
gez. **v. Hanneken**

335. Emil Wiehl an Joachim von Ribbentrop 12. März 1944

Som svar på det brev finansminister Schwerin von Krosigk 24. januar 1944 havde fremsendt til AA vedrørende det finansielle forhold til Danmark, havde Wiehl udarbejdet et udkast til AAs svar, som han fremsendte til RAM. Med hensyn til finansministerens brev af 25. februar henviste han til sin notits af 3. marts.

Se videre Wiehl 23. februar, 5. marts og 5. april, samt Ribbentrop til Schwerin von Krosigk 31. maj 1944.

Kilde: PA/AA R 29.568. RA, pk. 204.

Dir. Ha Pol Nr. 93   *Berlin, den 12. März 1944*

Büro RAM mit der Bitte um Weitergabe mit Kurier

A u f z e i c h n u n g

Betr.: Brief des Reichsfinanzministers über Wehrmachtskosten Dänemark

Auf die von Legationsrat Brenner übermittelte Weisung vom 3. März, die hier mit Vorgängen wieder angeschlossen ist, lege ich anbei Entwurf für eine Antwort des Herrn Reichsaußenministers auf das Schreiben des Reichsfinanzministers vom 24. Januar vor.[73]

Zu dem weiteren Schreiben des Reichsfinanzministers vom 25. Februar betr. Umstellung der Clearingschuld auf Dänenkronen nehme ich auf meine Aufzeichnung vom 5. März – Dir. Ha Pol Nr. 77[74] – Bezug und lege anbei die telefonisch eingeforderte Ab-

---

[73] Udkastet er ikke medtaget, da det gengiver de synspunkter, som Wiehl udførligt havde givet udtryk for over for Ribbentrop 23. februar.
[74] Trykt ovenfor.

schrift des Schreibens der Reichsbank vom 24. September 1943 nebst Anlage vor,⁷⁵ das in dem Schreiben des Reichsfinanzministers vom 25. Februar in Bezug genommen ist.

Hiermit über Herrn Staatssekretär Herrn Reichsaußenminister vorgelegt.

gez. **Wiehl**

Durchdruck an:
Büro RAM
St.S.
Dir. Ha Pol
Dg. Ha Pol
Ref. Ha Pol VI

336. Werner Best an das Auswärtige Amt 13. März 1944

Best havde fået besked om, at OKM ville have yderligere tre navngivne skibe beslaglagt. Han gjorde AA opmærksom på, at de fire skibe, der af krigsnødvendige grunde var blevet beslaglagt i januar, stadig lå ubenyttede hen. Det skadede efter Bests opfattelse det dansk-tyske samarbejde, at der blev foretaget flere beslaglæggelser, når de tidligere beslaglagte skibe ikke først blev anvendt. Den politiske reaktion hos de danske samarbejdspartnere ville være negativ, og Best bad om, at beslaglæggelser kun fandt sted, når de var strengt nødvendige af hensyn til krigsførelsen.

Se Engelhardt til 1. Seekriegsleitung 25. marts 1944.
Kilde: BArch, Freiburg, RM 7/1813. RA, Danica 628, sp. 7, nr. 5808-11.

Reichsbevollmächtigte in Dänemark   *Kopenhagen, den 13.3.1944.*
S/Tgb. Nr.: Sch/3/1

An das Auswärtige Amt
in Berlin   Geheim

Betr.: Die Beschlagnahme aufgelegter dänischer Tonnage.
2 Durchschläge.

Auf den dortigen Schrifterlass Ha Pol 896/44 g vom 23.2.1944⁷⁶ berichte ich unter Bezugnahme auf mein Telegramm Nr. 331 vom 13.3.1944⁷⁷ folgendes:

Am 19.1.1944 habe ich auf den mir vom Auswärtigen Amt übermittelten Wunsch des Oberkommandos der Kriegsmarine die dänischen Motorschiffe "Esbjerg", "Jylland", "Parkeston" und "England" mit der damals für erforderlich gehaltenen Beschleunigung beschlagnahmt, weil dies mit dringenden militärischen Notwendigkeiten der Kriegsmarine begründet wurde.⁷⁸ Diese 4 Schiffe sind inzwischen innerhalb des Kopenhagener Hafens von einem Liegeplatz zu einem anderen verholt worden, an dem sie heute – nach 8 Wochen – unverändert liegen, ohne in Gebrauch genommen zu sein.

75 De to fremsendte bilag er ikke medtaget.
76 Skrivelsen er ikke lokaliseret.
77 Telegram nr. 331, 13. marts 1944 er ikke lokaliseret.
78 Se Best til AA 19. januar 1944.

Wenn nunmehr vom Oberkommando der Kriegsmarine gefordert wird, daß unverzüglich die weiteren Motorschiffe "Kronprins Olaf" und "C.F. Tietgen"[79] sowie das Fährschiff "Isefjord"[80] beschlagnahmt werden sollen, so ziehe ich zunächst auf Grund der dargestellten Behandlung der 4 am 19.1.1944 beschlagnahmten Motorschiffe die vom Oberkommando der Kriegsmarine behauptete Eilbedürftigkeit weiterer Beschlagnahmen in Zweifel. Ich vermute, daß auch die weiteren Schiffe nach ihrer Beschlagnahme nur an einen anderen Liegeplatz verholt würden und dort liegen blieben.

Außer der Eilbedürftigkeit neuer Beschlagnahmen erscheint mir aber auch die sachliche Dringlichkeit dieser Beschlagnahmen einer Nachprüfung wert zu sein. Ich kann mich des Eindrucks nicht erwarten, daß das Oberkommando der Kriegsmarine, nachdem entgegen der früheren Stellungnahme des Reichsbevollmächtigten und des Auswärtigen Amtes nunmehr Beschlagnahmen dänischer Schiffe vorgenommen worden sind, sich nunmehr möglichst viele dänische Motorschiffe sichern möchte, nicht um die unverzüglich für dringende Kriegszwecke in Gebrauch zu nehmen, sondern um sie zu "horten". Ich vermute, daß für die baldige Inbetriebnahme aller dieser Schiffe weder Besatzungen noch Triebstoff in ausreichender Menge zur Verfügung stehen.

Die ungewöhnliche Maßnahme einer Beschlagnahme dänischer Schiffe, die nur mit dringendem militärischen Notstand begründet werden kann, halte ich aber nur dann für anwendbar und vertretbar, wenn diese Schiffe wirklich alsbald für dringende Kriegszwecke in Gebrauch genommen werden. Wenn solche Schiffe nur aus dem Gewahrsam ihrer bisherigen Eigentümer weggenommen und im Gewahrsam der deutschen Kriegsmarine "gehortet" werden, muß der Eindruck erweckt werden, als ob es sich bei der Beschlagnahme nicht um die kriegsnotwendige Verwendung sondern um den Besitz der Schiffe gehandelt hätte. Hierdurch würde die politische Reaktion gegen meine Beschlagnahmeverfügungen, die an sich schon von den Dänen als rechtswidrig angesehen werden, dahin verstärkt, daß ich beginne, reinen Besitzraub an dänischem Eigentum zu treiben. Hierdurch würde bei den beteiligten Personenkreisen – in der dänischen Zentralverwaltung und in den dänischen Reedereien – der Wille zur Mitarbeit, dessen Aufrechterhaltung zur Verwirklichung der deutschen Interessen dringend erforderlich ist, weiter beeinträchtigt werden. Ich halte es deshalb aus politisch-psychologischen Gründen für angebracht, daß ich weitere Beschlagnahmen dänischer Schiffe erst dann vornehme, wenn die früher beschlagnahmten Schiffe sichtbar in kriegswichtige Verwendung genommen worden sind, sodaß ich die neuen Beschlagnahmen mit neuen dringlichen Kriegsnotwendigkeiten begründen kann.

Ich weise nochmals darauf hin, daß bereits vor einem Jahr ein Dampfer der gleichen Reederei, der nunmehr die beiden neuen Motorschiffe – darunter ihr Reederei-Flagg-

---

79 OKM krævede de to skibe 19. februar hos AA og rykkede for svar 8. marts. AA lod rykkeren gå videre til Best, hvorpå AA (Bisse) 15. marts skrev til OKM: "Die Deutsche Gesandtschaft Kopenhagen, die telegrafisch zur Stellungnahme aufgefordert worden ist, antwortete unter dem 14. März d.J. telegrafisch wie folgt: "Gegen sofortige Beschlagnahme weitere zwei dänischer Schiffe bestehen politische Bedenken, über die ich heutigem Schriftbericht berichte. Gegen Beschlagnahme Fahrschiff "Isefjord" hat Admiral Dänemark aus Nachschubgründen bei OKM Einspruch erhoben". Nach Eintreffen des avisierten Schriftberichts der Deutsche Gesandtschaft Kopenhagen komme ich auf die Angelegenheit zurück."
80 OKM havde krævet "Isefjord" 18. februar 1944, hvorpå G.F. Duckwitz svarede 23. februar på Bests vegne, at det skulle der ikke længere være noget i vejen for.

schiff "Kronprins Olaf" – weggenommen werden sollen, unter meinem Druck für deutsche Zwecke verkauft worden ist, ohne bisher abgenommen worden zu sein. Es handelt sich um den Dampfer "A.P. Bernstorff", den der Reichskommissar für die besetzten norwegischen Gebiete gekauft hat, und den er jetzt las für den von ihm gedachten Zweck ungeeignet zurückweist. Dieser Dampfer hat die von der Kriegsmarine für U-Bootzielschiffe als notwendig bezeichnete Geschwindigkeit und kann mit seiner Kohlenfeuerung sofort in Betrieb genommen werden. Sollte also mit der von mir durchgeführten Beschlagnahme der Motorschiffe "Esbjerg", "Jylland", "Parkeston", "England", sowie "Hammershus" (Bornholm) der Bedarf der Kriegsmarine an U-Bootzielschiffen tatsächlich nicht gedeckt sein, so läge es am nächsten, auf den Dampfer "A.P. Bernstorff" zurückzugreifen.

Als Beleg für die Notwendigkeit einer politisch-psychologisch richtigen Handhabung so einschneidender Maßnahmen wie dieser Schiffsbeschlagnahmen teile ich mit, daß gerade der Leiter der Reederei "Det Forenede Dampskibsselskab", der nach der Beschlagnahme ihrer oben bezeichneten 4 Schiffe nun noch die Motorschiffe "Kronprins Olaf" und "C.F. Tietgen" weggenommen werden sollen, Direktor Körbing, der zugleich der Vorsitzende des dänischen Frachtenausschusses ist, das Hauptverdienst an der reibungslosen und erfolgreichen Zusammenarbeit zwischen den dänischen Reedereien und dem Reichskommissar für die Seeschiffahrt hat. Er hat dies gerade vor kurzem wieder bewiesen, als auf Wunsch des Reichskommissars für die Seeschiffahrt 6 bisher aufliegende dänische Motorschiffe für deutsche Zwecke, die ihrer Bauart keinesfalls entsprechen und die Schiffe stark verbrauchen, in Fahrt gesetzt werden sollten. Bei dem ständig wachsenden Interesse des Reichskommissars für die Seeschiffahrt an reibungslosem Einsatz und wirksamster Ausnutzung aller für deutsche Zwecke eingesetzten Tonnage dürfte der gute Wille solcher Männer nicht ganz gleichgültig sein; Dieser gute Wille aber wird weitgehend dadurch bestimmt, ob ihnen die dringende Kriegsnotwendigkeit deutscher Maßnahmen dargelegt werden kann oder nicht.

Ich betone erneut, daß ich bereit und in der Lage bin, jede zur Erfüllung dringender Kriegsnotwendigkeiten erforderliche Maßnahme durchzuführen. Soweit mir aber Maßnahmen zugemutet werden, deren dringende Kriegsnotwendigkeit mir nicht einleuchtet, halte ich es für meine Pflicht, auf die für deutsche Interessen schädlichen Rückwirkungen dieser Maßnahmen hinzuweisen und mich um ihre Verhütung zu bemühen.

gez. **Dr. Best**

337. Volksdeutsche Mittelstelle: Frage der Staatsangehörigkeit der Kriegsfreiwilligen aus Nordschleswig 14. März 1944

Den i maj 1943 udstedte førerforordning, der gav udlændinge af tysk afstamning tysk statsborgerskab, såfremt de var medlemmer af værnemagten, SS, tysk politi eller Organisation Todt, foranledigede UM til at behandle medlemmer af det tyske mindretal, som meldte sig til tysk krigstjeneste, som tyske statsborgere. Det var Best (og mindretalsledelsen imod), og Best ville have, at man skulle afvente udstedelsen af gennemførelsesbestemmelserne (Hvidtfeldt 1953, s. 140f.).

Herpå fulgte en brevveksling mellem VOMI (ved Brückner) og RMI, der fik Brückner til at skrive et notat 29. juli, hvorefter det tyske mindretal i Nordslesvig skulle afstå fra at få tysk statsborgerskab i de tilfælde, hvor Best eller Jens Møller bad dem om det (akter i RA, pk. 442).

For Bests indstilling se telegram nr. 982, 21. august 1944.

Kilde: RA, pk. 442.

Berlin, den 14. März 1944

Aktenvermerk an
SS-Obersturmbannführer Brückner
SS-Obersturmbannführer Rimann
SS-Obersturmbannführer Radunski
– je besonders –

Betr.: Frage der Staatsangehörigkeit der Kriegsfreiwilligen aus Nordschleswig.
Aktz.: IX/16/II/111/Dr. Si./Hk.

Die lange Hinauszögerung der Ausführungsbestimmungen zum Führererlass über die Staatsangehörigkeit der Volksdeutschen Waffen-SS und Wehrmacht hat in Dänemark bereits dazu geführt, daß die dänische Regierung in einigen Einzelfragen sich auf den Standpunkt gestellt hat, daß Waffen-SS-Angehörige aus der Volksgruppe Nordschleswig deutsche Staatsangehörige seien. Dr. Best hat darauf einen verhältnismäßig scharfen Brief an das dänische Außenministerium geschrieben, in dem er darauf hinwies, daß die Ausführungsbestimmungen zum Führererlaß vom Mai 1943[81] noch nicht vorliegen und daß damit der Erlaß praktisch noch nicht in Kraft sei, zumal für Dänemark eine Ausnahmeregelung geplant sei.[82] Dr. Best verbat sich in diesem Brief, daß dänische Behörden durch die Behandlung der Freiwilligen als Reichdeutsche der endgültigen Regelung vorgreifen.

Sichelschmidt
SS-Hauptsturmführer

---

81 Førerforordningen af 19. maj 1943 er trykt ovenfor.
82 Gennemførelsesbestemmelserne forelå 23. maj 1944 og er aftrykt i PKB, 14, nr. 347. Heri blev ikke optaget nogen særlig bestemmelse om de nordslesvigske frivilliges forhold.

338. Quartiermeisteramt an Seekriegsleitung 14. März 1944

Til brug for færgefarten på Elben bad skibsfartsafdelingen under Seekriegsleitung om, at AA fik Best til at beslaglægge færgen "Isefjord".

Admiral Dänemark rejste betænkeligheder ved beslaglæggelsen, som skibsfartsafdelingens leder afviste i to skrivelser til Seekriegsleitung 25. marts 1944.

Kilde: BArch, Freiburg, RM 7/1813. RA, Danica 628, sp. 7, nr. 5812.

Qu.A. VI h Nr. 1661/44 geh. *Berlin, den 14. März 1944*
Geheim

An I. Skl. I ia

Nachrichtlich:
 Skl. Qu.A II Org.
 Marineoberkommando Nordsee
 Admiral Dänemark
 Kriegsmarinedienststelle Kopenhagen

Betr.: Fährbetrieb auf der Elbe.
Vorg.: 1.) MOK Nord Qu. III 237 v. 11.1.
 2.) 1. Skl. I in 5992/44 g. v. 19.2.
 3.) Skl. Qu.A. VI h Nr. 254/44 v. 19.1.[83]

Unter Bezugnahme auf die o. Vorgänge und das in Abschrift beigefügte Schreiben des Reichsbev. in Dänemark,[84] wird 1. Skl. gebeten, über das A. Amt die Beschlagnahme der Fähre "Isefjord" bei Reichsbev. in Dänemark zu erwirken. Es wird gebeten die KD Kopenhagen mit der Beschlagnahme zu beauftragen.

Über die Überführung der Fähre von Dänemark nach der Elbe hat MOK Nord das Weitere, unter Beteiligung von KMD Kopenhagen, zu veranlassen.

In Auftrage
gez. **Pospischil**

339. Hans Clausen Korff an der Reichsminister der Finanzen 14. März 1944

På forespørgsel gjorde Korff rede for, hvordan det forholdt sig med krigsskadedækningen for tyske firmaer, der afgav kontrakter til danske firmaer. Hidtil var der ikke opnået nogen aftale, men Best havde sommeren 1943 viderebragt et dansk forslag om, at danske firmaer dækkede deres risiko i Tyskland i Danmark, og at tyske firmaer gjorde det omvendte. Dette forslag havde AA endnu ikke taget stilling til. Korff anså det i den nuværende situation for udsigtsløst at vælte risikoen for tyske krigsskader i Danmark over på den danske stat. Endvidere skulle der tages hensyn til alt, hvad der kunne påvirke danskernes lyst til at påtage sig arbejder for tyske firmaer. Der var ikke anden løsning end at åbne muligheden for, at de tyske firmaer fik dækket deres risiko i Tyskland.

Sagen bevægede sig ikke meget, som det fremgår af Korff notat 16. juni 1944, trykt nedenfor.

Kilde: RA, Danica 50, pk. 91, læg 1259 (gennemslag).

83 Skrivelserne er ikke lokaliseret.
84 Bests skrivelse er ikke identificeret.

II Wi 14. März 1944

1.) Herrn Reichsminister der Finanzen,
    z.Hd. von Herrn ORR Geilenbrügge
    Berlin W 8
    Wilhelmplatz 1/2

Betr. Kriegssachschädenschutz für Verlagerungsaufträge in Dänemark
Ihr Schreiben vom 24. Dezember 1943[85] Kr. 3030 A – 259 V 2. Ang.

Ich habe diese Frage bei meinem letzten Aufenthalt in Kopenhagen untersucht und folgendes festgestellt:
Es trifft zu, daß die dänischen Versicherungsgesellschaften die Versicherung von Gegenständen, die im Zuge von Verlagerungsaufträgen nach Dänemark kommen und im Eigentum deutscher Unternehmer stehen, abgelehnt haben.
Das entspricht einem Schreiben des Dänischen Außenministerium an den Reichbevollmächtigten vom 6.7.1943, in dem die Dänische Regierung vorschlägt, den dänischen Versicherungsgesellschaften zu untersagen, nach Dänemark gelegte Verlagerungsaufträge gegen Kriegssachschäden zu versichern. Umgekehrt wird andererseits vorgeschlagen, daß dänische Firmen ihr Risiko im Reich in Dänemark decken.
Der Reichbevollmächtigte hat über diesen Vorschlag an das Auswärtige Amt berichtet, ohne daß bisher eine Antwort eingetroffen ist.[86]
Der Grund für den dänischen Vorschlag liegt darin, daß die Dänen keine Devisen für den Schadenersatz von Waren oder Rohstoffen zur Verfügung stellen wollen, die nur zu Bearbeitungszwecken nach Dänemark gelangt sind.
Die Überwälzung des Risikos auf den dänischen Staat erscheint unter den gegenwärtigen politischen Verhältnissen in Dänemark als aussichtslos. Die zuständigen dänischen Stellen werden sich auf das Fehlen einer gesetzlichen Grundlage und die Möglichkeit, eine solche zu beschaffen, berufen. Aber auch ein vertraglicher Versicherungsschutz wird nur schwer zu erreichen sein, zumal die verantwortlichen deutschen Stellen in Dänemark, insbesondere der Wehrwirtschaftsstab, darauf bedacht sind, alles zu unterlassen, was die Geneigtheit der Dänen, Verlagerungsaufträge zu übernehmen, beeinträchtigen könnte.
Es wird daher nichts anderes übrig bleiben, als den deutschen Firmen die Möglichkeit zu eröffnen, ihr Risiko im Reich zu decken.

Im Auftrag
Korff

2.) Wv. 1.4.1944

---

85 Skrivelsen med forespørgslen er i RA, Danica 50, pk. 91, læg 1259.
86 Bests skrivelse til AA er ikke lokaliseret.

340. Werner Best an das Auswärtige Amt 15. März 1944

Da Best underhånden havde fået oplyst, at Hauptamt SS-Gericht ville foreslå RFSS at overlade benådningsretten til Best, bad Best AA fortsat at arbejde for det resultat, da det var en tvingende politisk nødvendighed. Det havde også betydning for den nye forordning om udøvelse af værnemagtsretten over for personer, der ikke tilhørte værnemagten.

Albrecht svarede med telegram nr. 304, 22. marts (Rosengreen 1982, s. 90).

Kilde: PA/AA R 29.568. RA, pk. 204, 228 og 438a. LAK, Best-sagen (afskrift).

Telegramm

Kopenhagen, den	15. März 1944	19.25 Uhr
Ankunft, den	16. März 1944	00.45 Uhr

Nr. 341 vom 15.3.44.

Zu dem Schrifterlaß vom 24.2.44 (R 5113 g)[87] und zu dem Telegramm Nr. 216[88] vom 5.3.44 nehme ich wie folgt Stellung:

1.) Da mir vertraulich bekannt geworden ist, daß das Hauptamt SS-Gericht dem Reichsführer-SS vorschlagen will, daß mir das Gnadenrecht gegenüber den Urteilen des SS- und Polizeigerichtes in Kopenhagen übertragen wird, bitte ich, auch weiterhin diesen Vorschlag nachdrücklich als dringende politische Notwendigkeit zu vertreten.

2.) In dem neuen Erlaß über die Ausübung der Wehrmachtsgerichtsbarkeit in Dänemark gegen Personen, die nicht der Wehrmacht angehören, kann eine Regelung der Mitwirkung des Reichsbevollmächtigten im Gnadenverfahren nur dann weggelassen werden, wenn das Gnadenrecht gegenüber den Urteilen des SS-und Polizeigerichtes dem Reichsbevollmächtigten übertragen wird. Anderenfalls ist unbedingt erforderlich, daß in den neuen Erlaß eine Bestimmung aufgenommen wird, die dem Paragraphen 3 des Erlasses des Oberkommandos der Wehrmacht vom 28.1.43 entspricht. Dieser Paragraph lautet: "Politische Bedenken gegen die Vollstreckung von Strafen auf die ein Wehrmachtsgericht erkannt hat, wird der Reichsbevollmächtigte beim Befehlshaber der deutschen Truppen im Gnadenverfahren vorbringen. Glaubt der Befehlshaber den Bedenken nicht entsprechen zu können, so legt er die Akte den OKW vor. Dieses beteiligt das Oberkommando des Wehrmachtteiles, dessen Gericht in der Sache erkannt hat." Wenn seit der Geltung des Erlasses vom 28.1.43 der Wehrmachtbefehlshaber Dänemark in allen Fällen meinen Vorschlägen Folge geleistet hat, so ist dies – neben der konkreten Sachlage dieser Fälle – zweifellos der Tatsache zuzuschreiben, daß meine Mitwirkung in dem erwähnten Erlaß ausdrücklich statuiert war und die Vorlage an das OKW gescheut wurde. Die Bestimmung, daß bei Nichteinigung die Akte dem OKW vorzulegen war, gab mir im Gnadenverfahren eine sehr viel stärkere Position als sie mir gemäß Ziffer 4 des Schreibens des OKW vom 14.2.44 zugedacht ist. Es mag "selbstverständlich" sein, daß ich politische Bedenken im Gnadenverfahren "vorbringen" kann. Damit ist aber keineswegs selbstverständlich, daß meine Bedenken beachtet werden. Dies aber wäre aus

---

87 Skrivelsen er ikke lokaliseret.
88 R 5129 g. Trykt ovenfor 3. marts 1944.

politischen Gründen gänzlich untragbar. Ich bitte deshalb dringend. dafür zu sorgen, daß – wenn mir nicht das Gnadenrecht übertragen wird – wenigstens eine dem Paragraphen 3 des Erlasses vom 28.1.43 entsprechende Bestimmung ausdrücklich in den neuen Erlaß aufgenommen wird.

Dr. Best

341. Kriegstagebuch/Kriegsmarinedienststelle Kopenhagen 15. März 1944

Marinekommandant Jürst i København gennemgik forløbet omkring de fire skibe, som Best havde ladet beslaglægge 20. januar 1944. Skibene var straks blevet flyttet og havde fået sabotagevagter, først fra 8. sikringsflåde og soldater, derpå en tilkaldt vagt. Skibsbesætningerne kom fra Hamburg i løbet af marts. Det første skib blev slæbt bort efter 8 uger. Den lange liggetid fik Best til at nægte at foretage yderlige beslaglæggelser, da beslaglæggelser skulle være tvingende nødvendige af krigshensyn. Jürst udtalte som sin egen mening, at det var uhensigtsmæssigt ikke straks at borttransportere sejlbare skibe, som man ville beslaglægge. Det kunne ske, hvis der forud var foretaget den nødvendige planlægning.

Jürsts kommentar i krigsdagbogen kan tages som en tilslutning til den rigsbefuldmægtigedes standpunkt mht. beslaglæggelser, men var det næppe. De pludselige beslaglæggelser gav straks havnekommandanten problemet med bevogtningen af de beslaglagte skibe på halsen, og som Jürst anfører, havde han ikke mandskab til den slags opgaver. Det var egen frustration, der fik ham til at indstille til sine foresatte, at der blev foretaget en nøjere planlægning af beslaglæggelser fremover.

Kilde: KTB/Kriegsmarinedienststelle Kopenhagen, Anlage zum KTB vom 1. bis 15.3.44, RA, Danica 628, sp. 6, nr. 4295.

Anlage zum Kriegstagebuch der KMD Kopenhagen vom 1. bis 15.3.44.

Am 20.1.44 wurde vom Reichsbevollmächtigten in Dänemark die Beschlagnahme der dän. Schiffe "Jylland", "Esbjerg", "England" und "Parkeston" nach mißglücktem Charterversuch ausgesprochen. Die Besetzung der Schiffe erfolgte schlagartig durch Adm. Dänemark. Die Schiffe waren vorher durch den Kom. Adm. U-Boote als Zielschiffe ausgesucht worden, ihr Verwendungszweck lag also sofort fest.

Da nach dem bisherigen Verhalten der Dänen mit Sicherheit Sabotageversuche zu erwarten waren, wurden durch den Hafenkapt. alle erforderlichen Vorbeugungsmaßnahmen getroffen. Die Schiffe wurden in das 10 m Bassin an den gut abgezähnten und bewachten Kai der 8. Sicherungsflottille gelegt und durch Soldaten bewacht. Da für die Dauer hierfür kein Personal zur Verfügung stand, wurde auf Anforderung der KMD Kopenhagen durch den Kom. Adm. U-Boote U-Bootspersonal für die Bewachung gestellt. Das unter einem Offizier stehende Kommando führte diese Bewachung zuverlässig durch.

Zur Überführung wurden vom Adm. KMD Hamburg Zivilbesatzungen als Stamm der späteren Besatzung der Schiffe angefordert. Ab. 6.3. traf das Personal nach einander ein. Am 15.3.44 war das erste Schiff mit einer Besatzung überführungsbereit, die dem bisher eingetroffenen Personal entnommen war.

Am 1.3. wurde vom Kom. Adm. U-Boote Gotenhafen als Liegehafen bestimmt. Hiervon wurde anscheinend die KMD Danzig nicht unterrichtet, so daß beim Eintreffen zunächst kein Liegeplatz verfügbar war und das Schiff Danzig anlaufen mußte. Die Überführung erfolgte durch das MBSK.

Am 3.3. wurde der grundlegende Befehl vom Kom. Adm. der U-Boote über die bereits erfolgten und noch zu erfolgenden Maßnahmen bis zum Einsatz der Schiffe herauszugeben. Dieser Befehl ging bei KMD Kopenhagen am 13.3. ein.

Am 15.3. lief "Parkeston" im Schlepp nach Gotenhafen aus, 8 Wochen nach erfolgter Beschlagnahme. Gelegentlich einer Besprechung beim Schiffahrtssachverständigen beim Reichsbevollmächtigten in Dänemark wurde vom diesem betont, daß die langsame Durchführung des Abtransportes der Schiffe nicht der kriegsnotwendigen Dringlichkeit entspräche, die den Dänen gegenüber als Grund für die Beschlagnahme ausgesprochen worden war. Der Reichsbevollmächtigte lehnte daher weitere Beschlagnahmen ab, solange die Schiffe noch in Dänemark liegen.

Es erscheint künftig angebracht, die Vorbereitungen für die Besetzung und den Abtransport von Schiffen, die beschlagnahmt werden sollen, so weitgehend vor der Beschlagnahme zu treffen, daß nur die an Bord für die Handhabung des Schiffes im Schlepp notwendigen Maßnahmen terminbestimmend für den Abtransport sind. Da bei diesen Schiffen Ruderanlage, Ankerspill und Sicherungseinrichtungen voll in Ordnung waren, hätte der Abtransport bei entsprechender Vorarbeit sofort nach der Beschlagnahme erfolgen können. Die Sabotagegefahr wäre hierdurch erheblich verringert worden. Die Beschlagnahmeverfügung umfaßt stets nur das für die Schiffsbesetzung und die Fahrbereitschaft notwendige Inventar. Der Reichsbevollmächtigte lehnt es ab hierüber hinausgehende Anforderungen (Ausrüstung für Passagiere) zu stellen. So aber verstrichen 10 Wochen nutzlos, in denen bei vorheriger Klärung der Besatzungsfragen die Herstellung voller Fahrbereitschaft möglich gewesen wäre. Die Schiffe hätten dann in einem Geleitzug den Hafen verlassen während sie jetzt innerhalb von 12 bis 14 Tagen in einzelnen Geleiten überführt werden.

Jürst

342. Walter Forstmann an Werner Best 16. März 1944

Best blev underrettet om, at arbejdet igen var blevet afbrudt på B&W på grund af en telefonbombe, skønt ledelsen ville lade det fortsætte, da værftet var blevet gennemsøgt et par timer tidligere. Uenighed om hvordan man skulle forholde sig, når der blev ringet en anden telefonbombe ind samme dag, havde ført til, at arbejdet ikke var blevet genoptaget. Forstmann sidestillede det med en strejke og ville have Best til at gribe ind, da arbejdsnedlæggelsen truede det nybygnings- og reparationsprogram, som værftet forestod. Endvidere kom der ved ugens slutning et vigtigt besøg fra Tyskland, så det var akut, at de danske embedsmænd gjorde noget ved sagen (*Daglige Beretninger*, 1946, s. 72. Se endvidere *Information* 17. marts 1944, hvor det omtales, at arbejderne krævede et faretillæg på 40 øre i timen).

Bests svar til Forstmann er ikke lokaliseret, men problemet blev løst, da gerningsmændene blev fundet, se Rüstungsstab Dänemarks Lagebericht 31. marts 1944.[89]

Kilde: BArch, Freiburg, RW 27/13. RA, Danica 1000, T-77, sp. 696. KTB/Rü Stab Dä, 1. Vierteljahr 1944, Anlage 29.

---

89 Problemet med telefonbomberne var tidligere søgt løst, se *Politische Informationen* 1. marts 1944, afsnit I.5.

Abschrift!
Chef Rüstungsstab Dänemark   16.3.1944
[Betr.:] Werft Burmeister & Wain A/S, Kopenhagen.   Eilt sehr!

An den Herrn Reichsbevollmächtigten in Dänemark,
    Kopenhagen

Sehr geehrter Herr Reichsbevollmächtigter!
Ich nehme Bezug auf meinen gestrigen telefonischen Anruf, in dem ich mitteilte, daß die Belegschaft der Werft von Burmeister & Wain um 12 Uhr die Werft verlassen habe, weil nach einem zweiten Telefonanruf ("Telefon-Sabotage") im Laufe des Vormittags die Direktion die Arbeit nicht unterbrechen lassen wollte, mit der Begründung, daß die Werft ja erst vor einer Stunde abgesucht worden sei.
    Heute wird mir gemeldet, daß die Belegschaft früh zur Arbeit gekommen ist, die Werft aber gegen 9 Uhr wieder verlassen hat, da angeblich noch keine Einigung über das Verhalten der Direktion bzw. der Belegschaft bei einem zweiten Telefonanruf erzielt worden sei.
    Ich sehe mich veranlaßt, darauf hinzuweisen, daß durch das Verhalten der Belegschaft, der Werft von Burmeister & Wain, das praktisch einem Streik gleichkommt, der Ablauf des Neubau- und Reparaturprogramms ernstlich gefährdet wird. Es ist an sich schon untragbar, daß täglich etwa 1½ bis 2 Stunden die Arbeit wegen "Telefon-Sabotage" ruht. Ich weiß, daß andere Betriebe derartige Anrufe überhaupt nicht weitergeben. Dringende Abhilfe tut hier not.
    Ich bitte deshalb, zumal der Besuch von Gauleiter Kauffmann und des Leiters des Hauptausschusses Schiffbau, Generaldirektor Märker, Ende der Woche bevorsteht, mit allen Mitteln ein energische Durchgreifen der dänischen Behörden zu erreichen.
    Bei mir sind in der gleichen Angelegenheit vorstellig geworden der Länderbeauftragte Dänemark im Hauptausschuß Schiffbau, Herr H.C. Lorenzen, und der Chef des Oberwerftstabes Kopenhagen, Herr Dolainski, der bereits gestern OKM fernschriftlich darauf aufmerksam gemacht hat, daß die ihm gegebenen Fertigstellungstermine für Kriegshilfsschiffe nicht eingehalten werden können.
                            Heil Hitler!
                            Ihr sehr ergebener
                            gez. **Forstmann**

Durchschrift an:
    Herrn H.C. Lorenzen
    Herrn Dolainski

Abschrift!
Hauptausschuß Schiffbau beim Reichsminister   *Kopenhagen, den 16. März 1944*
für Bewaffnung und Munition   Vesterport 207
Länderbeauftragter Dänemark   Tlf.: C 15046

H.C. Lorenzen C 13338, lokal 238
L/Kl.
An den Rüstungsstab Dänemark, Kopenhagen
   Herrn Kapt. Dr. Forstmann
nachr.:
   Adm. Dän. Oberwerftstab, Kopenhagen
   Herrn Dir. Dolainski

Bezugnehmend auf unsere heutige Unterredung bei Herrn Kapt. Dr. Forstmann, Rüstungsstab Dänemark, teile ich Ihnen mit, daß Herr Duckwitz im Auftrage des Reichsbevollmächtigten mir die Beilegung der Differenz zwischen Direktion und Arbeiterschaft auf der Werft Burmeister & Wain gemeldet hat. Die Arbeit wird auf der Werft morgen wieder aufgenommen.
   Heil Hitler!
   gez. **Lorenzen**

343. Adolf von Steengracht: Notiz 16. März 1944

Von Steengracht meddelte Inland II, at han havde givet Gestapochef Heinrich Müller besked om, at AA ikke havde noget mod fængslingen af den danske vicekonsul i Danzig, Jørgen Mogensen, der var mistænkt for spionage. Imidlertid havde AA et forslag til proceduren for, hvordan fængslingen skulle finde sted.
   Mogensen blev anholdt den følgende dag i Danzig (Nellemann 1989, s. 71). Den 12. april opsøgte den danske gesandt Mohr AA og bedyrede, at Mogensen var blevet forledt af sin kone, der var polsk født, hvilket dog ikke påvirkede Gestapo, og også Ribbentrop gav 21. maj sin tilslutning til fængslingen. Den 23. juni 1944 fik Frants Hvass fra UM tilladelse til at besøge Mogensen, såfremt der ikke blev talt om hans sag (Steengrachts notat 12. april og Geigers notat 23. juni 1944 (RA, pk. 204), samt Wagners notits 21. maj 1944, trykt nedenfor).
   Kilde: RA, pk. 204.

St.S. Nr. 77 *Berlin, den 16. März 1944.*

Ich habe heute Gruppenführer Müller angerufen und ihm mitgeteilt, daß wir gegen eine Verhaftung des Dänischen Vizekonsuls in Danzig, der mit der polnischen Widerstandsbewegung in Verbindung steht, und dieser amtliche deutsche Stempel zur Verwendung gegen das Reich geliefert hat, keine Einwendungen erheben. Wir würden es jedoch vorziehen, daß ihm zunächst das Exequatur entzogen würde, der Vizekonsul auf dänisches Territorium gelangt und sodann festgenommen wird. Gruppenführer Müller entgegnete, daß der Vizekonsul mit Kreisen in Verbindung stünde, die im Falle eines solchen Vorgehens gewarnt würden und somit eine beabsichtigte größere Aktion verhindert werden könne. Falls wir einverstanden wären, würde er demgemäß folgenden Weg vorschlagen: Der Vizekonsul wird zu einer Vernehmung zur Polizei gebeten, es werden ihm dort die ihn belastenden Unterlagen vorgelegt und er wird über seine Mittelsmänner befragt. Kann die Angelegenheit dadurch geklärt werden, so wird ihm die sofortige Abreise nach Dänemark auferlegt. Die weiteren Maßnahmen gegen ihn würden dann, wie von uns vorgeschlagen, durchgeführt. Zur weiteren Verfolgung der Angelegenheit habe ich Gruppenführer Müller gebeten, durch seinen Sachbearbeiter engstes Einvernehmen in Verbindung mit Legationsrat von Thadden zu halten.

Hiermit Inland II mit der Bitte, das Weitere zu veranlassen.

gez. **Steengracht**

344. Werner Best an das Auswärtige Amt 16. März 1944

Best gav besked om den øgede udbetaling af familieunderholdsstøtte til det tyske mindretal i efteråret, hvilket ville få betydning for afregningen for første kvartal 1944.
Kilde: PA/AA R 100.357.

[Der] Reichsbevollmächtigte in Dänemark *Kopenhagen, den 16. März 1944*
RBZ/Pers. R 3

An das Auswärtige Amt
Berlin

Betr.: Unterstützung der Deutschen Volksgruppe Nordschleswig.
– 2 Durchdrucke –
– 3 Quittungen –

Nachdem die hiesigen Kassenmittel durch Erstattung von Familienunterhaltszahlungen (vgl. Drahterlaß Nr. 270 vom 1.3.44[90]) verstärkt worden sind, ist der an die Deutsche Volksgruppe Nordschleswig im Oktober/Dezember 1943 gezahlte Betrag von 300.000,- Kr. nachträglich amtlich verrechnet worden. Er wird mit dem Gegenwert von 156.600,70 RM in Teil III der amtlichen Abrechnung Januar/März 1944 nachgewiesen werden.

Es wird gebeten, der Legationskasse einen Durchdruck dieses Berichtes zuzuleiten.

W. Best

345. Werner Best an das Auswärtige Amt 16. März 1944

Dagsindberetning.
Kilde: RA, pk. 204.

Telegramm

Kopenhagen, den	16. März 1944	21.00 Uhr
Ankunft, den	17. März 1944	02.00 Uhr
Nr. 346 vom 16.3.44.		Citissime!

90 Telegrammet er ikke lokaliseret.

Unter Bezugnahme auf das dortige Telegramm Nr. 212/3[91] vom 5.2.44 und auf mein Telegramm Nr. 302[92] vom 7.3.44 berichte ich, daß heute der Wehrmachtsbefehlshaber Dänemark dem Wehrmachtsführungsstab die folgende Tagesmeldung erstattet hat:
"2 leichte Sabotagefälle, geringer Sachschaden an Wehrmachtsgut." Es handelt sich um eine leichte Beschädigung eines Kraftwagens in Randers und um eine kleine Brandstiftung in Tirstrup (Jütland).[93]

Dr. Best

346. Ernst Richter an WB Dänemark 16. März 1944

Richter redegjorde for de problemer, der var med at anvende beslaglagte danske køretøjer ved aktioner mod faldskærmsjægere eller luftlandingstropper og i tilfælde af en invasion. Der var mangel på uddannede chauffører og generatorbrænde, ligesom der ville gå timer, før de beslaglagte køretøjer i et begrænset antal (højst 50) ville kunne indsættes. Richter foreslog opbygning af et lager af generatortræ og i tilfælde af en invasion, da at tvinge de beslaglagte køretøjers danske chauffører til at køre dem. Der skulle endvidere uddannes flere tyske chauffører.

Svaret er ikke lokaliseret.
Kilde: BArch, Freiburg, RW 38/181. KTB/HKK, Anlage 74.

	Anlage 74
Geheime Kommandosache!	Abschrift.
Höheres Kommando Kopenhagen	St.Qu., den 16.3.44.
Abt. Ia/Qu. 166/44 geh. Kdos.	4 Ausfertigungen
	3. Ausfertigung

Bezug: a.) H.K.K./Qu Nr. 4429/43 geh. 29.12.43
          b.) H.K.K./Qu Nr. 612/44 geh. 16. 2.44 Ziff. II
          c.) H.K.K./Qu Nr. 793/44 geh. 28.2.44.
Betr.: Einsatzfragen.

Dem Wehrmachtbefehlshaber Dänemark
Silkeborg

1.) *Die Beschlagnahme von dänischen Kraftfahrzeugen* – in erster Linie Generator Lkw. – zur Motorisierung von Teilen der D-Batl. zum Kampfeinsatz gegen Fallschirmjäger oder Luftlandetruppen stößt *ganz allgemein* dadurch auf erhebliche Schwierigkeiten, daß die nötige *Zahl* der an Generator Kfz. *ausgebildeten Fahrer* nicht zur Verfügung steht.

Die Batle. und Kdtr. Gross Kopenhagen haben zwar große Zahlen an dänischen Kfz. *listenmäßig* erfaßt, werden aber nur einen *geringen Teil* dieser dänischen Kfz. *nach* Beschlagnahme in sicheren Gewahrsam der Truppe bringen können, weil *nur*

---

91 Pol. VI (VS). Telegrammet er ikke lokaliseret.
92 Pol. VI. Trykt ovenfor.
93 Sabotageforsøget mod den tyske lastbil i Randers fandt sted 13. marts (Alkil, 2, 1945-46, s. 1229).

eine geringe Zahl von Kraftfahrern für solche Generator Kfz. verfügbar ist.

Es ist errechnet worden, daß z.B. in Gross Kopenhagen mindestens 3-4 Std. vergehen werden, bis die ersten Generator Kfz. zur Truppe herangebracht worden sein können, wobei vorausgesetzt wird, daß Generator-Holz im Heizkörper schon vorhanden ist.

Eine zweite Rate von Fahrzeugen (es kann sich bei den Batl. immer nur um geringe Zahlen handeln) kann nach etwa 6-8 Std. bei der Truppe eintreffen.

Selbst wenn der Bitte des Höheren Kommandos I a 136/44 g. Kdos. vom 28.2.44 Ziffer 2 bzgl. der Ausbildung von 25 Kraftfahrern (Generator) je Batl. entsprochen wird, können innerhalb von 6-8 Stunden je Batl. nicht mehr als 50 Generator Lkw. herangebracht sein – wobei für die ausschließlichen Zwecke der Wehrm. Orts-Kdtr. Gross Kopenhagen und für Zwecke des Höh. Kdo. Kopenhagen (Abt. Qu.) dann noch kein dänisches Kfz. zur Verfügung stehen würde, weil Beschlagnahme und das Heranbringen dieser Kfz. ja *auch nur* durch Kraftfahrer der Batl. D – III, VIII und X erfolgen kann.

2.) Es wird daher *um Prüfung und Entscheidung* der Frage gebeten, ob bei Beschlagnahme dänischer Kraftfahrzeuge im "Bereitschaftszustand II" *die dänischen Kraftfahrer der betreffenden Kraftfahrzeuge* – nötigenfalls mit der Waffe – *gezwungen* werden können, das *Fahrzeug zu steuern und in Kasernen Unterkunft zu ziehen bezw. bei der Truppe zu bleiben.*

Bei dieser Gelegenheit wird ferner gebeten, eine Entscheidung dahingehend zu treffen, daß *mit "Bereitschaftsstufe II"* gleichzeitig der *"Ausnahmezustand"* ausgelöst wird. Sein automatisches Inkrafttreten ohne besonderen Befehl würde die Einleitung und Durchführung der zu treffenden Maßnahmen nicht unwesentlich erleichtern.

3.) Gesetzt den Fall, es gelingt den D-Batl. innerhalb von etwa 6-8 Stunden 50 dänische Generator Lkw. zu beschlagnahmen und in sicheren Gewahrsam der Truppe zu überführen, so entsteht dann ein Vacuum, in dem die Kfz. nicht betriebsfertig sein werden, *weil es an Generator-Holz für diese Kfz. fehlt.*

Das Höhere Kommando möchte deshalb den schon mehrfach geäußerten Wunsch *wiederholen, im Standort jedes Batl.-Stabes* eines jeden D-Batl. eine *Mob Reserve an Generator-Holz niederzulegen*, so daß *dadurch sichergestellt* wäre, das die beschlagnahmten dänischen Generator-Lkw. auch tatsächlich zum Verlusten von Teilen der D-Batle. *betriebsfähig* sein können.

gez.: **Richter**
Generalleutnant

347. Seekriegsleitung an das Auswärtige Amt 17. März 1944

OKM havde beslaglagt det danske skib "Hammershus" efter aftale med AA. Ved overtagelsen viste skibet sig at være ribbet for udstyr i et omfang, så det blev betegnet som regelret udplyndring og sabotage. En påfølgende henvendelse til Best havde været forgæves. Da Best i forvejen af politiske grunde havde været imod beslaglæggelsen af alle tre bornholmerbåde, måtte i det mindste det ene overtagne skib være i ordentlig stand. Derfor blev AA bedt om at sørge for, at det skete (Barfod 1976, s. 114).

AA svarede OKM 24. marts 1944 efter at have indhentet Bests udtalelse.

Kilde: RA, pk. 204. Kladde 16. marts i BArch, Freiburg, RM 7/1813 og RA, Danica 628, sp. 6, nr. 5802.

T e l e g r a m m

| 1. Skl., den | 17. März 1944 | 00.45 Uhr |
| Ankunft, den | 17. März 1944 | 06.00 Uhr |

Ohne Nummer vom 17.3.   Geheim.

Auswärtiges Amt
   z.Hd. von Herrn Geh. Rat Bisse.

Gleichlaufend SSD Nachr. ADS.

Von dem gemäß Absprache mit Auswärtigem Amt beschlagnahmten Bornholmer Schiff "Hammershus" ist vor Beschlagnahme von Dänen gesamte seemännische und nautische Ausrüstung sowie gesamte Einrichtung Passagierkammern einschließlich Matratzen, Wäsche, Geschirr usw. von Bord geschafft worden. Nach längeren Besprechungen ist nur der für Überführungsbesatzung von 24 Mann erforderliche Teil in besonders schlechter Beschaffenheit zurückgegeben worden. Ganzes Verhalten Dänen muß als regelrechte Ausplünderung Schiffes und Sabotage bezeichnet werden. Bei Rücksprache Ober KMD Kopenhagen mit Dr. Best hat dieser abgelehnt, sich einzuschalten. Nachdem Kriegsmarine mit Rücksicht auf von Reichsbevollmächtigtem vorgebrachte politische Gründe auf ursprünglich beabsichtigte Beschlagnahme aller drei Bornholmer Schiffe verzichtet hat, muß mindestens dafür gesorgt werden, daß einziges beschlagnahmtes Bornholmer Schiff in richtigem Zustand deutscher Kriegsmarine übergeben wird. Es wird gebeten, dafür zu sorgen, daß gesamtes Inventar umgehend an Kriegsmarine übergeben wird, oder sofortiger Beschlagnahme des Inventars durch Kriegsmarine zuzustimmen, da Beschlagnahme Schiffes sinngemäß Inventar mit umfaßt.

    1. Skl. 1 I A 9950/44 g (Koralle).

348. Werner Best an das Auswärtige Amt 17. März 1944

Med en længere forsinkelse svarede Best på spørgsmålet, om Helga Kastoft kunne besøge sin mand, partiformand for DKP, Aksel Larsen, i Sachsenhausen. Best havde konsulteret chefen for det tyske sikkerhedspoliti i Danmark, Otto Bovensiepen, der ingen betænkeligheder havde ved besøgets gennemførelse. Hun kunne derfor sætte sig i forbindelse med Bovensiepen.

Det var endnu et tilfælde, hvor Bests indstilling gik på tværs af RSHAs. Bovensiepen spillede villigt med, selv om ingen af dem kunne være i tvivl om, hvor den endelige afgørelse lå. Det var hos RSHA. Aksel Larsen fik ikke besøg, men fik efter en måneds tid i Sachsenhausen lov til at brevveksle med Helga Kastoft to gange om måneden (Jacobsen 1993, s. 285).

Kilde: PA/AA R 99.502.

Der Reichsbevollmächtigte in Dänemark *Kopenhagen, den 17. März 1944.*
II 239/44

An da Auswärtige Amt, Berlin

Betrifft: Den dänischen Kommunisten Aksel Larsen
Bezug: Erlaß vom 25. Februar 1944[94] – Inl. II B 619 Ang. II –
Anl.: 2 Berichtsdoppel.

Die Ehefrau des Aksel Larsen hat den Antrag auf Erlaubnis zum Besuch ihres Mannes in Sachsenhausen beim Befehlshaber der Sicherheitspolizei und des SD in Kopenhagen gestellt. Der Antrag ist zurzeit im Geschäftsgang nicht auffindbar und kann deshalb nicht vorgelegt werden.

Gegen die Erteilung der Besuchserlaubnis hat der Befehlshaber der Sicherheitspolizei keine Bedenken. Ich schlage vor, der Dänischen Gesandtschaft mitzuteilen, daß die Ehefrau Aksel Larsens die beantragte Besuchserlaubnis erhalten kann und daß sie sich wegen der Durchführung des Besuchs mit dem Befehlshaber der Sicherheitspolizei und des SD in Kopenhagen in Verbindung setzen möge.

W. Best

349. Werner Best an das Auswärtige Amt 17. März 1944

OKM ønskede skibet "Hans Broge" beslaglagt i stedet for "Tormilind", som var installeret som tysk radioskib. Best bad om, at det blev efterprøvet hos OKM, om det kunne forholde sig sådan. "Hans Broge" var et moderne passagerskib, mens "Tormilind" med betragtelige omkostninger var blevet indrettet som radioskib. Efter Bests bedømmelse var "Hans Broge" ikke egnet som radioskib, da motorrystelser ville forstyrre radiomodtagelsen.

For OKMs reaktion se Best til AA 4. april 1944.

Kilde: BArch, Freiburg, RM 7/1813. RA, Danica 628, sp. 7, nr. 5816f.

Der Reichsbevollmächtigte in Dänemark *Kopenhagen, den 17.3.1944.*
S/SCH 3/1   *Geheim*

---

94 Trykt ovenfor.

An das Auswärtige Amt
  Berlin

Im Anschluß an Schriftbericht vom 13.3.1944 – SCH 3/1[95]
Betr.: Die Beschlagnahme aufgelegter dänischer Tonnage.
2 Durchschläge

Die Kriegsmarinedienststelle Kopenhagen ist im Auftrage des Oberkommandos der Kriegsmarine erneut an mich herangetreten, um ein hier aufliegendes dänisches Passagier-Motorschiff als Funkmeßgerätschiff anstelle des bisher benutzten Funkmeßgerätschiffes "Tormilind" einzusetzen. Da der hierfür ursprünglich in Vorschlag gebrachte Dampfer "Frederikshavn" nicht freigegeben werden kann, da er als Reserveschiff dient und laufend in Fahrt gesetzt werden muß, hat die Kriegsmarinedienststelle Kopenhagen die Beschlagnahme des Motorschiffes "Hans Broge" vorgeschlagen.
  Das bisher für diesen Zweck benutzte Schiff "Tormilind" war ursprünglich ein lettischer Segler von 344 BRT, in den das Funkmeßgerät durch die Kriegsmarine eingebaut worden ist. Angeblich soll das Schiff den Ansprüchen nicht mehr genügen, obwohl es ursprünglich gerade für den vorgesehenen Zweck, nämlich als Funkmeßgerätschiff umgebaut und in Benutzung genommen wurde.
  Das von der Kriegsmarine als Ersatz vorgesehene Motorschiff "Hans Broge" ist ein modernes, 17 sm laufendes Passagierschiff, im Jahre 1939 gebaut und 2.013 BRT groß. Der Unterschied in der Art der beiden Schiffe, in der Größe und in der Geschwindigkeit, die im übrigen, wie mir mitgeteilt wird, gar keine Rolle spielen soll, da das Schiff im Kattegat vor Anker liegen soll, ist so frappant, daß meines Erachtens noch einmal gründlich nachgeprüft werden sollte, ob die Kriegsmarine für diesen Zweck wirklich ein hochwertiges, schnellgehendes Motorschiff von der Qualität des "Hans Broge" benötigt. Eine solche Nachprüfung erscheint mir umso mehr gerechtfertigt, als die Kriegsmarine selber erklärt hat, daß für die Zwecke, für die dieses Schiff eingesetzt werden soll, ein Motorschiff sich infolge der störenden Motorengeräusche nicht gut eignet.
  Sollte die weitere Benutzung des Holzseglers "Tormilind", in den mit erheblichen Unkosten die für diese Zwecke vorgesehenen Funkmeßgeräte eingebaut worden sind, tatsächlich aus irgendwelchen, mir nicht bekannten Gründen, nicht mehr möglich sein, so sollte doch zum mindesten versucht werden, ein diesem bisher verwendeten Schiff ähnliches Fahrzeug zu finden, bevor man die erneute Beschlagnahme eines dänischen Motorschiffes vornimmt, das nach Art und Qualität fast das Gegenteil von dem ist, was die Kriegsmarine bisher in Benutzung hatte. Ich verweise dabei auf die in meinem oben angeführten Schriftbericht gemachten Ausführungen.

gez. **Dr. Best**

95 Trykt ovenfor.

350. Kriegstagebuch/Admiral Dänemark 18. März 1944

Da der var givet underretning om, at en invasion i Danmark muligvis var forestående, bad Wurmbach om afgørelse af en række spørgsmål. Det drejede sig for det første om tyske skibsbesætninger til indsættelse på de mest betydende færgeruter, for det andet hvad der skulle ske med den danske handelsflåde, og for det tredje opstilling af vagtmandskab ved Kriegsmarines anlæg og forlægninger.
    Svaret er ikke lokaliseret.
    Kilde: KTB/ADM Dän. 18. marts 1944, RA, Danica 628, sp. 3, s. 3882-84.

[...]

In Verfolg der Unterrichtung über eine möglicherweise unmittelbar bevorstehende Landung im Westraum sehe ich mich veranlaßt, MOK Ost vorsorglich zu melden, welche Fragen für Admiral Dänemark im Augenblick noch dringend zur Entscheidung heranstehen.
    Es sind dies:

1.) Die Besetzung der Fähren Nyborg – Korsör und evt. auch Gedser – Warnemünde mit deutschen Personal bei Beginn der Invasion. Mit BSO ist inzwischen vereinbart, daß er in Korsör 25 Mann bereit hält, um sofort eine dänische Fähre besetzen zu können. Mit der Verwaltung der dänischen Staatsbahnen soll nunmehr über den Reichsbevollmächtigten Fühlung genommen werden, daß uns im Invasionsfall zur Durchführung rein militärischer Transport 2 der auf der Strecke Korsör – Nyborg eingesetzten dänischen Dampffähren zur Verfügung gestellt werden. Es wird damit gerechnet, daß dies von dänischer Seite zugesagt wird, da sie damit die Überführung rein militärischer Transporte auf den zivilen Fähren vermeiden können.

2.) Steht noch die Entscheidung aus, was mit den dänischen Handelsschiffen im Invasionsfall geschehen soll. Sofern nämlich eine Beschlagnahme einer größeren Zahl dänischer Handelsschiffe durchgeführt werden soll, bedarf es einmal der Bereitstellung entsprechenden Personals und zudem Klärung der Frage, wie diese Schiffe aus dem dänischen Raum herausgebracht werden können. Schließlich ist noch zu klären, wie im Seeraum zwischen Jütland und Schweden im Invasionsfall der Handelsschiffsverkehr zu überwachen ist.

3.) Eine besonders dringliche Frage ist die Bereitstellung von Bewachungspersonal für Marineläger und Unterkünfte im A-Fall. Feststellungen haben ergeben, daß von den z.Zt. rund 750 eingesetzten dänischen Wächtern höchstens 250 als zuverlässig angesprochen werden können, auf die also auch aller Wahrscheinlichkeit nach im A-Fall Verlaß sein wird. Die Lage wird in Kopenhagen dadurch noch verschärft, daß der 2. AdO 300 Mann Festungswachabt. Kiel, die der M/AA 508 für Bewachungsaufgaben in Kopenhagen zur Verfügung gestellt waren, demnächst abziehen muß. Es besteht somit erhebliche Gefahr, daß im A-Fall wesentliche Läger und Unterkünfte der Marine ohne Bewachung und damit erhöhter Sabotagegefahr ausgesetzt sein werden. Bei den K.i.A.s wird der unbedingt nötige Bedarf an Bewachungspersonal z.Zt. nochmals überprüft.

[...]

351. Hans Clausen Korff an Christian Breyhan 18. März 1944
Korff oplyste Bests forbrug på kontoen civile besættelsesudgifter for tiden oktober 1943-januar 1944.
   Kilde: RA, Danica 201, pk. 81, læg 1083.

Abschrift.
Der Reichskommissar für die besetzten   Oslo, den 18. März 1944
Norwegischen Gebiete
II Wi

Herrn Reichsminister der Finanzen
   z.Hd. von Herrn MinRat Dr. Breyhan
   Berlin W 8
   Wilhelmpl. 1-2

Betr. Zivile Besatzungskosten in Dänemark
Ihr Schreiben vom 10. März 1944[96] Y 5104/1 – 232 V

Wie ich in meinem Schreiben vom 22. Dezember 1943 und 10. März 1944[97] betr. Zahlen über die finanzpolitische Entwicklung in Dänemark mitgeteilt habe, sind vom Reichsbevollmächtigten in Dänemark folgende Beträge bei der Nationalbank zu Lasten des Kontos "Zivile Besatzungskosten" der Hauptverwaltung der Reichskreditkassen abgehoben worden:

Oktober	1943	2,3	Mio. Kr.
November	–	1,7	–
Dezember	–	3,0	–
Januar	1944	2,0	–
		9,0	Mio. Kr.

Aus diesen Beträgen sind die gesamten Aufwendungen der Polizei in Dänemark, ein Teil der Familienunterhaltungszuschüsse der Waffen-SS und die Kosten des Reichsbevollmächtigten, soweit sie aus den Guthaben des Clearingkontos IV nicht gedeckt werden konnten, bezahlt worden. Bei den Ausgaben des Reichsbevollmächtigten, die aus diesen Beträgen bezahlt werden, handelt es sich hauptsächlich um die Miete für die in Anspruch genommenen Bürohäuser. U.a. ist hieraus auch den nicht diplomatischen Behördenangehörigen die Differenz zwischen den Bezügen für zivile Mitarbeiter in Dänemark und den Diplomatenbezügen gezahlt worden.

   Im Auftrag
   gez. **Korff**

---

96 Skrivelsen er ikke lokaliseret.
97 Skrivelserne er ikke lokaliseret, men deri havde Korff bl.a. indberettet de civile besættelsesomkostninger for henholdsvis oktober 1943 og november-december 1943 og januar 1944. Den 20. maj 1944 opgav Korff de civile besættelsesomkostninger for februar og marts 1944 til henholdsvis 2.250 og 750 millioner kr. (udateret notat i RA, Danica 201, pk. 81, læg 1083). Hvorfor udgifterne styrtdykkede fra marts er uklart.

352. Ernst Richter an Nachrichten-Betriebs-Kompagnie Dänemark 19. März 1944

Richter var bekymret for, hvordan dansk politi ville optræde i tilfælde af en invasion: om det ville være afvisende eller direkte fjendtligt over for besættelsesmagten. Derfor ville han sikre tysk kontrol med politiets kommunikation, så den i givet fald kunne afbrydes. Sagen skulle behandles i absolut hemmelighed.

Svaret på Richters henvendelse er ubekendt, men han bevægede sig ind på et område, der først og fremmest måtte være en sag for det tyske sikkerhedspoliti. Det kan også være det svar, han fik, hvis ikke sagen i stedet blev overladt til Bovensiepen. Den mistroiske holdning var mere og mere udbredt ved de tyske tjenestesteder, bl.a. fordi enkelte politifolk blev pågrebet i forbindelse med illegal aktivitet.

Kilde: BArch, Freiburg, RW 38/180. KTB/HKK, Anlage 79.

Geheim! Anlage 79
Höheres Kommando Kopenhagen St.Qu. 19.3.1944
Ia Nr. 987/44 geh.

Betr.: Nachr. Verbindungen der dän. Polizei

An Nachr.-Betriebs-Komp. Dän.

Die schon beobachtete passive Haltung der dän. Polizei gegenüber Saboteuren an deutschem Wehrmachtgut bzw. dänischen, für Deutschland arbeitenden Firmen legt die Vermutung nahe, daß die Einstellung der dän. Polizei gegenüber der deutschen Wehrmacht im Falle eines feindlichen Angriffs noch eindeutiger ablehnend, wenn nicht sogar feindlich sein wird.

Es wird daher für notwendig angesehen, festzustellen, wo die Fernsprechleitungen des dän. Polizeipräsidiums (Politigaarden) zusammenlaufen, um diese gegebenenfalls durch Einschaltung in die Leitungen durch Dolmetscher überwachen, oder im Falle einer aktiven feindlichen Tätigkeit der Polizei durch Abschalten oder Durchschneiden unterbrechen zu können.

Ich bitte über das Ergebnis dieser absolut geheim und unauffällig durchzuführenden Feststellungen um mündlichen Vortrag.

Richter
Generalleutnant

Nachr. an:
Abwehrstelle Dän.
KTB

353. Lutz Schwerin von Krosigk an Joachim von Ribbentrop 20. März 1944

Brevet er ikke lokaliseret, men indholdet fremgår af det svar, som Ribbentrop sendte på det 31. maj 1944.

354. Rüstungsstab Dänemark: Bericht betr. der Firma Nordvärk 20. März 1944

Rüstungsstab Dänemark redegjorde for ledelsesproblemerne på maskinfabrikken Nordværk, afdeling Rovsingsgade. Direktør Due-Petersen havde for meget at se til med sine andre virksomheder, og da heller ikke advokat Overland ønskede at overtage ledelsen, overgik den til BMW, for hvem fabrikken reparerede flymotorer.

Den reelle baggrund for Due-Petersens fjernelse fra ledelsen var hans egenrådighed og temperament, som bragte ham i konflikt med sine kompagnoner, og ved en genforhandling af kontrakten med BMW i januar 1944 blev kontrollen over Nordværk reelt frataget ham (Lundbak 2002 og i *Gads hvem var hvem 1940-1945*, 2005, s. 87f.).

Beretningen er fejldateret, da den omtaler en begivenhed, der fandt sted 21. marts 1944.

Kilde: BArch, Freiburg, RW 27/13. RA, Danica 1000, T-77, sp. 696. KTB/Rü Stab Dä, 1. Vierteljahr 1944, Anlage 30.

Rüstungsstab Dänemark   Anlage 30
Abt. Luftwaffe   *20. März 44*

B e r i c h t
über Schwierigkeiten in der Leitung der Firma Maskinfabriken Nordvärk, Abteilung Rovsingsgade.

Abteilung Rovsingsgade der Firma Nordvärk A/S, in der ein Reparaturenwerk für BMW 801-Motoren eingerichtet ist, stand unter der Leitung des Direktors Due Petersen als technischer und Rechtsanwalt Overland als kaufmännischem Leiter. Da Direktor Due Petersen gleichzeitig seine alten Firmen Jeko und Nordvärk, Abt. Finsensvej, leitete, ergab sich mit der Zeit eine Überbeanspruchung dieses Herrn, die in ihm den Wunsch wachrief, aus der Leitung der Firma Nordvärk, Abt. Rovsingsgade, auszuscheiden. Nach dem Besuch leitender Herren der Firma BMW München im Januar 44 wurde ein Ergänzungsvertrag zwischen BMW und Direktor Due Petersen abgeschlossen, der zum Ziele hatte, Direktor Due Petersen von der Verantwortung der technischen Leitung des Reparaturenwerkes zu entheben. Er sollte in Zukunft bei dieser Firma nur beratend tätig sein; die kaufmännische Leitung und die Vertretung der Firma nach außen hin sollte allein Rechtsanwalt Overland übernehmen. Diese Regelung bewährte sich in der Praxis insofern nicht, als auch Rechtsanwalt Overland durch seine Anwaltstätigkeit nicht genügend Zeit für die Leitung der Firma aufbringen konnte. Diese Angelegenheit wurde auf einer Dienstreise des Abt. Leiter Luftwaffe in Besprechungen bei der Firma BMW München und beim Reichsluftfahrtministerium Berlin eingehend behandelt. Es bestand Übereinstimmung darüber, daß der Zustand in der jetzigen Form unhaltbar sei und daß schließlich eine Umwandlung des Betriebes in einen Frontreparaturbetrieb der deutschen Luftwaffe in Aussicht genommen werden müsse. Durch Schreiben vom 20.3.44 an die Firma BMW Flugmotorenbau GmbH, München, legte Herr Due Petersen die Angelegenheit noch einmal klar und teilte mit, daß er nunmehr vollständig aus der Firma ausscheiden würde. Durch die am 21.3.44 erfolgte Ermordung des Bruders des Direktor Due Petersen,[98] der als Betriebsleiter und Leiter der Sabotagewachen des

---

[98] Ingeniør Peter Due-Petersen blev likvideret kl. 8.15, da han kom kørende på cykel på hjørnet af Falkoner Allé og Ågade, København N (KB, Bergstrøms dagbog 21. marts 1944). Han blev begravet 27. marts på Bispebjerg Kirkegård under overværelse af bl.a. Werner Best og Walter Forstmann, et vidnesbyrd om fabrik-

Gesamtbetriebes tätig war, wurde der Wunsch noch verstärkt. Auch Rechtsanwalt Overland erklärte sich nicht mehr interessiert an der Weiterführung der Firma Nordvärk, Abt. Rovsingsgade, und bat ebenfalls um Entlassung aus der Geschäftsführung.

Durch diese Umstände ist für das BMW-Reparaturenwerk eine Lage entstanden, die neue Entschlüsse notwendig macht. Eine andere dänische Firma zur Leitung des Betriebes einzusetzen, dürfte nach Lage der Sache nicht möglich sein.

Das Ausscheiden des Herrn Due Petersen wird nicht zu ändern sein und ist andererseits aus dem Grunde zu begrüßen, weil Herr Due Petersen auf diese Weise Gelegenheit hat, sich seinen anderen Betrieben, die auch mit wichtiger Luftwaffenfertigung beschäftigt sind, mehr zu widmen. Es wird also nur der Weg übrig bleiben, den Betrieb Nordvärk, Rovsingsgade, in einen Frontreparaturbetrieb der deutschen Luftwaffe umzuwandeln. Die treuhänderische Verwaltung würde dabei der Firma BMW zu übertragen sein. Die Einrichtung eines Frontreparaturbetriebes ist ferner notwendig, weil sich bei der Arbeiterschaft bezw. den Gewerkschaften des öfteren Schwierigkeiten wegen der Leistung von Überstunden ergaben. Verhandlungen bei den in Frage kommenden deutschen und dänischen Behörden wegen diesen Umwandlung sind eingeleitet.

355. Werner Best an das Auswärtige Amt 20. März 1944

Best bad AA videreformidle en besked til Reichsbank om at overføre 3.000 RM fra clearingkontoen for Det Store Nordiske Telegrafselskabs afdeling i Riga til en stedlig bank, hvorfra pengene skulle videre til Rigskreditkassen i Riga. Best begrundede anmodningen med, at selskabets virksomhed var i tysk interesse, og at det havde stærkt brug for overførslen.

Det er helt usædvanligt, at Best telegraferede til AA i en anledning som denne. Store Nordiske Telegrafselskabs virke for Tyskland er uoplyst.

Kilde: BArch, R 901 113.555.

Telegramm

Kopenhagen, den	20. März 1944	10.15 Uhr
Ankunft, den	20. März 1944	10.44 Uhr

Nr. 355 vom 20.3.[44.]

Bitte folgende Mitteilung an Reichsbank weitergeben:

Danmarks Nationalbank überweist im Clearing RM 3.000 zu Gunsten der Großen Nordischen Telegraphengesellschaft A.G. Abteilung Riga, Konto: Notenbank im Ostland. Bitte um Weiterleitung des Betrages an die Reichskreditkasse in Riga, da die Tätigkeit der Gesellschaft im deutschen Interesse liegt und die Gesellschaft auf den Betrag dringend angewiesen ist.

Dr. Best

ken Nordværks betydning for besættelsesmagten (Bests kalenderoptegnelser 27. marts 1944, *Skagerrak* april 1944, s. 16).

356. Paul von Behr an Werner Best 20. März 1944

Von Behr gav Best meddelelsen om, at der for marts kunne forventes 3.000 rummeter generatortræ fra Tyskland, og at der også for april og maj kun kunne eksporteres en mindre mængde generatorbrænde til Danmark.

29. marts meddelte Zentralstelle für Generatoren AA, at der i de følgende måneder så vidt muligt fortsat ville blive leveret generatortræ.

Kilde: PA/AA R 113.561.

Nr. 127 20.3. 21.40 ERH DG Kopenh LE ++

F e r n s c h r e i b e r

Berlin, den   20. März 1944

Diplogerma: Kopenhagen Nr. 291
Referent: LR Baron v. Behr.
Betrefft: Ausfuhr von Generatorholz nach Dänemark.

Im Anschluß an Fernschreiben vom 24. Februar 1944 Nr. 179:[99]

Nach wiederholten, auch vom Reichsernährungsministerium unterstützten Vorstellungen bei Zentralstelle für Generatoren hat diese jetzt 3.000 rm = 30.000 hl Generatorholz zur Ausfuhr nach Dänemark freigegeben.

Geplant ist ferner verstärkter Einschlag von Generatorholz, so daß voraussichtlich auch im April und Mai kleinere Mengen Generatorholz nach Dänemark geliefert werden können.

Behr

357. Einsatzstab Rosenberg an H.W. Ebeling 20. März 1944

Haupteinsatzführer Reichardt takkede Ebeling for hans bestræbelser for at løse valutaproblemer. For nogen tid siden havde Reichardt lovet Ebeling at skaffe Thorvald Knudsen materiale vedrørende vikingespørgsmålet og havde derfor henvendt sig til Sonderstab Vorgeschichte. Derfra blev Knudsen henvist til den seneste bog om emnet fra 1941. De seneste udgravninger i Dnjeprbogen havde drejet sig om goter- og ikke vikingespørgsmålet.

Valutaproblemerne hentyder til de stadige problemer, der opstod, når Ebeling skulle organisere forberedelsen af køb af bøger i Sverige. Han førte vedvarende korrespondance om deres løsning.[100]

Ebeling gjorde flere gange Thorvald Knudsen tjenester og havde bl.a. 22. februar bedt Einsatzstab Rosenberg om at skaffe Knudsen 19 forstørrelser af arkitektoniske optagelser fra de besatte områder i Sovjetunionen. Disse blev fremsendt 25. marts (kilde som nedenfor nr. 740), og tre af dem blev bragt i *Paa godt Dansk* juni 1944, s. 14-16 i forbindelse med en artikel af Knudsen.

Se om Ebelings situation i København Werner Koeppens indberetning 24. marts 1944.

Kilde: BArch, NS 30/32. RA, Danica 1000, T-450, sp. 87, nr. 741.

---

99 Behr til Best, trykt ovenfor.
100 Korrespondancen med tilhørende litteraturlister er udeladt. Se dog Einsatzstab Rosenberg til Ebeling 20. maj 1944, trykt nedenfor.

Die Stabsführung IV/3   *Ratibor, den 20. März 1944.*
Re./Schü.

An Oberst-Einsatzführer W. Ebeling,
    Feldpostnummer 25 362/AG

Sehr geehrter Parteigenosse Ebeling!
Besten Dank für Ihre Zeilen vom 14.3. Ich hoffe, daß die Angelegenheit mit den Devisen inzwischen doch geklappt hat und bin Ihnen für Ihre Bemühungen im voraus dankbar.
    Ich versprach Ihnen seinerzeit, Herrn Thorwald Knudsen Material zur Wikingerfrage zu besorgen und habe dieserhalb an Dr. Hülle vom Sonderstab Vorgeschichte geschrieben. Ich erhalte jedoch darauf folgende Antwort von Dr. Modrijan:
    "Die Ausgrabungen im großen Dnjeprbogen im Sommer 43, bei denen ich ständig anwesend war, haben neues Material zur Wikingerfrage nicht gebracht. Unsere Ausgrabungen zielten auch auf die Gotenfrage. Das aus der Ukraine evakuierte Museumsmaterial, sowohl Fundgegenstände als auch Literatur, wurde z.T. bereits nach Höchstädt a. Donau geschafft, z.T. liegt es transportbereit hier und wird in der nächsten Woche abrollen. Ich kann also leider augenblicklich die gewünschte Durchsicht nicht vornehmen. Eine neuere Veröffentlichung (1941) von deutscher Seite: Gloger, Germanen in Osteuropa, Mannus-Bücherei, Bd. 71, gibt gewiß eine brauchbare Übersicht über die vorhandene Literatur; inhaltlich ist das Werk mit Vorsicht zu genießen."
    Dr. Modrian teilt bei dieser Gelegenheit mit, das in der Krakauer Zeitung vom 11.3.44. ein Aufsatz von Thorwald Knudsen über "Rußland anno 1908" erschienen ist. Sobald ich die Nummer habe, werde ich Sie Ihnen zusenden.
                                  Heil Hitler!
                                       i.A.
                                   Reichardt
                                Haupteinsatzführer

358. Werner Best an das Auswärtige Amt 21. März 1944

OKM havde ønsket at overtage yderligere to danske motorskibe, og på baggrund af sine tidligere indberetninger ønskede Best AAs stilling til, om skibene skulle beslaglægges, da man ikke skulle regne med, at rederierne frivilligt ville lade dem chartre.
    Best refererede svaret til AA 4. april 1944.
    Kilde: BArch, Freiburg, RM 7/1813. RA, Danica 628, sp. 7, nr. 5818.

Der Reichsbevollmächtigte in Dänemark   *Kopenhagen, den 21.3.1944.*
S/SCH 3/1   Geheim

An das Auswärtige Amt
    Berlin

Im Anschluß an Schriftberichte vom 13.3.1944 und 17.3.1944 – SCH 3/1[101]
Betr.: Die Beschlagnahme aufgelegter dänischer Tonnage.
2 Durchschläge

Im Nachgang zu meinen Schriftberichten vom 13. März 1944 und vom 17. März 1944 – SCH 3/1 – berichte ich heute, daß das Oberkommando der Kriegsmarine über die Kriegsmarinedienststelle Kopenhagen erneut an mich herangetreten ist, um die dänischen Motorschiffe "Wistula" und "Aalborghus" zu erfassen. Angeblich sollen diese Schiffe als Lazarett-Schiffe Verwendung finden.
    Unter Bezugnahme auf meine Aufführungen in den oben angeführten Schriftberichten erbitte ich die dortige Stellungnahme, ob, da mit einer freiwilligen Vercharterung seitens der Reederei nicht gerechnet werden kann, zu einer Beschlagnahme dieser beiden Schiffe geschritten werden soll.
gez. Dr. Best

359. Arthur Nebe an Otto Bovensiepen 21. März 1944

Nebe bad Bovensiepen være behjælpelig med at skaffe apparatur til det kriminalmedicinske centralinstitut, der skulle evakueres til Wien. To af instituttets ansatte kom til København for at se på mulighederne. Finansieringen ville Nebe forhandle med Amt II i RSHA.
    Nebe skrev til Best 21. april 1944 i samme sag.
    Kilde: Kilde: BArch, ZR 782, A. 12, s. 36 (gennemslag).

Nebe   *Berlin, am 21. März 1944.*
SS-Gruppenführer und
Generalleutnant der Polizei

Lieber Kamerad Bovensiepen!
Wie Sie wissen, ist vor einiger Zeit ein Kriminalmedizinisches Zentralinstitut der Sicherheitspolizei geschaffen und meinem Amt angegliedert worden. Es soll im Rahmen der Evakuierung zunächst in Wien aufgebaut werden. Natürlich fehlen uns hierfür wichtige Einrichtungsgegenstände und Instrumente, die man hier kaum beschaffen kann.
    Da mir Kriminalrat D'heil z.Zt. berichtete, in Dänemark wäre noch Verschiedenes an technischen Geräten zu haben, will ich Versuch machen, die entsprechenden Apparate und Instrumente in Ihrem neuen Wirkungsbereich zu erhalten. Zu diesem Zweck habe ich zwei Angehörige des Kriminalmedizinischen Zentralinstituts der Sicherheitspolizei, den SS-Obersturmführer Dr. Battista und Dr. Meyer nach Kopenhagen entsandt, mit der Weisung, sich bei Ihnen zu melden. Ich bitte Sie herzlich, den beiden die Möglichkeit zu geben, sich nach solchen Apparaten usw. umzusehen. Zunächst kommt es mir nur darauf an, festzustellen, ob überhaupt Brauchbares zu haben ist. Ich würde dann mit unserem Amtschef II über die zum Ankauf notwendigen Mittel verhandeln. Natürlich vermag ich von hier aus nicht zu beurteilen, welche Vorschriften über Kauf und Über-

---

101 Begge trykt ovenfor.

führung in das Reich dort bestehen. Auf jeden Fall möchte ich, wenn geeignetes Material aufzutreiben ist, dieses recht- und ordnungsmäßig für das Reichssicherheitshauptamt erwerben. Deshalb brauche ich Ihren Rat und Ihre Unterstützung.

Für diese kameradschaftliche Hilfe danke ich Ihnen aufrichtig.

Mit kameradschaftlichen Grüßen Heil Hitler!

Gez. **Nebe**

360. Das Auswärtige Amt: Abteilung Pol. VI und Pol. XVI an Inland II D 21. März 1944

I februar 1944 havde danske nazister ansøgt om et lån hos Kreditanstalt Vogelsang. Lånekassen betjente ellers kun det tyske mindretal, og det havde derfor ført til en henvendelse til AA 12. februar om det tilrådelige deri (henvendelsen er ikke medtaget). Reichel havde i første omgang 2. marts indstillet til Pol XVI (Beobachtung nationaler Bewegungen in fremden Ländern), at ansøgningen blev imødekommet (ikke medtaget, alle akter som nedenfor), men lederen af afdeling Pol XVI, dr. Hoffmann-Günther gik efter samråd med afdeling Pol VI (Dänemark med von Grundherr som leder) imod det, på grund af Ribbentrops nye holdning til de danske nazister. Lånet kunne under andre omstændigheder have været givet inden for rammerne af den storgermanske opgave.

Reichel videresendte 28. marts det negative svar til Vereinigte Finanzkontor (ikke medtaget, kilde som nedenfor).

Hvad der havde forårsaget RAMs nye holdning til de danske nazister, kan have været oplysningerne om Frits Clausens angiveligt utilstedelige fremfærd i Minsk, som var indberettet af Best med telegram nr. 251, 26. februar 1944.

Kilde: PA/AA R 100.570.

RL: LS Dr. Hoffmann-Günther   zu Inl. II D 5036.
Pol. XVI.

Im Einvernehmen mit Pol. VI ist Pol. XVI der Ansicht, daß die Darlehnsanträge dänischer Nationalsozialisten im Rahmen des großgermanischen Auftrags zu erledigen seien. Auf Grund der neuerdings von dem Herrn Reichsaußenminister eingenommenen Haltung gegenüber den dänischen Nationalsozialisten dürfte mit einer Bewilligung von Mitteln für diese besonderen Zwecke nicht zu rechnen sein.

Hiermit bei Inland II D wiedervorgelegt.

Berlin, den 21. März 1944.

Hoffmann-Günther

361. Kriegstagebuch/WB Dänemark 22. März 1944

Von Hanneken ville have Geodætisk Institut beslaglagt og derfor ville han føre forhandlinger med Best om instituttets nyttiggørelse.

Instituttet blev ikke beslaglagt, så Best har givetvis fået talt von Hanneken fra dette forehavende (i *Geodætisk Institut 1928-1978*, 1979 er der ingen omtale af en besættelse).

Kilde: KTB/WB Dänemark 22. marts 1944.

[...]
Wegen Beschlagnahme des Geodätischen Instituts in Kopenhagen sollen demnächst mit dem Reichsbevollmächtigten zwecks Nutzbarmachung des Instituts für Deutsche Wehrmacht Verhandlungen geführt werden. OKH wurde vorgeschlagen, zur Aufsicht über den weiterlaufenden dänischen Betrieb und zur Anleitung bei den für deutsche Zwecke auszuübenden Arbeiten einen Offizier und Beamten zu entsenden.
[...]

362. Franz Ebner: Wirtschaftlicher Lagebericht 22. März 1944

Ebners beretning om Danmarks forventede leverancer for 1943/44 var meget optimistisk. Han bemærkede, at den vigtige danske landbrugsproduktion ikke blot havde holdt sig på det hidtidige niveau, men igen havde udvist en betydelig stigning, en udvikling der ikke var set i noget andet europæisk land. Han understregede imidlertid, at en forudsætning for denne gunstige udvikling var, at Tyskland kunne levere de nødvendige råstoffer til understøttelse heraf. Hertil kom, at de omfattende tyske byggearbejder udgjorde en trussel mod landbrugseksporten, hvorfor der blev foreslået en række muligheder for at forebygge det, herunder eventuelt anvendelse af udenlandske arbejdere og krigsfanger. Hertil kom problemer med byggeriets overpriser og risikoen for at danskerne mistede tilliden til deres valuta.

Beretningen var givetvis udarbejdet i samråd med Walter og med Best. Førstnævnte havde på et møde tidligere på måneden kritiseret værnemagtens forbrug af rede penge i Danmark (Giltner 1998, s. 161). Sidstnævnte sendte 1. april 1944 AA en "kortberetning" med angivelse af de samme tal, der også gik igen i *Politische Informationen* samme dag. Bests offensiv for at gøre opmærksom på den danske landbrugseksports betydning gjorde sin virkning. Inden for en uge havde det frembragt en førerordre (se nedenfor og Nissen 2005, s. 247f.).

Bovensiepen reagerede på både Ebners indberetning og det økonomiske afsnit i *Politische Informationen* 1. april 1944, se hans brev til RSHA 10. maj 1944. I Preispolitischer Lagebericht 9. maj 1944, trykt nedenfor, blev der yderligere fulgt op.

Kilde: BArch, R 58/875. RA, Danica 1069, sp. 12, nr. 15.845-51. EUHK, nr. 122 (uddrag).

Anlage 2   *Abschrift!*
Der Reichsbevollmächtigte in Dänemark   *Kopenhagen, den 22.3.1944*
Hauptabteilung Wirtschaft   *Geheim!*

Betr.: Wirtschaftlicher Lagebericht.
Im Anschluß an den Bericht vom 20. Oktober 1943 – III/6047/443 –.[102]
19 Abzüge

Die Hauptbedeutung der dänischen Wirtschaft für die deutsche Kriegswirtschaft liegt in den Lieferungen von landwirtschaftlichen Erzeugnissen und insbesondere Lebensmitteln. Diese Lieferungen haben sich auch im laufenden Wirtschaftsjahr 1943/44 bisher durchaus befriedigend entwickelt. Besonders erfreulich ist es, daß auf wichtigen Gebieten die Erzeugung der dänischen Landwirtschaft sich nicht auf der bisherigen Höhe gehalten hat, sondern noch erhebliche Steigerungen aufweist, ein Vorgang, der von keinem anderen europäischen Land erreicht wird. Hierfür seien nachstehend fol-

---
102 Trykt ovenfor.

gende Beispiele angeführt: Dänische Lieferungen an das Reich im Wirtschaftsjahr

	1942/43	1943/44 (geschätzt)
Fleisch	80.000 t	145-150.000 t
Butter	51.000 t	51.000 t
Fische	92.000 t	102.000 t
Pferde	27.000 Stück	38.000 Stück

Das bedeutet praktisch, daß Dänemark bei einer Lieferung von 145-150.000 t Fleisch 90 Millionen Normalverbraucher bei der jetzigen Fleischration der Normalverbraucher 6-7 Wochen mit Fleisch und 90 Millionen Normalverbraucher bei der jetzigen Butterration der Normalverbraucher oder 4-5 Wochen mit Butter versorgt. Die dänischen Fischlieferungen bilden das Rückgrat der Frischfischversorgung der deutschen Großstädte.

Bei den Nebengebieten sind besonders wichtig die dänischen Lieferungen an Gemüsesämereien, Gras- und Futterpflanzensamen, mit denen Dänemark der wichtigste Sämereilieferant Deutschlands geworden ist. Diese Lieferungen sind für die Bebauung des europäischen Bodens unersetzlich. Bei Grassaaten liefert Dänemark z.B. den gesamten europäischen Zuschußbedarf. Auch bei Pferden ist Dänemark bei weitem der größte Pferdelieferant Deutschlands geworden.

Die dänische Industrie ist ebenfalls weitgehend für Deutschland herangezogen und hat damit die deutsche Kriegswirtschaft nach Möglichkeit entlastet und unterstützt.

In der Zeit vom 1.5.1940 bis 31.12.1943 wurden deutsche Rüstungsaufträge im Werte von 488 Mill. RM nach Dänemark verlagert. Hiervon wurden im gleichen Zeitraum Aufträge im Werte von 325 Mill. RM ausgeliefert, was einer Auslieferungsquote von 67 % entspricht. In diesen Zahlen ist auch das erst im Sommer 1943 in Angriff genommene Hansa-Programm auf Bau von 37 Handelsschiffen im Werte von 51 Mill. RM enthalten. Wenn man das Hansa-Programm wegen seiner erst kurzen Anlaufzeit unberücksichtigt läßt, erhöht sich die Auslieferungsquote auf 73 %, was vom Rüstungsstab Dänemark als ein gutes Ergebnis bewertet wird. Bemerkenswert ist noch, daß der Wert der Monatsdurchschnitte der verlagerten Aufträge sich stetig von 4,6 Mill. RM in einem Jahr (1940) auf 15,6 Mill. RM im Jahre 1943 erhöht hat.

Neben den eigentlichen Rüstungsaufträgen wurden auch Aufträge des kriegswichtigen zivilen Bedarfs über den Rüstungsstab Dänemark aus dem Reich nach Dänemark verlagert und zwar in der Zeit vom 1. 5. 1940 bis 31. 12. 1943 im Werte von 70 Mill. RM.

Daneben treten die Ausfuhren der dänischen Industrie nach Deutschland im freien Warenverkehr aus Rohstoffgründen naturgemäß an Bedeutung stark zurück. Soweit die dänische Industrie für die dänische Wirtschaft arbeitet, dient sie unmittelbar deutschen Interessen.

Bisher haben die dänischen landwirtschaftlichen Lieferungen im ersten Halbjahr des fünften Kriegswirtschaftsjahres den Schätzungen und Erwartungen voll entsprochen. Voraussetzung für die Aufrechterhaltung dieser Lieferungen ist aber, daß im Verhältnis zu den steigenden dänischen Lieferungen auch vermehrte Produktionsmittel, Maschinen, Dünger- und Pflanzenschutzmittel usw. aus Deutschland zur Verfügung gestellt werden. Leider sind vermehrte Lieferungen bei den wichtigsten Produktionsmitteln aus Deutschland nicht zu erwarten, obgleich mit diesen Produktionsmitteln in Dänemark der höchste Nutzeffekt zu erzielen wäre. Ganz besonders dringlich im deutschen Interesse liegt eine reichliche Belieferung Dänemarks mit Eisen. Als Beispiel sei nur angeführt, daß zeitweilig der Versand von Lebensmitteln nach Deutschland ins Stocken geriet, weil zur Verpackung Nägel und Bandeisen im Lande fehlten.

In diesem Zusammenhang sei wieder darauf hingewiesen, daß der Belieferung Dänemarks auch mit Verbrauchsgütern Bedeutung zu schenken ist. Auch hier ist in dieser Beziehung eine knappe Versorgung festzustellen. Während im Warenclearing jetzt ein Saldo von 2,1 Milliarden Kr. zu Gunsten Dänemarks besteht und die landwirtschaftlichen Lieferungen nach Deutschland den eingangs erwähnten Höchststand erreicht haben, ist die Besorgnis nicht unbegründet, daß der dänische Bauer eines Tages feststellen wird, daß er für den Erlös seiner Produkte nicht mehr Waren kaufen kann, die er braucht, und daß damit ein Anreiz zum Produzieren wegfällt.

Die dänische Wirtschaft und insbesondere die Landwirtschaft wird ferner in mannigfacher Weise in ihrer Produktionskraft beeinträchtigt durch die militärischen Bauarbeiten, insbesondere auf Jütland, die seit Ende vorigen Jahres in großem Umfang in Angriff genommen sind.

Zunächst beanspruchen die Befestigungs- und sonstigen Wehrmachtbauten größere Flächen landwirtschaftlichen Bodens. Auch aus der in Vorbereitung stehenden Schutzbereichsverordnung werden sich weitere, wenn auch militärisch unvermeidlich Beeinträchtigungen der dänischen Landwirtschaft ergeben. Von grösser Wichtigkeit ist aber, daß unter den Arbeitern für die Wehrmachtbauten auch dänische landwirtschaftliche Arbeiter Aufnahme finden, die infolge der gezahlten Löhne und sonstigen Arbeitsbedingungen die Arbeit dort der Arbeit in der Landwirtschaft vorziehen. Die Lohnregelung bei den Wehrmachtbauten bedarf deshalb besonderer Aufmerksamkeit. Wenn auch vereinbarungsgemäß landwirtschaftliche Arbeiter bei den Wehrmachtbauten nicht beschäftigt werden sollen, so wird dies doch im Einzelfall leicht umgangen. Bei dem vorhandenen Mangel an Landarbeitern besteht die ernste Besorgnis, daß hierdurch insbesondere Bestellung und Ernte beeinträchtigt werden. Es wird zur Zeit geprüft, welche Maßnahmen in dieser Richtung getroffen werden können.

Bei der Dringlichkeit der Durchführung der Wehrmachtbauten ist ferner nicht zu umgehen gewesen und nicht zu umgehen, daß in Dänemark vorhandenes Baumaterial für die Wehrmachtsbauten in Anspruch genommen und damit der dänischen Wirtschaft entzogen wird. Insbesondere war und ist dies auf dem Gebiet des Holzes (Bau- und Nutzholz, Pfähle und Generatorholz) der Fall, wo mangels Nachschub mit Beschlagnahmen vorgegangen werden muß, um das erforderliche Material zur Verfügung zu haben, obgleich diese Entnahmen in einen so waldarmen Land wie Dänemark starke Anforderungen an die dänische Wirtschaft bedeuten. Über die Lieferung vom dänischen Zement ist eine im Ganzen befriedigende Lösung gefunden worden, wenn auch für die dänische Wirtschaft, soweit sie für Deutschland arbeitet, eine starke Verknappung an Zement bestehen bleibt. Ein weiterer Faktor, der die dänische Wirtschaft erheblich berührt, ist die starke Inspruchnahme von Transportmitteln (LKW mit Generatorantrieb) und die Inanspruchnahme von Generatorholz für Wehrmachtzwecke. Hier hatten sich bereits vorübergehend Schwierigkeiten ergeben, indem der Bedarf für Wehrmachtsarbeiten die Transportmöglichkeiten bei landwirtschaftlichen Unternehmen, die ihrerseits unmittelbar auch für die Belieferung von Deutschland arbeiten, behindert haben.

Wenn auch die Wehrmachtsbauten von den Anforderungen der Wehrmacht zur Zeit den Vorrang einzunehmen, so muß doch getrachtet werden, im Interesse Deutschlands auch die dänische landwirtschaftliche Erzeugung möglichst ohne allzu große Beeinträchtigungen in Gang zu halten und praktisch beide Ziele zu erreichen. In diesem Zwecke werden folgende Möglichkeiten zu prüfen sein:

1.) Um bei den Wehrmachts- und Befestigungsbauten den Einsatz von landwirtschaftlichen Fachkräften entbehrlich zu machen, wäre zu prüfen, ob nicht die Möglichkeit besteht, für diese Bauten ausländische Arbeiter (gegebenenfalls Kriegsgefangene) zur Verfügung zu stellen.

2.) Es wäre erwünscht, daß über den Materialbedarf für die Wehrmachtsbauten eine Planung über einen größeren Zeitraum erfolgen. Es hat sich gezeigt, daß z.B. bei den derzeitigen ständig wachsenden Anforderungen von Generatorholz es unmöglich ist, von Vierteljahr zu Vierteljahr den Bedarf anzufordern, weil in den Wintermonaten eine Zufuhr aus dritten Ländern nicht in Frage kommt und diese Verwendung von frischeingeschlagenem Generatorholz technisch die größten Schwierigkeiten bereitet.[103]

3.) Es liegt im deutschen Interesse, daß möglichst viel Baumaterial aus der Heimat oder aus dritten Ländern nachgeschoben wird, um die dänische Wirtschaft, soweit sie für uns arbeitet, in Gang zu halten und gleichzeitig die Wehrmachtskosten zu entlasten. Mit Ausnahme von Zement und Steinen sind alle sonstigen Baumaterialen ausgesprochene Mangelwaren. Beispielsweise wird die jetzt stetig zunehmende Beschlagnahme von Nutzholz, das Dänemark aus dritten Ländern im Austausch gegen seine Ausfuhrwaren importiert hat, für Bauzwecke der Wehrmacht auf die Dauer praktisch kaum durchführbar sein.

4.) Endlich muß künftig verhindert werden, daß von heimatlichen Dienststellen im Widerspruch zum geltenden deutsch-dänischen Handels- und Verrechnungsabkommen oder ohne des ordnungsmäßigen Beschaffungsweg über den Rüstungsstab Dänemark zu gehen wären z.B. Maschinen aus Dänemark herausgezogen werden.

In diesem Zusammenhang ist auf die finanzielle Seite der Wehrmachtsbauten hinzuweisen. Im wesentlichen auf die Wehrmachtsbauten und in sehr viel geringerem Umfang auf die Verstärkung der Besatzungstruppen ist zurückzuführen, daß im laufenden Vierteljahr die Wehrmachtskosten eine bisher noch nicht annähernd verzeichnete Höhe von rund 1/2 Milliarde Kr. erreicht haben. Mit einem wesentlichen Heruntergehen der sächlichen Wehrmachtskosten soll für unbestimmte Zeit nicht zu rechnen sein. Eine Beschränkung der Barzahlungen wird bereits angestrebt. Man hängt aber das Vertrauen an die dänische Währung, die mit einer wesentlichen Voraussetzung für die Produktions- und Lieferfreudigkeit der dänischen Landwirte ist, nicht nur von der Höhe der Wehrmachtskosten, sondern auch davon ab, daß die Dänen den Eindruck haben, daß die militärischen Baukosten, deren Notwendigkeit dänischerseits durchaus verstanden

---

103 Se Forstmann til Wehrwirtschaftsstab 2. marts og Rü Stab Dänemarks notat 9. marts 1944.

wird, so niedrig wie möglich gehalten werden. Es wird deshalb der Frage der Preisprüfung für die Unternehmerarbeiten, der Beobachtung des Verbots der Zahlung von Überpreisen, der Festsetzung der Löhne für die dort beschäftigten Arbeiter und nicht zuletzt der Frage des Nachschubs von Baumaterial u.a. besondere Aufmerksamkeit zugewandt werden müssen.

Wenn zur Entlastung der dänischen Wirtschaft und insbesondere Landwirtschaft nichts geschieht – es handelt sich bei einem kleinen Land wie Dänemark von noch nicht 4 Millionen Einwohnern bei der Hilfeleistung um an sich bescheidene Größenordnungen, – so ist mit Sicherheit vorauszusehen, daß die dänischen Lieferungen und Leistungen zurückgehen werden. Die dänische Wirtschaft, von unmittelbaren Kriegseinwirkungen so gut wie unbetroffen und durch die stark zurückgehenden Sabotagefälle nur unwesentlich berührt, ist noch in Ordnung. Preise und Löhne sind mit Erfolg festgehalten. Das Vertrauen zur Krone ist in der Bevölkerung vorhanden, eine Flucht in die Sachwerte ist nicht festzustellen. Wenn aber die dänische Wirtschaft und die dänischen Finanzen künftig nicht in geordnetem Gang gehalten werden können, so erscheint in Frage gestellt, wie lange Deutschland auf die erwarteten kriegswichtigen dänischen Lieferungen und Leistungen wird rechnen können.

gez. **Ebner**

363. Erich Albrecht an Werner Best 22. März 1944

I forlængelse af sit tidligere telegram til Best og som svar på Bests fornyede henvendelse 15. marts oplyste Albrecht, at RFSS' beslutning om at overdrage benådningsretten ved SS- og Polizeigericht i Danmark til HSSPF lå til underskrift.

Best fik ikke et ord om, at AA på ny havde arbejdet for et andet udfald. Best reagerede med telegram nr. 377, 24. marts (modtaget 25. marts).

Kilde: PA/AA R 100.758. RA, pk. 229.

T e l e g r a m m

Berlin, den   22. März 1944

Bevollmächtigter Deutschen Reichs in Dänemark, Dr. Best
    Kopenhagen

Nr. 304
Referent: Kons. Dr. Weyrauch
Betreff: Deutsche Gerichtsbarkeit in Dänemark

Im Anschluß an Drahterlaß vom 3. d.Mts. – Nr. 216 –[104]
Nach Mitteilung Hauptsturmführers Meyer vom Reichssicherheitshauptamt liegt Reinschrift des von ihm gefertigten Entwurfs eines Schreibens an Auswärtiges Amt betr.

104 Trykt ovenfor.

Ausübung Gnadenrechts zur Unterzeichnung vor. Im Schreiben werde mitgeteilt, daß nach Entschließung Reichsführers-SS Gnadenrecht an höhere SS- und Polizeiführer übertragen werden solle.

Albrecht

364. Werner Best an das Auswärtige Amt 23. März 1944

Der var blevet ført forhandlinger med B&W om udlevering af tegningerne til visse dele af det af Kriegsmarine overtagne skib "Skib 5". Forhandlingerne var ført efter henvendelse fra OKM til AA 18. januar 1944 (se anf. dato). Værftet havde nægtet at udlevere tegningerne med baggrund i trufne licensaftaler, hvilket den tyske overværftsstab havde bekræftet. I stedet tilbød værftet at producere de ønskede reservedele, hvilket ville gøre tegningerne overflødige.

AA afgav sin indstilling til OKM 31. marts 1944, idet Bests skrivelse blev medsendt.

Kilde: BArch, Freiburg, RM 7/1812. RA, Danica 628, sp. 7, nr. 5706.

Der Reichsbevollmächtigte in Dänemark   *Kopenhagen, den 23.3.1944.*
S/SCH 4/1

Auf Schrifterlass vom 22.2.1944[105] – Pol I M 303 g –

An das Auswärtige Amt
    Berlin

Betr.: Krautsteile für "Schiff 5".
2 Durchschläge

Die mit der Firma Burmeister & Wain geführten Verhandlungen über Auslieferung der Massezeichnungen für gewisse Teile des von der Kriegsmarine übernommenen "Schiffes 5" haben die genannte Werft nicht dazu bestimmen können, die Massezeichnungen auszuliefern. Die Auffassung, daß es sich üblich ist, derartige Massezeichnungen mit Rücksicht auf die mit das Lizenznehmer abgeschlossenen Verträge auszuhändigen, wird mir im übrigen vom Oberwerftstab beim Admiral Dänemark bestätigt.

Dagegen ist die Firma bereit und in der Lage, die von der Kriegsmarine für notwendig angesehenen Ersatzteile hier herauszustellen und zu liefern. Ein Angebot über die Anfertigung ist bereits Ende voriger Woche an die Kriegsmarinewerft Wilhelmshaven abgesandt worden.

Durch die Lieferung der Ersatzteile, wie durch die Firmen angeboten, durfte sich die Aushändigung der Massezeichnungen erübrigen.

gez. **Dr. Best**

105 Henvendelsen er ikke lokaliseret.

365. Werner Koeppen: Bericht über die Reise nach Kopenhagen 24. März 1944

SS-Standartenführer Werner Koeppen var adjudant og personlig referent hos rigsleder og rigsminister Alfred Rosenberg. Han havde været på en rejse til København sammen med Gerhard Utikal, leder af Einsatzstab Rosenberg, og kollegaen Bauer for at lære Einsatzstab Rosenbergs tjenestested i København at kende, såvel som for at se på de politiske muligheder for dets udbygning. Under opholdet havde de drøftelser med lederen af Nordische Gesellschafts kontor i København, Ernst Schäfer, med lederen af AO der NSDAP i Danmark, Julius Dalldorf, og Werner Best. Schäfer var mest bekymret over den forværrede politiske situation i Danmark. Efter hans mening var den vigtigste opgave at gøre den kommunistiske fare klar for danskerne, men det stødte på Bests modstand, da han på ingen måde gik ind for en nazistisk propaganda i Danmark. Frits Clausen og hans partis politik og optræden havde mere skadet end gavnet de tyske interesser i Danmark, og de penge, der var brugt på Clausen, havde været bedre brugt på en formålsrettet propaganda. Situationen blev stadig farligere pga. de danske sabotageaktioner, som dansk politi på den mest skammelige måde havde givet op overfor. Samtalen med Dalldorf var ikke mere opmuntrende, men blev betegnet som lige så åben som med Schäfer. Dalldorf fortalte, at Best ville koncentrere al aktivitet ved sit tjenestested, og Dalldorf gav derfor ikke Einsatzstab Rosenberg store chancer for at arbejde selvstændigt. Best ville straks stille kontorer og penge til rådighed for staben, men derefter ville han holde den under opsyn med brev- og telefoncensur, på samme vis som RMVPs repræsentant, Heinrich Gernand blev det. Tag ikke mod Bests tilbud, var Dalldorfs råd. Mødet med Best varede 1 ½ time, hvor Best skildrede sin dobbelte opgave i Danmark og resultaterne af sin politik, især betydningen af fødevareleverancerne til Tyskland. Han mente, at de danske terrorhandlinger var taget væsentligt af på grund af tysk politis hårde indgriben. Best kom også ind på sin vanskelige stilling i Danmark mellem de tre magtgrupper, AA, erhvervslivet og værnemagten. Han medgav åbent, at af de tre grupper var Ribbentrop den svageste. Når krigen var slut, ville Best gerne tilbage til Frankrig, gerne som generalguvernør, for at deltage i germaniseringen af landet, som han mente var nødvendig, da det efter de nuværende begivenheder ikke længere var muligt at udstrække Tyskland mod øst. Med hensyn til Einsatzstab Rosenbergs muligheder for at arbejde udtalte Best, at staben kunne koncentrere sig om de åndelige kræfter i Norden og anskaffe en samling af skandinaviske bøger. Beslaglæggelser i stil med de øvrige besatte områder ville aldrig komme på tale. Sluttelig blev der redegjort for Einsatzstab Rosenbergs og dets leders, H.W. Ebelings tvivlsomme situation. Han havde end ikke et kontor, boede på Palads Hotel, og var af den mening, at der ikke var muligheder i Danmark ud over det af Best skitserede. Derfor bad han om at blive forflyttet.

Rejseberetningen giver et interessant indblik i modsætningerne blandt besættelsesmagtens repræsentanter i Danmark og ikke mindst et sideblik på Bests politik. Han ønskede i videst muligt omfang at kontrollere alle tyske instanser i Danmark, herunder de udsendte repræsentanter fra andre ministerier, som allerede Korff havde skrevet om til Breyhan 28. december 1943. Der var på ingen måde konsensus om Bests besættelsespolitik på tysk side, men at Best undlod at omtale SS som en selvstændig magtfaktor i Danmark, som han var under pres fra, turde være andet og mere end en forglemmelse. Når alle i København tilsyneladende talte så åbent med Rosenbergs udsendte repræsentanter, kan en af grundene være, at vurderingerne gik videre til en politisk betydningsløs repræsentant for Det Tredje Rige. Best kunne ikke over for hverken besøgende værnemagtsrepræsentanter eller repræsentanter for SS fra Berlin have udtalt sig på lignende måde om Ribbentrop, som han her gjorde. Ligefrem farligt kunne det under alle omstændigheder være for ham at mene, at krigen på østfronten var tabt, tilmed over for repræsentanter, hvis foresatte, Rosenberg, havde en særlig charge i østområderne. Men han vovede det, om referatet er pålideligt på dette punkt (Herbert 1996, s. 383 (med brug af et eksemplar af dokumentet i IfzG), Brandenborg Jensen 2005, s. 14, 68, 360, 362f.).

Forelagt Koeppens og rejsefællers rejseberetning traf Alfred Rosenberg allerede den følgende dag en beslutning vedrørende Einsatzstab Rosenbergs tjenestested i København, se Koeppen til Ebeling 25. marts 1944.

Kilde: BArch, NS 8/132. RA, Danica 201, pk 81, læg 1068.

Vertraulich.[106]

Bericht
über die Reise nach Kopenhagen

Vom 18. bis 22. März 1944 befand ich mich mit den Pgg. Utikal und Bauer in Kopenhagen, um die Arbeit der dortigen Dienststelle des Einsatzstabes sowie die politischen Möglichkeiten zu ihrem Ausbau kennenzulernen. Anläßlich dieses Besuches fanden am 20.3.44 mehrstündige Besprechungen bei dem Leiter des Kopenhagener Kontors der Nordischen Gesellschaft, dem Landesleiter der AO in Dänemark und dem Bevollmächtigten des Deutschen Reiches in Dänemark statt.

Der Leiter des Kopenhagener Kontors der Nordischen Gesellschaft, Pg. Schäfer, der sich bereits seit über 10 Jahren in Kopenhagen befindet und lange Zeit gleichzeitig ehrenamtlicher Leiter der Landesgruppe der AO dort war, berichtete eingehend über die zunehmende Verschlechterung der politischen Lage. Nach seiner Meinung sei es das Wichtigste, dem dänischen Volk klarzumachen, welche Gefahr der Kommunismus bedeute, damit es aus der Erkenntnis dieser Gefahr bereitwilliger die geringen Lasten zu tragen bereit sei, die ihm dieser Krieg auferlegt. Dies sei leider bisher in keiner Weise geschehen und die Haltung der dänischen Presse werde von Tag zu Tag zwischen den Zeilen immer deutschfeindlicher. Die dänische Presse müsse endlich dem Einfluß des Aufsichtsrates entzogen und dem dänischen Außenministerium unterstellt werden, auf das dann von uns der entsprechende Einfluß genommen werden kann. In scharfen Worten verurteilte Pg. Schäfer die Politik und das Auftreten der Clausenpartei. Das Deutsche Reich habe nutzlos hier riesige Beträge hinausgeworfen und dem Ansehen des Deutschtums in Dänemark damit mehr geschadet als genutzt. Wenn dieses Geld für eine zweckmäßige Propaganda aufgewandt worden wäre, so wäre ein Vielfaches damit erreicht worden. Leider sei der Reichsbevollmächtigte in keiner Weise für eine Propaganda in Dänemark zu haben. Das einzige, was auf diesem Gebiet unternommen würde, sei ein langweiliger Informationsdienst von ungeschickten Übersetzungen, der wahllos und mit großer Verspätung an alle möglichen Leute versandt werde.[107] Wenn jemand wie er in seinem Artikel im VB vom 18.9.1943 "Wo steht Dänemark" versuche, irgendwie propagandistisch zu wirken, so werde sofort ein Riegel vorgeschoben.[108] Die Lage würde durch die Sabotageakte der Dänen immer gefährlicher, da kein Däne, der mit der deutschen Sache sympathisiere, seines Lebens mehr sicher sei. Die dänische Polizei und der Antisabotagedienst versagten in einem so beschämenden Masse, daß man hier nur von einer Absicht sprechen könne. Tag für Tag würden Dutzende von dänischen Polizisten und Antisabotage-Wachleuten von den Terroristen entwaffnet, ohne daß etwas energisches dagegen geschehen würde. – Pg. Schäfer machte einen müden

---

106 Tilføjet med håndskrift.
107 Der foreligger ikke nærmere oplysninger om den "langsommelige" informationstjeneste, der sendte oversættelser ud til alle mulige folk. Det drejede sig sandsynligvis om duplikerede udsendelser fra gesandtskabet med artikler oversat fra tysk.
108 Ernst Schäfers artikel i *Völkischer Beobachter*, Norddeutsche Ausgabe 18. september 1943, s. 1-2 kritiserede Danmark for ikke at indgå i den kamp mod bolsjevismen, som var de nordiske folks egentlige historiske opgave.

und resignierten Eindruck. Er scheint durch die Ereignisse der letzten Zeit erheblich an seiner Spannkraft verloren zu haben.

Der Leiter der Landesgruppe der AO in Dänemark, Pg. Dalldorf, der früher Landesgruppenleiter in Uruguay war, sprach im gleichen Sinne sehr offen über die dänischen Verhältnisse. Er betonte, daß er gewisse Differenzen mit dem Reichsbevollmächtigten habe und daß die Politik des Reichsbevollmächtigten eindeutig dahin gehe, alles auf seine Dienststelle zu konzentrieren und daneben nichts aufkommen zu lassen. Aus diesem Grunde gab er der selbständigen Arbeit des Einsatzstabes in Dänemark keine sehr großen Chancen. Gruppenführer Best werde dem Einsatzstab sofort Diensträume und Devisen in ausreichendem Masse zur Verfügung stellen, wenn diese Arbeit ähnlich wie die des Beauftragten des Reichspropagandaministeriums, Pg. Gernard, unter seiner Aufsicht, Brief- und Telefonzensur vor sich gehe.[109] Von der Annahme eines solchen Angebotes riet der Pg. Dalldorf dringend ab und versprach von seiner Seite Unterstützung des Einsatzstabes mit Räumen und bei der Devisenauszahlung, da auch die AO ihre Gelder vom Reichsschatzmeister bekomme.

Beim Reichbevollmächtigten, SS-Gruppenführer Best, der seit Juli 1942 in Dänemark ist und der Pg. Utikal aus Paris gut kannte,[110] hatten wir ebenfalls einen 1½ stündigen Termin. Dr. Best schilderte eingehend die Lage in Dänemark und seinen doppelten Führerauftrag, auf der einen Seite die äußersten Erträge an Waren und Arbeit aus dem Lande herauszuholen und auf der anderen Seite die Souveränität des Landes, soweit es die Erfordernisse des Krieges gestatteten, möglichst zu wahren, damit nach dem Kriege noch alle Möglichkeiten offen sind. Er betonte stolz die Erfolge, die er auf Grund der freiwilligen Heranziehung der Dänen erreicht habe: das Deutsche Reich erhalte jetzt für 4 Wochen Fleisch und für 8 Wochen Butter aus Dänemark. Zudem sei Dänemark der Hauptlieferant für Saatgetreide und Pferde für die Wehrmacht und leistet noch dazu 2/3 der Frischfischversorgung.[111] Diese wesentlichen Steigerungen der landwirtschaftlichen Erträge würden erreicht trotz des völligen Ausfalles des früher aus Deutschland gelieferten Futters in Form von Ölkuchen. Die dänischen Terrorakte hätten durch das straffe Eingreifen der deutschen Polizei wesentlich abgenommen.[112] Die

---

109 Heinrich Gernand havde vanskeligt ved at kommunikere frit med RMVP, hvilket fremgår af de situationsberetninger, han ad omveje eller mundtligt fik videregivet til ministeriet uden selv at stå som kilde i forhold til 3. instans, dvs. AA og Best (se bl.a. Goebbels' dagbog 25. maj 1944 og RMVPs notat 2. juni 1944). Ebeling sendte 3. juni 1944 en beretning om Danmark til Einsatzstab Dänemark (ikke lokaliseret) tilføjet et notat, hvori han oplyste om, at beretningen havde været færdig i længere tid, men at han ikke havde haft en skrivemaskine til rådighed i Berlin og først renskrevet den, da han var tilbage i København og sluttede notatet således: "Ich bitte, bei der Verwendung des Berichts zu berücksichtigen, daß aus Dänemark im allgemeinen nur der Reichsbevollmächtigte berichtet, der Inhalt meiner Niederschrift also nur zu internen Informationen dienen darf." (RA, Danica 1000, T-450, sp. 87, nr. 567).
110 Einsatzstab Rosenberg med Utikal i spidsen havde foretaget omfattende plyndringer af franske og jødiske kulturskatte, mens Best var i Paris, og Best havde først givet grønt lys for plyndringerne, men vendte sig siden mod dem (Herbert 1996, s. 261f.). – Best forlod Paris i juli 1942, men åbenbart vidste Utikal og Koeppen ikke, at han ikke derefter kom direkte til København.
111 Best henholdt sig her til de angivelser, som Herbert Backe via Ebner havde givet Schwerin von Krosigk 10. februar 1944.
112 Best kunne på dette tidspunkt overbevise sig selv om, at tysk politis virksomhed havde båret frugt, da han ikke kunne vide, at der var sabotagestop.

dänischen Arbeiter, die an den Befestigungsanlagen des Atlantikwalls beschäftigt sind, erzielten, gerade weil sie auf freiwilliger Basis arbeiteten, mit Abstand bessere Leistungen als die gezwungenen Arbeiter aus Frankreich und den besetzten Ostgebieten. Dr. Best schilderte seine Schwierigkeiten mit der Wehrmacht, die er gehabt hätte, da diese eine Zwangsarbeitspflicht für ganz Dänemark durchführen wollte.[113] Außerdem erwähnte er seine Schwierigkeiten mit dem Militärbefehlshaber Hanneken, die jetzt aber besser geworden seien, seitdem General Hanneken selbst größere Aufgaben hätte. Zu der inneren Lage in Dänemark erklärte Dr. Best, daß er das Lavieren der Dänen zwischen der deutschen und der englischen Seite durchaus verstehen könne, da einem so kleinen Volke nichts anderes übrig bliebe. Nach dem Kriege löse sich die Frage sowieso von selbst. Die Kunst sei es, Dänemark bis zu diesem Zeitpunkt in der jetzigen Lage erhalten und er hoffe, daß ihm dies gelingen werde, falls nicht in Dänemark selbst eine Invasion kommt. Nach Beendigung des Krieges sei ihm die Aufgabe in Dänemark uninteressant und er möchte dann gern als Generalgouverneur nach Frankreich gehen, um dort an der Germanisierung des Landes bis zur Loire mitzuwirken.[114] Er verkenne zwar nicht, daß dies eine Arbeit für mindestens 3 Generationen sei, aber sie müsse gelöst werden, da eine Ausdehnung nach Osten nach den jetzigen Ereignissen nicht mehr möglich sei. Dr. Best betonte in aller Offenheit, daß er als Westdeutscher immer eine gewisse Abneigung gegen die Weiträumigkeit des Ostens gehabt habe. Er schilderte die Schwierigkeiten seiner persönlichen Lage zwischen den 3 Mächtegruppen Auswärtiges Amt, Wirtschaft und Wehrmacht. Seinen eigentlichen Auftraggeber, die Waffen-SS, vergaß er allerdings dabei zu erwähnen. Er gab offen zu, daß in dem Kräfteverhältnis der 3 Gruppen sein Ressortminister Ribbentrop der schwächste sei.

Von Pg. Utikal auf die Arbeit des Einsatzstabes angesprochen, führte Dr. Best aus, daß die Dienststelle des Einsatzstabes sich dem Studium der geistigen Kräfte des Nordens widmen könne und gleichzeitig eine Sichtung und Sammlung der in Skandinavien vorhandenen Bücher aus Neuerscheinungen aus [und] dem Antiquariat vornehmen könne. Eine Beschlagnahme im Stile der übrigen besetzten Gebiete würde hier niemals in Frage kommen. Dr. Best wiederholte dem Pg. Ebeling gegenüber sein Angebot, ihm die notwendigen Dienstzimmer in seiner Dienststelle im Dagmar-Haus zur Verfügung zu stellen. Pg. Utikal hielt dies möglichst offen, indem er betonte, daß die Arbeit der Dienststelle bisher nur ein Versuch gewesen sei und daß erst die Entschlüsse des Reichsleiters dazu notwendig wären, ob und in welcher Form sie weitergeführt werden solle.

Vom Einsatzstab befinden sich in Kopenhagen lediglich der Obersteinsatzführer Ebeling, seine Sekretärin Fräulein Derr und ein Herr Kock als Übersetzer und Kurier.[115] Auf Grund der völlig ungeklärten Devisenlage hat der Einsatzstab noch keinerlei

---

[113] Værnemagten havde i efteråret 1943 krævet så mange arbejdere til fæstningsbyggeri i Danmark, at Best spurgte AA, om de skulle fremskaffes ved brug af tvang vel vidende, hvad svaret ville blive. Der var ikke andre end ham selv, der bragte tvangen på bane (se Bests telegram nr. 1374, 6. november 1943). I august 1944 kom spørgsmålet om danske tvangsarbejdere til Tyskland op, og Best reagerede med telegram nr. 947, 11. august 1944.
[114] Det var ikke tom snak, at Best ville bidrage til germaniseringen af Nordfrankrig. Han arbejdede ihærdigt på en germanisering af de nordlige egne, mens han selv sad i Paris (se om hans håndfaste germaniseringsbestræbelser Thalmann 1999, s. 52, Freund 2001, s. 149f., Fehr 2007, s. 334f.)
[115] Det var sandsynligvis Kurt Koch, redaktør af *Kritisk Ugerevy* og tilknyttet DNB. Han var lejlighedsvis

Diensträume, sondern wohnt und arbeitet im Palast-Hotel. Es laufen seit längerer Zeit Bemühungen über den Reichsschatzmeister, das Wirtschaftsministerium und das Auswärtige Amt, um die völlig unmögliche und unwürdige Devisenlage der Dienststelle zu klären und dem Pg. Ebeling die Möglichkeit zu geben, Diensträume zu mieten und die Arbeit wirklich aufzunehmen durch Ankauf von Büchern und Fühlungnahme mit dänischen Kräften. Unter den jetzigen Verhältnissen ist die Arbeit über das primitivste Organisieren nicht hinausgekommen. Den Mitarbeitern des Einsatzstabes stehen lediglich ihre Tagegelder zur Verfügung, die sie alle zwei Tage unter schwierigen Mannövern von einer dänischen Bank abholen müssen. Sie sind so knapp bemessen, daß es Pg. Ebeling unmöglich ist, auch nur einen Dänen zu einem Essen einzuladen. Pg. Ebeling schilderte die Möglichkeiten der Arbeit in Skandinavien, die niemals sehr groß sein werde. Auf Grund der politischen Lage ist eine Arbeit in Schweden z.Zt. völlig unmöglich, sein Versuch ein Visum zu bekommen, ist bereits mehrere Male abgelehnt worden. Nicht viel besser liegen die Verhältnisse in Norwegen, wo durch das Verhalten des Reichskommissars Terboven für unsere Dienststelle ebenfalls keinerlei Möglichkeiten gegeben sind. Pg. Ebeling ist über eine Besprechung mit Sturmbannführer Neumann nicht hinausgekommen.[116] In Dänemark selbst liegen die Aufgaben lediglich in den bereits von Dr. Best umrissenen Grenzen. Pg. Ebeling bat deshalb die Entscheidung des Reichsleiters einzuholen, ob und in welchem Umfang die Arbeit in Dänemark aufrecht erhalten werden soll. Das wichtigste ist die Klärung der Devisenverhältnisse, da bei der augenblicklichen Lage die Dienststelle eher eine Belastung als eine Förderung des Ansehens des Reichsleiters in Skandinavien darstellt. Pg. Ebeling selbst fühlt sich in Dänemark keineswegs arbeitsmäßig ausgelastet und bittet nach Möglichkeit um die Versetzung auf einen umfangreicheren und arbeitsmäßig wichtigeren Posten als Kopenhagen.

Berlin, den 24.3.1944

Dr. Koeppen

366. Das Auswärtige Amt an OKM 24. März 1944

AA svarede på OKMs henvendelse af 17. marts vedrørende den manglende udrustning af det beslaglagte skib "Hammershus" ved i uddrag at gengive et telegram fra Best af 21. marts. Best skrev heri, at "Hammershus" var afleveret til Kriegsmarine i en stand, der var aftalt med marinens kommandant i København, og at der var udarbejdet en overdragelsesprotokol med en inventarliste, hvoraf det fremgik, hvad der fulgte med skibet. Best afviste fuldstændigt, at skibet var udplyndret for det nødvendige udstyr. Der var kun fjernet det, som man kunne forvente, efter at skibet havde været oplagt i fire år. Kriegsmarine måtte selv være klar over, at skibet ikke var klargjort til at modtage 200 officerer og mandskab.

Sagen blev herefter igen taget op i Seekriegsleitung 25. marts, hvor Konrad Engelhardt gjorde stillingen op.

Kilde: BArch, Freiburg, RM 7/1813. RA, Danica 628, sp. 7, nr. 5813f.

---

på besøg hos Best (bl.a. 2. marts og 28. juni 1944) og kan have orienteret Best om Ebelings virksomhed i København.
116 Hans Hendrik Neumann var leder af Einsatzstab Norwegen.

Auswärtiges Amt Berlin W 8, den 24. März 1944
Nr. Ha Pol 1490/44 g

Schnellbrief

An das Oberkommando der Kriegsmarine
– 1. Abteilung Seekriegsleitung –

Betr.: Inanspruchnahme dänischer Schiffe.

Auf das dortige Fernschreiben ohne Nummer vom 17. März d.J. betreffend Bornholmer Schiff "Hammershus"[117] ist eine telegrafische Stellungnahme des Reichsbevollmächtigten für Dänemark unter den 21. März d.J. erfolgt.
Unter Bezugnahme auf die gestrige Unterredung mit Herrn Graf Stauffenberg wird Auszug aus dem Telegramm aus Kopenhagen zur Kenntnisnahme und mit der Bitte um Stellungnahme übersandt.

Im Auftrag
Bisse

Abschrift (auszugsweise) Ha Pol 1490/44 g

Deutsche Gesandtschaft Kopenhagen berichtet unter dem 21.3.44:
Auf Drahterlass Nr. 286 vom 18.3.44. – Darstellung über Übernahmeverhandlungen anläßlich Beschlagnahme MS. "Hammershus" ist irreführend. Nachdem sich bei Beginn der Verhandlungen Schwierigkeiten ergeben hatten, entsandte Kriegsmarinedienststelle Kopenhagen in Einvernehmen mit hiesigem Schiffahrtssachverständigen einen Offizier nach Bornholm, der Übernahme des Schiffes in kürzester Zeit reibungslos und zu beiderseitiger Zufriedenheit durchführte. Übergabeprotokoll nebst Inventarlisten liegen mir vor. Hieraus geht hervor:
1.) Schiff war in völlig fahrbereitem Zustand. Haupt- und Hilfsmaschinen trotz vierjährigen Aufliegens in tadellosem Zustand. Inbetriebnahme der Maschinenanlage erfolge in Zusammenarbeit mit dänischem Personal.
2.) Da Schiff fahrbereit, ergibt sich, daß seemännische und nautische Ausrüstung vollständig an Bord, was auch von hiesiger KMD bestätigt wurde.
3.) Beschlagnahme des Schiffes beinhaltet zur Verfügungsteilung vollständiger Ausrüstung für normalerweise an Bord befindliche Besatzung. Reederei ist auf mein Ersuchen darüber noch hinausgegangen und hat vollständige Ausrüstung für 24 Mann bereitgestellt. Über "besonders schlechte Beschaffenheit" ist mir und der hiesigen KMD, die Schiff übernommen hat, nichts bekannt.
4.) Alle Einrichtungsgegenstände sowie Inventar wurden, wie in solchen Fällen überall üblich, bei Aufliegen des Schiffes, also vor über 4 Jahren (!) von Bord genommen

---

117 Trykt ovenfor.

und an Land aufbewahrt. Es ist mir deshalb unverständlich, wie von "regelrechter Ausplünderung des Schiffes und Sabotage" gesprochen werden kann.

5.) Daß Kriegsmarine selbst darüber im klaren ist, daß zur fahrbereiten Ausrüstung des Schiffes nicht gleichzeitig das Inventar gehört, daß für eine Belegung mit rund 200 Offizieren und Mannschaften nötig ist, geht am besten daraus hervor, daß Admiral Kriegsmarinedienststelle Hamburg bereits beauftragt worden ist, Ausrüstungsgegenstände für die ebengenannte Anzahl zu beschaffen. Ich war ersucht, das Schiff zu beschlagnahmen, nicht aber Ausrüstungsgegenstände die nicht als zur normalen Fahrtbereitschaft gehörig bezeichnet werden können.

Nach einem vermutlich aus Bornholm kommenden Gerücht wird in dänischen Reedereikreisen behauptet, daß MS. "Hammershus" als Wohnschiff für einen Admiral mit seinem Stab vorgesehen ist. Die Beschlagnahme wurde jedoch von mir auf Grund dortiger Weisung mit der Notwendigkeit begründet, das Schiff für kriegsnotwendige Ausbildungszwecke erfassen zu müssen. Im Hinblick auf eventuelle spätere Beschlagnahmen und ihre richtige Begründung bitte ich um Bestätigung, daß das oben erwähnte in dänischen Kreisen zirkulierende Gerücht nicht den Tatsachen entspricht, sondern die von mir gegebene Beschlagnahmebegründung richtig ist.

367. Werner Best an das Auswärtige Amt 25. März 1944

Best kæmpede til det sidste for at få i det mindste andel i benådningsretten ved SS- og Polizeigericht i Danmark. Atter var hovedargumentet, at andet var fuldstændig politisk uantageligt.

Imidlertid var det politisk ubærlige i sagen alene et synspunkt, der blev anlagt i København, og ikke i Berlin. AAs muligheder for opbakning til den rigsbefuldmægtigede i denne sag var begrænset, og da Best ikke fik noget svar på sit telegram, sendte han et nyt 4. april med nr. 426 (Rosengreen 1982, s. 90).

Kilde: PA/AA R 29.568. RA, pk. 204 og 229. LAK, Best-sagen (afskrift).

Telegramm

| Kopenhagen, den | 25. März 1944 | 09.00 Uhr |
| Ankunft, den | 25. März 1944 | 16.00 Uhr |

Nr. 377 vom 24.3.44.

Auf das dortige Telegramm Nr. 304[118] vom 22.3. erwidere ich, daß entgegen der mir mitgeteilten Auffassung des Hauptamtes SS-Gericht das Gnadenrecht gegenüber den Urteilen des SS- und Polizeigerichtes in Kopenhagen nicht mir, sondern dem höheren SS- und Polizeiführer übertragen werden sollte – erst recht eine förmliche Regelung im Sinne der Ziffer 2 meines Telegramms Nr. 341[119] vom 15.3.44 erforderlich ist. Daß ich mangels jeder eigenen Befugnis aus der Mitentscheidung über die Vollstreckung der Urteile ausgeschaltet würde, wäre politisch gänzlich unträglich.

Dr. Best

118 R 5129 g II. Trykt ovenfor.
119 Recht (V.S.). Trykt ovenfor.

368. Kriegstagebuch/Admiral Dänemark 25. März 1944

Det var kommet frem, at det danske søpoliti i København flere gange havde støttet den illegale persontrafik med Sverige. Wurmbach havde derfor krævet, at søpolitiet afgav sine tre både til det tyske søpoliti. Günther Pancke havde derpå ført forhandlinger med politiet, og resultatet var blevet, at de afgav bådene og fik tre ældre og mindre både i stedet til at patruljere med i havnen. Kriegsmarine overtog overvågningen af ankommende og udsejlende skibe.

Kilde: KTB/ADM Dän 25. marts 1944, RA, Danica 628, sp. 3, s. 3288f.

[...]

Boote der dänischen Seepolizei in Kopenhagen hatten mehrfach illegalen Personenverkehr nach Schweden unterstützt. Es wurde daher von mir gefordert, daß die Boote der Seepolizei an die deutsche Wasserpolizei abgegeben würden. Vom Höheren SS- und Polizeiführer in Kopenhagen sind die Verhandlungen mit der dänischen Polizei dahingehend geführt worden, daß diese sofort ihre Tätigkeit in den Hafeneinfahrten einstellt und ihrer 3 Boote an die deutsche Wasserschutzpolizei abgibt, während 3 ältere und kleinere Fahrzeuge bei der dänischen Polizei *innerhalb* des Hafens verbleiben, um besondere kriminelle Angelegenheiten verfolgen zu können. Auswahl der Boote ist der deutschen Polizei vorbehalten.

Der bisher von der dänischen Polizei wahrgenommen Überwachungsdienst für Kopenhagen ein- und auflaufende Schiffe ist in den Einfahrten nunmehr von der Marine (Hafenüberwachungsstelle Kopenhagen) übernommen.

[...]

369. Das Auswärtige Amt an OKM u.a. 25. März 1944

AA orienterede OKM m.fl. om, at de i Las Palmas oplagte danske skibe 18. marts havde forladt havnen, selv om Best 10. marts havde instrueret kaptajnerne og rederne om, at de ikke måtte sejle ud. AA havde krævet, at Best redegjorde for hvilke foranstaltninger, der var truffet for at stille de ansvarlige til regnskab. Især blev der lagt vægt på, at kaptajnernes ejendom blev beslaglagt. Wilhelm Bisse lovede yderligere oplysninger (Tortzen, 4, 1981-85, s. 302 uden benyttelse af det tyske materiale).

Bests svar er ikke lokaliseret.

Kilde: BArch, Freiburg, RM 7/1813. RA, Danica 628, sp. 7, nr. 5804.

Auswärtiges Amt *Berlin W 8, den 25. März 1944*
Nr. Ha Pol 1579/44 g Geheim

Schnellbrief

An das Oberkommando der Kriegsmarine
  – 1. Abteilung Seekriegsleitung –
  z.Hd. von Herrn Graf Stauffenberg
das Oberkommando der Wehrmacht
  – Sonderstab HWK –
  z.Hd. von Herrn Kapt. z.S. Vesper
den Reichskommissar für die Seeschiffahrt

z.Hd. von Herrn Hansen
Potsdam
Bertinistr.

Betr.: Dänische Schiffe "Linda" und "Thyra S" in Las Palmas.

Bereits Anfang März erhielt der Reichsbevollmächtigte für Dänemark, Kopenhagen, Weisung, daß erneut Vorkehrungen zu treffen seien, um das beabsichtigte Auslaufen der in Las Palmas liegenden Schiffe "Linda" und "Thyra S." zu verhindern. Am 10. März d.J. meldete der Bevollmächtigte des Reichs für Dänemark, daß die Kapitäne der Dampfer "Linda" und "Thyra S." und die Agenten in Las Palmas erneut instruiert seien, daß die Schiffe im Hafen von Las Palmas zu verbleiben hätten.[120] Trotz dieses Befehls an die Agenten und Kapitäne sind die Schiffe, wie die Deutsche Botschaft in Madrid unter dem 18. März d.J. meldet, am 18. März d.J. aus Las Palmas ausgelaufen.

Der Reichsbevollmächtigte für Dänemark in Kopenhagen ist aufgefordert, zu berichten, welche Maßnahmen getroffen sind, um die Verantwortlichen zur Rechenschaft zu ziehen. Insbesondere wurde darauf hingewiesen, daß nach hiesigem Dafürhalten das Eigentum der verantwortlichen Kapitäne einer Beschlagnahme unterzogen werden müßte. Bericht aus Kopenhagen steht noch aus.

Weitere Nachrichten bleiben vorbehalten.

Im Auftrag
Bisse

370. Konrad Engelhardt an Seekriegsleitung 25. März 1944

Kaptajn Engelhardt svarede 1. Seekriegsleitung på Bests bebrejdelser over fremfærden ved beslaglæggelsen af fire oplagte danske skibe i København i januar. Det var rigtigt, at kun to af skibene hidtil var ført til Tyskland, de to andre ville følge i løbet af de næste uger, og forklaringen var tekniske problemer i forbindelse med klargøringen. Derpå blev Best korrigeret på mindre punkter, og Engelhardt frafaldt kravet om fremskaffelse af inventar til "Hammershus". Til gengæld stillede Engelhardt krav om, at yderligere en hel stribe oplagte navngivne danske skibe overgik til Kriegsmarine.

Seekriegsleitung svarede dagen efter.

Kilde: BArch, Freiburg, RM 7/1813. RA, Danica 628, sp. 7, nr. 5823-25.

Geheime Kommandosache
Skl. Qu.A VI r 2429/44 gKdos. *Berlin, den 25. März 1944*

An 1. Abt. Skl.

Betr.: Beschlagnahme von Schiffsraum in Dänemark.

Zu dem Inhalt der telefonisch hierher übermittelten Note des Auswärtigen Amt bezgl.

---

120 Bests telegram 10. marts 1944 er ikke lokaliseret.

des Deutschen Gesandten in Dänemark[121] wird wie folgt bemerkt:
1.) Die 4 Motorschiffe waren mit der Maßgabe beschlagnahmt worden, daß sie als Zielschiffe für den BdU einzusetzen seien.

Es ist richtig, daß bisher erst 2 Schiffe nach Deutschland verbracht worden sind. Dieses beruhte auf Mangel an Schleppern, der wieder auf Feindeinwirkung zurückzuführen war. Diesseits werden alle Schritte unternommen, daß die noch im dänischen Raum verbliebenen Schiffe möglichst in der nächsten Woche zur Überführung nach Deutschland abgeholt werden.

Demnach ist es nicht richtig, daß die Schiffe in Dänemark herumgelegen hätten. Es liegen besondere Gründe vor, die eine sofortige Überführung nicht möglich machten.
2.) Es ist nicht richtig, daß "Hammershus" als Wohnschiff eingesetzt werden soll. "Hammershus" soll vielmehr als *Führerschiff* des AdS eingesetzt werden, also für einen kriegswichtigen Zweck.
3.) Die Forderung nach dem Inventar für "Hammershus" wird fallen gelassen, weil die Aussicht besteht, das Schiffsinventar anderweitig zu beschaffen.
4.) Der bezgl. "Isefjord" vom Admiral Dänemark gegen die Beschlagnahme eingelegte Einspruch ist unbegründet und abgelehnt worden, weil im dänischen Raum 4 große und 4 kleine Fähren noch verfügbar sind, die als Reserve stilliegen.[122]

"Isefjord" soll für Truppenüberführungen auf der unteren Elbe einsatzbereit sein.
Darüberhinaus stellt Skl. Qu.A VI weitere dringende Forderungen an Schiffsraum im dänischen Raum:
a.) Außer "Isefjord" werden noch 2 weitere Fähren für dringende militärische Zwecke im Nordraum benötigt. Nähere Angaben können noch nicht gemacht werden. Es wird erst beim WBN angefragt. Nach dessen Antwort folgen nähere Angaben.
b.) Zur Bekämpfung der angreifenden Bombenflugzeuge auf Deutschland und zur Abwehr der Verminung der Ostsee werden gefordert als Nachtjagdleitschiffe die Dampfer
    "Uruguay"
    "Bolivia".
Sofortige Beschlagnahme ist erforderlich. Luftwaffe und Offiziere der Kriegsmarine werden die Schiffe auf Eignung prüfen.
c.) Die Schiffe "Marocco", "Gullfoss" und "Tekla" werden benötigt, um der Flotte im Nordraum, sowie den U-Booten den dringendsten Bedarf an Material und Munition zuzuführen. Diese Schiffe werden also dringend als *Troß-Schiffe* der Kriegsmarine benötigt.
d.) Die Dampfer "Wistula" und "Aalborghus" werden dringend benötigt als Lazarettschiffe.

KMD Kopenhagen ist bereits ersucht worden, die Schiffe zu chartern. Falls dieses nicht gelingt, müssen sie beschlagnahmt werden.
e.) Die Motorschiffe "Kronprins Olaf" und "C.F. Tietgen" sind bereits von Skl. Qu. AU bei 1. Skl. als weitere Zielschiffe angefordert worden.

---

121 Sandsynligvis Bests telegram 13. marts 1944.
122 Engelhardt havde anmodet Seekriegsleitung om "Isefjord" 14. marts 1944. Se ovenfor.

f.) Von den im dänischen Raum von der KMD Kopenhagen gemeldeten 19 Kümos werden von einem Offizier der Torpedoschule Mürwik im Einvernehmen mit KMD Kopenhagen 6 U-Schießstand-Schiffe zur Ausbildung für die Torpedowaffe ausgesucht werden. Es handelt sich hier um eine persönliche Forderung des Ob.d.M.

g.) Voraussichtlich wird noch ein ca. 1.000 to. großer Frachtdampfer als Torpedo-Transportschiff für die Torpedo-Inspektion angefordert werden müssen.

Bei allen bisherigen und neuen Anforderungen handelt es sich um Anforderungen für kriegsnotwendige militärische Zwecke. Der Einsatz einzelner Schiffe kann von kriegsentscheidender Wichtigkeit für den A-Fall sein.

Es wird gebeten, das Auswärtige Amt eindringlichst darauf hinzuweisen. Eine Verschleppung der Angelegenheit ist nicht tragbar und könnte eine persönliche Rücksprache mit dem Minister des Auswärtigen Amtes notwendig machen, wenn die Forderungen der Kriegsmarine nicht in kürzester Frist erfüllt werden.

Skl. Qu.A.
i.A. Skl. Qu.A. VI
Engelhardt

371. Konrad Engelhardt an Seekriegsleitung 25. März 1944

OKMs skibsfartsafdeling ønskede beslaglæggelse af færgen "Isefjord", selv om admiral Wurmbach havde udtrykt betænkelighed ved det. Samtidig ønskedes tre yderligere oplagte navngivne danske skibe i København beslaglagt.

    Seekriegsleitung svarede kaptajn Engelhardt den følgende dag.

    Kilde: BArch, Freiburg, RM 7/1813. RA, Danica 628, sp. 7, nr. 5835.

B. Nr. Skl. Qu.A. VI s 2118/44 geh.   *Berlin, den 25. März 1944*

Geheim

An 1. Abt. Skl. I ia

Auf dort. B. Nr. 10066/44 geh. v. 21.3.44.[123]

Eine Beschlagnahme der Fähre "Isefjord" wird gefordert. Die Bedenken des Admirals Dänemark gegen Abzug der Fähre können hier nicht geteilt werden, da sich genügend weitere Fährschiffe als Reserve in Dänemark befinden.

Gleichzeitig wird gebeten, aus dem in Kopenhagen liegenden dänischen Schiffsraum die Schiffe "Marocco" 1.641 BRT, "Gullfoss" 1.414 BRT und "Tekla" 1.469 BRT" als Troß-Schiffe der Flotte beschlagnahmen zu lassen.

Da die Schiffe für den äußerst dringenden Nachschub der Flotte gebraucht werden, dürfen politische Bedenken eine Beschlagnahme nicht beeinträchtigen. Es ist beabsichtigt, die Schiffe der KMD Oslo einsatzmäßig zu unterstellen.

Um 1. Skl. I ia von der Notwendigkeit der Forderung auf Beschlagnahmung dieser

---

123 Skrivelsen er ikke lokaliseret.

Schiffe Kenntnis zu geben, wird anliegend u. und R. (gKdos. 1797/44) der Schriftsatz des Mar. Gr. Kdo. Nord und Flottenkdo. zur Kenntnis übersandt.

Der RKS teilte mit, daß aus dem deutschem Raum die erbetenen 2 Schiffe (siehe Anlage)[124] nicht gestellt werden können.

Skl. Qu.A.
i.A. Skl. Qu.A. VI
gez. **Engelhardt**

372. Werner Koeppen an H.W. Ebeling 25. März 1944

Koeppen meddelte Ebeling, at Einsatzstab Rosenbergs tjenestested i København blev opløst. Det var besluttet af Alfred Rosenberg efter at have fået forelagt Koeppens, Utikals og Bauers beretning om situationen i København. I stedet skulle der månedligt indkøbes for 2.000 kr. bøger af interesse for Einsatzstab Rosenberg i Danmark. Ebeling kunne i stedet finde sig et mere tilfredsstillende arbejde i Belgien eller et andet sted for staben.

Trods det københavnske tjenestesteds nedlæggelse forblev Ebeling i København og ekspederede forespørgsler og bøger derfra som hidtil under samme feltpostnummer til hen i april, da der synes at skulle ske en ændring i hans funktion. Se Ebeling til Einsatzstab Rosenberg 24. april 1944.

Kilde: BArch, NS 8/262. RA, Danica 201, pk. 81, læg 1074.

Der Persönliche Referent

den 25.3.1944
Dr. Kp./Ho.

An Obereinsatzführer Ebeling
    Kopenhagen

Sehr geehrter Parteigenosse Ebeling!
Da aus Mangel an Devisen das Telegramm beim Überschreiten der Reichsgrenze wegfallen mußte, möchte ich Ihnen wenigstens auf diesem Wege noch einmal für die interessanten Einblicke, die Sie uns in die skandinavische Politik gegeben haben sowie für Ihre kameradschaftliche Betreuung danken. Das gleiche bitte ich Fräulein Derr und Herrn Kock zu sagen.

Heute vormittag haben Pg. Utikal, Pg. Bauer und ich dem Reichsleiter über unsere Reise berichten können. Auf Grund dieses Berichtes hat der Reichsleiter entschieden, daß die Dienststelle Kopenhagen aufgelöst werden soll und daß beim Reichsschatzmeister lediglich ein Etat von monatlich 2.000 Kronen zum Ankauf von Büchern, die unsere Dienststelle interessieren, durchgedrückt werden soll. Der Reichsleiter ist damit einverstanden, daß Sie in Belgien bezw. irgendwo anders im Rahmen unserer Dienststelle eine Ihnen mehr zusagende und Sie mehr ausfüllende Arbeit erhalten. Doch sind dies alles Dinge des Einsatzstabes, die Ihnen Pg. Utikal wahrscheinlich inzwischen direkt und ausführlicher mitgeteilt haben wird. Ich hoffe jedenfalls, daß Sie mit dieser Lösung zufrieden sind, denn ich kann, wie ich Ihnen bereits in Kopenhagen mehrfach sagte,

---

124 Bilaget er ikke lokaliseret.

Ihren Standpunkt durchaus verstehen, daß Sie die geringe Arbeit in Dänemark nicht befriedigen und ausfüllen konnte.

Nochmals vielen Dank für die in jeder Beziehung schönen Tage in Kopenhagen und Ihnen und Ihren beiden Mitarbeitern herzliche Grüße und

Heil Hitler!

Ihr

Dr. W. Koeppen

SA-Standartenführer

373. Seekriegsleitung an Quartiermeisteramt 26. März 1944

Seekriegsleitung rekapitulerede forløbet omkring beslaglæggelsen af danske handelsskibe siden november 1943, hvorunder der havde været meningsforskelle om, med hvilken retsgrundlag den skulle finde sted, men sluttligt havde Werner Best hen i januar under stærkt pres beslaglagt syv fartøjer. Siden var der kommet krav om beslaglæggelse af flere skibe fra OKMs skibsfartafdeling. Dem havde Best over for AA rejst indsigelse imod. Han kunne ikke se berettigelsen i yderligere beslaglæggelser med henvisning til en omgående tvingende krigsnødvendighed, når de allerede for to måneder siden på samme grundlag beslaglagte skibe, stadig lå i havn. Seekriegsleitung ville have en forklaring på, hvorfor de beslaglagte skibe stadig lå ubenyttede hen. Seekriegsleitung var ved dette forløb kommet i en uholdbar situation over for AA, da det var svært at opretholde forståelsen for nødvendigheden af den i januar gennemførte hasteaktion. Seekriegsleitung sluttede med at bemærke, at Bests skrivelser var stillet fortroligt til rådighed, og at der under ingen omstændigheder måtte gøres direkte brug af indholdet over for Best.

OKMs skibsfartsafdeling svarede 29. marts 1944.

Kilde: BArch, Freiburg, RM 7/1813. RA, Danica 628, sp. 7, nr. 5805-07.

Seekriegsleitung   *Berlin, den 26. März 1944.*

Zu: B-Nr.	1. Skl. Ii 11 035/44 geh.
verbund. mit	1. Skl. 10 066/44 geh.
–	1. Skl. 10 046/44 geh.
–	1. Skl. 10 940/44 geh.

An Skl. Qu A.

Betr.: Inanspruchnahme dänischer Tonnage.

Auf Betreiben von Skl. Qu A VI und Skl. Qu A I sowie Skl. Qu A U hat die 1. Skl. im Dezember v.J. bei dem Auswärtigen Amt durchgedrückt, daß der deutsche Reichsbevollmächtigte in Dänemark unter Zurückstellung wesentlicher wirtschaftspolitischer Bedenken angewiesen wurde, in Fällen unabwendbaren Kriegsbedarfs dänische Handelsschiffe für die Kriegsmarine zu beschlagnahmen. Mit 1. Skl. I i 50 067/43 g. vom 3.12.43 sowie 1. Skl. I i 51 455/43 g vom 13.12.43[125] wurde ausdrücklich bemerkt, daß die requisitionsweise Inanspruchnahme dänischer Schiffe auf den Sofortbedarf und das unbedingt notwendige Maß beschränkt bleiben müsse. Nach ausdrücklicher Bestäti-

---

125 Begge trykt ovenfor.

gung durch Skl. Qu A VI, daß die Dampfer "Hammershus", "Frem" und "Rottna" für Ausbildungszwecke des ADS dringend benötigt würden und daß der Kommandierende Admiral der Uboote darüber hinaus die sofortige Bereitstellung der Dampfer "Esbjerg", "Jylland", "Parkeston" und "England" zum Einsatz für den Uboots-Ausbildungsdienst als Zielschiffe fordere wurde dem Auswärtigen Amt mit B-Nr. 1. Skl. I i 1557/44 g. vom 15.1.44[126] mitgeteilt, daß es "aus dringendsten militärischen Notwendigkeiten, insbesondere für den Uboot-Ausbildungsdienst, nicht länger verantwortet werden könne, daß die tatsächliche Inbesitznahme der Schiffe, mit der sich das Auswärtige Amt bereits am 22.11.43[127] einverstanden erklärt hatte, wegen Meinungsverschiedenheiten über die Rechtsform noch weiterhin hinaus gezögert werde und daß daher der Admiral in Dänemark Weisung erhalten würde, die Fahrzeuge unverzüglich von hoher Hand selbst zu beschlagnahmen, falls ihre Zurverfügungstellung nicht bis zum 18.1.44 durch den Generalbevollmächtigten Dr. Best durchgeführt wäre. Die genannten 7 Fahrzeuge sind auf diesen starken Druck hin am 20.1.44 tatsächlich durch den Reichsbevollmächtigten beschlagnahmt worden. (Vergl. 1. Skl. I i 2364/44 vom 21.1.44 an Skl. Qu A VI und Skl. Qu A U).[128] Auf die von dem Reichsbevollmächtigten befürwortete Bitte der Bornholmer Bevölkerung wurde dann unter dem 8.2.44 auf die Beschlagnahme der Schiffe "Frem" und "Rottna" zunächst verzichtet.[129] Dagegen wurden unter dem 19.2.44 die Motorschiffe "Kronprinz Olaf" und "C.F. Tietgen" als weitere Zielschiffe für die Ubootausbildung angefordert.[130] Des weiteren wurde die Beschlagnahme des Fährschiffes "Isefjord" zwecks Überführung nach der Elbe gefordert.

Der Reichsbevollmächtigte Dr. Best hat zu dieser letzteren Anforderung mitgeteilt, der Admiral Dänemark habe gegen die Beschlagnahme der "Isefjord" aus Nachschubgründen Einspruch eingelegt. Gegen die weitere Beschlagnahme der beiden Fahrzeuge hat der Reichsbevollmächtigte dem Ausw. Amt gegenüber die aus der Anlage ersichtlichen Einwendungen geltend gemacht.[131] Wenn es tatsächlich zutrifft, daß die Mitte Januar dringlichst beschlagnahmten Fahrzeuge nun schon volle zwei Monate unverändert im Kopenhagener Hafen liegen geblieben sind, ohne in Gebrauch genommen worden zu sein, so kann den Darlegungen des Reichsbevollmächtigten Dr. Best über die Unzweckmäßigkeit eines derartigen Vorgehens die Berechtigung nicht abgesprochen werden. Auch ist es mißlich, daß das OKM das Fährschiff "Isefjord" zur anderweitigen Verwendung angefordert hat, während Admiral Dänemark die Auffassung vertritt, das Fahrzeug im dänischen Raum nicht entbehren zu können.

Es wird gebeten, der 1. Skl. baldmöglichst die Gründe dafür mitzuteilen, daß die seit dem 20.1. d.J. beschlagnahmten Schiffe noch immer unbenutzt im dänischen Raum sich befinden. Die Seekriegsleitung ist durch den Verlauf der Beschlagnahmeaktion dem Auswärtigen Amt gegenüber in eine unangenehme Lage geraten, da es schwierig ist, die

---

126 Trykt ovenfor.
127 AAs skrivelse 22. november 1943 er ikke lokaliseret.
128 Trykt ovenfor.
129 Trykt ovenfor.
130 Skrivelsen er ikke lokaliseret.
131 Sandsynligvis Bests telegram 13. marts 1944 til AA, men han oplyste også i et senere telegram om Wurmbachs betænkeligheder vedr. færgen "Isefjord".

Notwendigkeit der Mitte Januar durchgedrückten Sofortaktion als berechtigt gewesen aufrechtzuerhalten.

Bemerkt wird noch, daß das Auswärtige Amt den Bericht des deutschen Reichsbevollmächtigten in Dänemark der Seekriegsleitung nur zur vertraulichen Behandlung zur Verfügung gestellt hat und daß daher von seinem Inhalt dem Reichsbevollmächtigten Dr. Best gegenüber kein unmittelbarer Gebrauch gemacht werden darf.
C/Skl. i.A. 1./Skl.

374. Werner Best an das Auswärtige Amt 27. März 1944
UM havde på ny henvendt sig til Best for at få tilladelse til at besøge de danske statsborgere, der var anbragt i lejre i Tyskland. Der var tidligere givet tilsagn om et besøg hos de danske jøder i Theresienstadt til foråret. Et besøg ville være med til at dementere, at der var umenneskelige forhold i de tyske koncentrationslejre. Best anbefalede, at det blev direktør for Dansk Røde Kors, Helmer Rosting, og afdelingsleder Frants Hvass fra UM, der foretog besøget.
Han fik svar herpå med telegram nr. 346, 3. april (Yahil 1967, s. 262, Weitkamp 2008, s. 191).
Kilde: PA/AA R 99.414. RA, pk. 220.

Telegramm

DG Kopenhagen Nr. 162 27/3 20.25 =
Mit G.-Schreiber = Auswärtig Berlin Nr. 389 vom 27.3.44 =

Unter Bezugnahme auf frühere Anfragen wegen eines Besuches dänischer Beauftragter bei den in Lagern im Reich untergebrachten dänischen Staatsangehörigen teile ich mit, daß das dänische Außenministerium erneut mit der Bitte an mich herangetreten ist, die Genehmigung eines solchen Besuches herbeizuführen. Es wies dabei auf die früher übermittelte Zusage hin, daß im Frühjahr ein Besuch bei den nach Theresienstadt verbrachten Juden dänischer Staatsangehörigkeit stattfinden könne.

Unter politischen Gesichtspunkten wäre ein solcher Besuch erwünscht, weil hierdurch die ein Dänemark umlaufenden, durch eine Reihe von Todesfällen dänischer Häftlinge ausgelösten oder verstärkten Gerüchte über unmenschliche Behandlung in den deutschen Konzentrationslagern widerlegt werden könnten. Ich befürworte deshalb, daß dem Abteilungschef Hvass vom dänischen Außenministerium und dem Direktor des dänischen Roten Kreuzes Helmer Rosting die Erlaubnis zum Besuch der dänischen Häftlinge und der Juden dänischer Staatsangehörigkeit erteilt wird. Von der getroffenen Entscheidung bitte ich mich zu unterrichten.
Dr. Best

375. Werner Best an das Auswärtige Amt 28. März 1944

Von Hanneken ville udføre danske møbler til sig selv og til repræsentative formål ved værnemagtens tjenestesteder og havde indledt købet til sig selv, men UM strittede imod og henvendte sig til Best, der støttede ministeriet. De ville ikke have værnemagtskontoen belastet med den slags indkøb.

Endnu inden Best havde fået svar fra AA, havde von Hanneken opgivet at gennemføre møbeleksporten. Se telegram nr. 397, 29. marts 1944 (Drostrup 1997, s. 200).

Kilde: PA/AA R 29.568. BArch, R 901 113.560 RA, pk. 204. LAK, Best-sagen (afskrift).

Telegramm

Kopenhagen, den	28. März 1944	.21.05 Uhr
Ankunft, den	29. März 1944	12.15 Uhr

Nr. 395 vom 28.3.[44.]

Der Wehrmachtbefehlshaber Dänemark hat mir folgendes mitgeteilt: "Vom OKH ist mir anbefohlen, als Ersatz für Ausgebombte Einrichtungen im dänischen Bereich Möbel für repräsentative Zwecke bis zur Höhe von 150.000 einzukaufen und bereitzustellen. Einkauf ist eingeleitet. Dänische Regierung hat trotz persönlicher Verhandlung meines Sachbearbeiters mit Direktor Svenningsen ihre Zustimmung verweigert. Ich bitte die Angelegenheit zu bereinigen und die Freigabe von der dänischen Regierung durchzudrücken. Ich bin nicht gewillt, in dieser Angelegenheit, die von der Geldseite her völlig unbedeutend ist und die auch maßenmäßig die dänische Bevölkerung nicht beeinträchtigt, nachzugeben und dem OKH die Nichtbereitschaft der Regierung als Ablehnungsgrund anzugeben."

Das dänische Außenministerium ist seinerseits an mich herangetreten und hat geltend gemacht, daß eine Ausfuhr von Möbeln in das Reich nur in den vertraglich vereinbarten Formen stattfinden könne und daß der Ankauf von zum Export bestimmten Möbeln aus Besatzungskosten den geltenden Vereinbarungen widerspreche.

Bei dieser Sachlage dürfte nur eine Regelung möglich sein, nach der die zu exportierenden Möbel über Clearing bezahlt werden. Ich bitte deshalb, beschleunigt eine Entscheidung hierüber herbeizuführen und mich von dem Inhalt dieser Entscheidung zu unterrichten, damit ich gegebenenfalls gegenüber der dänischen Zentralverwaltung das Erforderliche veranlassen kann.

Eine Abschrift dieses Telegramms bitte ich dem Ministerialdirektor Dr. Walter als dem Vorsitzenden des deutschen Regierungsausschusses zuzuleiten.

Dr. Best

376. OKM an das Auswärtige Amt 28. März 1944

OKM havde besluttet at skrotte en række danske krigsskibe, da det ikke kunne betale sig at sætte dem i stand. AA blev bedt om at sørge for, at skroterstatningen til den danske regering først skulle falde efter krigsafslutningen.

En notits i AA 1. april tilføjede, at skrotningen burde foregå i Tyskland for ikke at vække opmærksom-

hed hos danske instanser. Man måtte afvente, om den danske regering ville kræve skroterstatning.
 Kilde: BArch, Freiburg, RM 7/1815. RA, pk. 284. RA, Danica 628, sp. 7, nr. 5951f. (uden notitsen). PKB, 13, nr. 669.

Oberkommando der Kriegsmarine　　　　　　　　　　*Berlin, den 28. März 1944.*
B-Nr. l. Skl. I i 10907/44[132]

An das Auswärtige Amt
 z. Hd. d. Herrn Vortragend. Leg. Rat C. Roediger
 Berlin.

Betr.: Verwendung dänischer Kriegsschiffe.

Nach der in obiger Angelegenheit getroffenen Entscheidung können die dänischen Kriegsschiffe für die Dauer des Krieges von der deutschen Kriegsmarine in Benutzung genommen werden, wobei die Auseinandersetzung mit der dänischen Regierung bis zum Schluß des Krieges vorbehalten bleibt.
 Es ist nunmehr von der hiesigen Amtsgruppe für Kriegsschiffbau und Werften der Antrag gestellt worden, diejenigen dänischen Kriegsschiffe, deren Instandsetzung sich nicht mehr lohnt, zur Gewinnung von Sparstoffen, die von der Kriegsmarine dringend benötigt werden, zu verschrotten. Es handelt sich dabei um folgende Fahrzeuge:[133]

a.) Überwasserschiffe:
　1.) "Lougen"　　　　　　5.) "Saalen"
　2.) "Sbjrnen" (M 2)　　　6.) "Havrnen"
　3.) Minenräumboot "MS 4"　7.) "Hvalrossen"
　4.) "Nordkaperen"　　　　8.) "Makrelen"
b.) Uboote:
　1.) "Havmanden"　　　　　6.) "Bellona"
　2.) "Havfruen"　　　　　　7.) "Glora"
　3.) "Havkalen"　　　　　　8.) "Daphne"
　4.) "Havkesten"　　　　　9.) "Dryaden"
　5.) "Rota"

Es wird um Einverständnis zu der beabsichtigten Verschrottungsmaßnahme gebeten, wobei zu prüfen wäre, inwieweit der Schrotterlös für die nicht von der Kriegsmarine benötigte Schrottmasse der Dänischen Regierung nicht erst bei Kriegsende, sondern schon nach Durchführung der Aktion irgendwie gutzubringen ist.
　　　　　　　　　　　　　Im Auftrage
　　　　　　　　　　　　　Dr. Eckhardt

132 Seekriegsleitung til K III 23. februar 1944, trykt ovenfor.
133 Navnene er forvansket; der menes formentlig: 2.) Isbjørnen, 5.) Sælen, 6.) Havørnen og ubåden 3.) Havkatten og 4.) Havhesten.

1.) Ministerialrat Eckhardt ist sich mit Herrn Gesandten Leitner und mir darüber einig, daß diejenigen dänischen Schiffe, die verschrottet werden sollen, am besten zwecks Verschrottung nach Deutschland gebracht werden, damit die Aufmerksamkeit der dänischen Stellen nicht auf die Angelegenheit gelenkt wird. Es kann dann abgewartet werden, ob die Dänische Regierung etwa wegen eines Ersatzes des Schrottwertes an uns herantritt.

Eine schriftliche Antwort erübrigt sich.

2.) W[ieder] v[orzulegen] nach 14 Tagen.
Berlin, den 1. April 1944.

R[oediger] 1/4

Wiedervorgelegt
Büro 15/4
z[u] d[en] A[kten]
R 15/4

377. Emil Geiger an Ernst Kaltenbrunner 29. März 1944

AA sendte en kraftig rykker til RSHA, da en stribe henvendelser angående danske fanger i tyske koncentrationslejre forblev ubesvarede. Adressaten var ikke alene Kaltenbrunner, men yderligere tre medarbejdere i RSHA, som hver særskilt skulle have brevet tilsendt. Med brevet fulgte en række bilag (der ikke er søgt lokaliseret).

Der er tale om et udkast, som muligvis ikke er blevet afsendt. Det kan have været for hård kost, så Geiger har fået det helt forkastet. Der foreligger nemlig endnu et udkast fra samme dag angående samme sag, ligeledes udfærdiget af Geiger. Det er trykt herefter.

Kilde: PA/AA R 99.503 (udkast med enkelte rettelser).

Inl. II B 1052 1053 *Berlin, den 29. März 1944.*

Schnellbrief

1.) an Chef Sipo u. SD
    a.) IV A 1 – Krim. Dir. Lindow
    b.) IV C 2 SS-O'Stuf. Fischer
    c.) IV D 4 – Krim. Insp. Dressler
    – je besonders –
    Berlin SW 11
    Prz. Albr. Str. 8

Ref. VK Geiger

Betr.: Nach Deutschland überstellte dänische Staatsangehörige

In der Anlage übersende ich Abschriften der beiden Verbalnoten der Dänischen Gesandtschaft vom 21.3.44 betr. die[134] dänischen Staatsangehörigen Karl Christian Nytorp

---
134 Her en ulæselig kort rettelse.

und Christian Marius Petersen.
   Ich füge bei dieser Gelegenheit in Abschrift bei:
a.) Mein Schreiben vom 6.1.44 – Inl. II B 52 – betr. Nytorp und Nielsen nebst Verbalnote der Dänischen Gesandtschaft vom 25.1.44 und Übersetzungen von 2 Arztzeugnissen;
b.) mein Schreiben vom 17.1.44 – Inl. II B 160 – betr. Kristensen, Mortensen und Jepsen nebst Verbalnote der Dänischen Gesandtschaft vom 13.1.44 und Übersetzungen von 3 Arztzeugnissen.
c.) mein Schreiben vom 10.2.44 – Inl. II B 160 Ang. II –
d.) die mit Schreiben vom 23.2.44 – R VIII 609 – übermittelte Verbalnote der Dänischen Gesandtschaft vom 5.2.44, betr. Bentzen, nebst Übersetzung eines Arztzeugnisses
e.) mein Schreiben vom 13.3.44 – Inl. II 609 –;
f.) mein Schreiben vom 15.3.44 – Inl. II B 895 –, betr. Nytorp nebst Verbalnote der Dänischen Gesandtschaft vom 2.3.44.
Ich nehme hierbei Bezug auf die fernmündlichen Unterredungen mit Herrn Krim. Dir. Lindow und SS-O'Stuf. Fischer und wäre dankbar, wenn mir die dortige Stellungnahme zu den von der Dänischen Gesandtschaft aufgeworfenen Fragen *möglichst bald* zuginge. Ferner darf ich auch um Übersendung der erbetenen Sterbeurkunden bitten.
   Im Auftrag
   XXX

2.) Unter 1 D'druck von Nr. 1 dieser Angabe ist zu setzen:

Abschriftlich nebst Anlagen
   dem Bevollmächtigten des Deutschen Reichs in Dänemark
   in Kopenhagen
mit der Bitte um Kenntnisnahme übersandt.

Nach einer vom Chef Sipo u. SD vor einiger Zeit erteilten Auskunft waren die Lagerverwaltungen angewiesen worden, die nach dänischer Angabe erkrankten Häftlinge durch Lagerarzt auf ihren Gesundheitszustand untersuchen zu lassen.
   Im Auftrag
   gez. Geiger
   i. R. gez. **von Thadden**

378. Emil Geiger an Ernst Kaltenbrunner 29. März 1944

Dette er det andet udkast til rykkerskrivelse til RSHA. Der er stadig fire adressater med Kaltenbrunner som hovedadressat og henvisning til adskillige bilag, men den anvendte form er ikke så knapt opremsende som i det andet udkast, og slutningsordene er holdt i en venligere tone. Hvilket udkast der er blevet afsendt, eller om nogen af dem blev det, er uvist.
   Det følgende brev til Best er skrevet i forbindelse med dette udkast til brev.
   Kilde: PA/AA R 99.502 (udkast med håndskrevne til dels ulæselige rettelser).

Inl. II 1134 1135 Berlin, den 29. März 1944.

Schnellbrief

1.) An Chef Sipo u. SD
   a.) IV A 1 – Krim. Dir. Lindow
   b.) IV C 2 – SS-O'Stuf. Fischer
   c.) IV D 4 – Krim. Insp. Dressler
   – je besonders –
   Berlin SW 11
   Prinz Albrecht-Str. 8
   Ref. VK Geiger

Betr.: Nach Deutschland überstellte Dänen.

In der Anlage übersende ich Abschrift einer vom Dänischen Gesandten im AA übergebenen Notiz vom 21.3.1944, betr. die im November und Dezember v.J. nach Deutschland überstellten dänischen Staatsangehörigen (strafbare Handlungen). Gleichzeitig füge ich Abschriften meines Schreibens vom 10.1.44 – Inl. II B 77/44[135] – und der dänischen Aufzeichnung vom 5.1.44 bei, in denen es sich um die beiden gleichen Gruppen von Dänen *handeln*, Einspruch gegen die Überstellungen, Rückführung nach Dänemark, Verteilung auf die einzelnen Lager, im einzelnen begangene strafbare Handlungen. Ich nehme hierbei Bezug auf die fernmündlichen Unterredungen mit Herrn Krim. Dir. Lindow vom 25.2 und 25.3.44 auf die fernmündlichen Unterredungen mit SS-O'Stuf. Fischer und Herrn Krim. Insp. Dressler.

Ferner übersende ich Abschriften der Verbalnote der Dänischen Gesandtschaft vom 21.3.44, betr. Briefwechsel mit den in Haft befindlichen Dänen in deutscher Sprache und der Notiz vom 22.3.44, betr. Sven Hoffgaard und Sven Meyer und ihre Familien.[136]

Ich wäre für Stellungnahme zu den von dänischer Seite aufgeworfenen Fragen dankbar.

Besonders dankbar wäre ich, wenn mir die dortige Antwort mit möglichster Beschleunigung zuginge.

Im Auftrag
XXX

379. Emil Geiger an Werner Best 29. März 1944

Geiger orienterede Best om sine bestræbelser vedrørende afgørelser om danske fanger i tyske koncentrationslejre: RSHA var blevet afæsket en stillingtagen igen i konkrete sager, ligesom Best selv blev rykket for svar på to forespørgsler.
   Se Henckes optegnelser 3. april 1944.
   Kilde: PA/AA R 99.502.

135 Skrivelsen er ikke lokaliseret.
136 Notatet 23. marts er ikke medtaget.

An den Bevollmächtigten des Deutschen Reichs in Dänemark
in Kopenhagen

Betr: Nach Deutschland überstellte dänische Staatsangehörige.

In der Anlage übersende ich Abschrift der Aufzeichnung der Dänischen Gesandtschaft vom 5.1.44 und der Notiz der Dänischen Gesandtschaft vom 21.3.44 betr. die im November und Dezember vorigen Jahres nach Deutschland überstellten 91 dänischen Staatsangehörigen.

In einer Besprechung im AA hatte der Dänische Gesandte zu der Frage der von den einzelnen Dänen begangenen strafbaren Handlungen bemerkt, daß bei den dänischen Behörden der Eindruck bestünde, als ob eine Reihe von Festnahmen auf Grund von Denunziationen erfolgt sei, die einer ordentlichen Nachprüfung nicht standhalten würden. Der Gesandte schien davon überzeugt zu sein, daß unter den Abtransportierten verschiedene Personen seien, die weder kommunistisch eingestellt seien, noch sich überhaupt politisch betätigt hätten.

Vom Chef Sipo u. SD war in einer Unterredung im Februar 1944 zum Ausdruck gebracht worden, daß sämtliche Fälle in Dänemark im Einvernehmen mit den dänischen Polizeibehörden geprüft worden seien. Letztere müßten also über die Einzelfälle Bescheid wissen. Wenn indes von der Dänischen Gesandtschaft einzelne Fälle benannt werden sollten, in denen nach ihrer Ansicht die Festnahme auf Grund von Denunziationen und ohne Verschulden erfolgt sein sollte, so wäre der Chef Sipo gerne bereit, diese Sonderfälle einer erneuten eingehenden Prüfung zu unterziehen

Der Chef Sipo u. SD ist jetzt nochmals um Stellungnahme gebeten worden. Ich bitte die Angelegenheit auch dort nachzuprüfen und zu berichten, was, insbesondere auch über die seinerzeitige Beteiligung der dänischen Dienststellen in der Frage der Straffälligkeit der einzelnen Dänen, festzustellen ist.

Ferner füge ich zur Kenntnisnahme Abschrift der Verbalnote der Dänischen Gesandtschaft vom 21.3.44, betr. Briefwechsel mit den in Haft befindlichen Dänen in deutscher Sprache, und der Notiz vom 22.3.44 betr. Sven Hoffgaard und Sven Meyer bei. Der Chef Sipo u. SD ist um Stellungnahme zu diesen Fällen gebeten worden. Falls dort etwas in den Angelegenheiten Hoffgaard und Meyer bekannt ist, bitte ich ebenfalls um Bericht.

Bei dieser Gelegenheit bitte ich auch um Stellungnahme zum Fall Aksel Larsen (Besuch des Larsen durch seine Ehefrau; Erlasse vom 3. und 25.2.44[137] – Inl. II B 344 und 619 Ang. II).

                               Im Auftrag
                               gez. **Geiger**

i. Reinschr. gez. v. Thadden

---

137 Begge skrivelser er trykt ovenfor.

380. Werner Best an das Auswärtige Amt 29. März 1944

Best kunne meddele, at von Hanneken havde opgivet at foretage møbelopkøb i Danmark.
    Hvad der foranledigede det hurtige tilbagetog er uvist, men von Hanneken havde overtrådt sine beføjelser ved at ville foretage indkøb på en konto, der var beregnet til militære formål, hvilket kostbare og efterspurgte møbler ikke kunne siges at være (Drostrup 1997, s. 197-210).
    Kilde: BArch, R 901 113.560. RA, pk. 204. LAK, Best-sagen (afskrift).

Telegramm

Kopenhagen, den	29. März 1944	19.30 Uhr
Ankunft, den	29. März 1944	20.45 Uhr

Nr. 397 vom 29.3.[44.]   Citissime!

Im Anschluß an Telegramm Nr. 395[138] vom 28.3.44 teile ich mit, daß der Wehrmachtsbefehlshaber Dänemark von der Durchführung der im Vorbericht mitgeteilten Ankaufsaktion absieht. Es erübrigt sich deshalb, auf mein Vortelegramm etwas zu veranlassen.

Dr. Best

381. Konrad Engelhardt an Seekriegsleitung 29. März 1944

OKMs skibsfartsafdeling svarede på, hvorfor de fire i januar i København beslaglagte danske handelsskibe ikke straks var blevet taget i brug. Der havde været både tekniske og praktiske problemer, som udskydelsen af beslaglæggelsen ikke ville have ændret ved. Endvidere fastholdt afdelingen kravet om de øvrige beslaglæggelser af oplagte danske skibe, og bad Seekriegsleitung afvise Bests indvendinger, som blev gendrevet. Vedrørende enkeltforhold kunne Best have gjort sig nærmere bekendt med den rette sammenhæng hos sin egen skibsfartssagkyndige, G.F. Duckwitz. Specielt vedrørende det manglende inventar og udstyr til "Hammershus" fastholdt afdelingen, at rederiet havde ladet det meste fjerne kort før beslaglæggelsen og påfølgende var blevet tvunget til at levere en mindre del, som var af ringeste kvalitet. Rederiet havde også nægtet at aflevere en fortegnelse over inventaret og havde i det hele taget forholdt sig så illoyalt som muligt.
    På baggrund af dette svar henvendte OKM sig den følgende dag til AA, ligesom skibsfartsafdelingen fik en tilbagemelding.
    Kilde: BArch, Freiburg, RM 7/1813. RA, Danica 628, sp. 7, nr. 5826-30.

Oberkommando der Kriegsmarine   *Berlin, den 29. März 1944*
Skl. Qu A VI r
2429 Gkdos II. Ang.   Geheime Kommandosache

An 1. Skl.

Betrifft: Inanspruchnahme dänischer Tonnage
Vorgang: 1/Skl I i 11 035/44 geh. vom 26.3.44[139]

---

138 Ha Pol. betr. Ankauf von Möbeln für ausgebombte. Trykt ovenfor.
139 Trykt ovenfor.

Zu dem Schreiben des Reichsbevollmächtigten in Dänemark vom 13. März[140] wird folgende bemerkt:

Die am 20.1.44 beschlagnahmten dänischen Motorschiffe "Esbjerg", "Jylland", "Parkeston" und "England" konnten wegen Schwierigkeiten bei der Personalgestellung, wegen Nichtfahrbereitschaft der Schiffe, wegen Schleppermangels im dänischen Bereich sowie wegen mangelnder Werftkapazität nicht alsbald eingesetzt werden.

Nach Lage der Dinge ist die Angelegenheit möglichst beschleunigt worden.

Am 21.1.44 wurden die Schiffe von der KMD Kopenhagen besichtigt. Das Ergebnis der Besichtigung war: Nach Eintreffen genügenden technischen Personals können die zum Teil auseinandergenommenen Maschinen – die Schiffe lagen seit über 4 Jahren auf – erst nach längerer Zeit betriebsklar gemacht werden, und zwar die Hauptmaschinen in 4 Wochen und die Hilfsmaschinen in 2 Wochen. Vorschlag: Abschleppen nach deutschen Häfen zur gleichzeitigen Vornahme maschineller Arbeiten.

Am gleichen Tage wies Skl. Qu A U den Kom. Adm. der U-Boote an, die Schiffe von KMD Kopenhagen zu übernehmen, mit militärischem Wachpersonal zu besetzen und die Umbauten-Forderungen feststellen zu lassen.

Am gleichen Tage teilte Adm. KMD Hamburg auf eine Anfrage von Skl. Qu A VI mit, daß eine sofortige Personalgestellung zur Besetzung der Schiffe nicht möglich sei, das militärische Wachpersonal könne erst in etwa 6-8 Wochen abgelöst werden.

Am 27.1.44 bat Skl. Qu A U mit 856 g K III, für baldigste Überführung der Schiffe nach Deutschland zu sorgen, ferner K IV um Stellung der erforderlichen Werftkapazität.

Am 11.2.44 stellte der Kom. Adm. der U-Boote an OKM die erforderlichen Herrichtungsforderungen.

Am 15.2.44 ersuchte K III mit As 1764 geh. das Marine-Bergungs- und Seedienstkommando Mitte, die Schiffe zur Vermeidung von Sabotageakten so schnell wie möglich aus Dänemark nach Deutschland (und zwar möglichst nach Gotenhafen) zu überführen und wies darauf hin, daß die Herrichtungswerft nach Klärung des Arbeitsumfanges von K IV besonders bestimmt werde.

Am 16.2.44 brachte Skl. Qu A U mit 1384 g die Angelegenheit bei K III und K IV in Erinnerung.

Am 26. und 27.2.44 fand eine Überprüfung der Schiffe durch den Kom. Adm. der U-Boote und MBSK Mitte statt. Die Überprüfung ergab die Notwendigkeit, vorherige Entmagnetisierung (fehlende MES-Anlage) durchzuführen.

Am 27. und 28.2.44 fand durch den Kom. Adm. der U-Boote, das Technische Amt Hamburg und die KMD Kopenhagen eine erneute Schiffsbesichtigung statt. An mehrere Stellen des OKM erging ein Bericht, in dem auf die großen Schwierigkeiten wegen Klarmachung der Schiffe hingewiesen wurde. Außerdem wurde festgestellt, daß das erforderliche Inventar an Bord, insbesondere Matratzen, Wäsche und Geschirr fehle.

Ab 6.3.44 traf das Schiffspersonal nacheinander in Kopenhagen ein.

Am 15.3.44 war das erste Schiff, nämlich "Parkeston", überführungsbereit. Das

---

140 Trykt ovenfor.

Schiff traf am 17.3. in Gotenhafen ein, mußte aber wegen Platzmangels vorerst im Danziger Hafen festmachen.

Am 23.3.44 traf "England" in Stettin ein.

Das dritte Schiff dürfte inzwischen in Deutschland eingetroffen sein, das letzte Schiff wird am 6.4 in Deutschland erwartet.

Die Sache ist also nicht etwa so, als wenn die 4 Schiffe nach Beschlagnahme sofort am nächsten Tage hätten abgeschleppt werden können. Die Nichtfahrbereitschaft der Schiffe hätte sogar ein Abschleppen der Schiffe unmöglich gemacht, wenn Schlepper jeweils rechtzeitig zur Stelle gewesen wären. Im dänischen Bereich liegt aber ebenso wie in Deutschland ein großer Schleppermangel, bedingt durch die Kriegslage, vor.

Die Beschlagnahme hätte vielleicht zu einem späteren Zeitpunkt ausgesprochen werden können; dann wäre aber auch erst entsprechend später die Nichtfahrbereitschaft der Schiffe festgestellt worden, und es hätte die Gefahr bestanden, daß Sabotageakte vorgenommen wären, weil die bevorstehende Beschlagnahme alsdann den Dänen bekannt gewesen wäre.

Es kann keine Rede davon sein, daß die KM die vorgenannten 4 Schiffe und die weiteren, als Zielschiffe für Skl. Qu A U angeforderten Motorschiffe "Kronprins Olaf" und "C.F. Tietgen" sowie weiterhin das Fährschiff "Isefjord" lediglich "horten" wolle, und zwar lediglich, um sich möglichst viele dänische Motorschiffe zu sichern.

Die Kriegsnotwendigkeit zur Beschlagnahme aller vorgenannten Schiffe sowie der weiteren in Skl. Qu A VI r 2429 Gkdos I. Ang. vom 25.3.44[141] aufgeführten Schiffe liegt, wie insbesondere in diesem Schreiben dargelegt, auf jeden Fall vor.

Was den Hinweis des Reichsbevollmächtigten in Dänemark betrifft, der D. "A.P. Bernstoff" könne als Zielschiff für Skl. Qu A U eingesetzt werden, so ist bei KMD Kopenhagen festgestellt worden, daß es sich um ein 1913 gebautes, 2339 BRT großen, 15,5 sm laufendes Passagierschiff handelt, das an und für sich für den vorerwähnten Zweck geeignet wäre. Das Schiff ist bisher nicht in deutsches Eigentum übergegangen, da sich der wohl abgeschlossene Kaufvertrag nicht erfüllen läßt. Der Kaufpreis soll 4,2 Millionen Dänenkronen betragen. Hiervon verlangt die Reederei Zahlung der Hälfte in guten Devisen, was wohl heißen soll, in Schwedenkronen oder Schweizer Franken. Eine solche Forderung kann keinesfalls erfüllt werden. Es wird bemerkt, daß die unberechtigte Forderung, Zahlung des Kaufpreises in Schwedenkronen zu verlangen, der Hauptanlaß war, das Schiff "Hammershus" zu beschlagnahmen, weil die Devisen zum Ankauf nicht zu beschaffen waren. Tatsächlich steht also D. "A.P. Bernstorff" nicht zur Verfügung des Reichskommissars für die besetzten norwegischen Gebiete und könnte daher von diesem auch nicht der Kriegsmarine für Kriegszwecke überlassen werden. Da sämtliche Schiffsangelegenheiten in Dänemark von dem Schiffahrtssachverständigen des Reichsbevollmächtigten in Dänemark, Herrn Duckwitz, bearbeitet werden, dürfte vorstehender Sachverhalt an und für sich dem Reichsbevollmächtigten in Dänemark, Herrn Dr. Best, genau bekannt sein.

Die Vorwürfe des Reichsbevollmächtigten in Dänemark an die KM, daß sie Schiffsanforderungen nicht für durchaus kriegsnotwendige Zwecke durchführe, sind daher unbe-

---

141 Trykt ovenfor.

gründet. Es wird gebeten, sie zurückzuweisen.

Die Angelegenheit betr. Anforderung des Inventars für den D. "Hammershus" ist erledigt. Skl. Qu A VI hat KMD Kopenhagen angewiesen, das erforderliche Inventar im Einvernehmen mit dem Admiral der Seebefehlsstellen freihändig zu erwerben.

Zu dem Bericht der Deutschen Gesandtschaft vom 31.3.44 [!], Anlage zu 1/Skl. I i 11 550 geh. vom 29.3.44[142], wird folgendes bemerkt:

"Hammershus" soll kein Wohnschiff werden. Es soll Führerschiff (Flaggschiff) des Adm. der Seebefehlsstellen werden. Seinem Zweck entsprechend muß das Schiff nach Indienststellung fortlaufend seinen Aufenthaltsort wechseln. Als Besatzung kommen in Frage 25 Offiziere, 15 Portepee-Unteroffiziere und 120 Mann.

Das Kommando der 13. L.-Flottille hatte dem AdS am 7.3.44 gemeldet, daß die befehlsgemäße Besichtigung des Schiffes ergeben habe, daß die Maschinen auseinandergenommen seien und daß die gesamte seemännische und nautische Ausrüstung, die Einrichtung der Passagierkammern, Kojenzeug, Matratzen, Wäsche, Geschirr, Bestecke von Bord geschafft seien, und daß der Direktor der Reederei, Rechtsanwalt Lund, erst nach langem Hin und Her sich bereit gefunden habe, den zur Überführung des Schiffes unbedingt notwendigen Teil der seemännischen und nautischen Ausrüstung einschließlich Inventar für die Überführungsbesatzung von 24 Mann herauszugeben. Weiterhin hatte das Kdo der 13. L.-Flottille gemeldet, daß insbesondere Eßbestecke und Geschirr in einer offenbar ausgesuchten schlechten Beschaffenheit übergeben worden seien.

Weiterhin hatte das Kdo der 13. L.-Flottille auf Bornholm festgestellt, daß die Reederei erst kurz vor der Beschlagnahme die gesamte Ausrüstung und Einrichtung von Bord hat schaffen lassen, was unter besonders lebhafter Anteilnahme der Bevölkerung vor sich gegangen sein soll. Demnach dürfte das Inventar nicht etwa normalerweise, um es an Land einzulagern, von Bord gebracht worden sein, sondern um es dem Zugriff durch die Kriegsmarine zu entziehen.

Weiterhin berichtet das Kdo der 13. L.-Flottille, daß z.B. am Ruderhaus Uhren, Barometer, Thermometer von der Wand abgeschraubt und der Chronometer entfernt worden seien, daß im Kabelgatt die meisten Geräte, der größte Teil der Leinen usw. fehlten. Auch die Sachen sollen erst kurz vorher von Bord geschafft worden sein.

Die Reederei lehnte es ab, dem Kdo der 13. L.-Flottille ein Verzeichnis des Schiffsinventars zu geben, und zwar mit der offenbar unzutreffenden Erklärung, die Reederei besitze kein solches Verzeichnis, sie sei auch nicht verpflichtet, ein solches Verzeichnis vorzulegen.

Die Vertreter der Reederei haben sich nach dem Bericht des Kdo der 13. L.-Flottille so illoyal wie nur möglich verhalten. Infolgedessen sind die in dem dortigen Fernschreiben 1/Skl. I i a 9950 geh. vom 16.3.44[143] gemachten Vorwürfe berechtigt.

            Skl. Qu A VI
            E[ngelhardt] 29

---

142 Seekriegsleitungs skrivelse 29. marts er ikke lokaliseret, men bilaget er sandsynligvis Bests telegram af 21. marts, der ved en slagfejl er blevet til 31. marts. Det passer med indholdet.
143 Skrivelsen fra Seekriegsleitung til AA er fra 17. marts 1944 og er trykt ovenfor.

382. OKM an das Auswärtige Amt 30. März 1944

OKM svarede AA på de forhold vedrørende beslaglæggelse af oplagte danske skibe, som Werner Best havde rejst. Med hensyn til de fire i København oplagte skibe, som var blevet beslaglagt i januar, fulgte OKM den forklaring, som OKMs skibsfartsafdeling havde givet Seekriegsleitung dagen før. Det gjaldt også vedrørende det fraværende inventar til "Hammershus", som først var borte, og hvor rederiet siden havde leveret noget af ringeste kvalitet. De betænkeligheder, som Wurmbach havde næret vedrørende beslaglæggelsen af færgen "Isefjord", var fjernet. OKM fastholdt endelig kravet om beslaglæggelser af yderligere en række oplagte danske handelsskibe. For at undgå fremtidige gnidninger vedrørende dem ville både chefen for skibsfartsafdelingen i OKM, kaptajn Konrad Engelhardt og Seekriegsleitungs repræsentant, dr. Kurt Eckhardt blive sendt til København for at mødes med Best. OKM foreslog, at mødet fandt sted 4. april, og at Best var udstyret med beføjelser, så der kunne tages de fornødne beslutninger. De nødvendige foranstaltninger for at undgå fjendtlige invasionsplaner måtte ikke forsinkes. Sluttelig blev det refereret, at Best i sit telegram 13. marts udtrykkeligt havde betonet, at han ville udføre enhver krigsnødvendig foranstaltning.

OKM orienterede særskilt skibsfartsafdelingen samme dag.

Mødet med Best i København 4. april fandt sted som foreslået. Se Best til AA 4. april og Seekriegsleitungs notat 9. april 1944.

Kilde: BArch, Freiburg, RM 7/1813. RA, Danica 628, sp. 7, nr. 5831-33.

Oberkommando der Kriegsmarine   *Berlin, den 30. März 1944*
Zu: B-Nr.   1. Skl. I i 9635/44 gKdos.
vdb. mit   1. Skl. 9656/44 gKdos.
    –   1. Skl. 9657/44 gKdos.

S c h n e l l b r i e f !

An das Auswärtige Amt
   Pr. Nr. 1
   – zu Hd. d. Herrn Geheimrat Bisse –
   Berlin.

Vorg.: Ha Pol 1451/44g vom 21.3;
        Ha Pol 1490/44g vom 24.3.;
        Ha Pol 1593/44g vom 27.3.44.[144]

Betr.: Inanspruchnahme dänischer Schiffe.

Die in den Berichten des Herrn Reichsbevollmächtigten in Dänemark zum Ausdruck gekommene Annahme, daß vom Oberkommando der Kriegsmarine die in Rede stehenden Schiffe nicht angefordert seien, um sie unverzüglich für dringende Kriegszwecke in Gebrauch zu nehmen, sondern sie zu horten, entspricht nicht den Tatsachen. Es wird jedoch nicht in Abrede gestellt, daß der Herr Reichsbevollmächtigte auf Grund der Tatsache des längeren Liegenbleibens der angeforderten Schiffe in Unkenntnis der Gründe für die vom Oberkommando der Kriegsmarine selbst äußerst bedauerte Verzögerung zu seiner unzutreffenden Ansicht gelangen konnte. Die eingetretene Verzögerung erklärt sich u.a. daraus, daß die für die Überführung der Fahrzeuge in Aussicht genomme-

---

144 Skrivelsen af 24. marts er trykt ovenfor. De to øvrige er ikke lokaliseret.

wesenen Schlepper zum einen Teil durch Luftangriffe ausgefallen sind, während sie zum anderen Teil für eine kriegerische Unternehmung dringendst wurden. Inzwischen sind drei Fahrzeuge nach Deutschland überführt; das vierte Schiff wird am 6.4.44 in seinem deutschen Bestimmungshafen erwartet. Hinzu kommt weiter, daß die Schiffe infolge ihres mehrjährigen Aufliegens nicht fahrbereit waren und daß daher zu der notdürftigsten Instandsetzung ebenfalls längere Zeit benötigt wurde.

Die "Hammershus" ist nicht als bloßes Wohnschiff mit ständigem Liegeort vorgesehen, sondern als Führerschiff (Flaggschiff) des Admirals der Seebefehlsstellen, das seinem Zweck entsprechend fortlaufend seinen Aufenthaltsort wechseln wird. Bei seiner ersten Besichtigung hatte sich ergeben, daß die Maschinen auseinandergenommen waren und daß die gesamte seemännische und nautische Ausrüstung, die Einrichtung der Passagierkammern, Kojenzeug, Matratzen, Wäsche, Geschirr und Bestecke von Bord geschafft waren. Erst nach längerem Hin und Her erklärte sich der Direktor der Reederei dazu bereit, den zur Überführung des Schiffes unbedingt notwendigen Teil der seemännischen und nautischen Ausrüstung einschließlich Inventar für 24 Mann Besatzung herauszugeben. Dabei wurden insbesondere Eßbestecke und Geschirr in einer offenbar ausgesucht schlechten Beschaffenheit gestellt. Das Übernahmekommando hatte in Bornholm festgestellt, daß die Reederei die gesamte Ausrüstung und Einrichtung erst kurz vor der Beschlagnahme des Schiffes von Bord hatte schaffen lassen, was unter besonders lebhafter Anteilnahme der Bevölkerung vor sich gegangen sein soll. Insbesondere sollen auch aus dem Ruderhaus Uhren, Barometer, Thermometer und der Chronometer erst kurz vorher von Bord geschafft worden sein. Das gleich soll bezüglich der meisten Geräte im Kabelgatt sowie des größten Teiles der Leinen der Fall gewesen sein. Die Übergabe eines Verzeichnisses des Schiffsinventar wurde ebenfalls abgelehnt.

Bezüglich der Fähre "Isefjord" sind die Bedenken des Admirals Dänemark gegen den Abzug der Fähre inzwischen ausgeräumt worden.

Über die noch angeforderten Fahrzeuge "Kronprinz Olaf", "C.F. Tietgen", "Wistula" und "Aalborghus" hinaus werden noch weitere in Dänemark aufliegende Fahrzeuge dringend benötigt, u.a. die Dampfer "Uruguay" und "Bolivia" zur Bekämpfung der angreifenden Bombenflugzeuge auf Deutschland und zur Abwehr der Verminung der Ostsee als Nachtjagdleitschiffe, des weiteren die Schiffe "Marokko", "Gullfoss" und "Thekla" als Troßschiffe für den Nachschubbedarf der Flotte im Nordraum. Des weiteren von den im dänischen Raum befindlichen 19 Küstenmotorschiffen 6 Fahrzeuge als U-Schießstandschiffe zur Ausbildung für die Torpedowaffe.

Zur weiteren mündlichen Erörterung der Berichte des Herrn Reichsbevollmächtigten betreffend die bisher erfaßten Schiffe, zur näheren Begründung des unbedingt kriegswichtigen Bedarfs dieser weiteren Fahrzeuge sowie zwecks Absprache, wie diese Fahrzeuge zur Vermeidung künftiger Reibungen am zweckmäßigsten zu erfassen sind, ist, wie bereits fernmündlich besprochen, vom Oberkommando der Kriegsmarine in Aussicht genommen worden, den mit der Erfassung aller Hilfsfahrzeuge betrauten Chef der Schiffahrtsabteilung im Oberkommando der Kriegsmarine, Kapitän zur See Engelhardt, sowie als Vertreter der Seekriegsleitung, Ministerialrat Dr. Eckhardt, nach Kopenhagen zu dem Herrn Reichsbevollmächtigten Dr. Best zu entsenden. Der Kommandierende Admiral in Dänemark ist angewiesen worden, mit Herrn Dr. Best eine

Besprechung möglichst für Dienstag, den 4. April, zu vereinbaren. Es wird gebeten, den Herrn Reichsbevollmächtigten auch dortseits über die in Aussicht genommene Art der Erledigung seiner Beanstandungen zu unterrichten und ihn zu beauftragen, im Hinblick auf die äußerst angespannte Seekriegslage des Nordraumes und die keinen Aufschub duldende weitere Vorbereitung der Abwehrmaßnahmen gegen feindliche Landungspläne allen weiteren Anforderungen der Kriegsmarine zu entsprechen. Da der Herr Reichsbevollmächtigte am Schluß seines Berichtes vom 13.3.44 ausdrücklich betont, daß er bereit und in der Lage sei, jede zur Erfüllung dringender Kriegsnotwendigkeiten erforderliche Maßnahme durchzuführen, gibt sich die Seekriegsleitung der Hoffnung hin, daß die in Aussicht genommene Aussprache die aus verständlichen Gründen aufgekommene Voreingenommenheit restlos beheben wird.

[uden underskrift]

383. OKM an Quartiermeisteramt 30. März 1944

Det var aftalt, at meningsforskellene med Werner Best om beslaglæggelserne af danske skibe skulle løses ved en mundtlig drøftelse i København i april, hvor Kriegsmarines repræsentanter fra skibsfartsafdelingen skulle have alt det nødvendige materiale med, der var egnet til at fremme sagen. Seekriegsleitungs chef lagde vægt på, at det ved fremtidige beslaglæggelser blev undgået, at skibene blev liggende i længere tid efter beslaglæggelsen. Best ville blive orienteret om det kommende møde gennem AA. Der skulle holdes et formøde mellem marinens repræsentanter, herunder Wurmbach, dagen før mødet med Best.

Det fremgår af denne interne skrivelse, at marineledelsen fortsat mente sig sat i en uholdbar situation af AA (læs Best), fordi de i januar beslaglagte skibe havde fået lov til at ligge så længe ubenyttede hen.

Kilde: BArch, Freiburg, RM 7/1813. RA, Danica 628, sp. 7, nr. 5833f.

Oberkommando der Kriegsmarine   *Berlin, den 30. März 1944*
Zu: B-Nr. 1. Skl. I i 9535/44 gKdos.
vdb. mit   1. Skl. 9656/44 gKdos.
     –   1. Skl. 9657/44 gKdos.

An Skl. Qu VI.

Betr.: Inanspruchnahme dänischer Schiffe.
Vorg.: Skl. Qu A VI s 2118/44 geh. vom 25.3.
       Skl. Qu A VI r 2429/44 gKdos. v. 25.3.
       Skl. Qu A VI r 2429 gKdos. II. Ang. vom 29.3.44.[145]

Unter Bezugnahme auf die fernmündliche Mitteilung, daß der Chef der Seekriegsleitung die Absicht gebilligt hat, die mit dem Herrn Reichsbevollmächtigten Dr. Best aufgekommenen Differenzen in mündlicher Aussprache an Ort und Stelle zu beheben, wird gebeten, für die in der Zeit vom 3. bis 5.4.44 in Aussicht genommenen Besprechungen alles Material mitzunehmen, das geeignet ist, die durch die Verquickung einer Reihe widriger Umstände entstandene Voreingenommenheit des Reichsbevollmächtig-

---

145 Alle tre skrivelser er trykt ovenfor.

ten Dr. Best auszuräumen. Bezüglich der Neuanforderung hat der Chef der Seekriegsleitung bei mündlichem Vortrage der Angelegenheit entscheidenden Wert darauf gelegt, daß in Zukunft die Beschlagnahmen so erfolgen wird, daß ein längeres Liegenbleiben der Fahrzeuge nach erfolgter Beschlagnahme vermieden bleibt. Das Auswärtige Amt ist über die beabsichtigte Erledigung der Angelegenheit von hier aus unterrichtet und gebeten worden, den Reichsbevollmächtigten Dr. Best entsprechend zu informieren. Absprachegemäß wird der Kommandierende Admiral Dänemark von dort aus beauftragt, mit Herrn Dr. Best einen Besprechungstermin möglichst für Dienstag, den 4. April, zu vereinbaren und für Montag, den 3. April, eine interne Vorbesprechung aller Beteiligten anzusetzen. Die Bestellung eines Quartiers für Min. Rat Dr. Eckhardt wird absprachegemäß beim Kommandierenden Admiral Dänemark ebenfalls von dort veranlaßt.
[uden underskrift]

384. Das Auswärtige Amt an OKM 31. März 1944
AA havde af Best fået forelagt sagen vedrørende de produktionstegninger hos B&W, som Kriegsmarine ønskede udleveret. Det var AAs opfattelse, at firmaer både i Tyskland og i de besatte områder kunne blive tvunget til at udlevere forretningshemmeligheder, hvis de skulle stilles til rådighed for rustningsproduktionen. AA mente imidlertid, at det krævede en undersøgelse af, om ikke et firma havde ret til erstatning, hvis det skulle afgive værdifulde forretningshemmeligheder. Den foreliggende sag betragtede AA som løst, idet Kriegsmarine havde fået tilbud om at få reservedele leveret.
Kilde: BArch, Freiburg, RM 7/1812. RA, Danica 628, sp. 7, nr. 5705.

Auswärtiges Amt   *Berlin W 8, den 31. März 1944.*
Nr. Pol. I. M 1242 g.   Wilhelmstr. 74-76

Auf das Schreiben vom 18.1.1944[146] – 1. Skl. I c 1396/44 geh. –
1 Anlage.   Geheim

An das Oberkommando der Kriegsmarine
– 1. Skl. –

Auf die nebenbezeichnete Anfrage wird erwidert, daß im wehrwirtschaftlichen Interesse zwischen den Firmen im Reich und in den besetzten Gebieten ein weitgehender Austausch technischer Einzelheiten über Herstellungsverfahren und Einrichtungen stattfindet, der auch vor Betriebsgeheimnissen nicht Halt macht. Soweit eine Firma sich weigert, wehrwirtschaftlich wichtige Einzelheiten für die Zwecke der Rüstung zur Verfügung zu stellen, kann die dazu gezwungen werden. Für Preisgabe wertvoller Betriebsgeheimnisse kann ihr eine Entschädigung zugebilligt werden. Inwieweit diese Grundsätze auch auf die dänischen Betriebe angewendet werden können, bedürfte zunächst einer eingehenden Prüfung.
Das dortige Schreiben ist zunächst dem Reichsbevollmächtigten in Dänemark über-

---

146 Trykt ovenfor.

sandt worden. Dieser hat darauf den im Durchdruck beiliegenden Bericht vom 23. März erststiet [erstattet?].[147] Nachdem ein Angebot über die Anfertigung der benötigten Ersatzteile bereits an die Kriegsmarinewerft in Wilhelmshaven abgesandt worden ist, wird angenommen, daß die Angelegenheit damit vorläufig erledigt ist.

Im Auftrag
[underskrift]

385. Admiral Dänemark: Lagebetrachtung für März 1944, 31. März 1944

Sabotagen havde været beskeden i marts, og det var lykkedes tysk politi at anholde talrige sabotører og at beslaglægge et omfattende sabotagemateriale. Der blev kun bragt enkelte mindre betydende eksempler på sabotage. Ved to lejligheder var det lykkedes at pågribe sabotører blandt de illegale ud- og indrejsende over Øresund.

Kilde: KTB/ADM Dän 31. marts 1944, RA, Danica 628, sp. 3, s. 3892f.

L a g e b e t r a c h t u n g
für März 1944

[...]
B.) Lage in Dänemark:
[...]
2.) Sabotage
Sabotagefälle hielten sich im gesamten Monat nach Zahl und Bedeutung in mäßigen Grenzen. Deutscher Polizei gelang es, weiterhin zahlreiche Saboteure festzunehmen und umfangreiches Sabotage-Material zu beschlagnahmen. In Verfolg der Ermittlungen gegen Fallschirmagenten in Jütland glückte es, einem "Empfangskomitee" auf die Spur zu kommen und zahlreiche Verhaftungen durchzuführen.[148]

Großer Teil der Sabotagefälle entfällt auf Kabelbeschädigungen der Luftwaffe. Marinebelange durch Brandstiftungen bei für Sperrbrecher bestimmten Schiffsmotor in Stahlschiffswerft Svendborg berührt.[149] Auf deutschem Dampfer "Minna Corts" auf Werft Burmeister & Wain im Wellentunnel angebrachter Sprengkörper verursachte unerheblichen Sachsachaden.[150]

3.) Illegaler Personenverkehr
Zollgrenzschutz nahm zwei mit Ruderboot illegal aus Schweden kommende Dänen fest, von denen einer als führendes Mitglied einer Sabotagegruppe ermittelt.[151] Ferner in Zusammenarbeit mit Wasserschutzpolizei bei Überholung des Lotsenbootes "Helsin-

---

147 Trykt ovenfor.
148 Det drejede sig om modtagegruppen i Hvidsten, hvor Gestapo 11. marts arresterede en del gruppemedlemmer, som de var kommet på sporet af efter arrestationerne i Århus 13. december 1943 (se Mildner til AA 16. december 1943).
149 Se Bests telegram nr. 294, 4. marts 1944.
150 Der var en bombeeksplosion i "Minna Corts" af Hamburg 31. marts. Skibet lå i tørdok på B&Ws værft på Refshaleøen (Alkil, 2, 1945-46, s. 1230, *Daglige Beretninger*, 1946, s. 83).
151 De to illegalt indrejsende og arresterede er ikke identificeret.

gör" zwei sudetendeutsche Saboteure festgenommen, die im Sund von schwedischem Fischkutter übernommen waren.[152]
[…]

386. Rüstungsstab Dänemark: Lagebericht 31. März 1944
Forstmann ofrede kun sabotagen få ord. Den var gået meget betydeligt tilbage i marts, og venteligt ville telefonbomberne mod B&W ophøre efter anholdelsen af nogle lærlinge. For første gang kunne månedsberetningen bringe både en oversigt over det samlede antal indgåede rustningskontrakter og bevægelserne i beretningsmåneden på A- og C-kontrakter. Leverancerne var på næsten alle områder tilfredsstillende, bl.a. på grund af en ekstraordinær tildeling af dieselolie, men der manglede brændstof til Hansaprogrammet, og briket- og kokstildelingen var utilstrækkelig.
    Kilde: BArch, Freiburg, RW 27/ 13. KTB/Rü Stab Dänemark, 1. Vierteljahr 1944, Anlage 34.

Rüstungsstab Dänemark   *Kopenhagen, den 31. März 1944.*
ZA/Ia Az. 66dl/Wi-Ber. Nr. 177/44 geh.

Bezug: OKW Wi Rü Amt /Rü IIIb Nr. 21755/43 v. 9.5.42
Betr.: Lagebericht.   Geheim

An den Reichsminister für Rüstung und Kriegsproduktion
  – Rüstungsamt –
  Berlin W 8
  Unter den Linden 36

Rü Stab Dänemark übersendet in der Anlage den Lagebericht für Monat März 1944.
                    Forstmann

Rüstungsstab Dänemark   *Kopenhagen, den 31. März 1944.*
ZA/Ia Az. 66dl/Wi-Ber. Nr. 177/44 geh.

Vordringliches

Die Sabotageakte sind in der Zeit vom 1. – 28. März 1944 weiter ganz bedeutend zurückgegangen. Anschläge auf Werke, die im rüstungs- und wehrwirtschaftlichen Interesse arbeiten, sind überhaupt nicht vorgekommen.
    Die "Telefon-Sabotagen" haben auch im März bei einzelnen Firmen zu Arbeitsstörungen geführt. Von besonderer Bedeutung waren sie aber wieder bei der Werft von Burmeister & Wain, wo durch mehrmalige Anrufe am gleichen Tage oft ein großer Arbeitsausfall entstand. Schließlich sind aber 6 Lehrlinge gefaßt worden, die gestanden ha-

---

152 Det var lodsbåden fra Helsingør, der tillige sejlede for det illegale Dansk-Svensk Flygtningetjeneste, der blev opbragt efter angiveri. *Information* angav, at det var to lodser om bord, der blev arresteret af Gestapo sammen med 10 danske flygtninge (*Information* 28. marts 1944, Dethlefsen 1993, s. 74).

ben, in 22 Fällen die Werft fernmündlich von außerhalb falsch alarmiert zu haben.[153]

1a. Stand der Fertigung
Rü Stab Dänemark bringt erstmalige in seinem monatlichen Lageberichten neben den Gesamtverlagerungswerten eine *Aufgliederung* der Auftragsbewegung in den Berichtsmonaten.
a.) *mittelbare und unmittelbare Wehrmachtaufträge (A-Aufträge):*

	in RM
Gesamtverlagerung nach Dänemark vom 9.4.40 – 29.2.44	506.843.732
Auftragsbestand am 31.1.44 an noch zu erledigenden Aufträgen	151.363.918
Wertveränderungen durch Auftragserhöhungen bzw. Auftragsermäßigungen im Febr. 1944	– 81.711
	151.282.207
Auftragszugang im Febr. 1944	14.147.857
	165.430.064
Auslieferungen im Mon. Febr. 1944	7.593.890
Auftragsbestand am 29. Febr. 1944 an noch zu erledigenden Aufträgen	157.836.174

b.) *Aufträge des kriegswichtigen zivilen Bedarfs (C-Aufträge):*

	in RM
Gesamtverlagerung nach Dänemark vom 9.4.40 – 29.2.44	70.707.490
Auftragsbestand am 31.1.44 an noch zu erledigenden Aufträgen	29.285.492
Wertveränderungen durch Auftragserhöhungen bzw. Auftragsermäßigungen im Febr. 1944	– 198.017
	29.087.475
Auftragszugang im Mon. Febr. 1944	418.117
	29.505.592
Auslieferungen im Monat Febr. 1944	1.112.242
Auftragsbestand am 29.2.44 an noch zu erledigenden Aufträgen	28.393.350

Über die im Lagebericht Februar 1944 erwähnten 12 m HFG-Geräte ist eine Bestellung der Sperrwaffeninspektion Kiel an die Helsingör Skibsvärft, Helsingör über zunächst 15 Stück erteilt worden. Nach Ablauf der Anlaufzeit von etwa 2 Monaten werden voraussichtlich 2-3 Geräte pro Monat herausgebracht werden können.

Die dänische Holzindustrie ist jetzt auch für die Lieferung von Flugzeug-Sperrholzplatten eingesetzt worden. Es wurden bereits zwei bedeutende Aufträge an die Firma Dansk Skov Industrie in Nästved erteilt.

Die auf dem Gelände der Orlogswerft befindliche ausgebrannte Halle der dänischen Marineflieger wird vom Frontreparaturwerk Heinkel in Kopenhagen-Kastrup übernommen und für die Luftwaffenfertigung ausgenutzt. Es handelt sich um ein massives

---

153 Se Forstmann til Best 16. marts 1944. Imidlertid kunne *Information* 1. april 1944 meddele, at telefonbomberne mod B&W fortsatte efter lærlingenes arrestation, hvilket dog ikke bekræftes af *Daglige Beretninger*, 1946.

Wertstattgebäude von ca. 2.500 qm, das besonders für Zellenteilfertigung geeignet ist.

Energieversorgung
Auf dem Gebiete der Energieversorgung sind Schwierigkeiten nicht eingetreten.

1c. Versorgung der Betriebe mit Roh- und Betriebsstoffen
Der deutsche Lieferungsrückstand an Eisen und Stahl betrug am 31.1.44 14.550 to, d.h. 265 to mehr als am 31.12.43. Für NE-Metalle ist der Lieferungsrückstand 152 to, mithin 45 to weniger als im Vormonat.

Im Hansa-Programm sind Stockungen wegen Mangel an Dieselöl und Benzin zu befürchten. Bemühungen des Rü Stab Dänemark beim Reichsbeauftragten für Mineralöle zwecks Lieferung von 500 to Dieselöl und 3.000 l Benzin für II/44 waren bisher ergebnislos, so daß am 23.3. der Reichsminister für Rüstung und Kriegsproduktion – Rohstoffamt – Amtsgruppe Mineralöl um grundsätzliche Klärung gebeten wurde.

2b. Lage der Treibstoffversorgung
Es sind 965 l Benzin und 166 to Dieselöl zugewiesen worden. Die hohe Zuteilung von Dieselöl wurde durch eine Sonderzuteilung von 89 to für die Kraftzentrale der Firma Burmeister & Wain, Kopenhagen bedingt.

2c. Lage der Kohlenversorgung
Im Februar 1944 wurden eingeführt:

Kohle	201.500	to	(Januar 44	152.500 to)
Koks	28.700	to	(Januar 44	43.000 to)
Sudetenkohle	7.200	to	(Januar 44	5.500 to)
Braunkohlenbriketts	40.000	to	(Januar 44	40.000 to)
insgesamt:	277.400	to	(Januar 44	241.000 to)

Die Kohlenversorgung ist ausreichend, die Brikett- und Koksversorgung ist unzureichend.

387. Rüstungsstab Dänemark: Lagebericht 31. März 1944

Situationen var lettet noget i forhold til den foregående beretningsmåned, da der var kommet visse lovede forsyninger til Danmark, men der var stadig et vedvarende forhøjet tysk forbrug af bl.a. træ. Den danske eksport til Tyskland blev til gengæld beskrevet i meget lyse farver. Uden at nævne sin kilde vurderede Forstmann bl.a. den danske fiskeeksport som "rygraden" i de tyske storbyers forsyning med frisk fisk.

Kilden var Franz Ebner, der 22. marts havde afgivet en beretning med bl.a. denne vurdering, som også Best fulgte op på. Det kunne ligne et mønster til et fælles fremstød for tyske interesser i Danmark – og det fik konsekvenser.

Kilde: BArch, Freiburg, RW 19: Wi I E 1: Dänemark og RW 27/ 23. RA, Danica 1000, T-77, sp. 696, KTB/Rü Stab Dänemark, 1. Vierteljahr 1944, Anlage 34.

Abteilung Wehrwirtschaft im Rü Stab Dänemark [Anlage] 34
Gr. Ia Az. 66d 1 Nr. 1105/44g *Kopenhagen, den 31. März 1944*

Bezug: OKW Az. 1 e 24 Wi Amt Z 1/II Nr. 1143/43 geh. v. 20.2.43
Betr.: Lagebericht.

An den Wehrwirtschaftsstab
   im Oberkommando der Wehrmacht
   Berlin W 35
   Bendlerstr. 11/13

Abt. Wwi im Rü Stab Dänemark übersendet in der Anlage Lagebericht gemäß o.a. Bezugsverfügung.

Forstmann

Abteilung Wehrwirtschaft der Rü Stab Dänemark   *Kopenhagen, den 31. März 1944*
Gr. Ia Az. 66dl Nr. 1105/44g   Geheim!

Vordringliches:
Es ist bisher gelungen, den dringendsten Rohstoffbedarf an Cement, Bauholz und Eisen für die Festungsbauten und die Besatzungstruppen zu decken.

Cement:
Der Cementbedarf für den Festungsbau und für die Besatzungstruppe wird auf Grund eines Abkommens vom 7.12.1942 zwischen dem Beauftragten für den Vierjahresplan und dem Wehrwirtschaftsstab Dänemark regelmäßig gedeckt. Die erforderliche Cement-Kohle für die dänischen Cementfabriken läuft im Allgemeinen regelmäßig ein.

Generatorholz-Versorgung:
Die im Lagebericht vom 23.2.44 gemeldete bedrohliche Versorgungslage mit Generatorholz wird eine gewisse Erleichterung erfahren, wenn die auf Grund der Verfügung OKH In. Fest. anrollenden 30.000 hl aus dem Reich und die zugesagten 50.000 hl Generatorholz aus Finnland in Dänemark eintreffen.

1a. Rohstoff-Versorgung:
Von der Abt. Wwi wurden im Monat Februar 1944 Rohstoffsicherungen von Fertigungs- und Bauaufträgen sowie Wareneinkäufe der Besatzungstruppe in Dänemark, soweit hierzu Eisen, Stahl, NE-Metalle sowie Kautschuk benötigt wurden, in Höhe von 1,8 Mill. RM durchgeführt.

Holzversorgung:
Für Aufträge der Besatzungstruppe in Dänemark sind im Monat Februar von der Abt. Wwi Bedarfsbescheinigungen über 25.665,63 cbm Nadelholz für die vorschußweise Freigabe aus den Beständen der dänischen Wirtschaft angestellt worden. Der Verbrauch der einzelnen Wehrmachtteile war wie folgt: Heer 1.754,43 cbm, Kriegsmarine 2.230,5 cbm. Luftwaffe 2.275,95 cbm, Festungs-Pionierstab 4.272,50 cbm, Organisation &

Sonderbaustab 15.132,25 cbm.

Bei diesen Mengen ist das verbrauchte Rundholz mit ¼ als Schnittholz in Anrechnung gebracht.

Kohlen- u. Koks-Versorgung:
Im Februar ist mit der Zufuhr von 210.500 to Kohle die höchste Monatsanlieferung seit Juni 43 erreicht worden. Die Koksanlieferung mit 28.700 to ist dagegen wieder unbefriedigend.

Das März-Programm sah folgende Zuführen vor:

Kohle	214.000 to,	bis 25.3.44 geliefert	178.000 to
Koks	95.000 to,	–	36.000 to
Briketts	50.000 to,	–	25.000 to
Braunkohlenstaub aus dem Sudetenland,		–	10.000 to
	359.000 to		249.000 to

Das Soll in Kohlen wird voraussichtlich erreicht, während die Kokslieferungen weit unter dem Soll bleiben werden.

Sabotageakte:
Die Sabotageakte sind in der Zeit vom 1.-28. März 1944 weiter ganz bedeutend zurückgegangen. Anschläge auf Werke, die im rüstungs- und wehrwirtschaftlichen Interesse arbeiten, sind überhaupt nicht vorgekommen.

5. Arbeitseinsatz:
Die Zahl der Arbeitslosen betrug am 18.2.1944 47.500 (44.981 Männer und 2.519 Frauen).

Gegenüber dem Vormonat ist ein Rückgang von 102 Arbeitskräften zu verzeichnen.

Für Bauvorhaben der Besatzungstruppe sind z.Zt. insgesamt 19.840 dän. Arbeitskräfte wie folgt eingesetzt: a) für Festungsbauten auf Jütland von der OT 33 deutsche und 79 dän. Firmen mit 16.328 Arbeitern und Angestellten, für Sonderbaustab der Luftwaffe in Aalborg 10 deutsche und 26 dän. Firmen mit 3.512 Arbeitern und Angestellten, b) für Ausbau und Neuanlagen von Flugplätzen vom Neubauamt der Luftwaffe Aalborg 17.386 dän. Arbeiter, c) für Bauvorhaben des Heeres 90 dän. Firmen mit 2.280 Arbeitskräften, d) für Bauvorhaben der Kriegsmarine 58 dän. Firmen mit 900 Arbeitern. Dem Reich wurden im Februar 1.364 Arbeitskräfte zugeführt. Die Gesamtzahl der in Norwegen eingesetzten dän. Arbeiter beträgt 11.008.

6. Verkehrslage:
Die Gesamtverkehrslage in Dänemark braucht im Monat Februar 1944 keine Entlastung; der geforderte Transportraum der Wehrmacht lag auf gleicher Höhe wie im Vormonat.

Waggongestellung:　　Anforderung pro Tag　　5.377
　　　　　　　　　　　gestellt　　　　　　　　3.728
　　　　　　　　　　　ungedeckter Bedarf　　　1.649

Für den Nachschub der Wehrmacht nach Norwegen und Finnland über Schweden wurde ein Kontingent von 40 Waggons gestellt.

Das deutsche Fährschiff "Schwerin," eingesetzt auf der Fährstrecke Warnemünde-Gedser ist bei dem letzten Bombenangriff auf Rostock, wo es zeitlich zur Reparatur abgestellt war, schwer beschädigt worden. Es ist nicht damit zu rechnen, daß die Fähre weiter zum Einsatz gelangt, da die Beschädigung zu schwer ist.

Die dänische Schiffahrt war tonnagemäßig in nachstehender Rangfolge eingesetzt:
1.) Kohlenschifffahrt auf Dänemark
2.) Andere deutsche Küstenfahrt
3.) Innerdänische Fahrt
4.) Düngelmittelfahrt auf Dänemark.

Für die OT wurden vom 1.-29.2.44 6.590 to Zement und 24.756 to Kies mit deutschen Schiffen gefahren.

7a. Ernährungslage:

Trotz starker unterschiedlicher Temperaturen bei Tag und Nacht sind bisher keine Schäden bei Wintersaaten bezw. Sämereien aufgetreten. Die Frühjahrsbestellung hat fast überall begonnen. Die Beschaffung von landwirtschaftlichen Arbeitskräften leidet unter den starken Baumaßnahmen der deutschen Truppen an der Westküste Jütlands. Die Lieferungen landwirtschaftl. Erzeugnisse nach Deutschland haben sich auch im laufenden Wirtschaftsjahr 1943/44 bisher durchaus befriedigend entwickelt. Besonders erfreulich ist es, daß nach einem Bericht des Reichsbevollmächtigten in Dänemark auf wichtigen Gebieten die Erzeugung der dän. Landwirtschaft sich nicht nur auf der bisherigen Höhe gehalten hat, sondern noch erhebliche Steigerungen aufweist, ein Vorgang, der von keinem anderen europäischen Land erreicht wird. Dänemark hat bei einer Lieferung von 145-150.000 to Fleisch 90.000 Millionen deutsche Normalverbraucher bei der jetzigen Fleischration 6-7 Wochen mit Fleisch, und bei der jetzigen Butterration 4-5 Wochen mit Butter versorgt. Die dänischen Fischlieferungen bilden "das Rückgrat der Frischfischversorgung der deutschen Großstädte."[154]

Über die Frachtleitstelle des RKB in Flensburg wurden im Monat Februar
　　245 Transporte mit 2.291 to Fische und
　　320 Transporte mit 3.717 to Fleisch
　　nach Deutschland durchgeführt.

Wertmäßig wurden im Februar 1944 aus den Lebensmittelbeständen des Landes entnommen:
　　für die deutschen Truppen in Dänemark　　6.320.513,27 d.Kr.
　　[für die deutschen Truppen in] Norwegen　　8.941.944,59 d.Kr.

---

154 Forstmann citerer her Ebners beretning 22. marts 1944, trykt ovenfor (jfr. omtalen hos Jensen 1971, s. 181, der dog ikke er klar over, at Ebner er den egentlige hjemmelsmand for vurderingen).

388. Rüstungsstab Dänemark: Darstellung der rüstungswirtschaftliche Entwicklung im 1. Vierteljahr 1944, 31. März 1944

Forstmann valgte ikke at give en oversigt for 1. kvartal 1944, men henviste i stedet til sine månedsberetninger og til et bidrag, han havde skrevet til *Politische Informationen*.
   Kilde: BArch, Freiburg, RW 27/13. KTB/Rü Stab Dänemark, 1. Vierteljahr 1944, Anlage 35.

Chef Rü Stab Dänemark   Anlage 35

Darstellung der rüstungswirtschaftlichen Entwicklung.

Der Auftragseingang im I. Quartal 1944 betrug im Monatsdurchschnitt D.Kr. 11.125.240,- Das entspricht dem Durchschnitt des Jahres 1943.

Im übrigen wird auf den Bericht Chef Rü Stab Dän an den Herrn Reichsbevollmächtigten in Dänemark vom 10.3.44 betr. rüstungswirtschaftlichen Heranziehung Dänemarks, verwiesen (Anlage 27).[155]

Über die Sabotagefälle während der Berichtszeit ist in den monatlichen Lageberichten des Rü Stab Dän. (Anlage 15, 23 und 24) eingehend berichtet worden.[156]

                                       Forstmann

---

155 Se *Politische Informationen* 1. april 1944, afsnit III.2., hvor bilag 27 er gengivet.
156 De tre bilag er Rüstungsstab Dänemarks tre månedsindberetninger for første kvartal 1944.